國立中央圖書館善本序跋集錄

集　　部

(四)

別 集(明)

國立中央圖書館編印
中華民國八十三年

國立中央圖書館出版品預行編目資料

國立中央圖書館善本序跋集錄．集部 ／ 國立中央
　圖書館編． —— 臺北市：中央圖書館，民83
　　面；　　公分
　含索引
　ISBN 957-678-138-8 (一套：精裝)

　1. 題跋

011.6　　　　　　　　　　　　　　　83001120

國立中央圖書館善本序跋集錄　集部
國立中央圖書館　編
中華民國83 (1994) 年4月出版
ISBN 957-678-138-8 (一套：精裝)
ISBN 957-678-142-6 (第四冊：精裝)

發行人：曾　濟　群
出版者兼著作權人：國立中央圖書館
臺北市100中山南路 20 號 (02-3619132)
澤華彩色印刷事業有限公司　承印
臺北市100重慶南路一段90號 (02-3711384)

國立中央圖書館善本序跋集錄

集　　部

第四冊目次

別　集　類

明

華陽洞稿二十二卷附錄一卷八冊　明張祥鳶撰　明萬曆戊子（十七年）金壇張氏
家刊本　12375

明龔文選序

　　……（前闕）於可咏可傳，揄性靈而流金石，則玄黃異辨，□〔甘〕苦殊
劑，未始不要諸一而止。一者何也？遵其言之理，言乎其所欲言是已。當其欲言
之畜諸中也，目受成色，耳搆成聲，眉宇嘻笑，無之非□□。及其畜而將流也，
會事雲搆，接境象起，若刃之新發於硎，而金之初出於鎔。其究，舌已朽而言彌
鮮，曆滋深而光逾茂，則其言所欲言，而得所自得之效已。作者代興，靡不並遵
斯軌，以迄於茲。而或者見摽魯之足以合譽，謂幻眇而可以獵奇，割裂劌鈺，情
理都喪，始羊質於□林，終螢息於晨草，不亦宜乎？虛菴張公稟降嵩之精，契藏
山之旨，英敏天縱，贍博宿成。以成童受知學使者吾鄉楊公，弱冠舉於京兆。吳
門杜道升一見歎服，片言示志，遂忘形焉。既雅見推重，益自研刻，長揖品流，
因心師古，二酉之藏，七十二代之秘，靡不鉤其玄言，組其邃義，每有撰綴，佇
興而就，寧復罷閣，不爲枯率之談。故其篇章往往直舉胸情，刮剔浮滯，存之沉
冥，獨妙冲逸，合於風騷，有陶、阮之欣適，兼徐、庾之溜亮，師顧、維之風
格，摭陳、杜之高華。文惟達旨□〔流〕利終篇，洋洋乎！斯可謂能言□欲□
〔言〕□□。□〔其〕言數萬，其位止於遠郡守，悲夫！先生雅性恬潔，眺矚自
娛，飲不過數合，而當屬文時，舉數大白不醉。體非濟勝，而遇佳山水，褰裳不
休，故其興寄之言，特超玄乘。蓋龍門文奇於歷攬，康樂詩麗於幽探，絲古鏡
今，諒同斯揆矣。延陵自儲、戴而來，風流僑望實惟先生稱首，余得以守吏廁名
集端，固亦楊公之餘澤也夫。萬曆庚寅歲□□日，賜進士第、知金□縣事，□□
□〔蜀人龔〕文選撰。

明王樵序

　　華陽洞藁者，虛庵張公之文也。公性沈靜，喜讀書，停蓄妙思，祕不輕發，

發必得意。弱冠舉于鄉，不以自足，益求四方名士而與之游，館吳江沈氏，與靜臺杜公最相友善。杜公講身心之學，其踐履卓然可觀法，用是公之學益進而文益高。嘉靖己未，舉進士，爲戶曹郎十餘年，前後老於曹事者，皆服其詳練。至於文學蘊藉，尤爲一時□□所□□□屢以學憲擬遷。□〔會〕天子加意民生，愼擇長吏，乃以公典滇之大郡，郡在會城。凡一方夷情邊備及事之難決者，部使者必以屬公。又勳臣之世守其地者，以罪逮嗾其下留已，上下洶洶，公處之咸鎭靜有體，遂以帖然。中外倚公甚重，方謂旦夕且柄用，而公遽請告以歸。其歸也，以直一冤獄忤當路意，人爲公稱屈，而公絕口不談。又有謂公進退之際□可徐□□〔而〕□少須疑公爲□□□〔過者〕，公但□□□謝而已。蓋公雅志恬退，初不因事有感觸而輕于長往也。歸來惟蒔花種木，去家數里爲別業，讀書其間，足蹟罕入城市，非公會不到官府，未嘗增廣田宅。予與公少長一歲，憶昔公年六十時，予嘗引白傅司馬故事，期爲社會，以相從于林間水隈，窮諸勝事。顧未幾而公遽告疾，予再遣兒子問之，初則談笑如常，再則疾已劇，而志□〔不〕亂，日□□理也，何異焉？作詩□章以告終。嗚呼！人皆怛化，公何從容？非有養，其能然乎？此予之自附于知公之一二者也，他日當有讀其文、想見其人者。爰因公諸子之請而僭爲序之。萬曆己丑日南至，賜進士、進階中憲大夫、前南京鴻臚寺卿，同里王樵序。

明 于孔兼 敘

　　嘉靖甲寅，余從先大夫勵菴君習藝於龍山之別墅，時虛菴公實與先大夫同社云。嘗讀其舉業，而未得睹其古文辭之工，篇什之富也，惟日睹其下帷發憤，冥視沉思，左握馬、班，右拈李、杜家言，孳孳弗輟。比公之文譽隆然起矣。越己未，成進士，趨承郎署間，與海內名公競以詩文相唱和，而公學日深，文日進，暨宦轍所至，輒有揮灑。山居十餘年，尚口不絕吟，手不停披，而遠近購文者，戶外常屨滿，公亦不倦濡毫，應答如響，用是而文日益富。迨萬曆丙戌，公捐養，諸郎君以公劌心翰墨垂四十年，不可泯泯無傳也，爰裒輯其所爲文若干卷，付梓以廣之，而屬序於余。余受讀焉，因作而嘆曰，一言耀帙，黃壤如生，片撰登壇，藻囿不廢，虛菴其不朽已！夫文發之以性靈，非醞釀冲和，則必無委婉之致；佐之以問學，非沉浸子史，則必無雅麗之章。公素以道義維心，澹□〔視〕華靡，其靜也若思，其默也若悟。樸茂而文，若玉之在韞，而其潤彩爛如也；秀媚而理，若珠之出蚌，而其鋩射晃如也。而更鎔以經傳，綜以諸家，覈以典故，肆其爲文也，華而不浮，密而有緻，連貫則尺幅於丘明，聘頓則鑪錘於遷固。如贈某某，則事委必詳，規勉必至，不爲詼套以相煦也；如狀某某，則概述生平，追譚往故，足起冥者於九原，而慰存者之欷歔也。記遊覽，則筆底山川，吞吐若繪，能令望勝者不涉境，而意想如睹也；愍幽魂，則哀情繾綣於鳴訴之辭，而生寄死歸之旨烱如也。公之於文，可謂閟中而肆外矣。至其爲詩，五言、七言，長短異製，各極情神，無一語涉中晚蹊徑。賦景奪化工之妙，詠物極點綴之精，吊古奮慷慨之聲，志別悵驪歌之恨，鑄詞命意，鏤腑匠心，感觸則機流，品題則藻湧，庶幾掇晉魏之膏馥，振杜陵之遺響矣！視彼爭奇炫巧、競縟矜葩者，詞非大雅，氣盡小巫，奚足道哉！奚足道哉！大都公之文章悉從學問中得，而公之學問尤自恬淡中來。平時最著力處，玩索之功多，而了悟之機深也；終身最受用處，廊廟之情短，而山林之趣長也。以花朝月夕爲得志之辰，以問水登山爲宦遊之適。公之志，公自知之，公之見，公自得之，不與俗人同，難與俗人言也。以兹識趣而宣之文也，有不足名當世而垂無窮哉？余不能文，又學不逮公遠甚，惟于公所最受用處，竊自信其有同趣焉，故於斯集也，忻然珥筆而弁之，媿文之不足爲公重也。賜進士第、奉直大夫、禮部精膳司員外郎，眷生于孔兼敘。

（王金凌審查　　柳之青標點）

白門稿略一卷一冊　明王世懋撰　明萬曆丁丑（五年）平陵史繼書編刊本
12377

明 黎 民 表 序

　　明興，文稱三變，迄于近代，追復元古，述作之懿，幾掩漢氏，若吳中王開府元美、參藩敬美，名稱褎然海內，故竦跂而景則之矣。開府服習庭訓，多聞掌故，淵才碩學，陶軼流輩，諸所撰次，成一家言。而敬美亦雋異競爽，以上第官南曹，家食者餘十年，攻堅茹苦，劬如經生，提槧削牘，軋軋不已，所業日寖閎矣。白門集者，蓋遊金陵諸詩也。敬美是時方壯齒盛氣，銛鋒括羽，以摩作者之壘，肆筆命篇，則已瑰瑋跌宕，檃括便麗，轢開元、大曆而上之，匪惟才摯，亦漸漬使然也。敬美再起，稍遷典璽郎，當世長者咸奇其器識，操觚之士趨風詰難，戶屨常滿，弘獎推挹，虛往實歸，大匠之名，夫豈多讓？往予薄遊都下，嘗脩贄于開府，同時李觀察、徐比部、宗吏部、吳給事名實與之先後，開府則爲之遊揚，俾締交焉。迨莊皇帝即位，復從敬美之省中，篇詠稍出，驚其警捷，心薾然愧之，乃敬美爲許與，不余鄙也。敬美既請外，以軒軒之便，爲五岳之遊，經奇啜古，渟蓄彌深，脼辭鉅副名山而流金石，以潤色綦隆之治者，予將寓目焉。友人史子元秉、李子惟寅爲梓其三蘗，以傳茲集，屬余序之。衰齒汩没，敢當士安之托？惟述所以受知於開府兄弟者如此，而二子雅好亦概見焉。萬曆丁丑秋七月，友人嶺南黎民表書。

（王金凌審查　柳之青標點）

王奉常集六十九卷八冊　明王世懋撰　明萬曆己丑（十七年）吳郡王氏家刊本
12379

明吳國倫序

　　王敬美氏蓋予師大司馬民應公仲子，予友大司寇元美公愛弟也。往予二三兄弟偕元美稱詩京師，時敬美方弱冠，美丰儀，而刺經綴文，已嶽嶽負奇氣，乃又承世德，而師友其父兄，遂成名儒。會登第以後，迫家難，與元美倉皇棄官伏逆旅，人奉司馬公橐饘，蓋不勝其憤懣拂鬱。間有所激而爲詩，詩輒高□〔？〕，元美大驚異之。適予待調入京，間行過逆旅，人慰以二詩，雅爲所稱賞。旋與予詣諸室，視司馬公，敬美因口誦予詩，一時父子師徒，相顧黯然，飲泣而別。久之，敬美多所誦習，考鏡而脩古，文辭漸工。李于鱗見，以爲大奇，呼小美而才之，吳中人稱王氏二美矣。於是敬美益自憙，而日買勇於作者，其志不奄有古人、凌駕一世不已。蓋自難後里居，侍太夫養垂十年。起家爲儀部郎，累遷至太常少卿，中又歷十餘年，而居喪請疾之日半之。頃自太常請疾歸，遂不起。海內士由一藝以上，無不欷歔悼惜，爭爲詩誄哭之。元美書來，謂天喪吾弟，吾無樂乎有生矣，傷哉！踰歲，元美詮次其遺蘗，合古、近體詩及序、志、傳、記、贊、頌諸文，得五十餘卷，錄而傳之，走使遡大江入楚屬予序，而其子太學生士騊輩又申之日，此先君子治命也。嗟乎！敬美故兄事予，而晚年知予尤深，顧愧予才不逮敬美遠耳。今手其遺蘗讀之，累數日夜，不能掩卷，庶幾其人儼然存

乎！蓋敬美其才兼人，而尤研精於風雅典謨，暨先秦兩漢魏晉諸書，旁及二氏百
家，音□稗史之屬，無所不窺。且備嘗諸艱，心志荼苦，以故聞識廣而神氣益
完，思慮深而天機益敏，意興高而風韻益邕。邕其境之所會，而極其情之所通，
無不應手立就。蓋有巧若承蜩弄丸，勁若飛戈奮戟，麗若繩珠編貝，捷若駕風鞭
霆，廓宏若張千門，立萬石，詭異若飛兔越山，神魚超海，千態萬狀，使人應接
不暇。而叩之則有餘音，按之則有微旨也。予竊擬其性情發於詩，而風世之道寓
焉；論議持於文，而經世之道載焉。此何止立言士，即吾黨諸兄弟當之，鮮有不
自失者。斯眞元美弟哉！乃元美雖善張其弟而不爲哆語，詩多其涵咏漢、魏、
晉、宋，而謂不從門入，以神詣之境勝；文則出入西京韓歐諸大家，間采世說，
自以爲得其三昧。嗟乎！知弟莫若兄矣。夫行空之馬不受銜橛，爥地之龍不假脅
燧，謂世之所不常有也。才如敬美，豈世之所常有，而可區區臆論哉！別著有澹
思子、望崖內外編、經史臆解、閩部疏、三郡圖說、窺天外乘、二酉委談、學圃
雜疏諸書，業已行世。至其生平德誼、中外行能，則相國元馭公志之，不具述。
萬曆己丑孟冬，通家弟武昌吳國倫譔。

明 李 維 楨 序

　　子言之，物相雜，故曰文。凡天下有形色者，孰非文哉？而後世乃獨舉而歸
之立言之士，已又取其言之有韻者別目爲詩，而文自爲體，體不勝變矣。三代而
上，文之稱名博，就言而論文，其體簡，故專至易；三代而下，文之稱名專，就
文而論體，其法繁，故兼長難。今夫六經，詩居一，文居五，出周公手者十之二
三，而仲尼筆削之，其體固可指而數也，千古而稱兼長者兩人耳。劉知幾以才學
識爲三長，而考亭稱司馬遷高於才識，意若病其未學。余則以爲識先於學，而才
實兼之，未有無識而可言學，無學而可言識，學識不備而可言才者。才者天授，
非人力也。故長於文或不得於詩，長於詩或不得於文。即其所長評之，而各體亦
有至不至焉，其才使之然也，奈何欲以周、孔繩墨天下士乎！明興，才士無如太
倉司寇王先生，而其弟奉常公晚出，而與之齊名。公故穎秀不羣，得察父哲兄弟
師友，而學日奇進，登第三十年，里居強半，大肆其力於文，凡五十餘卷，數十
百萬言，郁郁乎在茲矣。自北地、信陽肇基大雅，而司寇諸君子益振之海內，詩
薄大曆，文薄東京，人人能矣，然大抵有所依托摸擬。而公神境傅合，無階級可
躐尋，體無不具，法無不合，不可名以一家。十五國風同聲而異調，西北沉雄，

東南巧麗，近代大家，未能盡脫其習。公居三吳佳麗之地，累葉綺紈之後，文質
劑量，斌斌相得，江左語非合作不輕出。漢以來，儒林、文苑判爲二物，撰著之
家，未必博洽，而公旁綜流略，以及二氏之書，探賾索隱，中窾破的。嫻古文辭
者，類不諳當世之故，公青箱華胄，練習朝章，中更家難，操心危而慮患深，人
情物理，曉暢若素，訏謨遠猷，往往可見之施行，非其學與識大有過人者，惡臻
此乎，眞命代之雄才矣。司寇末年，縱橫自如，公覃精極思，字鍊句琢，終其身
不易。嘗爲予言，天地間物皆足供吾兄之用，□則必有取舍，而公之所以弟司寇
者亦坐此。假以年歲，大而化之，不可知也，不幸甫五十而歿。余竊窺夫天之生
才，才士之成名，常若忍弗能予者，昔人謂武王非聖，以文王爲父，周公爲弟，
推及之耳。孟氏之精詣，詎能出顏、曾、子思之上，而儒者敍道統，直言孔、
孟，三子幾成闕位，其時所值殊也。好事者或謂公才名得司寇而益彰，知者謂公
才名因司寇而小掩，則有是編，以俟夫百世之立言知言者矣。雲杜角陵里人李維
楨本寧父譔。

明 陳 文 燭 序

　　奉常集者，王敬美作也。少游京師，會于吳明卿席上，各有旗鼓中原之志。
後先成進士，敬美以家難歸，起補禮曹，與余結長安社，驩甚無厭也。督學關中
歸，再起督閩學，而余入閩，倡和無虛日。客有梓雙龍編者。轉南奉常 以病
歸，而敬美長逝矣。余入南中，元美大司寇手其集，屬余序之，且曰，亡弟之意
也。敬禮訂賞之交，彥昇筆札之託，不佞何辭焉。夫詩與文，天地自然之聲氣
也。襲二京之遺者北，或失之豪；沿六朝之習者南，或失之靡。崆峒、大復起而
振之，鳳觀虎視，迪功復膺揚江左，國朝文體，一時丕變。然獻吉之沈雄，仲默
之雋永，昌穀雖號鼎足，而南音不無少遜也。嘉靖間，李于鱗起歷下，元美起姑
蘇，而徐子與、吳明卿、宗子相、張肖甫起吳楚巴蜀，獨張助甫起河洛。敬美後
出，諸公異之，謂王氏二難云，中原正聲，翕然海內，皆在大江以南，較北地時
差勝矣。敬美談藝，以專詣爲境，饒美爲材，師匠宜高，綴拾宜博。子建出而宏
麗多態，此一變也，靈運出而裁剪爲工，又一變也，變而初唐，變而晚唐，時使
然也。由盛而中，極盛衰之介，然王維、錢起實相倡酬。子美多變態，其句有雄
而深者，秀而麗者，亦有險而累者，漢、魏與唐，其語不相入也。今觀敬美古
體，風骨本于建安，藻繢原于三謝，響逸而調遠，興高而采烈，可方駕古人也。

至于律細，天巧秀色，如春雲秋水，難以名狀，似王、孟者十之五，似錢、劉者
十之二，意極變化，語鮮雷同，大自驚人。歌行麗而婉，排律整而健，未若近體
之擅場也。乃其文章，服膺汪伯玉，以爲秦、漢間人。李本寧筆亦奇特，書記之
文，翩翩自運，而鏗鏘陶冶，時見古人情狀。乘興題跋，咄咄有生氣，諸名家退
舍。品鑒精而書法工，不佞心折焉。善乎于鱗曰，敬美視助甫輩自先驅，視元美
雁行也。壯哉！包宗含吳之志矣。大都李原風，元美似之；何原雅，敬美似之。
元美謂，李子得何子而雄也，余謂，于鱗得元美而彰也，元美得敬美而暢也。蓋
代之才並出一時，而萃于一家，顧不偉與！或言敬美抱經濟而憂時艱，使究其
用，當與公家兩司馬爭烈。山居日久，天不假年，有足悲悼者。憶登閩山絕頂，
執余手曰，異時陵谷變遷，有嘖嘖吾兩人所作者，恨不從旁竊聽之。果爾，敬美
有不朽者在，庶幾哉慰九京矣！萬曆己丑冬日，五岳山人沔陽陳文燭撰。

明 高 出 序

　　王奉常先生歿已久，其集行世亦已久。會予治兵吳中，而先生子閎仲先輩復
贅集索予序。乃予之服膺先生作且久矣，今猶尚論古之人也，即非知言，當不謬
耳。夫吾代文章之盛，未有勝於稱七子時者也。士當其會，佊口談千古，其爲焱
舉景從，星附響合，爭自雄伯於壇坫者，何可勝道，而況乎韶異佳公子，父兄之
所矜藉，聲氣之所薰習，亦何難蜚英振藻，以人地耀映，聲譽彰施乎？故一時士
多表見，而尤易得名者，無先生若也。然而海內之風，亦騖於恢詭浮誕矣！衆喙
同鳴，如一方之言，高張而狹守之，音變於囂呼，節促於驚急。今有不知爲何語
者，而生長其臭味，耳目其喉吻，離跂則不賞，雷同則不貴，故遠方且多披靡，
而尤不易自成一家言者，無先生若也。吾何以知先生之大哉？請以是集徵之。當
濟南盛自標樹也，曰，微吾竟長夜。元美早年頗誇服之，已稍自異也，晚益放於
無涯之肆，作廣大教主，含納一世，若江海爲百谷王矣。餘子才不高而詣未至，
爲是其氣類沾沾耳，而先生於餘子若爲姑舍是也。當時稱小美包宗含吳者，豈遂
心肯之哉？先生才非不能富有，而取裁以精；氣非不能震掉，而入機以異；意非
不能揮斥，而御神以閒。其詩美而秀麗，而適於恬，文莊以有體，典要而則，如
江左烏衣子弟，風流韞藉，雖輕裘快馬，而翩翩都雅，絕無幽并健兒氣。或嵬峩
如高山，或澄泓如秋水，或莊嚴如帝釋，或散落如花蕊，或夭矯如游□，而要歸
於體裁，盡變於妍妙。大都先生詩本陳思王、韋左司，文本太史公、蘇老泉。雖

時遞而音徙，力變而情遷，而結撰締搆，其深心有與俱傳者，以方同時之數子，則未有其儔也。非故異之，而自有不同者，非故岐之，而去不必有者，則當時未數數然也。彼一時也，數子持之過堅，而示之多瑕，遂使晚出才儁子訛詈而譏評之，若遇仇讐然，乃不自知其孅趨小媚、細唾微呻、緝綴煩碎、矜貴商量者之不當前賢一吐棄也。以先生之才不苟同時風，亦豈不能效孅趨小媚輩，以新奇自命者？而雅道不存焉，故能而有所不爲也。使餘數子者皆如先生信於獨詣，毋逐於曹好，鶩於格力，毋詭於聲調，則是千古一時也，後世何譏焉？胡至使晚出才儁子跳而他作謬巧，轉習靡弱，風斯下如今日者哉？然則七子於吾代文章，爲盛之終而衰之始。而先生尚其後勁，故與七子遊，而爲七子，易也，與七子齊名，而能不爲七子，亦易也，能不爲七子，而又不自名不爲七子，實不爲七子，而又不藉後之不爲七子者名，以末力而兆衰，則難之難也。先生豈知此道之替於今日如是乎？予生也晚，於詩道斤斤焉，寧遊於方之內。幸薄遊吳下，視先生猶比肩接踵也，安得起九原而與揚搉之？而僅獲友先生之子若孫，亭亭然鷄羣之鶴，想見前輩標韻如斯矣！王氏後獨小美競也。賜進士、整飭蘇松兵備兼理糧儲水利、湖廣提刑按察司副使，東海高出頓首拜譔。

（王金凌審查　　柳之青標點）

────────────

徐文長文集三十卷十二冊　明徐渭撰　袁宏道評點　明萬曆甲寅（四十二年）錢塘鍾人傑刊本　12382

明黄汝亨序

　　今人見異人異書，如見怪物焉，然天下之尋常人多矣，而竟亡稱，何也？古之異人不可勝數，予所知當世如桑民悅、唐伯虎、盧次楩與山陰之徐文長，其著者也。唐、盧俱有奇禍，而文長尤烈。按其生平，即不免偏宕亡狀，偪仄不廣，皆從正氣激射而出，如劍芒江濤，政復不可遏滅。其詩文與書畫法，傳之而行者也。畫，予不盡見，詩如長吉，文崛發無媚骨，書似米顛，而稜稜散散過之，要皆如其人而止，此予所爲異也。然文長見知督府胡公，胡公被讒收，文長亦以牢騷困厄死。而其詩文與書畫法與胡公之勳伐，至今照鑠，不與其人俱往。當時鄢趙諸人安在哉？世安可無異人如文長者也？鍾生瑞先嗜異人，常三復其集，因得中郎帳中本，遂喜而校刻之。武林黃汝亨序。

明虞淳熙序

　　元美、于鱗，文苑之南面王也，文無二王，則元美獨矣。禾衣青衿揖王、李於藩，李長鬢而修下，王短髮而豐下，體貌無奇異，而囊括無遺士。所不能包者兩人，頎偉之徐文長、小銳之湯若士也。徐自詭江淹，遺湯藻筆，意欲包湯，湯不應，徵余牘，余亦不應。囊空無士，而晚乃包瓠肥之袁中郎，所謂桓譚者矣。往余開龍月玉文之舘，中郎與陶周望偕來。啖以珥食，有楊家果。中郎揉梅染珥，其章赤白。因問袁，世文章誰爲第一？陶睨袁，匿笑曰，將無語長孺徐文長第一耶？袁曰，如君言豈第二人乎？且讓元美家鈍賊第一耶？偶諸生耳屬壁衣，各駭詫，聲稍稍出衣外。袁起大索，此有賊黨，可急逐之，令僵死中原白雪中，禾始知文長囊有此士，奉文長居然南面王矣。當是時，文苑東坡臨御。東坡者，天西奎宿也。自天墮地，分身者四，一爲元美身，得其斗背；一爲若士身，得其燦眉；一爲文長身，得其韵之風流、奇之磊砢；袁郎晚降，得其滑稽之口而已。借光壁府，散煒布寶，四子之文章，元美得燔炙用膠之法，若士得供石作字之法，文長得模書雙雕並搏之法，而中郎得醞釀眞乙酒之法。取以調劑諸子，獨推文長，文長遂爲第一。迨評選傳，眞爲第一矣，無聞而駭詫者矣。第燒豬了元，和墨潘衡，不甘僵死。藉令展天屏，遮天潒，接文長之末光，亦十六星之分身也。異日穎出於囊，有利無鈍，人各媚其主耳，不乃有南北朝乎？是余之調劑諸子也。奎形似履，隻履不良於行，文行遠者也。錢塘虞淳熙長孺父□□□山舘。

（王金凌審查　　柳之青標點）

————————

徐文長三集二十九卷附四聲猿一卷十六冊　明徐渭撰　明萬曆庚子（二十八年）會稽商濬刊本　　12388

明陶望齡刻徐文長三集序

　　徐渭文長故有三集，行者文長集十六卷，闕篇十卷，藏者櫻桃舘集若干卷。行者板既弗善，而渭没後，藏者又寖亡軼。予友商景哲及游渭時，心許爲彙刻之，及是嘆曰，吾曩雖不言，然不可心負亡者。遂購寫而合之，屬望齡詮次，授諸梓。序曰，明興，經義盛而藝文之學寖衰。其好古博物之士，出於餘力，習晚醞薄，或未暇究於精微。其視古文辭，如書者於篆籀蟲鳥然，略取形似，傲然謂能，而群目淺短，眩所希見者，高相唱引，遽以爲凌鍾跨王，罷斥虞、柳，而不知艸隸之變蓋久矣。夫物相雜曰文。文也者，至變者也。古之爲文者，各極其才而盡其變，故人有一家之業，代有一代之製，其窪隆可手摸，而青黃可目辨。古不授今，今不蹈古，要以屢遷而日新，常用而不可弊。然微跡其緒系，又如艸隸變矣，而篆籀之法具存其間，非深於書者莫能辨也。今文人之論則惡變而尚同，去情而悅貌，詘見事，裁己衷，以苟附古辭。夫迫而吐者不擇言，觸而書者不擇事，擇言則吐不誠，擇事則書不備，不備不誠，則詞成而情事已隱，黯然若象人之無情，而土鼓之不韵。故弘正嘉隆之間，作者林立，古學爛焉脩明，而所謂一家之言，一代之製，蓋有其人焉，而亦鮮矣。夫文有常新之用，有必弊之術。接而不勝遷者情也，多而不勝易者事也，虛而不勝出者才也，饒而不勝取者學也。叩虛給饒，以抒至遷，紀至易，故一日之間而供吾文者新，新而不可勝用，夫安得而窮之？吾見有文左、國而詩唐者矣，已則人厭之，而班、馬，而漢、魏，已又厭而思去之矣。方其自喜爲新奇之時，而識者已笑其陋，此必弊之術也。文長老於庠序，阨於獄一，著名於幕府。其爲詩若文，往往深於法而略於貌，文類宋、唐，詩襍入於唐中晚。自負甚高，於世所稱主文柄者不能俯，出游其間，而時方高譚秦漢盛唐，其體格弗合也，居又僻在越，以故知之者少。然其文實有矩尺，詩尤深奧，古之窮士如盧仝、孟郊、梅堯臣、陳師道之徒，所爲或未能遠過也。其書既佟，刻者文取五、詩取八，如文長者於當代不知，何如而謂之文長一家之文？信矣信矣！故仍其始，名曰文長三集。萬曆庚子春仲吉，翰林院編脩，同郡陶望齡譔，陳汝元書。

（王金凌審查　　柳之青標點）

徐文長逸稿二十四卷十冊　明徐渭撰　張汝霖等評選　明天啟癸亥（三年）山陰張維城刊本　12390

明張汝霖刻序

　　今海內無不知有徐文長矣，而倉猝邂逅之間，斷編殘簡之際，巧而合者，無如袁中郎。方其挑燈夜讀，亟呼周望，驚叫稱奇，如將欲起文長地下，與之把臂，恨相見晚也。顧中郎知文長，似人盡於文，而余素知文長者，謂其人政不盡於其文。文長懷襧正平之奇，負孔北海之高，人盡知之，而其俠烈如豫讓，慷慨如漸離，人知之不盡也。正平材不容世，阿瞞巧借江夏，遂成鸚鵡洲千古遺恨。而文長見重於制府少保胡公，迺子美所不能得於嚴武者。當世廟時，人主好文，少保以白鹿進其表，故文長筆也。上覽之，大悅，以是愈益寵少保，少保亦以是愈益重文長矣。時上方崇禱事，急青詞，柄政者來聘，而文長知少保與有隙，不應。其後，少保以緹騎收，文長恐連，遂佯狂。尋迺即眞居，常痛少保功而讒死，冤憤不已，而力不能報，往往形之詩篇。狂中畫雪壓梅竹，而題云，雲間老檜與天齊，滕六寒威一手提，折竹折梅因底事，不留一葉與山谿。其感概激烈之意，悲於擊筑，痛於吞炭，而人徒云慮禍故狂，知之政未盡也。既以狂遭酈炎之獄，先文恭力救得出，出而益自放。間嘗入長安，苦不耐禮法，遂去走塞上，與射鵰者競逐於虜騎煙塵所出沒處，縱觀以歸。歸則杜戶不肯見一人，絕粒者十年許，挾一犬與居。人謂，偃蹇玩世，狂奴故態如此。而不知其自別有得，難以世諦測也。其註參同契，逗露意指而終不談，若此中有深入焉。不然，槌囊錐耳寧不死，而十年絕粒，且偉碩如常哉！聞死之日，四大作黃金色，故足怪也。嘗私語余，吾圖中大好，今出而散宕之，迺公慴我。此可窺其微矣。先文恭歿後，余兄弟相葬地歸，閽者言，有白衣人徑入，撫棺大慟，道，惟公知我，不告姓名而去。余兄弟追而及之，則文長也，涕泗尚橫披襟袖間。余兄弟哭而拜諸塗，第小垂手撫之，竟不出一語，遂行。杜戶十年，裁此一出，嗚呼！此豈世俗交所有哉！余髫時頗爲所喜，嘗入視圖中，見囊盛所著械懸壁，戲曰，豈先生無弦琴耶？文長笑，此子齒牙何利！其闋篇成，自序用怯里赤馬，余偶語人，徐先生那得誤怯里馬赤作怯里赤馬耶？其人往告，文長曰，幾爲後生窺破余。山園盛有斑竹，偶月夕來飲林下，欲截一鉅者爲筒貯筆，以絲圍之。摸索未定，戲語座中人，猱王以小猱供啖，羣百什跪而聽所擇，王手揣肥者，以石置頂爲識，已徧揣之，欲得最者，而小猱潛移石，遞置癯者之頂，猱王終日揣，不得食。今若曹毋爲小猱？余戲應，誰敢逆顔行猱王者？文長撫掌，是寧馨者點如黃鵠子。嘗欲以千秋之業進余，而余逡巡謝不敏，今東塗西抹三十年，竟成何事，胡不以此易彼哉？余負文長矣。文長性不喜對禮法士，所與狎者多詩侶酒人，亦復磊落可喜者，人與譚，輒稱佳。有柳生九，喜評駁古人，嘗恨孔明不善兵，歷數可破魏擒操處皆失著，至欲皆裂。及去而送之，扉半闔，睨而曰，不道短柳九辦殺曹瞞。
聞者絕倒。其詼諧謔浪，大類坡公如此。余孫維城蒐其佚書十數種刻之，而欲余
一言弁其端。爲文長蒐佚書，故亦蒐佚事與之，使知其人果不盡於其文耳。若以
文，則當吾世一中郎知者足矣，何必從千載後問楊子雲也？癸亥秋，砎園居士張
汝霖書於湖西公署之大樹軒。

（王金凌審查　　柳之青標點）

―――――――――

一枝堂稿二卷二冊　明徐渭撰　舊鈔本　12392

清陸張侯序

　　自石公傳文長先生，而後天下始知有文長，始知有文長之書，此陶太史所以
嘆石公爲先生桓譚也。然予大父實先生眞桓譚，未束髮時，即已北面受弟子業。
先生落筆，驚風雨，泣鬼神，然不甚愛惜，纔脫稿，輒棄去，而予大父時時爲手
輯之。即如所謂一枝堂，視全集不得三之一，然而吉光片羽，丹穴一毛，收輯之
力，蓋已勤矣。不謂先生一生寥落如是，乃獨有兩桓譚，一知之沒後，一事之生
前。沒後者猶能傳其人以傳，而況生事之者哉！則予今日一枝堂之不敢私也，庶
幾其成桓譚之志也。倘今天下復有一人知先生者，予知先生之書，其決於醬甕之
上矣。丁巳夏五，仁和陸張侯識。

（王金凌審查　　柳之青標點）

―――――――――

賜閒堂集四十卷十六冊　明申時行撰　明萬曆末年申氏家刊本　12394

明焦竑序

　　君子之有文也，如日月之明，金石之聲，江海之波瀾，虎豹之炳蔚，必有是
實，乃有是文。以彼挾其所有，足以動天地，開金石，充滿洋溢，而形之於言，
氣全力餘，中正閎博，而毫髮雕鏤、險怪之習不得干其間。此眞承平館閣之風，
而非淺狹者之所能及也。如蘇申文定公殆其人，非歟？公自弱冠，對策簡於上
心，由金門上玉堂，非如嵁巖羈士，窮愁無聊，第以怪奇自見者。故抒其斧藻於

天下極盛之時，薦告郊廟，澄敍百官，發揮事功，撻伐夷虜，冶金伐石，極文章翰墨之用。嗚呼！盛矣。嘗聞文章大家，一代不數人，至能自致於大用，而以文章華國者，自唐宋以來，唯歐陽六一、王半山、周平園、楊東里四公。雖人品事業或不盡同，而要皆以文人致大用。以及於公，千數百年裁數人而止，雖其甚盛，而豈不爲難哉！間取公集而伏讀之，方未爲學士以前，詞賦贊頌序記碑銘，皆文士之詞也，以才麗爲主；自學士及爲相以來，所纂著皆經綸制置，裁成潤色之詞也，以識度爲宗。合而論之，其俯仰揖遜，或若進步而卻行，又若緩節而急響，而紆徐婉轉，常若言不足而味有餘，有六一之委折。其布置謹嚴，筋脈關應，或開散而終歸矜整，或鋪張而旋局鎖鑰，有半山之簡峻。不以巉巖險絕爲工，而以平和古淡爲至，有平園、東里之雅暢，而精采則若過之。至其事無浮實，語必當眞，渾然天成，絕去蹈襲，則非歐、王、周、楊之文，而文定公之文也。公以溫厚爾雅之才，處論思密勿之地，學與位稱，故足以紀非常之事，喻難顯之指，上結主知，風動天下，書黃麻之詔，勒白玉之版，頃館閣之中稱大手筆者，一人而已。公薨逾年，子太僕用懋，以其遺文名賜閒堂集者，屬余爲序。憶曩從公游，以磨研編削辱知於公，若以爲可教者，而愧無以副也。然則托名是集，蓋余之所甚願，而何敢以不斐辭！萬曆丙辰夏五，門人瑯琊焦竑著。

明　鄒元標　序

　　此吾師文定申公集也。公身依日月，歷事三朝，既登丞弼，庶政穆穆，無一暇晷。今以閒名者，蓋公乞身強健之年，優游田圃，感主上賜，而以顏其堂者也。玉堂嘉謀，綠野鴻謨，咸附是編。門人鄒子元標讀之，茹納今古，有典有則，根心而語，迫而後應，無意於文，而文自工者。雖然，果以文名公乎哉？世所謂文者，強半虛車土鼓，亡當於用，雕虎畫龍，亡救於旱。公大之而黼黻皇猷，經綸海宇，次之彰敍彝倫，標表人代，質有其文，不可尚已。蓋自癸未柄政來，天下所跼蹐不能須臾寧者，公盡解嚴酷之網而登之衽席。寬學校，則薪檟化宏，酌郵傳，則縉紳體優，停刑獄，則好生德普，恤災荒，蠲逋賦，則鴻雁來歸。海內歌誦，不啻更生。又凡所棄置者碩，束帛玄纁，巖谷相貢，其灌輸者大，而斟酌者衆。至於崇祀三大儒，使人知學有宗源，濂洛關閩，有宋不得擅美，華亭所欲爲未遂者，公毅然行之，非天下之至文耶？以文名公者，非窺公之全也。時當可歸，遽返初服，出處唯時，欣慨冥心，視彼百疏叫閽、首丘難遂者何如？是上之賜公者宏也。世耽情爵組者薄山林，怡情泉石者薄鐘鼎，公以元宰笑傲湖山煙霞者二十餘年，世出世法兩兼之。閒公薨後，里閭庇其榮而食其實者，咸呻吟咨嗟不置，是天之賜公者全也。我朝元相以弱冠登朝，歸臥林泉，淨氛除奸，功不一二數，而遭時之難，公獨倍之。先是禁錮言路日久，一旦遭不諱之朝，人人思發紓其生平，言官顯諍，相臣默調，兩不相下，故公一身百艱攸萃，亦自當時言耳。今回視當日，何如垂策縈手，按轡馳轅，世變輪轉，寧得長如公時哉？嗟乎！雲之在天也，時出時入，卷舒何心？公膺祥雲之瑞，附飛龍之君，為霖者十餘年，倘公再出，晚竟大業，則田間所飽諳物情凉燠，人才眞贋，洞若觀火，必有翻然再慰僉望者在。寧無如蘇子瞻語契丹使者曰，我師總理庶務，酬酢事物，雖精練少年有不及；貫串古今，博聞強記，雖專門名家有不逮。此公能事，而惜乎公無心出岫，遽之帝所，使人抱茲集怒然有屯膏之嘆也。萬曆丙辰歲臘月吉旦，吉水門人鄒元標爾瞻甫頓首拜撰，後學文謙光謹書。

（王金凌審查　　柳之青標點）

王文肅公文草十四卷十六冊　明王錫爵撰　明萬曆乙卯（四十三年）太倉王氏家刊本　12401

明何宗彥序

　　夫館閣，文章之府也，其職顯，故其體裁辯，其制嚴，故不敢自放于規矩繩墨之外，以炫其奇。國初以來，鴻篇傑搆，映帶簡冊間，猗與盛矣！嘉靖末季，操觚之士，嘐嘐慕古，高視闊步，以詞林為易與。然間讀其著述，大都取酉藏汲冢、先秦兩漢之唾餘，句摹而字斆之。色澤雖肖，神理亡矣，而況交相剽竊，類已陳之芻狗乎？夫古之作者，豈其實酉藏汲冢、先秦兩漢之書不讀，而行文之時，不襲前人一語者？理本日新，秀當夕啟，規規然為文苑之優孟，哲匠恥之。以故二十年來，前此標榜為詞人者，率為後進窺破，詞林中又多卓然自立，於是文章之價，復歸館閣，而王文肅先生實其司南也。先生負逸才，書無不讀，而其心澹然無營。其氣浩然，于功名生死塵埃之外無所屈，故其發為文也，紓其中所獨得，暢其意所欲言，紆徐莊重，未嘗不酉藏汲冢、先秦兩漢也，而又未嘗有意于酉藏汲冢、先秦兩漢也。蓋居然古之大家不可及。其視哀艷以為工，恢誕以為奇，捃摭餖飣以爲富者孰優？千秋以下，必有能定其品者矣。嗟乎！先生生平所重者，忠孝大節，其所縈念而繫心者，宗社安危大計，豈屑與文士較長絜大？顧茲集括殊吞有，歸之大雅，精光灼灼，天地爲昭，亦非鉛槧家所能幾萬一者。古稱文章事業，患不能兼，若先生者，可謂兼之矣。彥總角慕先生如天人，及通籍，先生歸矣，無繇執贄稱弟子。頃先生孫璽丞君命序先生文草，彥何能爲役？第憶蘇子瞻甫八歲，知敬愛范文正公，以不得從游爲恨，以獲挂名文字中、托于門下士之末爲喜。彥糟粕生，不宜謬附子瞻，而先生德業與文正公後先輝映，則茲集之序，彥之大幸也，而又何敢多讓焉。萬曆乙卯歲季春吉旦，三楚後學何宗彥君美拜手譔。

明王時敏跋

是集也，不肖實痛念先公手澤所寄，一生經世大業所關，是用謹壽之梓，以傳永永。第邇年家變頻仍，不肖幼羸多病，所彙集先稿不能十之五六。如詩稿，先公拈咏最多，而散佚不存，即贈酬短言在親友扇頭者，不肖經年廣搜，未能成帙，獨此闕焉，故當有待。其碑、銘、傳、贊等文，在詞林以後，爲學憲公所珍藏者，捐館之日，盡成烏有，止存先父手錄二十餘首，已盡入集中。至於入閣以後，參半代筆，奉有先命，不敢混入，其爲先父代作者，當彙入先父集中，茲不具載。孫男時敏謹白。

（王金凌審查　柳之青標點）

衛陽先生集十四卷六冊　明周世選撰　明崇禎壬申（五年）故城周氏家刊本 12403

明姚希孟序

余束髮受書，從一二先達側聞當代名卿鉅公，恨不能進履圯橋，而舁柴桑之輿也。燕趙土風沈厚，發爲人材，磊砢而雄傑。遠不具論，即慶曆間，長垣李霖寰司馬、南樂魏見泉昆弟、高邑趙儕鶴太宰，皆領天下之望，其經濟節義文章，可以薄三光，流萬禩。故城周衛陽司馬名亞焉，而司馬故非尋常人也。莊皇帝時，新鄭秉政，是材相也，而愎且忮，報復恩怨無已。有宵輩出其門者，伺頷之

所向，張弧四射。華亭已去位，苟索無已，幾坐以覆宗之禍。公爲新鄭門人，居
掖垣，新鄭將有所用之，授以袖中彈文，而公弗應也。遂以闈察逐公去。人多傳
此事，余未敢深信，近讀其祭新鄭文曰，愧我愚戇，碌碌硜硜，不體至訓，奮袂
長行，隱顯參商，頓隔幽明。以此語相質於九原，洵不誣矣！遊新鄭之門者，盡
若公揉剛而濟柔，化褊而用大，相業庚有光，而其後當無好還之禍。此一事也，
可以定生平焉。後先在垣中，諫草十數上，嘗勸莊皇帝慎起居，戒馳騁，幾犯霆
威。迨顯皇帝講武禁中，宸極清嚴，時聞轟天裂地聲，於法爲不祥，且啟觀軍容
之漸。公一疏得嘉納，歷官長留樞，紀驕誖世臣，實之理，鎬京肅清。石司馬暗
於籌國，公憐其愚，欲明不孥之法。公遇事慨慷，而宅懷平恕類如此。於德爲
中，於心爲愛，敬於聲則直以廉，和以柔，發爲詩文，猶此物此志也。古者聽琴
瑟而思志義之臣，聽竽笙簫管而思畜聚之臣，皆盛世逸響。否則激亢太過，而爲
丁寧鐃鐸，或繁碎已甚，而爲羌笛胡笳，總非清明廣大所宜有，而於大人之巍峨
郊廟、鏗鍧金石者尤不類。公大者爲國家留渾灝之元氣，終和且平，用感神人之
聽，次則以朱絃疏越，立雲英之祖，而不使美盡者難乎繼，公之心與聲於此集闖
一班。而景運之昭爍，家風之丕熾，謂非其所留貯而默醖不可。公有文孫，承芳
蔚起，爲後來秀，而能讐編其遺文，以垂播永久，則公之所留而有待者，曄乎旭
之華於若木也，瀰瀰乎氾泉之始波也，在文章乎！有在文章先乎！無念爾祖，聿
脩厥德，孫也勉乎哉！吳郡姚希孟譔。

明盧世㴶跋

　　昔者吾姊蓋適甘陵司馬周公之仲孫肖甫氏云。吾歲時省姊，恒一再至甘陵，
輒樂與粲甫語。粲甫在羣從中，年最少，而深密蕭括已若大人先生。吾性多流
宕，每對粲甫，未嘗不爽然自失。緜是心嚴粲甫。粲甫顧兄事不佞，益相暱就，
稱石交焉。會肖甫氏告逝，吾姊煢煢一寡婦人，白首無兒，塌焉楚絶。粲甫扶持
而安全之，未亡人獲有寧宇。無祿先姊即世，後事愈凌替，不堪著眼。粲甫仁以
爲己任，調度經營，襄事如禮。先姊地上地下無告，而多賴者，粲甫力也。吾於
是痛哭而拜粲甫曰，君少年而具大人之相，居今而抱古人之心，君自此遠矣。粲
甫亦厭城囂、耽寂寞，讀書於澹臺之古邨。空山無人，水流花開，每就一義，簡
然自舞。間以視吾，吾不禁節之屢擊。歲庚午，果舉孝廉，年尚未壯。辛未，暫
躓霜蹄，粲甫愈益淬勵，不問戶外事，日取先司馬遺集勘訂編摩，舉而壽諸千秋

之木。余讀而愛之敬之，喟然曰，此慈孫念祖之極思，而繼志述事之大端也。粲甫用意之厚、存神之遠多此類，豈可以聲音笑貌爲哉？若周公立朝大業，炳炳如丹，有德之言，行而必遠，自有賢者識其大者，小子不容贊一辭矣。壬申冬日，淶水潛夫盧世㴻具草，蔣民王瑞符書。

（王金凌審查　　柳之青標點）

────────────

余文敏公集十五卷八冊　明余有丁撰　明萬曆間刊本　12405

明 沈 一 貫 序

　　文敏公以博士家言魁試，舉副詳延，天下青衿子既嚮慕之矣。比入承明，典著作之事，周旋臺閣，草絲綸之命，潤色兩朝功德之盛，刪述一代典制之詳，洋洋然、纍纍然，與群賢錯而綜之，彌縫不見其跡焉。若夫長篇大幅、片楮尺牋，所以敷宣人義，陶詠性靈，與綏珮之士相賡應者多有也，而副在不戒烈于鬱攸，舉爐焉蕩而亡之矣。今四求人間之所存，得若干首，次第而梨之以行，一貫受而讀之，怨如懷山陽之概。嗟夫！鳳徂麟隱矣，而寶其一角一羽以爲奇。彼鳳能羽，彼焦明亦能羽，彼麟能角，彼并鹿亦能角，自天下有焦明并鹿在，而鳳麟亦何願乎？嗟夫！非是角是羽，不足以存鳳麟，則與衆寶之，以待人之不眯者可矣。公，天人哉！其氣豪，其志遠，其度弘以達。其所窺書博而雅，其所取友，自館閣諸老以逮海內名流，雖後來一秀彥，苟有異者，皆折節。其跡多在山水間，所居處雖宦邸，必飭藝花灌木，酌酒寄談，若舍是，無可以栩栩生者。故其文足言足志，雄深雅富，沛然若決河漢，渾渾不舍，有裂山摧海之力，而絕單寒逢匿之態。据根柢，芟支葉，瑰如也。詩以逸韵偉言爲致，情所會處，含玄蘊微，唱歎有餘音，雖蹋跕自成，而天琛夜光，往往在焉。昔洪景盧一日草二十制，矜其侍吏曰，蘇學士諒如是矣。吏曰，蘇學士誠亡踰公，顧無煩披故冊耳。景盧耻之。余謂世所稱文章家，苟未竟其裏，而徒以雕鏤組織相次，未知其權力誰勝？乃公且飲且奕，且哦且作，財成心匠，懸若凤搆，不煩閉戶㩯毫之力，而馨香茂實，爛焉粉綵襄，黯焉彝鼎陳，此非天情鉅勝所醖醸于胸中者素耶？是何必嗛嗛以往萬自律，鯨秦轥漢，獼魏剽唐，如庖人劊臠批鮮，以饜縱人口腹爲哉！惜乎年不酬志，中道棄捐，豈惟勳庸闕如，海內缺醇釀之望，即斯文夭喪，

未罄公所懷來。悲夫！一貫自業博士，詣公車，則已侍公教旨。中出門下爲弟
子，益親居。以道義相切劘，事功相砥礪，激昂于時流之外，追趨先輩之風，而
今不可覯矣。懆懆噢咻，誰復可以師我者乎？故序公文，而及公所爲文又如此。
嗚呼！亮茲不朽矣。萬曆壬辰秋季，賜同進士出身、通議大夫、太子賓客、吏部
左侍郎、兼翰林院侍讀學士，門人沈一貫書。

穆考功逍遙園集選二十卷十二冊　明穆文熙撰　南師仲選　明萬曆辛丑（二十九
年）魏郡穆氏家刊本　　12408

明 李 維 楨 敍

　　穆公爲郎時，司馬石公爲給事中，上疏文指乘輿及中貴人。中貴人磯上怒，
杖之闕下，而穆公身擁護之，至解官與俱歸。天下莫不高公之義，以爲若朱家季
心之流已爾，不知其能文章也。後公稍遷吏部郎中，於讒口投諸瓊管大海之外。
又削其籍，不復用。天下即無有能名穆公之義者。而公顧益肆力於學，六經史子
百氏之書，無所不研，精竹素碑板，流播江南北，衆口膾炙，而海內所宗文章家
王元美先生者推許特至。于是公文名大振，羔鴈玄纁之贄相屬。居無何卒矣！其
邑人崔侍御集公詩若文行之，而公之子內史仲裕請敍于余。余在史館識公，體氣
高亮，風稜蕭然，而博大恢廓，推誠不疑，心儀公必知管時任，雲蒸龍變，以傅
功名之會。而不虞公齎志以沒，徒以空文垂見于後世也。今集詩與文諸體畢備。
定格而後有篇，故格不卑；積學而後有句，故句不薄；極思而後有字，故字不
凡。三百篇、十九首，黃初、建安、六朝、三唐、兩宋、勝國，悉所考鏡，而自
成機杼。情事配合，意象適均，博不猥雜，而新不儉僻，則公之所爲詩也。以
孟、莊騁其辯，以檀、左工其法，以短長雄其氣，以龍門窮其態，以唐、宋四大
家暢其指。持論正而不激，叙事贍而能潔，師心匠意，不求傚顰抵掌之似，而斲
輪削鐻，有神理焉，則公之所爲文也。蓋自東晉後，中原文獻，遷居江左，帝王
更都之地爲五胡所辱，而江左文章家日新月盛，乃至鄙夷北朝，有韓陵片石語，
于今益甚。而李于田、李伯承、魏懋權諸君子攘臂而爭之。余以爲此不足辨。無
論遠者，即近代之開先而爲北地、信陽，中興而爲歷山、新蔡，皆灼灼人耳目，

其羽翼接玉者不可勝數，弇州先生何嘗不尸祝師友之哉！彼以其衆，此以其寡，則衆者勝；彼衆而汰，此寡而精，則精者勝。穆公，魏人也。史稱魏南有鴻溝，東有淮潁，西有長城，北有河外，守白馬之津，示諸侯形制之勢。其俗近梁魯，微重而矜節，剛武尚氣力。穆公所論著，得之土風爲多，氣完而骨勁，磊落伉爽，汗血之足，不受羈靮，洛浦之容，不加香澤，連城之璧，不掩寸瑕，而世所寶重愛慕必歸焉，寧與夫江左飛鳥泉石之□〔？〕，闌襜粉黛之艷，杝蠟肇悅之飾，一覽而盡，再索而無餘味者比也。明興二百餘年，魏人盧次楩以賦名，而公始具體爲魏北地、信陽，是集行微魏而已，天下其孰能當之？中原文獻，以公樹幟建杓，弇州先生至推許特至也，有以也。公家居，好振人之急，千里誦義無窮。高才盛年，沈淪抑鬱，而無一切憂讒畏譏、牢搔不平之感。署其園曰逍遙，惟以翰墨自娛。丹鉛雌黃，朝夕不輟，有春秋戰國評苑、左傳國語抄評、七雄策纂、史記節略、四史鴻裁、百將提衡、文浦玄珠、諸家儁語、閱古隨筆、明詩七言律凡若干卷。其於文尤刳心，故集文勝其詩云。萬曆辛丑夏日，東嘉趙士楨書，南新市人李維楨本寧父譔。

明余寅序

初余以隆慶戊辰待對公車，其時考功穆公初拜起曹，遽棄其紱，從石黃門公同逝還其里，海內人士莫不兩高之。余從關西赴調濟南，與今侍御崔君言別。侍御魏人，事考功爲先輩，其時侍御猶未離渭南，稱屬吏。余問考功近狀云何者，侍御君曰，穆先生健飯如昨。近弇山先生殂，竊自言，東南諸碑版盡走吾里矣。余曰，幸甚，何時得考功諸大篇一讀之？無幾何，考功殂。侍御按河南，遂以考功集來曰，行將授梓人，願爲引其端。余既盡讀之，而又得黃門公所爲考功尊人墓銘，乃知當日之事盡其尊人從臾之，而考功始踟躕起，奉嚴考之命，屏息草間。不覺低回矉恍，襟吟而不得語。曰，豈其然？既而太息曰，偉哉！奕奕乎！眞乃翁哉！當是時，黃門公齒骼狼籍，莫必旦暮，豈知不日者通顯隨其踵趾哉！大義在前微之，而升斗大之，則千秋之令名都不入靈腑中。故夫兩公之聲烈得翁益光。即夫兩輸金千，救活數萬人，直翁之細爾。顧余有噭焉。嘗聞兩公歸，別築室，聚首一齋，旦晚講業不暫離。四方有饋遺，即貯之齋中，用以蒔花植果，不以治家人產。余益嗟異之。如是者凡幾年，不知兩公所講何業也。未幾，考功出，出而又歸，黃門公出，歷官大司馬，至以尸歸，兩公豈左伯桃、羊角哀之儔

邪？古今論交，必曰管、鮑，彼其所稱知己，豈直在分金坪上邪？厥後鮑叔薦夷
吾至上卿，夷吾卒不薦鮑叔，叔也死，舉上袵而哭之，淚如雨，如斯止耳。若斯
者豈其無以而然？古者大臣斷定國是，察之毫芒，審之紛沓，嘉采番番，而斥遠
諾諾，萬里如在几席，千人卒以廢墮，豈不以豫哉！故黃門公獨諫疏存，而考功
有集行於代，余得而序之。序曰，考功之嚮弇山司寇，至矣！司寇公握節天雄，
特爲行部，倚麾幢于兩公之里門，結驪而去，有古者虛左之風，不聞其薦考功，
何也？考功已謝簪組不願仕，顧其文何讓詞林諸公哉！漢平望侯劉毅嘗製漢德
論，其時馬融、鄧耽、尹兌共上書頌其美。司寇公不一揚之朝。使天子知洹水上
有文人如西京楊得意，豈不快邪？嗟夫！弇山集出，而考功朝夕以爲炙，考功集
出，而弇山不得嘗其一臠，乃令不穀如余者借之一語。顧余何足以重公，竟又委
之司寇公之溘先朝露以爲恨。由是言之，穆叔所謂立言云者，穆之裔孫爲不朽
矣。考功有子，曰光胤，好古善書，今爲中翰，供事蘭臺石室間。所謂匪今斯今
者，爲我問石氏孤安在，極力所厎振之，無忘先子舊故，俾魏土諸父老雷然誦之
曰，穆氏誼最高，迄於今三世矣。其於祚益震，以是復侍御君，必乃大當者邪？
古鄴漢城余寅譔。

明 崔 邦 亮 叙

　　吾魏即負大名名，顧南未盡黃河，西未盡太行，北未盡廣武，東未盡博昌，
其境守不能當海內百分之一。山僅太伾、浮丘、鮒䲣、鳳皇，川僅雕馬、鸕鷥、
濁漳、百泉，其名勝不能當海內萬分之一。以故靈氣慧業稍遜他方，而乃一片莽
宕渾灝之氣，孕爲人文，歷代以來，亦靡不斌斌，質有其文。自倉帝開蹟，卜生
接武，漢有兩司馬、楊、王輩，而京房、杜鄴與之偶；晉有二陸、潘、張輩，而
成公綏、束廣微與之偶；唐有陳伯玉、宋延清既李、杜諸詞人，而崔日知、沈雲
卿與之偶；宋有王元之、歐陽永叔既蘇、黃諸文士，而柳開、宋白與之偶。即明
興，宋祭酒可偶，劉誠意、宋文憲、王襄敏可偶，丘文莊、謝文肅、盧次楩、王
元美、李于鱗安在？夫魏人士之少文，而史傳乃以微重矜節，剛武尚氣，慨之乎
寃矣。然次楩用貲起家，又貫三木者十餘年，三都兩京之才雅自負，而流落不
偶，老死田間，不獲執牛耳壇坫之上，於是吾邑敬甫先生出。先生與次楩、于鱗
同時，生稍晚，不及相遇。中原嘗祭酒元美先生，即元美先生亦推轂先生，甚
曰，請以大江爲鴻溝，晉、楚之從交相朝也。蓋抗旌建鼓，迭盟中夏者幾廿陽

秋。當今上庚寅辛卯間，先生與元美相繼脩文地下，文章之柄始散而不收，或曰雲杜，或曰甬東，或曰沛水，或曰中山，猶夫周之後有七雄，漢之後有三國，地醜德齊，莫能相尚。嗟嗟！假令先生與元美先生至今存，寧渠紛挐至此？元美先生故有前後集，千餘卷，流傳海內，而先生消搖園集祇刻之家塾，海內仍未覩其大全。不佞故先生門下侯芭，而先生又不佞家寧氏，安忍私先生集，不公之海內？於是先生之子內〔史〕仲裕，以選定屬新太史南子興，以序屬舊太史李本寧，而殺青之役，不佞與太中丞王子廓共之。子廓修世譜，誼樂善，與不佞同。不佞不能詩，然的知先生詩出工部，間出高、岑，絕不爲晚唐人語；不佞不能文，然的知先生文出司馬子長，間出左氏、國策、南華、鴻烈與呂覽、文選，絕不爲前宋人語。大都書罔所不搜，才罔所不挾，思罔所不冥，法罔所不符。藻不至靡，逸不至蕩，博不至猥，精不至削。慷慨悲壯，洸洋爾雅，杰然自鳴其家者也。先生初爲工部郎，繼爲吏部郎，方浸浸嚮用，而以剛腸直道，不容于時，歸而恬澹落穆，得以專精肆力于學。故其詩若文顏行七子，爲海內嚆矢。消搖，故南華篇名，吾邑舊名漆園，又南華曳爲吏之地，故先生取以名集。若其平生任俠行德，千里誦義，嘗解官擁石大司馬，歸里與輸，輸千金助賑，則元美先生與趙夢白志傳已詳，不佞可勿喋喋矣。萬曆辛丑秋仲，巡按直隷、督理宣大兼攝學校、轄山西大同所屬、直隷保延二州監察御史，門人崔邦亮頓首拜譔。後學濠梁朱宗吉書。

（王金凌審查　　柳之青標點）

陳恭介公文集十二卷八冊　明陳有年撰　明萬曆壬寅（三十年）餘姚陳氏家刊本
12409

明鄒元標序

　　恭介陳公，清貞端簡，事今上爲名臣，未竟而薨，天下惜之。鄒子元標敬致書公猶子二守及公冢嗣國學君曰，尊先生公，一代名碩，幸謹護遺編，爲不朽計。二君曰，先公策名宦途，強半林壑，自耕稼外，惟梐關手一經，上下千古，即隆冬盛暑，吾伊不休，其所排續，不匠心不止。顧家遭鬱攸，散失無存，所存者寥落，亦不足傳。予曰，夫龍瑞于世者，得其一鱗一甲，亦足以爲光，見珍于

世，而何以博爲？公子始從故簏中得疏及序、記、碑、誌、銘若干首，付鄒子校
讐，予受而卒業。其文沈深奧郁，出入先輩，思與古作者齊軌。公殆馳騁藝苑，
非苟作者。然公之傳者非文也。公精品鑑身，都海宇重望者二十餘年，齟齬權
奸，晚而遇主，俾公統均四海。儻公得一意行其志，將見群賢彙征，品物咸亨，
天下至文，莫大於是。而左摰右維，啟事登進，一切報罷。俄而掌銓，俄而待
罪，俄而辭印，俄而解綬，俾公一段以人事君熱念，債懨無所舒洩，讀公疏者，
能不重有感乎！國朝冢卿爛然功實者，王文端、蹇忠定、王忠肅、馬端肅，是時
六卿時得召見，內無壅蔽，外無阻隔，故得以發舒生平。邇來如宋莊敏、孫清簡
公與蔡奉新志在報國，與王蹇諸公何殊，迺多所違忤，皆不得席煖去。嗚呼！撫
公卷又可以觀世矣。然吾聞大臣在正色立朝，不與時高下，苟吾衡之不繆，一日
百年，一息萬古。公與諸君子齴然不屈不撓之節，即起王蹇諸君子比德絜功，何
後先焉，此又讀公集者所當知也。時萬曆壬寅歲孟冬月，吉水舊治通家晚生鄒元
標頓首拜撰。

明 張 壁 序

今之以文集行世者，不啻汗充矣，顧肇悅爲工，而實際或眇，即藉圭璧而組
玄黃乎？要無當於說鈴和鼓，毋惑乎說者以德功與言，遞而爲三，若鼎據然，不
可混一，烏在乎以文行世也？恭介陳公，姚江名家，弱冠有志聖賢之學，人業以
公輔相期。待公起家進士，歷銓曹，陟卿貳，開府豫章，尋拜冢宰，爲六卿長，
其碩德重薦紳，濊澤溢垓埏，戀樹表朝端，區區文章，其剩技爾。公泊世味，告
請無虛歲，不得已間有著述，其論序之秩然理，詩賦之翩然麗，銘誄之咸當實不
諱也。卸一切肇悅之功，而直依名理，蓋彬彬乎有德之言已。迺其大者猶獨在奏
疏，如郎銓曹時，有議格朱希忠封王疏，則豪權褫魄矣。開府時，有請免燒造難
成疏，救荒疏，則窮竈載甦，而溝瘠復肉矣。冢宰時，有正銓叙諸疏，則品流一
清矣。尋有乞身十餘疏，則引裁大義，秋旻比高，而金石爭烈矣。等言耳，公匪
公正不發憤，匪關地方大利病、此身大節概不陳詞，則公固□□立言之言，而并
德與功混而一之□云，天下文章莫大乎是，公其有焉。獨念公當日救荒疏上，本
爲豫章民請命，而□□反用此相齮齕，公脫屣不復問。曾無何而起佐留臺，無何
而晉天卿，輿論大慶，謂正□要津，國家元氣神益匪淺，即當宁亦重知異公而大
用公。迺公當秉用而卒不久用，至溫綸慰留數四，而去國之轍曾不少回。今讀其

疏，難進易退之操猷凜然，足廉頑而起懦焉。公蓋湛精道德，高視塵寰，即榮名
且將敝帚，而謂區區以文章行世，豈公之心哉！公生平著作，此不當什之一，以
祝融阨，僅留一斑，已高出作者之林萬萬。夫以文章爲公剩技，天若忌公，且不
令盡傳布，況公出處久速之際，宗祐生靈，與之相重輕，寧無所以嘿司之，公留
有餘不盡者還之造化，而以其不朽者垂之百千萬年，今古完人，鮮其儔矣。余生
也晚，企公德行文章，寧啻山斗？幸以子泯故，一奉晉接於豫章，郎南曹，載承
丰裁於秣陵，復用考成上績，書於天官部。而公猶子裕庭公尋貳余郡，益殫家訓
而光大之。冰操春日，令聞日邕，豫章民見公來，如復見恭介公，且不以余小子
相鄙夷。兩世通家，雖不嫻於詞，亦願効執鞭之一端也，不揣敢爲之引其端。賜
進士第、雲南布政使司參議、前南京兵部武庫司郎中，治下晚學生張璧頓首拜
撰。

明　胡時麟　跋

　　記之稱君子兩言耳，曰文以其辭，實以其行，然則有其辭、無其行，與有其
行、無其辭同。世之擅著作者，下筆纏纏若舞，似之矣，而未爲文也。彼其苞六
經，苴秦漢，沃以諸子，灘腴滿前，然於理少順，于事少覈，不易則悖則俚，猶
之未嘗去皶而絕理也。奈何適喉，人得之，始而眩視，必曰，于文也，某爲工。
未幾失之，則或見之瓿上矣。恭介陳公少嗜學，闔戶研索，他不以易慮，故其應
舉也若掇之。既仕，精吏事，持議秉正，不以要津婟婀，故議公者謂磊磊如千丈
柯，而置其文無遜辭。余嘗見僚大夫自詫其知遇，謂，太宰有知我者。比得之遊
仕之口，而詰其奚自？則曰，彼爲一代之偉人。又問之，則曰，吳越之區，有不
援中而附上者是已。予問之，意不在公？予曰，不也。知子者誠爲一代偉人，則
在甲不在乙。暴利長以渥洼之產，至神其所從來，則曰，其來自天儀。有從宛王
來者更善，則易其前所名。故伊、呂見而蕭曹失，子毋謂秦無人也。然余與僚大
夫相矜許，徒以其王臣之節，謇謇如是，而未及以文論公。公既沒，遺言出，余
得誦之曰，文在是矣。其敷奏婉以至，其剖利害懇以悉，其贈別寄懷猶猶以愉，
其爲詩歌委婉而有餘致，乃今而知公不獨以行政名也。上之十三載，執政者新，
余從諸秘書入掖門，見之既畢，循墻由右出，公以太常受署詞林，典教象胥，子
率之行謁，亦循墻由左入，肩相劘也，而不交一言。後遇諸途，顧詫曰，予之謂
蒼鶂而入鴈群，由今觀之，肅肅而旅立者，其羽儀也，膠膠而天鳴者，其蜚聲

也，鶵之伍云乎哉！賜進士第、奉議大夫、江西雲南等處按察司僉事、前刑科給事中、侍經筵官、翰林院庶吉士，同邑胡時麟頓首拜撰。

（王金凌審查　　柳之青標點）

————————

陳氏僅存集四卷四冊　明陳燁撰　明萬曆庚子（二十八年）諸城陳氏原刊本
12411

明丁惟寧刻序

　　吾邑後厓陳公，蓋宇內瑰奇士也。登進士高第，歷冬官郎，累遷郡守，尋以兵憲副臬歸，行年今將古稀矣。自弱冠迄今，觸事濡毫，緣情托素，簡囊之富，無慮百千。顧襟期宏遠，雅不願以詩博名，若謂不朽之業，此其後者云爾。故其吟稿甫脫，非不人誦家傳，公固芻狗視之，了不涉念也。一日惟寧請于公曰，公不聞採玉探珠者乎？虛往者期在實歸。若夫收崑圃之玄珍，握靈蛇之秘寶，韞匱而藏，令天下人不獲一望其輝光，與虛歸者曷辨焉？公之詩不梓以行世大類此。公但逡巡謝已耳。居數日，偶携壺觴過余談也，余復漫及之。公乃云，吾子之言似也，顧僕陋劣，始念不及此，故諸遺稿強半逸矣，將何以成籍乎？惟寧曰，不然，一胾之肉，可以知一鑊之羹，非溢腹之難，而無以適口之患。世無不善嘗者，公無疑焉。公乃輯篋笥之鳳藏，蒐里巷之家蓄，共得八百餘篇，命之曰陳氏僅存集，授余讀，且囑爲序。既卒業，喟然曰，有味乎其以僅存名集也！公之英姿天挺，偉略軼群，視躋槐棘、垂竹帛如取如携。乃中蹶于同州之謫，竟踣于定邊之讒，壯節懸車，無媒崛起，俛仰陳跡，冰澌燼落矣。而僅存者獨有此詩，詩足名矣，而僅存者復如許，良可慨已。然由前則蒼蒼者柄之，由後則誰執其咎？抑公遜名之過也。以余觀於有唐，王、楊、盧、駱四子，位不逮人，聲浹於茲。我明興，空同、大復二公官不踰副臬，爲斯文山斗，天所以永存乎人有在此不在彼者。而六君子者非爲名計，名自歸之，則以有足名者存。公之詩濬源于騷選、稟矩於李杜，神情煥發，星燦雲流，韻致融洽，鏗金戛玉。工而妍，無組織痕；精而覈，蔑沾滯語；質而直，匪俚諺聲；婉而暢，絕綺靡態。蓋唐人正派之澄波，昭代藝苑之嚆矢，遠之嗣四子之響，近之應二公之枹，必有具隻眼謂余言非溢者。美愛而傳，將與六君子不朽之業，同璀璨宇宙間也。僅存云乎哉！幸其借

名卿碩儒之言，弁諸簡端，爲茲刻重，而公云，以吾負氣，不縮下于時，鄧禹笑
人，顧以壯夫不爲之技，游大人以成名乎？負吾生平矣。相視莞爾，遂爲序之如
此。萬曆庚子八月上浣之吉，賜進士第、湖廣按察司副使、前四川道監察御史，
同邑丁惟寧撰。

明 陳 燁 刻 後 贅 語

　　嘉靖丙申，余先君大夫鐵厓公初以選貢，携家遊太學，時余生纔五年，孩提
口語，猶未真也。先君每弄余掌股間，教之語，必以詩句，復令背誦之。余嘎嘎
舌常失轉，母劉在傍憐之，謂先君曰，教兒語直俗語耳，何必詩句，是徒苦兒嘎
嘎不已，能無念耶？先君曰，不然，吾蚤以此教兒，期先入於其衷爲之主，庶長
成，市井語不能入矣，今嘎嘎何傷乎？母氏不復言。於是先君教余益力，至余成
童，出從塾師方已。後余弱冠遊鄉校，登科第，薄宦中外，迄於歸田，隨所感
遇，輒爲韻語，以自求適。然於此道實無入門，且明自知其不能而故不已，若有
以使之然者，得非有先入主之，如先君之言乎？顧性疎脫，每一稿出，就錄即
棄，其稿不存，故作多遺忘，無從考覈。執友少濱丁公知其然，嘗謂余，子所爲
詩詞宜鋟之梓，然聞稿多不存者，何也？余曰，自謂爲惡道，稿存無益，直須棄
之耳。曰，存之而無益也，將棄之而有益乎？苟存之棄之，舉爲無益，則與其無
益而棄之也，無寧無益而存之乎？且夫卞璞再刖，燕石十襲，世之人目聽而耳視
者多矣，安知其不以子之惡道爲妙道耶？子何隘焉？余笑然其言。遂旁搜遺稿，
於數十年前以及近日所爲一二，合諸雜體，共得若干篇。以少，不足臚列門類，
直據自登鄉舉以來，歲月前後，以爲次第，而漫題曰，陳氏僅存集。蓋謂放失者
多矣，而所存者僅此什之三四耳，亦紀實也。爰令門下邵生等校正其訛，以復於
少濱，而付諸剞劂氏。刻成，余撫卷而唱。今夫下戶之家所畜器物，固自無精
麗，然其日用所需必不可少者，雖至蠱惡，未嘗不備也。乃中歲旹窳，悉舉而蕩
析之。及老而悟，始爲收戢，則唯破釜缺盂。郎當數事，以列之門，而號於里中
曰，孰有家藏如我者乎？人過之，有不睥睨一噱而去者鮮矣。斯集之刻，殆類是
也夫！殆類是也夫！萬曆庚子九月初吉，後厓居士陳燁自叙。

（王金凌審查　　柳之青標點）

處實堂集八卷四冊　明張鳳翼撰　明萬曆間刊本　12413

明王世貞序

　　張伯起者，吳人也，少於余一歲。始余爲郎，奉使歸吳里中，而伯起名藉甚。吳人於古今文辭推王文恪公，於詩推徐迪功，於書推祝京兆、文待詔。一旦以屬之伯起，待詔時猶老壽無恙，每伯起一造門，輒倒屣出迓，把臂促膝，盡爾汝之分，且復自歎，以得尚伯起晚。余所善彭年孔加每謂余，不恨伯起不識公，恨公不識伯起。然余卒卒竟無緣識之。而又數年乃始定交已，相得懽甚。伯起才不能盡，發而樂府新聲，天下之愛伯起新聲甚於古文辭，伯起夷然不屑也。其所應時制，自諸生升太學上舍，屢試輒甲。然僅用以得京兆薦，至公車輒報罷，則無不稱伯起之才而歎其屈，伯起復夷然不屑也。獨於古文辭有所搆結則益工，諸岳牧令長上事徙罷，不得伯起言無以榮，父不得伯起言無以子，兄不得伯起言無以弟，吉凶慶弔不得伯起言無以侈其事，以是伯起之搆結日益繁，而其傳示日以廣。人或謂，伯起材何所不際，能騁其麗靡，則可以蹈藉六季而鼓吹三都；騁其辯，可以走儀秦，役犀首；騁其弔詭，則可以與莊列鄒惍具賓主。高者醉月露，下者亦不失雄帥煙花，而奈何拘拘此繩墨爲？伯起應曰，吾不知也，吾發於吾情而止於性，發於意而止於調，反之我而忱，質諸古而合，以爲如是足耳。且夫辭達者，孔父之訓也。一經一緯，宛然理矣，而加組焉，弗敢爲也；一宮一商，悠然音矣，而加繁焉，弗敢爲也。此伯起說也。識者謂伯起非才之難，有才而不求盡之難；非名之難，不巧爲弋以獵名之難。余亦云云。屬者歲之庚辰，伯起復當應公車辟，念太夫人老，不肯行，曰，奈何以一第而易吾菽水？自是却埽簡出，扶侍之暇，往往收視反聽，以求靜中之端倪，而於玄牝橐鑰之旨，亦若有通會者。時余名爲棄家，亡所得聞，而甚奇之。乃一日盡裒其所撰八卷，謂余必蘄片言，以惠我身後。余竊怪伯起何以有此。嗟夫！魏文帝，雄主也，威無所不加，貴富無所不極，而獨慨然於文章之一端，曰，經世大業，不朽盛事。豎儒從而笑之。此未可笑也，必恃理而不朽，安能續六經哉？且夫出世之不得，則思所以垂世，亦恒也。余始書此以答伯起。或曰，子自解子嘲耳，子不能如君苗焚筆研，伯起且怪子矣。友人瑯琊王世貞撰，江左周天球書。

明徐顯卿序

　　老子云，大丈夫處其實，不居其華。余友張君伯起以是名堂，因以其堂之名名集，豈獨戒茂先哉？其人可知也已。不佞病瘍在告，得快讀斯集，乃喟然歎曰，嗟乎！詩必窮而後工，斯言若爲伯起設哉！伯起自弱冠工舉子業，籍甚吳下，宜不難取科名。乃矻矻七試棘闈，僅一入彀，四上春官，輒不第，以親老，竟絕意進取，豈天之窮伯起以工其詩文哉？伯起覃精研道，非不能駕軼莊、騷，顧不肯窮高鶩奇，以眩末俗，趨時好。今觀其詩未嘗不漢、魏，亦未嘗不盛唐，其文未嘗不左史，亦未嘗不韓、柳。要之本性情，協中和，植之以忠信，耨之以孝友，封之以道義，堅之以氣節，率不詭於辭達之訓，颯颯乎實而能華，可以建旗鼓而趨矣。且平居論當世事，以經濟自負，其孤介獨行，又蠲然不滓痲於俗，藉第令通籍清朝，必有以自表見。乃不佞嘗分校禮闈，亦冀得眞才如伯起者，以副國家側席之思。迨放榜，即無伯起名，固知伯起乃欹崎歷落數奇人也，安知斯集之行，無妒入宮者乎？昔人多覆瓿太玄，而桓氏以爲絕倫必傳，則斯集也，其或有遇之如隋珠夜光而按劍者不可知，其或以貧賤故輕成公子安者不可知，而其絕倫必傳者固自在也，又安知不與何、李諸集魯衛永世哉？不佞重惜伯起之不遇，故并憂其集之不必遇，乃爲是說以自信，且以俟諸天下後世之知伯起者。賜進士出身、翰林院侍讀、承德郎、纂修實錄大明會典、分直起居館管理誥勅、經筵講官，徐顯卿撰。

（王金凌審查　　柳之青標點）

宋金齋文集四卷四冊　　明宋諾撰　　明萬曆間周世選開封刊本　　12415

明 周 世 選 刻 序

　　余自束髮與金齋宋大夫共筆硯于里中，昕夕相與劘切。余最不敏，幸窺一斑，不至終闇智，實藉大夫爲指南。無何，大夫亦釋褐官郎署。顧涉世跉蹄，輒起輒躓，謫忠州，稍遷南部，改北部，出知東昌，改鄖陽，繼調河南，尋以親老棄去。又數年，復起補兖州，宦轍幾半天下，所至蒐奇抉異，懷人吊古，贈酬記序，總諸體之玄粹，勒成一家言，即日踆踆簿書間，苦吏事障，而縱橫揮灑，罔非寸珠尺璧，斯以難矣。然大夫直寓耳，非其好也，迺大夫之大者，在佐部治郡時奏對疏議、事宜規則諸篇。今觀所條陳，若救荒、弭盜、學校、農桑、錢課、漕兗、吏治、軍政，皆切時務之要，當事者能設誠致行之，鑿鑿乎功見言信。夫玉卮貴當於盛，龍淵貴當於割，文章無當於世用，雖工奚禪？若大夫者，所謂有用之文章，非耶？及誦其自警之銘、克復忘助之論，學有本原，已可概見。膏沃光燁，仁義之人，宜其言藹如也。視彼藻繪者流，鶩華絕根，鏤脂刻冰，一無所用之者，敻然懸矣。惜也！位未滿德，年不償才，竟不獲以經濟之學潤色鴻業，豪傑所爲於邑已。第其道德有之身，其勳澤加之民，其論列雜著俱足鳴世，不可磨滅。古所稱三不朽，大夫有之，於大夫乎何病焉。嗟嗟！人亦有言，存則人，亡則書。大夫之身與其不可傳者已矣，獨賴此編之存。余手其編，未嘗不廢卷流涕也，是用忘其蕪陋，弁之簡端，捐俸託開封守同里陳君威如氏付之剞劂，以志感云。賜進士第、巡撫河南、都察院右僉都御史、陞本院左副都御史協理院事，同邑周世選譔。

明 宋 吉 祝 刻 跋

先君甫髫齔，嗜古文詞，釋褐後，益得專攻，自郎曹歷守外郡，凡有著作，各錄成一帙，取古人一官一集之意云。先是，大宗伯蕭庵陳公，年家也，且以文成莫逆交，許爲批選。無何，公歸閩，因托晉江黃生寄付，居諸迅駛，鱗翼乖疏，不相聞者數禩，恐爲飄零流落物矣。乙酉入覲，復搜集舊稿，携至京邸，儗蘄同榜進士大學士許穎陽公爲序弁諸首，且以就正。先君偶爾以病瘍謝人間事已。嗟嗟！倉皇永訣，五內荒迷，遺稿又購之不得。子雲有言，存則人，亡則書。先君既没，所不朽者文章耳，今掇拾蠹餘，存者十一，亡者十九。嗚呼！文章在天地間，存亡固亦有數耶？幸而符卿愼齋王公其於先君也，以同年之誼而有相悅之雅，慨然以校讐爲己任。乃爲正其訛言，綴其漏字，文與詩釐爲四卷，詮次有倫，條類無爽，可以付剞劂矣。雖然，此其存者云爾，其奈亡者何？祝竊聞之，昔魏孫菘以書分邠原，游學八九年後仍以還菘；陸放翁得人編簡，壞則緝，文章謬誤則刊。苟先君之精力尚得借文章以不朽，則祝之所望爲邠原、放翁者愬矣！愬矣！萬曆庚寅重陽日，不肖男吉祝謹跋。

（王金凌審查　柳之青標點）

袁魯望集十二卷二冊　明袁尊尼撰　明萬曆間姑蘇袁氏家刊本　12416

明王世貞序

　　魯望長於余三歲，當其薦應天時，甫踰冠，能爲古歌辭，又善書，學士大夫爭傳譽之。自是七上於春官，皆不利，然其□〔爲〕古文辭益習。而吳郡素稱爲文物大都會，益㠯學士大夫游，即□贈餞宴賞酬酢及諸吉凶事，以不得魯望一言不爲重。其詩若文溢帙。而最後取進士高第，以自引得南儀部郎，以選進郎考功，再以選副山東憲，天下之學士大夫爭躡履叩門而乞言，其所爲詩若文益傳且廣。然魯望之業成而病酒死矣，其弟職方君將梓之，而以序屬余。余竊謂，天下以文名家者，未易屈指數，然大要不過二三端。高者稱先秦，摭西京，挾建安，頫大曆，次乃沿六季華靡之好，以餖飣組繡相豪傾，其下始托於理，務於簡儉以逃拙。而魯望稍不然，謂文以紀事則貴詳，文以引志則貴達，必不斥意以束法，必不抑才以避格，其體勢雖若汪洋淡沱而不可窮，其指固諄諄焉若耳提面命之也。余數從魯望酒間，論文遠尊昌黎，而近實規宋金華氏，詩貴錢、劉，而不欲捨吾吳弘正之步。今試取而讀之，於是數家者搴象斟酌爲何如也？今天下之文莫盛於吾吳，而汝南之袁爲吳最，魯望之尊人胥臺公者，位壽小亞於其子而名過之。胥臺公尚裁以進古微不足，魯望尚滿以兆今則有餘，茲集行，不彬彬稱吾吳文章世家哉？即不登中壽，奚憾焉！瑯琊王世貞譔。

明陳文燭序

　　國朝弘德中，李、何、邊、徐昌復古作，而文體一變，袁永之起吳下，與昌穀齊名，有子魯望起嘉佑隆間，復稱才子，其弟青州太守子壽梓遺集，而問序於不佞。魯望弱冠舉於鄉，於書無所不窺，與諸名流詠歌佳山水間，意豁如也。肅皇帝乙丑，魯望舉南宮第六人，新鄭高相君主試。又永之弟子見魯望，大奇焉，舘試限年，魯望踰強仕，未入試，誶不佞曰，彼待詔金馬、石渠者，果天上謫仙人耶？不佞謂，人生遇合，數耳。古來文章以藏名山大川，與天壤並，豈盡鑾坡鰲□〔禁〕語哉！魯望擊節賦詩，極驩而罷，自是深相結，恨相知晚也。海內才穎之士投交者，履常盈戶。魯望善詩，善晉書法，操染無倦。及以比部郎改南吏曹，金陵，故高皇帝宮闕，而雨花臺、燕子磯諸勝，魯望眺覽其間，詩益工。考績入長安，朝夕把臂，楊搉千古不朽之業，示不佞以袁生詩，而有外集者，皆嘲笑花鳥，意甚自得，秘不示人。及不佞守淮，郵筒無虛日。後同爲督學使，不佞得巴蜀，魯望得齊魯，互相砥礪，明正文體，而變士習，春風時雨，被於三齊，而吾道東矣。會有不根持論媒櫱其短者，聖明宰執知魯望特甚，竟不調，而魯望歸報書曰，十年閉門，大業可就，質之吾子。而魯望忽長逝矣！鍾期死而伯牙之絃絕，玃人亡而匠石之斤輟，後世誰復相知定魯望之言耶？今集中詩文，不佞所概見，獨無外集一語，每覽之，未嘗不唏吁而流涕也。竊評魯望之作大都詩勝云，質有西京而工六朝之宏藻，骨原建安而兼三唐之正聲，辭秀調雅，意新理愜，在泉爲珠，著壁成繪，翩翩一家言矣。假令老東西觀，而與薜草委化，魯望甘心耶？夫永之潔，魯望麗，永之典，魯望逸，並傳不朽，是父是子矣。朱升之有子价，黃勉之有淳父，江左文獻其相承如此。沔陽陳文燭玉叔著。

（王金凌審查　　柳之青標點）

許文穆公集六卷六冊　明許國撰　明萬曆辛亥（三十九年）新安許氏家刊本
12418

明焦竑序

先師許文穆公自上臨御以來，以史官侍講幄，積官至少傅吏書殿學士，在密勿樞機之地者三十年。是時上虛心垂拱，委事大臣，而公奉魚水之懽，日取古今治亂安危爲上開說，中間彌縫其將闕、綢繆於未雨者，未易指數。大氐於講授發之，未以書傳也。公既不欲語人，人亦少有知者。晚節，上冊儲命未下，懷姦窺伺者四出。公謂是其可以緩，因露章極言，至四五上，力以去就爭之。上憤公不可奪，雖聽其去，而中不能無動。亡何，國本定而姦謀沮，海內乃歸公回天之力，而其精忠直道亦曉然暴白於天下，顧非公意也。公胸次如地負海涵，渾渾浩浩，人鮮窺其際。浮薄險躁之人驟而即之，若不知其與常人異者，退而考其大方，所謂以道事君，不可則止者，微公不足以當之。以彼一節，自耀如爝火，然皆公之棄餘，淺之爲大夫者耳，何足道哉！始節惠將行，門人輩計公當何謚，少宰朱公謂，公之博大，人所知也，其介特人所未知也。當江陵相奪情，卑者蟻附，高者鷙擊，公悉不爲，第潛往力沮之，不從乃已。頃之，喪請留，病請禱，勢之所敺，如風偃草，獨詞林不與，徒以公在耳。意易名莫文毅宜。議上，御筆定爲文穆。嗟乎！上知公深遠矣。公少好學有文，窮探力取，極六藝之指要，蓋溫厚爾雅，蔚然有德之言，非支詞綺語類也。今歾未久，求其遺編，僅得一二，

豈公有所重，而不甚屑意於此歟？古之君子，事業文章，率體乎自然而行於不得
已。誠不得已，則事固不足以名公，況其言乎？詩文若干篇，子立言彙爲六卷，
門人竑校而序於簡端。萬曆辛亥夏五，賜進士及第、翰林院脩撰、儒林郎、直起
居注、纂脩國史、東宮日講官，門人瑯琊焦竑撰。

（王金凌審查　柳之青標點）

許文穆公全集二十卷十冊　明許國撰　許志才等編　明天啟乙丑（五年）新安許
氏畹香堂刊本　　12422

明許志才目錄引

　　先大父文穆公爲諸生時，即留心三立之業，及讀中秘書至參大政歸田，猶孜
孜不倦。故其淑身之德已俎豆于宮牆，安儲之功已襃揚于史冊，獨文章尚未布
傳。諸通家縉紳先生謂當亟梓，以垂不朽。竊念先公文章詩賦在當時，鹿門、弇
洲、太函、甀甀、大泌諸先生皆極稱其渾涵爾雅，爲清廟明堂之音，信非不足傳
者。但先公嘗自集稿十數卷藏笥中，歸田日，有通家先生索梓，因簡笥中，已爲
鼠蠹窟穴，零碎不可收拾，先公嘆曰，意者此不足傳耶？胡以至此？乃悉焚之，
遂無存稿。先公歿後，雲嶠劉少宰最先索梓，因無存稿，無以應之。切思先公文
章既在世間，未嘗不可搜集也。乃博訪旁求，幸而先後萃聚，或得之博雅家所購
錄，或得之各文集所首載，或得之各家乘之所刊，或得之各碑碣之所勒，或得之
殘編剩幅之所餘，凡耳目所及，無不悉錄而珍藏之。惟疏草則全得之臺山葉相公
秘閣所錄，若詩自丁卯至辛未所作，則全得之東郊畢中丞秘笈所藏。不肖志才與
大兄自弱冠搜集，至今垂二十年所，日積月累，不遺餘力，至得序五卷，記一
卷，論、議、考、說、解、書共二卷，策問、碑、表、箋共一卷，疏一卷，制草
一卷，墓誌銘三卷，墓碑、碣、表、誄、傳共一卷，行狀二卷，祭文一卷，詩、
賦共二卷，總成二十卷。幸各體咸備，既散復全，其尚有遺而不及搜者，猶不敢
已於搜也。當歲乙巳，集尚未全，即送雲嶠劉司成較閱，將刻於南雍，以擢少宰
去，不果。至辛亥，漪園焦太史取劉少宰所較閱者復爲較閱，纔十之二耳。其後
所集日益廣。乙丑歲，余姻天石吳太史相與參較，急在梓傳，甚盛心也。不肖志
才幸持節冊封慶藩，歸里之暇，輒以平涵朱相公、思白董宗伯、石帆岳司馬、石

簣陶司成、虛臺蔡光祿、華岡王司寇、聞野羅中丞、桂渚洪奉常、恒初吳奉常先後品評，乃命長子鶴昂更加訂定，集成二十卷，授之剞劂，以董其成，俾先公之文章不終散佚，稍稍流布於世，或可藉手以答諸通家先生之盛心乎！嫡孫志才謹識。

（王金凌審查　　柳之青標點）

新刊震川先生文集二十卷六冊　明歸有光撰　歸道傳編　明萬曆甲戌（二年）崑山歸氏刊本　12423

明 蔣 以 忠 刻 序

　　震川先生既歿之明年，其從弟太學生道傳袤先生遺文來南中，謀壽諸梓，俾余校閱，且屬序之。嗚呼！余不敏，惡能訂先生之文哉！顧自束髮即嚮往先生，已又以戚故，常侍先生遊。憶庚午冬，余自閩入覲，先生方病瘡在告，余訪之，延入臥內，目篋中所爲文，若有托者而不能言。別去未幾，先生不祿，兹忽忽越四載矣！日惟以負先生是懼，迺於太學君之屬，又何可辭也。先生童時不好弄，即嗜爲古文詞，所居下帷，常竟月不出。弱冠入太學，庚子魁南畿，聲稱籍甚。迺連舉不第，輒怡然歸，歸即讀書譚道，學益博，名益高，四方乞文者日益衆，東西負笈之士，趾相錯於道也。先生性高簡，頗厭市囂，乃闢書屋於安亭江上，門屏闃如，絕不問戶外事，裹足偃仰而已。日具蔬粥，與諸生講論以爲常。既舉進士，令吳興，及倅邢州，治文書外，輒掩關著述，一意修古，世味泊如也。先生神清氣安，志意凝靜，居常有深沉之思，故發爲文詞，棄去彫鏤，直尚玄素，且結構中度，敘事有體，駸駸進逼子長，東京以後無論也。或謂先生徒習章藝，以吏事少之。今讀其文，悉措經綸，明道術，檃括古今，摽陳時務，種種具在。至論三江源委及水利諸書，尤卓有眞見，皆前人所未發。其勘辦張貞婦死事，當世老吏，莫能難也。嗟嗟！閑於吏事，疇先生若哉？世人亦淺於覘先生矣！初先生發解時，最受知於長沙張文隱公，公每對人，必指而稱曰，國士國士云。公後兩典禮闈，意欲得先生。先生每從計偕來，客逆旅中，兀居待試而已。有以謁公諷先生者，先生不往也，坐是齟齬二十年無所遇。既爲令，事藩臬大吏，鮮卑卑禮，遇有可否，抱案牘往爭之。衆謂迂儒不當如是，乃不予善課，僅遷邢州倅以去。嗚呼！即二者可以覘先生所養矣。晚歲有知先生者荐於朝，自邢州遷閩丞，入掌誥勅。一時制文悉先生具草，方駸駸嚮用，而疾不可爲矣。先生入仕甫六年，立朝僅三百日，厥施未究，而止以遺文傳於世，可悲也！先生之文始刻於建州，又刻於玉峰，俱未備。是集得文三百五十篇，列爲二十卷。先生著述甚富，而太學君摭搜之勤可尚也。先生間爲詩，亦清婉有致，散逸不存，茲不載。嗚呼！後世欲知先生者，此亦足以觀矣。萬曆甲戌八月上浣，賜進士第、承直郎、南京刑部主事，海虞後學蔣以忠頓首拜譔。

附年譜一卷　清孫岱編　清嘉慶己未（四年）嘉定孫氏刊本
清 王 鳴 盛 序

　　孫君諱岱，字守中，居安亭江上，距歸震川先生所居僅數十武，讀先生之書而景慕之，作爲年譜，同里錢君大昕、汪君照已序之矣。近日杭先生大宗序施愚山年譜，謂年譜起于宋，歷舉宋、明人所作。而錢君序別爲徵引，不相蹈襲，二家之言可云備矣。若汪君□所舉，皆杭先生所已及，無出乎其外者。要之，錢君謂立言如震川，雖年六十六，謂之長生可也。汪君謂守中之于先生，雖謂之汙其所好，亦所不辭，實均爲通人之論。孫君復郵寄予，屬繼以言，予將何以益二君哉！昔者予世籍崑山，六世祖母及高祖母皆歸氏。六世祖母則先生之曾孫女，高祖母則先生之元孫女也。集中于先八世祖司業公及族叔祖大理公，皆一見其名焉。顧以予之譾劣，於譜無能爲役，而孫君乃能成之序之，不更滋愧與？抑予嘗作漢經師鄭康□〔成〕年譜，采摭甚富，年經事緯，行且刻入蛾術編問世。夫鄭、虞、毛、服、何、范、孫、許此八家者，自漢至晉初人也，今其書現在者五人，其三人則補緝，此之謂家法。由震川先生溯而上之，後之學者欲知源流之所處，芳臭氣澤之所及，孫君倘有意乎？癸丑臘月，西莊居士王鳴盛題，維持瞽目重開行年七十有二。

清 錢 大 昕 序

　　年譜一家，昉於宋，唐人集有年譜者，皆宋人爲之，留元剛之於顏魯公，洪興祖、方崧卿之於韓文公，李璜、何友諒之於白文公，耿秉之於李衛公是也。震川歸先生之文，近代之韓、歐陽也，韓、歐陽有年譜，而先生闕焉，是非後進之責歟？國初汪堯峯編修嘗譜□，而世復不傳。安亭孫君守中生於先生講學之鄉，濡染教澤，誦先生之文，因論次先生遺事，譜其年月，甲乙分明，皆可徵信。古人以立言爲不朽之一，先生歿於隆慶辛未，距今二百一十有七載矣，讀斯譜而如睹公之須眉言論，宛然登畏壘之亭，而雍容揖讓於其間。彼道家所謂長生鍊形者，世且莫能舉其姓名，吾惡知其軀殼果安在哉？然則立言如先生者，雖謂之長生可也。戊申八月十又六日，錢大昕題於小𤲞廡。

清 汪 照 序

歸太僕震川先生文集傳於世者，有崑山、常熟諸本。其平生大略具載明史及郡縣志，而行狀、行述、墓志、墓表，紀載尤詳，惟年譜則闕而未備，此孫君守中之所爲作也。考先生生際嘉隆間，名位未及大顯，措施未及大究。然其讀書於安亭江上，論易圖，訂尚書，□〔辨？〕禮經，悟春秋之微，揆詩人之意，一一要歸於大道，學者靡然嚮風。又條陳世務，當時雖未見施行，後之遵其法者，全活人無算。宰長興，日用古教化法，湖山爲之肅清，則所稱立德立功立言者，先生有焉。守中居安亭，距先生讀書之世美堂不半里而近，聞風欣慕，與二三同學講習於荒江寂寞之濱，掊摭舊聞，采本傳、行狀、行述、墓志、墓表，排續事行，譜之以年，其用意可不謂勤乎！余嘗讀唐、宋人別集，有年譜者無慮數十家，徵國文公年譜，盧壯父刻於瑞陽，郟灼又有續刻，而公之八世孫洵與澍取國子監所刊行狀，與婺原所刻年譜及徽州建寧世系，訂其訛謬，補其遺闕，合爲一書。十二世孫鍾文又遡唐茶院公以來支派，纂紀本末，以及公之生平事蹟，歷代褒典并後賢紀述，分爲十三門，曰考亭朱氏文獻全譜。詳略稍殊，儲藏家每並存之，譜以人重如此。守中是編事核文直，兼仿山谷年譜例，以詩文目繫編年之下，俾先生之道與文久而愈尊，行與呂大防、程俱、洪興祖三家之譜昌黎，文安禮之譜柳州，薛齊誼之譜盧陵，朱子之譜南豐，何掄之譜眉山三君子，並示後學，爲無窮之傳矣。近世儒者言，吳人香火情深，輒阿好其鄉前輩。若守中之於先生，雖謂之阿其所好，亦所不辭也。乾隆戊申春二月旬又九日，嘉定汪照撰。

清 孫 夏 重 跋

先君子好古力學，於書無所不窺，而於震川先生文尤其篤嗜。以汪堯峯曾爲先生譔次年譜，惜其書不克行世，復就先生遺集益以誌、狀、碑、版之文，略其事跡，凡三易稿而成。嘗語不肖孤曰，先生之文，載道之器也。其文具在，固無係乎年譜之有無也。然予之所以拳拳於此者，聊誌高山景行之慕耳。閱六年甲寅，先君子遂致不起，易簀時，猶屬不肖孤，以是編當亟梓之，夏重不敢忘。奉諱以來，忽忽七載，每發故篋，手澤如新，淚浸浸下，不忍卒讀。適磔亭張表伯任爲讐校，即付剞劂，務令先君子景仰昔賢之心不沒于後，不肖孤亦死且不朽。嘉慶己未嘉平月，不肖男夏重謹識。

（王金凌審查　　柳之青標點）

歸先生文集三十卷外集一卷詩一卷附錄一卷四冊　明歸有光撰　明萬曆三年書林翁氏雨金堂刊丙子（四年）增刊祭文本　清汪琬青墨筆批校　吳覲文朱筆批點
12426

明 陳 奎 歸 先 生 文 集 序

　　士之遇有三，太上遇於道德，其次遇於文章，其次遇於祿位。博窺古昔，鮮有能兼之者，今讀震川公集，而益信其然也。夫震川甫弱冠，即聲振三吳，乃淹俟歲薦，間關獲一第，復九試而擢南宮，令長興，倅邢州，困躓矣！迨徵丞冏寺，爰侍史館，班近臣，纂述未備，而玉樓之召往焉。何施之無寸而蓄之有尺耶？史遷曰，力田不如逢年，善仕不如遇合。嬴勝而履屬，人情之反也；積薪而用人，哲士之慨也。使震川以弱齡揚見龍之光，揮鴻漸之翼，附景希炎，自致要津，則其含英咀華，亦足以入柄綸臺，導斧扆難喻之旨，何至以未莫之年，蹔試而僄踦之耶！韓退之謂子厚斥不久，窮不極，則不能自力於文章以傳後，如今意者震川之所遇，有在此而不在彼耶？夫困爲德辨，塞以達知，人之恒也。故抑之數奇不爲感，揚之縣令郡倅不爲麻。白首爲郎署，非公之得，散秩入侍從，非公之通。好脩而獲屏，厚積而薄發，造化控摶之意可識矣。不然，積行累仁，世載其烈，而身不履盛者，奚可勝計也。倘所謂齒角之喻，非耶？吾聞風胡品剸犀之奇，不以己割，神奴相蘭雲之足，不以底止，觀士者獨以其遇已乎？亦在所表也。蓋君子之裁物也，以顯抱也，其緒論也，以鼎言也。言以彰訓，訓以立則，則以飾度，度以從時，道之經也。今觀是集也，華不近浮，質不近俚，急皇國之憂，悼末路之夷。蓋嘗讀書星谿之上，吞吐吳會之奇，轉從湖庭彭蠡之間，出納山川之秀，是以其志遠，其思深，其言博大充滿而不可涯際也。比於往哲之堂奧，豈不庶幾哉？於戲！當其時，位高太僕者何可一二數，而太僕之集獨傳，然則士亦何汲汲于遇耶？萬曆丁亥孟秋朔又四日，賜進士第、通議大夫、廣東提刑按察司按察使、前三奉勑整飭徐州兵備、巡視廣東海道、總理海防、兼分巡嶺東道、廣東副使、山東參政，閩人陳奎謹撰。

明 陳 文 燭 歸 先 生 文 集 敘

　　震川先生者，崑山歸熙甫也。先生與先君子同出張文毅公門，稱爲雙璧，余兒時知之。同舉進士，論文驪甚。慕司馬子長而學焉，各以其文遞相爲敘。先生敘余文蓋嘉靖乙丑春也，二十年而始定先生之言。先生每謂，文至六經尚矣，明道記事宗焉。子長所稱拾遺補藝，成一家之言，不有厥協六經異傳、齊整百家雜語者乎？故日，詩書隱約者，欲遂其志之思也。而演易、而作春秋，下及離騷、國語、孫子、呂覽、韓非子諸書，皆發憤而自通，使見後人所爲作，無論韓、柳、歐、曾、王大小蘇諸家，即虞伯生何得少之。學史記者，奈何字字而摹，句句而擬也？余唯唯否否。今讀先生集，所論易圖、洪範、大衍、孝經、經敘諸篇，眞見聖人之心於千載之下，發漢、唐、宋、元諸儒所未發。書記之文，或道陰陽，或道政事，或道性情，或道名分，或道禮樂，必準六藝。而穀梁之屬，荀、孟之暢，老、莊之肆，多見筆端。西京至勝國，凡有所長，會而通之。難言者藻，易語者約，不雕而工，不滌而古，風行水上，水由地中行也。明三代之遺，紀六合之綜，子長復生，等三閭、左、國矣，好奇者何得彈射先生？以余學史記也，余今知先生善學史記也，蓋千萬世可傳云。先生博學弘才，早揚明廷，潤色鴻猷。乃晚對公車，沉淪縣令郡倅之間，及丞太僕，兼掌制勑，纂脩世宗實錄，期月而往矣。每覽改官、乞休諸疏，至匡鼎雖貧，桓榮已老，尚能誨士，成漢二史，作唐一經，要諸没齒，經術報國，未嘗不唏噓使人流涕也。獨御倭、馬政、水利三途並用諸議，覽者以爲周官之遺。卓子康一傳，書長興座右，至於今口碑焉。先生可傳也獨文哉？先生常欲作茶陵張公傳，余日，相業若何？先生日，大節在不草玄文，肅皇帝以隱諡之。余日，宜何諡？先生日，端而毅可也。張公易文毅，而制辭出先生手，獨無文毅傳，豈有志而未就與？先生諱有光，字熙甫，海內稱震川先生。萬曆戊子秋日，賜進士第、通奉大夫、江西等處承宣布政使司左布政使、前奉勑督理廬鳳淮揚糧儲、四川按察司提學副使，同年友人沔陽陳文燭撰。

明 周 詩 歸 先 生 文 集 小 引

　　吾師震川先生，天挺人豪，夙負奇質，於群經諸史，靡不淹貫，而爲文逼追
班、馬家法，海內學者咸向慕之。顧吾師卒於官，而家弗給，其文不能行於世，
書林翁買請梓而傳之。梓垂成，謀所以冠諸首者。詩乃往海虞，求於相國老師養
翁嚴公，公躍然以喜，曰，而師眞文章家也。往歲乙丑，而師登第，余謂宜列史
館，惜當事者格於限年之議，遂補外職。後雖礿用，而未展其才，余負快快久
矣。今其文章可爲不朽，序之固吾責也。梓既成，詩往請如初。會老師有如夫人
之喪，未克以爲，而許之復如初，且曰，吾與而師意氣相感，有不容不爲者。茲
以向慕者衆，索者爭趨焉，買人亦亟欲其行也，遂出以與四方之士共焉。詩故僭
爲之引。若吾師充養之邃，發越之宏，深入乎文字之妙者，相國老師能鑒之，固
將著於序，以彰其美而永其傳也。余殆無敢喙矣。萬曆三年十月既望，門生周詩
拜書。

明 歸 子 寧 歸 先 生 文 集 跋

　　昔先君在邢嘗云，著書所以垂世立教，非有道者不能。因言平生未嘗論著，
欲有所作，以入賀而止。每欲修宋史，謂非獨其繁亂，又多用誌狀碑文，尤不足
取信，予雖不輕與人爲文，然復有不能辭者。今子寧等所編緝，雖多應世之文，
而平生大概亦略見之。又言歐陽永叔、蘇氏兄弟不免純駁，皆由欲偏存之耳。至
如劉夢得所選柳子厚文，尤不能無病，蓋一時酬答，或談論戲嘲，雖有可觀，並
不足錄。夫喘息馨欬之不忘，斯後人之意，然君子愛人以德，不可以姑息。先君
之意如此，子寧等編緝先君之文，雖不敢望前世之君子，亦皆述先君遺意，非妄
自有所損益也。若時所傳者，多傳寫謬訛，雜以他人之作，讀者自能識之。隆慶
壬申嘉平日，男子寧謹識。

（王金凌審查　　柳之青標點）

歸震川先生未刻集二十五卷六冊　明歸有光撰　歸子寧編　舊鈔本　清吳以淳手
校并跋又近人鄧邦述、宗舜年各手書題跋　　12427

明 歸 子 寧 跋

　　隆慶二年壬申之歲，校閱先君遺文，編爲三十卷，附以王京兆子敬撰以先君
行狀，與不肖所作序，略及愍道賦等篇，別爲一卷。後同年沔陽陳大理玉叔復爲
之序。時有書賈翁良瑜適至，欲刻先君文。遂付梓之，盛行於世。然尚有未編刻
者，檢而彙集之，仍目之爲世美堂稿云。蓋自嘉靖十九年庚子歲，先君讀書安亭
上，四方來學者甚衆，率多登第，仕至通顯。時先君罕出，諸生執經問難，其疑
義輒令亡兄子孝傳示，或筆之於書。時亡兄纔十齡耳。及倭夷喪亂，經義諸作并
所藏圖書皆已失去。曩時先君受徒，及舘於他所，與讀書鄧尉山中，多所著作，
皆爲門人所得。逮不肖年十餘，頗知文義，先君脫稿，輒命更錄之，皆在世美堂
編緝。此堂先君嘗爲之記，蓋先姚之曾大父王翁致謙所創。曾孫某郎不肖之母舅
也，以逋官物鬻之於人，將就拆毀，先母不忍，頓有黍離之悲，而先君亦以其閒
靜可避俗囂，遂假貸以償鬻者，更加其值以與母舅。及母舅坐謫戍，繫獄二十餘
年，先君力爲之扶救，不肖又復假貸以全濟之，故不即遣而并得釋。既釋，而其
子若孫遂恣其操戈之謀，百方躋陷。比其三世，殆無寧日，并所另置田宅悉爲攘
奪，至於孑然靡遺。痛念先母之辛勤拮据，而不肖以身爲之捍蔽者三十餘年，而
生平之心力與夫功名事業皆灰滅於此。乃先君施以吹枯生死之恩，而反報以殞首
覆宗之禍。其害亦烈矣！不肖效死以守而卒墮奸謀，非先姚之意與不肖之本心
也。夫堂何戀也，乃先君文出於此，而編輯亦與此，以故先君嘗目之爲世美堂稿
矣。今集此後稿，能不以此目之，忍遽去之耶？夫以思其居處，思其笑語，與夫
誦讀及門人之講疾，爰然堂構竟爲梟獍豺狼之窟，書此寧無遺憾乎？嗚呼！堂則
已矣，先君之文翁賈梓以貿易致富。當時來求者甚衆，不肖皆以重價與翁以應，
今其板遂展轉易主。萬曆十年壬午之歲，翁於留都又欲刻先君柬劄，不肖盡以柬
付，乃不見刻，而云爲顧莒州取去，可恨也。先君遺文，不肖既無力付梓，有云
欲刻者，輒不吝與之。然每不刻而併其原本不返，不肖之所以深悔而無及也。不
肖嘗隨先君之任順德府，署中錄先君時義及古文各四冊，亦略備矣。一日夏九範
來，云，顧光世欲遍刻先君遺文。借去，今且三十年。九範已謝世，顧君嘗有危
疾，既絶而復甦。云，被逮至陰府，見歸先生同列坐者幾人，皆峩冠。某至階
下，先生云，此欲刻吾文者，俟其刻完可也。遂得釋還。人有戲之者曰，歸先生
文終刻不成矣，留與顧君作長年計也。可發一笑！向來先君文有別刻者，其眞膺
間錯，校閱舛誤，至文理或有不通，茲復有假雜可怪者，又不可不辯。不肖男子

寧頓首百拜謹書。

（王金凌審查　　柳之青標點）

————————

二酉園詩集十二卷文集十四卷續集二十三卷三十六冊　明陳文燭撰　明萬曆甲
申（十二年）龍膺刊本　12428

明 汪 道 昆 序

　　君善從玉叔受室舘于二酉園，其奧室多藏書，諸玉叔所稱著具在。君善卒
業，篋而之新都，于時白楡社成，挾筴而抵不佞。吾舅早服重積，無慮百千萬
言，或以時錯綜，或以地區別，故必齊其體要，而後可觀其會通。合則千金之
裘，離則一狐之腋也。其或卒然汎應，殆非極思，哀而定之，則惟長者郡大夫。
故自山陽事玉叔申之，以司理之言具精，鳩工以待從事。不佞習玉叔，蓋三世通
家，往得玉叔所爲文，嘗與元美中分序之矣，乃今受命守相，其何敢方？則自社
中召兩生，授之部署，其一潘之恒職編次，其一黃正祖職校讐，不朞月告成。玉
叔進閩方伯，我國家再造縣宇，才宜無讓虞周，顧惟二三君子代興，睠乎漢兩司
馬之後，幼學則困經術，丁年而仕則困程書，爰及倦勤，困於自廢，雖有餘力，
畢謝未遑，其志不專，則其力不競，固其所也。其間作者，無寧躍冶而必爲干
將，無亦歐冶儲精有其質矣，要以天地人之助，則其淬礪者居多。世類本諸天，
名山大川觳諸地，麗澤取諸人，兼此三者故全也。夫弓冶箕裘，言世業也，玉叔
父憲卿，而子立甫遞以公車起家，作述相承，炳焉經世之業，殆猶殷帝之三寶，
直之無前，媾在武陵，則雌雄之匹也。天作之合，其在斯乎？自昔多材宜莫如
楚，左史，左徒而下，郢中猶有遺音，玉叔生漢陰，三湘七澤之靈管是矣！其稱
詩自舞勺始業已有聲，年少爲廷中郎，緩佩而從列棘之後，退朝則高譚碣石，躡
足黃金之臺，太液上林，幸一寓目。頃之出守，不薄淮陽，是振四瀆而王百川，
泱泱乎大觀矣。路車省觀，發少室，歷太和，周視中原，部婁群望，蜀之役，窮
西南之奇，漕之役，登泰山，歷鄒嶧，弭節京口，陟三山，觀廣陵濤，苦臥黃
蓬，乃在堊室，聲出五內，猶中蓼莪。其杖屨所至，則靈藪神皋，紛紛乎，總總
乎，若動雷雨、挾風雲而從之矣，川岳貢珍，皆是物也。玉叔故多父執，居朝益
廣交游，淮海當六傳之衝，尤盛賓客。其嚴事則若瑯琊、鄂渚、吳興、新蔡、銅

梁、豫章，其石交則若雲杜、番禺、四明、莆田、西粵，諸侯王則若隴西、河內，縫掖則瀠水、華亭，山澤則謝茂秦、沈嘉則、俞仲蔚、周公瑕、俞公臨，居淮尤善郭次甫，蓋傾宇內者什七八，取益無方。茲更入蜀，轉而之閩，轍迹浸周，游道浸廣，人無所愛其情矣。君善雅言，舅孳孳追琢，不啻發硎，日有程，月有攷，歲有會，其或有他而廢，日僛焉如將不終。夫志至則氣從，氣至則神王，直將旦暮千古，西盡崦嵫。玉叔僅及中年，則盤盂之日也卜之日，力不亦綽綽乎哉？過此與化俱成，夸父曾不能以步。立甫相越，發禹穴而校之，析若之光始升暘谷，君善方駕，可當羲和，玉叔儵然，憑態軑歷三天子鄣，吾黨當屬兩相，君執牛耳矣。萬曆甲申日長至，新都汪道昆著。

明 王 世 貞 序

　　陳左伯玉叔先生弱冠而侍其先大夫宦京師，所著古文辭出，必傳賞士林。既舉進士，官廷尉，平得極意其業。所交皆大父行，天下長者咸折節而稱先生詩，於是名驟顯著。旋守淮安股肱郡，視學西蜀，漕于河臬，藩於閩暨西楚。它輶軒所經綸，若周若燕若齊魯。其家居七澤，又皆江山名勝地，有至必游，游必有賦、記、敘之類以發之。而其地之賢豪大夫，亦必以不泯之計請，先生一一應之不倦。念無以報先生德，則必求先生之詩若文爲之敘，而屬門故壽於木，於是先生之編甚夥而敘亦稱。是時汪司馬伯玉暨不佞貞亦與焉，先生猶以爲未慊於志。因悉哀其前後所著詩若文，仍屬不佞貞與伯玉曰，二子更爲我敘之。嚮者志吾之進也，今者將志吾之就乎。不佞貞曰，唯唯。夫天地之精英獨界之人，而人之精英漸溢而著之言，爲詩若文，是皆因天地之自然而節奏之，還以黼黻乎天地者，唯此二端而已。詩近方，文近圓，其爲體稍殊，而見之用則一也。有自外境而內觸者，有自內境而外宣者，其所綸亦稍殊，其成於意一也。意者，詩與文之樞也，動而發，盡而止，發乎其所當發，止乎其所不得不止，古有是言，要爲盡之矣。先生所遭內外境以百千計，其言之就以數十百萬計，其接逾繁，其應愈不窮，蓋深得夫發與止之樞而執之者。是故簡而裁，直而紆，淡而不厭，悠然有治世之音焉。人咸謂先生古詩出建安，近體過錢、劉，文或左、史，或昌黎、廬陽，不可以蹀逎見軌轍。雖然，所以爲玉叔先生者故自如也。伯玉宏麗工微辭，當與先生虙傳而成不朽，若不佞則何所效哉！先生之於不佞，固無俟執手申契闊，而竿尺之往返，亦不啻稱神交，乃余弟敬美奉常尤得幸先生，如雜編中所云雙龍編者可徵已。今甫草先生序，而敬美忽棄余，今竊與先生期，異日奉常之集成，先生能不靳一言以爲璠瑤報哉？則不佞之敘先生集，無異所以敘余弟集也。萬□〔曆〕□□□□□日，弇州山人王世貞譔。

明龍膺跋

余小子就甥館悉發二酉藏書，得舅諸集徧讀之，斤斤乎若有概于中也。楚自倚相屈平而下，其材足多，即今二三大夫蔚然以楚產取重，要以本實峻茂，柯葉扶疏。則二酉職之，其斯爲萬乘器也。載而入社，先以質長公，長公先得余小子心，言若右契，獨以遊各爲帙，體式異齊，必統之同，始出一軌。于是爲之部署，稍芟其繁，屬潘生、董生詮次入梓。郡伯濟南高公，疇昔淮陽同事，爲之授稡居肆，以贊其成。居無何，集定矣。舅方爲閩方伯，奏之閩中，竊惟三世通家，則自王舅王父始，始以論著，既以昏姻，無論舅甥，儼然父師具在。以世講則猶之乎膺也父，以世業則猶之乎膺也師。律以象賢，余小子無能速肖，由是而步，由是而趨，祚于斯庭，庶幾乎弟子職也，非直子壻禮也。工既畢事，繫斯語以爲矢言。萬曆甲申嘉平吉月，子壻龍膺書于新都公署之斗舍。

明王世貞五嶽山人前集序

王子曰，蓋隆慶間，有淮陽守陳君玉叔云，余不識玉叔，識玉叔之父憲大夫。公，博雅長者也。已玉叔與余仲懋游，稍得其爲人，已又從仲所得其詩，最後玉叔以其文來。余讀之，蓋三得而三爲心折也。明興，世世右垂紳委蛇之業，士大夫作爲歌詩，以紹明正始之音，斒如矣。至於文，而各持其門戶以相軋，卒勝卒負，而莫有竟者。其故何也？尚法則爲法困，裁而傷乎氣，達意則爲意用，縱而舍其津筏，畏于思之難，信心而成之。苟取其近者，囂囂然而自足，耻于名之易，鈎棘以探之，務剽其異者，沾沾然以爲非常。夫其各相軋而卒莫相竟也，彼各有以持其角之負，然而不善所以爲勝者，故弗勝也。吾來自意而往之法，意至而法偕至，法就而意融乎其間矣。夫意無方而法有體也，意來甚難而出之若易，法往甚易而窺之若難，此所謂相爲用也。左氏法先意者也，司馬氏意先法者也，然而未有不相爲用也。夫不覩夫造物者之於兆類乎？走飛夭喬，各有則而不失眞，迨乎風容精彩流動而爲生氣者，不乏也。彼見夫剽擬而少獲其似以爲眞，曰，吾司馬左氏矣。所謂生氣者安在哉！任於才之近，一發而自以爲生色，

曰，何所用司馬、左氏爲？不知其於走飛天喬之則何如也？玉叔文亡論所究極，
庶幾司馬、左氏哉！不屈闕其意以媚法，不斺斂其法以殉意，裁有擴而縱有操，
則既亦彬彬君子矣。蓋玉叔三十而其業成，然不以自安，走一介不佞曰，將就正
也，非以游揚大人也。嗚呼！後玉叔而相繼爲是業者守此，明文可以竟矣。玉叔
故蚤貴，居恒自稱五嶽山人以見志焉，是故曰五嶽山人前集，凡十一卷。隆慶壬
申冬日，吳郡王世貞撰。

明 歸 有 光 五 嶽 山 人 前 集 序

　　余與玉叔別三年矣，讀其文益奇。余固鄙野，不能得古人萬分之一，然不喜
爲今世之文。性獨好史記，勉而爲文，不史記若也，玉叔好史記，其文即史記若
也。信夫人之才力有不可強者。夫西子病心而矉，其里之醜人亦捧心而矉，其里
富人見之，堅閉門而不出，貧人見之，挈妻子去之而走。余固里之醜人耳，若有
如西子者而爲西子之矉，顧不益美也耶？故曰，知美矉而不知矉之所以美。夫知
史記之所以爲史記，則能史記矣。故曰喙鳴合與天地爲合，其合緡緡。甚矣文之
難言也！每與玉叔抵掌而談，相視而笑，今見其燁燁爾，洋洋爾，纏纏爾，別之
三年，而其文之富如此，能史記若也。荊楚自昔多文人，左氏之傳，荀卿之論，
屈子之騷，莊周之篇，皆楚人也，試讀之，未有不史記若也。玉叔生于楚，其才
豈異於古耶！先是以其稿留余者逾月，似以余爲知之者，而命之題其後。昔韓退
之才兼衆體，故敘樊紹述則如樊紹述，敘柳子厚則如柳子厚，余不能如玉叔也，
況史記耶？夫苟能如玉叔，則亦里之捧心者也。隆慶庚午五月五日，吳郡歸有光
撰。

明 汪 道 昆 五 嶽 山 人 後 集 序

　　歲戊午，不佞以楚守吏預楚賓興，幸得徧觀楚材，乃大奇玉叔，是猶沿江漢
而泝岷嶓，津津乎成博士一家言。及玉叔對公車，守理無害，出爲二千石，守淮
陽，居常修古屬辭，積若干卷。不佞受而卒業，泱泱乎成作者一家言，是猶沿淮
海而泝龍門，即太史遷可旦暮遇也。既玉叔進憲大夫，奉功令入蜀，進藩大夫，
奉璽書治漕六傳之所，周覽置驛之所，交游庶幾乎窮西南之奇，盡東南之美矣。
故其所就業日益富，而其所治業日益精，合而筴之，命曰後集。不佞三仕楚，習
楚之良，上下數千百年，不啻式其閭而持其臂矣。楚控南紀，當離明，其人幼清

則鬻熊，博雅則左史倚相，奇詭則漆園吏，忠憤則三閭大夫，靡麗則宋玉、景差，閎衍則蘭陵令。其言皆足以不朽，惡論張楚乎哉！由今而談，或繫方國，或隮阨窮，憤者激而自傷，詭者洸洋而自恣，靡麗者無當，閎衍者不經，概諸中庸，則瑕瑜辯矣。明興，楚士爲盛，豐鎬近在郢中，乃若夢澤、鄂渚二卿，則其彰彰者也。顧直卿任放，不避昌被，明卿負俗獨行，終亦不免，則其論著可得而言。夢澤操咫尺爲名高，此以三尺復楚者也，鄂渚未知所稅駕果能過三百乘乎？其未邪？要以蓬累明時，其爲不得均也。玉叔爲吾同舍郎，子蓋世其家，而玉叔負雋才且蚤貴，當世方急玉叔，不啻楚國之急叔敖，蓋得時而駕康莊，莫之擁閼。其言忠而不憤，奇而不詭，不靡而麗、不衍而閎，乃今就業日益富，治業日益精，瞠乎百世之後而左右之矣。舊史氏有言，詩書隱約，欲遂其志者之思也。信斯言也！作者必窮而工，如其困而哀思，孰若政和而安以樂？如其不平而感憤，孰若心和氣和而天地之和應之？故誓命訓誥，不賢於典謨，采詩而觀列國之風，則周南召南首矣。楚之駕者，不亦魚麗乎哉！乃玉叔以左廣先，則其所遇者殊也。且也由前則始駕也，由後則再駕也，玉叔春秋富矣，于今爲後，于後爲今，超乘而上之三駕，而楚士莫敢與爭矣。玉叔名氏具前集元美序中。萬曆己卯冬十月朔，新都汪道昆撰。

明茅坤五嶽山人後集序

五嶽山人後集者，沔陽陳公玉叔所論著，而以授我於苕上者也。公一日走千里使囊所刻若干卷，且移書而告之曰，予少以文章自娛，然自先秦及漢西京以下無不得其似。所景劌心者，若賈太中誼、若司馬太史遷、若淮南王安是也。時時數爲摹畫，亦時時數沾沾自喜，故所刻前集大都本此。王廷尉、歸尚寶兩公嘗爲予品畫而序之，其所稱述亦大都以此。已而予稍稍棄去。竊以爲文章者，所當天地間日月風霆、山川疆域、昆蟲草木之變，而繪之成象、觸之成聲者也。彼賈太中以下或得其解耳，恐不必如故所摹畫爲也。於是時予之文譽日以起，世之請文者日以衆，所當濡毫臨繒而應者日以夢且不給，故未嘗一句一字摹畫賈太中以下，而抑未嘗不一句一字鼓鑄賈太中以下。即或類與否，予亦大都不以之次於心而紸於眉睫也，或漫矣。又告之曰，君，今之韓歐也，其爲我序之。嗟乎！予非閒於文者，豈敢當韓歐哉？予又安敢附王廷尉諸君序公之文乎哉！然公所自謂近且不欲爲摹畫，不欲爲沾沾自喜，而獨以天地間所當繪而成象、觸而成聲者，以爲文章之旨，此則幾於道矣。公所自得者之至，而前集與後集間或相及不相及，恐於公亦不能不以之自譽也。予未之面公，聞公之年尚富，其於道也日以勤，異日者之以文名當時而傳後世，蓋有不特今之聞人所稱述而已者。噫！予雖不敢當韓歐，廼若公之所云，或韓歐氏以來未墜於地者之一線也，不識公謂然否？歸安茅坤撰。

（王金凌審查　　柳之青標點）

休休齋集七卷二冊　明管大勳撰　明萬曆六年刊本　12430

明 余 寅 序

　　……（前闕）鈞也，以今觀吾友世臣氏之詩，蓋幾有其肖焉。世臣弱冠時與余聯業，視所業蔑如也。既成進士，讀書中秘，盡棄其所業而業古文辭，則謂余。余惟不蚤於習，以艱於此途。故世臣氏之銳於詩，在省勝其在舘時，在郡勝其在省時，在督學又勝其在郡時。茲集僅錄其再爲郡延平時，不滿三歲，得詩數百首，大抵敘述什七，寄興什三，寄興而顯者什七，而微以邃者什三。故語有爰究，情有委至，機有懸解，調有諧達，時時乎見之。諸此類豈不章徹稱有聞也。夫古人詩具在，彼其馳往之，卒不相依，然是不難知也。震之無曜而輝不發，敦之無固而植不堅，裁之無象而匡不軌，奏之無響而偶不麗。是故世臣不以其公牘廢，不以其私燕渴。一迅圖之，庸百奮之，遹遄厥歸，以期玄止。且也世臣以其綜覈効之乎封駁，以其刻勵効之乎政治，以其勤慎効之乎考校，乃竟得左遷，迄今淹淹山郡，於所嘅激，烏得無力諸？故曰世臣氏之有聞，故其銳哉，抑又以其用虛也。世臣得一篇什必視余，余謂良，世臣氏輒謂良，余謂弗良，世臣氏輒謂弗良。余非知詩者，世臣知余，余不敢負世臣，故卒以愚自蒙，乃世臣氏志遠矣。夫繇斯道也，世臣氏之於詩，詎得以今茲乎量之哉！萬曆戊寅夏五月，余寅君房甫撰。

明 郭 子 直 敘

　　管按察公好爲眇論，嘗希心柱下史，而曰，攝生莫若嗇，嗇則能早服，在聖通之士施於文章治術，無適不然者。余聞其說，伏而唯唯，固未甚中其解也。比出其蒼梧時所爲休休齋集示余。余卒業，歎曰，公惟能嗇以至於此耶？公以其龍蛇得早托於雲霧，嘗振六籍之華以嚆矢天下，天下嚮之。是時袞衣罔闕，方藉博雅之儒以備顧問，公宜留中秘。廼竟以給事外補，遷延至今，不可謂非嗇。或者天實豐人而故嗇之，有如冬不閉凍，則夏不長茂，天之道也，況於人何有？公誠深中厚植，自貴其生，逡逡不擾於物。雖委蛇若是，而歌聲若出金石，善自嗇者也。往歲入燕則爲燕吟，入蜀則爲蜀吟，入閩則爲閩吟，入郢則爲郢吟。已復度桂嶺，汎𣴩牁，下湘灕，休兵吊古，獨躊躇於伏波、子厚至深，故其諸什多卓犖奇傑之氣。公亦豈自知其嗇極而洩耶？在伏波去之數百載間，遂令銅柱無前，廼有子厚以文學來，而定世之業，隱然一敵國也，譬之霸主，一桓一文，莫可量力。廼今千秋而後，想見二公精神，未有不自仆其前茅以屬心焉者。吾何以知其嗇極而洩？以此。公昔親舉玉趾，有其最勝，遂爲詞賦以三之，誰謂不然。顧人亦有言，伏波、子厚尚已，公之業此其僅僅者也。夫語不云乎？美成在久，故伏波之功勒於征蠻，子厚之文工於遷柳，皆以其盛者垂之末年。公方騈力進取，未有所稅駕，將必至乎其所欲至。余見公之嗇，日以大也，深於柱下史之指矣。萬曆丁亥歲中春朔日，檇李郭子直謹撰。

明楊肇劍溪謾語序

　　詩學之源昉于風雅尚矣，後世論者大要有二，一曰詩能窮人，一曰詩能遠人。夫士達而居廟廊之上，有瑤裾瓊佩之色焉，故其聲閎深而瑋麗；士窮而處江湖之遠，有侮世肆志之氣焉，故其聲豪宕而冲詭。二者兼備其美，而擅長于一時，金精玉潔，動振琳琅，渢渢乎大雅君子之風，豈不難哉！以余觀于學憲慕雲管公，殆庶幾見之歟！公以文學擢高第，摛英秘閣，秉橐掖垣，遂持文節于天地西南之境，雄詞傑句，布濩區宇，見者莫不寶之爲明珠拱璧，鏗然璘然，榮達至矣。迄今再領延郡，臥理劍閣，凡覽日月星辰，山川雲物，魚龍草木之狀，盡皆探其靈秘而暢于詩詞，故其雄放浩蕩，若九華麗天，怒濤下擊，鯨鼇掣而東注千里也。其晶瑩幻逴，若翠蚪絳螭，潛于浚淵，吐光怪而上貫星漢也。約其旨趣，則怨懟憤激若涉洞庭，吊瀟湘，詠嘆乎羈旅遷客之思，讀之令人哀婉悽斷，冷然興窮悴之嗟，抑又何耶？蓋詩必窮而後工，工而後傳。故樂天之詩至盆浦而妙，少陵之詩至秦州而奇，然則斯集也，豈非盆浦秦州之逸響耶？公之謭練益深，聲猷益著，聖天子殆將召還金馬玉堂之署，俾紳繹乎翔龍躍鳳之才，發爲閎文瑋制，以煇煌乎功德治化之極，于以播金石，感鬼神，而照暎琬琰于不朽。是則蒸民思文之節奏也，所謂颼颼大雅之風，非耶？豈韓子云，天將使大其聲，以鳴國家之盛耶？公彙新詩，釐爲七卷，題曰劍溪謾語，付梓傳焉，廼命肇爲之序。曩者幸聆謦唾于江郡，今又挹珠玉于劍州，其沾丐膏馥厚矣。誼不得辭，輒用揄揚乎鳴盛之大者以爲斯世慶。至于推推興致，品藻菁華，藝苑之士殆必有所景鑒云。萬曆六載歲集戊寅仲秋之吉，舊寅建安楊肇拜撰。

明 □ 景 明 後 序

不佞景明自束髮受經生時，四明管先生業以六籍嚙矢宇內，一時咸推轂嚮風先生。不佞僻處陬隅，嘗從海內諸名公間竊一斑，恨不獲旦晚遇。既而先生觀察入粵，不佞方釋鉛槧，令古白石鄉，即欲乞要餘緒無繇。比先生奉簡書閩藩，不佞以下吏橐承事，輒沾沾喜，猥云神交，倘如橐鞬鞭蹬乎。先生故左守劍津，去有年所，而龍光閃爍，風雲蔽虧，恒若護先生。不佞偶裝回津畔，裁短句懷之，中有詹星但識雷豐浦，問俗猶傳謝永嘉之句，先生見而訝曰，而以螂臂當吾車耶？嗣青眼視之，間出所爲詩一帙，題曰休休齋集。不佞受簡卒業。夫片玉遺珠，曩獲尚加十襲；荊山赤水，今得縱若觀吾。其殺青爲天下公，先生固辭不獲，則更以末簡屬敘。竊惟詩之爲義，才以運斤，情以攄竅而發籟，而悉橐之矩矱，以收其瑕瑜，毋俾創鼃騁詭，以畔於雅。棄此三長，是舍筏而逾津，鮮不濡首而沒也者。先生才情汪造，馭千里之駒，追風掣電，瞬息週都，越國無難。乃其苞芳飫馥，善自植以厚其衷，有遇必洩，則如春花（後闕）……。

　　　　　　　　　　　　　　　　　　（王金凌審查　　柳之青標點）

────────────

溫恭毅公文集三十卷八冊　明溫純撰　明崇禎己卯（十二年）西京溫氏家刊本
12433

明 文 翔 鳳 序

繄自伊尹、周公徂，而雅儒之學術、名卿之功業不合而一人者，颯已三千年而遙。孟子、荀卿還，而胸中之日月、筆上之風雷不合而一人者，亦已二千年而遙。是豈陽九百六之阨與？抑廼大會洪運之未遭？往愚奉二園先生爲道德文章功業之準而事之。其蚤歲，其揭正宗於直養，粲乎濤晏而雲歇。蓋自其諫士以逮領言官，而三陝於政府，天下士猶恨其上獲之弗顯。每遭讒歸里，輒著書二園之中，其一井園，園四壁而拍井，其荒涼之央以待澆，然無可澆。其一逕園，僅有三椽，茅以藉草，總不逮十畝之間。天下之聞二園之名者，將無以爲御史大夫之所築。其向來之兩爲司空、太宰者，夫即不華，或量有水竹之蕭蕭，乃至不司馬獨樂之，一坏一卉，具幾無可關之柴，聊堵平蕪之郊。余憶同天下之彥陟其門，讀自省錄，如廓大招，讀雅約編，如布法爻，豈翅拔漢幟而傾宋巢？居然總六藝於一，操厥四十載天下安危之身，信密蓋爲獨勞耶！功貳錫圭之禹，道合文思之堯，則諫草數□〔？〕言殿爭，以維虜顰邊者獻馬，奈何長計，發邊臣冒功之積弊，沮巨璜贈典之濫叨，杖鉞出鎮於越，仰漢官日門海表，晏若列堵。其敷陳之言，洵擎天夾日之孫標。八綱程臺，五目顭邊，建儲不時，則議冊立、冠、婚三大禮之宜序。而隆、萬間，介一臣夫，亦葵其滕金藏石之在朝。表儀神羊，鞭笞群魁，八遐耀其華，百辟戢其曹，誠濂、關之欲試而無途，韓、范之却塵而失豪者也。二園詩既半天台、雁蕩、太末諸海峯，嘗與元美酬和，並探頷無雌雄。五言古體，廿五章之道君親，間者題緯三朝，次頌雅矣。近定周雅，續特奉以爲接武之前茅，厥傳記、厥銘序、厥尺牘、厥講學文，傳道益尊，中罔吐乃超謬魁眸於曩昔，體獨匹夫斗杓，即焦之有端毅，天下皆稱王三原，晚有亂易意見，然文辭不概見。谿田勳卿，文聞箕國，又皋比齒關中四先生，而素業寥寥。二園先生括道德功業文章，而身之西北之貞。夫從以歸直養聖宗，抗手騶、孟之座，又王馬兩公所不敢厝手貯者。小子顧技不堪貴，蟲篆莫之雕，憐才而收諸絳帷，方瓦礫以琛瑤，三十年而世未敢有忘。厥自南歸，衰德不見，獨其道念耿耿不滅，則須彌之靡野火燒也，寶副墨至論，當大訓赤刀，終期副其嘉言，以茲報投桃乎。公之少兒自知諳孝友大體，而以藝聞接踵伯仲，表著公之德、公之功，後世以昭，又鐫公之言，不脛而走八極也，匪僅以辭號，余是以有歲寒可共應予汝之謠矣。崇禎丙子夏仲，南光祿少卿、前山西視學使者、南勳部郎，門人文翔鳳頓首撰。

（王金凌審查　柳之青標點）

萬一樓集三十九卷十二冊　明駱問禮撰　明萬曆間原刊本　12434

明朱賡序

　　先皇帝御宇之三年，暨陽繢亭駱公以留京給諫上封事，進喉論三篇。其大指以政權宜在朝廷，在內閣則治亂半，入宮闈則未有不亂者。故首親聽政，次汰中官，次令閣臣還備顧問。以為是三者皆出納之要地，咽喉之司，咽喉不清，則良食美劑皆不得入。上以靡拂乘輿，下投鼠重器之側，逢怒觸忌，無所顧藉，格格焉欲強當世以所甚難，改列聖相循之已轍。余新為史官，讀其章，為之股弁。蓋心服其勇，而未始不竊疑其言之稍迂也。今皇帝三十年，繢亭公既久謝事家居，余始解懸車，承乏政本。蓋□□之所指陳，適當其處，以祖宗備顧問之常員，繆司樞軸，怦怦然懼無以解釋負擔。會上臨御久，一意靜攝，朝講之儀且曠不復舉，咫尺禁近之地，累歲而不獲一覲，清光吐納之所繇，尚杖疏揭，沉浮寢閣之故，不可詰問，往往十不一報焉。蓋閣臣外擁總率之名，而內亡顧問之實，責望彌奢，而稱塞罔效，求如祖宗朝循資外遷之例，以一職自奮不可得。蓋方今政柄其不在閣臣也明矣。柄不在閣臣，或從而陰持之，意繢亭公所稱入宮闈者，此有其漸。言之數十年之前而若合符節與？夫咽喉之間，百脈之所總萃，一息不通，輒有性命之患，況乎其嘘不能吸，汲不復嘘，湮鬱閉塞，積歲月而莫之或救，其曰未有不亂，殆非激言。惜其論不見用於當世，侵尋遂至今日也。昔賈太傅痛哭漢文之廷策，竟行於景、武，今天子神聖，遵養有日矣，一旦電飛日燿，赫然躬聽，攬以收政權，還六曹之職掌，罷中涓之冗長，使二三館閣之老，優游於文學侍從之班，以頌美功德，豈不甚休？繢亭公雖退即皋壤，亦庶幾身親見之，余且幸藉手以報聖天子萬分之一，蓋所願焉。雖然，予老且無用，將請而歸休，其不克身行繢亭公之論，亦可見於今矣。而猶惓惓焉三致意於是書，以為其言即未見諸深切之效，而其議終不可以一日而不存諸表著之間。使吾身誠退，道誠不可行，或因吾言而使繢亭公之文章長不泯於天地，後之君子或攬觀而有概乎其中，慨然進諸天子，設誠而致行之，即繢亭公不朽，余雖奄先犬馬，填溝壑，其亦可以一瞑而千古矣。蓋繢亭公於學守紫陽之垣墊，仰攻金粼，力而且堅，終其身弗惑。於禮擇近古者行諸鄉，於書無所不窺，於文必自己出，無剽賊敡敠之陋，可謂盛世大雅、卓爾不群之君子。誦其詩，讀其書，聞其風，論其世，可以有立。然而吾不具論，論喉論三篇著於端，蓋余雖老且退，而其一念憂國愛君之私誠不勝愊臆，所謂藉手報萬分一在是，故不覺其言之僂僂不自置有若斯焉。賜進士出身、光祿大夫、柱國、少保兼太子太保、吏部尚書、文華殿大學士、知制誥、經筵日講、纂修國史、玉牒總裁，眷侍生朱賡頓首拜撰。

明駱中行小引

先大夫之始爲青衿也，銳意鉛槧，其服官也，居議論風紀之司，多抗言建白，至解綬而歸老也，又不及家人生產事，日以文章自娛，故篋中無他長物，得生平著作若干卷。然其羽翼聖眞，發明理學，與諸縉紳博士家辨難百折不回者，則服官之時無異青衿，而解綬之時又無異服官也。是其爲舉業耶？爲奏牘耶？爲序傳、爲咏歌、爲騷賦耶？謂皆先大夫之道學可也。大都意有所獨是，則賁、育不能挽其操，見有所獨眞，則儀、秦不能詘其辨。其所以持議者，總不出其所以持身者也。邇時談理學，率左袒文成，而今於紫陽氏，非特不敢弁髦其說，且擁護之若金城湯池，宜與世大相枘鑿。然業以其術起家，而復操之戈而入其室，是必廢紫陽氏之教而後可，否者吾不知其雌黃安定也。然則爲新學之忠臣，實爲正學之孝子。雖然，予小子何敢言？其在宇內名公有如卓吾李先生曰，駱最相知，其人最號有能有守，有文學有實行。又曰，今古之號爲大賢君子者，往往然也。又曰，使余得以薦人，必以駱爲薦首也。郡志月峯孫先生曰，其人侃侃不屈，數上書諫諍，皆大體巨務。又曰，素負高氣，竟與時不協。且謂曁邑志，故獨最詳博，其考究尤精覈有據。或者有概於先大夫之生平，且有取於先大夫之持議也，予小子何敢言？時萬曆辛亥冬月，仲子中行書於肅雝堂。

（王金凌審查　柳之青標點）

翔鴻集一卷二冊　明張之象撰　明嘉靖乙卯（三十四年）朱大英刊本　12435

明朱大韶序

翔鴻集者，余友王屋山人張君玄超避難往來金陵時所著詩也。山人故善詩，亦雅好遊，所至必有作，余時得而讀焉，沖融夷懌，皆和平之音也。若茲集則憂時感事，眞有哀鳴嗷嗷之意，山人固屠然儒者，余讀其詞，悲憤激烈，疑非山人本色。山人喟然向余曰，余少治舉子業，即竊有意於述作，謂一旦得與俊乂計偕，際鵷鷺之末簉，未必無一言以潤色鴻業，黼黻大猷，並於世之作者，固余之志也。五上有司，落羽而歸，余倦且休矣。猶幸有敝廬在浦上，水竹幽寂，歲時

奉親，耕釣之暇，取故業反復尋究之，庶幾成一家言，以要之後世之知我者，又
余之志也。往年狂寇突至，里無寧宇，余亦倉皇出走，始適吳興，旋上金陵。金
陵固舊遊地也，一時故人如何元朗叔皮昆季、許仲貽、邢伯羽、盛仲交、姚原
白，四方賢豪若朱子价、吳汝忠、吳而待、黃淳甫氏愍余奔走，相與慰藉，余稍
獲栖息焉。然桑梓在念，勢不能久客，方投故閭，而金革之慘，里胥之擾，又促
余長征矣。故余三歲之間往來金陵者數數焉。嗟乎！嗟乎！皇皇旅人，卒歲中
野，六翮未齊，難以高舉。目傷殘之狀，巧不能繪圖；憤時事之失，力不能叫
閽。欲結客以死難，囊無厚貲；欲挽戈以向敵，勇不副志。憂來無緒，欲語誰
從？故一時憤惋不平之意，咸形之詩耳，公何訝焉！余既讀山人詩，又聞山人
言，亦慨然者久之，曰，嗟乎！士抱藝丁年，雖跧伏田野，使幸而際昇平之運，
放情丘壑，託意魚鳥，終身優游，詠歌盛化，豈非所願欲者哉？戎馬橫興，生死
俄頃，行則無所於騁，居則坐以待斃，出門網罟，天地局蹐，雖有鴻鵠之志，將
安施耶？此阮生所以有塗窮之哭，而杜甫所以興赤鳳之歌也。山人以鴻漸之儀，
思奮風雲之遇，而時繆不然，復值離亂，雞羣爲伍，蓬蒿是困，宜其所悲憤者有
不容已已矣。然世網變幻，其來不測，達觀與淺見之士，言亦不類。情事偶忤，
輒興悵惘，意味消阻，詞旨悲涼，噤不能吐一壯語，此與兒女子何異？余觀山人
雖往來奔走，羈旅無聊，酒邊思生，景會言出，藻澤敷腴，無索莫不堪之狀，且
色不失於囊空，氣猶奮於舌在，山人之達觀，冥冥軒舉，豈俗情所能羈維者哉！
是集也，今年秋余弟大英得之山人館中，持獻余於學舍。時秋暑甚熾，余張燈讀
之終卷，汗沾沾下不止，余弟從傍侍，見余喜動眉宇，請曰，兄愛之耶？弟將刻
之以傳。余因而序之，愧余之言不能爲山人重也。嘉靖乙卯冬十月朔日，明南京
國子監司業、前史官，同郡朱大韶撰。

　　　　　　　　　　　　　　　　　　　　（王金凌審查　　柳之青標點）

重刊瀼東漫稿存八卷二冊　明諶道行撰　明嘉靖三十三年江西諶氏家刊本　近人
馮雄手書題記　存卷八至卷十五　12441

明 陳 蘭 化 序

　　瀼東漫稿選詩、賦暨近體諸律、序、記、文凡若干，同年諶近津氏若翁作

也。今十損去其二三，削繁存簡要也。是集舊刻諸維揚安氏，會作者時未艾，刻成未幾，翁即逝去。後五年，近津舉于鄉。先是，識者謂，翁身弗達，達必在嗣子。傳稱，君子有明德，弗當其身，其後必有達人，非翁之謂歟？又十年，爲嘉靖癸丑，予與近津同捧檄南還，並舟彌月。近津每語及翁，輒哽咽，以不及儔翁爲恨。一日，出漫稿示予，愛而慕之。予惟翁平生博學弘才，需時待發，屢試場屋，竟不獲以伸，是其欲爲未爲之志固托諸近津，而達用之言見諸是集，是烏容以不傳也？夫詩所以稽行而徵志也。載讀是集，觀其眷眷君民之念，家庭孝友之懿，式穀之勤，善成嗣子，攄發幽憤，風容月態，一言一詠，咸根極理道，渢渢乎可歌可頌，蓋非苟于作者。翁雖未施於世，而其志其蓄有可以概見矣。是故三百篇尚矣，言風雅者惟其性情也。雖其風格門戶，出入李唐、宋、元人，而要之多本于性情所發，略無刻削摹擬之迹。其視拾人餘唾、傍人牆壁者，不可同日語矣。奮然崛起，得非豪傑之資也哉！使充其所造，究厥所施，蓋當與李、杜、蘇、黃輩並驅而上也。惜哉！蘭玉蚤萎，長駕未騁，悲夫！近津捧是集，則泫然曰，先人有善而弗知，知而弗傳，胥弗孝也，詔將重梓而傳之，庶不墜先緒云。予悲其志，又猥辱年誼，敢用綴數語于簡末。第生既晚，未獲見公，又非知詩者，顓俟邃學君子，當大有以昭翁之潛德而採諸史傳也，若予則豈敢！嘉靖癸丑夏五月望日，年家晚生陳蘭化頓首書于清河舟中。

明諶廷詔跋後

　　此余先君漫別續三稿也，是集嘗刻諸維揚門人安宗文氏。先是，白湖張君同年斗墟陳君閱所刻，謂散漫非體，乃併收其別續二稿，參訛校正，匯于漫稿。至嘉靖癸丑，不肖承乏英德。明年甲寅冬，謀新梓之。既竣，竊惟先君幼穎異迥出，志岸不凡，讀書過目輒成誦，諸史百家，無不通曉，治詩經竟屢躓蹶，廼遨遊湘楚淮揚之間，遂有飄然物外之志。尤好爲詩辭，攄發所蘊，故其中多憤惋不平之氣，縉紳士夫咸憐重其才，而與之者日益衆。太僕蜀岡盛公有瑞蓮，並出雙葩，席間索記。會先君酒酣，即呼筆立賦千餘言，公大驚曰，奇才！奇才！惜其稿存維揚，至今傳誦者但得其概，而未悉其全爲可恨耳。其他如感時記事，寓言頗劇，見者持去，無復存留。兹稿特因舊本模刻之爾，蓋十之三四也。於戲！傷哉！先君抱才而不壽，詔以庸劣而不肖，愧未能以顯揚吾親，而吾親有善弗知，知而弗傳，胥弗孝也。因捐俸重梓，以藏諸家，以貽諸後云。嘉靖三十三年歲甲寅冬十二月上澣吉，不肖男廷詔泣識。

（王金凌審查　　柳之青標點）

沈山人續集十卷二冊　明沈伯雨撰　袁孟龍選　明嘉靖甲子（四十三年）王中孚
刊萬曆癸丑（四十一年）孟城王百祥修補本　　12443

明王中孚敘

　　沈山人伯雨者，吾揚之興化之令族也。少有儁才，尤精於舉子業。愚與山人
同游鄉校時，見其銳有志於科名，大爲時望所屬。既而屢舉不第，遂投筆歎曰，
名教中自有樂地，何屑屑於此名利爲哉！於是退耕於東湖之野，日以著書立言爲
事，不復有仕進意。東湖舊有別業，迺山人偃息藏懷處也，四顧皆樵漁耕牧之
地，凡市朝一切誼囂之語俱不及耳。別業築當東湖之陽，實爲一邑風景之會，山
人遊息其間，神交以契，其有得於湖壖風物之勝者實多。故其發爲詩文，騷雅不
羣，淵深莫測者，端有所自。或者謂山人之詩，下視崑體，上窺沈謝諸名家。不
其然歟？山人所著有前集，刊行已久，其續編有五七言律詩、絕句，有楚詞樂
府、歌行、古謠諸篇，愚家居時，嘗有約言於山人，至是山人以書抵愚，啟函則
近作若干卷在焉，其刻之以終吾前約，且以言弁諸其首。復唯山人嘉言善行見前
集，若大宗伯石荒李公之贊、蜀太守履菴宗公之敘者，詳且悉矣，茲復何言？刻
既竣事，唯拜手以志年月云爾。時嘉靖歲次甲子九月望日，西野山人王中孚頓首
書於南宮之官舍。

明王百祥跋後

　　庚子之歲，先君以貢事寓金陵承恩寺中，適江右老學究久病謀歸，無以爲
裝，因向先君曰，予有板刻一付，乃公鄉人詩也，桑梓之遺，遠人之急，先生得
無意乎？讀之知爲興化沈山人詩，山人亦素善先君者也，乃出橐中裝易之，及欲
刷行而中多殘缺，徧索於昭陽親友絕無此集，幾欲付之丙丁。今年春，偶從閩友
方伯郊舘中檢得舊本，始能校閱詮補，復爲完刻，然書成而先君已不及見矣，俯
仰今昔，感慨係之。夫是刻也覓之同邑同時而絕不可見，乃一得於豫章之人，一
得於八閩之友，相去數千里，相隔數十年，而又皆與予父子相遇，不亦奇哉？九

原有知，先君子亦可藉手以謝山人矣，因識其始末如此云。萬曆癸丑夏日，盂城後學王百祥書於風木堂中。

（王金凌審查　　柳之青標點）

────────────

吳瑞穀集十六卷八冊　明吳子玉撰　明萬曆間新都吳守中等刊本　12445

明　劉　鳳　序

　　今代爲文者，洋洋乎盛哉，然至吳瑞穀先生殆無加焉矣。夫實未至而喜取名者虛，實已至而過其量者殆。實者有藉者也，而所以實者無藉者也，是以文必事於實而務興於藉。故權藉者主運者也，而量者措施之率也。故無所藉、違其量、而事於名實者遠矣。今雖有割劂之利，非巧則不能效矣，羽幹金簇，非機弦則不能致遠矣，何者？權藉不在焉。故操執者不假器，而利用者必揆勢者也。故實之至不至也，量之多寡也，用之淺深也，幾之遲疾也，得失強勁利不利之相懸也，然而皆出一途，未始異於初而大悖於後者，何也？非邃幽之以而鬼神之也。世之爲文者，志弱而好侈大，力罷而好振發，才不競而好凌厲之，識不逮而不務稽詣以洞之，實無有而恥自詘，中不解而強尤嫉之，由此而文焉，得無訾議哉！且挾其長而求一逞焉，憤前之闒嚴而欲盡斥之，性之直者則有之矣，非然也。若瑞穀沈毅厲深，篤慮專壹，貫該方藝，淹通衆略，讘諜多誦先古之書，已泊其實而擷其華。然至其爲文，必澄思以定之，精稽以審之，廣畜以會之，博喻以發之，旁求以類之。恐率而未委其致也，故闡繹以綜之；恐浮而未極於理也，故綿密以締之；恐緩而未能赴節也，故驚騁以驟驅之；恐軼縱之滔湮也，故抑遏以紏迪之；恐淺膚之悖也，故黝深以緊鬱之；恐曲戾之鑿也，故轔轔以廁切之；恐誰誃之累也，故峭削以蠋潔之；恐纖趨之霧亂也，故連類以覃讁之；恐婣婀之怗懘也，故震蕩以疎越之；恐亮不足而談有餘也，故靜正以利調之；恐肆於文而薉於質也，故約裁以軌之度；恐累於氣而傷其道也，故恬愉以引其緒，婉湎以暢其條；動之恐其乖以怒，離之恐其柝言破義也，故戒愼於抒才，而刻勵於用氣，跔足而須繩範存焉。由此觀之，則是非得失之準可見於前矣。語曰，孟賁之怒也不控纂，騏驥之逸也不候蹄。此激於變而償興，不能忍須臾而亂軌轍。文之急於應，而昌恣滁宕不可覊，古有之矣，而非所以稱也。故觀瑞穀之文，綺靡不可窮，謂何？繁

縟以麗則也；斐亹而安翔，謂何？反覆以融通也。崛崎以奧嚴，則極思以明變
也；無所倚於襲沿，則創開以立諒也；雜而能整栗，則微辨以察晢也；凌遽而寬
暇，則意適而力閒也；其端棼如而不可亂，則秩有其理也。故雖有銳上之才、銛
利之器，韜其鋒鍔，若無所挾，及其遇會而奮，舉之無上，按之無下，運之無
當，使人氣折心下，無所復措手者，則以有藉效其無藉。不可思存者，所謂散無
方而求監焉，軼玄眇而後無，截六際而不絞者，是神之說也，軼倫越等，不可並
觀焉者也。視乎孰莫，聽乎無罔，極乎無係，論乎窈冥，是可以常情識量窺睨
乎？往余與季朗言，季朗極推瑞穀先生，季朗其知言哉！今人所取名高，又何論
實有與無，且以名相訴病也，故余謂文至瑞穀無加焉已者，先生亦自信無以人為
輕重哉！異時者使者出而求書於四方，則必盡取以獻，藏之蘭臺石室，為一代制
作，則余言尚亦足徵也。長洲劉鳳子威著。

明吳守中小引

先是，余不佞遊郭水部公之門，題卷曰大藝遊，授余而最勤焉。考之青史，
入太學則學大藝。豈非古文詞賦之流哉！既而得瑞穀先生所為詩文稿五十七卷，
卒業，盍然喜曰，是足為大藝侈乎！惟我族氏，以口為姓，丞之以天，與屈原同
名，是後屢著文雅。而著於我郡，則祖左臺公，今則有先生，豈非吾姓代不乏季
子，有自來哉！邑之山天子鄣載於山書最遠，跨二江之鉅峻，曼衍穹窿，當大有
包括、拓迹開緒、而泄之人也。顧邑之鉅公勳庸，未甚概見，而立言之士尤僅僅
焉，疇有能為之題詮者？即稱宗老如程太史公，猶然未執要領，畜之久則發之
奢，是在來茲乎？必產大雅文士，當一代之著作者，屬之標題。而鉅公輩出，弘
茂世之猷以輝耀也，則登大藝之庭而立言，非先生曷足以應此靈秘，而當著作之
寄也哉！先生世家大鄣山之址旁，其形以大鄣為號。物有所感，事有所依，非苟
而已也。惟山之奇足以韞玉，惟玉度尺，足令山輝，大鄣之靈勝，先生之大藝，
蓋相為映發者也。水部公嘗對余稱先生之文不以顯約論，當與諸名家六七公並翔
於世，遞主斯盟。夫豈諂言哉！則先生雖未籍一命之仕，然以先生之文視羽蓋斿
裠亦壇土矣。余不佞，以末屬得從昆臺社之後，與家兄弟同校是集，刻之杏村里
中，俾習大藝者有所籍記云。萬曆協洽歲之則且月，昆臺社孺子吳守中殷父撰。

（王金凌審查　柳之青標點）

大鄠山人集五十三卷二十五冊　明吳子玉撰　明萬曆戊子（十六年）江夏黃正蒙
校刊本　　12446

明 王 世 貞 序

　　新都吳瑞穀嘗以書自通於余，累數百千言，余甚異之，而恨未之識，凡十餘
年矣。一旦納履謁余東海上，盡出其文若干卷，余獲卒業焉，則又大異之。瑞穀
乃拜而請曰，非以子先容於世也，將受子規。余則惡能規瑞穀？記初操觚時，所
推先唯一于鱗，徐吳二三子實左提而右挈之，而最後乃得伯玉。當于鱗之文成，
其疑者十可二三，而姍侮者遂八九。姍侮者之言曰，吾詎知所謂使凡將氏辨之，
而吾未之識，使舌人誦之，而吾未能句，卒然而欲乙，而無可乙也，盡卷而猶茫
然，惟有頮赤嗉抷捄而已。其疑者曰，吾粗能習之。雖然，談六藝者必折衷於孔
子，自孔子有辭達之誨，而其所傳若易之什翼、齊魯之紀論，抑何黃中通理也！
辨莫暢於孟氏，脩莫工於擅左，氣莫雄於短長，變莫神於太史公，何渠使人不可
解，而獨奈何陰述盤庚彝鼎之遺，盡組諸百家之晦癖聱棘者而經緯之？甚或舍事
而就辭，或援有以實無，將一代奚賴焉？夫于鱗之不滿世口何害？即所撰述具
存，胡嘗不彬彬大雅？蓋並于鱗起者伯玉，鴈行伯玉起者劉子威。顧獨推稱于鱗
以為振古之傑，即吾兄弟亦不敢後二君子，然尚謂于鱗之詩歌似猶在文上，而瑞
穀直以為文勝詩，犯世之所疑及姍侮而不避。今者盡得瑞穀文而讀之，則其於于
鱗蓋有襲魄當心而不可解者，豈直優孟抵掌之似而已也。然于鱗之所治，不傍及
莊、列、騷、賦與東京之金石，而瑞穀時時見其巂，必且曰，吾雖貴于鱗，不必
皆于鱗禰吾。閉門而造車，出門合轍，則瑞穀之自期許也。藉令瑞穀以昆吾之割
而潤澤之，了不見痕，抑抵縱送，唯吾意之所使，蹊逕絕盡，生機流衍，即古人
奚讓焉？而寧獨一于鱗。第瑞穀既精深於古文辭，其應制科業亦時時闌入之，至
不能得一書生貢臺察監司名，好古者褒賞相繼，而卒莫之援，瑞穀意且不悔也，
曰，吾文行，後世更有一瑞穀者。必于鱗社而吳生配兩廡，濟濟不乏賢，吾豈竟
不遇哉！瑞穀業以于鱗文勝詩，詩當有敘之者，故不贅。弇州山人王世貞撰。

明 丁 應 泰 序

　　往余業南辟雍，從水部郭青螺先生遊，識吳瑞穀，與定交。是時郭先生于舉
子業高自負，而于古文辭則推轂瑞穀，亡以易也。瑞穀之集行，而人爭購得之，

以未視其全爲恨。無何，余以癸未捧檄至海陽，則瑞穀尚困諸生中，執弟子禮甚
篤，余殊愧於師帥之也。瑞穀既廩諸生且久，數數奇不及貢。會督學詹公檄上郡
邑明經、行脩之士，待詔公車。余乃躬爲瑞穀勸駕。已，詹公手其文而欣賞之，
是蚪斗時撰述也，竟予貢。于是瑞穀門人黃叔明蒐其全集，付剞劂氏，而請序于
不侫，不以子玉之謝諸生而邀一命也，維君侯賜，子玉之謝諸生而以文學名也，
惟君侯望。不侫謝不敏，而瑞穀固請之。則吾師元美司馬公暨侍御劉公子威、何
公少愚有成言矣，不侫其何以復瑞穀？夫文難言哉！太祖以神武定天下，當時二
三著作之臣掃元習而一變之，彬彬乎具矣，再變于東里，三變于北地，四變于毗
陵、吳會未已也。嘉隆以還，二三才雋，比肩而起，風猷才力，鼓舞一世，從周
道而監二代，郁郁乎文哉！雖甚盛德，蔑以加矣，然皆以縉紳顯者也。宦學而
優，事半功倍，孰與結髮山林，獨行之爲難乎？瑞穀起農家，籍諸生，力不能備
載籍，窮宛委之藏，足不能涉河山，追禽向之跡。骪髒自負，任其木彊。交不能
游大人，締豪俠，無榮寵以爲重，逡巡庠序之間垂四十年，瑞穀且油油然安之，
而亡幾微動。間者以纂修故，應四方徵聘，數從藏書家借，披閱一過，輒推去，
吾已空而旨矣。于六經子史百家言，無所不治，斷自兩漢而下。即于詩律用大曆
之格，而取裁于漢魏，命宮商而色彝鼎，皭然自多。其超詣于騷、賦、策、問、
序、記、志、傳、贊、頌、哀、誄，微而極至，于俳戲、引喻、連珠之類，無不
研精。其思以與古昔合，以字古者十之三四，以句古者十之五六，以篇古者十之
七八，而瑞穀亦殊勃勃用文自致且娛也。瑞穀既以文名，海內之鉅公作者多亦能
名瑞穀。乃尚裁者疑其支，尚達者病其艱，何爲蔓引奇奧，捃摭矜衒，爲侏離不
可讀之語乎？已就讀而囁嚅，即連類廣肆，棘澀岨峿，而其意不過爾。斯所謂驟
得之深而徐窺之淺也，詰其淺淺所自出，無以復也。於乎！瑞穀之于文，可以豪
矣。瑞穀行且上公車，擁筆承明之間，就明天子試，將從縉紳者重也。抗論典
章，不復得以山林爲解。華陽碣石之藏，聞見廣矣，渡江而北，齊魯燕趙之郊，
形勝壯矣。三事九列，諸公卿大夫折節而下，瑞穀遊譚浸盛，交道浸廣矣。昔賈
生通達國體，遇令主而不能竟其用，論者惜之。夫小子有言，浚恒何咎？瑞穀踰
艾而入京師，諳練之熟，非賈生少年比。且也二三元老躬吐握之盛節，俱以鄉國
知瑞穀，濟濟盈庭，靡絲灌之嫉，瑞穀遇合，視賈生幸矣。瑞穀行乎哉！一日而
名動京師，是編也屬以爲左券矣。瑞穀得聞不侫之言，色沾沾喜，子玉冒然懸
書，敝帚之謂何？始得之郭先生，再得之君侯，即司寇侍御之言，獎飾太過，惟

君侯信矣。于是置之首簡，挾笑遂行。萬曆戊子歲春王正月八日，楚江夏丁應泰元父讀。

明吳子玉序略

余舊貫之居於大郡下，去都市百里，俗故樸愚。不肖未既齔，喪嚴考，母携於機織側，課之書目，承牽挺，倍紀倍縱，心竊有悟焉，百倍之士以是矣。長而孤學，好竹賁古文。既以大易補弟子員，七大比上，不售，食既廩口率科，兩當察上，又不得察。至歲丁亥，宗師詹夫子獨秉玄鑒，始得察舉。里人見謂，向者累躓，迨末年僅僅以歲薦上，豈非學古菑之與？壹概諸古太深，覽者已過矣。余曰，無亦六極之危爲菑乎？然古豈易概哉！古人文以窮概工，今則以窮概拙。何者？古人居所業即出所試，漢策對、唐詩賦，愈窮愈專，無他制科藝涸。耽於爲古，樂於爲今，若饑而食，寒而衣，弗令而自然也。欲求不工，得乎？今之嗜古者與制科藝判爲二物。匠意異區，置筆殊形，計爲近藝，先剗戾昔調，左、馬不得與周、程並，漢、魏不得與宋並。愈窮愈判，其能耽於爲古，樂於爲今，若饑之食，寒之衣，弗令而自然乎？欲求不拙，又詎可得也。諸能崛起，雄視千古，如北地、濟南公等，皆以熙妙早達，邕容金馬之上，業能土苴近藝，始得縱其弘致，而海內歙然宗法，莫之異同。若刺草之儒一躓，則終身創矣！父老以爲記，惡能桀出有良，欣此業之弘也？籍第能概工輩於達者，人亦刺草視之，雖心知其工，而口莫爲毫氂。嗟乎！文以達工，亦以達見工，以窮拙，亦以窮見拙，彼之與此，豈可同日而語哉？故韋布之流，得廁名於作者鮮矣。余希心古學，至於衰白，以負薪之資，拘攣於博士語，左方右圜，二者交戰，莫燕其疑，信爲馭於銜紲，胸臆約結，固無奇也。惡能直任懷抱，神觸天授，吐舌萬里，究獨至之趣，以綴千秋之華哉？每以君子固窮，求位得位，彌用蹢躅，轉丸掌中，以自賞悟，卒與制科藝舛馳，重增其窮，此非其效與？邑友人黃鴻臚叔明，嗜學攻古，屬書脩辭，請彙余文，捐貲刻之。則語余，人無幽顯，道在爲尊，謂文亦然。神貴遠而黜賤近，未可以悉人情之大趣也。不爲位差道，道尊於位，不爲身評文，文貴於身，所以日夜孳孳，脩學靡怠，不幾前睹，有俟後知。傳曰，人富則不羨爵祿，自足於己也。以文爲富，豈容自窮？況今以貢上，豈無祓浴之者？而豫章郭督學公、曾侍御公、邑令君武昌丁公、鄉先達侍御何公、友人光祿吳君亦往往以是語之，每欲刻余文行焉，斯余所爲蹢躅者乎！時萬曆丁亥季秋月之朔。

────────────

何翰林集二十八卷八冊　明何良俊撰　明嘉靖乙丑（四十四年）華亭何氏香嚴精
舍刊本　12448

明莫如忠序

　　何翰林集凡二十八卷，予友柘湖君著也。君名良俊，字元朗，與弟良傅世所
稱兩何君者。集刻於今歲嘉靖乙丑冬。工既竣，予得而覽焉，歎曰，文至何君，
可不謂宏朗博大，襃然古名家與？夫文章高下，觀氣之盛衰，而氣之盛衰，係世
道之升降，所從來久矣。魏文典論曰，文章以氣爲主。誠哉是言！蓋六經息而作
者稱秦漢，宗之至今，豈不以去古近而相襲，醇龐沕穆之氣猶有存者耶？降而六
朝，風斯靡矣，自晉之機、雲擅江左，而士衡爲文賦，以述先王之盛藻，至云，
會意尚巧，遣辭貴妍。西京風骨，闃然弗講，此何以訓焉！及若唐宋諸賢，造述
彌衍，斯義大明，非不務譏訶六朝，斥妍巧，本仁祖義，刻意脩辭，一裁於矩
矱，迺其氣不無異於古所云。而彼以遒勁之力，險膚之辭，馳騖其間，如峻峰激
湍之喻者，不曰氣良在是哉！第弗深究古作者之意，乃用疏鹵椎樸，欿欿僵僵爲
奇。其淵泓淳，寫若江湖之浸，盎若太和之薰，而重踰九鼎大呂，則氣之完也。
夫世變風移，士尚互異，非篤信好古、學識其大者，孰能與於斯乎？予從何君
遊，每論文及之，輒有合，至是讀君集，即鑿鑿不謬其旨云。君於文法劉向、司
馬遷氏，詩本蘇、李，而近體出高、岑間。至其醞釀羣籍，勒成一家，意匠縱
橫，不假繩削，或直陳事理，陶寫胸臆，累數百言，要歸於質厚，儻所謂醇龐沕
穆之氣其在治古者，不自是可想見哉！君嘗自敍，平生於文學，性獨近之。眇年
侍經師課藝，輒覆古文其上，朝夕諷之，比長樓居，憤發者垂二十年，或挾冊行
遊，忘墮坑岸，蓋其用志之勤，卒澤於文，宜也。而自予所覯，以君儁爽之資，
夷曠之度，蕭然物表，薄視榮名，至好惡取與然諾之可否，耿耿不阿，有達士之
節，則所以養其直義，而昌其氣於言者甚設。君之大過人者，又寧獨文辭焉已
哉！予重君自同爲諸生，而君或以予知君文，俾爲序。夫予鄙不文，惡能知君？
其論次如此，蓋述所聞於海內鉅公誠知君者，而因本國家氣運之隆有關於作者，
與同志共揚榷之。嘉靖乙丑冬，友人莫如忠撰。

明皇甫汸序

　　何君元朗嘗撰綴詩文累萬言，輯成，名曰何翰林集。繫之官也。學憲莫君序而傳之，間以視司勳氏，余爲嗟賞久之。蓋君自綺歲從經師游，即厭棄時義，耽嗜古文，博綜九流，研味四始，兼抱濟物，思効一官，試諸生間，輒拔異等。竟以數奇，蹶於取第，惜哉！宰相察其才，強之起家，拜南京翰林孔目，地既清華，職復閒散，俾克覃志著作。賢哉相君，賈生不爲不遇矣。先是，吾鄉文徵仲氏，亦以推擇待詔金馬門，後十餘年而蔡九逵氏繼爲南孔目，嫺於文辭，日與上公鉅卿交，聲聞籍甚，世傳南館集云。復二十餘年而何君繼之。二君德學頗相埒，蔡性迂立遷，風流醞藉，何殆過之。夫陪都者，古所謂秣陵、建業也，表以鍾阜，環以大江，地稱壯麗，俗號繁華。君雅好山水，每自解曰，令我守茂陵之園，索長安之米，亦足陸沈乎！然非所好，卒上書自免，設勞以訟牒，屈以手版，當不俟六百滿而邴生行，三逕荒而陶令去矣。何君亦古之勇退者哉！君雖謝秩，猶眷戀石城，將營別業。及桑梓盪於海波，柘林殘於烽火，遂懷避兵之圖，益堅卜居之志。杜甫草堂，開於潭水，羅含精舍，寄之江陵，加以談若懸河，識同藻鑒，或咨訪政治，或詮析名理，君爲揚榷古今，指陳堅白，車騎塡門，履綦沓座，南國人倫，更逢有道，西京遺事，復見憑虛。其暇日也，狎梵侶以玄探，結勝流而觴咏，每一篇出，匪但藝苑翕推，而閭巷遞誦。鳳館咏昌齡之句，雞林售居易之篇，曷讓焉！君又妙解音律，晚畜聲伎，樽罍傾於北海，絲竹理於後堂，躬自倚歌，尤長顧曲，江左餘風，不在茲乎！昔相如不與公卿，託疾倦游，陳思耻事翰墨，上疏求試，誦君館中言懷、乞休得請諸詩，可以概見。至與王左輔、趙中丞二書，使秉麾當局，勳烈亦豈少哉！由是知寄興非遠，而肇悅其辭，持論不洪，而枝葉其說，以此言詩與文，失之千里矣。莫君深於藝者，謂君文法劉向、馬遷，詩本蘇、李，而近體出高、岑間，評覈良確矣。仲氏叔皮由進士爲郎，聯縶南署，亦拙宦工文，方之求、點云。夫華亭自機、雲而下，往往有兄弟齊名者，二包長謝，兩范嗣興，靈淑誕祥，信不爽哉！皇明嘉靖歲柔兆攝提格旦月下弦，賜進士、尚書吏部司勳郎，安定皇甫汸子循譔。

明何全序

　　予往時聞雲間有士何柘湖，恨未能識之也。頃歲奉命爲吏何君之鄉，於是始詳何君。何君稟傑異之資，弱齡即英藻燁敷江左，士莫不斂衽下之。方壯歲，從郡邑弟子員拔貢升太學，與其季祠部君竝負文名。迺竟困奇數，連不得志於有司。因遺落聲利，不以組綬縈其懷。年若干，當謁選，偓僽不欲行，朋好勸駕，卒行焉。至則秉銓者雅知君才，授翰林孔目。孔目於秩卑，然得迴翔金馬門，專精著作之業，以故銓曹特界君。君守官僅滿考，乃喟然曰，碧山綠野何人哉！即棄官去，縱浪於煙霞水石之間。意有所適，輒解囊索翰，詠歌以見志。予嘗數數延君與語，蓋非獨談藝之雄，至其品騭往事，商略世務，率能抵掌歷歷道之，竟日不可竭，沛乎若泉湧而飆發。予益驚，則知君恢奇俶儻，志用世人也。一日手一編造予請曰，是某生平之所爲詩若文也，某沉湮轗軻，志弗効矣，其所圖自表見庶幾不溢焉與飛塵晞露同化滅者，獨竹素間耳，公幸爲我序之。予既受簡，旋從官閩中，因載之入閩中卒讀焉。其詩律切，清麗類唐人，其上者駸駸乎魏晉矣。諸文皆奧雅閎衍，間復錯以綺藻，蓋宗格西京，采詞六代，彬彬哉成一家言者。夫以君如彼其才，即立取巍科峻仕不足多，迺竟如茲焉老哉！此則時論同歎矣。然江左固稱才藪，而雲間之譽，尤振區中，實亦發自機、雲，則知文章者匪直被飾厥躬，即光岳繫之矣。今君兄弟皆以文名一時，固機、雲之流亞也。吾知其必傳於世不泯無疑，將使詫雲間者曰，前有二陸，後則二何，而鳳岡龍水、扶輿鬱勃之靈，閱數百千年，再發以茲表見，其視獲區區寵秩，輕重多寡何如！嘉靖丙寅之秋重陽日，成都鳳野何全頓首書。

明 王 文 祿 序

柘湖何先生刻集成，自吳門寄予海上，柬曰，唯賜一言教之，幸甚。王生文祿曰，二序詳矣，予何能言？縱言，豈敢言教？曰何翰林集，稱官尊制也。皇祖惡不尊制者，設館閣山林辯，載御製集中。是以入官者，集宜稱官也，否則違制。且翰林，文苑也，先生，文宗也，集稱翰林，允宜。始予訪先竺于柘林，柘林故海鹽，原封漢淪湖，柘生湖崖，名柘湖，先生家焉，故號，則予與先生同梓里也。海山拱環，剛柔兼而地道立，萃厥人文，先生首出云。嘗憶訪先生時，及門廈屋林，如後枕阜岡，前縈玲岫，花木森蔚，水泉悠洋，綠野勻勻，市廛櫛比。登樓古書四庫，畫翰百箱，珍玩充積山如，投轄流連，彌旬忘返。別無幾，海島揚波，爨烽遍瀕海郡邑，柘林遂夷寇藪。先生先已受南翰林去，隨避地秣陵，諸蓄撰述幸無毀，是集之刻，得非神護乎？追憶丁酉冬，北上春官，遇徐長谷于清淮，沿途談文，曰，雲間文人，何柘湖其選也。弟大墾張王屋，暨予貿地

開塘，搆屋三楹，會文適鳧飛來，彩苞照水，顏題文鳧館。四友朝夕資麗，研精
殫思，六經、七略、內典罔不究討。柘湖嗜學特專，文日進不已，且長谷博雅振
奇人也，尤遜服。予于是癙寐曷忘。壬子春，始克訪，神交既久，傾蓋心孚，緣
締金蘭，久敬允善。先生自秣陵徙姑蘇，壬戌冬又北上過吳門，訪之陳體對談。
探蒙莊之玄，慕維摩之不二，尚白太傅之放而不踰矩，在翰林未三載即懸車，翛
然塵外也，以故神定。幻視羣有，志雄萬夫，韜含經濟，杞憂邊圉，以故氣昌。
姣童度曲，豔姬鳴箏，浮雲飄風，逆旅寄傲，樂而不滯，蕩若無聞，以故精信。
夫精信則氣昌，氣昌則神定，三寶內融，神尤寶之至寶也。時出之文章外炳，宜
世寶云。杜子曰，文章有神，交有道。予與先生，有道之交，是集也，有神之文
章也。夫惟有神，所以載道，則光焰彌長，而精光遠射，奚假法馬、劉、蘇、
李、高、岑耶？因感先生家鄉寇毀，而是集宛然獨存。存有神也，神道設教，先
生且教世矣，豈待予教！觀先生四友齋記，足徵取善無遺，而自教之深□，有光
翰林，益振雲間，垂三不朽云。長谷集雪川遠寄，惜未遑序爲歉。噫！陸顧後有
何徐也。隆慶元年丁卯長至，武原沂陽生王文祿序。

（王金凌審查　　柳之青標點）

紈綺集一卷二冊　明張獻翼撰　明嘉靖間原刊本　　12452

明徐巏序

　　紈綺集，張子幼于題其綺歲之作也。張子天才卓犖，垂髫英發，初涉藝文，
夙昭人譽，暨乎強立，風雅道存。然而天馬而在櫪，長途未騁，每深轗軻之懷，
觀其觸事興悰，形諸咏歎，類可徵矣。是故述登臨，則情深流峙；言節候，則意
愴馳暉。臨岐餞別，繾綣於分飛；異國懷人，綢繆於夙昔。鴒原之詠，積思西
陵；伉儷之章，敦情京洛。以至留歡花月，辭旨風靡；投贈同懷，寸衷昭亮。凡
其短篇長句，率殊曲同工。故或淒婉以優柔，或直致以矯亢，或繁縟以昌辭，或
跌蕩以振氣，兼總昔長，獨擅今美，洵藝苑之翹楚也。夫詩以窮工，情由遇激。
張子耻混常科，置心獨往，以循誦習傳爲陋，肆志篇章；以拘文牽俗爲庸，寄言
壙達。蓋欲效冥鴻之遐舉，而不屑於籠棲者也，覽者若但以藻思妍詞求之，大戾
作者之心矣。余媿玄晏之才，辱太沖之托，聊爲序焉。嘉靖丙寅孟陬三日，徐巏

序。

（張永儁審查　　柳之青標點）

文起堂集十卷十冊　明張獻翼撰　明萬曆初年原刊本　12454

明皇甫汸序

　　張仲幼于守先人之廬，奉母氏命，請堂於司勳氏。余曰，文起哉！語具記中。茲以名集，復屬余序。余展誦歎曰，昔人以禪喻詩，文亦有然，非頓悟遇超上乘，非速化奚肖聖人？幼于可謂頓速矣！此干將貴乎立斷，騕褭取其驟至也。仲子者，裔沿圯上，望蘄江東，誕秀髫齡，博綜冠歲，潛心稽古，蒿目視今，通達擬賈生之才，慷慨晞魯連之烈。至其孝友，張仲性然也。余自解官歸，數枉過存，未嘗不為倒屣云。間嘗示余近體詩，若紈綺集，余詝曰，何幸乃與四傑遊乎！間示余古選，若百一諸篇，則又詝曰，余殆與三謝遊乎！間又示余以樂府長歌，若南都諸稿，則又詝曰，余殆與供奉遊乎！茲覽其賦頌碑銘，殆進而與潘陸遊矣；覽序記書論，殆進而與中郎遊矣；至覽雜著卜夢，殆進而與屈子遊矣。若仲子者，相馬知為騕褭，說劍得之干將，謂頓造速化非與？故文日益進，學日益充，名日益起，鄉縉紳先達皆忘年以交，呼為小友。郡邑大夫以至臺司貴公皆忘勢以交，優以國士。雖署藉六館，從博士遊，豈其好耶？區區一第，亦惡足有亡也？志在立言，垂不朽耳！研味集中，海頌穆若，犧答淵微，祖贊述德，弘論託諷。黃文涕睫以汎瀾，陸誄纏緜而悽愴。如此之類，稱物逮意，並出匠心，得之司契矣。即其世而尚論之，深湛玄思，平子所以裁京也；彬蔚綴藻，孟陽所以鏤石也。季鷹縱任，遂列文苑；士簡寬雅，爰拜秘丞。仲子克濟世美，無墜家風，允哉其傳乎！集凡十卷，總得詩文若干首，萬有千言，手自刪定，僅存十之三四耳。嘗自謂八十高年已踰其半，竊比元長，然則後之著作，寧可量乎？序所未概，以俟他日。吏部司勳大夫、勑僉憲使，皇甫汸撰。

明徐 獜序

　　皇明御宇，百度咸貞，然文弊未興，尚存宋轍，論者未嘗不追恨於王宋也。永宣以下，沿襲猶初，譬江河之趨，日下不返，風雅浸微，其道或幾乎息矣！馴至敬廟，朝野稍振，覺往轍之非，而悟舊弦之謬，更張易運，而風雅漸還。時李子獻吉首倡關西，何子仲默接響河內，徐子昌國鳳起吳中，彪炳會粹，先後同朝，相與磨切，於是含風跨雅，越唐超漢，躋我皇明，登諸熙代，功亦不細矣。武皇紹統，三賢並存，而江左諸才，彬彬出矣。然齊德三賢，屈指四人，餘則鮮儷，至於異門岐徑，名爲該洽，亦不數矣。迄嘉靖，上好玄脩，一時侍從之臣以青詞相尚，海內欣動，援附奔趨，不復知有六藝矣。長洲張子幼于，氣足蓋世，才可籠時，早圖試用，以樹勳名。然屢投昏壁，轍遭疑眄，遂翻然改悟，篤志典墳，博綜綈緗，悉意著述。見時製多非，樊然殽亂；爰苑鴻裁於漢代，探妙製於唐風；以爲漢賦宏奇，詩具鋪陳；唐什妍麗，賦存長律；典禮行於會通，變化成於擬議；而海內昧昧，眞贗莫分。每對客長吁，歎恨不已，時豪飲數杯，頹然就榻。迺交皇甫司勳汸、林屋徐縑、黃君姬水，相與討論斯道。故常虎視江表，龍伏海甸，國寶未收，竟爲行惻，良可悲矣！乙亥冬，仲以所撰集十卷，緘寄山中，且以書屬曰，子爲我序之，以成勝事。於是展誦三周，掩卷歎曰，吳文獻勢如將絶之旒，僅屬一線，張子又能脩綴而綷之，耀豔深華，猗歟美哉！今誦其詩賦，宛西京、天寶之風，讀其諸文，即中郎、潘、陸之筆，時步騷壇，間遊魏苑，優游暇豫，綽有餘閑。其氣昌以達，其材橫以肆，富似海涵，藻如春麗，勢若河瀉，怪類鯨鏗，華而不靡，壯而不厲，直而能溫，婉而有則。嗚呼！藝家之能事畢矣。余老且賤，幸獲附驥，豈非大願也哉！他有不述，已具司勳之文矣。林屋徐縑序。

（張永儁審查　柳之青標點）

四溟山人全集二十四卷十六冊　明謝榛撰　明萬曆甲辰（三十二年）趙府冰玉堂重刊本　12455

明朱厚煜敘

予自舞象之年，承過庭之訓，受毛氏詩於鈍齋先生，日求其所謂溫柔敦厚之教、比興風刺之旨。復撿其近似者讀之，得屈正平離騷，法其愛君憂國之心、托物寓情之指。復讀昭明太子選詩，考其翼經之功與凡寄興之歸。復讀天寶、大曆之間群賢之詩，無不彌綸物理，陶寫性靈，握靈蛇之珠，備瑞鳳之彩，述宴遊則

融冶生春，敘征戍則酸楚至骨，詩道之盛，於斯極矣。晚唐宋元間有作者，要皆
隋珠之纇、荆玉之瑕，雕刻組繪，吾無取焉。逮及皇明孝武兩朝，哲人挺生，隱
書大出，李空同、何大復、邊華泉諸君子倡明古作，大振唐聲，三館染翰之臣、
九州抱藝之士，捐其故習，風靡影從。我皇上銳情經術，存心雅道，奎章宸翰，
昭映日星，虞廷賡歌，周廟雅頌，以此方之，何多讓也？薄海臣民，罔不從化，
敷陳政事，議論盈庭，紀載符祥，詩謠滿牘，長編鉅帙，汗牛充宇，猗歟盛哉！
乃於隱逸爰取三人，孫太白、張崑崙、謝四溟，孫張二子不及見之，謝生予得而
友焉，其詩得少陵體裁、太白格調，故何柏齋曰，其詩雋逸不凡，足占所養也。
蘇舜澤曰，鄴有此詩，不在何李之下。李春溪曰，謝詩雖與諸家同，而意興過
之。劉一軒曰，沉痛清逸，灑然物表，不食煙炊。黃五嶽曰，激昂悲壯，其高岑
之流乎！盧浹西曰，一代詩人出吾山東矣。漫山曹均尤所愛重，從而刻其五言，
予取其全集刻之。或言王刻洹詞，復刻謝詩乎？予應之曰，文至後渠，詩至四
溟，其盡之也。生名榛，字茂秦，別號四溟，東郡人，卜居於鄴云。嘉靖丁未冬
十一月日南至，大明太祖八世孫趙王枕易道人譔。

明 朱常清 續刻序

　　蓋聞景星慶雲，不瑰彩於杪世，麒麟鳳凰，不呈瑞於季運，矧夫風雅遺音，
含育孕元，所以醞釀禮樂，黼黻休明者，斯希世之靈祥，曠代之奇珍也，而可以
易易言哉？故曰，成康沒而頌聲寢，王澤竭而詩不作。於乎！詩之係於世也，良
匪細矣。粵自四詩稱經，弗可尚已。下此則楚騷之潔懷，漢魏之古則，盛唐之宏
雅，操觚者所當取法。軼唐宋元，殆無譏焉可矣。明興，百餘年來，德澤汪濊，
鴻昌茂明之純，丕冒寰宇，至敬皇帝朝，稱極治矣，於時北地李獻吉、汝南何仲
默二子，崛起中原，拯頹習，扶昌運，嘉隆之際，於斯為盛，而七子稱焉，雅道
大振。七子者，濟南李觀察于鱗、吳郡王司寇元美、廣陵宗學憲子相、武昌吳參
知明卿、吳興徐右丞子與、番禺梁比部公寔，而東郡謝山人茂秦寔以布衣長雄其
間。不毂先曾祖考康王尚文崇雅，有聲海內，而茂秦者曳裾授簡，蓋兔苑之鄒
枚、西園之應劉云。茂秦所著，有四溟旅人集四卷，先曾祖考業已序而梓之，厥
後有遊燕、適晉等槀，散漫亡統，不無有待於後之人焉。萬曆壬午，故殿學張文
毅公過鄴，徵茂秦遺書，意欲不毂梓其全，於時寔心諾之而未果也。洎歲甲午，
而文毅公之仲子華岑公寔來旬宣河北，不毂言脩世好，爰以茂秦全集屬長史蘇

潢、陳養才重加輯校，付之梓人，一以卒先曾祖考之志，一以讐文毅公之諾云
爾。梓成，即請序於華岑公并巡道邢澤宇公，僉謂不穀可無言，庸書是於先曾祖
考原序之下方。若夫茂秦之詩，沛然而雄於氣，蒼然而老於骨，卓然而高深於體
裁，颯颯纏纏，直超大曆而上之，則後有千古在，不穀惡得而稱諸？萬曆丙申夏
五月之吉，趙王恒易道人撰。

明 蘇 祐 序

　　夫詩之教著之經，孰弗能言之？臨鉛握槧，幾者恒鮮。子輿氏曰，以意逆
志，是爲得之。是故其妙在超悟形神，匪拘名理，論者譬之禪乘，允哉知言！漢
魏盡意，古雅弗刊，唐人造興，綺麗晚靡，□〔？〕□〔？〕之盛，猶有三百篇
遺音，可諷誦也。迨後論理途斁，遂湮意興。嗟夫！六籍垂範，孰非標論植紀，
闡化造玄，體弗相襲，若拘說理，無辨於文，何六畫之撰非四始之裁，敷奏之辭
異託喻之旨，謹嚴之典殊優柔之什乎？明興，至敬皇時，詩體禨陷，賴李何諸子
功著廓清，詩道載興，繼作者率循軌度，然咸章縫可數也。向李東岡司諫示予謝
子五言律詩，讀而愛之，雅稱作者，肖李何矣。茂秦感于同懷，不遠千里，以全
帙寄至鄴中，假物章情，繫正而和，託詞發意，聿切而遠，纔焉韋布，而有斯
音，不尤可稱哉！爰著所聞，并訊同志，商敦周鼎，款識自別，觀者可並考見其
所存云。嘉靖庚戌春，東郡蘇祐。

明 張 泰 徵 續 刻 跋

　　四溟謝山人茂秦，以詩鳴嘉隆之際，趙康王寔賓禮之，嘗爲刻其吟稿二帙。
先文毅公在詞林，茂秦時來都下，晤語甚歡，繇其人澹於世味，有蟬蛻鴻冥之
致，以故達人重之，不獨才之已也。康王折節下士，冠蓋經鄴者如歸，而先公特
蒙眄睞，接遇優渥，茂秦即世，先公徵遺稿於其子煇，自前帙之外，凡未刻若干
卷，間以請於典籤，許爲卒成之而未果也。今殿下纘承先德，光昭義問，自鄒枚
之彥翁如願在下風，而不佞服先公之餘訓，旬河北歲時，得親炙休光，飫聞世
美，愉愉然稱大快焉。暇日訪煇也以手書，王聞之弗寧也，乃命右史蘇君、陳君
相與詳加蒐輯，續二帙而剞劂之，而以序屬不佞。王若曰，謝山人受知於先王甚
深，又重之以文毅公之請，今日之事庶以成我先王之志，以報公於九原而無媿辭
乎！不佞再拜稽首，感極霣涕，敬贅言於末簡。竊惟國家衆建藩屏，星羅海內，

惟趙於屬籍爲最親；封域接軫坼甸，惟趙爲最近；世有哲王聲施浹於四境，惟趙爲最賢。以不佞所聞，今殿下之高義，絕嗜慾，屏玩好，惇德樂善，步趨準繩，即鄒魯之儒讓謹焉。比歲大祲，出方府若干金，活數百千人之命，祥風滂澤，士庶懽騰，昭前之光明，而加之以慈和，古所稱爲善之樂，於是爲最矣，猶以然諾所在，戚然不忘於心。四溟全集之刻，微獨以詩教也，莊誦德音，而紬繹其聿追之旨，則孝思所以風四方者，豈其微哉！詩曰，孝子不匱，永錫爾類。不佞死且不朽，與煇也共之矣。蘇君名潢，山東濮州人，陳君名養才，浙江臨海人，胥克以道成王之美，有聞於時，此舉其一班云爾。萬曆二十三年孟冬朔旦，朝議大夫、河南布政司分守河北道左參議、前進士、禮部郎中，蒲坂張泰徵謹跋。

明 邢 雲 路 刻 序

　　嘉靖中，東郡謝徵君茂秦、濟南李觀察于鱗、吳王大司寇元美、廣陵宗憲使子相、武昌吳參政明卿、吳興徐右丞子與、南海梁比部公實，結社爲詩，世於是稱七子。而茂秦以布衣祭酒，諸公皆有副在名山，獨茂秦以家在所落魄，久之始授殺青鄴下，不穀得而卒業，則有味乎其言。明興，文教燁雪，十九肇上君子委蛇操觚，韋布之士菫菫耳，獨茂秦顯，豈徒附青雲之士聲施於後世，其所恃甚設耳。夫庀材不厚，則敷與之轍立塞；擇途不審，則區霧之患即至；智不深、勇不沈，則倦敝之鋒且出；此三者所不免於胸懷，則學士大夫之所共慨也。茂秦苦身綴學，寒以挾纊，饑以裹糧，憂以解頤，暇以捧腹，四十年於此，其所持論，如射覆、如擬隼於高埔、如握秦鏡照見人五藏，如老僧面壁九年跏趺，不寧楊生其左肘，其精消亡，其力不衰，其髮種種，其心益長。則取物閟而噉名遠，非苟爲而已矣！其較然爲山林雄長，筆研之外臣，則夫天也，當軸豈偶然哉！近世擔簦之士如林，被外貌而闕中堅，軌出九逵而爲所不可知，則何以望見茂秦，不足走盡十舍也。茂秦不地，但有才諝，其人固多俠，間有蠭起，人以落落苦之，要之力行其意，俯視一切，濁世憂未歇也，此亦豈可與尺寸之士爲孤談，長其枝葉者哉！趙賢王授簡兔園，而獨有當於茂秦，間序於余，余不佞乃序茂秦詩，併職志其人如此。賜進士第、河南按察司僉事，安肅邢雲路士登甫撰。

明 張 季 彥 序

　　謝山人者，余郡人茂秦也，嘗客于趙，趙即建安七子西園倡和地。王嗜文翰，喜通賓客，每以鄒枚、司馬之禮禮茂秦，故茂秦詩多存于趙。先是有遊燕集、適晉集，不聞有全集，有之，自觀察張公始。觀察故蒲州文毅公嗣君，而茂秦則文毅一下士，與觀察爲文字友，及觀察建牙河北，茂秦歿已久矣。一日從容以其夙誼言與王，因出其全集壽諸梓，王曰諾。維時余舅氏蘇公爲史，余往省焉，舅氏欲壯余之行，乘間請于王，以醴酒醉余，俾任讎校之役，並屬以序。亡何，余促裝歸，未及竣厥事，而舅氏猶弗余忘也，勒余名于旁，而復標其意于末簡。嗟乎！余小子奚足爲茂秦玄晏哉？甲辰，余始成進士，司理于宛。戊申以錢穀役至鄴，舅氏不可復起。業茹年所，王仍以其集示余申前約，余然終以不文辭。竊惟唐失其律而風雅亡，大曆以後，浸淫及宋元，四五百年來，漫漫長夜矣。明興，文謂丕新，陽光漸復，雖作者遞有，而廓落若辰星，迨北地崛起，信陽繼作，先後登壇建旗鼓，祓除氛霧，驅掃攙搶，而暘谷之光始耀，其猶昧旦乎！自後瑯琊稱大，濟南擅奇，廣陵、吳郡、南海、武昌相與狎主詞盟，互執牛耳，一時詩□〔？〕津津乎貞觀、開元之盛，庶幾大明中天，片雲無翳矣。茂秦以一介士□〔？〕不佩半通之綸，輒操三寸管，與之結社訂盟，剥燭分韵，即元美、于鱗，罔弗奉爲畏友，而諸君子類可推也。嘗考世廟時，以布衣稱雄草莽，惟西秦東齊，百二迭霸，然太初操秦聲而擊缶革，能虎視函關，茂秦歌齊右而一京齊應，遂稱節制之師于海內，故世謂六子得茂秦而七，太初得茂秦而多，顧不偉與？然茂秦匪獨以詩雄也，彼其身與王公大人游，而抗顏砥節，骯髒不肯少下，所至貴介有倒屣而迎，或出白金爲茂秦壽，茂秦遇故識貧乏，悉散給之，未嘗自膩。雖以于鱗之契、二千石之尊，稍稍相忤，輒效叔夜絕交，拒之甚峻。元美、明卿諸君子皆越在千里外，投書息聞，竟不能得，及讀盧次楩放招魂知爲□〔？〕寃，返馬走京師，絮泣諸貴人前，謂公求□〔？〕，□〔？〕哀湘吊賈，公目覩一盧生寃，不以時白之可乎？遂出之圄圉，起白骨而加之肉。夫貧賤而好行其惠，慷慨而能急人之難，茂秦固不可以朽矣。迄今取其詩而讀之，音韵鏗鏘，若出金石，而又勃勃然有古豪俠氣也，蓋亦有所本哉！乃若次楩之事，則尤有可異者。次楩以茂秦厚援，得白其寃，而張大司馬肖甫舊令滑邑，雅重其才，亦極力慫慂，十餘年成獄，一旦且解，次楩入見，囚首械足，儼然抗禮，肖甫笑曰，公鋃鐺桎梏尚未脫體，遽言主賓禮邪？次楩怒，以越石父、晏嬰之言爲對，謂知己而無禮，固不如在縲紲中。肖甫改容揖就上客位。大都士君子韞藉既閎，方將以千秋之業自命，視百年若旦暮也，視權勢之赫奕，若飛煙浮霧也，視利害死生、一切可駭可怖之變，若水之漚而電之光也，豈其少自貶抑，俛仰于時？夫以茂秦之行若彼，而次楩之行又若此，較彼婢膝脅肩，趑趄喁呿，靦骹嫛詬，而取世資者，不可同日語矣。乃世之病詩者，承訾文人無行，文士無用，又稱引雕蟲小技，壯夫不爲，總之皆姁嫚語，非通論也。余終不敢信三百篇爲贅疣，而士之雅志傳世者爲無裨于世，因併及之。時萬曆戊申孟夏哉生明，東郡張季彥撰。

明 蘇 潢 跋

　　惟我趙國睿主雅重謝山人詩，命潢，潢時承乏，偕陳右史養才、鄉進士張季彥等檢其全稿，重加輯校，日給廩餼筆札，自乙未季夏歷丙申仲夏，殺青事竣，復命潢言於末簡。噫嘻！潢故習山人，山人同東郡也，以鄴下故建安才子之地，遂樂而僑居焉，先康主固大雅，館穀山人甚殷，不啻鄴下之曹劉云。嘉靖庚戌，臨漳李給諫東岡公愛山人才，而促入長安，復寓書於先大司馬，而山人譽聞勃勃乎縉紳口吻矣！若潢鄉李于鱗、李伯承、吳下王元美諸名公悉爲結社，先大司馬時過之，執中原牛耳，迭唱互吟，翩翩壯也，潢昆季以鄉土意氣，尤多親洽。比潢就祿趙藩，則山人舊遊地也，燕市社誼悉化爲烏有矣，即先大司馬辱先康主文字之雅，今且俱成陳跡，每每令人扼腕長嘆，嘗對人譚燕市事，以爲山人化且久，無可問焉。今蒙睿主命，得閱山人諸什，低徊矚目，讀五七言古，兀突崒崔，昔年之豪岩如見也；讀五七言律，清澹瀟疎，昔年之夷曠如見也；讀五七言絕句，銛利曉暢，昔年之捷敏如見也。嗟哉！山人化矣，昔之交也以詩，今讀其詩，復神交其人，詎謂幽明隔耶？審是昔年燕市社中事，闃隔遐渺，直一昕夕視之，而又奚用是扼腕長嘆爲哉！廼若山人之文行，則有先康主與今睿主之藻翰，暨張方岳、邢觀察之二序，與王明府伯固傳播揚殆盡，何俟潢言。長史司右長史，東郡蘇潢。

明 陳 養 才 後 跋

　　蓋養才自垂髫時，則聞趙先康王賢而好士，士擔簦握管至者，殿序之外屨恒滿，宇內謂兔苑西園不啻過之，于時則謝山人茂秦榛者，實稱雄長云。茂秦故能詩，而其詩之悟入玄解，若參禪宗而超然上乘者，則自入趙得與先康王相印證始。茂秦固以詞客名，而其名藉甚，則以李于鱗、王元美諸青雲之士結七子社始。茂秦固以任俠聞，而其豪舉抗義，不獨以詩詞著，則以能出盧次楩于獄始。
此山人之梗概也。先康王時爲之刻四溟旅人集，亦足成一家言已，嗣後有游燕、
適晉、江南等藁，或軼而未刻，或刻而未備。我今王久謀哀輯其全，而概鋟諸
梓，當萬曆壬午，業已諾蒲坂張文毅公之請。乙未夏，講筵之暇，召右史蘇君潢
及養才造膝，語曰，予欲刻山人謝榛全詩，其遺藁具在笥中，二史職在記言，其
試校閱之。養才兩臣惶恐稽首，唯唯拜命，已而給筆札供具甚寵，三閱月始竣厥
役，遂以付之剞劂氏，迄今年丙申夏，厥工廼告成焉。嗟嗟！山人一韋布士耳，
當先康王時，以諸侯王之貴而處以久要，所以受知者既如彼，今王當其骨朽之
後，復爲梓其全藁，所以追予者又如此，視世所稱得附青雲之士聲施後世者，又
大不侔已，若山人者抑何厚幸耶？猗歟！我睿王闡立言者之幽光，大雅也；償十
數載前之片諾，大信也；推廣先王之志而集其大成，大孝也。一舉而三美備焉，
共兹集兩不朽矣。不佞養才幸躬逢其盛，故得以執役之竣，而識數言于末簡云。
欽陞長史服色俸級管審理所事、前江西南康府通判，赤城陳養才撰。

明 程 兆 相 後 跋

　　四溟全集者，趙國主所梓東郡謝山人茂秦之詩，備鄴架之一籤於冰玉堂也。
綱紀仝校者，前右相東郡蘇先生子長、今左相赤城陳先生參甫也。藉手仝閱者，
蘇之館甥前孝廉、今觀政進士張君稚魯也。維時是役之告成者，實在萬曆丙申夏
五月也。書既出，傳播幾十年所，間以挂漏居多，勢不容已於翻刻者，睿旨特屬
內翰丁君子裕董正厥緒，克底其全也。操簡應教而跋之於最後者，旅食鄴下新安
布衣程兆相也。最後跋之之義何居？在今詳加討覈，訂其所爲魯魚，詮其所爲錯
亂，得字數千有奇，頤指剞劂，將謂可稱善本，未敢妄意去取於其間也，臚列其
眚木若而若而，諸所挂漏者，偶出睿覽，再一讐竄，因以屬之內翰云云。意也睿
主樂善親賢，夐出千古也者，則具在諸先後序中，兹未易更僕悉數也，姑載是於
事竣者，實又在甲辰之夏六月六日也。

　　　　　　　　　　　　　　　　　　　　（張永儁審查　　柳之青標點）

────────────

四溟山人詩十卷附詩家直說二卷八冊　明謝榛撰　盛以進選　明萬曆壬子（四十
年）盛氏臨清刊本　　12457

明盛以進序

　　禪家論十二部經，出不二法門，譬牛乳出醍醐，詩之一途，機鋒甚似之。不佞素不嫻爲詩，獨喜讀謝山人詩，山人起布衣，客鄰遊燕，與濟南、弇州諸君子互執牛耳，拔中原赤幟，前無西京、建安，浣花一隊幾左次矣。山人夙懷美珵，工制舉業，坎壈吾伊，已而具青白眼，不輕許可一世，討論皇虞、墳索、丘典，緝蹄殆盡。矢口爲騷賦，興象簡遠，詞旨超邁，駸駸乎二南竟端，列國盡變，正乎雅，和乎頌。皮相山人者，謂山人薜衣鴈行六君子，山人重矣，不佞不謂然。讀山人爲盧柟排難詩，管鮑心無改，妻孥計轉輕；褋感篇，誰道頹年氣傲岸，公門了無一字干；則魯連蹈海之概也。送俞堯咨之清源，舟車兩京道，賦役萬家憂；塞下曲，乾坤苦戰伐，將相繫安危；秋日即事，賈生今日淚，宋玉昔年情；則少陵秋興之致也。引申籥鼎，情見乎辭。不第，馬渡黃河秋草生，與白首全生逢聖主，青山何意見騷人。嘖嘖濟南、弇州心折者，大都發天籟于忠厚，攄自得于和平，視河漢梧桐，風雲月露之句，風教固殊已。夫音以見情，情以證道，道以風世，詩教也。試取濟南、弇州諸君子與山人角，廟堂巖谷，易地同心矣。清源爲山人故里，不佞守郡之閱歲，嘗弔山人廬，子姓遷徙，著作散逸，愴然久之。得趙藩全刊，篇帙既庶，複語間出，簿書少暇，謬爲訂補什之一二，屬秦生曰仁、吳生善長詮次而正其魯魚，古選近體五七言絕共得如干首，析爲十卷，併詩說合刻之，爰付殺青，俾人手一編讀之，知槃礴騷人，不乏姱節，良足風矣。十二部出不二法門，且醉山人醍醐，此亦冗倉子序襄陽之餘意也。若曰興教絃歌，冀太史氏採風而稽吏治乎，則不佞烏乎敢？時萬曆壬子仲夏之吉，知臨清州事，廣陵盛以進從先甫書于郡署之節愛堂。

明謝榛詩家直說自序

　　詩本無說，古人獨妙在心，所蘊深矣。漢魏有詩而無法，託之比興不譏，魏晉諸家同一源流，各見體裁，鏗然聲律之漸，至鮑謝輩對偶已工，綺麗相炫，駸駸乎唐初調矣。暨李杜二老並出，以骨爲主，以氣爲輔，其機渾涵而不露。晚唐以來，談詩者紛紜，互以雄辯相高，使人愈趨愈遠，不得捷要，故爾予梓詩說若干篇，譬諸築基起樓，勢必高大，所思不無益也。夫天地如籠，萬形羅于內，身與世浮，神與物游，飄然四極無不可，生也何勞，死也何寂，聖哲安在哉？吾以一技束心，終不失爲善人也歟！萬曆甲戌仲秋念四日，寓汾陽七十九歲山人謝榛茂秦甫識于天寧蘭若。

明盛以進跋

　　山人譚詩，盱衡矢口，可四筵獨座俱驚，已即往往不自禁其技癢，而曳裾王門，間多揞撫溢美，政瑕瑜不相掩者。秦生位家有藏本，係山人手錄，合趙刻詮訂付諸梓，稍錯出而無刪芟，庶海內覩山人全書云。萬曆壬子夏，廣陵盛以進從先甫識。

（張永儁審查　柳之青標點）

仲蔚先生集二十四卷附錄一卷八冊　明俞允文撰　明萬曆壬午（十年）休寧程善定刊本　12459

明王世貞序

　　余以嘉靖癸丑有灤楊讞，而投俞先生，與定交。後三歲丙辰，而有三輔讞，爲稍梓俞先生詩以行而敘之。其又二十有四歲而爲今上之庚辰，俞先生老病死，而余□□哀之，已又志其葬。又明年而郡丞劉君謀盡梓其詩文未授鑴焉，歙郡程于行者，悉橐繼之，而屬余敘。夫余所揚驚俞先生，雖後先殊，大致謂詩五言古能趨建安以下，迨齊梁錯而不誖格，七言歌辭翩翩自肆，或深或淺，不名一家，獨近體爲小贏，而絕句時自會心。文主東京小語，間入晉宋，旨不必雋而骨在，緯不必麗而質勝，其於泉石最諧本色，毋亦布衣之赤幟乎哉！自余之語出，而俞先生論稍稍定，獨其於隱，雖天下之人慕說之，而未有能名其格者。夫上隱生而剗聲，茹勤攻苦，自放於鹿麛之外，樵父牧豎能狎而不能敬，賢達之士可意想而不可跡。跡乃俞先生，故縉紳子，少亦嘗事博士，經數奇而後棄之，筋力柔懶，善頭風，耕不能爲鹿門德公，傭不能爲皋橋、伯鸞，游不能爲禽息、向子平，而纍纍焉寄一塵於十室之邑，居恒自謂，吾不徇人，亦不避人，吾不厭世，亦不侮世，吾不以名就名，亦不以匿名釣名，如是而已。夫俞先生以善病，故其足不能出百里外，雖然，縱不能游五岳，不賢於游五侯乎哉！且夫隱至俞先生，亦足矣，何至必欲併跡而滅之，然後稱上隱？或謂俞先生集所酬贈，多宦路顯者，此事獨余識之。蓋余以詩定俞先生交，而所善吳興徐子與來，子與於游道廣天下，

自是慕說俞先生，爭欲得俞先生言，俞先生無所拒，然亦無所援納。俞先生少
貧，所食恒半菽，至或併日炊，然一介無所取，晚節聲轉重，人或以誼餉者，亦
不爲飾辭，然大不能至束帛，小或算器食而已。昔許玄度臥永興南幽穴，而致四
方諸侯之遺，人或以箕山人誚之，顧謂筐篚苞苴輕於天下之寶爲解，傳奇者亦毋
用是而廢其栖逸，此何足軒輊俞先生哉！蓋俞先生去諸生，即爲贊高士如干人，
以寓其微指，而所操論，獨不喜郭林宗，以捨己而就天下之好、布衣而侵司徒之
秉，亡當。要之，俞先生雖不竟自晦於隱道，庶幾能持衡者，故因程氏請及之，
以俟傳文苑隱逸者折衷焉。友人弇州山叟王世貞撰。

明 王 世 貞 序

　　吾所與布衣遊者三人，俞允文仲蔚、謝榛茂秦、盧柟次楩。謝盧故河北人，
任俠往來燕趙間，燕趙書生習稱之。而仲蔚好里居，又善病，病輒不出應客，家
人數米而炊，且夕不辦治飯，即且治糜耳，終不能有所干謁。凡仲蔚所爲行，桑
樞甕牖，咀藜短褐，不厭死而已。而其自托古文辭特甚，吳中少年，習聞其鄉有
名者，則日益事相貴，椎竊不休，飾嫫母揚其直而售之，乃仲蔚弗顧也。謂余
曰，而來前，而爲黃初之際乎哉！蓋洋洋如也，即不遂方軌而執鞭者，忻然矣。
仲蔚又稍厭唐以後書，雖不能盡屏，蒐獵一二，計以共埽除之役，非素所倣慕
也。以故益日與諸少年倍，仲蔚之文與聲不能走闤闠而南北，雖然，海內更二三
君子亡鄙余者，與仲蔚相驩足老也，即不可而使仲蔚卒棄其故，而臣諸少年。婆
娑漫涵，白首途遠，豈其能遂重洛陽紙，而以是歔哉？然又胡竟寥寥乎仲蔚也！
五父人檀壽夢之鼎者，齋而後出視客，客曰，嘻，主豈敖余於無鼎哉！默其欵，
聚金而液之，以意加新焉。出鬻，而賈者蠅集也，過五父，睨而弗視曰，烏用是
文闇習而泯泯者？此非其體貴賤殊也，則所由辨難矣。仲蔚投余集十卷，不佞得
寓目焉，更之爲四卷，賦及詩雜文若干篇。夫賦，余不知其所自也，其楚人哉？
五言古志而沉深，潘陸之僑盼歟？知其毋齊梁靡也。七言古之麗以則也，五言律
之思也，長篇之莊也，五七言之悠然而雋也，文之爲贊也、銘也、赤牘也，七子
所懼然而辟易也夫。嘉靖丙辰秋，王世貞書。

明 張 文 柱 後 語

　　俞仲蔚先生以詞賦起嘉隆間，海內學士人人慕說仲蔚矣。噫嘻！仲蔚生有季

布之聲，瑯琊公爲之曹丘；没有夷齊之名，瑯琊公爲之仲尼。仲蔚集行矣，爲漢、爲魏晉、爲唐名家，可手而鏡也。厥嗣則又以後語相屬，文柱奚言哉！蓋里之詘仲蔚者三，迹其家常壁立寠矣，乃言若是斐亹也，不可謂不富；身無寸綬之懸阨矣，監司守令軒車造門，不可謂不達；一子痼於疾廢矣，雅克孝於家，澤於行誼，直指使者觀風而表其閭，不可謂後之人不賢。彼信我詘，彼晦我昭，古之君子皆然，何獨憾於今？文柱於俞氏，奕世爲通好，而仲蔚則父友，不敢不謂相習，敬書所見，以補序誌之遺如此。吳郡張文柱。

明顧紹芳序

　　仲蔚俞先生卒之三年，而其友歙郡程于行氏爲捐橐行其集，而廷尉王先生序之。廷尉名文章大家，而習俞先生，其所揚扢文義，及稱引俞先生隱德至詳覈矣。世以謂俞先生附青雲而益顯，意若推功廷尉，以爲其推轂之力居多。要之，廷尉公初以詩定交俞先生，而又生平好揚人善，其推轂于諸公間固當；假令廷尉公阿私俞先生以爲名高，無論非廷尉公指，即俞先生弗屑也。今俞先生言及當世，布衣之業具在，可攷鏡已。蓋明興，詞人之業蠭起漂涌，然大氏出于搢紳之徒，而布衣窮巷之士往往十不得一，此無異故，士方窮時，咀藜裋褐、不厭死而已者曾幾何人？是故飢寒憔悴，頫首而從干謁，其于詞特椎剽希合，以自附于風騷之致，以成其游道，而其著者僅亦馮負小材，陵轢頓挫，爭爲名高，以鯖五侯而已，此于不朽之業奚當焉，而耳觀者猶傳之。然而士不虛得，名不虛附，當其身或勢激相重，以夸詡得聲，而百年之後形景銷滅，同腐草木，計無復之矣。酒俞先生跡不能一塵之外，游不能千里之外，蓬蒿自擁，婆娑乎圖史，即達官貴人、郡國守相傳響而求先生，先生聊一應之，意泊如也。豈與夫儇巧機辨、趨時混俗，遊大人以成名者同乎哉！然俞先生顧以是得顓精覃思，成一家言，語不必規時好，聲不必諧里耳。若詭若匿，以自致于不朽之域，驟而讀其集，泓渟奧衍，蒼然其色，非今世人也，其素所蓄積，豈偶然也哉！昔永叔論聖俞之詩，以爲窮而後工，聖俞窮矣，然甞仕于朝至七品官，有祿秩以贍其妻子，方諸永叔窮矣，以視俞先生，不猶泰乎！俞先生以窮故工，以固窮故，比老而其窮不衰，而其工亦日以益甚，有以哉！廷尉公盛稱俞先生之文詞，而推本其隱德，夫俞先生之隱德，固其所以昌于詞者也，其褒然爲當世布衣之傑，復何疑哉！俞先生有子伯安以瞽廢，然能亟圖其親不朽，而屬余嗣廷尉公言諸末簡，余縱有所論述，亦安能出廷尉公意表？而念當俞先生時，與家大夫最厚善，惟紹芳亦得以通家子數就先生，先生折行而進之，不可以謂不知先生，於是卒申廷尉公之指爲序，其所以俾閭巷之士欲砥行立名者，庶有興焉。萬曆癸未夏六月丙辰，武陵顧紹芳序。

明程善定刻後序

　　余自丁年，志慕古昔，足跡所至，訪謁鴻生，其行誼之高，蓋未有俞先生者，乃息游崑山，以禽鳥納交焉，先生一見，驩若平生，久之，遂成莫逆。先生甘貧學古，託疾離俗，高臥一樓，不競於世，吟詠自適，積有篇章，余取其稿，屬友人汪禹乂，欲選而刻之，既見王先生元美已爲選刻，此念遂止。萬曆庚辰，先生病且死，憾未與余永訣，訃至，余哭於予家，復走哭於墓，欲以善壤遷其窆，子景平以先生命，不欲改也。已而郡丞劉公欲全梓其詩文，遽去任弗克。余曰，此先生之靈，俾余得償夙心。乃收其全稿歸，校梓於西野書屋，集凡廿四卷，王先生復序於首，其行狀、志、銘、傳、表，咸附集後，先生人品之高、詩文之粹，則載在諸公文中，余何敢贅？第述其生平之與余交者如此。萬曆壬午春，友人程善定書。

（張永儔審查　　柳之青標點）

────────────

蠛蠓集五卷六冊　明盧柟撰　明萬曆三年魏郡穆文熙刊本　12462

明張佳胤刻序

　　嘉靖乙卯，余使閩，投馬鄴都，盧仲木山人從濬來，出所著蠛蠓集，頓首請曰，柟死罪徼惠於足下，幸不棄諸市，今老矣而無後，所與爲後者斯言爾，藉第一旦塡溝壑，世復有知柟者哉？言訖，泣數行下。余受書卒業，稍加評次，歸而許之以異日壽諸梓，相與痛飲達旦別去。後余貶居浮湛下吏，隆慶己巳稍遷魏，使者求山人，而墓木拱矣。濬人故忌山人，收其遺言無所得，乃爲詩弔之，橄有司樹碣墓道，並恤其寡君云。越數年而余撫吳，從友人王元美索山人集，未全也。一日客建業，與姚敘卿談山人，姚故守大名，因出其集，即鄴都舊本也，余撫卷而悲之，又何能食前諾，負山人地下哉？乃屬友人周興叔納言，刪定入梓。嗚呼！山人河朔間高士也，平生以才取禍，至所爲騷賦詩文，諸家評敍互得其似，余不具論，山人有奇行，則余耳目所覿記者。往余客燕市，申考功儀卿語余曰，山人遊太學歸，過魏訪考功，入門大哭不休，已而長歎曰，太學，士人之藪，卒無有與於斯文，悠悠宇宙，不知涕之何從也。考功笑而飲之至醉，出廄中紫騮馬，命之賦，山人左手浮白，右手揮毫，須臾數百言，翩翩乎李供奉之音也，今集中亦未之載。山人初囚潯獄，余時時間勞，及出狴狴，而銀鐺桎梏，猶然拘攣也，山人則詣余廳事，稽首謝余。始識面，亟引副署中閣人列榻鴈行，山人乃舉械手揖余曰，柟鳥鳶之餘肉也，以分何敢望見君侯，顧君侯知己，宜當客禮。遂上坐。夫禰正平、越石父不見於今久矣，山人甫釋南冠，手木且未脫，即儼然據上坐，英論四發，不作沾沾困苦之態，然則世之齷齪縮朒、改慮患難者何可勝數，宜山人自豪一世矣。元美舊爲山人刻賦二卷，比者東明穆敬甫考功、石拱辰符卿刻山人詩二卷。三君子以文章氣節聞天下，愛重山人如此，固有以感之矣。集刻既成，余且挂冠去，慮刻之無所托也，而穆石兩君書適至，概然欲爲之傳，山人素未嘗從兩君遊，而兩君慕義憐才，可謂篤矣。余近聞潯人已仆山人墓碣，嗚呼！詞人終在陽九，至身後且不免，微兩君則山人安可死哉！萬曆二年甲戌三月朔日，西蜀居來山人張佳胤譔。

明穆文熙重刻引

　　吾郡廬山人者，以詩文雄一世，而當其時則人少有能重之者，今没去二十餘載，而所撰蠛蠓集始出焉。集始刻於吳之太倉州，乃鳳洲王公家藏抄本，巀嶭張公手自校讐之，又自敘其刻之始末，以成茲集。集傳至吾郡，見者以爲琬琰奇珍，轉相抄錄，目不暇給，殆若平子賦出，而紙價爲貴時矣。余邑寶尹寶泉雅好詩文，因謀於余，將重刻是集以應求者，且計省價於筆楮之費者當什倍也，乃刻之兩月而完，刻之字跡即翻原本，頗不相下，文事於茲，其有興乎！寶尹欲紀其重刻之意，復屬余爲序。余惟山人詩祖六朝，文賦法秦漢，評之者已有定價，而其人豪宕不羈，扞當世之文網，自罹大辟，幾瀕於死，故其詩文多成於三木金索之間，見於自敘又如此，俱不必述也。獨感夫昔人之言曰，詩文必窮而後工，乃今於山人復見之，故史稱丘明失目，厥有國語，孫子臏腳，兵法脩列，屈原放逐，□賦離騷，不韋遷蜀，遂作呂覽，詩三百篇，大抵皆詩人發憤之所作，則山人之集可以觀矣。豈獨於人？物亦有之。松柏必生於峀澗之間、偏歷冰雪之慘，而后木理之堅不等於羣材；寶劍不埋於獄中、嚙蝕於數千年之塵土，則亦無以衝斗氣而發光華也。向使山人以職務縈其身，或安居無事，日徜徉於沙籠風月之間，則雖未必無所撰述，以成一家之言，然必不能如斯集之工也，閱山人之集者，可以哀其志矣。嶧崍公又述山人遊太學歸，痛哭於申考功之第，謂太學爲空洞無人，而醉賦紫騮馬篇，累累數百言，有飛黃萬里之思。又其方出犴狴，手械未除，邑令命茶，即與抗禮，至引越石父對晏子之辭，而邑令大慚。即此兩事，則山人超軼之見、磊落之懷，出塵埃遠甚，故宜其發爲文詞，淵深閎肆，力追古人，即顚仆備至，而略不涉寒酸語也，茲又可以壯山人矣。萬曆乙亥歲中秋八月，賜進士第、吏部考功司員外郎，魏郡少春穆文熙撰。

明盧柟自序

蟻蟓者何？醯雞也，集何以謂之醯雞？郭璞謂醯雞細質，喜羣飛，亦蚊蚋屬也。夫蚊蚋貪哺，嗜臭敗，逐溷廁嚃咀，人一障惡之，醯雞則入室突窔，幸於發甒，歠糟糠而甘芳酸，飛則叢蒙，止不渝唊，此非潔於自奉而介於自守者與？其於蚊蚋侵穢彊噉者爲何如？此其蟻蟓也夫。而柟質戀材篤，託跡兩間，猶夫葉之於林、盃之於海也，竊居蓬茨藜藿彌年，無薦紳先生之交、郡牧侯伯之遇，舉則一丘，言則自偶，此夫人之蟻蟓哉！嘉靖壬寅，柟以事繫獄，貫三木，圜陰室，待國家典刑，發憤抒懷，間有微詞，輒不敢令人見，反復諷誦，尋痛愍而焚毀之。夫蟻蟓之隘燕坑、罹蛛網，振其音而喑喑者，何以異此？是猶類之至也。夫蚊蚋狡汙，柟所弗屑，蟻蟓雖微，柟不敢自外焉，視其類也。嗟嘻！鷹化而鳩，雉流而蜃，腐草而螢，黿鼉魚鱉皆有化，若蟻蟓槁死盆甒，吾獨不知其化者何也，此豈造物篤於億類，而嗇於蟻蟓也邪？因撴錄舊作并獄藥文若干首、騷賦若干首、雜體詩若干首，搆成幾卷，命其集曰蟻蟓。時嘉靖癸卯春三月朔六日，黎陽盧柟撰。

（張永儁審查　柳之青標點）

蟻蟓集五卷一冊　明盧柟撰　明萬曆壬寅（三十年）濬縣知縣張其忠重刊本　清黃丕烈手書題記　12464

明萬恭序

　　諺曰，相馬失之瘦，相士失之貧。余讀浮丘生所爲蟪蛚集，蓋爲之懭悢凄楚云。夫生馳心玄邈，玩情典墳，直入先秦漢天廚，咀其膾而嚼其葅，假令較天祿石渠，其所制作豈不爛然流光、直追古昔，而乃幽愁促迫，身且不容，桎梏拘囚，目日不照，幾與盜賊臧獲駢首而戮，悲夫！及觀獄中諸所上書、所爲諸賦，激烈悲愴，又有古先秦漢策士之風，何其雋也，何其雋也！昔卞和氏得璞，獻之楚文王，以示玉人曰石也，刖其左足，復以獻楚武王，玉人曰石也，刖其右足，和抱璞泣王都門，繼之以血，乃剖之，果良玉也。君子謂卞和氏也智，毀其足而存玉，生置極刑，入之復出之，既又出之，視卞和之刖何啻？乃忘朝夕之命，方且笙簧屈宋，馳驟班馬，此非所謂毀足存玉者邪？然聞易牙初干齊桓公也，飯土鉶、調太羹，齊君怒而唾之，爲之臑熊蹯、炙薄耆，薦山梁之餐，割豢豹之胎，齊君甘焉，爲封萬家之邑；晉平公始御，師曠章英疊奏，韶濩齊鳴，晉侯左右視，弗能竟也，變爲激流羽商，綴宣鄭衛，揚北里，紹陽阿，晉侯按節歎曰，天下之良工也。夫易牙、師曠非闇於前而智於後也，性投於所隨而技變於所嗜也，今天下之爲齊桓、晉平也，豈尠少哉！生幸見天日，余讀生所爲蟪蛚集，益爲之懭悢凄楚，竊恐生終其身幽愁促迫，殆又甚也。然君子寧齊桓之不中，不能爲易牙之變味，寧晉平之不諧，不能爲師曠之變聲，何則？情志通於廖廓，不可以世俗移也。生向不遇陸五臺先生，吾悲生之胸不足以當鐵鑕，而生之頸不足以膏白刃也。乃幸得遇，出之拘囚之中，登之詞藝之林，老且白首，獲與屈、宋、班、馬梃刃而立、荷戈而趨，即爲齊桓、晉平所笑，而獲固已多矣，終其身幽愁促迫，夫又何傷也？余性特好古，而未之能見浮丘生所爲如是，既悲之，又復喜而著之。賜進士出身、奉政大夫、南京光祿寺少卿、前南京吏部考功清吏司郎中，豫章萬恭譔。

明張其忠重刻序

　　余自束髮即誦讀盧山人蟪蛚集諸作，以受符于其故里，一至即訪山人遺嗣亡有也，求其前集，始知刻在東明。夫山人以不羈之才，扞文網，至襄三木，幾瘐死獄中，而其集又不傳于其里閈，俾家誦戶曉，以造就後生，則山人眞不才哉？然亦令茲土者與有責也。乃爲之聚材鳩工，以重梓之，其族孫青衿盧生亦欲襄其事，刻既成，因書諸首以紀歲月云。萬曆壬寅初秋，賜進士第、文林郎、知濬縣事，濟南張其忠書。

（張永儔審查　　柳之青標點）

————————

北轅集一卷一冊　明歐大任撰　鈔本　過錄明趙用光跋　12467

明 余 日 德 序

　　槙伯爲諸生時，即能破萬卷，故其爲文自永初以下，詩自太康、大曆以下，不襲一語也，雅尊古卑今，而於今之人獨景行李于鱗、王元美，與嘗從事於斯者。嘉隆間以貢游燕，諸詞人集燕者爭與結社，而是時向所謂六七君子亦既星散矣，槙伯念不得與之游，各爲詩致之，故吾二人者未習面，而甚習其詩也已，茲集蓋其公除北上轅中諸所爲者，不彼不佞而屬之序。夫槙伯爲名高，述作非一，于鱗輩已爲立之言矣，余何言？間讀元美廣五子詩，於槙伯深嘉其卓識，而終之日，宛宛照影姝，沾沾不虞妬。蓋傷其未之遇矣，夫何傷，天下不有負品騭、稱知言，傳所不朽於來世者乎？則惡能舍槙伯詩也。且嶺南之稱詩者亡慮百數，大抵宗五先生而上下之也，自吾友梁公實、黎惟敬與槙伯迭起，則快然曰，斯蓋揭日月於吾南者矣，即五先生安能當三先生於今之世哉！夫世之有取於槙伯也如此，槙伯非取之也，則亦未爲不遇矣。萬曆丁丑夏，豫章余日德譔。

（張永儔審查　　柳之青標點）

————————

歐虞部集三十四卷五冊　明歐大任撰　清初刊本　12468

1. 思玄堂集八卷

明 朱 多 煃 序

　　今藝苑自余友于鱗二三君子出，而海內有鄉往矣，竊於嶺南艷歐生槙伯云。槙伯外圓內朗，博物讀書，世方僑豹，吐而爲詞，咸多深湛，其所尚友，亦惟于鱗二三君子，以故名藉藉於海內。晚日顧余與德甫，蓋亦取諸于鱗二三君子之友，逮次豫章，以所著思玄堂詩集，謁余問序。余惟詩，可以正得失、動天地、感鬼神，其爲因亦溥矣博矣，誠欲蘊精神音調而矩矱於大雅、上下於神人，匪資天授，學以充之，識以辨之，能耶？自夫矜雋者或渝於品式，誇贍者或陋于色澤，尚似者傷于割裂，空空者托于性情，有是四端，而求其精神音調之適，不亦遠哉！觀今楨伯之集，樂府抵掌于太康，古詩鼓吹于鄴下，歌行準之嘉州，間出青蓮語，近體羽翼盛唐，至七言律佳境，又龍標襄陽三舍者，視所謂四端則爽然矣！余故艷之，信矩矱于大雅、上下於神人，成一家之言者。語曰，惟其有之，是以似之。則人之尚友足徵也。其赴公車有旅燕集，適金陵有輖中集，爲學官有浮淮集，移光州有游梁集，斯乃先所居嶺南者，辟之干將發硎、江水抑揚已乎？是爲序。萬曆甲戌蜡日，淮甸朱多煃用晦甫撰。

明　歐　大　任　序

余不肖，幼跅跎，好擊劍蹴踘，不能末耜，先君沙洲先生方耕於南海上，意不憚也。家故藏書，頗有三千卷，力田之暇，敕使誦讀，示以躬行，不操切於進取爲急，於是不肖爲諸生，朝夕馴謹，稍稱先君意。嘉靖庚子，度嶺至金陵，踰年思侍庭訓，不能遠游，歸以囊中草跪上，先君笑曰，是兒殆欲世吾山林枯槁之業乎？因教以古歌辭及陶杜詩，且命其與雅游諸君子習也，久之不肖竟不第，而先君亦棄養矣。卜葬課耕，恒往來大嵩、青蘿、西樵、羅浮間，庶幾山林枯槁之業不至廢墜。壬戌貢上京師，先走伏先君墓下嗚咽，謝不肖死罪，視囊中殘草，戊申以前皆先君竄定，不敢棄也，命李英分類錄之，并及戊申後十五年之作，都爲八卷，藏諸思玄堂，因名集云。嗟乎！析薪之子負荷誠難，弓冶之家箕裘已惡矣。俗云，力勤十頃，能致嘉穎。不肖何有焉，敢謂猶賢於擊劍蹴踘者哉？是歲長至日，大任題。

明　吳　繼　茂　跋

歐先生守諸生三十年，有司無能薦之者，世方操切仕進，得置諸膝失墜之淵，多汲汲于茲。歐先生不然，曰，其不羈之士也，顯則當時，晦則異世，士要當自致，奈何皇皇然老一諸生乎！歐先生父沙洲隱君故善詩，先生即有才，不耐爲雄談，獨喜著書，于是，日侍家隱君思玄堂爲詩，以雅以南，乃在庭戶，樂而後可知也。無何，歐先生就公車待詔，居都下有游燕集，爲學官始居江都，予輩得屬和竹西，先生有浮淮集、輖中集，隨牒光州又有游梁集，業已傳之藝林，予因請曰，夫桐栢爲淮之源，言有本也，先生之詩豈獨始于待詔時耶？願聞其家居之作。先生辭讓弗與，乃後郈長孺入梁索得是集，用以寄余，余因與倪惟思分任

校讐，託之梓氏，其卷目則仍其舊，俾海內得覩歐氏全書，亦以知源流之所自
也。萬曆甲戌秋日，新安吳繼茂書。

2. 靡館集四卷
明皇甫汸序

　　嘗覽藝文志及儒林傳，慨夫秦燔詩書以愚黔首，漢興禮樂以崇教化，爰置博
士文學掌故之官，自國學以至郡邑皆有備員，彬彬乎篇籍充秘府，而卒史著功令
矣。詩凡六家，王者所以觀風俗、知得失，自考正也，魯若申培，齊若轅固，趙
若毛公，燕若韓生、瑕丘，大江、貫卿、徐敖之屬或爲之傳頌，而詩特盛焉。我
明稽古右文，經術闡揚，粲然重麗。孝武之朝，長沙躭藝，海內學士大夫靡然嚮
風，起而譚詩，厥後紛紛淆亂，多岐凌軌，而詩幾乎亡矣。南海歐先生者，幼隨
其父隱於洲上，是謂沙洲君，先生蓋鴻鵠之志困於燕雀時也，家多藏書，每輟耕
釋耒展繹焉，其於詩也殆韋氏世業云。嘉靖庚子，誦遠遊之篇，擬幽通之賦，度
嶺踰江，探越適吳，抵金陵，謁鍾阜，窮山川之勝，與摛藻之士締交而廣業焉，
益工於詩，乃以垂堂之試、循陔之眷，浩然而歸。沙洲君背養後，始以造士司教
江都，量移光州，斯辭妙於浮淮，賦擅於游梁，且仲舒爲相之邦，漆雕倦仕之
地，先生篤誼於廣陵，闡道於河洛，而門下多商賜之徒、風雅之士矣。慈恤再
起，晉秩國子，屈韓愈於四門，置鄭虔於六館，曷異焉！先生當主上登用儁乂之
日，足跡尚不越于黌校，列職猶不離乎儒流，日操鉛槧，無溷案牘，而述造益
工。思昔昌穀謝廷評而就博士，何仲默贈之以詩曰，有美雲間士，才名洛下傳，
班行亦霄漢，官侶是神僊。余除嶧令不拜，乞署斯官，高子業貽之以詩曰，辭邑
初耽寂，攻詩每晏居，貧家滿座客，閉戶一牀書。夫晞驥之馬亦驥之乘也，都人
士以爲美談。徐有迪功集，余有皇甫五經集，先生參而三焉，將振來秀而掩前輝
矣。嘗讀思玄堂集，其自敘幼時跦跙，好擊劍蹴踘，故其詩往往有英風俠氣，晚
折節砥行，詩亦溫柔雋永。若相如上林之篇，自擊劍來，而嫖姚樹勳塞外，豈蹴
踘足病耶？古豪傑之致爲類如此。先生不遠千里移尺牘，令門下士陸生無從乞余
爲序，并漫及之。萬曆戊寅秋七月既望，賜進士、吏部稽勳郎，吳郡皇甫汸子循
撰。

3. 浮淮集七卷

明王世貞序

　　當世宗時，六七大夫講業燕中，而不佞謬名能私其緒，居無何，相繼得罪斥
謫，或自引去，天下操觚之士避之吻齒外，而南海歐大任先生獨好其言，以爲足
當。我歐先生於書無所不窺，其大要非西京、建安而下至開元，亡述也。其屨屨
遍戶閾，業非以六七大夫，亡當也。歐先生受經爲南海諸生甚著，竟不第，而游
燕一日，而傾燕之士人，而竟亡能薦之者。爲學官江都，會淮以南鮮雅慕，歐先
生默默不自得，益肆其力於文章，其文章益高，然度以自婾快而已。而會不佞強
起過江都，六七大夫非物故則亦起，旬日而過江都者二三輩。歐先生懽甚，出一
編相示曰，此吾所自婾快者也，環吾齋，樹苩蓿而以畝計，晨光蕭然，旬雨，而
苩宿無泇徑者，則以轍跡寡也，吾編成而蚤網其首，晨始拂拭者，爲子也，子其
序之。不佞竟讀，乃曰，歐先生而亦知而世乎哉！世類重顯位，而歐先生仕僅一
命爲學官；世急材諝，北備匈奴、南備粵，而歐先生操五寸管從丹鉛之業；世好
慕俠長者游，而歐先生所欲獨當六七大夫。咄嗟！吾見而之日以窮也。歐先生
曰，不然也，吾嚮者下彭城度淮而後南也，渺乎若瓠落而無所用之，剡以爲五石
樽，汎汎乎江湖而不知其止也，彼豈以爲有所値哉？必有所値而後稱適，則亦晚
矣！且昔司馬子長二十而游江淮，上會稽，闚九疑，浮於沅湘，厄困鄱薛彭城
時，豈有六七大夫足知者？吾得長爲我足矣。於是名其集浮淮，而不佞序其意。
淮以南有宗子相臣者，是六七大夫中人也，而夭。往御史檄歐先生采淮賢大夫
業，歐先生檄諸邑學官，顧獨遺子相，歐先生意不懌也，曰，豈可以當吾世而失
子相？乃爲宗臣傳，上太史，具集中。嗚呼！歐先生無負淮矣。隆慶戊辰冬，吳
郡王世貞撰。

4. 輶中稿一卷
明汪道昆序

　　今上詔修先帝實錄，下諸部督學使者，采拾以聞。南畿爲高皇帝舊都，自昔
以文獻甲天下，部使者在事，召江都文學歐大任楨伯任之，文學奉檄入都，再浹
日而畢事，伏軾所至，謁園陵、望宮闕，歷名山大澤，周游薦紳學士及諸故人，
稱詩凡若干言，則自輶中授弟子，既成，藉介吳生謁余序之。往余從文學鄉大
夫，得文學高議，時文學留滯都市，則又得文學都市詩，即南海多奇，宜莫如文
學。及余從三山索文學，語在集中。文學善稱詩，往往在都人士口，當世二三作

者，莫不推轂文學，爭下之。其在輈中不更僕可數矣，昔班固、張衡、左思竝以名都賦顯，豈不鉅麗乎哉！夫賦者古詩之流，具在風雅，古之行役者，大都憂王室而閔勞人，情見乎辭，安事枝葉？諸賦不遺餘力，夫非作者之極思與？本諸事情，則枝葉茂矣。文學陸沈淮海，翩翩諸博士間，乃今海內治安，舊都不啻天府，文學載筆從事，幸得托行役而畢游觀，誦其詩，則所謂治世之音矣。方之諸賦，即廣狹不同，要以因事陳辭，務在言志，雖意氣溢發，而壹歸於雅馴，譬之安車蒲輪，大路越席，得時而駕，豈必九斿七就而後行遠乎？嗟夫！函崤河洛之都、鼎足之業，其間多所湮滅，而諸賦炳焉獨存，概於立言，則不朽之效也。文學官薄，顧于安之，殆將爲名高希不朽耳，乃今所就業五侯七貴何有哉？如使畢力以從古人，庶幾得當大舉。語曰，鷲鳥累百，不如一鶚。文學幸而出此，即當世何讓焉？吳生曰，善。隆慶戊辰秋日，新安汪道昆著。

明 邵 正 魁 跋

崙山歐先生楨伯，嶺南才子也。以文學掌故，居江都二年，談經之暇，日與名流賦詩，篇什一播，人爭傳誦，以故海內一時稱賢豪者，咸願納交投分，名翩翩起臺省間，不自知其官之冷也。今年會詔天下有司纂進先皇實錄，督學使者廉畿內諸文學，無如先生才且賢，矧國之鉅典無漫假手人，乃命使召先生，先生捧檄如舊京祇役，凡越月竣事。始先生自白沙渡江，入都就館，已而由攝山泝江流、登三山、返瓜洲，其旅況行役，宣猷讚德、感今懷古、對景陳致、紀遊贈友一發於詩，爲詩凡若干篇，爲記一以本其事，其草猶在車箱中，既至江都，門人競取觀之。予友蔣子夏、陸無從爲先生入室弟子，謂先生是役賢勞，緣情奏雅，不可無傳，亟持以示予，因同編次，授之梓人。時隆慶戊辰九月既望，部郡邵正魁紀事。

5. 十先生傳一卷

明 李 攀 龍 序

人才之生雖地氣使然哉，曷嘗不繇應運而興者乎？應運而興，則地氣與會，人才相感，以勸其成，然後阨之不爲沮、挫之不爲變也。我世宗肅皇帝以聖文神武治天下者且五十年，乃廣陵有先生十人，洪永之際，於斯爲盛矣。儲公之黜如皋令，與王公之訊蕭敬景伯時、趙叔鳴之忤逆瑾也；朱升之之救顧開封，與蔣子

雲之諫南狩也；曾公之呴呴於遼左，與桑子木之傾於骸骨之疏、宗子相之祭楊太
僕也。所不羅者朱子价一人而已，奈何十人而九閡之、九挫之乎！蕭皇帝懲宦者
煽亂，而制奸臣之命，斯運之所由起也。予往見歐君矯矯自史才而致意乎作者，
有鑒裁矣，善乎傳所謂廣陵在漢時，吳王好文辭，而大山小山之作奮自淮南，彬
彬哉！明興二百年，廣陵多文學之士，乃今始有宗臣云，今勿論其所得，即自儲
公，已力圖復古，推轂獻吉、仲默輩，而伯時、子雲、叔鳴、升之亦各以聲藝翺
翔李何間矣！子相後出，相勸而成者乎，翩翩孔璋之流也。世方病文學之士無吏
事，登陴而守福州者誰與？永安之捷，與海防二三策豈一語不相合也？而況馬政
軍餉、綏夷導河，如儲王以下諸公，所至有績者乎？故閡之不爲沮，挫之不爲
變，進則謀國家，退則著文辭，自董生而授經術之業，有如十先生，廣陵得以稱
文獻之邦矣！何應運而興？河套之議，卒撓於讒，而不得以復國家二百年之疆
圉。設令子木之奏行，而嚴氏者與三尚書並罷，豈有倖主之禍也？豈廣陵地氣
微，不能與運會而適至是乎？傳言儲受知尹恭簡，朱納交邊庭實，二公皆予里
人。叔鳴按察副使，曾公都御史，又皆在山東，子价予同年進士，而子相則傳所
謂昔者吾友也。十人而得其六，是傳也以徵文獻則足矣，其斯實錄云。隆慶四年
春正月，濟南李攀龍譔。

6. 旅燕稿四卷
明 徐 中 行 序

　　歐楨伯將之燕，訪余汝南郡中，乃謁何仲默祠，尋李獻吉河上艸堂，遇謝茂
秦于鄴下，居燕，吳明卿至與游，余以待謫公車，讀其旅中集，將序之未遑也。
其爲江都文學，王元美過之，有浮淮而爲之序，所傳宗子相輩十先生，則李于鱗
過而序之。比入金陵，采世宗故實，有輶中集序，則介紹于汪伯玉。當余過之，
請曰，大任不敢忘羈旅，願大夫毋忘公車。余其何辭于燕？夫自召伯啟封，雖爲
天府之國，國以召南名者，率江沱之間爲什，而其遺風徒雄于戰國，說士有蔡澤
之屬，蘇秦、鄒衍爲旅，策士有郭隗之屬，樂毅、劇辛爲旅，遺辭往往可觀，其
詩固亡聞也。今多悲歌之士，盡自衛荊卿始，然其所過固有目叱之者矣。獨燕有
處士，先生善之，他則狗屠擊筑之流，與和歌市中相樂爲酒人游耳。其歌于易
水，爲變徵，皆垂涕泣；爲羽，皆瞋目髮指冠；此俠風也，北鄙類若此矣。漢僅
有韓博士詩，而淮南生受之，唐後漁陽、上谷悉胡虜鼙鼓之音，至爲遼金元所

都，中原不幾絕響乎？故雖明興，士由明經貢闕下，游說之策既絀，亦垂百年乃興李何爲之倡，三河、齊魯及江淮以南和之，而燕乃有聞，蓋旅者盛矣。至于南海去江沱益遠，當世宗末，梁公實、黎惟敬以旅燕名。今有楨伯沈深好書，盡與賢豪長相結，不讓于荊卿，顧鄙其劍術不講，而所過傾蓋者衆，以善聲詩講業于學士先生，其委蛇嘯歌，庶幾召南之風乎？嗟夫！今列國不貢詩，既得士如楨伯，使登黃金之臺，而居碣石之館，宮商協作，則雅頌可興，乃爲博士，以詩文教列國，竟栖栖一旅人耳，其於楨伯何哉！幸主上明聖，二三大夫方脩雅頌之業，而召楨伯者或有矣。隆慶六年歲次壬申，賜進士出身、奉議大夫、雲南布政司左參議，吳興徐中行頓首撰。

明 徐 樞 後 序

　　吾師歐楨伯先生蚤以經學聞粵中，部使者及督學諸公莫不稱重，爲五嶺以南第一人也。嘉靖壬戌，歲薦北上，文賦翩翩起，一日名動燕市，館閣部臺諸稱文章家者，輻輳轂接於旅食之館，而海內翰卿詞客、畸人逸士什九論交焉。先生通而介，樂於過從，倦於請謁，不以一褐自懟，不爲千金動色，游於諸公間，引觴談藝，逌逌如也。彙其所作，爲旅燕稿四卷。丙寅先生爲江都博士，樞習毛詩，章句士耳，先生授之詩說，爲之講解，而不以告文辭教人，亦不立門戶講學，倫理甚篤，行誼最著，蓋鞠躬君子哉！近歲弟子之於師，受舉業者，每刻課文，談心性者，則刻語錄，樞不能也。獲侍齋中三年，今先生隨牒光州，門墻日遠，懼負朝夕之教，因即邵生所錄旅燕稿刻焉，若夫先生詩詞之高古，已著海內矣，樞豈敢評品哉！隆慶三年十一月長至日，江都門生徐樞頓首書。

7. 游梁集七卷
明 張 九 一 序

　　往余丞廣平，南海歐大任先生則自長安遺書來，其言數千，其旨數十，終而私之曰，願結交。余不識歐先生作何狀，方坐罪播遷，即素所厚善者，稍稍棄去，歐先生乃于長安豪舉中，能走千里之使遺余書，余不識歐先生，而知其非庸人也。又八年余自楚罷歸，歐先生爲學官弋陽，淹留淮楚間，莫能厚遇也，則從余蓬室，驩甚已！出其所藏，彬彬然博雅君子哉！余既中廢，賓客益落，歐先生謬爲恭敬，至徒步相從，握手深語，此必于吾世亡當，而有當于余者，則宜不爲淮楚厚遇也。今海內縉紳大夫稱文章家，無如山東李于鱗、東吳王元美者，二大夫獨嚴重歐先生。夫二大夫所謂避世于朝廷者也，酒酣以往，白眼漢公卿前，舉世鮮所許可。而歐先生者貌侵楚語，而出語人曰，是夫御李而結襪王生者。人鮮不易之，而二大夫顧嚴重。夫嬰之侏儒也，春秋以傳。雄之吃也，厥草太玄。假令曹蜍李志而貌二大夫，二大夫不之顧也，即歐先生遇之，引與同坐，亦不過曰且有典刑而已矣，而不事之如事二大夫也。歐先生既過大梁之墟，履夷門、登平臺、俯黃河，求所謂梁孝王園者，見麋鹿游于臺，而衣霑荊棘露也，低回留之不能去，喟然嘆曰，生不逢孝王，而獨不得與相如同時哉！因著游梁集，亡何，移學官于邵武矣。初歐先生以母老，數投劾，輒為上官所止。今閩廣接比，歐先生幸獲奉板輿以祿養也，乃歐先生以書來別曰，為謝武夷君，不顧幔亭期矣。余惟相如客游梁，著子虛之賦，卒以倦遊歸，抑歐先生何人類也？倘上問子虛而召歐先生，令尚書給筆札，如漢所以寵相如者，吾知歐先生必有進於是者矣。隆慶壬申夏，汝南張九一撰。

明　陳　王　道　跋

世恆言文人不敦實行，余觀南海歐君楨伯，一何篤論君子也。嘉靖乙丑，獲交楨伯於燕京，余時始釋褐，出守鄭州，而楨伯亦拜江都博士去。隆慶庚午，余補光州，楨伯先以被薦，典教于此，握手驩甚。每見其謙虛自持，廉約益礪，恂厚雅飭，似不能言，所為詩歌，則與嵩嶽並高、大河爭駛，人咸推列于二三作者間，於是海內競推轂楨伯矣。守博士者八年，未嘗幾微有淹屈可憐之色，惟念母請休，牒狀數至，余謂太夫人幸健，君強為我風厲學者。今觀集中游子篇、歸來行、秋懷、雜咏諸作，不可窺其行耶？余雅重楨伯，不徒以文人視之也，因捐俸為刻于郡齋，梁楚之墟，精光燭天，殆由此哉，殆由北哉！壬申三月，東吳陳王道書。

8. 南薰集一卷
明　張　鳴　鳳　序

友人南海歐君楨伯入官太學，余從巴至京往候君所，出詩一卷視余曰南薰集。蓋屬者有太夫人之事，君自光州還家後所為哉！君有雅才，喜讀書，故其論著多閎博奇偉，又特精於詩，人謂君當豫承明金馬之選，雍容書府，作為文章，以歌頌本朝之鴻美，何不可者？顧令編名郡邑諸博士牒中，一教廣陵，再移汝南，既歸家持服三年，乃稍遷今官，抑何其不遇也？雖然，始君結髮時，俛首就書，至于今口誦舌吟不倦者，固邀一時之榮名已乎？其意將欲含精吐華，追古邁今，爲一氏之語，施之不朽哉？即官階高下，猶舜華之朝夕也，安在其遇不遇邪？君詩故溫麗有典刑，其在江都，則清曠超遠，江淮之間多傳之，最後官汝南，游梁適周以歸，則好爲倜儻卓詭之辭，實與今號稱鴻公鉅匠漸采錯繡，務欲衣被天下，令後世無以加。方古則泰，視今維烈，後世讀君詩，有不嘆七子既凋者半，而君與數公竝軌齊驅，以凌厲一時，盛矣，盛矣！又況太學可階、承明金馬乎！異時雍容書府，探石室、窺玉版，考見當世之成功盛德，有所彫篆，宣示罔極，未爲晚也。余偏得讀君詩，輒通論之，因書集端，歸之從史。萬曆乙亥長至，始安張鳴鳳譔。

　　　　　　　　　　　　　　　　　　　　（張永儁審查　　柳之青標點）

────────────

孟龍川文集二十卷十冊　明孟思撰　明萬曆十七年濬縣知事金繼震刊本　　12469

明 樂 元 聲 後 序

　　孟子輿曰，王者之跡熄而詩亡。夫詩而誠亡也與哉？子輿氏豈亦未曾逆覩夫屈宋以下而漫爲之言也？唐三百年間，作者侈然稱盛，至於今家尸戶祝，幾與關雎、殷武諸篇方駕而馳者，不啻載乘，一何前者之寥落而今之燦爛也？說者謂風氣使然，則吾又不能無少於三代云，唐二家憂言之，至靡建安、塵齊梁，有激乎、有激乎！非騷人墨客流連光景，而浪爲自好之詞也，知其解者旦暮遇之也。仇之顒、漳之南，崛起孟氏字正甫者，其人與骨俱朽矣，獨其詩文數卷藏之寶匣，二子能守以就明府。稱先太父從孝廉後，老死簡冊，生前狂態，自謂不媿風雅，下里之言，敢質明府。明府君手一編讀之，欣然有當乎其中，曰，陽春白雪，千年絕調，吾地有阿翁，山水生色，豈可私之名山？用當傳之同好，亟勒之。勒成，屬余婆娑廣文爲序，余爲之大呼正甫君於地下，曰，咄咄正甫，有長卿在，可不朽矣。閱是集者，知正甫之得長卿，見伯牙之於鍾期也。萬曆十七年春三月之吉，長水樂元聲敘。

明金繼震序

　　文章不朽之業，自古難之，詞賦家首屈宋尚矣，乃鋪張事理，錯綜經緯，燦如指掌，或猶未窺作者堂奧。左氏、馬遷非不雄於文，而於三百篇之旨無當也。彼其人皆寥廓千載，指不數屈，彼亦豈肯以隅見自限乎哉？要惟其賦性才有偏長、精有獨運，故其究各有所至耳。西京而下，此道寖喪，明興猶襲敝習，至弘正間，北地獨建旗鼓爲先倡，於是作者非一人，亦非一家，然大抵好立門戶，自高品格，學一先生之言，即矜以爲得，如是而已。始予釋褐京師，每諸公譚藝，則嘖嘖以文豪於河朔曰孟龍川云，余時深有意乎其人，恨其已往，雖忻慕爲執鞭無繇耳。已視事黎陽，於侍御朱君所，獲覘龍川氏集，讀其文、想其人，儼若接公眉宇，聆咳唾也，公豈直以文豪者哉！顧其學無所不窺，諸所結撰亦不拘拘一體，境與意會，則奮筆而出，輒又中率如古詩，非建安遺軌乎！近體則翩翩，軋大曆而上矣，七言絕即投諸李供奉、王江陵間奚辨焉。其它論序等篇，參諸左史魏晉與韓蘇諸家，則法不相沿，而能迭相爲用。總之，原本六籍，發其所自得而止，即文章名家有精專而獨至，要不如公兼諸體而精之爲尤難者。何也？難於才具備也。抑公以碩人生當明盛之世，謂得時則駕易耳，詎期困於窮愁而益工，類有然者耶！方公盛年，累上公車，而竟以數奇罷去，當是時，使少假公以虎觀、石渠尺寸之地，揚衡而論往古，紹明來世，則由大伾而龍門之何有？其所稱述，當不止是已矣。不然，即居一郡而上，卒爲天子外臣，豈不能緣飾以經術，稱古循良，而如策荒弭盜諸書籌略，藉一旦多故，責以揚主威而蘇民瘼，固持左券合之矣，豈鼓脣吻而無當實用者哉！夫自公嘐嘐好古，不適世用，而世亦不知用公，竿牘小智之夫，輒謂步趨簡易，亦足以飾躬涉世，而焉用古文辭爲？是特相習爲耳語者爾。片詞登壇，抵掌相視，尺牘當心，千金自賞，夫安見其無可以樂而忘老，而況其卓然可託不朽有如斯者乎？若乃其行誼同符月旦，而高風雅度不詭於先民法程，則固人人能稱說之矣。萬曆十七年歲次己丑莫春，賜進士第、文林郎、知濬縣事，海陽戴槐金繼震書。

（張永儔審查　　柳之青標點）

豐對樓詩選四十三卷十六冊　明沈明臣撰　沈九疇選　明萬曆丙申（二十四年）
陳大科粵中刊本　　12473

明陳大科刻序

　　或人稱詩，以謂深山大澤，龍蛇生焉，肆有隩一方，扶輿之所翕，靈液之所滋，駘蕩誕生其中，必有特矣，斯亦貴矣，以是知函夏不數人，即大家不數詩歟！莫之可矯誣也。余乃今彈射斯語不必然，稱不數人乎可，稱不數詩乎不可，曷不觀沈嘉則豐對樓詩選，洞心駴目，亡慮幾千百首，並臻其際無擇乎，則是無故。夫元苞精英，止有此數，天之道猶酌，挹彼注茲，原不盡人鬔鬌焉。猥以與于斯文之林，苟不于我，則自極乎其力之所致止耳矣，夫苟于我，則固縱之乎爾，我乃玉珮瓊琚，大放厥詞，大言小言，何所不肆而合也？千載之下安所擇，僅僅傻指爲是，則可以提論嘉則先生之爲詩也已。甬句東故天地一深山大澤，實生嘉則，甬東諸騷人墨卿遞以文章名世，乃獨推嘉則執牛耳，以當地靈八九，非所謂函夏不數人中之一人耶！先生從子箕仲爲選其諸體各若干首，總題曰豐對樓詩選，則視箕仲疇曩所選者四百廣之矣，則視王元美所稱，我將以所餘者六千六百而更衡之，衡之矣，斯稱大家哉！先生故賦秉骯髒，嶽嶽不易親。他日，不腆父母之邦志闕，余與顧益卿兩生以告邦大夫，志非沈嘉則不可，乃邦人辟呀語，兩生固自輕家雞爾。而乃甬東之求，曰非沈嘉則不可，顧兩生斷斷乎，卒延致嘉則，通州志卒成。藐茲邦一日竟內山川人物，天下莫不聞，則以志行遠也，維是邦人即又亡不大詘先生，常履滿戶外，爭得其片赫踽隻句，曰吾甚貪之也。余嘗風雨夜奉先生燕閒之談，意微若有所屬，余于此之時，盟之心矣，今選中如題先司寇阡、如令紫薇園、自我得之者數詩，不概見，此數詩當不在刪中，箕仲又非輕家雞者，乃知嘉則詩尚多放佚者歟！嘉則前已有折柳編諸小刻，余攜之粵中，遭視師海上，羽書棼如，懘甚，則手一卷，乃解；又五嶺苦炎熱，數病暑，亦藉以解；不謂今又得徧讀，竟且爲卒此讎校之役哉！是役也，則相國肩吾爲致嘉則萬里之命，牘裝其草累一尺強，祝之曰，家從父生平心肝血數萬斛具在是，子其爲敘而傳之。夫風雨之夜之盟在是，唯余之任，遂稍次之，付諸剞劂，屬五羊太守陳堯佐領其事，殺青于夏五月，凡七閱月始訖工。噫嘻！以地之靈、人之特如嘉則，其所臭味當于函夏曹耦數人，乃獨持所不朽生平者，于托之乎廣陵陳生，毋亦各有嗜歟！以文獻之粵，如名山石室之藏，亦既充汗，乃陳生又獨于斯役乎之是執，抑又嗜亦有特歟！且粵志有之，自瓊管之文章出，而粵人失珠璣，今錄茲選粵中，傳諸海內，斯甬東之文章出哉，而人人自詡握靈蛇之珠者，固在未覯乎！斯之年也，萬曆丙申仲冬，廣陵陳大科思進甫撰。

明王世貞序

　　嘉則渡江，訪予山中，出一編見授，曰，吾後先歌詩爲篇者七千矣，而今僅四百，吾不欲以武夫累玉也。今夫非詩之難，而知詩之難，非知人詩之難，而自知之難，非自知之難，而割愛之難。吾之愛於七千篇者，而以屬吾猶子九疇而刪之，知不必盡賢於我，爲其無愛也，所謂四百者，不必盡賢於六千六百，而是六千六百者，不必盡賢於四百，其大較異也。且也，吾前詩成而見子，子讀之瞿然賞矣，然窮子以詰，而子不答，其故何也？今亦可以答也夫？予笑而應曰，嚮者問我而吾不答也固爾，夫格者才之禦也，調者氣之規也，子之嚮者，遇景而必觸，蓄意而必達，夫是以格不能禦才，而氣恒溢於調之外，故其合者追建武、開元，凌厲乎開元、長慶諸君而無愧色，即小不合，而不免於武庫之利鈍。今子能抑才以就格，完氣以成調，幾於純矣，而子之猶子九疇，復爲群子之玉而府之，夫何虞於武夫之累也邪？雖然，亦有以予之試諸生事告者乎。始而得其文，以爲鮮不可取者，則多取之；既而厭其同，虞其溢額，以爲鮮可取者，則少取之；既又畢而衡其所棄者，未必遠所取者也，始不勝愛而後不勝厭也。然則子之所餘六千六百者其遂已邪？其將授我而更衡之邪？嘉則曰，吾固言之以大較異也。嘉則名明臣，別號句章山人，其於文益奇，有秦漢風。吳郡王世貞元美敍。

明屠隆序

　　不佞覽觀赤縣神州吊古豪傑，蓋私心誠咨嗟慨歎之焉！則竊疑河嶽英靈之氣，天或者獨私於西北，西北土厚而其氣雄渾，故其民博大而深沉，若青齊燕趙，若關中太原，古振世豪傑之產往往而在，無論姚姒姬孔，即如文章家稱不朽者，亦率皆其產，無論古昔，即如空同、大復兩先生，又西北人。嗟嗟！吾東南之美，信徒竹箭矣乎，是東南之羞也。吳越金陵王氣直走姑蘇，下大江、經會稽而盤礴於甬東。甬東者，西枕會稽，東俯滄海，故越王句踐之墟，地不壯於此矣！大風之所震蕩，而長波之所激射，氣不烈於此矣！謂宜有振世豪傑生其間，命令當世而耀來茲，與青齊燕趙關中太原相等埒可矣，至歷千百歲無之，即有之，非其至者。嗟！何以故？乃近者靈氣攸降，人文稍稍出焉，司馬公主盟於藝壇，沈肩吾馳聲於金馬，君房、其仲皋睨於青紫，嘉則絕出於布衣，後來之雋，龍變雲蒸，指殆不可以一二屈也，而莫不力追遷、固，氣吞曹、劉，六代而下所不齒也，蓋雅道勃勃興起矣，迹諸君所到，皆傑然名家，乃嘉則先生者，當何以云哉！先生才奇甚，少爲博士，諸生所操博士家言，好麾斥常調而高自出奇，以故有司得之，輒茫然不省其云何，坐是竟連蹇不第。世宗皇帝時，嘗從胡少保行間爲書記，少保才先生，待以國士，少保死，先生遂挾篋走湖海，往來吳楚閩粵間。先生少年時才思敏博，能對客揮長句，落筆百韻不止，咸蕭灑出塵，聲名以是大譟。及歷覽天下佳山水，結交海內豪傑，遂以盡文章之大觀，所造益精，而所得益艱，往往悔其少作矣。方先生從少保時，余少不解事，稍長從諸大夫士遊，而先生又多在湖海間，故余雖嚮慕先生，先生亦且知東海有屠生也者，而絕不相聞。一日晤先生於張司馬公所，一見把臂驩如平生，遂連宿先生齋中，先生盡出所爲諸藁，讀之至漏下五鼓不休，如登西華山，下睨黃河若帶，踞泰岱、臨碣石而瞰滄海，曾不盈睫焉，蓋宵然喪其六合矣。始先生名滿天下，天下士大夫無弗稱先生者，而余猶強項不下，至是始嗒然心折先生，願北面稱弟子云。夫今世脩文之士滿宇內，用力勤矣或不自得，自得矣或不見大，見大矣或不致精，致精矣或才情不傅合，薄收須臾之譽而終滅萬世之名，天刑之安可解也？乃同志之，夫文法司馬子長，詩法漢魏樂府，樂府而下法盛唐，以是古卑今，則人人能矣，乃取之博大而出之無窮，挹之流長而運之神應，所謂一代總統之才者，竊以謂先生是邪非邪？今人學子長，尺尺寸寸，求之字模句倣，惟恐弗肖，循墻而走，跼蹐不得展步，而先生獨從容出之，若不經意，即言言皆若出自太史公口吻中，譬如庖丁之技，提刀而立，躊躇四顧，何勇也！今之擬樂府者，徒得古樂府之字句耳，先生不屑屑於擬古，而春容璀璨，即言言無不作漢魏聲，五言古詩亦自出機杼而富才勁力，自令鮑謝却走，若先生之於唐音，猶傴僂丈人之承蜩掇之而已矣。而尤長於七言古詩，蓋海內稱獨步焉，王元美謂先生布衣之傑，嗟乎！先生獨傑布衣也與哉！先生嘗從酒中大言曰，世人多稱李杜，率無定品，李如春草秋波，無不可愛，然注目易盡耳，至如老杜如堪輿中，然大山喬嶽，長河巨海，纖草穠華，怪松古柏，惠風微波，嚴霜烈日，何不有也？吾當李則顔行，當杜則北面。聞者錯愕，余蓋有味乎其言之也。先生先登藝壇之上，奮臂一呼，千夫同聲，即海上諸君子，犁然蔚起，乃先生建標之力，何可誣也，而令四明增而高，大海增而深，東南之美遂與青齊燕趙關中太原爭雄長，豈不盛哉！昔班孟堅作漢書，傅武仲猶然笑之，楊子雲法言，信其必傳者，桓君山一人而已。夫兩生之文，同時者有識有不識，乃皆闇汨當時而顯灼後代，矧先生爲世人譽。濟南生汪伯玉、吳明卿、徐子與、王元美兄弟皆以才自雄，傲睨一代，視海內空無人，而獨推轂先生，此其人可知矣！即不佞言無當，然不佞非諛先生者也，今其篇章具在，正法眼者第觀之，顧何有於不佞言？先生命其從子箕仲選先生詩，爲詩選若干，箕仲之選精矣，而先生屬不佞序之，夫先生之集不朽，不佞得以文字挂名其間，亦且不朽，不佞之徼惠於先生大矣。四明屠隆長卿敘。

明 劉 鳳 序

　　嘉則先生蓋與予同歲，而才過予遠，所爲詩則元美序之，又以屬予，予則安能知？予方怪今之論詩者何僭也，詩固六藝之一，妄一男子而自名刪述，豈將與孔子比聖哉？夫今之詩固繁，昔三代二千餘年，詩逮千篇，而存者三百耳。何者？其人忠質務遵讓，且善不必自己，故春秋諸大夫賦以見志，皆陳其國風，不遠有取，亦未有所自爲也。今之君子好賢，則其務有己乎，然愈卑者，不能自名而藉人名，故率曰某蓋遊於某之門也。嗟乎！是其志可哀矣。嘉則先生高議矜抗，未嘗有所推下，一語不合，輒作色，雖王公大人必凌出其上，氣固雄哉！夫詩者精氣動薄，神化迴潏，發作於中，而四暢於外，豈襄志澳洗蕩易，不沉鷙深切，而又以割剌襲竊爲乎？故曰，律者立也，立者能效其所可知也，古不言律而今言律者，古之樂亡，其被之聲詩，今不能作，于鱗云唐無古詩是也。無亦以其似存之乎？按法而割，聽於無罔，裁於孰莫，放乎無繫，論於悅惚，以極詩之變，嘉則之詩則然。予以其致壯則氣不懾，故又云直己而陳德，又何以規似婉孌姍然悅人爲？人嘗患予不比於今，然予實不如嘉則簡而盡，無繁稱溢言，從容諷議，以一代風人自命，賢乎哉！長洲劉鳳子威敘。

　　　　　　　　　　　　　　　　　　　　　（張永儁審查　　柳之青標點）

────────────

十嶽山人詩集四卷十冊　明王寅撰　明萬曆乙酉（十三年）歙縣王氏原刊本
12476

明 方 九 敘 序

　　新都人王子與武林人方子友也，二子嘗異尚，王子喜俠，嘗義氣自許，把酒說劍談兵，託是爲樂，樂之終身不厭也；方子抱拙，嘗游方之外，閉關逃壚據梧，託是爲樂，樂之終身不厭也。及二人樂而爲詩，王子起而操觚，則方子辟易

退舍，不敢舐筆；既而方子拂楮，則王子訢訢嘖嘖，輒加擊節。二子私相謂曰，
子書成，予序諸；予書成，子序諸。一日王子發其篋，篋充然滿也，謂方子曰，
此非敝帚與？予將投諸鬱攸氏可乎？方子勞之曰，嗟嗟！王子恥以一藝名世乎？
顧序而布之在我。王子曰，序謂何？方子曰，詩象物者也，奚謂言志哉！昔人嘗
曰，少陵聖乎，太白仙乎，長吉鬼乎，元庸乎，白俗乎，言此數子象茲數物者，
才之謂也，非志之謂也。予嘗觀子，其氣豪，是俠氣也，其語壯，是俠詞也，其
調縱放而弗拘，是俠風也。子既以豪氣鑠予，以壯語怖予，以逸調炫予，宜予之
辟易退舍也。王子笑曰，聞子之論，子誠拙與？予誠俠與？子方事據梧而瞑，而
予獨以俠鳴，予其獲己諸！嘉靖癸亥年仲秋二十四日，武林八社友人十洲山人方
九敘禹績。

明 胡 宗 憲 序

　　詩文之有聲韻者也，即古之樂章，奏朝廷薦宗廟者也，虞之賡歌、周之雅
頌，太和之發、治世之音也，蔑以尚矣。世至春秋而詩亡，夫子刪之，取其合於
治世之音者三百篇，名之爲經，以立萬世法。其後至秦而詩多散失，漢儒搜拾附
會以足其數，今觀國風多淫佚蕪褻之詞，疑非夫子舊本。不然，則夫子當時以放
鄭聲告顏子；而樂記曰，鄭衛之音，亂世之音也，桑間濮上之音，亡國之音也；
亂亡之音，夫子既放之而垂戒矣，乃又取之以爲經，此理所必無也。先儒乃從而
爲之辭曰，惡者可以懲創人之逸志。若果云爾，則今之淫佚蕪褻之詞，亦皆可采
以爲經乎？漢晉詩人多不達此，惟唐李太白不讀非聖之書，其言多天仙之詞，雖
未必盡合於大雅，而其天資俊逸，眞千古之詩豪也哉！吾鄉十嶽山人王仲房，高
才奇氣，屢試不第，而迺暢不平之情以工於詩，平生所嚮惟太白，故其詩俊逸，
雅有太白之風，而理趣更多玄解，颯颯乎追古之大雅矣。予嘗慨大江以南，號爲
聲名文物之區，而晉唐詩人如曹劉鮑謝、王岑李杜諸人，多產於岱華伊洛襄樊之
間，江南故未有名家如諸人者，豈江南爲澤國，迺不及巉巖曠宕之區所產者哉！
新都界在萬山中，地勢之高，古稱天上，而黃山白嶽直與岱華爭雄長，故今仲房
之詩則可與太白相伯仲，孰謂世之產才有不關於山川氣化者？仲房性疎狂骯髒，
多忤於時，縱縉紳先生折節與爲知己者，稍不合則飄然拂衣而去，不復顧。予與
仲房爲知己之深，恐其詩篇久而散失也，遂取其素所見者梓之，以備後來刪述者
評焉，軍旅之暇，爲題數言首簡云。嘉靖癸亥年中秋日，績邑梅林胡宗憲。

明王文祿後序

　　十嶽山人王仲房先生，振奇才也，予聞之久矣。丙午游錢塘，會于童御史仲良第，面瑩如玉，清而婉，殆文之英；與劇談焉，且詢海上事，是時當海偃，每慮之，與予合。丁未予友劉東沙授新都教，會先生，先生詢予及海上事，起謂東沙曰，沂陽子何先見與予合，今豈無策以助耶！庚戌東沙至京春試，言先生不忘予，予感焉。別十年餘矣，庚申又會于錢塘，面蒼如鋏，偉而威，若武之傑，與劇談焉，不異昔也。明年辛酉又會于錢塘，乃予觀潮回，天薄暮矣，執予手謂予曰，予有詩一編，大總督胡公爲序而梓之，知予惟子爲最深，可無一言以序？予曰，明日行矣，奈何？曰，子素敏于文，可立揮之。曰諾。夫大江以南，南戒之龍隨江行，而海外包之，氣蓄而完，萬山簇擁，金陵爲帝王之都，而畿輔諸郡，惟新都備剛柔之質，以故篤產文武奇才，達而在上，若胡公展經綸、擒大憝，海不揚波，而生靈蒙福；遺而在下，若先生抱經綸、託麗藻，篇章宏肆，而獨善其身，子之詩得託胡公梓以傳，幸哉！先生新都人也，乃產于廬，廬故范增、周瑜之鄉，先生爲兒童時敢誇論，謂范周不知以身而事漢，且范未成霸，周止三分，每笑二子之不足多。今觀先生上考象緯之占，下窮堪輿之脉，中閔困窮之情，研古今之變，一第不偶，終於青衫，落落不能展其所抱，每自愧孤負明時，故其情一皆發之于詩。惜哉！蓋少任俠，長而游儒，又探神仙方技之流，故曰振奇才也，試觀日月奔電，彈指刹那，則逾十年百年能幾哉！今先生之詩，吟咏性情，超于物外，飄然儼神仙語，且神仙亦不過此性爾，能悟此，則遺可也、達可也、儒可也、俠可也、仙可也，無入而不自得，得無聲之詩矣。夫無聲之詩，詩之原也，請以之爲先生勗。嘉靖癸亥年季秋朔，海寧沂川子王文祿。

明王寅自序

　　予昔過胡少保武林開府矣，少保亦過予市門，見予几上詩草十餘冊，乃披冊誦曰，予今始得見子全冊，遂携二三冊而去。次日予即有石梁雁宕之游，游三月歸，少保已爲梓而序之，不一刪，予拜而謝之，實大慚，藏之山中，不以視人，已二十餘年矣。今有客過予曰，予遊海內，每遘知音，多問子之詩，何不梓以傳？子老矣，請速梓之。予曰，唐以詩取士，士以詩專門，故詩多遺而悔，簿雖數百家，而足稱名家者僅二三十家耳，猶不能無等級之分，予詩何足傳，不傳則何用梓耶！雄作太玄，含元氣而入無倫，歆猶有覆瓿之誚，固又謂親見雄，祿位不能動人，人故輕其書。予之詩乃叔武所謂韻言耳，又非侍郎而給事黃門，雄于當時猶若是，子其謂予何？客曰，若子之言，則子何廢時失事，而徒爲苦吟無益耶？予曰，予以業經屢蹶，器匪明時，遂辭諸生，憂遲後悔，貨殖則囊乏貲，耕樵則力難任，射獵則無狗馬之徒相逐，從軍則非功勳之時易乘，非託于詩，則予何所託以自適耶？若詩希以有傳，則予豈敢。客聞予言，乃爲默然不樂別去，予廼徐徐亦翻然有所思也。爲儒拓落，破産放遊，南歷海隅，北經沙漠，洞天福地，攬勝窮幽，而宇宙煙霞，將過半矣，由是得以折節當路，結社同聲，二氏多證，方技旁求，義俠酒人，取諸邂后，平生之詩，無非二者，詩可不梓，其能忍于寂滅無聞于予家後人耶？乃合諸冊，刪其十之六七梓之，即予山水陳迹之圖經、交遊往事之記載，詩以是梓，梓庶幾乎其非慚也，予固託詩而求適于失意也，然自弱冠已篤于所好矣。若夫遡朝代、辨諸家，比物而生興、觸境以緣情，予于古人之憲章，守之不敢不嚴也，知重典要，而略于引類之浩博，知尚風骨，而拙于雕織之精妍，有讓于世之作者，務爲洞庭鈞天廣奏之希聲，以之視予，予只瓦缶土鼓耳。予新都人也，母氏燕趙孕予而生于淮，氣隨所受，詩原心聲，故常過于感慨激烈，而有背于微婉和平，是又有害于詩之大旨，雖知一悟，而嗟已晚矣。是梓也，本以山水交遊，其能忍于二者之寂滅，豈以梓也而希于有傳耶？予詩何足深論。萬曆乙酉年五月朔。

（張永儁審查　　柳之青標點）

海嶽山房存稿二十卷附錄一卷別稿五卷十冊　明郭造卿撰　于慎行選　明萬曆間縠城于氏刊本　　12478

明葉向高海嶽山房存稿敍

　　建初先生没，余既志其事而銘之矣。先生生平所論著甚多，其大者則有燕史、永平、臨汀、上杭諸志，玉融古史、燕史，多至數百卷，書成而莫任剞劂，故尚未行世，即其他亦或傳或否，至于名流知己，假手操觚，則十九削稿不欲傳，于是先生之文，其存者無幾。伯子孝廉汝承彙爲二十卷，以驚于縠城于先生，大相賞歎，爲論次而授之梓，余不佞，敬從于先生後，復爲之敍。敍曰，郭先生者，余里中人也，其尊人曰子長先生，爲比部郎，有才名，早夭。先生幼孤，即能緒其業，籍學宮，以博士業，屢冠有司，然非其好也，其志在上下今古，貫穿百氏，窮搜人間未有之書，羅之胸中，以勒成一家言。蓋不久而先生之業成，海內賢士大夫如馬恭敏、徐子與輩，皆折節與交，以作者相期許。先生又練習世務，每談當代得失之故，如決溜懸河，聽者忘倦，世遂不敢以文士目先生。迺竟困一第，以明經入太學，而先生不屑也，去之爲塞上遊，戚元敬都護開館漢莊，延先生，蓋燕史所由作焉。書成而先生歸，時余已通籍里居，數從先生遊，相與揚搉藝林，窮日夜不休，因竊覘先生之文，宏深奧渺，指遠而詞修，其大致在使讀者深思以求其趣，故才可以無不遂而光常韜，意可以無不暢而氣常鬱，曲折紆迴，窮工極態，求之近代作者，稍類李于鱗。而于鱗棘，先生典；于鱗滯，先生達；于鱗以古語傳今事，先生能使古語今事混合無迹。此其所以異耳。自七子之徒推尊于鱗，而詞林館閣諸君子不能無異同，遂使文章之途分軌而岐趨，先生能爲于鱗，能不爲于鱗，概之于館閣馳驅範矣，徒以逢掖諸生，不得翱翔石渠天祿間，爲諸公所推轂，既沒而乃有于先生爲之表章，豈非此道之顯晦離合，亦自有數存歟！而說者謂先生之才尤長于史，今讀燕史一書，網羅千載，蒐輯前聞，名雖一方，實該九有，其雄洽博贍，即方之龍門蘭臺，宜無少遜。至于辯微箕之誣，徵叩馬之妄，證文皇未嘗以大寧予朶顏，皆古今大窾繫，無人能發明者，使先生而任掌故之職，得肆力于編摩，其所成就又寧可量！昔柳子厚以史責昌黎，而昌黎終謙讓不敢當，知幾史通，其所譏彈，自丘明而下無得免者，紀述之難如此，當吾世而失先生，豈不惜哉！先生集其爲史作者十之三，他文十之三，不爲史而有裨于史者亦十之三，詩僅十之一，要于諸體無所不工，而其必傳而無疑者，則以議論考索中，往往有不可磨滅之見，不獨以文已也。昔子長先生集，識者稱其雄勁簡奧，善紀述，父子間源流固然。乃先生閎肆矣，孝廉諸昆仲又皆翩翩有文名，郭氏信多才，他日竟祖父之志，又自有在，吾姑書此俟之。若先生之質行高風，超然拔出于流俗，使在聖門，必以狂狷而兼文學，則墓中之文具矣，茲不論。門人陳勳書，里人葉向高撰。

明顧起元海嶽山房存稿序

學術之舛馳也，士多冥心于清虛玄遠之論、鏤刻靡麗之文，世之所謂律曆戰陳、錢穀刑名，古才臣智士用以補短移化、助流德教者，咸蚩逐以爲灰塵，虛邪嘽緩，揮塵含毫，自謂可以拱押天人、網羅遺漏，而可用之才與待用之器，乘是靡然而日銷矣。彼夫京、管之占候，穰苴、尉繚之韜鈐，蘇、蕭之法令，計倪、范蠡之計筴，士大夫視之風馬牛不相及也，而皋比之言與奚囊之句，穿求崖穴，繁飾條章，理用同廢，亦終比于畫餅之不可噉，則亦安事此呫嗶者爲哉！明之以布衣張其黨者，前則太初、茂秦、次楩，後則爲建初先生，較而稱之，竝雄長于山林，而余謂三子其人非先生匹也。太初隱，茂秦通，次楩俠，先生蹟兼有之，而其志可以寄生死，其才可以濟緩急，謀適不用，退而處于囊中，令投袂而起者，豈其若淵源次律之大言而躓于垤哉？夫三子者，故未有能窺先生之用者也。即以其文論，孫、謝之詩，盧之賦，偏詣而孤騫耳，至洞古今之變，談王霸之略，天文之覆逆，地形之阨塞，人材之臧否，兵事之成敗，如先生所著燕志、閩筴諸書，令三子挾筴聽之，必驚怖其言，猶河漢而亡極也，先生詎僅僅以文章爲山林重哉！先生上之不爲清虛玄遠之論，次之不爲鏤刻靡麗之文，獨舉其得諸心，可見諸行事者，筆而爲書，近推形算，遠抽深滯，奧則如管大夫，暢則如賈太傅，曲折則如蘇長公，令當世有能用先生者，畢出其所論著奏之，言皆石畫可旋試而效也。人能弘道，無如命何？栖栖布衣，走馬漁陽，老而杖劍歸海上，第令抱空文以終，吾不能不爲之累欷而太息矣。雖然，古人之言固有當世不能無然疑，而異世乃知其解者，又有當世不能盡用之，而後世乃按而行之者，又有當世與後世俱不能用，而其論卒爲宇宙間不可磨滅者。要以其文不沬，則可用者常在，可用者常在，則身之所托以不朽者，固恆與天地日月終古以固存也，得時則駕，不得時則龍蛇，何必梯榮哉！人以照乘貴珠，而珠不以十二乘而輝，人以連城貴璧，而璧不以十五都而潤，藏山枯岸，爲月爲虹，按劍而投之，刖足而獻之，人之所以貴珠玉者，珠玉之所以賤也。琛寶可懷，貞期難對，九原可作，先生不以乘雲亡轡而自爲局促矣。先生之子孝廉汝承，能傳其父業，名行著聞當代，所謂瑰瑋之士也，崔氏之世禪雕龍，何足爲異？先生經國之大業，具在汝承矣，知太玄之必行者，何待四百年而後有平子哉！江寧通家後學顧起元頓首書。

明 陳 勳 郭 海 嶽 先 生 詩 集 敍

　　詩與文異致，自刪述以還，不能易也。而通儒偉人爲用世之學、見乎文章者，則尤沉浸古初，周於當世之故，揣稱當否，極形勢利害之變，所以保邦制勝者，其源出乎書禮春秋，歷代之史官，及戰國兵家名法之書，昭代典章，方域圖志，罔不畢舉，爲功博而効用實。若詩則主感發風刺，託於山川雲物草木蟲魚，其源出乎風雅騷人之義，蓋萬物之精華而情性之靈籟也。虛實不相權，神用不兩工，晁、董、賈生之論事，陶、謝、王、孟之詩，使古人兼業之有不能相爲者矣。郭先生所論著，蓋通儒偉人之業、用世之書也，而先生顧善詩，其旨自鄭繼之上溯國初諸家，以合於盛唐漢魏之際，與七子者身相及而無所阿之，讀先生書者，驟不知爲詩人，乃其詩自當獨傳，不必因書見也。夫先生者，異致而兼至者也。嘗疑史遷論詩，謂出於發憤，乃若簡兮之什，侮玩不恭，彼殆深於怨者。世有如先生而縫掖老，顧其詩幽思而不爲身，旅愁而不爲名，其登覽山水，淋漓極興，固以曠遠閒逸，歸於麗則，至於邊塞之什，佚宕激昂，其或羽聲變徵，指冠欲涕，皆閔時觸事，關於世故，側微留滯之感，靡所介於其中，何其沉壯而不怨也！夫奇士之於功也，與藻士之於名也，汲汲矣！功不當身而空言俟後，豈用世者所急哉！先生益矻矻著書，蓋曰，當世之故不能出吾書，吾身賤而言立，世但用吾書足矣。故先生之書有以爲者也，其於詩則若其無以爲者也，籍甚具櫝而藏之，隆萬以來未有名先生詩，即吾里此業代興，好相甲乙，亦未有舉郭氏詩者。蓋邇者全集梓而詩始出、品始定，壇坫始尊，操觚者始斂衽也。今海嶽集方重於世，如天球拱璧，不可復讚，愚竊窺其超然而無悶，與夫不用之功、賓名之意，在文詞外者如此，蓋先生之道深遠矣。同郡後學陳勳撰。

明 董 應 舉 海 嶽 山 房 文 集 序

　　吾閩以布衣顯名當世者，無如郭建初先生。當世廟末，島夷作難，東南諸郡邑歲破，閩禍尤烈，當事者莫能支。先生發憤條議，籌山度海，若在眉睫，其邀擊備禦之術甚具，當事藉以成功去，而先生之策猶未什用其二三。於是海內諸名公轉相推轂，遂道吳越上金陵，溯大江而西，及荊滇之交，所至皆有石畫，遂游都下，慨然念庚戌之變，欲從盧龍歷九邊，盡觀天下阨塞。會戚將軍築宮碣石以請，遂止焉。於是考薊故、作燕史，講求御虜方略，旁及舟車器械，中國所恃長技，一一精討，時從羽檄交馳間占筆爲諸鎮畫□〔？〕，卒無不中機宜者。當是時，郭先生之名聞天下。愚嘗讀先生所撰著，深沈辨博，據古証今，一縱一橫，要歸於實用，觀其對李司馬酒中大言，其氣略一何壯也！其所指畫天下要害、夷情□〔？〕狀，盡謀勝算，又何綜覈而瑰瑋。先生非有一命之寄、封疆之司，特以縫掖生感憤時事，開口縱談，何以動關大計，此豈得之傊然，陰陽噏張，紙上嘗試以鈞奇耶！語曰，事不素具，不可致遠。自舞蹈止齊，弧矢縱送，會同、田

獵、禮樂六藝之教廢，而經緯文武之略不見於士大夫，然其間賢者，猶能洞悉安
危，燭照成敗，未雨徹桑，當機決筴。及其敝也，士夫安於豢養，相與習爲雍容
無益之文辭，高者托於虛曠，忘其國恤，一旦有變，則蒼黃首鼠，肉縮不任，急
則以百姓爲餌，使在事者盡如先生，何憂天下哉？嗟夫！天下事未易言也，以徐
洪客之才，泯然不復再見，而張德遠輩以儒者謀國，屢軔屢挫，竟無貶談，此英
雄有志之士所以撫膺長歎耳。即先生當時所與游，以節鉞收功者非無其人，然或
因事會，藉將士力取大官、享盛名，亦未必其具之素講如先生者。若以文章而
論，則作者代興，爭誦不朽，如當世所譚說六七子，豈不灼灼？至於綜事實、苞
經濟，施之可用，垂之有則，通達於國體，的然經世之大業，可千秋無疑者，則
吾未知其誰與！惜也吾不及見先生言論風采以自壯也。先生平生客遼西最久，與
元敬將軍周旋十五年，邊塵不聳，去今僅二十年，遼事變矣，廟廊之上□〔？〕
於計議，莫知所終。噫！安得有如先生、元敬者，超九原而問之，徒使我怦怦思
也。先生子孝廉君兄弟，與予游，有志略，能竟先生志者。晉安通家晚生董應舉
頓首撰，莆中晚學黃崔翱書。

明 王 宇 海 嶽 別 稿 題 詞

　　昭代經史淹貫，無逾用脩、元瑞，觀丹鉛總錄、經籍會通、史書佔畢，亦既
博雅絕倫，而爭名者群起駁之，洗垢吹毛，捃摭無已，夫匿其全美，攻其纖訛，
才人多忌，文苑有戈矛矣。吾郡郭建初先生，文章一代，意氣千秋，所著海嶽
集、燕史薊略、永平志、玉融古史諸書，皆足以旗鼓詞場，冠冕函夏，又有山房
別稿，則讀經讀史隨筆而成，其學識之深廣、議論之高奇，眞當遠掩用脩，近壓
元瑞，言能不朽，則先生一人已。朝家設中秘以待文學豐才，如先生迺不與選，
國初不廢徵辟，吾郡如王安中、高彥恢、林子羽、王孟敭，皆以薦舉蔚爲詞臣，
先生胸富石倉，且羅安攘壯，猶衆目眈眈，曾無有疏而召之者，徒以壯游老，以
布衣終，拓落巖石間，忌才多而憐才少，世不獨于二氏然矣。先生書多未傳，傳
者又不廣，厥嗣汝承抗心希古，承考有聲，始能輯而行于世，雖有褊心，忘其掊
擊，先生幸哉！先生尊人比部公，講德力行而嫻于史，先生少讀父書，長遊于吉
安羅文恭之門，爲高足，元元本本，世又不當第以文士目也，先生豈受人憐，亦
豈顧人忌者哉！予獨因先生有感，不能已已于低回太息云。萬曆癸丑陽月幾望，
豐州後學王宇題，里中通家子林古度書。

（張永儁審查　　柳之青標點）

———————

陳白陽集不分卷二冊　明陳淳撰　明萬曆乙卯（四十三年）古吳陳仁錫編刊本
12479

明 錢 允 治 序

先君子嘗言，美如冠玉，其人如玉者，白陽、雅宜二人耳。余生晚不及見白陽先生，尤及見先生諸弟及沱江子。沱江子魁梧玉立，灑翰怡然，稱其家兒，弇州翁所謂道復二妙，括得其一者也，最後於羣從中識明卿孝廉，亦異人也。明卿爲先生三從玄孫，慨然惜先業頹落，先生之集不傳，於是傍搜博采，裒而成帙，都爲若干卷、附錄一卷，問序不佞，不佞老而無能，腹笥枵如，烏足知先生詩耶！嘗聞諸先正緒論，見諸先正翰墨，白陽先生天才駿逸，援筆立就，調古辭暢，語玄意幽，機軸自別，少雖學於衡翁，不數數襲其步趨，橫肆縱恣，天眞爛然，溢於毫素，非天才能之乎！今集中如梧桐半階日，楊柳一簾風；晚凉生竹隖，新水溢花渠；流水去無住，停雲意自閑。又如身外事機懸不識，眼前光景醉能歌；衰髩已添新白髮，敝裘猶擁舊青氈；引興聊堪新釀酒，破愁還檢舊抄書；雞豚得意收成早，囊篋蕭條活計無。瀟散閑雅，恬澹自然，所謂鳳毛麟角，吉光狐腋，咸臻妙境，豈規規蹈襲模倣、雕幾刻鏤者倫哉！蓋先生寄情於酒，老於湖鄉，對客揮毫，多不留稿，所刻十不得二，然嘗鼎一臠，足知其味，詩貴多乎哉！明卿妙齡績學，刻意先業，非盡還舊觀不止，此刻先生集特其一耳。頃薈萃三山遺文、精簡制科諸錄，莫不汗牛充棟，憖憖懇懇，苦心勵志，飲食俱廢，每成示不佞，不佞心賞識之。要之，近世惡難趨易，惟掇拾殘唾，趨於謬悠空寂、捕風捉影之鄉，罔有用心於竹素實境也者，如明卿者，謂之異人非歟！然非白陽先生開羣玉之府，安能璆球琳琅，後嗣多賢生，明卿裒刻先集如此耶！若夫校讐繕寫，必精必愼，至再至三，雖片語隻言，纖悉網羅，咸明卿自任厥勞，不佞乃以鄙劣之文附其名於首簡，愧之愧之。萬曆乙卯季夏既望，鄉後學錢允治撰，孫男安國書。

明 傅 汝 霖 敍

　　不佞卯歲游心藝苑，自邃古以迄昭代，無論鼎彝金石、殘碑斷碣，即剩墨餘瀋、寸縑片楮，爲好事家所賞鑒者，願寓目焉。茲薄游來吳，吳固文墨淵藪，回思疇昔所覯，萬未得一，今幸探奇，滄海明月之珠可盈把而歸矣。既交臂孝廉陳明卿先生，明卿千古人也，爲白陽先生從玄孫，嗜古淹博，高出塵表，念先生繪事散落人間，獨其詩什篇章爲同調所珍蓄者，尚可擷拾傳之不朽，爰哀輯成卷。不佞得受而卒業，淘洸泱乎大觀也哉！不覺目駴心悸，益見所未見矣。不佞向僅覯先生畫耳，既廼識其書，今讀先生詩，而並悉先生之品。嘗謂先生畫山水如大小米，而骨氣過之；花卉如董馬，而生色過之；書法淵源羲獻，而出入顚旭醉素之間，更峭拔遒勁，別搆法門；其形之篇什，則沖夷閒雅，橫溢飛動，本諸高才絕學而和以天倪，以故獨暢玄情，兼饒逸響，有青蓮之豪邁，無少陵之悲愴，具王孟之恬曠，祛郊島之酸寒，如錢功甫先生所論次，誠知言哉！先生之詩大都具是矣。功甫又稱先生爲衡翁高足弟子，不局局效其步趨，信夫！文以正，先生以奇，文以雅，先生以高，然奇不詭正，高不妨雅，要之，登峰造極，各成其品，安可謂先生非善學文先生者乎！聞先生縱情物外，徜徉丘壑，浮拍醉鄉，意興所到，搦管揮毫，洋洋纚纚，不極其致不休，不吝情去留，傲然具不屑之韵，較之羶慕世味、足逐逐走要津者，其品格不翅霄壤矣。夫士居恒侈言尚友，抵掌千秋，跳浪自恣于門庭，跬步之近，翻厭薄之，甚或談玄課虛，托諸幻妄悠謬，至縹緗鉛槧之業一切不道，眞葉公之好龍耳。疇若明卿，力肩風雅，纂承家學，理微言于散逸，揭晦蝕使重新，融零金以大冶，撮狐腋爲純裘，孜孜矹矹，窮日夕之力，而顏幾爲之枯也，信善述志者哉！雖述也寔賢于作矣。萬曆乙卯歲菊月之朔，秣陵傅汝霖撰。

明陳詩後序

　　白陽先生詩韵大有風致，宛似靖節先生，與刻意繪琢者迥異，詩每覽及，輒誦玩不置，然皆偶得之題畫耳。晚歲偶從姊丈陸別駕齋中，得見其賢裔家乘中載先生詩集二卷，喜躍不勝，始知不盡於題咏也。及余讀之，即平日所見者尚未及載，益知先生著作之廣，又不盡於家乘也。乃取詩所記者，投於先生之從孫明卿孝廉，謂無甚遺矣。今季春得交於一文學張君，出先生草創一冊以示，詩與此君居址相距三里，乃携楮筆就而錄之，尋繹甚艱，或至移時，始得省悟，以故數數忘歸，如是者旬日，益知先生著作之多，不可以數計也。然先生素性不覉，其遺落尚多，有好事者爲之收採可也。噫！先生素工丹青，入於神妙，其字畫宗晉唐，至於詩篇惟間一道之，修邑史者亦未詳先生之品格，遂別於畫家之流，謬矣謬矣。噫！先生之名，豈曰不因丹青而振？以今觀之，先生之大雅高風，反因所振者而掩，若當時不托意於丹青，必不至此，乃知先生之所振於時者，不足爲先生榮，適足爲先生病也，不亦深可惜哉！此藁若傳，必有公評在也。錄稿既畢，聊爲識之如此。萬曆乙卯秋八月望日，後學陳詩雅仲甫載拜書。

（張永儁審查　　柳之青標點）

兼葭堂稿八卷二冊　明陸楫撰　明嘉靖丙寅（四十五年）上海陸氏家刊本
12481

明莫如忠敍

　　東吳文獻率祖機、雲，更千百年絕有間矣。而宮詹陸文裕公崛起瀕海，入緯國華，放辭瓊琚，雄視一世，時論以方平原。而其子楫思豫甫，蜚英橢齡，嫻於藻繢，談鋒摧坐，殊有父風，載辟州里，業冠棘闈，而以忌者阻抑，遂終坎軻，鬱鬱竟卒，纔三十有八齡。所存笥草詩文若干首，輯自其子臺幕君郊梓焉，命曰兼葭堂集，雖零落遺編，不能十一，而讀者以遡家學之承，知文裕公蓋有子云。嗟夫！美好不祥，修名賈忌，意長晷促，哲士興悲，若思豫君兼斯悼矣！然余第考自古以才而厄于年者，如賈長沙之治安上書、過秦著論，雄篇巨麗，動關國體，施名不朽，固無復疑，及若王文考、禰正平、酈文勝之流，寥寥短章，僅詞賦著，而垂芳來禩，亦具稱奇。何哉？夫片石韞琦，均資珪瓚，寸株中墨，不廢工倕，君子愛其人，斯美其言而傳之，又奚暇較妍拙於多寡，有遺善而弗錄乎！余讀兼葭堂集，詩不滿百，而命詞遒逸，屬思沖和，務嚴體裁，弗矜色澤，文不數十，而議論慨慷，率依名節，深切世務，薄視浮榮，總厥撰著，非苟而已也，欲無傳得乎！或謂思豫以彼其才，假令早致青雲，得盡餘力攻古文詞，計其所存，直不啻是。否則，或假之年，以須追琢而優其成，亦當深闢作者之堂矣。乃造物咸靳之，而姑有託焉以表見於世，所謂不能盡其材者也，諒哉！臺幕君克嗣而賢，凡所繼述，以光至孝者，不可覼述，是集之傳，蓋其一也。余慨平原之後迄無聞家，又幸文裕公歿，而文獻之存，乃有足徵如是，故並論敍之，以明古今家聲隆替所繫，俾後有覽焉。嘉靖丙寅春三月望日，中憲大夫、貴州按察司提學副使，郡人莫如忠撰。

　　　　　　　　　　　　　　　　　　　（張永儔審查　　柳之青標點）

————————————

新鐫東崖王先生遺集二卷二冊　明王襞撰　明萬曆間刊清嘉慶二十三年修補本
12482

明 焦 竑 序

　　國朝理學開於陽明先生，從游者幾遍天下，至以學世其家者獨有兩人，心齋、蘿石是已。心齋子五人，東崖爲其仲，學尤邃，蘿石子兩湖，其見地具漢陽集中，學者盛傳之。余觀兩湖自得之味深，□東崖弘道之力大，今東南人傳王氏之書，家有安豐之學，非東崖羽翼而充拓之，何以致此？故兩氏之家法相爲競爽，而泰州爲尤著，非偶然也。東崖歿既二十有四年，門人子弟思東崖不可再作，則取吟詠應酬之語，哀而輯之，於是程君泮輩踰江謁余爲序。竊觀心齋特起魚鹽之中，超悟獨詣，盡埽語言文字之習，諸子繼其後，疊疊勿替，新新無已，可謂盛矣。嘗憶東崖南遊，都人士陶鑄興起者不可縷數，皆從精神丰采得之，未嘗曰某從某語入，某從某語進也，今欲於殘膏剩馥中求先生，不已謬乎！雖然，謂語言文字足以盡先生，非也，謂語言文字非先生精神丰采之遺，又非也，是在學者自得之而已。集凡二卷，輯之者爲林君訥、王元鼎，藏于先生精舍，與漢陽集并傳焉。時萬曆庚戌春日，瑯琊焦竑識。

清 王 □ 跋

　　先祖心齋公遺集，前明百餘年間凡六刻板，合一菴公、東崖公集，珍藏於士大夫之家者多矣，至我朝四庫館中，曾加採錄，傳益廣焉，顧板藏後嗣者（八世裔孫方遐及煌舊藏板于家）年久頗多殘缺，遺書亦漸散失，爰懷數典而忘之懼，購遺板，考藏書，修補其缺漏，謹完其舊，惟一菴公集卷下半損，尚待購訪以續刻云。族人踴躍捐費，以成斯舉，刷印百餘部，存貯宗祠，分藏於家，兼以質諸當時之大人君子。關中李二曲先生有云，心齋先生言言透髓，字字切實，學人所當服膺。則斯集也，豈獨王氏所當寶而誦之者乎！嘉慶二十三年戊寅夏五月工歲謹跋。

（張永儔審查　柳之青標點）

朱邦憲集存十卷二冊　明朱察卿撰　明雲間朱長世等重刊本　存卷一至卷十
12484

明 王 世 貞 序

　　邦憲家黃浦，去余鄉百里而遙，其所游，盡豪賢長者，而與余交獨晚，交晚
而文酒之好獨最深。亡何，謁余傳其事。亡何，邦憲卒。亡何，其子家學、家
賓、家教、家法等梓其遺詩文數百篇，而屬余序之。蓋余與邦憲交僅十年，而終
始若隔世然，第所以爲邦憲者，亦略備矣。邦憲之於詩，雖不專爲高岑，亦時時
入錢劉，然意清而調和，遠於拘苦粗豪之二端，至其爲文，亡但東京，駸駸乎初
元、竟寧之季，小語峭削，亦不在柳河東下矣。間者司邦憲，晨起盥幘罷，即外
屨恒滿，又多所造請與報謝。里社率釀，輒居首，三老有疑難，一切居間解紛，
皆以屬之邦憲，稍日下春，沉沉杯勺間矣，不知其於三餘之暑若何，而考騭經
傳，精核若此也。其所爲詩酒慨慷，多於舞衣歌扇得之，大概若是者，氣有充而
辭或不能無累，又何能清其意而和其調至此也。邦憲雖不得官，爲其名高，而謁
文者相踵，邦憲又不忍謝絕，必令得意去，計邦憲之事與酒十九矣，又何能劘琢
工諧至此也。古之於詩文類不能相通，而其所謂工者，務逃之於窮谷荒野，杜門
腐毫而後得之，天之賦邦憲抑何異哉！邦憲所最善友生曰沈明臣，茲集多其校
讐，然明臣間爲余言，邦憲雖不能釋事與酒，其操觚染翰無異於齋居時，第篇成
令人彈射之，隨語即竄易，不工不止也，虛己哉，邦憲矣！其所謂事與酒者，敵
應而神不累者也，茲所以成一家言哉！或謂余寔似邦憲，毋論似不似，邦憲之有
余，亦足稱知己矣。萬曆戊寅秋八月，賜進士出身、嘉議大夫、南京大理寺卿、
友人瑯琊王世貞撰。

（張永儔審查　柳之青標點）

澤秀集七卷總編一卷二冊　明顧起綸撰　洪梗編　明嘉靖丙寅（四十五年）吳郡

朱氏竹素齋刊本　　12485

明田汝成澤秀集序

　　常志不云乎，得山水之助，故其人秀而多文。予嘗泛震澤、歷九華諸形勝，
而稅駕于第二泉之上，乃喟然嘆曰，鬱鬱乎，湯湯乎，爲水者六萬三千頃，爲山
者七十有二峰，襟江帶海，磐礴數百里，必有豪傑之士應地靈，而以文名世者出
焉。攬結秀氣，融會心曲，攄寫於筆札之間，孰非文乎，而詩乃文之最秀者。蓋
財成以六律，施彰以五彩，言之而中倫，叶之而成聲，緣情綺靡之功，于斯大
備，故詩不易作，亦不可以徒多作也。明興，詩派在吳，作者無慮五六鉅公，而
高太史爲之冠，季迪細潤有餘而豪雄不足，嗣後代不乏人，弘德間，乃有徐昌
穀、王履吉二家出焉。昌穀識有餘而才不足，故其詩稍稍細弱；而履吉直贅冗，
但可塗耳目于一時，未可經推敲于百世。其在無錫，則自張惟中而下，如浦長
源、周子羽、王達善、顧允迪、王孟端、秦廷韶，皆文雅彬彬，有可稱述。嘉靖
間，秀乂競起，異書彙出，陳思有言，家家自謂握靈蛇之珠，人人自謂抱荊山之
璞。然綺靡者或失之浮華，雄偉者或傷于直致，沖淡者或泥于枯寂，富贍者或病
于臃腫，於是少年崛起，乃有顧子玄言甫者出焉。玄言爲無錫世家也，穎悟絕
倫，八歲誦詩讀書，背碑覆局，十七善屬文，詞賦如流水，以雅以南，蚤擅西河
之鑑，載津載涉，博詠北海之淵，一時華苑，並欽其風。爲其世父少保禮部尚書
榮僖公特鍾所愛，故其優游宦邸，調笑公卿，則多紀盛覽勝之作；薄游羈役，慷
慨呻吟，則多寓言述志之作；金馬碧雞，鬼門海角，則多宣風懷土之作；宴集丘
園，從容酬酢，則多臨高興矚、贈別詠歸、訪古悲時、停雲嘆逝之作。凡斯之
體，各以彙聚，具載其玄言、昆明、句漏、訓藻、舊林諸集，暨感遇有編，知非
有歷，若開武庫，而鏗鏗者皆利器，若啟玄圃，而種種者皆奇珍。猶以爲詩不易
作，亦不可以徒多作也，選其諸集中犁然當心者，僅存什一，別爲之集，舉似揚
太史用修，號之曰澤秀，取其所鍾皆靈澤之秀也。故集中之撰，趣尚沖澹，思多
沈鬱，湛然長瀾雄渾，潤以纖藻澄鮮，所謂赤水夜光，藏川吐澤，用修之義，盍
亦有指乎此也？且評其詩曰，趣澄致遠，在韋孟之間。皇甫司勳子循又謂其謝六
朝之浮艷，振三唐之沈響，寓興幽曠，動合風雅，子長明遠，頗同其概，競爲一
時高流所賞，予復何以加諸？抑又推是號而系之，水鍾曰澤，至職方氏所稱九
澤，即禹貢嘗載九州之澤，吳越間具區爲一大觀，顧子宦轍所經，殆遍名澤，及

其南迄昆明，東底廣源，斯又澤之出于職方之外者矣。矧是集也，旁獵騷選，絕駕河嶽，則秀之所鍾，豈一國一澤已已者也？俾季迪、昌穀以下諸家復起，必馳鶩而甘心焉，今之應地靈而以文名世者，不在茲乎！品其詩者，爲王駕部子裕輩，方以文學著名三吳，寔顧子之同產，試以余言質之，曾以爲然否？是爲序。嘉靖歲丙寅夏六月既望，錢唐田汝成叔禾譔。

明 高 應 冕 澤 秀 集 評

　　嘗讀賦，而至趙上計之哀窮鳥、陶彭澤之感不遇，故慢世自致，豈高才困士邪？顧儒林玄言之爲是集也，偃跡頗合於兩賢，放言直追於千載，其志何寥寥可悲。夫玄言自少鴻筆藻秀，雅善屬辭，其爲詩率多情興，兼備風骨，馳騁於太康及開元間，不作大曆已還語。余嘗評之，其古體如春塘瀜秀色，天籟激幽響，近體如高樹翳朝雲，文禽蔽秋水，識者以爲絕賞。其全篇佳處，流水入調，浮沉巧思，往往尋變合節，斐然翼響，爲盛音高唱。五言如留客置斗酒，呼兒烹伏雌；紅肥簡子葉，青折木奴枝；石瀉寒流響，雲藏清晝陰；夕宿芙蓉闕，晨趨鴛鷺行；石間尋虎跡，池底嘯魚腸；日銜天頂仄，雲帶澗聲流；海艇夜中市，山家雲外村；兩寺分香界，雙林共石亭；虎來泉自湧，雁去塔空懸；雲起覆丹壑，月來窺碧窗；溪口荒煙白，峰頭落照青；高臥驚蕉鹿，空關養木雞；草澤無官累，花深少客尋；虎嘯寒原裏，猿啼雪棧間；猩醉雪中嶺，象耕雲畔畦；行去若無路，到來還有溪；一壑寒流疾，千峰宿莽深；棧懸空裏渡，泉落斷中山；江樹靄重疊，夏雲燒遠空；龜圖穿井得，牛字觸牆成；留樽邀客子，撫枕看雲生；江流湘口斷，樹色嶺頭分。七言如皇壇、寄贈、遊覽等篇，沈鬱艷逸，兼得冲雅思致，並稱警絕，編之國秀，殆不可辯。國朝來，吳下作者稱高太史季迪、徐迪功昌穀爲最。季迪才雖高而識似短，情興有餘，風骨不足，辭多敷暢，每有累句，古體非其所長；迪功識雖高而才似短，風骨有餘，情興不足，辭多冲簡，頗無濫音，至近體非其所長，均之乎偏知半解，然而昌穀逸駕終存，殆非季迪方軌。要之，古近兼體而不失雅正者，其惟玄言已乎！其所工近體，尤非高徐可及，輒舉一二題詠，頗合比興，近似之句，略陳所會。至昌穀所長在五言，有不見垂綸叟，煙波空我心；何似清瀨空垂釣，羨魚非素心。又，問水來天目，看桑過石門；何似水國惟聞雁，寒原但植桑。又，何妨慇點也，吾醉獨狂吟；何似詠歸余所好，點也復何如之句。至季迪所長在七言，有殘雪已消鳭鵴鵴，浮雲不隱鳳凰臺；何似

飛鶴欲隨鵁鶄度，平臺常下鳳凰鳴。又，一帆細雨迢迢浦，半塔斜陽靄靄峰；何
似松門歷歷寒流響，谷口蒼蒼靄通。又，鵝識講時常繞聽，猿知定後不驚啼；何
似石解玄名生綠髮，虎聽白法吼青蓮。又，松風吹壁鶴翎墮，梅雨過溪魚子生；
何似風墮石壇蒼栝子，雨抽山沼白蓮生之句。於是乎諷而詠之，則句之工拙，音
之清濁，品之高下，不待標榜，燦然自別。及展昌穀玄言之集，各有廬山、嚴
瀨、彭蠡之作，其命篇雖同，含咀稍異，讀者當自得之。惜乎季迪高才，元調卑
弱，又不足與盛音之選矣。頃敍吳中詩品所自，并附抗見，以俟通方。江文通有
云，文貴遠賤近，人之常情，重耳輕目，俗之恒蔽。今之品藻副名，輒乖斯誼，
非敢掎摭微瑕，詆訶往哲，所畏絕絃失聽，高鑑難誣，致來者之相嗤也。仁和高
應冕識。

（張永儁審查　　柳之青標點）

清苔集二卷雨航紀一卷一冊　明王穉登撰　明刊本　12489

明 王 穉 登 清 苔 集 序

　　吳興物產豐饒，山溪清遠，僧廬道院，園墅林亭，隱見於峭蒨青蔥間，似武
陵桃源，非復人境。乃其土著之民絕不好遊，客來遊者，動受揶揄姍笑，以是裹
糧躡屩者寡。萬曆丙申之歲，謝使君在杭爲郡司理，余始一至。後八年爲今歲癸
卯，陳使君惠甫爲郡將，余乃再至。兩使君俱閩人，風流儒雅相若，又俱好客，
若臨邛謬恭相如，蠲割俸錢供杖頭，不屑命程鄭諸人，諸人亦不知使君有重客
也。丙申之歲，余方神王時，當冰雪凝寒，猶能蠟屐從事道場蒼弁遊，得十二
焉。今年秋，暑如炮烙，余又困河魚之疾，養疴白雀方丈，偃息在床，對佛燈聽
禪誦而已，雖朝霞夕靄，霏微枕席，然五步之外，非藉葛陂君不能出，安得澄懷
觀道，如宗生臥遊乎？既歸園廬，命童子檢前後二遊詩若干篇，丙申六之，癸卯
四之，授友人范東生竄定，且就剞劂焉，名曰清苔集，傳之好事，使知余才遠愧相
如，而兩君好客高風，當不在臨邛左。是歲十月既望，王穉登序。

明 陸 承 憲 雨 航 紀 序

　　歲辛酉，江南大雨水，水潰堤，稽陸涉者，非航弗利。入秋雨益大，航益

多，而紀雨航者，獨百穀王子。人謂王子爲毘陵十日遊耳，記且滿峽，即有萬里行，可勝記乎？余曰，不然，游無遠近，逍遙一也，而謂毘陵非萬里耶？王子爲十日遊能記，即他日紀萬里可知矣。夫日月之行也而明生，寒暑之運也而歲成，明生歲成，利在萬物，考日月四時者，必是觀焉。人生天壤間，縱不能仰翊休理，頫垂世模，與二曜並明，四序同運，亦寧忍泯泯滅滅，雲飛鳥逝，過而無跡哉！王子之爲是遊也，于所感遇則以事紀，所經歷則以程紀，所躋攬則以山紀，所交際則以人紀，所欣賞則以物紀，所吟咏則以言紀，使夫覽者寓目，目欲止而神欲行，不翅若萬里耳。嗟乎！輜軒遍海嶠，飛鶊遶天涯，自謂快遊矣。歸無一言對人，人問之，即曰，彼饒粟帛，此產金珠而已，豈不令人悶悶哉？則此紀者，梓之亦可矣。吳郡陸承憲序。

（張永儔審查　　柳之青標點）

———————

竹箭編二卷二冊　明王穉登撰　明萬曆庚辰（八年）刊本　12490

明 屠 隆 序

竹箭者，吾大越之美也，吾大越實以此駕勁吳。王君者吳人，吳人名編，則曷不取彼菰蘆而掩吾竹箭爲？王君蓋當遊越絶而遂掩之也。君發蛇門，由禦兒港東渡錢唐，取道西陵，然後浮甬東，出海門，望三神山而歸，復遵會稽，立馬石帆秦望之上，慷慨弔范蠡、計然諸君皆不在，而所謂竹箭者，獨蓊鬱如昔，于是感而欲掩之也。以君磊塊，使得當吳越王麾下，庶幾子胥、少伯無難，而乃徒以其磊塊者，發爲麗辭，吐爲佳言，鼓吹人代，是夷光卒于浣沙，而鄭旦終于采葛也，逞其雄心，跨越江海，既以撟舉菰蘆間，復欲掩吾竹箭而有之。嗟乎！君欲良奢矣。雖然，吾大越有物，赤菫之山，破而出錫，若邪之溪，涸而出銅，雨師掃灑，雷公擊橐，蛟龍捧鑪，天帝裝炭，太一下觀若是者，君能併掩而有之邪？有之，則僕請以一矢從公，出雲門寺射虎南山矣。萬曆庚辰九月既望，東海屠隆譔。

明 王 穉 登 序

僕往歲有會稽之役，而客越志成，後十五年復游會稽，則僕老且悖矣，猶有童之心在，沾沾乎敝帚其言，不忍棄去，成一編，庋齋頭，名曰竹箭，以會稽故也。武林故會稽地，以其詩并屬焉，而會青浦令屠先生遺僕酒錢，僕不善酒，因馮君開之，謝不敢當，馮君不聽，曰，此廉吏五斗，子安得以爲阿堵也者？俾王先生嗜麴糵乎？日盡青浦君床頭十斛醪，未快耳。僕謝益謹，馮君召廁氏使受錢，曰，以爲此編鋟，庶幾有名，子安得復謝？且也，子不善酒，乃獨不善文乎？抑屠先生會稽產也？竹箭哉，竹箭哉！僕既弗獲謝，則語馮君，足下殆狙我邪？僕也，辭三於朝，而受四於暮矣。萬曆庚辰六月既望，王穉登序。

（張永儔審查　　柳之青標點）

────────────

饑豹存稿八卷附錄一卷四冊　明李萬年撰　明嘉靖己未（三十八年）豐城李氏家刊本　12494

明李材後語

　　先大父茫湖翁甫齔時，即穎敏異群兒，弱冠遊庠序，雄文逸絕，試輒收其最等，一時名公卿交口薦譽之，于時方崇尚舉子業，自經書時藝之外，不復他及。中才既局於所見，不曉詩爲何物，雖高才亦困於所業，不暇爲詩，而西江自王黃以後，音韻眇然，即雖有逸才異志，不困於所業者，亦無所從入也。翁獨以天才穎契，或贈餞臨岐，或因事感觸，皆衝口立成，不假思緻，其雄豪博贍之才，既自足以紓其幽思逸抱，而其命意調詞，舒促抑揚之節，微婉感激，尤有得於騷人風致，于風教要爲有裨，不爲徒作。晚歲益澹泊謙冲，諄諄然以履素持盈爲誨，故其氣益斂，其詞旨益温厚，讀者要當得其用意深處，若徒以其詞而已，則非所以論翁之詩也。翁平生所著有萃散錄、冗遊稿、遵晦錄、東遊紀程稿、北遊稿、東隅錄、回生錄、南行集、桑榆錄，合詩文幾三千餘首，而總題之曰饑豹稿，以自寓也。先歿一年，盡檢諸草以授曰，付子斯文，此予生平情興所寄，經涉多難，稿帙散亡，今所存僅拾之參肆，念能不輕棄前人舊業者必汝也。謹再拜稽首，受而藏之曰，不肖材不能光揚令德，其敢忘付託，以貽大人憂？翁今歿又五年，乃得以暇日檢輯遺編，躬自校錄，得古體貳拾捌首、近體壹百伍拾伍首、絕句肆百伍拾首、詞調參拾柒首，悉付梓人，蓋翁既歿，即短什殘篇，莫非遺範所在，不敢毀其存也。刻既成，并書其命授編校之由，廁之卷末，虛其簡端，將托之名世君子，以圖其不朽云。時嘉靖己未孟秋吉旦，不肖孫材泣血頓首書于廣陵公所。

（張永儁審查　柳之青標點）

卓澂甫詩集九卷八冊　明卓明卿撰　明萬曆八年芳杜洲刊本　卷六原未刻
12495

明俞允文序

　　卓光祿澂甫自武林來訪余敝廬，謂與余有風期之契久矣。初得之於其鄉彥長興徐方伯子與、錢塘周興叔二公，而未嘗一靚顏色，乃今始獲洽杯酒殷勤之歡，意甚適也。已出示其所爲詩欲以相定，因而展閱，涉其津流，才情霑霑，似不可言。比王京兆元美爲擬古詩，自漢魏晉宋以逮隋唐，凡七十一人，號稱繁富，雖梁之江淹善於模倣，有不能過，而澂甫皆能屬而和之。元美書來，亦嘉澂甫之才情度越流俗，遂爲序，引其端以張之，澂甫亦謂余不可無一言以相勖也。余以爲情之所不能已者，溢而爲興，興之無所底極者，發而爲詩，詩固文之精腴而體之約潔者也，非藻麗之才，無以宣其美，非弘博之學，無以輔其才。故先士振響，歷世相沿，茂絜高篇，體裁各異，而星稠綺合，則咸暢物宜，至於韻自天成，匪由思至，妙不可求之於象，秘不可盡之於言，誠在玄契冥合，以意得之而已。若澂甫之才情，必將駸駸進於是道，其於先士有不合者乎！且澂甫稟閬朗之資，蘊通悅之度，結納既廣，而又能周愼自閑，人必有以虛懷接澂甫者。試以余言告之，當亦以余言非佞澂甫也。元美張之，余勖之，二者其殆相濟而相成者歟！萬曆戊寅秋九月廿六日，吳郡俞允文撰。

明王世貞序

　　始余仲氏敬美與卓光祿游，亟稱光祿俠而儒者，意不欲實訾郎腹中。而今年三月光祿過我弇園，美風神，善談笑，予固以仲氏故異之，與飲則又能爲文字，飲已進之論詩，其論詩翩翩能解頤，乃出其一編示余曰，敢藉子之一言以爲瓠管規？余謝不敏，小間讀之，毋論其格所繇起，其才情則燁如也。光祿居塘西，去錢塘不百里而近，其北通吳會，僅一衣帶水，以故多長者游，而黃淳甫、周公瑕

輩又時與之倡和揚推，能自致於古而不爲紈袴奪如此。余嘗怪勝朝之季，江左若
倪瓚、顧瑛輩，不獨以豪舉，其才藝藻翰，往往能蓄諸名士而撮其勝長，諸名士
亦爭願爲之客，而不自引避。以國家右文之化二百年，而江南富豪或馮家聲得一
官，則以其官與貲，強致客而奴狎之。嘗積而無所事，不聽其好以逃於聲色狗
馬，則陽浮藉慕古之名，以從事圖籍器玩而壟斷其中，問其所以古，不知也。光
祿雖不能貲中豪，而見若以豪者，乃其所交游亡非諸名士，所托亡非酒，而所撰
思亡非詩，又亡非古，則豈豪所能強踪合哉！余聞之瓚、瑛，時有楊廉夫，老而
爲之長其社，然嗜聲色，所游集必破囊，二子者強而事之，不告疲。余詩不能當
廉夫，且老矣，幸生平無它嗜，異日杖屨叩光祿之社，能見推擇爲長否？因書以
弁其編。萬曆戊寅秋八月，瑯琊王世貞元美甫撰。

明葉之芳序

　　觀今藝林論士者，多以才不以人，何徒重其末而輕其本耶？惟不先取於人，
世之以才名者，遂不砥其行，故沽名之士出，則富人之詩名以金起，貴以顯起，
貧賤以附青雲起，名實斯悖矣。余友卓澂甫產自唐栖，其地爲吳越交境，舟車輻
輳，閭閻相望，風氣華靡，其俗習蠶桑絲枲，其人尚錢穀貨財，即垂髫卬角，莫
不擁籌握算於市也。間士人居其間，峨冠逢掖，將無所容矣。獨澂甫生即負義事
賢豪，謂昔卓王孫家累萬金，不修儒術，竊鄙之。乃捐囊貲，收古書盡讀之，又
時出一詩視里人，初里人未識澂甫才也，及爲國子生，當事者物色澂甫奇，嘗從
稠廣中試以詩，詩立就且佳，莫不嘖嘖稱賞，由是澂甫詩名自南都起矣。既卒
業，歸里中，躬事其尊君孝，又能推其親之施，凡寒者衣之，饑者食之，病不能
醫、死不能棺者，藥之斂之，於是里中人亦稍稍知澂甫爲長者矣。然澂甫雖工古
文辭，而於經義最高，鄉之諸生恒質疑於其門，座客故常滿，家人竊患其招致賓
客無虛日也。居亡何，遂挾篋北游，以尊君命拜光祿丞，非其志也。日與燕都士
人結詩酒驩，都士人見光祿賢而善詩，咸相倒屣推轂，即讌會餞別，君不至不舉
酒也，至是澂甫詩名又大起於北都矣。一日澂甫歎曰，丞吾贅疣，親吾軀本也，
吾寧棄軀本而戀贅疣哉？乃乞養還。澂甫自爲兩都游，凡所與交好皆賢豪長者，
即其歸，而薦紳士人思其才賢，過唐西必造其家，與之談詠，竟日乃去，不數年
交傾天下士矣。澂甫嘗好游，操輕舠，囊書裹糧，往來搢紳大雅間，不挾金幣爲
禮以要聲譽，蕭然布衣也，薦紳大雅亦不以丞目澂甫，延之清談山水，與之飲，

輒盡醉。澂甫雖游於酒人乎，然忼嘅持正，語時事，諤諤當理，值脂韋婟阿輩，多面折之，底裏披露，以故人人多澂甫而服其量，於是澂甫名日在藝林齒頰間，論東南詩，指爲君一屈云。曩余游會稽、赤城，過唐西，恨不一識澂甫，今造澂甫，則出所爲詩屬余校之。三復諸篇，其所製樂府、古詩、近體，爲黃淳父、俞仲蔚、黎惟敬、王仲房所評，四君者今亡其半，爲澂甫故人，咸當世作者，大都取辭於雅，合調於古，近體非渾融不取爾。澂甫詩實華而壯、贍而清，穌暢而不窘，蓋其藻思葩發，意境夷曠，不類今人語，倏忽左祖南而右祖北，當不爲時流赤幟哉！間雜時調者爲芟之，共得詩若干首，余謂澂甫才識過人，當下視葉生，乃折節傾心，托以不朽，茲又見澂甫意氣交人，誠雄丈夫矣！弇州王大理序澂甫詩，謂光祿雖不能賞中豪而見若豪者，大理可爲知澂甫深哉！至如王使君敬美、沈太史君典嘗扁舟過澂甫，握手驩若生平，蓋士有長者度如大理，然后契澂甫，不爾則徒冒榮赫以自矜，視澂甫猶敝屣耳。嗟乎！澂甫家廛市，市人摩肩淺踵，訇然於貨財囂壒中，即學如卜商，才媲馬遷，豪軼薛君，俠類朱家，設身以其地，當爲俗所移矣。矧澂甫富弗巨、貴弗顯，若貧賤而未附青雲，獨介乎局脊之間，起名東海上，匪其人賢豪，徒以詩名者，惡足爲名流所稱說哉？余故謂藝林論士必首以人，則世之以才名者必修其行，庶沽名之士不興焉。余於澂甫詩，特舉其人而論之，詎有所偏私阿徇而借是以排俗也？知斯言者當知澂甫詩亦不在人下。萬曆歲庚辰端陽日，大浮山人葉之芳茂長書。

明卓明卿自序

　　余童時習舉子呫嗶業且就，輒厭薄不欲工，攻古文辭，矻矻焉送晷繼膏，乃不知此技非時所尚，而爲古文辭之所以難悵悵長途往矣。間哦詠成什，隨投之巾笥，即散落亦復不少，積世許年，嘉靖之壬申，吾鄉好事者請刻之以酬應同好，後先彙爲二帙，命日卓仲莠言、塊獨編云。皇甫司勳、青門沈山人、范司成、袁督學爲之論次。比余方砥志藝林，妄希作者，溺于自喜，媺醜埒陳，譬之受病罔覺，即稍覺亦復諱而忌醫，強作不患苦呻吟狀，籍令世多盧扁，孰肯向不求治之門而療之乎？久之蓋痼矣，年來檢方砭治，痼稍稍瘥，人亦漸目之爲有起色者。嗟夫！攻古其難哉！今春抱子夏戚，臥疴山中，支榻無聊，取曩刻二稿披閱之，靡省所謂痛刪什七，合近得稿千一百首。胡元靜、沈子吉兩君與余稚諸斯志，壯自雲泥，嘗扼腕余同學之賤，各捐俸鍰重謀灾木，名卓澂甫詩。余慚敝帚穢甚，

詎敢藏之名山，當付之兒子藏于家，子孫有能學詩者讀之，將必曰阿翁生平大業
在此。余年且望五，齒髮日疎，去遲暮不遠，顧心神飢憊，志氣隳薾，即獵心未
盡耗磨，續或成帙，蓋我兒子輩事，脫又遇好事者爲余定之矣。萬曆八年中秋日
明卿書。

明 王 世 懋 序

　　始余識澂甫於梁思伯坐也，當是時，長安多買人子爲訾郎，而皆自名能詩，
日買聲利行卷公卿間，至竄名華陽社，鏤其集以夸盲者，幾令詩道廢矣，而澂甫
居其間朗耀自別，然余猶謂其人膚立耳。別久之，客多言澂甫慷慨士，非此曹偶
也，已稍稍得其詩，讀之如其人，覩所作行草，翩翩如其詩，余於是恨知澂甫
晚。歲丁丑過唐栖，以葛巾訪之，澂甫家闤闠中，而別業爲竹林禪室甚雅，邀余
往，談賞良久，始醉之酒，酩酊別去。又二載，復過西湖，澂甫追而操舟爲具，
則益懽。時澂甫所莊事者葉山人，山人與俱來，遇余皆有作，而澂甫詩出山人上
佳甚，即山人亦自謂不及也。於時玄雲罨靄，湖山并色，膏雨如注，頃之雨歇，
奔雲遽歸，群嶺盡出，倏忽千變，扣舷而歌，澂甫之詩蒼翠泠然，欲令作響，其
詩今載集中可徵也。余以謂澂甫位不踰執戟，而游多長者，家不離闤闠，而能以
素業自將，產不踰中人，詩酒之豪聞天下，則諸君子類能言之矣！獨其與余交始
之皮相，而終之心賞如此，即余兄序首引余爲言，而余寧能後諸君子，終嘿嘿無
一言乎？澂甫詩故多膾炙人口，而是詩可稱壓卷，終已嘿嘿，亡論交道何行，且
爲湖山所笑，然則澂甫於詩不必以余言重，而余於澂甫且以是詩重，是烏可無言
也？若其具諸體，彬彬述作，自有知者，余不論。吳郡王世懋撰。

（張永儁審查　　柳之青標點）

────────

白雲樓摘集四十卷十冊　明陳公綸撰　明萬曆丁丑（五年）至戊寅（六年）眞賞
齋刊本　12496

明 秦 鳴 雷 序

　　士有由衷之好，必悉心力而爲之，以求快於其心，即人之知不知，與世俗之
好尚與否，皆不能沮而撓焉，而後其業精而可傳也。庠友陳古臺子早負異質，治

舉子業，燁然著聲，試有司，每收高等，人咸以科第目之。乃古臺子獨好於爲詩，雖其晝夜鑽研，冥搜遠討，於古無所不窺，而皆以資於爲詩。其好之酷也，凡夷猶郊野，携朋命酌，或倚檻臨流，感時對物，吟諷未嘗少廢，得句則酣嬉顚倒、懽呼笑適以爲常，積而至于千百其篇，可謂富矣。今觀其詩，意象超越，音奏凄清，無復嬝媚粉澤之習、觸物侮世之態，殆灑然自立於塵壒情累之表，誠可愛玩而咏嘆之。非好出由衷、悉心力而爲之者，其能然乎？昔唐以詩賦取士，士由之發身，今制士不由舉子業，則不得售主司之選，雖工於詩賦，世亦莫之賞也。文帝於李廣，嘗惜其生不遇時，豈古臺子之謂哉？然古臺子方揚揚稱得意，視儕輩由舉子業取科第若漠然無有，未嘗因而少摧其意，而好益酷，其詩益工。一日持其稿詣余再拜，請曰，公綸平生志業在此，先生所知者，幸爲我評之。余讀其詩卒編，乃謂曰，嗟夫，世之得意仕路、顯融尊貴者，比比皆是，至求所著作可合於古而傳者，百不一二，矧舉子業爲博聲利之媒，入仕後不啻芻狗棄之矣，吾子背所習，而又悉心力以爲之也，無乃見及此乎？古臺子笑而不答，遂以余言弁諸其首。萬曆戊寅秋日，賜進士及第、南京禮部尚書、前兩京祭酒學士、管理誥勅會典、國史纂修官，華峰秦鳴雷書。

明王宗沐序

詩之於學者，其亦鐘鼎之於器而蓮茨之於食與？古者歌於宗廟朝廷，則擇能言之士使爲之，而其不以付者，未嘗以爲不能，國家不以取士，則與閭巷田野之羇人棄婦、行旅之作，共爲聊抒其鬱遏，而無當於材不材之間；若是則謂其爲鐘鼎蓮茨，彼利器取飽者所不必具，亦其宜也。然世顧有好之者，不憚嘔心裂肝，以爭一字之奇，甚或如科舉之可以收聲獵名，至大官富貴者，視如飄風浮雲，曾不介意，而獨於詩之工否，尺磨度琢，竭一生之力而不辭也，則何居哉？嗜之多而作者相繼，於是有聲於世者始爲格律，以立號於其間，如制兵之部曲、典樂之節奏，森嚴截嶪，相守而不敢爽，雖其構局布武，見爲繩飭，然以視詩之初，所謂鏡象水月，以曾敘幽寄者，亦索然遠矣。雖然，風木相遭，風之緩急，則韻自別；水石相搏、水之塞潟，則響自殊。人情畜於心而臨於咽者，有延促向背舒慘之異，則協境殊調，格律錯出，其亦出於聲之自然，而士欲以此名世而傳後，則亦豈能盡委之，而自伸其一家之言哉！至於律格具以成詠，詠以成風，則占國驗人者，往往以此爲興亡壽夭之卜，故聲律之設，亦作家之大齊也。惟夫拘攣之士，意困思滯而無以自達，取於物者又不足以命奇，則格律始爲之桎梏，如稛步須杖，形具而神枵。嗟乎！守格律而不化，棄格律而不軌，余嘗求海內詞林，二失脊病，有方之士其孰與言天籟之玄邪？乃茲余得同邑玉室陳子。陳子蚤歲意度竣簡，學業舉子已翹然出諸生之上，顧其奇氣逸標，不能自抑，乃棄去，別築室於白雲之麓，杜門綜博，以發於詩，其多至若干卷，余宦還，臥龍陽山中，陳子持而詣余曰，願得先生弁之一言。夫陳子之作，先以格律定準，律選歌吟，一不詭於古人。久之，洽而暢、熟而忘，然後跌宕自命，率以意匠嘲描風物，陶寫喜怒，信手所到，既不期合於古人，卒未嘗不式程焉，而其風神壯逸，以不窮爲奇，則其自悟解也。韓、白之將，時或棄部曲，而以捷徑散騎勝；師曠之聽，涉於風氣，而不在絲竹；余謂陳子之於詩也，其無愆於是邪！吾台之詩，盛於今日，而陳子乃獨凌厲群品，苦而後工，又余獨能知其所以工，故爲道其初而序之，觀者其以是求焉。時萬曆六年歲在戊寅秋九月吉，攖寧居士王宗沐書于龍陽山中。

明 陳 公 綸 跋

予初爲慕道詩十章，殆出一時所感，非復協諸聲韻，廼辱諸丈不鄙，多枉和者，因隨意連續酬之，遂致盈百，未忍焚棄，萃爲小集，固不必求其工，亦不必究其實也，或以資大雅之門，一撫掌云爾。丙子首冬晦日，玉室道人次經父自跋于白雲樓之居易軒。

明 陳 公 綸 跋

唐曹堯賓爲游僊百詩，人爭誦之，因稱其羽化於當時，徐考其實，嘗登甲第而歷臺司，固知前聞無所稽也。乃余又有異於斯，始若有促而之，既若有挽而遲，終若有企而思，自不覺情見乎詞，遂致其多若茲焉。然髮且絲矣，方無簪紱之絆、責守之羈，倘三神可到，九轉有師，當即謝人間決去無疑耳，則斯集豈漫爲戲墨誇辭也哉！後二十有二日小至，次經父在真賞齋重跋。

明 史 神 氏 跋

史神氏曰，余故與道人有連，習聞道人之爲人，其少壯時，非漠然無意於斯世者也，逮夫世竟不能得，道人乃放而爲文以自怪其身，昔人所謂託而逃焉者非耶？至其言有慕於神仙，而依隱不能決去，吾又不詳其何要歸也。豈騎氣御風，特超于塵壒之表，而身固常簿游人間耶！道人詩自庚午以後，發其篋中幾五千餘篇，刪其冗漫過半，刻之曰摘集，亦曰乙集，蓋與前采碧集及將來續得者，用十干爲次第云。萬曆戊寅歲春三月望日。

（張永儁審查　　柳之青標點）

止止堂集存橫槊稿三卷三冊　　明戚繼光撰　　明萬曆間刊本　　12497

明王世貞序

〔止止堂集者，少保左都督戚公元敬之所著也。集之部二，曰詩文，則橫槊一編既之矣；曰著述，則愚愚一編既之矣。不佞獲卒業焉，作而歎曰〕，吾今而後，乃知文武之道也。當三代盛時，其公卿大夫若伊、周、太公望、仲山吉甫輩，皆通極於道德性命之奧，究於太上之所謂立而後以其用，橫之而爲功，宣之而爲言。其所謂功者，不相則將；而所謂言者，誦而訓誥，詠而雅頌，要非有二途也。秦漢而下，雖將相之任未判然，而其學無所根抵，以故其用不能相通貫，然營平之議屯田，與武鄉之表出師，此皆於矛盾之上得之，何嘗不泫澤通理哉！彼其於道德性命，時有所闇詣故也。嗟乎！絳灌無文，隨陸無武，即絳灌之武，吾未之敢議，不知隨陸之文，其於文果何如也？元敬自束髮而從軍者，踰三十年，南殲倭，北勁胡，橫草之功，勒於五熟之釜，遂位師保，極人臣，三十年之間，未嘗一日不披堅執銳，與士卒共命於矢石之下，何暇握管譚藝哉！以今睹其所著存而彬彬者，師旅之什，發揚蹈厲，燕閒之章，清婉調暢，紀事之辭，委曲摹寫，誓師之語，立髮剔腑，然此猶其副墨耳。而著述之篇跡若以爲巷史黃初者，顧其大嫩在於推物情，窮時變，洞陰陽之消長，驗人事之得失，曲而中，肆而隱，往往於身心寔體出之。機有所不能秘，念有所不能忍，始稍露其一班於兵法焉。吾不敢遽以三代之令稱之，然何至作傅修期、楊處道工一檄、長一咏而已也？元敬得請解粵南帥符，過余山中，而出其書曰，願以此受一言。余少長於元敬二歲，弱冠汩沒於鉛槧，今老矣，方有子雲雕虫之悔，而暇爲元敬敘之，雖然，元敬不得余亦必傳，且謂元敬傳余哉？余傳元敬哉？萬曆丙戌春二月既望，吳郡王世貞撰。

（張永儁審查　　柳之青標點）

貝葉齋稿四卷四冊　明李言恭撰　胡應麟編　明萬曆庚辰（八年）壽州朱宗吉校刊本　12499

明闕名序

……（前闕）菫菫數也。今海內所稱名家，宜莫如吳郡王元美，而元美生平所嚴事，宜莫如濟南李于鱗，于鱗白雪樓集行于世，世不啻尸祝之矣，元美則以于鱗進惟寅也。惟寅貝葉齋一曰白雪齋，元美詩之曰，君莫問白雪樓、鮑山址，樓中之人人亦李。嗟乎！是可以知惟寅已。然元美獨見惟寅異時所爲詩爾，誠取今所謂貝葉齋藁也者而盡讀之，當更以白雪當惟寅哉！貝葉齋藁多五七言近體，余不佞，無能名其所繇合也，颯颯乎盛唐之遺音哉！盛唐之音，其氣完以和，其聲鏗以平，（後闕）……。

明王世懋序

〔惟寅與余交在莊皇帝初，而惟寅時爲小侯，詩筒盈宇內矣，其爲詩迄今凡三變云。年少氣盛，有觸易形，意恒在多，既得于鱗詩習之，乃檢括爲深沉之思，刻商引徵，宛似其家言，已稍稍縱其性靈，時復翛然自得，博採旁引，未見其止，此惟寅詩大較也。惟寅間嘗問余，爲詩家言者，其人類勘險側，何居？余喟然應之，子毋自推引，凡爲詩非謂其人必賢也，又非謂其人顧賢于立德立功之士也，譬諸繁英妍卉，點綴化工，游人士覿而醉心，以爲少有所利之不可。夫詩於道未遵，國家不以程士，鄉州不以充賦，仕而談者罪，諱而觸者禍，然且士爭趣之，何則？其情近之也。如令海內有釣奇託捷、詭故不情之士，安所取是乎？始惟寅大然余言，余乃今於惟寅卜之也。夫士於詩誠無所利之，乃其性靈所託，或緣畸於世，意不自得，而一以宣其湮鬱於詩，即當世無當焉，而思垂之來世以自見，若然者猶有待也。國家重世勛，諸功臣帶礪徧天下，百七十年來，拖緋橫玉亡慮百千輩，間有能刻意爲詩者誰乎？蓋其人既席世封，時從齮齕間起奉朝請，玉〕帛子女狗馬之養，靡所不快意，稍持緩步、飾容止，即坐而擁節旄、握金印，是安所事詩乎？非有深解篤好者，不能沾沾於是，余所聞詩名世者，郭定襄其人。定襄起將校，得之身披堅執銳於邊雲塞草間，已復謫戍，老困思歸，而後詩益工，則其詩要爲有所助之，非諸徹侯比也。惟寅自爲兒時，忌好其說，際盛世、極人倫之幸，非有牢愶仳離之感迫而動乎其中，乃其旦暮所營者，一切寄情於詩，既已折節下韋布之士，不憚數盟會而詩成。所託之乎爲名者高，齋貝經西方空寂之教也，視其身若萍寄於節旄金印之中，而其志乃軒舉於玉帛子女狗馬之外，明興以來，徹侯中一人而已。是其於好無所待也，其於工無所助也，故余於惟寅謂吾黨士難之也。於戲！聞余言者，寧獨於惟寅詩得之，乃併其人可窺矣。始惟寅最好余詩，爲捐俸梓其四集，及是貝葉編成，而朱生來以序屬余，余不文，於惟寅誼雅不得辭，報施道也，不然，以惟寅才地，長安故不乏操觚客，木天貴人，片語連城，是寧無當惟寅，而必一南州計吏之藉乎哉！然惟寅春秋方鼎盛，其詩將益工，要以信於後世，教非余所任矣。萬曆庚辰春，吳郡友人王世懋書。

（張永儁審查　　柳之青標點）

虎泉漫稿四卷四冊　明施經撰　明嘉靖丁巳（三十六年）原刊本　12500

明豐道生（豐坊）序

　　古之治世，文士鮮不知兵，而武士亦以知文爲尚。周公文則制作禮樂、敷訓誥、定頌雅南，武則伐殷踐奄、滅國五十，後世稱聖人非可及。而邰穀、祭遵、諸葛亮、羊祜、杜預、李靖、裴度、岳飛之流，本朝劉文成、王靖遠陽明，皆以文武顯。比者文武皆弊，業舉子者記誦時錄，倖捷於有司，問以經旨，輒瞠目頹首不應；武士下者爲悍爲鄙，儁乃肅儀美辭，釣虛譽，未試韜略，所向罔功。余始就傅，即知耻章句，唯求致用之學，殫精經史，以考其歸，斟酌古今，以措其實，垂髫聞兵法於陽明，意謂古治世之士可勉而及，故自詠曰，進思配伊呂，退欲齊曾顏。壯乃乞養還山，緘口時務，於是人徒以能文善書目之，知我者虎泉子而已矣。虎泉子以昭信校尉舉武魁，爲人廉恪愷悌，孝於母，友於弟，輯和其姻旅，禮上弗阿，待下以恩信，樂與賢士遊，表裏瑩豁，終始弗渝；當無事時，亦與吾輩談經推文，敏悟洞詣，爲詩慕騷雅漢魏晉唐名家，得其體裁，清而不羸，和而不淫，暢而不淺，奇而不僻，壯而不悍，邃而不晦，質而不俚，華而不靡，軌而不拘,變而不蕩,博而不雜,其書亦有晉唐之法,以是縉紳之士翕然稱之。
數年來東夷犯順,都御史徵虎泉子將兵奔命閩浙之間,屢犯險難而身先士卒,斬
獲甚衆,輒辭賞薦,有魯連子之風,而士衡受爵藥銜之志,風斯下矣。使得爲大
將,所樹立何但爾?迺安於偏校,而人亦鮮知之者。歐陽脩云,後世若不公,自
古無聖賢。然脩與王安石皆邪諂,比唐許敬宗、楊烱、宋之問、沈佺期,而世傳
其文。王右軍精春秋學,與會稽王謝安、殷浩、桓溫論事規略超時輩,而晉史僅
稱能書。記曰,德成而上,藝成而下。夫藝者,君子以蔽其功,細人以匿其過。
然則後之觀斯集者,亦將謂虎泉子詩人而已乎!嘉靖三十四年旃蒙單閼之歲十二
月丙午春日,賜進士出身、考功郎,南禺外史豐道生序。

明 陳 崔 序

　　余甫二十時,旅食京邸,武林施虎泉在焉,遂以詩交。時虎泉宗杜甫,予亦
宗杜甫,士人皆相稱傳。後十年,余來錢塘,則與西湖詩社童南衡、方十洲、馮
小海、張華山、錢玄石,朝夕入社會詩,時予與南衡輩又宗初唐六朝,虎泉則習
沈宋徐庾語。居數年,南衡、十洲、小海相繼入仕,華山、玄石皆後先棄世,惟
予與虎泉往來湖山怡情,詩酒不衰。今年虎泉武薦入京過辭予,因留宿論詩,則
知養益深而格益精矣。袖中出所著詩一帙,各體不下千餘言,辭皆清逸,意則溫
和,臨風一誦,冷然成音。因謂虎泉曰,古人創文,往往得於習養之後,故思長
而聲和,子才素雄毅,但以奪心兵流,羈身宦轍,雖六膺武薦,而猶廿載道途,
忍歷既久,衆理咸歸,一旦約情藻苑,諸聲性中,是天之厚於子也大矣。今北上
能推此而事君焉,吾知功無不立,忠無不竭,邊塞無不靖矣,則子之詩豈非用世
者哉!予非諛子也,久而知之眞也。佇目俟之,因序焉。會稽海樵山人陳崔撰。

明 邵 應 魁 後 序

　　虎泉漫稿何?杭城虎泉施君漫吟逸稿也。始余與施君同武會兵部,察其貌毅
而溫,其言侃而正,傾蓋間輒相歡爲舊識,論文談射,渥如也。余幸登丁未武
榜,施君以疾違試南歸,闊別十餘年,雖神交意注,竟弗獲會晤,欲濡染夫施君
才華之盛,無繇也。歲丙辰,施君持內檄贊畫於大都督俞翁麾下,余時爲總府中
軍官,得辱同寅,則與協恭贊決,凡戎務之未明、攻擊之未熟,必諮訪于施君,
以措之行事,悉合機宜。夫以十餘年願見之友,忽獲聚首,朝夕取益滋多,已叩

洩其胸中之奇矣。丁巳秋，余得拜擢直隸把總，將告別，施君泫然，特出其所爲詩凡數百篇，彙爲四卷，以示余。余讀其格調，知非今作者，愧余不能詩，其於聲律體格，不敢擅爲題品，而其中昌大之氣、精忠之誠，溢於詞章之外，先得我心所同然者，每篇篇見之。至於日月之行、江河之變、風俗之通、人物之異，則有旋轉之度、更革之風，若非騷人墨客之浮浪者。故余俯而讀、喟而興、黯而思，靡靡忘倦，蓋知其爲懇惻至文，不復知其爲漫吟逸稿也。余友豪雄之知詩者，寒松鄧君、松坡黎君、見魯楊君、少渚張君、從野孟君，咸嘖嘖稱頌，謂得漢魏盛唐家法，慮其無以惠遠，謀鋟梓以廣其傳，各捐俸資刊成之，太史南禺豐翁寔敘其首。余惟施君之詩，初爲托物娛情之作，而憂國勤民之見於賡詠者，直可以追豳風刪後之響。施君亦將種也，其言志之詩，卓犖如此。傳曰，言以足志，文以足言，言之無文，行之弗遠。若施君之詩，可謂志而能言，言而能文，斯可以弗朽矣夫，斯可以弗朽矣夫！晉江榕齋子邵應魁書。

明陶積跋

　　昔鄭世翼過崔信明曰，聞君有楓落吳江冷之句，願見其餘。崔出衆篇，鄭覽未終，而謂見弗逮聞，輒投諸水而去。蓋名實貴相須，而盛名之下其實難副如此。予聞虎泉施君舊矣，第竊伏海濱且薄游宦途，恨弗及一見以紓瞻望耳。茲適以備夷，率兵抵澹洲，因得承顏接辭處，傾蓋爲莫逆，乃出平日所次吟稿示予，連篇累牘，捧誦不能釋手，不啻入天廚而獲沾奇羞異饌之味，傾寶囊而盡覿良金美玉之品，輒自歎曰，善哉，虎泉子之吟乎！今之所見，果不誣昔之所聞矣。茲將授梓人之鋟，以廣其傳。予喜精純溫栗之資不終蘊櫝，而殘膏剩馥，且得沾溉於人人，矧名稱厥情，又匪若信明之於世翼者也，故遂信筆爲書卷末，更幸予名獲蠅附驥尾焉。時嘉靖歲丁巳仲冬長至日，梅岑陶積拜書。

（張永儁審查　　柳之青標點）

────────────

樂吾韓先生遺稿一卷附遺事一卷二冊　　明韓貞撰　　明萬曆戊戌（二十六年）刊本
12502

明余尚友樂吾韓先生遺稿序

　　吾浙文成公倡明絕學，爲斯道盟主，宇內擔簦從游者，履常錯戶，而與公闡發良知、彭吹登壇者，海陵心齋王先生稱最著云。心齋歿，其仲子東崖心印其傳，執淮南牛耳，而昭陽樂吾韓先生家世業陶，當爲陶時，輒會悟曰，陶必有型而後成完器，況心陶也者寧獨無型乎？海上東崖先生，余心陶型也！於是負笈往學。時先生肘披踵決，正廉紉踦，人謂先生宜爲望腹慮，先生顧燦曰，所謂望腹者，望芻豢乎？望理義乎？融融洩洩，胸次迥然。仲子察其抱璞韜眞，雅有聖質，爲之提醒點掇，由蠡入精，吮其玄髓，嘰其臠奧，已設講席，化誨生徒，凡出其門者，人人薰以善良，博帶褎衣，□宛於道。今先生騎箕乘虬者已越廿載，而弟子會業於先生之祠者寒暄不倦，且綜緝遺製，捐鍰鏤刻，以泐不朽。余素艷高踔，逖於修途，茲得其概於集甫黃生，生代弟子丐言以巔製額。余披先生詩章，大都燀藻性竅，擷吐眞機，洋洋灑灑，流於天籟，味其詞，想見其人，殆行橇膠葛而裹羅緯象者乎？是以型東崖氏者，世世爲弟子型也，余將過其祠宇以挹高士之風云。萬曆歲戊戌孟夏之吉，浙西後學余尚友頓首拜撰。

明宗彝樂吾韓先生遺稿刻序

　　夫言，心之聲也，心不可見，借可見之迹，以寫吾心，故寄興者其詞逸騷，闡道者其旨雋永，詩三百篇，大抵採玄抉微所作哉。厥後濫觴於晉，他草燕泥，非不爭妍鬥巧，而□鏤刻畫，於道蝕矣。我…（中闕）…王薛四大□崛□海內，倡性命之學，以□□□□有吳陵王心齋先生□□□□齋之後，又得我樂吾□□□□使朱程數百年不傳□□□大明中天，而之發爲詩也皆道也。韓世業陶，以朴茂居東海，至先生猶未徙業，然器不若窳，識者知爲有道氣象語，具督學耿公陶人傳中。先生性自樂，宇內一切齷齪不攖其中，飄然物外，隨境隨適，嘗結廬湖干，聚徒講學，屢空晏如也。值歲侵兵燹，歷寒暑，講不置，客至摘野蔬自給，抱膝長歌，若出金石聲，或行吟水壖，覓鳶魚趣，得句輒示同志，亦有不得時，不取必也。然皆務闡發道眞，印證心體，不期爲月露之形而已。卒時年七十有七，遠近赴吊，哀聲徹野，咸謂道統或孤，邑大夫凌公高其行誼，祠而祀之。十有餘年，諸弟子輩復檢遺稿，得詩若干，請就剞劂，以誌不朽，謂予與樂吾相知最深，因屬以序。余曰，是烏足見先生哉？先生之道，上續眞傳，下開來裔，行將從祀廷以綿俎豆，此不過心之文而不能詩者，則匠之心也，是曷足見先生哉！諸弟子曰，唯唯，請以此言識諸編中，庶見吾韓師矣。時萬曆歲次戊戌仲夏中元日，迪功郎、荆府典簿兼都梁王府教授，九十翁草亭宗彝拜譔。

明 黃 大 成 樂 吾 韓 先 生 遺 稿 跋

不佞燥髮時，先生已登雉壇，主茲學者盟約矣。垂髫始覯丰范，蓋觚冠褒服，古貌質容，宛然所繪尼父程朱也者。迨不佞披章縫，先生蠟賓於序，與邑大父貢揖分庭督學，使者幣羅而贄聘焉，稍稍艷慕之，然而猶有童心，不即北面講座。及浸剖竅識，將捧雉修，而先生已厭囂蓮覺矣。顧先生雖掩鳳儀乎，而徐行嫻辭，煌如星日，不佞時時嚮往，古有私淑艾者，殆不佞其人歟？茲誦先生鑠造，言言吐心，恍然洙泗正脉，字噦句咀，低回不忍釋云。不佞昔覯先生之面，今始見先生之心矣，較倖博一第，獵瀚攘濃，毫寸無俾於世者，先生直腐鼠盱之。淮南後學黃大成頓首頓首謹跋。

（張永儔審查　　柳之青標點）

樵餘筆記一卷二冊　明王大韶撰　明萬曆癸未（十一年）南郡王氏重刊本
12503

明 伍 讓 序

弘正間，北地李獻吉輩力追古作，爲詞場樹赤幟。於時學者狃於夙尚，驟而語之以古文詞，則見謂詰屈而不可讀，蓋故習之漸人久矣。然萎約纖麗之風漸爲衰止，而雅道因之一振，則獻吉輩以也。晚近歷下、東吳狎主齊盟而取前茅，執鞭弭以並驅中原，則有若新安爲之輔。其爲文斷自西京而上，直與左氏、司馬異采同符，鴻裁鉅藻，頓還舊觀，海內歙然宗之，一時操觚之士，莫不壹意修古，希聲作者之途，其所結撰，豈不亦斌斌。顧類多依採，耳剽手摹，裒合成章，殊乏天趣。譬猶斲溝中之斷爲衣冠，青黃而文之，非不肖人也，而風容色澤終不似眞。俳人美詞以爲己力，寶玉大弓原非己有，非虛言也。善乎陸士衡之賦文也，曰，謝朝華於已披，啟夕秀於未振。又曰，雖杼軸於予懷，怵他人之我先。古人所以縣解獨照，卓然成一家言者，何莫不由斯道哉！余雅持是說，以語心雪王大夫，大夫首肯者久之。一日觴余息園，酒半，則盡發其所爲文視余，余受而卒業，大要宏肆馳逐，任心而成，不鉤棘以釣奇，不闚意以媚法，如李將軍用兵，無部伍行陳，卒遇大敵而意氣自如，終無敗北，其視工模擬而戡神理者，不同日而論矣，豈非有味於陸生之言哉！將以稱於代間。曰，王大夫文奚不可也，大夫起家郡推，以高第晉刺史，輒棄去，歸里中，日相羊山水間，託心毫素，而胸懷夷曠，自是風塵外人，故其文致詞力，不覊如此云。大夫著作甚富，而樵餘筆記，則大夫從子子憲、壻易君子說所爲重梓者也。梓成，二君問序於余，余黯淺無能窺大夫壼奧，第余侍大夫最久，亦嘗遊於其藩，故爲識其大都於卷首。嗟夫！以魚目而冠明月，余知無當於大夫矣。萬曆癸未季春，賜進士第、奉直大夫、刑部山東清吏司員外郎、前中書舍人、衡陽後學伍讓頓首拜譔。

（張永儔審查　　柳之青標點）

擬古閩聲二卷四冊　明王三陽撰　明萬曆間靈陽知縣李毓秀刊本　12504

明 劉 繼 文 刻 序

　　予不佞，轄閩中，聞海國之徵王君者，不覊士也，時以孝廉顯矣。未幾，以庚辰釋褐授吏事，每恨遊其地，不覿其人，於省方者謂何。閒嘗從溫陵縉紳及余所得門下士，得王君詩詞樂府數首，讀之亹亹，至紙敝墨渝，心神向往，意其人非五色腸者不能道此。蓋我朝鳴盛，樂府固多，而獨李長沙踔厲風致，才情百出，遂空海內。王君詩文未易更僕縷數，若所爲樂府，斬蛇、漂母、蘭□□〔香曲〕、眉州兒諸作，置長沙集中，未可遽□堅白□□□□□□博士舉子業，攘臂稱哉！丁亥，王君以詿誤謫靈陽，而靈陽令李君，余所得士，以里閈搜所爲宦中稿者，則樂府頭頭種種，燁然盈青箱矣。李子故舊好，鳩工刻之，馳余一言弁之首。予惟不朽者一在立言，知己者附在神交，余雖將王命五嶺之表，覩王君若作，知所以交王君也者。又聞兒渾輩從王君言，微時兵燹爲祟，病已無生，有異人若長桑君者，施之符筆，披錦繡於背，從茲病日可，文日加進，里人謂其尊人敬神之報，似與吾家圓通大士相類，則茲樂府，或異人授君赤筆乎？他日樹德崇功當有大者，不止一樂府立言也。賜進士第、巡撫廣西地方右副都御史、前福建右布政使，治生劉繼文頓首拜書。

明 莊 履 豐 序

　　乾開王君，與余少讀書山寺，時時進余以所著樂府，沾沾然。余迫視乾開帳
中，則李長沙公擬古樂府一編在，音調神情，種種肖協，不知乾開之爲長沙耶？
長沙之爲乾開耶？余大爲擊節，乾開逾沾沾然。積之年禩，寢以成帙，自名曰擬
古闡聲，余因與侍御吳堅孺氏加評焉，而又爲序而行之。嗟乎！余何知樂府？樂
府之汶汶于世久矣，文人學士，代相雄長，其它吟諷，執殳超乘，咸稱作者，而
獨於古樂府，不能蛻棄陳骸，自標形神，往往過爲摹擬，若畫臨粉本，書摹法
帖，爭一毛一戈之似，以爲奇絕，以爲善用其擬。至取喻於優孟之抵掌，胡寬之
營新豐。易不云乎，擬議以成其變化。彼所謂擬古也者，擬則擬矣，將無少變化
乎哉！李杜光燄千古，共推大家，然太白樂府，窈冥惝怳，縱橫變幻，自極才人
之致，不屑屑似也，至杜集中，迺無樂府。杜非無樂府也，少陵卓識，每緣時
事，特創新題，不欲爲白頭、陌桑、曹、枚之犩女耳。長沙公識具才情，上窺李
杜，其所譔擬，其格則古，其題則新，其事則史，其褒刺諷議，則妙極風人之
變，間於曲調，不無離合，然既一洗臨摹習氣，於戲快哉！邇時山東有李伯承
者，作爲樂府，高自標位，其訾公則曰，是取古人行事，註議緝韻，類成斷案者
耳，所願舍是。而吳郡王元美亟有味乎其言，蓋元美嘗以史斷評公矣。夫元美藝
評，操龍刀而割者也，其生平推重，度亡逾濟南生，濟南生精詣樂府，有摩天自
運之勢，元美猶然不滿意，曰，不堪與古樂府並觀，爲其臨摹過耳，而何嘖惜於
伯承，而何苟抨於長沙？讀少陵詩者，稱少陵詩史，史之于詩道無害也。讀長沙
樂府者，即名以史斷，長沙無憾焉。乾開苦心長沙久矣，其自跋，余懼余之不爲
長沙史斷也，余而爲長沙史斷乎？固願卒業，不惜爲人世解嘲矣。嗟乎！奚而乾
開不惜爲長沙解嘲，余亦奚惜爲乾開解嘲哉！耽新聲，厭古樂，世其毋以訾乾開
且訾余。乾開雅挺才致，茹古醞今，它詩文別有刻，余茲不具論，論其樂府。萬
曆庚寅中春之吉，賜進士出身、翰林院國史修撰、儒林郎、充經筵官、管理起居
注、前纂修大明會典，眷年弟莊履豐中熙甫序。

明李毓秀跋後

　　夫詩之初推樂府道古矣，迺論者謂有別趣，或從子厚門徑，品終不高，雖櫛
句盈編，竟使識者胡盧而走，又何能搆奇通玄，作古人語？蓋士也而未仕也，非
其習也，即習之而未晤乎趣也。王乾開業弟子員時，不事拘攣佔嗶，時吟弄風
月，輒得奇語，按牀頭書，則鼓吹樂府數部，人謂王生枘員鑿方，不類時好，王

君不爲改也。時屬兵燹後家落，幾乎敲石無火矣，廼乾開神益王，業益精，每從不佞豪飲，澆以大斗，放浪狂歌楊鐵崖、李西崖諸部以自暢適，而每試主司，輒臚前列。夫善師不陣，而相馬者不以驪黃色相，王君即酷嗜此，殊不妨舉子業，獨奈何岐詩與學而二之？則乾開之於樂府乎其趣深矣。昔黃魯直以醯歌作空中語，不似法雲道人之請；王乾開從吏籍焚書而舞，計玆刻不爲醯歌小詞墮落惡道，有晤乎趣者，其亦嘲乾開、謝法雲已耳，又何云魯直之句以窮而工也。仝邑李毓秀道顯甫頓首拜書。

明王三陽跋

嗟嗟，余何知樂府哉！顧自少小頗知操觚，輒酷愛此篇，或對風月時作吟弄，或拍蟹螯時作送酒具，遂爾契之心、聲之口，成之乎技癢而鳴之也。或曰，杜少陵部中廼無樂府，李太白菩薩蠻一章又爲樂之變體。識者謂韓昌黎以文爲詩，蘇眉山以詩爲詞，李太白又幾以詞爲樂府矣。我明李長沙才情罕覯，櫛句玄思，坐失古人，廼以樂府流落人間，遇太倉王元美評爲一部史斷。湖雲四低，沙光失色，則自李杜迄今，賞者不作，作者不賞，揚挖何人？千古長恨矣！予獨何敢附作者，續貂以尾，效顰增醜也？噫！余早固苦心於長沙，願爲執鞭者，每恨生不同時，又以懼余之不爲長沙史斷也，余而爲長沙史斷乎？固願卒業，不惜爲世人解嘲矣。晉江王三陽自跋。

（張永儁審查　　柳之青標點）

————————

九籥集三十一卷十冊　　明宋枡澄撰　　明萬曆壬子（四十年）刊本　　12506

明謝廷諒序

唐以詩取士，士之能詩者，竭其極思矣，於文亡當焉。一二君子崛起，工古文詞，文體一變而詩亡，蓋至於今而變始極也。物極必反，作者迭興，漢室卿雲，孔門游夏，其在斯乎！謝子曰，余得九籥集，而把翫不忍去几案也，彼其步驟班張，含咀徐庾，固近代佳手哉！恨不使先輩見之。先輩中如王元美氏，牢籠群彥，不惜齒牙波及天下士，士皆擔簦負篋造其門。余方蕩精舉於霞外，訪玄扈而問白雲，然好事者傳致余所結撰，未嘗不爽然自失也。幼清產雲間，居不數舍而近，朝夕與俱上下，証奇璞，訪深疑，筆硯欲焚，書籍盡付，豈虛語哉！余奉使過大梁，揖王孫中耆舊，見其四壁有獻吉詩，云爲獻吉手書，年少時曾爲門下士，稱詩必杜也，有斆初唐者，聞而惡之。夫斆法初唐易易乎？非漱六朝之芳潤者不能。或飭虛以自矜，或倨怠以自外。其自矜也，必稱引醇樸以標其軌，其自外也，必排摧靡麗以絀其奇，欺世之愚，藏己之拙，肯成人之美乎？且兩司馬並稱，誰能軒輊？滿目琳琅，何如瓦礫！奈之何其不降心而屈首也。華州襲先秦辨士唇吻，而傾動一時，新安則澄習左莊耳，歷下稍讀漢書，瑯琊氏亟稱之。獨用修放逐以成其博，家藏秘書，挾而之滇，偕同好嘯弄盃酒間，探隱賾以爲奇，發一奇而有不能對者，罰依金谷，一座盡知，舉酒自罰也。當是時，王、楊之名韻相激射，遠有晦伯，近有子威，殫見洽聞，應接不暇，何暇論糟粕之外乎？而又何以傾滴液乎？幼清謂余曰，吾鄉之有二陸也，擅奇響者千餘年，鉛槧相望，意製繽紛，求一言之幾於陸而不可得也。余聞而異之，因習知幼清於書亡所不闚，其叡鑒擢微，其穎豎景峻，其逸軌超，其持論正，爲人慷慨急於義，而沉鬱澹泊，垂模凝神，出鴻濛想；其含豪而顧盼也，挫琮璜，擿綺縠，尚有餘妍，𦒱志濯陵奇，迅拔閎富，殆將聲教爲己任哉？何其肆懷而矯俗也。闡幽紀勝，亹亹忘疲，蓋其情之所鍾者，非山靈則人傑，濠濮之情見乎辭矣。昔阮嗣宗讀張茂先賦，而知其爲廊廟才，鍾會亦然。嗟嗟！幼清尚困縫掖耶，豈本朝功令與唐殊，祿利之途固在彼而不在此耶？然邇者廣羅啟籥，拔異登奇，榜中得人甚盛，豈以幼清之潛心大業，而不逡然爲舉首哉！計日者三千載牘，侍從鄒枚，吾黨中生光；飾屈宋辨歌，屬之不佞矣。萬曆壬子孟秋望日，九紫龍會山人謝廷諒友可甫撰。

明錢希言敘

華亭古由拳國，晉機、雲生長其地，至今祠堂冢墓猶存。西望泖水，白波浸天，微茫漾渺，亡所不際，隱隱峰巒九點，浮出其間，暎帶五茸城，星羅弈布，蓋山川靈秀之氣，不洩之寶玉金錫者，盡洩於人，平原清河，而後俊彥鬱興，彬彬盛矣！二十年來，吾黨之才而奇者，莫若宋君幼清。幼清故字叔意，世擅雕龍，名父之子，沐浴於家學既久，及長而亡賾弗探，年未勝冠，多所淹博，名鵲起六舘生徒中，自師春、白霓諸草一出，海內群公雜然謂章華大夫、北門學士再見云。今戊申春，幼清自燕都還，訪余月駕園，與之譚論，因出篋中九籥集一編相定，則君旅食都門時，及跋涉津梁間，所著詩若文也。余讀未卒業，蓋不勝驚歎焉。知其學日益邃，識日益廣，譚理日益妙，才品日益高，著述日益富，聲譽日益燥，先君之業亦日益修，所觖望者，公車之姓名未挂耳。余謂幼清千秋矣，安用咄咄歎？黑貂蒙茸豫章七年，其材已具，顧寧無待於霜霰而售耶？君春秋方盛，屢蹶於有司，則造物者霜霰之，爲棟爲梁未晚也。少於詩好西京樂府、建安父子，文綜十三經、漢晉六朝諸史，迨客燕中，則靡籍不窺，而復博探二氏之學，故其爲詩若文也，務超詣而恥祖襲，喜鮮腴而厭枯澹，尚瑰異而薄凡庸，大要出以清越之音，振以悠揚之調，含以瑰古之質，命以高華之藻，泳以冲醇之味，暢以芬芳之旨，鍊以陸離之辭，御以曠逸之氣，寫以纖縟之思致，而又發以葳蕤藿靡之才情。其清越者，浮鐘沉磬；其悠揚者，激吹哀絲；其瑰古者，蝕鼎斷琴；其高華者，空青水碧；其冲醇者，霞漿露液；其芬芳者，石葉荃蕪。飲月承影，不足爲其陸離也；翻羽奔霄，不足爲其曠逸也；冰蚕火浣，不足爲其纖縟也；玉草金苔，不足爲其葳蕤而藿靡也。斯蓋奇奇正正，罔言而非入玄；渢渢泠泠，靡曲而弗寡和矣。豈峰泖之靈秀不盡洩於人者，若有待焉而鍾之君之身耶！以彼其才，假令生於漢唐之季，不在石室蘭臺，則備屬車豹尾；不移龍舟之饌，則奪獸錦之袍；親被寵異於人主前，豈非盛事，寧羨區區一第哉？嗟乎！我國家以帖括之學束濕士子，使人白首浸淫糟粕中，而片言不合，則棄之格外，與弁髦等，彼老生狂豎，甘心與蠹魚俱槁者亡論矣，至令魁壘英奇之士，幾無以伸尺寸天壤間，故不得不假竹素以自見。乃今之時何時也？賢愚相樨，財貨上流，中涓不薦鄉人，左右莫呼萬歲；綴雕龍者絓罘罳，歌落燕者中矛鋋；間一下逐客之令於朝，則逮竄立至，士以不格吏議爲幸，安問推轂事乎？繇是賓館虛爲馬廄，蓬萊變成銅山，拖墨紆青布在殿禁者，罔非羊肆之子與牛醫之兒，而文人士子淪落道途，極於偄賴亡所之，則退而仰屋纂言，杜門覓句，思以其業託之不可知之千秋，良足悲矣！宋君有感於時事之非若此，故往來長安數載，不借交，不請謁，不望塵下拜，不持行卷傍貴人門，儼一侂子春明門右，鍵關縱讀古今書，暇則與二三酒人博徒、潦倒書生輩之燕臺、易水，弔高漸離、荊卿、宋意、田光先生諸君，發其烏烏之聲，寄餘慨於寒煙夕照而已。君雖負才滋嫉，不能取譽於庸俗乎！而素以行誼聲海內，視之落落難合、輕世肆志然者，徐而察之，肝腸口吻，悉先秦以上人也。兒時居茸城之陋巷，莫有知者，因署所居之門曰，窮巷不聞長者轍，短衣猶在少年場。復題其座中曰，一樽自小能留客，七尺於今未許人，其敦倫矜誼如此，又常慨慕趙虞卿之高義，乃即家建祠，爲文以俎豆之，其孤憤可概見已。余素聞奇節，一日解后吳趨市傍，把臂驪相得，轉盼之間，歷十二年如一日也，若猥云文字交，則以我上駟不堪當君下駟，焉敢執鞭弭左辟周旋？甄冑錢希言簡栖氏譔。

（張永儔審查　　柳之青標點）

────────────

石秀齋集十卷十冊　明莫是龍撰　明萬曆甲辰（三十二年）潘煥宸刊本　12509

明潘煥宸刻引

　　石秀齋集者，不佞宸外大父廷韓先生所作也。先生幼稟異資，紹脩家學，窺奇編于二酉，掞綺藻于七步，名傾京國，價重洛陽，一時領袖風雅若王司寇、汪司馬，並引與忘年，推爲雄長。而才長數短，未登金馬，遽賦玉樓，海內惜焉。先生長子寔宸母氏，夙嫻壼訓，雅嗜詩書，當先生易簀之夕，僅獲笥藥一帙以歸，行將授梓，用垂不朽，而母也無祿，溘先朝露。不肖爰承未竟之志，付之剞劂，匪敢附驥，聊展悠思云爾。若夫品騭詳核，自有一代玄晏，遺編欣賞，當屬千載子雲，不佞宸曷贅一辭？其先事校讐，則先生之同社、吾師長興氏，讀其所爲小傳，可玫鏡也。萬曆甲辰六月既望，外孫潘煥宸明廷謹識。

（張永儔審查　　柳之青標點）

────────────

冬谿外集二卷續稿一卷二冊　明釋方澤撰　陸光祖選　明隆慶辛未（五年）刊本　12541

明張之象序

　　昔者周昭王之世，天竺有聖人出焉，釋迦是也；靈王之世，中國有聖人出焉，孔子是也。其後誦法孔子者之謂儒，誦法釋迦者之謂釋。儒者優於經濟，萬世之宗也；若夫徵心辨性，以自覺而覺人者，釋之教亦博大矣。合之則滋美，離之則自限，是故釋之英者，研究宗乘之外，往往旁通於儒，而與文人名士游，因以深其詞藻，煥其名言，以自彰其離文之道，巒其勿思之祕者，蓋資於儒，亦猶儒者之有餘力而資於釋也。晉道安、支遁、慧遠既道術高世，而文詞才辯又皆精拔，故當時君相翕然傾慕，若景星卿雲，可望焉而不可即也。唐宋間，禪宗丕振，王公貴人熟於聞見，蓋有不藉文辯興者，然玄奘、道宣、契嵩、覺範亦以文衛道，厥功甚偉。元有三隱，笑隱文獨豐，虞文靖公謂如張樂洞庭之野，蛟龍駭騰，物怪屏走，蓋亦一時之雄也。明興，泐季潭、復見心諸老，以魁奇之才，淵宏之學，承高帝寵睠，鬱爲師宗，致海內異衲聞風而興，有光宗社，文之不可以已也如此。今之釋子，謬領達磨深旨，詆爲文字，曳方袍、據名刹，率多庸淺，而欲比隆盛時，言下證聖，胡可哉？胡可哉？乃者大江之南，吳越之境，有以文字顯禪妙者，吾求之得一人焉，冬谿禪師是也。師名方澤，姓任氏，嘉善奉賢里人，幼坐頹然，不耐與羣兒嬉，逮入鄉校，羣兒所課習者乃咸誦焉。父喜，聞靈光明和尚有學，而其師瑞菴持毘尼最謹，迺正德丁丑以師捨是院，年十三矣。於是肆力內外經子諸書，以古僧自策，又三年祝髮，志益奮，舒翹吐穎，翩翩焉有出塵氣韻。當時名人若唐荆川、屠漸山先生，咸齒譽之。郡守梅林蕭公、貳守梅潭趙公，相繼力挽歸之儒，皆以疾辭，於是廢撰咏，專事梵筴。嘉靖戊子受具戒行，參訪徧兩浙名山，過西天目師子巖謁中峯像，泫然泣下，徘徊於西湖，遂返，嘅然歎曰，嗟乎！佛道其微矣。庚寅，法舟禪師由毘陵還於天寧，始與入室，朝夕請叩，聞擧龍潭公案有省，念江淮間祖塔及金陵牛首諸勝，冀一禮造，偶受業師病甚，而兩兄又相次没，法舟囑之曰，養親侍師，事在吾子，不必遠遊爲矣。蓋以陸沉僻壤而與翺翔大方者，同一歸也；應酬曲折而與深冥禪觀者，無相礙也；窮探經論而與杜口毘耶者非二門也；故湯藥之勤、承歡之饋，亦要道也。然則沖襟幽抱，詎可以形迹而擬議也乎？師疏爽閒靖，諸山穎秀頗知景附，獨性孤介，不能爲諛悅語，至老落落無顯遇。其言曰，緣生世間，與一乘大義同一實相，虛心應之，即是經綸之業。由是觀之，榮衰得喪，師故一目之矣。所著詩文偈頌若干萬言，門人眞諲裒次爲外內集，請余作序。外集蓋寓給園微旨，而盡詞林雅藻，內集多宗乘語，以續先緒開來葉也。鬱乎歲寒之茂松，燦乎幽夜之逸光，稽諸往匠，同符作者，雖與弘明諸傳流通四方，羽翼大教可也。往余薄遊浙中，相與縱論儒釋，有支許之誼，序不可辭，但文玄理詣，恐猶兔之踰河，非能徹底，后之儁彦，儻於兹集因通乎釋，遂深於儒，則孔子可生而釋迦爲不滅矣。浙江按察司知事，王屋山人張之象玄超譔。

明彭輅序

　　冬谿上人澤者，郡城精嚴寺高釋也。年六十餘，偶病足，跰蹮不近出。門人
眞謐手其稿，裒列之，釐爲內外篇，謀於袍友性宇，將梓之而委序於予，諾久而
未有以報也，謐遲之以見詰。余廼太息曰，吾之窘言爾師之集固有以，昔子長氏
撰史，諸傳不規規履歷猥瑣，第直發其肝膽胸次、一生志趣所結約竟成何品流，
故其人去之千祀，猶躍然生也。今余知爾師最深，其序斯集亦欲采其爲人，大都
苦心注慮之、精眇而備道之，故濡遲未能也，於是旋爲之次焉。曩余弱冠薦鄉
闈，嘗假榻讀冬谿子所見，吾冬谿子之於文章詩歌，操管立就，思發而泉湧，溜
溜汨汨，大似一不經意，與余疏襟深論，有省觸余者皆宗乘語，其所勤苦矻矻保
任存攝者，亦盡宗乘事；獨其才藝蚤爲人知，聲名藉藉，馳數千里而遙，戶外屨
常滿，不得自晦；余師太傅淞江徐公前視學淛省時，間過吾嘉，邂逅太史漸山屠
公及諸縉紳先生輩，無不道述冬谿子詩若文者。太傅語余曰，子固與方澤僧交
也，此僧賦卓絕之資，何不習禪伯子之學，自了心性，而顧佔畢緝綴費日月爲？
其言鞭策甚力。夫華者易睹，實者難測，所謂人知其一，莫知其它也。冬谿子之
乃父任居士者，夙慕釋氏道，以故冬谿子自垂髫離家就釋，更十餘年，醉心禪
味，欲覓諸方老宿而諮叩焉，請於厥祖瑞菴祥梅、嚴明兩上人，而兩上人者勉以
荷包躡履，爲區內游。於是浮胥江、過會稽、馳鄮峰，禮育王舍利，登天台赤城
絕頂，入西天目憩獅子巖，故所稱叢林禪窟，兩浙名勝地，足跡太半已至，而卒
無有能爲啟導者，嘆曰，吾宗其衰矣夫！何往日龍象蹴踏所在，項背紛綸起，而
今傳心印者之落莫也。於是復迤邐歸，而值法舟濟老垂手天寧禪院，緇俗往往翕
然從之，廼巾侍入室。一日法舟舉龍潭參天皇語，至何處不指示心要，不覺蓄疑
都剖，油然有所參入。嗣後探毫芒、析絲縷，徹見本來性靈，散之見聞，展於動
作，恢恢游刃，若魚之縱壑、龍之附雲，隱見徐疾，所適無礙。盡契五宗之指，
而尤獨喜臨濟，以爲機用朗拔，波瀾閎瀚，絕不粘言句知解，接引大根器學人，
一日而驅之千里，不至跼束其所步趨也。冬谿子所得既如此，而深自韜匿，混迹
諸闍黎中，不肯軒然據高座說法爲人，聊持其楮墨可緒見者，間出以酬世。先是
嘉有開士者三，曰谷泉福、王芝聚、西洲念，同時以善詩鳴。冬谿子日與徘徊倡
和，上下其論議。古體上倣漢魏，而律一以初盛唐爲準，晚乃旁溢，稍稍及於錢
劉皇甫諸調。每讀之，愛其興象渾龐，湮意辭外，澹澹乎大音希聲，大巧不斲，
其從容於唐人體格，以繩墨自維，猶法吏之慎守三尺弗敢墜也。語涉凡近纖險，

輒擯而去之，不欲以瓦缶之屬雜古鼎彝也，可謂騷雅之成家矣。及爲文章，整潔
高簡，甚類其爲人，而不操一能，多所包舉，縱橫布之，要無一言墮於近代，而
所爲似古人者，又皆抉其神髓，略其膚革，故虛玄寥廓，出有入無，莊列之奧
也；節〔？〕短義周，隨言轉徙，左氏之工也；闔闢摧挫，泉沛日皎，司馬之邕
也；叢臺服袨，海藏珠駢，六朝之儷也，總之冬谿子之於茲二物，未嘗極勤於吟
哦，殫思於締搆，而才力秀偉，自有虎視獨雄之氣，殆天授之也，亦或中有源
焉。蓋冬谿子之學無所不窺，於釋教後出支派、往昔名緇所論述，鉅篇短牘，悉
加摭捆，且咀而玩之無遺。又於吾儒六經傳疏、群史百氏充棟之言，無不貫穿熟
復，即金馬石渠間號爲博聞強記之彥，亦足與之競長。詩曰，惟其有之，是以似
之。出有爲似故殊，安然易之，不見其難也。夫釋氏之道，主於性空，而握空瑩
之性以攝萬有，何所不善？故內典之言，自象繫謨誥魯論而下，混漾明達，靡過
於斯文，是本不廢言語文字也。托於禪者，枯坐晦默，自文彼不學之僞，荒鄙何
甚也！學苟知道，則終日言未嘗言，終歲文未嘗文，何者？言以聲其心，言固心
也，文以聲其言，文亦心也。揮捴藻繢，何累於其性歟？元之時，笑隱以文學受
知於學士虞集，集數數許之。國初則見心、楚石、季潭挾藝優矣，亦重被高皇睠
寵，以方袍游朝著間，今其詞具在，由冬谿子視之，不啻衙官廝役矣。冬谿子崇
標逸韻，殆支遁慧遠之流，餘非其擬也，此又不獨以其言故矣。冬谿子行履之
概，嘉人能共稔之，若悅其詩者，有華亭張王屋、海塩董蘿石、山陰陳鳴野；賞
其文則開化方棠陵、錢塘方十洲、吳興僑客徐長谷，此六君子皆藝苑鴻哲，故爲
知特精。至其禪脩之邃，僅唯吾嘉項子少岳、嚴子少渠、余冲谿輅，與冬谿驪游
數十載，暨門人性宇眞諧，朝夕親教，始克知之爾，然余等三四人所知，乃其不
可傳與其人俱存並往者也，其著撰可傳者，鏤梓而傳諸四方，將有擊節企羨，躡
躅以上。六君子及余三四人者合契同好，庶幾其遇之爾乎！隆慶己巳夏閏六月朔
日，賜進士、前刑部主事，冲谿居士同郡彭輅著。

明 曹 大 章 序

往余有事齊雲，過檇李，會諸薦紳，聞冬溪讀書能文，弗克見也。庚午春，
東甌小谷周子訪余，以師所著請序，且曰是先子友也。釋褐秀之精嚴，諱澤、字
雲望、後稱冬溪云。徧覽儒老經子史漢諸書，與名人遊，詞咏秀異，督學五溪萬
公嘗對先子稱之，師自以文字非衲子本色，乃嘉靖戊子即受具，諮訪兩浙名山，

暨參法舟，聞舉古人公案有省，於是檢傳鐙、宗鏡諸錄，迎刃以解；且虛懷靜鑒，恒切性眞，而天姿精敏，匠心尤別，凡所論難，纔三四言便自了了。嘗謂緣生世間，與一乘眞諦同一實相，虛心應之，即是經綸之業，苟或見異，則猶涉也，其足濡焉。含齋子曰，於戲！宋明教、覺範弘翼禪宗，富有篇譔，數百年來寥寥罕儷，今觀師之理言靜行，蓋已俛視羣迷，而茲集又以禪藻而驅馳藝苑，豈不光贊明教覺範者哉！高皇帝聖德天縱，脩崇梵宇，薄海內外，而先正宋文憲公序記當時名僧入道履歷無不詳盡，與唐宋聖君賢相優遇釋氏之意，后先一揆，余職在史館，無能發揚禪奧以爲繼作者勸，小谷子爲我謝之。隆慶四年朱明日，賜進士及第、翰林院編脩、國史官、文林郎，金壇含齋曹大章譔。

明陸光祖刻序

　　夫學道之人騖其心於語言文字之間而汩其眞，是猶以隋侯之珠而彈雀，連城之璧易敝帚也。吾方外友冬谿禪師，生而雋異，十五而好文，薦紳賢士皆傾心與交，太守蕭公嘗欲儒其服，勉之求仕，師不應。二十五參法舟濟禪師，發明心地，其於道也，固已握其珠、懷其璧矣。迺出其餘緒，時游戲於翰墨之場，抽豪屬草，澹不經意，迨其成也，翩翩焉辭腴義晰，諸以文章名者，靡不斂手服。然師之指意務歸於暢達性宗，闡揚至教，以語言文字而爲佛事，非騖心與雕蟲篆刻者競妍拙也。晚益凝邃，謝息游好，跡不外涉，復欲購其一篇一字，罕得之矣。同懷之士集師所作，彙爲編，以刻焉。余懼夫世之嗜文者，不能知師之深，而惟索之於語言文字之末，非吾黨所以集是編之意也，是用書之簡端，以詔來哲。隆慶辛未六月朔吉，賜進士、中順大夫、前提督翰林院四夷館、太常寺少卿，平湖陸光祖書。

（張永儔審查　　郭啟傳標點）

————————

耕餘集一卷雲水集一卷附隨游漫筆三卷倭奴遺事一卷六冊　明鍾薇撰　明萬曆間刊本　12542

明徐階面溪詩集引

　　華亭故多詩人，國初袁海叟至以詩名天下，其盛可想見矣。邇年士之秀穎者，率役志業舉，不復知有詩，獨一二林栖澗飲之叟，始相與作爲韻語，以自遣適，然其詞多粗淺枯槁，不足誦傳于世。至其後倭夷、礦卒、虐吏、奸徒，相繼擾亂，民囂然喪其常業，而所謂林栖澗隱者遂皆奔走衣食，不暇爲詩，不惟工者不可得見，即其粗淺枯槁之音亦幾絕響。余每考觀詩學之廢，未嘗不竊慨于世道之下也。今皇帝嗣統，剛毅睿明，盡易置中外諸吏，去民所疾苦而納之太和。壬申冬，余始獲從朱進士暎南覿面貎鍾君所爲詩若干篇，其攄發性靈，模寫景物，尚書笠江潘公亟稱，以爲和平簡遠，蓋詩學于是復興矣。古有觀風之使，採里巷所詠歌獻之天子，以察治忽，而審所從違，有如採君詩獻諸闕下，夫豈非聖治之一徵哉？余是以因詩學之復興，再拜爲世道慶也。爰題其首，俾君之子文學宇淳歸而梓之，文學儁茂修飭，將大顯揚君之家，又不獨詩賴以傳而已。賜進士及第、特進光祿大夫、柱國少師、兼太子太師、吏部尚書、建極殿大學士、知制誥、知經筵事、國史總裁致仕，邑人徐階書。

明 鍾 薇 耕 餘 集 自 序

　　余少業農，卒以廢學，忘情於耒耜間以食其力，而不知有所慕。性褊隘，不善交俗，暇則頗沈志羣籍，吟弄篇咏，以消歲月。居無何，島夷寇境，席捲舊業，兵疫相仍，邑里成墟，感茲益謝絕世故，擺落糾紛，唯養形是念，治生之事併廢。客有策余曰，昔人所謂形可爲槁木，心不可爲死灰，子惡能以灰槁乎？當隨事適情，與物無忤，寓形於虛舟飄瓦，則無往而非養也。余深韙之。往往耕作之暇，寄傲於山水間情以自娛，每聞佳山水，輒投耒往焉，登覽有會意處，嘗慷慨歎曰，形纖我于大荒，寓浮漚於百歲，尚可以哀樂置其衷哉？或塊然坐以移日，從者促之曰，人生貴適趣耳，外復何求？有所感觸，率意成章，不暇顧音節，唯藉以條達性靈，陶洗胸次而已。平生足跡所及者，靡不皆然。久之，合併山居雜咏、游覽寄懷，僅累成帙。竊擬昔人命意敷詞，曾不可同日而論，幾欲屏去以覆瓴瓶。思維窮愁落魄，概見於此，安避蕪陋而委之乎？且自三百篇之絕響，變之騷賦五言，再變而爲近體詞調，雅鄭迭奏，各自成聲，而亦不少偏廢，存之以稽世風。余雖非望於作者之軌，猶可傳之於家，俾後世知前人不因窘窮途降志，不因梏農圃妨情，而能優游歲月，傲睨古今，豈非一勝事乎？間有感時而興者，雖異世而同情，余蓋有望焉。輯而藏之，名曰耕餘集。萬曆元年春王正月，東海散人述。

————————

徐定庵先生文集二十一卷附花朝閣樂府一卷八冊　明徐敷詔撰　徐紹吉編　明萬曆丙辰（四十四年）胡繼升校刊本　　12544

明 王 應 麟 重 刻 徐 定 庵 先 生 文 集 序

　　自制目之舉專事帖括，遂群然譏薄聲律無毫髮之用，縱有夷曠騷雅之士闌出，而慕夫神龍大曆之業者，率多餖飣掇拾，極意摹擬，終不能有所出入，不畫虎即刻鵠耳。即不然，任其豪宕之氣，離津去筏，幾不可讀，求其景與神會，才與法合，而五聲泠然，自成一家言者，難矣。余亦微耽此道而愧不工，恒歎世有腹中詩料，又不有詩中眼界，終其身兀兀焉，處長林豐草之間，而一沼一嶼自爲嘯詠，以希寥廓之觀，神雖王，不善矣。余曩薄游成都十年，盡歷蜀中山水，乃歎世固不乏詩中眼界，所缺者反在腹中詩料，轉思往語，怳然自失，恨不能如玄暉假一二驚人之句，點綴其間耳。至閬州而益奇之，山川之秀，不可名狀，少陵所謂天下稀者，信不誣也。竊意靈氣所鍾，豈奕世無司馬長卿者，時猶未知定菴也。及後出撫江南，鵒使者胡君一日相過，投余集若干卷，曰此吾閬徐定菴之所爲詞賦詩若文，余更次而重梓之者也，願借一言爲玄晏。余忻然開卷，爲之讀諸文辭，則心喜之，至讀五七言古，沈深莊嬰，琤琤琅琅，可歌可諷，無齊梁委靡之態，而律絕歌行，蕭蕭有靈氣，悠然可思，其所謂不從人間來者耶？大抵宇宙靈異之氣結而爲山川，而山川之英復發而爲文字，昔子長氏一經沅湘，遂以名山大川之藏掩映千秋。定菴生長閬州，東靈山而北玉臺，襟巴渝江漢之水，精蘊盤礴，已有腹中之詩料，又起家賢書，卒以虛壑膏肓走燕趙吳會荊楚間，又不乏詩中眼界，山川景物，遞相蒸蔚，故其意之所極，與境之所會，即起屈宋潘陸諸家，亦當憬然辟易，則寧獨長卿可傳哉？定菴固具是不朽矣！梓成，余既不敢虛胡君之命，況復投余夙好，且思定菴有素心人如胡君，於意加新焉。使如汝陽逢麴車，不覺涎垂心蕩，竟自忘其形穢也，請以當魏氏之影國。閩中仁卿王應麟書。

明 張 惟 任 徐 定 庵 先 生 文 集 序

昔人謂賦家之心包括宇宙，總攬人物，一經一緯，合綦組以成文，至令讀之
者，翩翩凌雲，有游天地之間意，斯其蘊蓄豈不至灝邈哉？乃余謂詩人亦然。其
攄懷狀物，內之懽欣和鬱之意，愾歎悲愁之情，大之古今興衰之勢，風雲月露之
態，次以及城市山林之喧寂，草木鳥獸之詭異，無不漱滌牢籠而宣寫之，或片言
明百意，坐馳役萬景，或煦然其似春，淒兮其似秋，其局宇固若斯之無垠際也，
亦豈易窺測者哉！蜀以江山之秀麗，發為人文，甲于寰區，自司馬相如、王褒、
揚雄倡詞賦于漢廷，後之作者肩比踵接，入我明為尤盛，未易殫舉。乃余讀定庵
徐先生之詩，而恍然見先生之宏襟焉。先生博綜載籍，蜚聲士林，而高況逸韻，
復耽游覽，故發之于詩，懽戚殊悰而畢洩，澹濃異狀而皆呈，抽其芬芳，振乎金
石，不殊五色之相宣，八音之協暢，颯颯乎司風雅之契矣。先生為司諫雅池丈太
父，雅池丈宏議直聲，定國是于瑣闥，而長篇短帙，更擅麗藻于藝壇，蓋其家學
淵源殊遠，宜非淺近所能企及也。余向令蜀，知蜀之隱逸有二先生，來矣鮮之經
術、先生之咏什，皆以著述自高，竟却公車不就，並為蜀重，余亦以得知二先
生，每自欣幸。往按兩浙，業刻矣鮮易註于公署，若先生詩集曷可無傳？故託小
山胡臺丈亟繡之梓，使名山大川之藏，垂諸不朽，以竟夙志。若曰附青雲而聲施
後世，則余抑又幸矣。萬曆歲在丙辰陽月，年家晚生關中張惟任頓首書。

明 胡 繼 升 重 梓 徐 定 庵 先 生 文 集 序

吾蜀蓋有徐定庵先生云，家世閬中，今奉常雅池公王父也。吾不及游先生，
而交奉常甚驩，遂因以習先生云。先生所為詩已成集行世，同臺關中張覺庵公令
蜀，亟稱其集佳，可以鼓吹休明，昭映一代，遂携之以行。已出視吳越糴政，謀
授之梓，業自為序述之矣。尋代去未果，後數年，會不佞復出視吳越糴政，公遂
以之見屬，不佞喜，為竟梓役。且鄉之先達爰始表章，名山大川之藏傳諸其人，
通都大邑，一善也。臺僚之長，精神所嚮往，數年始副其意，終藉茲役也，時如
有待，契固有因，二善也。奉常公章光紹明，列容臺署清禁，為天子典禮樂之
宗，文章炳煥，得先生而益彰，先生得奉常而滋大，祖孫相輝以及交知，闡幽昭
燉，敢藉鄉人，三善也。不佞即不文，其能辭茲役？輒復序論之，曰蜀之山川若
岷峨巴渝，其人物若長卿淵雲，蓋交相秀發者，不易更僕數。司馬子長之文實資
于壯遊，楊用脩謂禹穴在蜀，子長窮探，其言甚辨，而汶嶺之奇，王逸少生平慕
之，至老不忘也。稱詩無若李杜，李生於蜀之彰明，詩在蜀者獨似不從人間來；

若杜則終身流寓浮轉，在梓閬成都間詩且十居其八。詩不云乎，惟其有之，是以似之。故爲詩宜莫如蜀之有且似也，其居使然也。而先生不但已也，生於宕渠，夙稟異資，弱冠負籍甚聲而非其好，僅一再對公車，輒謝去，託名問醫，浮游江海間。於是佩奚囊、挾蒯緱，由燕趙下齊魯，謁孔林登岱宗，歷吳觀觀日出，睇秦王封中雲氣；然後鳴榔大河，抵淮泗、上八公山、問小山叢桂；過迷樓於廣陵、探唐昌觀瓊花，訪裴諶櫻桃園中；遂泛金焦，弔隋梁遺跡；轉入姑蘇，浮具區，陟虎丘眺王詢故宅，問要離、專諸俠烈事；下甬句江，閱兩高三竺，航明聖湖詢蘇端明、白香山逸事；夫然後泝江而上楚郢，和白雲之歌，登黃鶴之樓，探赤壁黃磯，禮太和元嶽。如是者十年所，而後還。此不亦嚴夫子所云，州有九，遊其八者乎？雖司馬氏之壯遊何足侈焉？考先生之卜居，既奄有少陵，跡先生之客寄，頗類涉供奉，然李也肆誕以嬰禍，杜也沉憂以自苦，而先生無之，其所得又孰多與？先生既遊踪遍天下，所至爲聲歌，原本性情，發揮道德，若天籟之自鳴，冲夷恬粹，穆如清風，寄興玄漠，悠然會心，皆以不用意得之，而其託致深遠矣。夫少陵供奉豈好爲是悲憤激壯，若有所迫之然乎？亦其遭罹不偶耳，故誦其詩者咸悲其意焉，衰世之風哀以思，治世之音衷以平，夫先生蓋能爲少陵供奉而有不用也，於此可以觀時焉。夫文人之後無幾有耀者也，眉山老泉獨與二子擅百代名，亦吾蜀人事乎？先生之業丕振於其孫奉常公，以經國之大業，傳不朽之盛事，三立合并，萃於一門，又何其盛歟！謂不佞之言爲阿吾蜀，則有先生之集在。通家鄉晚生胡繼升頓首拜撰。

明　馮　時　可　徐　定　庵　先　生　文　集　序

　　余生平足跡偏天下，惟未錯趾於蜀，故嘗飛心焉。往歲謁選人丐蜀，遊於主爵者，主爵者鄙，予不之丐，乃播諸黔，余心怏怏也。南歸在道，讀范成大吳舡錄，與陸務觀入蜀記，若身履其地，每夜夢中囈語無非蜀也。然蜀奇勝處無先閬，讀杜甫詩所謂閬州城南天下稀，則石黛碧玉間，爲我臥遊久矣。其他綠野平林，煙水清遠，江濤山瀑，捲雪轟雷，與夫佛燈聖火，奇雲異光，峯巒草木，皆鮮妍絢蒨，則非復人境矣。地之靈秀，鍾爲人傑，定庵先生寔生焉，其詩與文濯滋滌垢，而調致幽然，若零露之洗篁，若月寒之映水，若光風之洒天地，古風近體，大篇短章，無不合法，蓋能古而不知有今，又化古而不知有古，其郡人所謂美則愛、愛則傳，其然與？先生少因遘疾，問醫湖海，回之謁闕里、眺岱宗、裴

徊淮泗間，又汎震澤、登海門，望潮錢塘、旅食廣陵，日共老衲靜對，辟穀絕
慾，眞異人乎？蜀之爲蜀，固世載其英，若如蜀都賦所稱，君平、相如、王褒、
子雲，非不暐曄秀發，然皆昌於詞而未必有得於道。乃先生則本之以無欲，養之
以主靜，玄會神解，袪俗入聖，原本六徑，包羅三極，眞所謂應天帝之會昌，鍾
井星之光耀，振金薤八琅之絕嚮，數千百年而僅見，豈諸子所能及哉！談者惜其
不得以康濟其身者施諸功業，乃有孫雅池公昌而大之，以公之詩上奏清廟，而遠
播寰宇，且與朱絃玉磬並響，而與皇華四牡共流，夫豈不足於功業哉！敬因胡祖
臺之命，漫序其前，敢以點佛頭爲辭。萬曆戊午春二月，吳郡生生軒居士馮時可
撰。

明 陳 宗 虞 徐 定 庵 先 生 文 集 序

　　定菴先生負奇氣，瑰瑋絕人，眇年即動文名，屹稱作者，而淹博沉研，益資
醞藉。初以治舉子稍試其緒，即何可當者，謂條大對，領絲綸，崛起中書堂，不
足先生一唾手。無何，忽遘疾，療之家不差，則遍問醫湖海，因之謁闕里，眺岱
宗，徘徊淮泗間，又渡江以東，帆震澤，登海門，望錢塘潮，顧指溟渤，殆垂十
有五年。既已勿藥，而先生著作日富，日益以工，蓋得之東南藪澤、皋隰幽寄之
助，愈遠而愈宏也。今讀其集，哀玉夜光，金薤琳琅，靡所不有。夫文非一體，
能之者偏，即建安諸君子病之，先生言成一家，諸能備善，信通才哉！茲都匠之
鴻構，鉅儒之戀圖也已。陳子曰倚玉先生，被道源公嗣之愛，第不堪爲先生執
筆，則嘗嘆吾閩中山水，比蓬嶠、敵嵩華，苦不作文士，有所屬綴，流光簡翰，
每爲憾之。任文公治日者事，敢當智士，何自謾哉？文惠諸昆，聯翩甲第，至科
名震恭矣，終不免少文者，何論其他？數千百年，則僅見先生蠲然炳蔚耳。蓋先
生所得地靈最渥，而爲山川增重氣色，亦豈眇小哉！先是先生集一梓之門下，諸
生今續之，則大郡伯上虞潘使君暨別乘永寧桑君、盱江吳君、魯郡孟君捐俸命工
云。諸君一時肯折節好先生，俱甚篤，又何臭味之投也。萬曆七年仲春望日，六
亭山人陳宗虞于韶甫撰。

明 陳 宗 虞 花 朝 閣 樂 府 刻 序

　　夫今詞譜蓋詩餘之變乎？而旖旎流連，妖淫冶豔，實濫觴自元人。顧鄠杜新
都君子，並繹繹屬綴，爲之曾不厭，豈亦廢而權乎？抑何其靡也。頃六如社主人

稍按節成調如許，每客過花朝，輒命童歌以佐酌，渾雅質樸，颯颯乎琴瑟鐘鼓之
音，主人博洽長者，變而克正如此，庶幾見今之樂猶古也夫。其外弟美髯公爲之
引云。萬曆八年孟夏朔日，六亭陳宗虞撰。

明張光縉徐定庵先生文集敍

臧孫氏稱三不朽，至以言與功德並，惟其言載德與俱，而功足開來，故不朽
也。廼若前所著爲典則，後所倣爲儀型，如山出雲，需爲霖雨，潤國及民，斯孫
謨祖武兩綦重矣。閩中徐定菴先生少負異才，弱冠薦省試高等，聲藉海內，會奇
於遇，上春官不第也。數上春官竟不第，因遂別友都門，託諸醫以遊，遊跡所
至，幾半天下。珠霏吐屑，錦字裁霞，燦如也。歷十年所，廼治歸，歸又著述，
歷數十年所，後先詩若文計數十卷。先生之文孫太常雅池公文章事業，標表於
時，克展先生未展之緒，欲裒其集行于世。離臺胡公按部雲間，校付梨棗，屬不
佞縉言諸末簡，得受而卒業焉，如入武庫，如躡群玉之巔，如操撾漁陽，淵淵金
石，知先生取材廣、命意宏，而遺澤更遠也。涵芬醞采，其文渾樸，廼以毓國
華；忼慨突兀，其文振厲，廼以開譾亮；沉心邃詣，其文博大，廼以啟訏碩之
謨、鴻鉅之烈。是先生載德爲言，而功且不朽，太常公之功與洊陟彌隆，而先生
之言愈益不朽。有衍維川，有濬維源，亶其然哉！遷知先生之遊，寄也，其託於
醫，亦寄也，今古具在一腔，河岳供其籠罩，先生之遊以文重，詎其文以遊重
也？矧黃岐之業壽身壽家，太常公藉以醫國，懸之肘矣，寧結氂蠟屐爲適焉已
乎？舍有用於不用，留可用以俟後之大用，先生之謂矣。身爲國棟，紹明家學而
光大之，太常公之謂也。闡繹人文，昭宣令緒，名山之藏，布之通都大邑，則胡
公之謂乎？不佞縉漫以蕪語續貂，幸竊附於不朽之言，則願爲執鞭云爾。直隸松
江府知府，高都張光縉頓首謹跋。

明章允儒徐定庵先生文集跋

自古山川清淑之氣必發之人文，以彪炳宇宙，故詞賦莫盛于淵雲、長卿，詩
莫盛於青蓮、伯玉，文章莫盛於蘇公父子，此皆蜀產，皆鍾之地靈者有自也。況
閩內疊障層江，奇秀甲益部，而又當昭代右文之朝，豈無瑰瑋傑才出而步武先哲
者乎？儒竊祿華亭，廁離使君胡公屬吏，一日以徐定庵先生集見示，令壽梓以
傳，儒得受而卒業，颯颯乎眾體畢具，步諸先哲而兼長，巋然一代作者，不足爲

龍山劍閣嘉陵增氣色也耶？張侍御諸公既已摽幟簡端矣，儒么麼俗吏，安敢復贊一詞，第胡公方行部旁午，究心風雅之道，與起末學，而儒借緣殺青，以私淑先生餘潤，則大幸爾。華亭縣知縣，章允儒頓首謹跋。

（張永儔審查　　郭啟傳標點）

兩粵游草一卷二冊　明陳第撰　明萬曆辛丑（二十九年）宛陵沈有容合刊塞曲粵草本　12545

明 沈 有 容 合 刻 塞 曲 粵 草 序

　　往戊戌春，季立先生過余海壇，以薊門塞曲示余，錄藏之。今辛丑春，先生自粵歸，復過余嘉禾，檢其篋中，得兩粵遊草，余又手錄，將合而梓之，先生固遜，謂塞曲多得自馬上，粵草多得自舟中，音節弗類，宋人燕石也，安用市張以取笑大方。余曰，不然。夫詩猶畫也，山川之形勢存焉，余嘗至薊，未嘗至粵，今讀塞曲，戚戚然若陟降於灤河孤竹之墟，讀粵草，栩栩然若神遊于五羊八桂之境也。且南遠莫粵若，北遠莫薊若，天下限於馬跡車轍，而意在上下四方者豈少也哉？余將推與臥遊者共，奚不可乎？先生著述頗富，其道真在謬言意言，其緒餘在書札與松軒講義，其土苴在薊門兵事及茲二編。雖然，道器匪離。有味哉，莊子履豨之說也！孰謂觀二編者不足以見先生。萬曆辛丑十月望日，宛陵沈有容譔。

（張永儔審查　　郭啟傳標點）

太室山人集十六卷附錄一卷八冊　明韓應嵩撰　明萬曆甲辰（三十二年）韓光祜晉陵刊本　12546

明 鄒 迪 光 序

　　襄陽號名壤，隆中、鹿門、檀溪、滄浪紛綸房盎，洩爲人文，若王文考、龐德公、士元、彥威、必簡、少陵、浩然之屬，熠燿簡牒，抑何燀爍？至于今而不一二見，豈山川扶輿之氣，貴於始不貴於今耶？何屢屢也。尋余挾三寸管，評騭楚士，例得搜羅側陋，檄下，有以太室先生告者，謂其人怡愉貞靜，士類之選。
幾欲側席以待，亡何，而讀其詩，與人似，亡何，而讀其文，又與人似，奈何當
吾世而失之，徒以被讒解組，跟蹌就道，蒲車束帛，有志未皇，下士之謂何？亡
何，而先生之子使君司理吾郡，三年課奏治平第一，政事之暇，菁華藻思，霞蒸
雲爛，間爲詩歌，膾炙人口，乃知必簡、少陵後先繼美，昔杜今韓，何謂山川之
秀不在今日也！亡何，而使君取先生所爲詩若文，盡付厥氏，而問序於余。曰，
吾先人齠齔受書，輒有志摹古，非古文詞詩歌弗好，已稍精之；而詩非漢魏六朝
三唐，文非先秦兩漢與汲冢覆釜之遺弗好，已又精之；而詩與文非古之法而心之
師者亦弗好，故吾先人之詩文非求之今而求之古者也，非以古爲古而以我爲古者
也。大都吾先人所屬意注念者，不在一世之知，而在後世之知，不在後世之通
知，而在千百葉以後所爲操月旦而盟藝苑者之獨知，有一鍾期，死且無憾，今既
已辱知於子矣，敢卒以不朽累子。夫詩以言志，文貴辭達，飾志夸辭，實於何
有？大塊噫氣，萬籟自鳴，叫者、譹者、宎者，咬者、調者、刁者，夫非天竅，
怒者其誰耶？然而有疾、有舒、有抑、有揚、有輕、有重，倫節寓焉。夫倫節古
也，而自然者我也，以我運古，其誰廢之？遺我則強涕無從，巧笑不懽；泥古則
優孟學敖，壽陵習步，二者詩文道喪矣。今先生集具在，諸韻而詩，不韻而文，
率叩之鏗然，玩之悠然，而探之淵然，衡發而不潰濫，簡練而不摯斂，坦陀而不
綿薄，組織而不餖飣，疏越而不煇緩，杳渺而不刻深；詩不爲漢魏六朝而漢魏六
朝，不李而李，不杜而杜，不錢劉而錢劉；文不爲先秦而秦，不兩漢而漢，不昌
黎六一而昌黎六一氏。眞不以古爲古而以我爲古者，欲以一家名先生，不可得
也。吾聞襄陽俗故紛靡，而鄾尤一陸□〔？〕，其人無不擊劍走馬，鳴琴跕屣，
厭肥膏、被綺縠，羅列姬姜，飾陂池臺榭以爲樂，又多治產積居，逐末富、用什
一、起素封，揮金居間，而先生獨環堵蕭然，絕龍陽、捐娥眑、遠麴生，不問阿
堵，不逐貴游交，日惟葆精嗇氣，攤書捬管，闖理窟而汎學海之爲孜孜，故能出
機入機，藝矩司契，不即不離，能淺能深，而自成其爲古若此。此集出而千百年
後，誰不爲先生之鍾期者？寧獨予哉！寧獨予哉！使君又復爲予言，吾先人具有
至行，雞骨居喪，衝冠赴義，敝裘不浣解衣人，脫粟爲飯，梁肉逮下，腐鼠榮
名，嚼蠟世味，山涯水隩，放情寄敖，審商又文考、德公、士元、彥威、浩然之
流也，何論必簡？夫汝鄾非蕭相國所分茅地乎？以彼勳名天壤，河山帶礪，而徒
以文采未著，至于今無有頌說之者，曾如先生文心質行，合而一身，青緗素業，

父子暎發之爲盛乎？將隆中鹿門藉而高，檀溪滄浪憑而深也者，何謂其不賈耶？予非玄晏，謬序三都以附於不朽，幸甚。惟是折簡授餐，欵廬造膝，先生所不得於余者，而余得之使君，則予汙汙淫滿大宅矣。梁谿鄒迪光譔并書。

明 吳 亮 序

　　夫楚控南紀、當離明，材所從來矣。前二千年有屈左徒、宋大夫者，決策辭命妙天下，然多佚弗載，所載獨騷賦，名輩鄢郢間，想其時樸未盡雕，變未悉備，不獲見于詩歌紀傳序志之屬。秦漢而下，楚之材珠燦玉立，捒藻摘英于廟廊巖谷者，惟襄陽最著，則有若杜少陵、孟浩然之詩歌，米南宮之書若畫，皆足以鳴當代而映後世，稱之者亦必曰某襄陽某襄陽云。蓋峴山漢水之勝足蔽全楚，生材實繁，而于今則太室先生又最著。先生韓姓，昌黎氏之後也，代有聞人，先生尤慕古好讀書，尙精致志，譸浪不入耳，至呼之不應，興到輒爲詩，居恒扃一室，或自問自答，自歌自笑；又善書，書法遒緊，自比公孫舞劍；間作繪事，尺幅寸縑，有江天雲樹、一望千里之勢。繇斯以觀，則先生之品可概，寧詎以材張楚已也？夫唐以詩取士，杜與孟不與科目，米亦以推恩顯，則才而不能爲時，先生以貢起家，時與三子同，而才則勝之矣。且詩與文比、與政通，杜孟詩豪，文筆未振，米亦有文，而終不能與蘇黃埒。先生之文雲蒸霞起，江漢間至今誦之。孟不庸于時，杜曾作椽三輔，束帶欲狂，徒抱稷契之志；米無政事，僅取潤文學已耳。先生丞寧都，政比漢循，而安邊之疏、折兒之議，纚纚出治安上，使得政豈徒惠此牛刀耶？余不佞竊論先生之詩文若書畫，有杜之古而無其愁，有孟之逸而無其放，有米之致而無其顚。蓋少陵丁漁陽之亂，寄食浣花，而先生際昌明以歌擊壤，適也；浩然誦詩帝前，以明主棄才見放，而先生祿食弦歌，遇也；南宮縱曠奇僻，以好石蒙嗤，而先生儒行皛皛，內修外蔚，道也。夫合三子爲一楚材，而以一楚材蔽全楚士，流峙之儲，光采盡發，襄陽云乎哉！襄陽云乎哉！先生之哲嗣葠嶺公司理吾郡，梓行先生集，謂余不佞序之。余謂杜咏驥子善讀老夫詩，若爲可繼，而宗文、宗武竟弗克纘武庫之業；孟不聞其子；米有子友仁，然其能亦不過筆札間，鑒定法書彜鼎而已。葠嶺公成名進士，爲詩文宗工，司理明允，有甘棠之澤，先生經世之志小試而未大行者，行之在式穀矣，其視三子又不逕庭哉？抑聞先生之穆考登封公，禱于中岳，而生先生，厥祥瀋發，詎云楚材？蓋申甫之匹也。故先生自命曰太室山人，余亦遂稱太室山人集而爲之序。晉陵年家子吳亮撰并書。

明 王 穉 登 序

　　襄鄧故饒魁壘奇士，又多儒林有道隱君子之流，若襄陽耆舊傳所紀者，至今不可更僕數也。近讀太室山人集，益歎楚材如鄧林矣。太室山人者爲韓中父先生別號，先生早慧，穎敏絶人，年十三補博士弟子，其爲博士家言，淹通該洽，羅二酉宛委於胸次，而措之筆端，非尋常經生比。竭力事其翁盩厔公，而友愛諸弟，盩厔公督過長子，先生承顏順志，無忤色，久乃嘖嘖稱孝矣。韓氏雖簪裾冠族，而風雅著述自先生始盛，撰作詩文，沈雄典雅，尚氣格而薄摛辭，先風神而後蹊徑，一切務爲性靈情致之語，不屑意雕鏤繡繢。詩自建安、黃初、開元、大曆，文自漢東西京而下，非其所嚮也。詩取格杜拾遺、高常侍；文取格班揚劉賈者半，半則鵠昌黎氏。蓋其家學淵源，體裁無論，近世穿窬歷下，肱篋瑯瑯，猶質五殺而蒙於菟之皮，不供先生噴飯耳，如先生之集所謂，瑟彼玉瓚，黃流在中者耶？然先生不以此博名高，茂陵遺草，無意所忠之求，散逸十五季，嗣司理公蒐羅捃拾，不勝苦心，而後授之梨人，凡十六卷，流布藝林，人人爭欲秘之帳中矣。嗚呼！使先生而在，豈不狎主齊盟，海內雕龍之彥，相與槃水捧劍，望鄧邑而趨乎？先是盩厔公明經不儺，由歲薦起家爲丞，先生亦不儺爲丞。昌黎氏云，丞負君，君不負丞。其先生之謂與？夫園令、記室、參軍、縣尉皆一命卑官耳，自馬卿、左思、明遠、常建爲之，此官遂足千古。執圭儋爵，參軒珮玉者，貴甚少雙矣，身没未幾，無可稱述，安得如先生之集，名與天壤俱敝哉？太史公慕晏平仲，願爲執鞭而不可得，漢武帝讀子虛賦，則慨然歎曰，朕安得與此人同時。尚友古人，景行先哲，匪獨章逢縉紳爲然，黃屋萬乘之君猶掩卷咨嗟不能已已，美而愛，愛而傳，詎不信夫！不肖生稍後，猶及先生同時，不幸不獲相周旋，幸以毘陵桑梓，得爲司理公部民，二子無田、無留，一孫纂並爲門下所取士。司理公治毘陵，政若神明，不爲淵魚之察，而夏鼎在列，神奸妖魅，舉莫遁形；爰書之暇，推轂文儒，揚搉經史，妄庸如不肖亦待以三老五更之禮，俾悉轥綫執前茅之役；自顧言如删綵，何足裝千金寶鍔，及讀先生志銘，爲林文恪公國士。不肖往直史館，亦受知林公，是先生與不肖即未及周旋，竊有同門之誼矣。故於司理公命，不敢謝不敏。太原王穉登謹撰并書。

明 馮時可 序

　　池漢而彊爲襄州，其水自嶓冢數千里來，若奔龍連山，躡之至于三峴，誅劦合沓，爭以蹄股，遏其奔噭，互相撐齧，故襄州之勝足蔽全楚。其西爲均，均之山嶐然七十二，而天柱直冠五岳，爲宇內雄界。于均襄間者，邑爲鄖，余往宦鄖襄三歲，自鄖趨襄必道鄖，嘗登平乘以望，馬窟牛頭間，連峯縱橫，如疊浪堆霞，意其間必有隱君子，可聞而不可見也，爲徘徊久之。既離襄七稔，晉陵司理韓公叅嶺以使事來吳，出其翁太室集俾余序，余讀而歎曰，是眞所爲隱君子也！何向者失于耳剽，子子干旄不一及乎？頗爲懊恨，乃次其事序之。先生名嵩，乃祖登封公祭中岳而生，因以名焉。長字中父，舞象時麗名于校，文譽藹鬱。居一室，書纍纍充棟，出則充載，衆中緘口若不能語，即呼之若勿聞也。當其扃戶據几，或自歌自笑，自相問答，好古人詩歌，不隨人口吻，興到輒自爲詩，篇成吟咏數過，傲然若無如者。貢入成均，銓次授寧都丞，以文賈忌，去其官不爲悔，布衣蔬食，絕跡公廷，獨與李子田太史、襲美比部即龍巢山社焉。娥眜麯生一切衆嗜悉屏去，人譏其太苦，公曰，魚潛爲樂，龍蟄爲安，我亦自甘我寂耳。大都公遊于世與遊于藝等致，不逐時而逐古，故吐發無俗韻，不信人而信心，故出入皆天機。其爲古詩奇峭，律詩蒼鍊，序記典實，投節赴響，志意較然，始讀之新異醒人，若以爲今也，再讀之矩律合度，必以爲古也。噫嘻！太室吾無間然矣。言出于聲，聲本於氣，龍虎吟嘯，鸞鳳和鳴，九天九野，寥廓自韻，孰與夫啾唧榆枋、呦嘆階序之聲倫乎？今天下文最盛而最衰者，縉紳奔當塗，布衣奔縉紳，啜汁拾殘，瑣尾無當。以塵人也而塵語，榆枋階序之刺刺，奚怪哉？先生落落風標，矯矯氣骨，直有豎立三界，縱橫千古之意，故其爲作，傑然霄冲，泊然淵止，垢氛巧利不斥自除，即跧伏蓽門，崎嶇鳥道，而綺繡雲霞，絲竹泉澗，以蕭然塵壒之外爲適，惡有淒風靡雨之怨思、山鬼蛇神之怪調哉？余故曰，均襄之間必有隱君子。而向者鹵莽于搜剔，可恨也，特因叅嶺公之托序之，以志我過。叅嶺公神明之譽溢于四郡，詩文亦遒拔日上，襄中山川秀發之氣，果無盡耶？吳郡馮時可撰并書。

明 李 蔭 序

　　吾友韓中甫先生，自戊戌夏捐賓客長臥於仙馬鄉者，已六年所矣。癸卯秋，晉陵司李韓德澂以中甫之詩文如干首，走使函幣干余序之，且曰，知先子者莫先生若也。余憶昔年與中甫締漢東之盟，結龍巢之社，以煙緞爲近隣，以詩酒爲長技，雖竹溪之遊衍，松陵之唱和，不足爲比。乃今芝蘭之臭不聞，桑榆之景漸迫，言念舊歡，有如鬲世，點檢篇什，頓增存亡之感矣。先生文多於詩，文則步驟韓昌黎、蘇文忠，居□〔常？〕愉快，自謂得其神髓，而詩則但取應酬而已，不暇求工也。自余兄弟納識於先生，時復有所陳說，先生始刻意爲詩，而其詩輒有通古之調，如龍巢山贈二李長歌并送李山人之蔘、上九日寄蘇憲使沔陽諸作，方軌杜陵，難爲軒輊。而文則又進而介在秦漢之間，如上汪司馬一書，裴中丞定郿一頌，并自撰漢東老人一傳，殆希踪司馬子長哉？昔人謂子美詩高千古，而無韵者殊不可讀；曾子固文鳴一代，而有韵者輒不工，言詩文之難兩全也。先生早以一長自擅，晚則雙美並稱，殊鍾異氣，□〔？〕之淺衷弱植者可彷彿其萬一耶？先生平日閉關下帷，不識當世，掃除一室，若將終身焉者，自識二李生始有翩翩之致，郿襄汝穎之間始聞先生之名，而溘焉先朝露矣。今德澂梓先生之詩文以傳，璣章赤牘，沾被獨多，則二李生者殆附先生之集以不朽矣，蓋識相重哉！序云中甫者先生字，諱應嵩，號太室；德澂者司李字，諱光祚，號嶜嶺，先生季子也。萬曆甲辰端月十日，承德郎、刑部廣東清吏司主事，内郷李蔭襲美甫拜撰。

明惲應翼題後

文不在兹乎？大家稱四子，而嗣之者三，柳之文嗣于貫、歐陽之文嗣于玄、蘇之文嗣于伯衡、伯衡與宋學士濂以文翼運，而玄則濂之先輩，貫則濂之師也。嘗恨韓之文孰嗣之，今有太室山人矣。然三君子未必皆雲仍，而山人眞鄧州系也。三君子之文惟伯衡得子瞻體，而玄與貫其體不皆河東六一矣。山人眞韓子雲孫，而文復昌黎之具體，不亦奇甚也哉！昔人謂韓子文藪而詩道未光，山人顧能詩，阿買不識字，而山人有司理公爲之子，則韓子佐唐之業，山人其燕翼以寄之哉？矧又有其文也。太室、嶜嶺，其與泰山北斗比隆歟？參校畢，敬爲題其後。武進後學惲應翼拜書。

明韓光祚跋

我先君生平無他嗜好，獨好詩文書畫，每作有會心處，與世俗交落落難合，至以文字往來，輒訢然忘倦。詩自六十以前，稿存十之一二，文則自壯年至白首，未嘗一日輟筆研，然苦無代書者，藥成旋被人持去，其存篋笥中者十不能五六耳。不肖戊戌博一第，即請告歸省，先君竟先期遘疾不起，擗踴之餘，幾不自存。已而柴毀倚廬，多方搜先君遺稿，抄錄成帙，每讀一詩一文，輒哽咽不能句，及抆淚拊卷，如見先君也。又六年不肖理毘陵，簿書之暇，謀付剞劂，請敘於李比部先生。先生交先君誼至厚，知先君者無如先生，不越月手校彙分，遂爲之敘，敘皆實錄，非溢美也。先君生，曾大父登封令官舍禱於中嶽，有綠衣見夢之祥，故名與字皆取義於嶽，別號太室山人，因以之命集云。詩文共十七卷，壽之梓以志永慕，且以問海內之爲先君子期者。若先君生平逸致，讀其集可得其梗概，不肖又敢爲譽言以獲戾於先君闇然之意？萬曆甲辰夏日，不肖孤光祜謹跋。

（張永儔審查　　郭啟傳標點）

────────────

天隱子遺稿十七卷十二冊　　明嚴果撰　　明啟禎間震澤嚴氏悟澹齋刊本　　12548

明　王　思　任　序

　　自弇州挾歷下鞭馭，盱衡海內，後先才子俱上贄貢，而所不能致者，會稽徐文長、臨川湯若士，其鄉則嚴毅之先生云。然弇州心儀先生不過望有素封，某子尹函盛幣乞弇州碑不可得，得先生狀乃躍然許之，以此知其不過望而心儀甚也。先生家洞庭之滸，不知城闕題何字，自署天隱子，言其隱以天也。既席祖遺，不問家人產，兀坐一室，矢作蠹魚，走古書竹素間，自蒼頡所孕生之字，無不譬也，無不狎也，以故胸藏萬卷，落筆雨風飛行，玄貫不可測禦。賦壓三都，詩高大曆，有所觸吟，皆得其情境而止，即其贈述生死之文，甘言不溢一字，眞所稱布帛粱肉，豐玉饑穀，非近日剽飾之儒所可望萬一也。而吾竊欲儀圖先生慧心藻筆，似得湖山之助居多，觀其邃窈幽沉，無景可迹，是靈威丈人所探林屋狹坼之天也；而其斗壁之勢，鉤戰鼓臣，是石公踞齒與崩浪相呼擊也，鐵筆插空，俯凌突絕，是縹緲之巔，莫鰲諸峯也；魄張氣浩，萬頃渾茫，是具區之霽秋一碧也；至其煌英輝麗，繡簇錦生，則火齊丹珠，綠苞翠羽，映蔽花山綺里之地也。大都天授清通，書緣濃結，既無蠅頭蝸角之分，又無塵襪諍囂之溷，是以思路雲翔，墨池秀遠，得遂其千秋自命，造物私之，獨隱乎哉！天既隱先生，先生亦欲自隱，凡有著作，即語名山，至先生子仲仁，稍稍出枕中之寶，爲之編次較整，而厥孫汝泰、汝茂，乃授之彫，幾以公海宇，而先生之全豹乃出。若使神宗時蚤見此書，弇州之駕豈能先毅之而驅哉？是可以序先生矣。山陰王思任撰併書。

（張永儔審查　　郭啟傳標點）

噦覺草前集十二卷後集十三卷四冊　　明黃祖儒撰　　明萬曆間刊本　　12550

明 丘 擬 敘

　　黃叔初氏者，余之年家子。往余來南奉常，生日以程課質余，稱門下生。自余在告還里廬，遇大比，輒以高第望生，每不可得；今秋復南來，謂生之一第必且躬逢矣，亦復不可得，余為之扼腕焉。無幾何，生持風樹亭集請敘於余，余披之，則才情度越流輩，豈止倍蓰乎？第生青衿也，不趨時而嗜古，余曩固謂其舉子業類大市鸎乎天冠，乃今果然。昔杜子美懷李太白有云，千秋萬歲名，寂寞身後事。夫以青衿弗思用世，而專意身後之名，此豈吾蟄南兄之情哉？亦甚非生之顯親當世者矣。余方臂痛，生日來問疾，姑此一語命之首簡。詩云，民之靡盈，誰蚤知而莫成。叔初曷且藏之，他日事業有成，舉此集并吾言而出未晚。大都集之有敘，藉知己之揚以廣海內之知云耳。今余辱在父執，余之言未能揚之而似抑之，抑之揚之均知己也。勉旃！勉旃！叔初幸毋以吾言為戾己哉！萬曆乙酉冬仲既望，東武友人月林丘擬拜題。

明 黃 祖 儒 自 敘

　　千劫一夢境也，萬喙一噦境也。昨匪覺今，則今宜覺後，後之覺今，即今之覺昨爾也。審此則噦可空，噦可空則噦不噦，果且為有噦乎哉？果且為無噦乎哉？噦可空則夢可空，夢可空則夢不夢，果且為有夢乎哉？果且為無夢乎哉？病病山人生從佔俾，鑿我渾沌，習浮咳唾，耗我純樸，長罹瀐落，詘我經濟，晚窺天鸎，轉我攫寧，今名其集，不言集而言噦，乃至情隨事往，感逐境銷，不言噦而言覺；不言噦而言覺，不圖噦而圖覺也。噦可為也，覺不可為也，覺不可為而可知，吾又安知今之知吾覺，果為知其覺焉否也？誠知其覺，覺之又覺，以至於無覺，無乎噦，無乎不噦，寔今者吾意也。或曰，信如子之說，將古昔之名家盡舉而屬之噦焉已乎？予曰，名家安在？匪夢而何？不謂之噦不可，詎寧惟是，詎寧惟是！即百家所以標指，雖小大有倫，清濁有分，等之此夢此囈焉耳。噫！予囈已，予囈已，予不以此之日覺而顧俟何之日覺之耶？或曰，子概以言爲囈，今世之士必韜其言不出爲覺乎？若然，則三辰奚以昭？萬品奚以敘？性情奚以宣？宇宙奚以立？甚矣，子謬矣！甚之甚矣！予曰，不然。囈在覺外，覺亦在囈外，覺可以爲囈，囈不可以爲覺。故有囈者，有囈而不囈者，有覺且復囈者，不囈且囈乃囈不囈乎？有隨囈隨覺者，有囈之窮斯覺者，有此囈彼囈，囈之中又有囈，復囈囈中之囈而罔覺者，覺且無覺，無覺乃覺乎？今種種紛紛，具在夢境，安能究詰之哉？嘗試言之，身與世同夢，心與身同夢，心與身不同夢者幾何？心與身不同夢，則覺爲適，囈爲煩，覺爲盛，囈爲衰，覺者什九，囈者什一，故至人無夢，愚人亦無夢。至人者即夢即不夢，故至人則無囈矣，無不覺矣；愚人者即不夢即夢，故愚人則無不囈矣，無覺矣。予上之不敢望至人，而下之不敢墮於愚人，故于其間得囈覺云。噫！向使吾不有吾夢，孰爲吾囈？不有吾覺，孰囈吾囈哉？莊叟往矣，予之言有當，旦暮之遇，曾是謂弔詭云。始以命吾集，省吾覺，而亦復重予之囈，噫！予且知予之囈無害予之覺，而予之覺深以悲予之囈也已。萬曆丙申秋日，秣陵黃伯子祖儒叔初謹識。

（張永儁審查　　郭啟傳標點）

田亭草二十卷二十冊　明黃鳳翔撰　明萬曆壬子（四十年）刊本　12555

明鄒元標序

　　予友子開憲八閩也，不佞祖于江干，祝曰，君行乎溫陵，謁黃先生，幸甚！顧不佞別先生廿年，俱冉冉老矣，先生神情內斂，苞蓄必富，君幸以惠我如侍先生謦欬焉。亡何，子開寄所梓先生田亭集貺予，且欲予序，予拜而卒業者連句，知先生之文如先生人，絕不一襲世徑，可師也。世徑高者，凌虛躡空，探之無倪，先生言言必本紫陽，拒諸高論，若禦暴客。孝廟朝李何起後，七子奉爲壇坫，非是族者必黜，先生沉浸列史，不拘拘摹擬，而雄深典要，詩峭刻清麗，洵可傳也。說者謂，溫陵人才輩出，臚傳自先生起，于今爲烈。予竊謂臚傳如先生神情向衷，名實相須，乃足尚也。又有謂先生當戊辰諸同事遞相貴時，倘稍俛仰，衣鉢可續，乃以老宗伯，白首衡門，不無過泥。不知鼎道有二，玉鉉固鼎，有實而慎所之，鼎亦自在。先生官少宗伯時，如疏翼皇儲、譚邊事、右言臣，業與時枘鑿，倘不慎所之，寧先生得志日乎？先生自愛其鼎者有以也。蕭皇朝海宇望以爲相者歐陽西昌，次吳高安兩宗伯，竟未就而去，今以二公與當時得意者衡論，必不以彼易此。然西昌自少摳趨新建，學有源委，高安篤信淳龐，以故處末流而能不波。先生服膺蔡文莊學，尺寸不渝，以故立朝穆穆落落，諸戊辰所稱諸得意者，先生無一焉。廿年餘始典辟雍，晉少宗伯即歸，歸而起先生爲政，屢起屢辭，數十年出處之正，不淄不磷，先生其人矣。溫陵雖稱才藪，愚敢謂先生繼陳紫峯，遡文莊，可稱鼎足。讀先生集者，貴識其大，無以茲集盡先生。萬曆壬子孟夏月，通家晚侍教生吉水鄒元標爾瞻父頓首拜撰。

明 李 光 縉 敘

　　國家詞垣之臣，以文章爲職業，當其史局編摩，鑾坡視草之時，濡毫染翰，爲文而已。一旦而履端揆，參密勿，則鄉之給筆札，上前咨討典章，證曩今故者，政啟沃主心，潤飾皇猷之所從出，勳業爛然，以爲天下文章莫大乎是。廼其所爲文不峀峀摹古，太半祖宋人之遺，期於明易，爾雅藻潤，雍容相傳，爲館閣體。頃歲持論者，欲別操其柄以奪之而駕其上，顧竟無以奪也。吾邑自遵巖王先生以文名馳海內，與毘陵唐太史齊稱，猶以不獲官詞垣爲憾，逮于今而黃宗伯先生始由茲途奮云。先生官史官，遷坊局，領南北雍，貳春省，以至起大宗伯，位不爲不尊，揚歷不爲不久。廼先生居官在事僅十三年，它非其請給里居之暇，則其辭辟不赴，巖居川觀之日，故先生之勳業不可概見。而時時見之於文章，其大者如請建元良、論時政、乞休辭用諸疏，體國識時之眞衷，與夫出處進退之大義，炳炳朗朗，揭如日月；而其次者，以暇日餘晷旁及于經史之折衷，道德之渺論，鑿鑿乎皆不刊之見，有用之言也。蓋先生自繫籍後，毅然以天下士自任，而盱衡當世之士，無如金馬玉堂之上，曾希有逐席者，而尤不屑爲雕蟲繡帨之文，故博而求之載籍浩瀚之間，以尚友乎千古，抽金匱石室之藏，窮二酉五車之蘊，博聞強識，繙閱不休。逮及里居，謝絕世好，門可張羅，或匡坐一室，或湛思竟日，造詣益深，採摭日富；心所謂是，雖前人已駁之論，力主之而不以爲偏；心所謂非，雖古人相沿之書，力排之而不以爲擅。其於歷代信史，字標而事核之，是非進退，不謬聖人，間勒爲成言，以俟知者，其窮砣之勞，有經生所不能堪，而其總攬之富，廼宿儒所不能殫，故發之於文章，渾厚博大，亦窮工極變，模物肖形，揮洒縱橫，盡若是。此先生垂世大業，於經世之勳名又奚羨也？大氐先生之居官如其爲文，而其爲文也亦如其居官。先生居官直行己道，進無炙轂，退無終南，相自徐文貞公而下，秉權當軸寧無知先生者？而先生循資望自如，未嘗一凌躐而借寵於冰山之門也。故先生爲文亦直攄己志，古無勾棘，今無卑趣，書自鄒魯六籍而外，諸子百氏寧無當先生專嗜者？而先生建旗鼓自如，未嘗一餒飣而乞靈於捧心之里也。夫文章家之相齲齕也，如敵國然，禰漢則祧宋，禰宋則逐漢，匪但格有所偏，抑亦材有所限，先生苞而孕之，具體而化之，按法則靡有不合，欲揭而名之，不可得矣。故先生之文何嘗無館閣體？亦何嘗專儗宋人？出入歐蘇，而拔歐蘇之幟，步咸陽西京間，則無意求合而若逼眞肖之也。先生嘗自言，尚友千古則有餘，以友天下士則不足。光緒小子淺鮮，誠不知先生於古人書所知世而論者，當醉心於何代何氏，而竊覘其意，若不欲於今人中求之也。光緒亦何敢以今人求先生，要知先生文其不爲遷固者，迺其爲遷固者乎？矧先生有名山之藏，嘉靖大政編在，載明聖盛德，述功臣賢大夫業，不廢不滅，功莫偉焉，參是可不朽矣。讀先生書者，其亦可以觀先生陶古鑄今之學，而無失述往思來之意哉！萬曆辛亥季夏，儒林間人晚學李光縉頓首拜譔。

明 黃 鳳 翔 自 敘

　　郡城東郭外有田亭山，即余所營塚地也。山之陽構斗室焉，每風日清和，庭除暇豫，輒約親朋，命巾車以往，客去則瀟然塊處，案頭置南華經一部而已。今茲拙集非山中所著也，眞謂生平耳目心思于茲焉寄，當與鼠肝蟲臂並藏，不令旁觀謑笑者指爲覆瓿之資，故目之曰田亭草云。憶曩少年盛氣時，竊不自揆量，謬意用世，願釋褐得宰邑佐郡，或備員部署，庶幾効鉛刀一割，駑馬十駕之力，以圖報稱於聖明。不自意叨官詞垣，職典司筆札，非其任且非其好也。是歲屬有吉士之選，議者謂上第三詞臣，當令偕同年諸士肄業于瀛洲館中，俾磨礱淬勵，用課厥成，而華亭徐相公以非近例已之。余朝罷退食，第楗戶讀書已耳，自惟孤陋寡聞，乏師資之益，然從容涵泳，不束課程，於依仁游藝之旨頗覺會心。未幾而憂病相仍，先後跧伏田間者凡六七載，問醫襄事之暇，時而閉目匡坐，時而繙閱載籍，以尚友古人則有餘，以友天下士則不足。又性素樸吶，即進而抽金匱石室之藏，執編摩校讐之役，日與英賢共事，曾不能欵布腹心，仰干提誨，以故其孤陋彌甚，逮乎領□〔辟〕雍、佐春省、退棲岩壑，或嬰心職守，或結侶登臨，駒隙馳而崦嵫逼，古人以暮年好學譬諸燭火之光，而矧余之不能好也。夫不溉其根而俟其實，不濬其源而決其流，難以冀矣；顧又不自揆量，間有所著述論纂，謬欲以網羅今昔，抒一得之愚，而膚見管窺，且用貽嘲賢哲；即贈送酬應諸作，又靡能振拔時格，力漓繁詞，愚心誠厭鄙之。乃役余言者不勝葑菲管削之私，業已登諸卷軸，勒諸貞砥，余不得自匿其醜，而篋中殘草，亦寖寖屬饜於蠹魚。今犬馬齒逾耄而上矣，吉州甘義麓使君入溫陵，左顧衡門，請爲梓拙集，申相知夙念。余再三遜謝不獲，因手自刪竄，命兒曹校錄之，以備剞劂，每觸目未嘗不汗顏也。蓋昔蘇子瞻氏雄文冠代，所覃思滿志者，獨易傳九卷、論語說五卷，念欲留播人間，託名公以傳，而恨裝寫之無力。顧二書竟不甚重於世，今所傳誦，惟制策、論議諸篇耳，立言之難於不朽也如是。余何人斯，乃獲借菑木以代裝寫而就正有道，即評駁之後，無遑更定，猶斤斤望焉，而豈妄以是爲可傳也！田亭山靈，且掃窟穴待之，聊書此以志余愧。萬曆庚戌臘月望日，田亭山人黃鳳翔書。

（張永儁審查　　郭啟傳標點）

王文端公詩集二卷奏疏四卷尺牘八卷八冊　明王家屏撰　明萬曆壬子（四十年）至丁巳（四十五年）山陰王氏家刊本　12557

明盛以弘詩集序

曩先宗伯公在詞苑，于先進亟推山陰王先生，小子弘蓋自未束髮時已知景慕先生云。迨先生登宰府，閎模端軌，亮節遠猷，海內士無不巖石瞻之者，以力請建儲、申救言官、封還詔書忤旨，竟辭位去。先生既去，海內雖婦人孺子亦皆延頸望復召王相君，乃卒未賜環而薨，天下士知與不知皆咨嗟悲悼，以未究先生之用爲憾。窀穸既畢，令子苟龍昆弟哀遺集，漸次付梓。詩稿始殺青，弘以通家子授讀，回環諷繹而嘆曰，此風雅正音，久絕響于天下，乃今復于文端先生而見之。蓋言爲心聲，詩者有韻之言，往往肖其人以出，故諸媚之夫好喔咿囁嚅，柔其聲于脣喉間以取妍于世；而忿目褊吻，多飛沙走石之猛迅。夫人眞態不能掩于操觚染翰間，類態先生襟宇巍峨，故其韻之閎遠亦如黃鐘大呂，而無淫蛙之響；趣操堅凝，故其格之莊重亦如商彝周鼎，儼然爲三代法物；詣德純粹，故其度之雍雅如冠冕士，鏗然鳴玉于廊廟之上。弘雖未睹先生型範，乃以夙所聞及海內所

仰望稱述先生者，合之于詩，竊以爲即肖其生平焉。夫詩以道性情，然必己之性
情調適于道，而後能詔嫩繩逸，感發乎人。近世摽竊習勝，無山哦山，非水咏
水，離境而狀物象，違情而寫欣戚，讀之茫不知其意興何寄，亦渾不辨其人之形
貌何似，則以其拾塗，無關于己之才姿也。而輕淺者又以猥陋鄙褻之胸次妄發縱
吐，自以爲能宣所懷，不知見之者幾且欲嘔。嗟夫！性情而既非矣，奈何能喻乎
道性情之旨？昔人之嘆詩亡，意殆在斯歟？先生品格超卓一世，宜其聲諸歌咏，
跨邁流俗，上薄風雅，非近時咕咕者之所能彷彿也。先生疾革，猶夢與馬文莊公
爲芹曝詩，今具集中，蓋其志慮無一息之忘靖獻，故當易簣時猶惓惓若此，不可
想見其赤盡哉？往馬文莊公薨之夕，夢帝召議禮，先生與文莊公俱秉宇宙正氣，
爲名宰輔，皆未究其用，一旦化去，其神爽蓋並在帝左右，故呼吸存亡猶若斯之
從容契合，庸詎偶然也耶？乃先生非直立朝大節，能廉頑立懦，即發之謳吟者，
亦足軌俗樹風。嗚呼！世道之賴先生，與先生之淑世，又豈特與代之可得囿哉！
萬曆壬子孟冬穀旦，賜進士第、右春坊右諭德、兼翰林院侍講、管理誥勅，晚學
關中盛以弘頓首謹撰。

明沈珣奏疏序

　　蓋文端公之席撽地者四載，中以艱去，立朝三載耳，其所憤發，慷慨抗論宗
社大計，疏無慮幾十上，每上無慮幾千言，畢議盡知，瀝膽披肝，斷斷如也。先
生居常誦汲長孺言，天子置公卿輔弼之臣，寧令從臾承意，陷生不義乎？且己在
其位，縱愛身，奈辱朝廷何？其素所自盟已。沈珣曰，余通籍晚，不及事先生，
而遊于先生仲子啟眞君，每聞啟眞君譚先生卯辰間事，幾魂搖神悸，舌縮而不能
下云。是時主器未定，公車之章十九寢閣，人心搖搖，先生適獨身守直，嘗一日
而中旨七下，大約微匿其端以爲常，先生條答侃侃，引大義力諍，最復旨出語寖
迫，時日下崦嵫矣。先生急不及授簡，直口語中使，老臣七尺，一日未蓐螻蟻，
終不敢徇主非禮。中使失色，股弁去。居無何，上忽傳語尚方，促選玉帶，將賜
王先生，先生亦爲弗聞之者。上意愈不懌，而會言官上封事，請早諭教，上移
怒，黜逐株逮，先生復封還內降，申救甚力，上嗟唶謂，夫夫傲弄人主爲名高，
是頸血堪膏吾屬鑕耶？時先生席藥累日，中外皇皇，謂且有白冠氂纓之事，而先
生故夷然自慰也。堯舜在上，必不使吾爲龍、比。已而上怒竟解，而先生亦遂拂
衣去。語云，薑桂之性，百磨而不減其辛。先生有焉。然說者疑先生大臣也，從

容納約，會自有術，顧悸悸而言，敖然以去，不乃以宰相而行諫官之事？是不然。夫古者臣主拱揖一堂如家人父子，呴呴喁喁，早暮無間，故可會機導窾，默關其忠于微言譚笑之中，而主不覺，今筦宰暌隔，幾若九閽，即公孤三事欲一望穆穆之容于天市太微間而不可得，第令子房長源而在，必無所效其委曲開諭之方，則其勢不得不出于明諍，諍固不能無激，激而忤，則惟有飄然決去可以明志。且上之視大臣若何哉？直以爲夫己氏也，固可以爵祿餌而生死脅耳。今而後乃知天下亦有不畏死、不愛官爵如先生者乎！自是而大臣之體重，大臣之體重而其議論亦重。吾主明主也，即其麟齕盛怒時，而陰已蹙然心折于先生矣，至先生去而數年以來，其直言勁氣在人間，猶隱隱若日月之揭，雷霆之轟，能使人主斷然永割其帷廬之暱，而憐夫宵人，卒不敢遷就于集枯集苑之間，以成二五之搆。未幾而銅龍闢，又未幾而大本終定，誰之力耶？人謂上之明哲眞能信先生，而先生之忠篤不回，眞能遇主，可謂兩無負也已。于是啟眞君緝先生疏稿梓之，而命珣一言附簡末。珣少且賤，何敢妄擬先生，然竊窺先生直諒嚴正如宋廣平，清眞勵俗如楊公權，面折廷諍，恥其主不若堯舜如魏玄成，忠心爲質，知無不言，至黜謫貶死而不避如陸敬輿。總之先生所謂社稷臣，非人臣也。於乎！可以爲端矣。賜進士、徵仕郎、中書舍人，年家後學沈珣頓首拜譔。

明韓爌尺牘敘言

　　王文端公尺牘凡八卷，既成刻矣，先是嗣人兩中書君哀彙全帙，次第授梓，奏疏詩文各爲題辭，而至是以尺牘徵敘言，爌得以受而卒業焉，此于公集中一體也，而未始不可以闚公。夫尺牘之爲用也廣矣，交知往來，緘題詶答，如第駢聯以絢麗藻，纖妙以襲清裁，施之于慶頌謝請、契闊寒暄間，即十吏遞供，百函競發，或可騁才人之致爲之；而至事關要重，機判危安，質問疑衷，稟仰成畫，窾言靡得而與焉。故夫書記辭命之流也，萃兼長以應對，而後幸無失辭，而欲以操觚之頃得算于心，而奏成于手，庸幾乎？公之書牘其啟狀儷體，非不采溢瓊璣，響諧宮徵，而情以緯物，質有其文，其它書奏，揆事抒衷，端言覈論，窾悰畢露，而文辭爛然，而又有異焉者。公自官史局，蚤負物望，四方之士延慕聲光，書題殷湊，每得一赫蹏，奉爲駰壁，比躋揆席，迨秉政機，諸方隅握重之臣，時以軍國大計取決廟謨，而公晨趨密閣，擬渙汗之絲言，夕發郵筒，授機宜之石畫，諸如封疆備禦之堅瑕，夷虜情形之勁弱，戰款聲實之先後，以至漕河疏塞之急緩，水田開墾之拂順，鹽筴鼓鑄之壅通，莫不燭照幾先，符合事後，默持一是而潛醒紛疑，銖分不失也。公為文不屬稿，其啟奏報章，據案占答，斤削不加，而辭旨具足，此非識略裕于中藏，而倉皇以之批導能乎哉？昔人論文貴切世用，公之制作，其鴻篇偉搆用以颺謨潤猷者，固自有在，乃至經國之先籌，救時之秘略，不出尺幅而緒餘概見，則是編也不必弦次集中，即以之孤行于世可也。爌以鄉邦後進，未得望見門墻，而于公立朝大節，儀世高徽，慕嚮之私，不能獨後。里居每得公文，輒肅衣冠讀之，諸箋答名言亦時得之臚聞，如其自敘有云，入告退言，一心一口。又云，內不敢求知于宦官宮妾，外不敢得罪于賢士大夫。又如以虛心觀理，專而有漸，為諫諍之宜；以功可相成，不必自我，為枋事之宜；以進身安靜，門徑遠迹，為始仕之宜。嘗意斯言定能垂世，而茲以參之全牘，非經濟之緒言，即褆修之箴誨，不以竿牘視而以典訓求，無之而非可誦可法者也。有志之士，曠代得師，而況邦之哲人，典刑非遠，象賢競爽，詔我師摯，讀其文想見其人，末贊一辭，仰止而已。抑晉之先大夫不有望九原而知所與歸者乎？睇三立之前修，闚一斑而自淑，固上願也。託姓字于簡端，附聲施以永世，則猶其次焉者矣。萬曆丁巳歲孟春穀旦，詹事府少詹事、兼翰林院侍讀學士，河中後學韓爌譔。

（張永儔審查　　郭啟傳標點）

復宿山房集四十卷四十冊　明王家屏撰　明萬曆間廖鏞等刊本　12560

明 李 維 楨 敘

　　莊皇帝初臨軒策士于庭，兵食大計必有機要，蓋張文忠代言也。首揆徐文貞曰，機要安在？曰在用人、在責實。文貞得一卷，其首即此四言置對，大喜以示文忠，孰是書生而能策事？定我輩中人，宜魁天下。文忠自疑豈漏言乎？抑之第二。而莊皇帝有他猜，悉罷所擬一甲三人，榜出知為王文端，舉朝屬目，名籍籍狀元上，尋改庶吉士，讀中秘書。公凡為文不屬草，含毫沉吟，一揮而就，閉門散帙，不聞誦讀聲，過目輒不忘，無論大著作出人意表，即談諧巧捷，四座盡傾。已拜國史，脩兩朝實錄，侍今上皇帝經帷，進止有度，聲如出金石中。上殊眷之，嘗命諸講臣書扇，公書訖，誤用私印，文忠不可，令竄滅其跡，上問故，諭公復用私印，而手擇十扇，獨畀公書，用私印乃受，其寵異如此，每呼公爲王黑子云。左耳小創，傅以藥，每進講，耳當上面，弗便也，而創以傅藥不時愈，因請休沐還里，久之詣闕領職如故。上禮遇滋隆，浖登少宰。會卜相六人，公名在後，特相公三年遭母喪服除，上晉公大宗伯，還朝責難陳善，以去就力爭，而竟由是不安其位。閱十年，上思公言定國本，詔答褒美，賞延于世，終忌公直不召用。里居十餘年，没矣！公門人司空聊城王公與中丞大名李公，旁求公遺文，緣公不屬草，故多亡失，而諸公子所葺錄財四十卷，以余嘗從公史局後，畀之序。蓋明興，山以西拜相者，薛文清、張文毅及公三人，而公與文清位未至師保，不究其施。并州之域、雲朔諸郡，號爲荒憬，地靈醞釀數千百年而生公，立朝風節，直繼文清，固非偶然。讀公之文，得心應手，沛然莫禦，而委悉周至，索有餘味，扣有餘響，若河下龍門，駛如竹箭，駟馬不及，千里一曲，逶迤不驟，細流不擇也。規模廓弘，旨趣廣遠，不可名一家，若太行連亙，地界華夷，省隔東西，起伏蜿蜒，中條太嶽，五臺三關，奧區勝跡，隨地異稱，皆其支湊也。方幅嚴整，氣岸高峻，若三門砥柱，屹立狂瀾之中，千古不移也。九流七略，淹通研討，材具惟其所取，靡不中度，若冀北之土，畜馬蕃庶，若西方之美，霍山多珠玉，若大鹵臣浸，神液陰漉，富媪灌輸，無盡藏也。脉絡聯貫，經緯綢繆，若恒山陰終陽始，其道常久，率然陣勢，首尾相應也。清新朗潤，若姑射神人，肌膚冰雪也。文采巨麗，若晉爲大梁山河交會，得雲漢升氣，爲章於天也。見素抱樸，恥與雕虫刻鵠爭妍楮。穎若虖沱嘔夷之川，汾潞之浸，利在松栢布帛，朴茂平淡，無紛華妖冶奇邪之產也。學術醇正，雖變化無方，而粹然一澤于道德仁義，則三河更都，唐虞夏后氏執中精一之傳，有自來矣。太上立德，其次立功，其次立言，非有軒輊，所乘時異耳。公旂廈之所披陳，絲綸之所宣示，青規之所匡救，金匱之所紀載，依經演義，就事獻規，高文典冊，讜言宏論，要以斧藻聖謨，銓綜國憲，爕和天繂，斟酌民情，忠乎九廟，明見萬里，腹心無替，羽翼默成，論德則道可覺民而非尚空談，論功則才優經世而不爲苟合，不朽者三，于斯焉在。易名節惠，文端庶幾蔽之。余犕舉晉乘，謂文章得山川之助，以公文爲晉地靈重，所識不其小乎？且朝有史筆，野有輿論，雖繁稱累詞，毫末何加于公？惟登第、請告諸軼事，人未必盡知，又病夫道聽塗說而遽筆之於書者，幸獲敘公集，錄其實如此。考地誌，山陰佛宿山，文殊所經行處，公更名山房復宿，而集繫之，自有取義在，亦文端之一端也。大泌山人李維楨本寧甫譔。

（張永儁審查　郭啟傳標點）

鍾台先生文集存十卷五冊　明田一儁撰　明萬曆庚子（二十八年）福建巡撫金學
曾刊本　缺卷十一、卷十二　12561

明 黃 鳳 翔 序

余閱宗伯田公集，不覺涕下交頤也。自兩榜附驥，詞垣比肩，與公周旋者三
十載，今公歿，墓上之檟可材矣，乃捧公遺集讀之，子桓痛息於德璉，永叔長嗟
於聖俞，生死交情，臨文興悼，自古廼爾，寧惟今日。憶公嘗語余云，大丈夫當
爲宇宙第一等人，區區抽黃對白，屑玉鋪瓊，胥剩技耳。以故公在詞垣，厲節
概、養恬嘿，而尤研精於經濟。每過從下榻，輒抵掌古昔，蹙頞時務，隱然有斡
旋掀揭規摹，即間爲酬世之文，皆逼而後應，匪尚意雕鏤結撰，以釣時譽者。當
公歿時，讀父書者尚幼，笥篋餘藏未遑捃拾，故所存堇止此。然而文在茲矣。異
哉！疇曩才士借聖言譚文也，曰情欲信、詞欲巧。夫千駟萬鍾以巧取，榮途腏仕
以巧進，斧鉞刀鋸以巧避，則志士咸羞之矣。何哉？欲巧其詞者，言以足志，詞
以聲心。董生醇雅，故理邃而氣和；元亮幽貞，故響清而調逸；昌黎骨骾，故格
峭而局健；諸如此類，由百世之下遡之，中士儀貌鑑神，智者隔垣見臟，表裏相
映，朗然眉睫之前，第令巧其詞而號於衆曰，我情信也，是肺肝唇吻判然爲兩
截，人又誰敢任焉！今觀公所爲詩若文，有溫醇之度而其力勁，有閎博之氣而其
體密，一切綺靡纖巧之習，世所謂媚目諳心者，悉屏若洗也。夫公之不屑爲巧
也，獨詞乎哉？公以怵楝臣故，投簪解載、棲遲巖壑者若干年，比大奸脫距，衆
正彙登，公際其時，亦絶無所攀附，孤立行一意而已。讀斯集，無論識與不識，
可想見其爲人。藉令天稍愸遺，以究公志，世道終將賴之；即翷然終身，棲遁藏
山，緒業復且炳彪未涯，而胡天奪之亟也？余所爲涕下交頤弗克自禁也，因僭弁
公集之篇端以行於世。賜進士及第、資善大夫、南京禮部尚書、前吏禮部左侍
郎、兼翰林院侍讀學士、經筵講官、兩京國子監祭酒，年侍生晉江黃鳳翔譔。

（張永儁審查　郭啟傳標點）

由庚堂詩集四卷四冊　明鄭汝璧撰　明萬曆間刊本　　12565

明屠隆愚谷草序

　　夫心超乎物者可與應物，無以天下爲者可爲天下用，匪獨其才大、其神全也。僊都鄭邦章先生，昔典銓政，抑競獎恬，盡拔用海內豪傑名士，水鏡之譽齗然出，觀察外臺，憲度貞肅。尋解組歸隱二十九洞天，高峰入雲，清流寫瀨，山中多丹竈石牀，靈藥瑤草。先生家洞壑最勝處，時時策杖尋幽采眞，遇羽人譚不死，高衲話無生，歸而席青莎，趺白石，手僊釋一編，翛然忘世，視一官作邯鄲枕上公案，不翅隔世事。久之，蒲輪強起，備兵上谷。無何，總憲秦中，提劍嘯咤，威行強虜，諸所擘畫，咸足爲西陲千百年長策，遂晉御史中丞，撫齊魯。屬歲大荒，先生拮据拯捄，所全活無慮億萬命，即當戎事旁午，荒政鞅掌時，身常如在煙霞丘壑，而心未嘗忘巖居川觀，以故芬而逾整，刻而彌暇，諸境悉爲錬性之資，不作累心之物，間爲詩文，多紗解玄詣，瀟洒絕塵，是吐於靈竅，發乎天籟者也。先生居愚公谷，有愚谷吟，語纈霞岫，韻飀風篁，讀之使人生古高士想。鎮三關，有塞下吟，氣骨沉雄，音節悲壯，讀之使人生古豪傑想。總之，縣山居十年，讀書學道，適眞趣而繕性靈，所得爲多，故曰匪獨其才大，其神全也。歲庚子，先生官南奉常，不佞適來游，數過蕭寺譚，晣理造微，超超玄著，先生蓋深于道矣。嗟乎！今天下事非至人莫可爲，若留侯長源並以無意于功業而爆赫千古，彼玄宰意蓋有屬，而余不佞何敢知！一衲道人屠隆緯眞甫撰。

明梅國樓愚谷草序

　　栝蒼有玄都，道家之僊府也；其中爲愚谷，崑巖中丞昔從天官拂衣臥其間，把紫芝、呼白鹿，觴明月而長吟，與谷相答也。谷以愚名，意必坦迤洞衍，彷彿乎無懷之庭，而險巇榛棘，望而自失，故谷得愚而名佳，得公而谷重，得公之吟而山水互響，發其天籟矣。昔輞川有愚谷而摩詰擅之，故其詩蕭散，多出世之想，公擅茲谷而吟成，冥搜象外之奇，挺捔重玄之秘，飄飄乎列禦凌風、蘇門嘯雲，即斯吟也，蓋有道焉，進乎詩矣。陶隱居游僊都，目駭神曠，不勝山川之概，而爲之說曰，自康樂而後，無能與其奇者。彼故欲收爲囊中物，而容知公從千百載後，超乘而偃有之，即康樂無色，又何論輞川乎！且隱居遊於僊者也，而公遊於道，則道固溥乎大哉！夫曹平陽英爽奇傑人也，一朝治齊，乃獨進蓋公而

用其說，竟以相漢，成寧壹之美譚，故至今論者謂，平陽之治幾於道。以公之十
年抱膝而吟於愚谷者，其所得視平陽孰多？而公今寔鎮撫於齊，齊何足難中丞
哉？異日者宰天下亦由是矣。然予亟聞公嘻樂之歌，扁舟明月，搖搖松筠碧潤之
上，日從野人開士暢其玄致，冠蓋屣履，到門童子，業指前峰，不知駐鶴矣。彼
擊壤者何心哉？強而後出，輒指揮戎虜，走名王，舉經世之士咋舌不敢道者，而
公又倏得之。處則超超，出則朗朗，獨往獨來，一遊無礙之途，則今安知中樞鈴
閣之地不即僊都哉！予固齷齪未聞道，而丘壑多情，杖藜宿好，故每讀斯吟而悠
悠益深。公謂予曰，子爲我敍愚谷草，而取谷八景者倡而和之。予不能文，而勉
爲娓娓者，誠感公之知，而且冀鼎湖壯遊，華陽仙籍，得托姓名於公後也。古人
有言，敢望惠施以忝莊氏，予於中丞茲亦云然。萬曆甲午春正月三日，楚麻城梅
國樓拜譔。

明何白鼎湖草序

　　絅雲之墟，崇崖疊巘，搴霞揭日，闞若清都紫府者，是爲祁仙妙庭之天，洞
宮石室，潛通冥廓，不可彈窮。積潤下委，則好谿之水出焉，中峯屹立，若表四
望者，曰鼎湖。蓋神秀之所會，而靈眞之都哉！崑巖先生寔產茲土，公夙負高世
之度，沖夷淵穆，脫落塵滓，雖志存拯物，而德標素尚，於世泊如也。是以應物
迎機，運而不宰，其邁往之韻，若舉一世無足以移其神者，豈非恬愉虛靜有餘用
歟？自弱冠登朝，歷試中外，練綜國章，鑒達治體，乘理照物，動必研幾，乃於
聲詩之道，勇往獨造，直抒性靈，遠謝雕繢，瀏瀏乎輞川、襄陽之逸軌也。公嘗
林居十餘年，逖覽玄照，故其所撰結，咸得之澂觀冥會之表，其志操潔故託物
芳，意象融故鏡機徹，風神爽故寄興超，要之窅眇之旨不可得而窺其倪也。公於
書無所不該，至若軍國遠圖，刑政大典，靡不淹通，具有成譔。茲集者特其蒔林
瓣香，香海一勺耳。異日告成，藏之鼎湖石室，千載而後，必有龍威、左元放者
流，發其琅函玉笈，斯足以闡公之秘矣。萬曆壬寅春，永嘉何白撰。

明于若瀛鼎湖草序

　　奉常鄭公賈典祀之餘，爲白下草，于子已序之矣，永嘉何无咎自金昌來，復
校刻鼎湖草，草曰鼎湖者，以公家鼎湖也。公草故多，此但收其數年家居者耳，
于子復爲之序曰，鼎湖自龍耳下垂，世人望之，蓋不翅仙闕云。其間曾巒複岫，

吐茹煙霞，石室貝宮，潛通寥廓，所產多磊落瑰瑋之夫，不獨功業烜赫人代，即命詞造語，率空宕奇灑，與山川爭奇。公生其鄉，自弱冠登仕籍，揚歷垂三十餘年，其品藻在銓衡，其偉伐在邊陲，其撫綏在齊魯，士類能口之，余不論。獨怪公肩鉅則解繁劇若解牛，栖山則脫冠冕如脫屣，丁糾纏倉卒，神有餘間，遇靡麗紛華，輒翛然動濠濮間想，客有叩則應，如谷答響，淵穆之衷，汪汪千頃，莫可窺其涯涘，豈其數年林居，澹愉玄照有餘用，故忽予忽奪，舉無足以撓其度與？宜其爲詩沈雄奇逸，字字作青霞色，一破卷恍乎泛好谿之水而遊仙都焉。噫！余讀鼎湖草，益信鼎湖不翅仙闕也，不獨以龍鬐重也。公廿年官爲社稷重，數年家爲鼎湖重，以如是才乃使爲鼎湖重，以著作寄名山，則鼎湖之幸而齊魯之不幸也。茲社稷方倚重公，而白下篇章行且充棟，乃知二草出，豈直令一時紙貴，而一出一處，天下安危繫之矣。萬曆壬寅冬仲，東海于若瀛撰并書。

（張永儔審查　　郭啟傳標點）

沈司成先生集一卷一冊　明沈懋孝撰　明萬曆間原刊本　12566

明施鳳來序

玄風緜邈，大雅誰陳，作者不槩見，六籍左騷而下，龍門、中護奮筆述漢，昌黎、柳州暨廬陵、眉山父子亦各濟其獨往之氣，勒成一家。之數子體格小異，並以發抒胸中魁奇博達與其疎夷超宕之致，言所自得，而後乃比金石，與天壤共敝。何則？人各極其所至，精心存焉耳。吾師沈司成先生之於文，來何能窺涯涘，獨意是先生之言，而非諸家之言，故其文經往緯今，垂不朽無疑也。先生往自論曰，吾嘗綜道略矣，漱壘籍矣，少所記憶，但覺靈氣津津，浮浮意象，間俄欲吐，筆不停綴，文不加點，庶與道合。噫！其斯爲先生之文乎？先生弱冠以名魁入中秘，殫精國家大著作，所疏節儉、王道等篇及詩文未易更僕，受知大洲趙公、中玄高公，二公皆鉅手，枉榻慰重，謂世無作者，文乃在茲。相戒同事者式先生。維時頡頏承明，若相國瑤泉申公、穎陽許公、玉壘陳公、翼軒李公諸名家，逡逡奉先生不及。先生之文縶重天下，會中忌者口，先生拂衣奉太夫人歸，今且二十年。凝塵筐坐，嘯咏晏如，不一齒絲竹田園之事，亦不一齒輦上諸貴人。昔昆弟申好，今通干牘者何狀？迨事先生，惟見扃扉闃寂，玄對典墳，臥遊義軒而已。蓋先生之於世綦淡，以故發其清湛高遠之味於文亦綦深，雄快典重似龍門、似中護，峭絕疎宕似昌黎、似廬陵、眉山諸君子，而先生無意也。渾渾而出之，無一有也，乃無不有也，不尚一古先生之言，而成先生言也。吾師乎！玄風再煽，大雅中天，其賴茲矣。出石渠金馬之藏，副在名山大都，與諸大家共燿久遠，先生即曰吾以詮道，非以文也，來能無頮首於斯編？門生施鳳來百拜撰。

（張永儁審查　　郭啟傳標點）

沈司成先生全集十六卷十六冊　　明沈懋孝撰　　明萬曆間原刊本　　12570

1. 沈司成集一卷

明 李 維 楨 後 敘

　　司業沈幼眞公之生也，母俞夫人方寢疾，故未及大期，瘠特甚，膚清可見五內，手足指或不具，而啼聲高暢徹閫外，里人異之。比免乳，即謝絕一切戲弄玩好，屹然成人器宇，獨游情竹素，古今無不該綜。壬戌上春官，時天子方決事齋居，求長生冲舉之術，而海內爭諛諂取容，執政以人君其尊如天爲目。公之論曰，君子之敬其君也，固曰如天，小人之媚其君也，亦曰如天。丁文恪公覽之，盱衡擊節，是異日骨鯁臣，薦之第一。執政大怒，以爲譏己，文恪厲聲持之，書生述所見耳，閣下何遂自居小人而用爲嫌？如不第一者，請無敢與此席。同官婉解，執政佯諾而仍以冠文恪房，抑之他房。後榜放，公名動京師，而卒不能事態臣，遂歸侍養六年，穆皇踐祚，而後偕不佞奉大廷之對也。公貌不勝衣，而取予可否，萬夫莫奪，言若不出口，而物能名，事能應，叩之無窮。屬有所阻于同人，復侍養二年，始授史官，蓋自是公數去數來，在朝之日殊少，僅以穆廟實錄成，與不佞輩晉爵一級而已。凡十六年，遷南司業，往史臣擢用，以不離局爲貴，而呼司業爲嫁老女，至南益厭薄之。無何，以南畿試事中蜚語，則世局方更，上有所澄汰，好事者競以建言爲名高，而忌口波及矣。故事，史臣遷官由執政疏請，銓部主覆行耳，江陵炙手可熱，公衣裾不撤其門，而典試在江陵寒魄後，欲以徼惠何人？其時公壬戌榜已有二相，一死一生，人情改趨，故相所引，垂首喪氣，而公顧舍此馳彼哉？向後兒女戚爲冢宰，同館拜相復五人，皆推轂公，嘗起爲閤丞，而卒不應詔。有與公同蒙訆者，每自辯數，而公都無一言。終歲重門扃閟，朝夕啟居，母夫人外，焚香書舍，尋繹舊業，蓬蒿滿徑，澹如也。
謂公欲貴而歷三朝官不過六品，謂公欲富而田廬悉太公所貽，無一椽一畞之益以
終其身，何也？不佞從公久問字，羨珠舊矣，比入越，得此二十一篇者，根極理
要，發抒性靈，自成機杼，卓爾大雅，三才之道大略具焉。子雲深沈于玄，長沙
通達于治，孟堅謹嚴于體裁，廬陵、眉山條暢于論議，公其兼之乎？余素重公文
章，今讀其文若二手，夫文豈足以盡公？二十一篇豈足以盡公抱？而世之人又豈
易盡知公也？古人有言，相與非一日，相盡非一事。不佞未能盡知公萬分一，因
公門人侍御葉公之行是文也，而述所太息世路者如此，如曰汙阿私所好，則烏乎
辭！大泌山人李維楨本寧甫譔。

2. 滴露軒藏稿一卷
明 李 長 春 序

　　予與幼眞兄同游著作之庭，處則共席，出則並轡，蓋時時譚作述家事矣。幼
眞篤意博雅，兼綜群籍，上下千古，究極閟奧，而予喜爲司馬子長之言，乃幼眞
弗是也，曰，君以子長師世本耶？而君抑師子長耶？既有眞子長矣，爲子長言者
夫乃遜古人而左次乎？善學者必不師其唾餘，不佞弟且借前茅直攻君耳。予聞而
善之，躍焉深省，思更故步。然予爲文，若白駒新鷙，非歅良在御，馳驟罔諧。
幼眞則如天閑上駟，自饒龍性，終朝蹀躞，有千里萬里之氣，而未嘗失尺寸也。
予心服之，自以弗如云。方今作者輩出，簞席之上，斂然文章具焉，總其大較，
無出前兩端。抑兼綜者造端鉅而縕釀深，偏致者取路捷而登峰峻；爲予則易，爲
幼眞則難，予安敢守持堅白不相下哉！幼眞雖典在筆札乎，與之抵掌論國家大
體，四方利弊，九邊要害，尤鑿鑿中窾，皆可施行。嗟夫！議論通古今，喟然動
衆心，憂國如饑渴，斯亦今之子瞻也，余雖爲執鞭，所欣願焉。第幼眞今復引去
巖居，予亦得謝病去，俛仰人世，於我浮雲，顧如此大業何？幼眞若念茲不朽，
無忘所爲持論者，我日斯邁而月斯征，異時聚首，杯酒深言，各致其致，以相劘
切，不知兩人者竟視子長何如也？庚辰春暮，蜀郡李長春元甫書。

明 李 維 楨 序

　　侍御葉公得沈司成文二十一篇，既校行之矣，汪歸安亦司成門人也，復梓其
滴露軒藏稿，李宗伯元甫爲序，序言司成不規規司馬子長，匠心而出，居然典

刑。余謂子長敍事及所寄慨處，自是千古絕筆，惟短于談理，若禮樂書，無能自
造一精語。司成探賾索隱，鉤深致遠，豈俗儒可及？濂洛關閩，超漢儒林文苑而
直詣鄒魯，職是故也。南新市人李維楨識。

明沈懋孝自序

　　韓退之之言曰，士不得所願爲於時，則退而耕寬釣寂，旁搜遠紹，勒一家之
業，編之乎詩書之林，倘無媿色焉。余嘗壯其言，退耕十九年，無一日不披誦，
未嘗以樸示人。頃友人李本寧入浙，相期湖南淨院，覽渠新搆，余亦爲出囊中草
二十首，頭白弟兄，會面常稀，相與嬉戲，不減少年銅駝故態，別去，不謂遽付
剞劂，爲青黃災，覽之皇恐失笑。本寧素嶽嶽持衡量，嗟乎此何以解免後之人，
即自與不阿所好，恐亦抇波而漫及之耳。蓋不佞之文，不佞自知也，性如蠹魚，
好飡神僊五色字，收殘拾秘，日供果然之腹，不盈不休。生平常愛總人間未見
書，然性又闊遠，好嚮青蒲上湛濯此心，遇攬搴時獨觀大略而已。最不喜咀其襞
實瑣尾處，往往銷金汁玉，有似葛稚川丹法，興會忽舉，伸楮肆筆，縹緲之間，
雲翔川飛，意當掃盡，已披莬狗，乃始噱然一快，恨不得曹東阿、謝康樂、李長
庚輩與之同遊述作。故才不能盡暢其志也，窮乃彌拙，憤乃愈退，老槐婆娑，壯
心未已，自謂是者差可近之耳，亦何關能事？烏足指揮千古乎？本寧乃云，相與
非一日，相盡非一事。吾媿矣！媿矣！昔孔子述道，稱天未喪文，文與天符則豈
藻贍煌煌之謂？夫入鮫桓之瀋者，玄珠在其下，不極深不入手。今者去之尚遠，
余心所自曉，豈敢謂能也，不傳可焉。庚子秋日幼眞自題。

明汪懷德小跋

　　吾師晴峰沈先生，當代碩儒，道德文章推一世。曩在秘舘時，與今總臺京山
李公友善，業託青箱，誼存白日，狎主詞盟，名重天下，並負公輔之望，而爲旁
睨者意忌。居數歲，李公竟補外，旋且家居，吾師亦以壬午之役爲宵人所蠍，無
端落遷籍，海內知與不知，爲之太息短氣。公論久白，李公召起，鼎望隆奕，且
晚將復翔秘府；而師於泉石有深盟，堅臥不起，徜徉湖水上，奉母自樂，戶外之
屨幾絕，時時娛情竹素間，一抽毫亦不屑示人。歲己亥，李公入浙，師以白首石
交，忻然往晤於虎林，陳敍舊遊，商確新搆，因爲門人醵院寓目，刻行廿一藝，
尚遺其半。李公以不肖懷德亦出師門，移檄續刻，俾爲全帙。德手捧卒讀，獲所

未覯，色奪意豁，惟師所以重宇內不以文，乃文亦自有定價，人人推服，無俟後世之子雲，談者尊艷之，至比司馬子長、蘇長公輩，或以爲反遜也。懷德何能知，惟知我沈太史與李太史之文，雄踞一時，鴻溝分宇壞耳。刻成，綴數語末簡，敍兩公交誼，及識所以刻文之自，景行行止，私心嚮往焉。婺源門人汪懷德拜手謹跋。

明 陳 汝 麟 刻 敍

麟頃入鱐院，葉侍御獲座師晴峰先生巨製，既行之涮中矣，受讀拱手，得未曾有，淵乎精博，軌於大道，殆必傳之業也。諸在門墻，相繼鋟行，麟亦得稿如干首，傳諸同好，自以學識戔戔，何足測知萬一，姑從諸先生後讚嘆盛雅云爾。昔二十年前，叨任就李，密邇風教，入師里門，拜瞻堂下，見其孝友清恬，門墀似水，日夕以味道續學爲事。彼時先生神力方剛，披覽不停寸晷，自其天性則然。還山後，日月悠邁，千古載籍，沉精日久，洞見源始，筆妙所染，搖楮若飛，後生才俊，人人拱讓以爲莫及，諸君所揚布者，自管中一斑耳。嗟嗟！當羣喙無端時，麟適在就李，每接里中賢士大夫，共嗟公論暫蕪，有詩人投畀之嘆。蝕膚之蟲，朝生暮隕，貞球無隙，事過乃知，世路人心，古來如此。達人自可付之不論，論其生平大節如此。浙江按察司杭嚴俻兵僉事，彭城門人陳汝麟謹敍。

明 陳 于 陛 序

每念昔日舘下二三兄弟，一時英游，肝膽共盡，握吐文場，相期各建豐乎千載，日月流易，忽忽者五十年，獨長水沈幼眞氏沉精高舉，博淹羣籍，自勒一家，此君者爲不朽已。當其在舘前後，五入承明，不逐世紛，縈彼好爵，獨居邸中，不以家累自隨，過其門，披其幃，闃寂若僧寮焉。半山樊，半陸沈，時去時來，纔舒又卷，時之人莫解其趣，故筆墨之性無分志，名山之曆有餘清，盡化入神，搖筆便妙，片雲可雨，滴水可雲，故是其天解處不同邪？前輩若中玄高公、鳳磐張公，咸謂其文神超骨秀，一似秋濤曉月，故非流輩可齊駕而馳者已。大雅久不作，吾衰竟誰陳？不佞誠媿之、服之，爲題數語以告同好。若藏名山邪？光照千祀，若懸國門邪？楮價十倍，亦何必族張衡於異日也。歲丙申中秋日，南充舘弟陳于陛元忠甫書於絲綸之署。

3. 長水先生文鈔二卷

明 陸 長 庚 序

　　昔者尼父於七十子之徒獨薦子淵爲好學，乃由博文以入，從之末由，此其故難言哉！游夏文學上首，春秋之義，單辭莫贊；穎若子貢，猶曰，文章可得聞，性天幾不聞焉。然則文者道之精華，其致不二，作者固難，聞亦匪易。後世文人才子專言文，而理學家憚修辭又孤言道，至云以班馬才行孔孟之學，是猶論諫法者，以龍逢比干心行蘇張之術，皆雜霸之言耳。不佞庚淺黯未知學，自少從吾師幼眞先生游，沃誦其文，嘗居其家塾，頗與聞述作之大致。蓋其才天授，無所不詣，而其中淵涵不可窮際，彼其潤禮樂而制瑋，策當世而憂深，譚煙霞而意遠，敘俗務而境恬，凡前人所獨有者，皆橫縱如志而有之。乃其述六經論孟性命之旨，其言該廣微妙，壹宗孔而尊孟，識者何從岐才子理學家，而偏目之信乎？斯文與道合者，非溢論也。儻所云軻之死不得其傳，意者其在斯乎？其在斯乎？不佞庚乃何敢望游夏諸公之後，抑推尊所聞，其則不遠，則有鄧以德、李本寧諸先生之敘論在。文章自天下公器，良不敢阿所好，竊附於師門之端木以傳來世云爾。廣信守譖宇陳君爲先生入室弟子，謂江右文學奧區，有慕先生出處語默之概，而未得盡讀先生之書者，絃誦之暇，翻錄其門人兼侍御舊刻若干種廣之，幸余同此念，又同事此方，樂觀其文教之大行，故綴言於末簡。時萬曆癸卯歲季秋月吉旦，江西布政使司右布政使，門人陸長庚頓首百拜譔。

明 王 家 屏 序

　　余同舘諸兄弟一時多偉丈夫，而長水沈幼眞兄孝友廉直，終始一節，有斐君子，琢磨珪璧，洵矣其似之也。學達性道，通乎當世，綜事經時，綽然甚有實際，然以母夫人春秋高，拂衣早遯世，曾莫賴其一日之用，淵涵渟泓，獨可義想其人乎！文章言語之間，亦邈焉宏遠已，然唯不用用也，世終莫測涯量。幼眞之品目愈以高，其才愈凌軼一時諸彥之上，余爲深惜，反生深媿，因深媿益生遐思，余輩在世路中半之間，嗟乎不逮此兄矣！幼眞退藏二十載，盡讀人間未見書，然本之靜深，藏密了徹，不掛一字，故其文能盡空前人窠壞，自出一種圓明渾灝之撰，正如瀟湘洞庭，煙月虛妙，百靈來游，巫仙以之御風，洛神以之捐珮，湘靈以之鼓瑟，即宋玉、鄒、枚，恐筆端描摹不出。曾記李元甫、李本寧、陳元忠三兄，夙皆比幼眞於子瞻，不佞弟迴環諸作，就使子瞻見此，不知自視作何語？大都處之飛仙之列，世法中未之見也。代郡舘弟王家屏書，時壬寅八月。

明 于 愼 行 序

　　昔在己卯冬日，幼眞兄過我穀城山下，述道綜文、飛觴秉燭者三日夕，余因竊有請也。宇內著作家，軌正者或踐近摹，超詣者多反常道，有能宗孔孟兼左馬者乎？兼必混，混必不似，常患兩失之，此世所以分途易軌，各相馳騖也。然則吾子之道奚繇？幼眞拱手曰，甚盛，吾潛心久矣，吾其宗孟軻乎！五三聖神，遺牒殊尤，其經常正大，可世世守者，衷之乎仲尼。軻氏去仲尼未久，其才高朗，得仲尼之時，故陳義甚正，式道甚夷，言之入人心也，洞然甚達，六經皆典則雍容，軻氏頗有馳騁變合，故六經之文至軻氏益昌發，令人讀之改觀，此又是先秦兩漢前文字，何不古也？軻氏没，韓愈、歐陽脩、蘇軾之徒宗之以爲文，程顥、程頤、陸九淵之徒宗之以爲道，此兩大派者，迄今學士奉爲正摹。崑崙之源皆出軻氏，即道與文合矣，因爲題其冊，再告之。幼眞好玄脩，神方王，六經大道，羣儒尚貽我輩以未竟之憂，其俞研詣入神，悉論悉衷之，令後學者眉目間有旗鼓焉。庚子秋，黃石居士于愼行書。

明 劉 芳 節 序

　　國初文章猶沿勝國，未大昌明，自李長沙手闢洪荒，北地代興，晃采雪煜；嘉隆之際，二三大夫相矜修古，爛景彌鮮，千古獨契，委喻同心，我輩中原並執牛耳，招搖所指，卷甲羣趨；至今青衿桐子，亡不漢吻秦聲，自可一變至道。奈何哉，其儒墨相譏也！性道文章，豈黟兩槭？即謂憚于修辭，理勝相掩，諸君子方學之不講爲憂，縣書國門，取合流俗，彼亦謂躬化謂何？而何文之爲？兩家之難，誰爲宜僚也者？惟是文章器則貫道，業則經國，事則不朽，酒魄不足存醇，春華無裨殿最，言之不立，朽且速乎。聖爲天舌，賢爲聖鐸，易奇詩葩，豈盡俚言而布方冊？浸假鄙悖，有喙三尺，要與鴂舌同聲，道之弗畔，爰始博文，如以詞耳。漢以下語非必侏傛，誠勿目涉，謂多蓄何？六經炳如，言不相貸，雕龍白馬，創獲乃可，孤行猥云。方員出槼矩，儗議成變化，第使鷄犬不駭新豐，將紫鳳天吳顛倒短褐邪？我不與我周旋，勦說雷同，此夫銀杯羽化，封識宛然，竊鉤者誅，竊文者名，王鈇頗矣，顧我眹麗不及鄒忌，借城南面，以媚若人，詎不可憐已哉！予居恒持此論，人莫予是，予方呼逆風，積雪迴瀾，又漬人骨，旋其面目，一朝欲奪壁易吾幟，雖有拔山力，安所施？今年夏五，東過扶搖之枝，將遭所謂鴻蒙者，俄得沈德培氏，兩人目成，然作枯禪相對，去再過，稍吐奇，若瓠子決，三過見垂天而雲若，稽天而浸若，往所竊上帝息壤，無如其浩溔，何望洋以嘆？蠡測水端，宿海崑崙，是其所自出。蓋德培大人爲內翰，幼眞先生今斗南人物也。予因德培以漫滅之刺通，先生肅之入，予奉辟咡之詔竟日，先生神守嶷如，德象凜如，春陽秋魄，暉采動人，蚤莫作吳語，向德培眼中之人，雄風霸氣，寔維楚材急之勿失，自是百遍相過，意無闌倦。書自汲冢，叢及凡將，史自竹書，野及譜記；經濟自河渠邊徼，猥及錢筴；道術自薊門闕里，旁及柱下、竺乾。炙轂而出之，隱察焦明之睫，玄探象罔之珠，一堂之上，一日之間，儵忽風霆砰磕，儵忽青天硱礗，片語會心，形骸可外，高言脫口，天地崢嶸。間與商當世作者之林，提緯古今，綜驗名理，予爲理前論，則亟當予賞予。且謂本朝不乏文人，亦不少理學，獨吾斯未信，使人譏薄文士如羹塗，即鳳鳥麒麟惡用持以自解？後生竊竊求多，以說鈴相訴贗，以子其才，自足千古，文統學脉一耳，扶搖之力，負之一肩足耳，孔子獨與顏淵，我與爾，有是夫？有者奚物？此之弗辦，縱啜醨莊騷，拾瀋洙泗，金口木舌，吹影鏤塵，何關至極？吾老矣，徜羊丘壑，而子方在暘谷，寧渠無術以仔肩此乎？爲予談經世之要，知胸中千古不可了，因得覯所著長水集。原本六經，縱擒大道，精多物弘，機至法集，語聖稱天，超超玄著，象外繫表，具在阿堵，提挾風雷，枯管欲飛，一莖一塊，入手具作名通，照耀大千法界。弇州固曰，要之有化境在。虛懸此語，以待先生，確而評之，歷下高、勾吳大，長水先生其化乎？先生之學寔有淵源，龍溪以姚江爲藍染，先生青出于龍溪，性道文章分流始合，道自涵文，文自本道，此日月太虛之論也，文在茲矣。先是序先生之文者，山之東則于谷峯先生，江之西則鄧定宇先生，蜀則李元甫先生，吾楚則李本寧先生，地既多方，人俱大雅。頃閩人又序而刻之閩，豫章人又序而刻之豫章，方以內傳誦幾徧。其軼才妙手，凌駕班揚，還詣玄精，比肩軻氏，通謨達識，伯仲晁賈，博贍旁貫，參伍崔蔡，殊鄰絕黨，固當不脛而走，不朽者文，不晦者心，千秋萬歲之傳，俟之何疑，今日是也。小子嘐嘐，未知所裁，先生謬謂可教，委序其端，且先生之文炳炳離離哉！無能贊一語已。壬寅中秋日，南郡後學劉芳節頓首敬序。

明許國跋

余與長水沈幼眞丈，並游著作之庭者垂二十年，演綸緝乘，日共商裁，味道窮經，彌資麗益，且在長安邸次，先後托鄰，每春宵秋夕，夜色可人，則散步不數武，往往携手過從，義味芬投，屢換長更之燭，時或仰視明星，不皇整幘，又翩翩並馬聽長樂之鍾矣。自丙戌夏五，握別都門外，幼眞入山入林，彌深彌閴，遂無晤對良期，今者讀其文章，宛如其面。語有之，黃金易鑄牀頭像，白玉難開璞裏心。此余所以徘回向隅，不能不懷陵陽之感也。其人孝友忠直，高志不可降；其文金精玉潤，可方孟堅、子政。此自有同心之論，乃余生平交誼落落共盡，亦可歎也。歲次戊戌秋仲，新安友人許國維禎甫題。

明 沈 懋 嘉 刻 跋

家有徑寸珠，韜之懷袖，累歲不發，以爲至寶，不敢輕出示人。然精光閃爍，既已射牛斗、動鬼神，夫孰得而拚之？吾伯兄晴峰先生，幼而循齊敦敏，發祥於三江五湖間，蚤歲有鼎譽乎虎觀石渠之上，舉世大人先生亦既心服推高舊矣。二十年來，掛冠掩扉，潛心大道，彙總百氏，黽焉孜孜，忘其將老，不知年之不□〔逮？〕也。故文章日益造微，根極理要，追古作者，與相下上。青蒲冥坐，了悟本來，舉世無毫芥足入其胸懷，平生筆上諸故人不肯輕投點墨，意常凝如也、泊如也。神王故脈長，脈長故旨遠，搖管輒妙，若不經思，一時才斐士咸以爲不可跂，當是天所授耶？博觀集中語，眞所謂宗法孔孟，佐佑六經，與日月俱懸者已。嘉幼侍左右，無能窺竊咳唾，獨覩其中有一種不磨之神，參諸近代文士，似不無彬彬質史之殊焉。不佞遠媿子由，近慙敬美，智之不足或有之，阿其所好則吾豈敢！歲壬寅涼秋九月，弟懋嘉拜手謹題。

明 陳 藥 跋

往在壬申春，余與幼眞年兄同日補官，自是各相心許，朝夕切劘，情好加密，期以致一日之用。居無何，余外補去，彼此郵使相聞，遂不及面晤者二十五年。頃余承乏南計部，幼眞遣其季郎詣余問學，追惟舊好，各天俱暮，始願之謂何，亦可歎也。幼眞立朝不滿兩考，以母老拂衣，高尚於今，亦且二十年往矣。一切世芬了不掛意，朝夕墳史，淵洽博貫，卓然成一家言，藏之名山，千秋不朽，此事余當遜兄。頃得其數十篇，讀之義精用確，洵矣其傳也。如幼眞之才之抱，其壬戌戊辰兩館，相繼在政府者八九人，竟不肯損點墨爲筆上游，世遂無援

之者，此其高潔雅重，寧有比伍耶？余衰遲淺闇，不能知其文，爲述生平大節告
後之誦其書者，庶幾可論其世，以知其人。應城年弟陳藥書。

明 鄧 以 讚 序

余在秘舘時，與長水沈幼眞先生爲握蘭之交，同典制命，同侍講幃，同編摩
國史，同注記起居，朝夕承明，後先四載，誼至洽矣。每見其自公退食，假舘禪
扉，鉤簾晏坐，凝香滿函，遠謝塵囂，翛然自遠，胸中博達浩穰，人莫測其際，
出處去就，取予語默間，耿如也。別且十五年，適余門人萬生携先生近艸至，益
用歎尙紫芝芬芳於逐谷，明璫棄捐于海壖，爲之撫卷傷懷者久之，因書數語以傳
同好，斯文者天下之瑋寶也。丁酉夏，新建友弟鄧以讚書。

4. 洛誦編四卷
明 李 世 達 序

余爲郎時，幼眞兄在秘館，比屋以居，昕夕論學，雅相善也。余遷南閊在
滁，余行治河，幼眞車轍往來過之，爲余停蓋。余撫浙河，幼眞適予告家居，奉
教之日彌長，蓋風期相許，神情迺在襟帶之前矣。幼眞好煮茗鉤簾，團蒲晏坐，
余雅同此好，得時時與之清言，何減正始諸名士？至其淹經綜史，懷道韞和，悠
然經天下之略，則余弗能究其極，幼眞若非其人，亦弗深言也。嗟乎！人之行
止，或使或尼，何者非天？乃今世使尼人者盡衆人之爲爾，天亦烏能如何也？知
賢弗能達，余甚媿之。幼眞文如干首，自名洛誦者，以謂貽孫云爾，世有同好，
洗心誦味之，即九洛之事何加焉。歲丙申夏五，關中友人李世達題。

5. 石林蕢草四卷
明 陳 九 韶 序

語有之，文章隨世運。夫世閱人爲汙隆，非世自爲汙隆也。文繇人匠，發於
機，溢於性靈，培沃於問學，而貫一於千古，故論其文而其人可知也。灝噩以
還，文不勝品，其在我明成弘正始之間，英雄環視，何甞一日不眈眈此道哉？然
率狃於材之近似而暗就，以詭爲豪，沿波流，忘尋源，虛願弗至，豈獨才難？所
繇識薄而品因之耳。夫醍酥酪等乳也，非禪悅其舌，味曷繇識？至辯淄澠而察中
濡之味，則又進於識矣。夫能以品水味者，品先生之文，庶幾哉！先生篤志聖

脩，潛心大業，於世間好慕都無所染，獨躭奇嗜古，肆筆無前，飲河直溯星海，
不取滿腹。爾入中秘，師成均，讐經校史，所居稱冊府，尚軮軮非生平未見之
書。既遂初衣，益諧夙好，參玄證聖，靡境不臻，評者謂近代著作家工拙勿論，
其流派大略可覩已，至沈先生者，奄有昔人所有，光芒涵渾，不名一家，烏至而
睨先生之品乎？夫身在世法中，強欲以言超世法外，從古無之，故非有超世之識
者，不能爲名世之言，此先生人品文品所以不可蹴而及也。憶己卯之歲，獲與今
江省陸右伯交臂其門，先生以爲可教，凝消縛解，開我寔多。是歲幸從陸伯之
後，以在斯役也，循省師門，慚靡寸樹，取其成言一二，國門縣之，世有楊子
雲，必謂先生斯集與班馬竝傳矣。同邑門人陳九韶頓首百拜述。

明沈懋孝自序

　　客有問於余曰，以子之才，簪管承明二十年，著述甚宏博矣，尚有舘閣鉅
章，緘縢未耀者乎？蒙願有請也。媿余淺薄，無以謝客，稱情樸語，聊復應焉。
昔者徼時鼎來，三朝皆在聖人前編摩，注記潤色，討論後先，五入署硯，辱爲之
枯涸，諸所撰次，亦良勤矣。其正史進御，扃之乎蘭臺石室，副乃在天祿閣中，
其諸艸則書成之辰，會宰執僚長燃于鳳池之上，示不敢一字宣洩，國有厲禁，故
作者不存焉。累朝之懿光顯烈，一代名碩勳庸，賢士大夫之軼事，耿耿皆在天家
奎璧府，此宜俟諸百世，吾與子不及覩矣。三直文淵，叨掌制命，訓勅中外臣
工，兩冊立，再覃慶，所撰不下三千餘道，今皆具絲綸簿中，以職當視艸坡前，
誼在代天之言，故語必稱制以冠之，豈臣子所宜主名削墨？即有草，未宜出示外
間，當吾之世，此又存而不論也。至乃感時閔俗，慷慨壯歲，觸藩投器之談，或
林樾逍遙，曠然高語乎繩規外，又非海壖野老所宜浪傳，姑且悉從屏
毀，以嚴時禁。唯夫玉堂燕清，在琅玕石下，襟抱諸賢，商略今古，時有抒撰，
或嗒坐齋頭，浩思無始，略見原來，其言小有足觀，因嘉與從游諸君布具短拙，
已自忸怩不可收拾矣。平生對客揮染，倉卒酬答者又多，聽其片片浮沉人間，詰
之典籤者，爛熳無一有也。始余家石莊里中，石莊前有石林，泂瀮清流，雲樹翁
合，鳴鳥游魚，清徹可人，此吾童時濯研浣筆處。昔在癸卯，余始授書，胸中元
無一字，今再週癸卯，余將束書，復無一字可得，年之衰遲，靡所可用，不能爲
器，常爲嘖，因自題曰石林蕡艸，以言無用之用，志不忘始云。人生述作，可傳
可遠，亦有幸不幸，時回想銅駝金馬之年，一時英游，或在或化，已別一洞天，

白駒過景，不留久矣，半生翰墨，銷燭研露，都付之茫茫元氣間，雲翔灰沉，千載共盡，靜言念之，不無可惜。因答客難，略及其意理焉。癸卯春上元日，長水沈懋孝自題。

明 倪 壯 猷 敘

　　往余習功令，僻嗜先生公車業，辛丑補綏安，敝敝然策蹇驢從八閩之道，先生安車顧余，捉臂曰，畸吏無長物，滴露軒諸艸薄言遣意。余受而卒業焉，見其精根靈睿，掞雪春雲，直是神苞禹穴，翠聳龍湫，一洗食生不化氣習，便可千古，譬如維摩了不可思議，眞龍光欲欲陸離，欲弢之不能也。私心圖所以廣其傳。適公餘晉學博吳君出先生諸草與之揚推，吳君涵詠良久，謂此文近古未有，宜行之通都。心賞如余已出示諸生，人人膾炙又如余，因請付剞劂氏，余縱臾謂諸君曰，若當壓倒北地、濟南邪？然猶其緒餘者也。先生今見二毛矣，日閴寂蒲團上，校集諸名理，嘿證妙悟，博收約出，其著作語言一稟之身心性情，蓋直接關閩道脉，洵超軼當代琬琰所紀一二君子矣。天不愛道，篤生先生，先生不愛精光，洩爲文章，今皇上方浸浸新絃，又豈肯不令先生竟其設施哉？則士林日日需其霖雨矣。乃先生嘗舉孟軻氏尊賢鷄鳴章，剖晰微義，眞有裨於世道，翛然畎畝，而係當世之雅望，不獨以微文見意可知也。經之言曰，終日乾乾，與時偕行。先生之謂也。先生撰著累數萬言，茲帙如丘明採列國語成傳，特其剩語耳。昔中郎酷私王充之論，余與諸君子嗜先生文，乃心所契也，之文出，而宇內之爲中郎者，肩相摩矣。是役也，吳君寔首舉，余第次其盛，若用晦身章，李觀察本寧先生已悉之，不佞不能贅云。歲壬寅仲夏，後學倪壯猷撰。

明 周 學 易 序

　　太史幼眞先生，自其弱冠有高世才，鄉會試皆擬第一人，主者嫌其射策盡口談時事，故兩抑焉，比放榜，其文皆嘖嘖人口，以此蚤有天下名。余始爲諸生，跫然欽之。嘉靖壬戌，先生謝廷對未上，以尊人抱痾，馳歸奉色養者六七年。余時舘其荊樹樓中，見其孝必盡志，友愛諸昆，精勵於節行、文學、經濟之事，日何以庶幾古之人，古之人！時以其餘芳剩寶，津津沃余淺薄，余以此成名，迄今心師之。嗣余在先生家塾者，又無不人人得名譽於時，師若友得第者不下二十餘人。蓋先生才本凌霄，學復淵洽，捴掇時流，牙間自有光明慧力，品評文家利

鈍，驗若靈蓍，錙末不爽，眞心雅懷，不厭不倦，甚有味乎言之，士林服聞其節
行文章，人人仰如山斗，賢達淵博之聲，已自無脛而蜚八表矣。及其久在石渠東
觀，鼎望隆起，遇事可否盡言如其素，侃侃無所避讓，時流亦以此忌之。先生重
念太夫人，未晚解綬，高視山樊，不降不屑，一意沉經味道，今且二十餘年，此
其精微浩穰，前無千古，又可竟其崖略乎？既得先生行稿百篇，頃又得此未行諸
撰，東序殊珍，快觀樂道，其文何待言，其人洵可重也。萬曆庚子夏四月，武林
周學易頓首題。華亭後學朱從古書。

明 沈 瑞 錫 跋

粤不肖錫眘時，漫學藝文，先大人輒指之曰，孺子之學文劌，易夫人之學文
者，仰鑽異代喘息之異族，孺子守之家乘，有餘博矣；善乎潁濱之言曰，文章從
開闢以來，未有過我哥者。汝伯父之文，睥睨指屈，沈息返照，與子瞻並驅奪
錦，不識錦在誰手？余屢弱，藉伯父師訓，恥不逮潁濱耳。不肖錫蓋謹識之，第
斯時伯父出入承明，眷隆起注，瓊藻玉牒，抶之天府碧堂清署之中，詎聞伯父爲
兩司馬孟堅之儔，然而帝王家禁，草一脫腕之後，不復能私閱子姓矣。迄今二十
年，退息故園，世之退息者指終南爲捷徑，顧鴻冥爲鳳翥，膏肓痼癖，煙霞泉
石，徒虛語耳。微我伯父，孰從天壤間希識其高曠哉！古所謂醞釀二儀，襟抱千
古者，非耶？故能不晘垣厓生產，不霓息於勢地顯車之前，不泪泊於五陵豪俠，
聲色馳騁，獨與千聖萬賢面目相對，銳思恬注，搜剔神髓，而印證之，是能欵步
經傳，鞭笪子史，浩浩乎，淵淵乎，成一家言，以光不朽。唯是藝林響矚，顯者
默者，黃耇弱冠，誰不祇侯其片紙隻字以代拱璧？且曰玄珠蒼玉不生則已，生必
焰輝赤水，吐氣華嶽，非區區槹中私物。沈先生何不發其所藏，令都下紙貴乎？
吾伯父猶以爲，完珠全璧閟之天祿閣中，此特箕豹之一班，非全蔚也，遂函其題
曰石林蕡草，冥兮穆兮，以無用之用自名矣。不肖輒長跽讀之，曰無用者有用之
宗也，伯父之所謂蕡，乃百世之所爲屨也。念昔會稽王氏，凡得右軍手蹟，片片
珍密重秘，吾家先世雲卿輩，亦以休文之言爲世寶，剗超超過之者乎？惜不肖疎
莽不穀，不能讀伯父書，持遺券以慰先人，塞身駬足，慚于鳳毛麟角，竟何如
也，徒以膾炙腋誦，願爲王氏子弟云爾。歲甲辰春日，姪瑞錫拜手謹書識。

明 張 楚 城 序

余在西垣，與晴峰先生並居邸中，出每聯鑣，歸常共燭，義味風烈之期，良多洽已，江湖遼遠，不面者垂二十年，思之眞可念也。頃韓使君過我，貽我尺牘，示所著述，覽誦扚起，抑何胸抱之沉宏，才藻之鉅麗乎？先生素心味道，高臥山樊，研精載籍，世芬俗好，毫無介乎其中，有德者必有言，宜其然也。古之人事業行天下，當吾世則顯奕，過則已焉，獨文章昭麗雲漢，久乃彌新。文章不待事功以有，事功或須賴文章以傳。先生涵負甚大，世莫能用，不究所施設，人不盡用，才不盡於文，哦是編者，倘可想其什一焉。嗟乎！三江七澤，漁釣蓑笠之間，謂無振世之才可乎？歲庚子春正月，荆湘年弟張楚城題。雲間年家後學陸萬里書。

明 趙 光 憲 跋

不肖甥憲自嬰時舞弄內尊人前，侗然無知，間顧外大父視膳寢，憲屬後瞻顏色，時大母舅大人在坐，遂愕然異□範。至射策龍門，進攄經濟，持衡文苑，亦僅踴躍盛際，作稚子歌舞，觀其文學行誼，知名舘下，爲縉紳先生所欽服耳，亦汩乎無知也。及大人德日茂，文日富，藏稿日以積，自分管窺，莫識一班。其前集爲諸名士所請鎸，金玉琳琅，珠璣萬斛，展卷諷詠，殊不釋手，因固請集之末帙，得石林艸者以付剞劂氏，何敢讖默，無所證發其間者？嘗讀玄暉先生出之宣城咏，翛然不以陶答子自居，每期上同玄豹，謂玄豹養南山之隱也，棲霧藏霞之日久，以澤衣毳，潤文章，振翮雲曇，不受籠繫。解官歸省幾數十年，貞白堅確，不緇不磷，閉關蒲坐，校藝談經，除飲射讀法外，足跡不一交公舍。比時門人親識，下帷家塾，淑其餘芬者，盡皆知名當世。憲亦間從邑郡文學輩竊與甄陶，微言奧論，滲于肌膚，坦衷雅懷，祛豁鄙陋，酌我以清醑，披我以瓊芳，所以汀葭江茨，略同杞梓，在栽培大冶間，恍若蒙孩之覺視乎天際也，亦云快已。夫尼父七十子，授受泗濱，繼往開來，伐木削跡，幾□〔？〕一世，而振鐸鳴金，麟經乃布，大人侃侃□〔？〕世，涵濡墳典，吐沫成貝，津津道腴，溢若九河，湛於秋露，漂渺赤城，上干珠斗，此爲必傳之盛業，何疑焉？行稿百篇，玄機妙理，揚吐不啻其口，憲也淺薄，少舒臆論，以附孔門三子不污不阿之義，若夫大人峻行嶽立，望高一時，小子何足知之。萬曆癸卯冬，甥趙光憲頓首百拜謹跋。

明車大任序

晴峰沈先生集，業已行世者凡數十餘種，而茲爲續集云，迺其邑令王君謀以入梓，索敍於余。余不佞習先生文，輒取其前後諸集合而讀之，躍然起曰，甚哉文之難也！非文之難，兼之者難也。然又有本焉。余觀是集而知其所兼綜者有五，原本者有三，請得次第而臚列之。爲文不關繫世教，雖工無補，此孟軻氏知言必因言以知其心，又知其發於政事之大，蓋有以也。公緣舘閣鉅儒，三朝揚歷，學有師承，言言布粟，逈異乎月露綺靡之章，所兼綜者一。道術鄙文章爲小技，文士詆理學爲迁譚，紛紛綸綸，爭道而馳者，均之乎非也。先生掞藻若班馬，譚理若程朱，而人曾不得以岐其蹊逕，所兼綜者二。言不貴奇，貴其用也；事不難料，難於處也。余自聆公言，如弭盜、防海、救荒等策，鑿鑿可見諸行事而收其成効，豈與夫世之木驪不駕、春華無實者比哉！所兼綜者三。白、甫詩勝其文，柳、韓文勝於詩，蓋才情易竭，聰識難兼者類如此。而公長篇短牘，纚纚洋洋，如河如海，文格最暢；至其譚詩，確然以十九首繼三百篇、離騷之後，後來擬古俱不能及，而其自爲詩可知也，所兼綜者四。人能爲有用之用，未能以不用用，公解組家居者，念年於茲，迺其有用之文章則垂諸方冊而著明，人人師法而有益也，即使其鼎鉉燮理，浴日補天，功豈有加於此哉？所兼綜者五。雖然，有本焉，述作之途，談何容易？古人所以黜視反聽，埋照斂光，初豈有意於爲文哉？今世之有意於文者，皆不足與言文也，迺公則無意於文而自文，公誠至人也已，何以知其然也？余嘗過公之里，登其堂，見其門庭若水，又聞其天性無他嗜好，一切穢豔嬉弄之物，絕不以入其心，而終日焚香燕坐，左圖右書，翛然自適，雅得夫寧靜澹泊之味，余以是窺其原本者一。棼華過眼，誰能不波？靈明一掬，何顯何晦？先生自少壯時業已早聞大道，厥後翺翔乎金馬，逍遙乎碧山，而慧識玄脩，天動神解，人之望公者信以爲神僊中人、風塵外物，余以是窺其原本者二。公又嘗言，子半之夕，招搖東指，天下皆春，推斯指也可以經綸，可以述作，妙在由微之顯，不言自行，則公素所醞籍，直探四時之序，而默宰造化之機，余以是窺其原本者三。公誠至人也哉！夫至人者卷舒在手，行無轍迹，有如主上詢茲黃髮，而蒲輪麻詔賁及橋李之濱，則公之功業又其身親見之也已，此王君及予等中外人心之竚望，而公無意也。公之無意於功業，即其無意於文者也，王君父惺菴既爲公壬午所舉士，而又欲以公之耆英碩望風示邑人，迺亟亟表章乎斯集，所謂宓子之於單父，有以父事之者，非此之謂也夫？而循政亦可概見矣，遂以是弁其端。萬曆甲辰夏六月吉旦，楚人車大任譔。

6. 四餘編四卷

明 汪 道 亨 敍

　　四餘編者，吾師太史幼眞先生居於當湖之濱，脩先王之術，避囂習靜，而因以著焉者也。聞之夜爲晝餘，晦爲朔餘，冬爲歲餘，暮晚爲少壯餘，而吾師席其餘晷，買其餘勇，以身蠹魚於六籍百家中，不屬不止。若乃發之爲文，則操心匠解，理刃從容，韞釀而出之，又有若造化在手者，而四餘之編就矣。吾師應於人者多，故其體不一，若璽書、若序、若記、若議、若疏、若詔、若策、若表、若對、若攷、若書、若說義、若祭文、若雜著，各自爲類，亦各自爲編，而如此編者又復種種難以更僕數。當湖王令第刻而表章之，而異日者尚欲合并爲全書以行於世，因乞不佞亨先弁其簡端。自惟不佞與王令之父德安君，同爲吾師壬午所舉士，而而〔而，疑衍〕不佞幸唧命參藩此中，未及造吾師之室而請焉，猶幸卒業斯編，庶幾所謂服膺請事也者，斯不儼然師模在望耶？曩吾師讀書中秘，爲天子侍從臣，出入金馬門下，日惟囊筆代帡，以鋪張帝度，潤色皇猷，天下額手以爲夔龍復出，而吾師自官司成，身未登宮僚、佩相印，即拂衣歸矣！天下又相與彈指咄咤，以不盡吾師之用爲惜，而不知不盡者所以滋餘也。餘故授之以歲月，而吾師內沾沾自喜，以長有歲月之餘爲幸，而時時握三寸管，容與于詞壇藝圃，以竟其適於古文詞。竊謂天長予人以餘，而人自棄之，或以其餘握算持籌，潤屋拓畝；或以其餘彈碁浮白，選伎徵歌；或以其餘事清談、參空王、熒左道；而□〔吾〕師意夷然不屑也，其所銳意而饒爲之者，則獨此名世大業，不朽盛事而已。蓋吾師以調燮爲詞章，以經綸爲黼藻，以未用之用爲用，而以無文之文爲文，故其編不拘拘左準右繩之爲範，不瑣瑣腐毫刻葉之爲工，而亦不淩淩鞭風馭霆之爲快；不傷骨亦不傷氣，不累句亦不累篇，不揚而高，不抑而沉，不豐而肥，不約而澹，即吾儕淺陋，無能定其品格而窺其藩籬。總之，外足於象，內足於意，極詣鄒魯而力追班馬，一代之人文，跨千載□〔而〕上之者，其在吾師乎？其在吾師乎？雖然，此特吾師之緒餘耳，吾師有文通之才而不竭，有孝貞之思而不殫，閟邇來養日益厚，而神日益王，其爲此名世不朽者，故未有艾也。指日天子思舊臣，詢黃髮，尊之爲師尚父，而禮之爲睿聖武公，固知丹書之箴、抑之戒更有進焉，而吾師身有餘禧，家有餘慶，社稷蒼生亦有餘庥，門下士具將拭目而觀，盱衡而待矣。時萬曆甲辰孟冬月吉旦，浙江布政使司右參政、奉勑督理糧儲漕務，門人汪道亨頓首拜譔。

明沈懋孝緒義

昔我尼師之學，好古敏求，憤發日新，至老不厭；蓋自謂每十年一進，曰志學之初已知此矩矣，吾七十而始能從心之欲不踰矩也。夫從欲則多踰矩，不踰則宜不從所欲，是二見也。矩在吾心，自由自在，又何踰焉？夫天之道，神明變化，然運之爲五行四序，一秒忽不踰度焉，百昌萬彙各受其則，不用纖微力，一本之自然。乾之象曰，天行健，君子以自強不息。日日行，日日健，綿歷萬古，神明不老，聖人亦何知老之至乎？故云，俛焉唯日不足，忘其將老。人生只有此一事，直以一日當萬古，又何息焉？使得邦家證所施設，總萬方之略，衷之乎方寸，納羣流之善，致之乎適用，絜矩蕩平，八埏一如，亦猶之乎執中故挈耳。述堯則堯，夢周則周，律乾襲坤，寫之六籍，至今天壤受其衡尺，正不知其搜精沉想，彌日捐宵，經幾番振發磨厲，汗背竦髮，於無涯廓中剖出鴻濛，忽然大徹大快，自立萬古，其憤耶？眞憤也；其樂耶？眞樂也。姬公思兼，仰企實有，行而不合之事，思而不得之時，通微入睿，與千聖請契，苦心亦復如是，所以尼師癙痗獨拳拳此事。嗚呼！道無量，思無疆，凡人智短，入淺而意疲，聖人智深，入精而彌苦；天壤一無窮，今古一無窮，六合內外，無聲臭之表，又一無窮；君子赴學，比之爭時，研精瀹於探淵，誠見此物與吾心一絲不漏，寸寸入方，玲玲走圓，知其味，故樂也，知其苦，故憤也。僚丸羿射，在神法合併，機鋒針芥之中，吁，亦微矣！可易言乎！昔人珍寸之陰而賤尺之璧，苦志長日短，每惜景而加年。夕者日之餘也，晦者朔之餘也，冬者歲之餘也，暮晚者又少壯之餘也，懼其將衰，彌思補緝，是以有四餘之論，銘之齋館，用自勖焉。王仲淹有言，其爲人多暇日，則出人也不遠。亦冀後來同好直趨大道，無負壯心，益持末路，則余言其茉莒已夫。長水沈懋孝幼眞甫述，時年六十九，歲在乙巳之次。

（張永儁審查　　郭啟傳標點）

穀城山舘詩集二十卷十二冊　　明于愼行撰　　明萬曆間東阿于氏原刊本　　12571

明 葉 向 高 序

　　穀山于先生侍上經帷，多所啟沃，晉長秩宗，忠猷益著，謝病歸，優悠林壑
者贏十稔，天下人日望先生之入相以竟其勛業，不啻如東山洛下，而久之尚未奉
爰立之命，則又思讀誦其文章，庶幾若六經秦漢家言，以昭一代著作之盛，使文
人學士得有所程模，而先生尚閟不欲傳，僅以其所爲詩如干卷梓之吳會間。屬余
以滿考道阿城，謁先生于家，先生出以示余，使序焉。余觀近世說者以爲三代而
降，天下多感慨之什，豈其然乎？昔師乙之對子貢曰，其人寬而靜，柔而正者，
宜歌頌；廣大而靖，疎達而信者，宜歌大雅；恭儉而好禮者，宜歌小雅。斯所謂
君聲者歟？言之不足，而長言之，其本乎性情者耶？先生不以樂府之夠狗爲樂
府，故能爲樂府，不以晉魏之偏師爲五言古，故能爲五言古，不以江左之聲病爲
律爲絕，故能爲律絕，不以屈宋唐景之殘膏賸馥爲詞賦，故能爲詞賦，其思靜以
深，其神恬以穆，其所寄而游焉，冲融以簡遠，情景以相得，而宮商自宣，毋論
舒徐容與，慷慨悲壯，深衷隱念，迅霆飄風，皆釀爲至和而發爲中聲，視葉葉而
雕之者，大相逕庭，故余竊以爲先生之詩，雖不乏風人之致，而要以施之樽俎，
播之郊廟，無焦殺繁促之音以褻其聲調，則自雅頌而後此其繼響者也。夫以詩論
詩，則蘇李不得爲魏，而王揚不得爲房杜，燕許不得爲姚宋，而姚宋輩亦不得爲
燕許諸人，彼情有所偏而才有所局。先生辭盛美于清華，養貞白于澗谷，龍吟鳳
鳴，舂然成響，崇功盛德，誦而不忘規，華疏彩會，煥而不忘質，金戈鐵騎，勇
而不忘警，流連嘯咏，樂而不忘返，贈答欵曲，婉而不忘直，蓋非但綺也，而經
世之訏謨，格天之弘烈，往往可概見焉。采薇天保、嵩高蒸民、清廟高山之章，
非周公、召公、吉甫諸聖賢必不能爲，千載而下，其能爲之者，在先生矣。蓋夫
子返魯而後樂正，雅頌各得其所，先生生夫子之鄉，而紹明其業，遭逢盛世，身
在館閣，橐筆橫經，鋪張當代之盛美，亦千載一時。今天子方將建中和之極，采
風謠於輶軒，辨鍾律于簋簴，上繼姬周，俯隨漢魏，即田夫紅女之所謳吟，杞人
漆室之所藑伊，猶將陶沙見金，不遺瓦礫，況先生惟崛舊臣，忠猷亮節，傑然韻
語外者，尤聖心所簡在乎！使大雅之音，不在東國而在宮縣，羽儀之盛，不在丘
樊而在阿閣，海內讀其詩而想見太平之業，先生即臥甚堅，且當爲世道起矣。至
其芳可紉，其美可襲，其音節可比金石，如古所稱詩人之致云者，則又先生調燮
之餘事耳。余少侍先生於史局，竊望下風，自愧陋芳，無以當先生，幸而得以姓
名自附于篇什間，行將盡請先生之著作以縣之國門，傳之通邑大都，使海內快覩

其大全也，先生其許余乎？賜進士出身、通議大夫、南京吏部右侍郎、前左庶子諭德、兼翰林侍講、侍讀東宮侍班官，教下生福唐葉向高頓首譔。

明邢侗序

　　吾師宗伯學士先生，以日講事今皇帝最久，受眷知最渥，其予告家食穀城，則以先生婁疏控懇，移疾休沐云。乃今居諸荏苒，十餘年往矣，先生時年正六十，色甚澤、志甚愉，而召還之旨迫在旦暮，先生一若弗聞也者。比以一編馳示小子侗，曰此余平生所爲韻語也，子其爲我校之紀之。侗受而恭讀焉，踰句稍稍涉其涯涘，乃僭論曰，有是哉！先生之值盛明也，盛明之獲有先生也，洵非偶然爾也。夫有唐制作之業獨歸之詩，要之擅絕而難繼，則又獨歸開元天寶之際，而名盛唐，景神以上，詎乏宗工？而以沿襲近代之餘，流波未泯，靡麗勝則嗛其爾雅，痕態露則失其穩嚴，是之爲初唐。彼盛之軼于初，而初之不及盛，則時代人情之境會爲之也，譬之釀焉，酎以重醇，醞以法極，漸漬深而蘊悏洽，靈和溢而天籟鳴，盛之爲盛可知已。我明荷天隆運，氣化涵融，故其于詩儲精有獨厚，表盛有間才，愚得抒臆而談焉。李何崛然並挺，力振孤學，猶之產神景而跨開元，墾疆竭蹶以爲盛唐，而化鳩之眼，厥有微讌，江東歷下，據時全盛，流羨開元之座，即人士不無岐舌。先生起于歷下之壯歲，而成于江東之末年，論其時代若合開元天寶大曆之世，而屬之先生者，猗歟休哉！昌明之際，于斯爲盛矣。先生降神名嶽，夙負幼清，蚤奉嚴庭，切劘雁序，青箱付授之日，雅言乎詩，而又加以熙朝之所淳湛。逮官翰苑，彌厲家學，以茲地望不以資詼達而以窮秘檢，不以廣遊道而以適深衷，性靈所會，遂百同會，窗戶潤藩，悉置刀筆，凡歷歲紀而浚其書成，書盈百卷不盡述，今略辨晰其詩。清靜厭悕則孝子之處心乎，優柔溫厚則君子之厝躬乎，矕岪秀特則太華之孤標乎，汪洋吐翕則重溟之巨觀乎，華粲敷與則喬瑞之卷舒乎，條流總統則簡篇之集成乎，從盛明而出先生之業，就盛唐而測先生，侗竊謂先生律絕歌行等取以擬盛唐，則先生與盛唐無兩負，若以樂府古詩而儕先生于盛唐，則盛唐猶似負先生者，此其故難言矣。究而論，代屈先生與李何角，則李宜遜姿，何宜遜骨，不寧惟是，假令江東以羽獵驂駓駶礚之勢，遇先生不能不左辟車攻之徒御，復起歷下而抵掌黄石之次，歷下能無爽然于東野，而推先生造父乎？夫抗聲文苑，則夔龍弗愈于馬班，正色台司，則李杜或慚于伊傅，何也？則以全力之難，而齒角翼足之鮮兼備也。先生貴爲王佐，尊則帝師，託詠屬詞，卓焉名世，不亦天授也歟？先生係著人心甚切，有頃天子亟下黃麻而相之，屬所司親勸爲駕馬，則馬班李杜一日而都伊傅夔龍之席，所爲稱報張大盛明者曷極？而盛明與先生遘，不徒以聲詩故，斯又無前之緒矣。門下士侗老于一壑間，無裨崇濬，尚能勉撰中和樂職，宣布詩，以爲先生藉手丹陛下也。濟北臨邑門人邢侗沐手頓首謹書。

（黃永武審查　　郭啟傳標點）

穀城山舘詩集二十卷文集四十二卷二十二冊　明于愼行撰　明萬曆丁未（三十五年）周時泰南京刊本　　12574

明 葉 向 高 序

　　此于文定公集也，歲甲辰，余過穀城，公出其所梓詩命余序之，余謂公文何以不傳？公曰，力不任梓耳。余至白門，以告太學生周時泰，時泰請任斯役，公乃哀其生平所著作，刪定釐次，蓋又更兩歲而始寄余，時丁未初夏也。未幾，而余與公同被綸扉之命，同入都，而公有末疾臥邸中，不旬日逝矣。逝之日，時泰適告成事，以公集來并其詩合刻之，公猶反覆繙閱，刊訛摘謬，仍以一帙示余，余讀未數行，忽報公目已瞑也。異哉！公在日嘗語其門人郭孝廉應寵，序我文者必福唐，然我嘗欲有一言于蒼霞而未及副，吾將圖此乃敢請耳。公沒，而孝廉與公之子緯申公遺指，余益悽然，因爲之敘。敘曰，明興，著作之業至正嘉隆萬之間，郁乎盛矣，然挈其大凡，率有偏詣而罕兼收，故理勝者辭或陋，格峻者力或衰，語遠者意或近，致深者光或窅，能爲唐宋則不能爲六朝，能爲六朝則不能爲秦漢，入之途殊則詣之域異，出之機別則索之致懸，此雖資有所岐，亦其才與學不能並到之失也。文定公以絕世之才，弱冠即入史局，窮年矻矻以讀書爲事，固已殫二酉之藏，而窮宛委之秘矣。其謝宗伯，歸臥穀城山中者，十有七年，地當孔道，冠蓋行李往來者無不謁公，而公嘗稱病謝客，門羅不設，蒿徑稀除，蕭然一室，左右圖書，吾伊之聲常丙夜不絕，故其所網羅搜抉蘊諸胸中者，益閎深奧衍不可涯涘，發爲文詞，皆春容宏麗，深至婉委，于情事曲折無所不盡，而于氣格詞理、意象色澤無所不工。余嘗反覆讀而論之，以爲公之文就一篇之中，則沉雄規之秦漢，流暢出之宋唐，乃其取材于昭明之選者爲多；若概其生平，則少年之作以宏富爲宗，故近六朝，中歲以後以骨力爲主，故參東西京，至于晚節，則陶洗鉛華，自生姿態，又若在昌黎眉山之間，自非命世詞宗，人巧天工，合流駢出，何以有此？於乎盛哉！信著作之大成，而熙朝之盛事也。公里居既久，屬時事多艱，中外皇皇，望公之嘔出，徵書下日，四方聞之無不動色相賀，而學士先生知公文已付梨棗，則又相與張皇，以爲山龍火藻之章，與經綸康濟之業方並耀于世，公亦將以其平居考究研索于古今興衰得失之故，參伍籌劑，具爲成畫者，次第而施行之，而國門初入，箕尾遽騎，當宁爲之興嗟，蒼生因而失望，豈不悲哉！向余敘公詩謂，自昔大臣于文章勳業鮮有兼至，而致望于公，今公之文章已無遺憾，而勳業未竟，造物忌全，令人扼擘。要以千秋而下，讀公遺言，其所設施亦自可見，而今日政地，展布實難，即公無恙而居此，能不苦心張弛贏縮之間？夫庸知非天之所以愛公而全其名歟？昔人有言，君以此始，亦以此終。公弱冠修業，至于屬纊之頃，遺編適完，故是奇事。司馬藏史于名山，子雲徵玄于後世，作者深情，一何悽楚，然則公之集成而公之目瞑，固其宜矣。公著述甚多，如讀史漫錄、兗州志、經筵講章、春曹奏疏，筆塵史摘，尚若干種當漸次盡傳于世，而余先爲敘此，以當延陵之劍，然第論其文耳，至于詩則有前言在。賜進士出身、禮部尚書、東閣大學士、同知經筵日講、知制誥，福唐葉向高撰。

明 陸 樹 聲 序

宗伯穀城于公與予同列史局，又同典南宮禮，而出處後先，耿耿相望，徒結思於濟河泰岱之間。邇梓其詩，而走一介徵言爲序，予耄矣，何能稱詩，顧惟公際盛朝，歷華貫雅，以文采風節表儀當世，而上不結知，下不植援，侃侃穆穆，得古大臣之度，自通籍以至上卿，家食者殆強半，逮其謝宗伯而歸也，年僅逾強仕耳，時論方以未盡究爲恨，而公直以不嘔退爲憂。予生平耽寂倦遊，臭味近類，獨予以病不任朝謁去，而公之歸則其故有不可知者，此予所爲愛公重公而無能萬一希公也。公里居者十餘年，始屆六秩，貌甚澤、骨甚強，築室穀城之陽，徜徉考槃，撰述日富，而尤寄賞於詩，長篇短章，業已粹薈成集，乃聖天子虛揆席以屬公久矣，一旦拜白麻、踐紫闥，方將用其批風抹月者爕綸元化，用其刻燭雕蟲者藻潤隆平，詩於何有？而況高文大冊，琬琰金匱者，尤非區區韻語所能概哉！若夫審其聲以知其人，則其春容正直之養，碩大莊嚴之象，先憂後樂之懷，長王國而保黎民者，亦將於是乎有考焉。諸詩古今體裁之變，公門人邢侍御子愿

品之詳矣，予不具論。三賜存問歲給夫廩，華亭九十六翁通家侍生陸樹聲頓首
譔。

（黃永武審查　郭啟傳標點）

————————

朱文懿公文集十二卷二十冊　明朱賡撰　明天啟間刊清康熙乾隆間遞修補本
12578

明 王 思 任 序

　　公爲庶常，初謁其館，師內江趙文肅公從儕偶中望見，即語人曰，朱少欽他
日救時宰相，蓋代才也。後公翶翔石渠天祿，斧藻鴻業，以鼓吹休明，歷綸閣、
講帷、棘院，恪共厥事者凡三朝，有念餘年之久，晉大宗伯，引疾歸，臥東武山
樓，又數年，發神宗之夢，乃大拜。是時根盤節錯、國事維艱，四明歸德同時謝
柄，主眷於公，特隆且摯，政府七載綢繆，蹇蹇瘁志如荼，所有密揭上溫室，外
庭不知。其大章累奏、靖獻之書、業經鏤板行世，公論自在天下，惟是彼新進驕
人，高其趾而銳其喙，吹索涅磨，駢集如蝟，此直似浮雲渣清耳，于公自無傷
也。乃若其他翰墨，多伸紙授人，不甚蓄。逾數時，而其家孫調元與水部公啟元
各出所手錄，更博詢海內知交藏授，始完輯之，以校閱事屬不佞。不佞童子備
官，常奉公杖履，陟黜以來，未受公之一睞，然而心極儀公，以公無所私於人
也，既在鄉後學，敢僭一言之附？敘曰，文何昉乎？其在奇耦二畫之初耶？奇散
而爲天、耦合而爲地，文在茲矣。夫子贊易，獨以乾坤稱文言，要知至文出於天
地，而天地之所以爲文者，抑如小儒所云雲霞乎、星日乎、山川艸木也乎？夫其
神光物采、幻詭絢敷，皆奇奇正正之象形也。夫象也形也，雖天地之文也，而非
其所以文也，天之文確然者是，地之文隤然者是已。人受天地之中以生，莫不隨
其氣之所稟、力之所及，以爲文之至與不至，是故有才人之文、有學士之文、有
君相之文，才人之文得天地之奇、學士之文得天地之正、君相之文得天地之易
簡，匪得其易簡也，乃得其廣大，理不大則文不易、理不廣則文不簡也。今試讀
公之所謂文，明白正大，一望而知，曾有榛目蕪喉、牛神蛇鬼、不可方物否？其
和平雅厚，如對春風膏雨時，聽肉歌、接情笑，緩帶輕裘，一賓一主也。曾有怒
號雄叫、突兀崎嶇、惡劣惱人者否？赤烏几几、黃髮皤皤，韻乃石金、蒼同圭

壁。一篇之中，曾有恍語、缺語、浮語、諧語、輕薄人語否？慮心宣口、達意止
辭。曾有刻巧鑿新、藤纏葛絆者否？性命安身、家國生理，或爲天憂、或以人
憫，懼則紙動、淚則字枯。曾有木楮土羹、春花霜葉、無物不倫、可用可置者
否？是故讀其勑頌疏表，質必主華、規以成美，雜之宣公坡老，一時未辨鬚眉
也。讀其制舉論策，高閎久遠、曲暢旁通，用之則治、不用之則亂也。讀其贈賀
等序，愉悅毋諂、勸勉在末，不僅僅銀黃犧酒、介壽致福而已也。讀其銘狀輓
章，山陽之感在耳、車過之痛入腹，骨受何慚、心許不負，則又款款惻惻成一代
之惇中也。公學問淵源惟以六經子史爲布帛菽粟之用，去文成不遠、與龍谿雅
厚，一時姻友如趙端肅、羅文懿、張文恭輩，皆以道義清正相師友，又以孝弟敦
睦謙讓儉勤爲天下之範，處不盜聲、出則盡命，允釐百工，弼成丹袞，苞三辰而
舉萬象，不但其才高學博，乃廣大之氣，公所得於天地者，中而且多，故足物
也。公生豈偶然者哉？向使天不愛道，假公耄耋之年謝去相印，平泉綠野之中，
展賜書、開祕閣，變化議擬，當必有靈圓朗亢之旨，益廓其矩規，翊明翼聖，嘉
惠來茲以大不朽者，而惜乎獲麟一歎，筆僅止此，雖雞林月窟，無不知有公，而
吾獨恨翕訿嘽沓之輩，終日昧其心、深其貌以攻公。讀是篇也，應自陋其坐井之
觀也矣。同里晚學生王思任頓首拜題。

清 闕 名 跋

　　先文懿公文集，自康熙戊戌脩補後，已三十八年，今檢閱全板，內對開者計
三十一塊，尚可釘用，其殘缺不清者約計五十一頁，若不極爲脩整，幾成廢書。
茲泰大房議將高祖箭里存資勳用補刻，又將鏡水相公墓銘并自贊及目錄末篇續入
補遺，統計字一萬六千有零，共工價銀九兩零，復加校讎，更成全璧，由是多爲
刷印，用永厥傳，則有望于族之同志云。乾隆乙亥歲清明前三日謹識。

清 朱 之 檉 跋

　　我高祖文懿公遺編有奏疏、文集二部行世，文集王季重先生所編次，計十二
卷，合序文目錄六百六十有四頁。相傳鐫自明熹宗初年，後厄於兵燹，多殘缺。
檉檢舊藏板四卷少四一、四七、八三、七四，九卷少自三至二十四，序交又錯惧
三頁，研田所獲，覓鐫工校讎而補刻之，復成全書，其奏疏板全失，欲重付剞
劂，而力有未暇也，姑俟將來云。康熙戊戌夏三日，五世孫之檉謹識。

（黃永武審查　　應廣輝標點）

華禮部集八卷六冊　明華叔陽撰　明萬曆丙子（四年）王世貞刊本　12581

明徐學謨序

　　儀部郎華起龍氏爲故翰林侍讀學士鴻山先生之季子，學士公之舉儀部君也晚，舉而岐嶷穎慧絶人也，則學士公鍾愛之，稍長，令習博士家言，即儦儦吐光焰，出語驚其座客，以故不三數年連取高第，釋褐司空郎，尋調比部，再調儀部，爲天子典屬國，官階駸駸隮清美，非其好也，居亡何，忽念學士公老，竟移疾歸，歸而綵侍學士公，徜徉湖山，商質疑義，于于焉驩也。予嘗往來其家，見儀部君晢瑩如玉，衣裳楚楚可念，顧未悉其能於博士家言外之能爲古文詞，間省其私，則旁舍所羅古圖書甚富，儀部君方日坐臥其中，兀兀下帷，求訂析其所爲古文詞者，固知其不樂仕之意有在也。乃學士公亦言，吾宗入國朝、成進士者纍纍起也，而罕服大僚者，豈氣以股注薄耶？季子誠少年，非乏華臚之患，而患乏令名，弟多讀書，嗣吾志，令華氏不没於世，足矣！予聞之，未始不歎學士公之灼於天道也！予既適楚，未幾，華氏人以學士公之訃來告，又未幾，而告儀部君之訃，嗚呼！豈昭昭者眞忌完哉？吾吳故鮮喬木世家，乃華氏自晉孝子寶，迄今千禩，代顯衣冠，而學士公起家侍從，業擬預機務，會有齕之者，尋焚魚而去之，以未竟厥施，時時稍斥其餘智，矜飾生業，故其所居弟宅林麓，都雅閎麗，弁冕江南，蓋悠然亨安榮清苾之奉者垂三十年，而晚復見儀部君成名，天於華氏可謂畀之完矣。而儀部君又非他成進士者比，夙齡抗志，脫屣墻塵，刓精刊神，宜抉倪寶，今其所爲言具在，古詩澹遠，追軼陶謝，文宛麗春容，不剽賊前人一語，其才情藻思，固子安長吉之流也，早就玄解，宜難久視矣。吾友王廷尉元美嘗云，文章九命，夭折居其一焉。不謂儀部君卒當之，悲夫！高明神惡，天之所忌，獨惟所亨完哉？乃孔氏之訓則，薄不死而病無述，昔陸平原之屬纊，亦以作書未成爲恨，有以也。乃儀部君之書幾于成矣，耀景流聲，輝映終古，鬵乎其相宜，而暘乎其有適也，後世當有述之者，華氏之傳將大以遲，豈直不没而已耶？王廷尉與予同出學士公之門，而於儀部君爲外舅，將梓其集以傳，問序于予，乃爲識造物者之微，復于廷尉，而亦以慰學士公于地下也，於是乎言。嘉議大夫、都察院右副都御史，嘉定徐學謨撰。

明李維楨序

　　嗟乎！此余友毘陵華起龍所爲文若詩，其婦翁中丞王公愛而傳之者也。起龍少余二十九日，又同舉進士，兩人雅相善也，當是時，君業以文名翩翩豪舉，而會有詔選諸進士爲庶吉士，衆無不心儀君，乃卒不果，既謁選得工部主事，遂謝病免，三年再入爲刑部，尋改典客，再以病歸，歸則持學士公服，不踰年，死矣。始學士公以吉士外補，久之得入官，不過下大夫，其屬望起龍故甚，而華氏在無錫，皆累世嘐嘐然類此。今觀所爲詩文，大都皆酬往慶弔之語，歸田以後，寥寥無所論著，則何說也。學士公善五言詩，有陶韋之致，起龍好之，故詩古風爲佳，其書學虞褚家法，唵曖斐亹，極有勢而摠之未詣實際，使天假其年，儻所謂南方之學得其精華者耶？中丞公言語妙天下，起龍當借以不朽，而更走使者千里外，索余共序之，余不嫻於辭，何能爲起龍益毛髮事，念縞帶交，意愛甚密，一旦化爲異物，不勝運斤亡質之慟，聊爲道其所以云爾。萬曆丙子秋七月既望，友人京山李維楨書。

明王世貞序

　　明萬曆甲戌之夏五月，故翰林院侍讀學士華公卒，其季子禮部主客司主事叔陽、字起龍，以哀毀得癖疾，明年秋九月，竟終於苫次，春秋甫二十有九。嗚呼哀哉！楊仲武之清才儁茂，王子安之藻理秀發，並以茲年而同厥厄，何造物之戲人，驟予而驟奪也！起龍少負穎質，風標鮮令，爲學士所鍾愛，訓勵尤切，雖銅盤別食，寵異等乎道彥，而青衣受檟，切磨幾於廷碩，柔愛義方，庶幾並行不悖矣，以故舞象之歲，褎然邑庠，歌鹿之秋，甫踰弱冠，凡有撰述膾炙人口，尋舉進士高第，拜工部都水司主事，出視稅武林，非其志也，內迫晨昏烏鳥之戀，外慕汙濁蟬蛻之趣，懇疏引疾，予告南歸，溫清之暇，縱心邃古，模楷作者，蓋卓然有成矣，既告滿三載，補刑部四川司主事，委積館舍，不忝懷方之職，塡緒巾脂，無煩鄭僑之對，至於鉤剔奸隱、袪掃宿猾，雖謠諑狂響，行之自如，尋以念學士乞歸，星言載馳，獲伸無方之養者，踰半載，俄而學士疾亟，湯藥躬調，遂有刲股之舉，含殮甫畢，遽成嘔血之慟，衰慈在堂，二稚依膝，割戀人世，追踪泉臺，諸所未終，一念畢矣！夫其汪洋竹素、揮霍毫翰，颯若風鳴、落若霞舒，

雕虫之士往往魄奪，而務在剪裁，雅托沖淡，乃其就者，亦既斐然，陶謝之藩，
旦暮可啟，而又旁通釋典，兼曉宿因，臨池之染，多托經藏，性不食酒，而從容
款宵，居無雜交，而慷慨傾橐，至於名畫法書、商彝周鼎，意所篤嗜，幾奪寢
食，此子無死，故未可量也。子之元配，寔余淑女、圭璧表其圓方、鸞鳳協其和
鳴，天之不造，先子而夭，帳蕙久荒、墓草載宿，而余猶栖遲世途、俯仰物變，
以此言哀，哀可知已！乃作誄曰，天族惟殷，華爲國楨，魯記司馬，貴而不名，
右師睅旛，郤楚以情，嶠寔顯晉，厥宗通靈，孝子絕婚，嗣乃繩繩，其麗不億，
以逮於明，四業鶩馳，衿紳勃興，子之先君，藹藹吉士，橫經虎幄，紬簡金匱，
處榮能割，未滿思退，匪爵而封，爰政鄉遂，聲華四垂，門故三事，晚而消遙，
與物靡際，其心則長，以貽善繼，子之覽揆，鱗祥在夢，藍田嘉玉，丹穴威鳳，
秀朗天植，穎悟如縱，累紙立掃，千言闇誦，公車之作，世所摹風，雞山歌鹿，
龍江攄虹，伯既難兄，功埶與仲，取標南宮，射策金馬，雋掩同升，芳馳都下，
洛陽少年，正平大雅，車停縱觀，紙貴傳寫，降心玄古，力紲輕冶，俯仰時人，
和者寧寡，厭跡水部，脫囂樟鄉，齋慄夔夔，退而洋洋，跌宕詞林，從容藝場，
靈威古文，金薤琳瑯，倫躓秘鎗，敦夏彝商，不徑而趨，集子之堂，長卿自娛，
文園養寂，王程外嚴，親命中迫，寅恭秋憲，神明三尺，帝曰汝良，改隸宗伯，
周氏懷方，漢典屬國，子始爲政，剔其垢積，賓至若歸，吏怖徙匿，道行九夷，
聲流重譯，陟岵興懷，循陔致思，囓指高堂，使我不怡，神虎朝掛，雲龍夕辭，
歸者及門，病者起帷，如登春臺，如含醴飴，既禽且耽，將永天期，天期驟迫，
奪我嚴父，冠無晝幱，寢不夕處，回生可希，敢愛其股，嘔血長號，雞骨支柱，
曾不踰年，追軌九土，子之哀慈，早暮悲啼，子之二孤，或泣或嬉，建禮清曹，
天衢甫夷，素侯之藏，南珍陸離，凡子所灃，一旦若遺，天既奪之，昔胡貽之，
嗚呼哀哉，星隕珠沉，蘭摧玉折，鎩羽鷯雛，傷蹄汗血，密戚哀攢，吳游痛咽，
濬沖死孝，長謙才絕，人孰無悲，悲子爲烈，子之遺文，百有餘篇，銳情魏晉，
旁謝及顏，已窺厥藩，惜不假年，其骨雖朽，其言足傳，子無沒視，余操子權，
英英淑女，獲配君子，先子而往，以身蓐螘，若父乃舅，亦且老矣，仰怵天裁，
俯慨人理，臨穴莫從，纏恨桑梓，嗚呼哀哉！前督軍御史中丞廷尉太僕，外舅瑯
瑘王世貞撰。

明　王世懋　序

起龍，余從子婿也，年十五六時，爲舉子業，有僬聲，其尊人學士公間出示余，余不謂善也，學士公悟而亟易之教，不一載，葩藻豔發，遂以弱冠連上第。起龍既名家子，年少負才，眉目如刻畫，一時流輩爭趣視之，選得水部郎，即移疾歸，其出而再改客部，以不能俯仰當世，人頗忌之，學士公迫之歸養，歸亡何，學士公卒，起龍未終老毀，亦卒。余兄痛惜之，爲索其遺詩文，僅得若干卷，梓之。初學士公好爲古詩，起龍承家學，亦多爲古詩，其他有志而未暇也，其歸養時，頗欲以暇日大肆力爲文章，乃不幸遽病以夭，而所傳於世僅若此，好起龍者以謂其才當出李長吉上，而所見寥寥，不副其言，乃與忌者比。烏乎！語不云乎，豫章生七年乃識之。夫七年之木，榮爲干霄之材、冀爲明堂之棟可耳，七年而遽剪伐之，輦以之明堂，不稱則譁，而謂非豫章，此不栽培之過，非豫章罪也。世所望起龍者得無似之乎？起龍非獨於文然也，其爲人少長富貴、盛氣自適，不知人間世之難已，稍涉太行之麓，則翻然易慮，願爲蚤密，蓋其才性觸悟類然，藉令天假之年，使鬱而就深沉之思，一日千里，故未可涯也，此寧獨其文哉？馬新息云，良工不示人以樸。起龍吾所謂豫章也，天胡生若林而早其剪伐？乃竟令以樸傳，悲夫！曰若是則起龍所不欲示而余兄爲傳之者何？曰起龍集，世知起龍望之耳。今其五言詩具在，讀者掩其名而試求之，即未可入建安黃初，有如褾之王儲間，饒愧色乎？國家重進士選，歲可百人，位不起龍卑、年不起龍下，死而湮没者何可勝道，儻世有誦其詩而好之者，知學士公有子起龍，其猶恃此樸也夫。或曰學士公巖居稿清婉可傳，而選起龍佳者附其家乘，此亦一奇也，余試以質之余兄然否？吳郡王世懋撰。

明華起光跋

嗟乎！此余弟起龍子遺編也，子年十二三即篤嗜古文詞，時方爲博士業所拘繫，且先君子督課甚嚴，余與子更相砥礪，而子年最少，作性尤奇捷，每會課時，輒嘆時藝淺薄，不足以盡展其才，若有不屑爲者，乃力於常調中更求超凡近理，世人所不道者道之，即今有政堂稿是也。生平志在應制館閣，及登第，僅裵回郎署間，乃大嘆曰，丈夫不能濡毫鳳池贊當代弘文之化，獨不可馳神藝苑爲後世不朽計邪？乃益博綜羣籍、旁究諸家，有所得則輒記之，蓋詩歌則上擬陶韋、文章則力追班馬，然性不苟作，人每勸其著述，即嘆曰，厚積薄放，眉山氏眞吾師哉！兩移疾歸，定省之外，終日惟獨坐一室，左圖右史，朗誦不輟，蓋其志必

欲俟其既溢而流、持滿而放，駸駸日進之機正未艾也，乃竟抱沉疴，弗克襄事，
齎志以沒。嗚呼痛哉！檢之遺篋，得所爲詩文若干卷，泰山氏鳳洲五公惜其所遇
之厄，無以自是於世，乃求太室徐公益軒李公文序之，而親爲誄詞冠於其首。嗟
乎！天之待子也，其厚薄竟不可知也。界之美質、顯以巍科，又有文彩之可見，
詎不謂厚乎？然而官止爲郎，年未滿立，而竟不使其大肆力於不朽之業，所賴以
自見者僅僅止此，噫！抑何其薄邪？余不文，不能闡其潛行，而手閱是編，情有
不能自已者，故拭淚而書之，亦以鳴其未竟之志云爾。兄仲亨起光甫跋。

（黃永武審查　　應廣輝標點）

天遠樓集二十七卷十二册　明徐顯卿撰　明萬曆間刊本　12583

明徐顯卿後序

顯卿爲此譜，以意匠經營，久之而成，所經營者不在文而在法，以故近世譜
法一切汰去。不爲世系總圖，以其法易窮也；不爲小宗圖，脫族既繁衍，則不勝
其小宗圖也；不著家訓，以古聖賢格言甚具，無庸贅也；不備舉得姓之由，亦以
有典籍在，凡徐姓者，夫人而知之也，生前有名公贈言，身後有名筆傳狀，志銘
不附錄者，身必自樹立，無藉他人言爲也。狀此類不可枚舉，大都欲暢而易曉、
簡要而無閒冗、直截而可循可續，計及千丁之外，三十世之後，莫如明允大宗譜
法，自今後人隨世增益，循其端緒，毋得以意變更其法。萬曆己亥孟夏日，顯卿
序。

（黃永武審查　　應廣輝標點）

漱秋堂文集二十卷十册　明張一桂撰　明萬曆庚戌（三十八年）刊本　12585

明汪應蛟序

……（前闕）序於余。嗟乎！余安能序先生文，又安忍序先生文哉！先生萃
中天間氣，應名世昌辰，弱冠舉於鄉，慨然有匡濟天下之志，已成進士，盡讀中
□□，膏沃光燁，勃乎其不容□□爲論著志載及歌詠諸體，皆濬發於性靈，而奧

衍於名理，其氣若赤虹蒼霧，其色若商彝周鼎，其聲若戞擊金石而應六律，其流
邑若長河下積石，一瀉千里，而必軌於東。中州信文獻淵藪，然稱古昔謝，輓近
號海內宗工者，無如李、何諸公，以今觀於先生，奚啻方駕並馳哉！蛟不佞，不
嫻於文，憶釋褐時，侍先生教，謂近世名公，有嘐嘐秦漢，曾不知有昌黎集者，
此大語欺人耳，昌黎亦何易及。余聞而心佩之。若先生文，不必盡肖秦漢，不必
盡肖昌黎，亦不必非秦漢、非昌黎；其爲詩，不必曹、劉、李、杜，亦不必非
曹、劉、李、杜，要以天動神隨，風行水渙，不齟齬於拾唾，不詭肆以爲奇，自
當與古作者爭烈耳。雖然，先生視此猶苴梗也，先生之眞與先生之志，寧僅以文
采耀當世，第因文采，而足見先生之眞與先生之志也。先生意氣豪儻，以天下爲
己任，其於古今理亂興衰之機，寰宇休戚登耗之故，靡不討論究析，若曰使吾得
奉聖主而左右之，世道其有幹旋乎？試讀先生詩文，無論鴻篇鉅什，即所與知交
酬贈，片語單言，無一非經綸實際，其志見乎辭矣。當江陵奪情時，翰苑趙、吳
二公，既以抗疏廷杖削籍，先生復與同寅諸公繼疏，爲當事者力沮，時有翰苑七
諫之稱。居數歲，柄國者被言，誤疑言者受先生指，遂借試事齮齕之，鈎曲繩
直，禍福所從來矣，先生處之晏如。其後興論大明，復駸駸嚮用，中外具瞻，謂
旦暮宜登樞軸，豈天未欲平治，何奪吾先生速也！夫世之君子，欲任天下事者，
必有剛明獨運之才，尤必有含弘韞蓄之量，令旁睨者不吾畏忌，然後可以紆徐操
縱，而無不如意。先生雖負豪儻，而器度潤於中和，若與其詩文相符券，寶劍斂
鍔，蘭戒當戶，固嘗爲定宇趙公箴矣！藉令無遭躓於前，或假數年於後，當必有
塩梅舟楫之業，造福宗社，乃竟厄於遇命，與趙公俱遺憾千載，悲夫！昔人謂文
章經國大業，夫文有關於經國，故足術也。先生識量宏遠，智周經濟，歸然公輔
猷望，未試諸用，而餘緒見之遺文，讀先生集者，當識其大，毋徒以藻繢窺先生
也。不揆僭陋，敬次其語爲序。萬曆庚戌春三月既望，賜進士出身、嘉議大夫、
兵部左侍郎在告，門生汪應蛟頓首拜撰。

明 馮有經 序

　　漱秋堂集者，吾師玉陽先生之所著也。先生以乙酉典試北畿，予小子忝在門
下，僅僅偕衆數謁見，而先生以讒中，改南，間關留都，及家食者若而年。迄壬
辰，始轉少宗伯，比行，道病卒。予小子深以不得久侍教先生爲恨，比丁酉主楚
試，還過汴，拜奠先生之墓，延晤群公子，爲涕泗徘徊者久之。閱今又十餘年，

距先生卒之十又八年，長君堯咨始克褒其遺詩文若干卷，彙爲是集，然而散佚多矣。梓成，授予小子序。予小子何足以知先生！雖然，嘗聞諸于文定公之言矣，其言曰，先生才思警敏，文采瞻麗，博聞強識，包絡百家，考習本朝典章，顆如指掌，或有不核，舉以問先生，咸能別白道之。嗚呼！先生之才學，爲文定公所推服如此。及讀先生所爲文，抑何閎博雋朗，而一準諸繩墨也！夫文以才搆，以學流，匪才則基幹不立，而艱承載，匪學則渟蓄不厚，而乏灌輸。苟任其才之所騁，極其學之所注，而不知所裁，又未免振浮以詭，易鄙以艷，矯靡以澀，而病在體。夫文之有體，所從來矣。書言辭尚體要，不惟好異體乎？體蓋爲好異者言也。成周盛時，道化醲郁，人文宣朗，奚其異？而聖王且諄諄以異戒，則其時必有好異者矣，而況後世之末流乎？詭也，艷也，澀也，皆異也，文之所不尚也。文而稽諸三代之典型，莫先體要矣。以先生之才，兼博洽之學，直抒其所欲吐，雖汪洋自恣，佚蕩不羈，綴璧聯珠，吞濤吐峽，無不可臻其致，而要必一束于體。不輔經翼傳則不文，不建政立事則不文，策籌不當、品騭不定則不文，諸凡訂前言之訛正，述時政之得失，辨人材之良楛，參物論之是非，事如其情，貌如其人而止。無詭意，無艷態，無澀辭，燦若星辰之晶芒，錯落而不渗其度，沛若江河之衝波，委折而不溢其常，蓋其苞蓄富，故綱之有緒，研究審，故汰之彌精，識見眞，故議正而辭確，文定公所雅許不虛矣。夫先生非特以文名世也，方江陵奪情時，文章之士，競以節義自勵，于時吳、趙二太史爲前茅，上書得譴，而先生偕文定公同館七人具疏論相公當守制，二太史不當罪狀，雖事從中格，而忠藎節概，迄今耿耿不磨。夫孔明之出師表也，陸宣公之奏議也，胡澹菴之封事也，非以爲文也，而天下之至文不越此，何也？彼有所以文之者也。有所以文之者，不求異于文，而文自異；不求異于節義，而節義亦自異，何也？時非江陵，事非奪情，非二太史以直言獲罪，則先生輩可以無言，而不必以節義著；不得已而有言，而世因以文章節義歸之，諸君子非夫借蹊徑詬誶、凌厲下人石，以自爲名者也。昔谷永數上疏，言甚鯁切，而專攻上身，及後宮不敢言王氏，史謂其諒不足而談有餘，何也？君子以節義發之爲文章，而僞者以文章飾之爲節義也。故惟無意于文，而後有天下之大文章，無意于節，而後有天下之眞節義，先生是已。試令先生秉國之成，以表正百僚，藻鏡一世，宜必有以正人心、挽世運、佐天子，蕩平正直之治者，而卒不獲大用以老，至今使人讀其文，徒想慕其人也，悲夫！是集也，文若干篇，詩若干首，而其他代言進講諸作，鐫之別編，不具是

云。萬曆庚戌仲秋穀旦，賜進士第、奉議大夫、左春坊掌坊事、左庶子兼翰林院
侍讀、東宮講讀官、前記注起居、纂修正史、管理誥勅，門生馮有經頓首拜撰。

明范守己序

　　玉陽張宗伯初奉命典試南宮，守己不佞，徼荷識拔，得與海內彥共對策大
廷，叨列仕籍，因得稱門下士，已而日侍皋比，聆謦欬，則相與揚榷古今諸名流
殿最、騷雅辭章諸藝文，師未嘗不津津口語，謂守己可與參主齊盟也。期得選讀
中秘書，迺是歲平津不開閣，亡繇得闚金馬門。尋捧檄以三尺理雲間，辭師門南
去，去之日，師以嘉章見貽，屬望尤殷。已而越數稔，一入都門，得奉師訓，不
數日輒引去，竟未得捧誦其文字，每爲悵然。及守己濫竽留曹，聲聞益隔。久
之，師厭承明，廬孫于金陵，而守己復有分陝之命矣，道左不相值，竟未得一睹
干旄，借視其琬琰。歲庚戌，守己承乏職方，師之冢子堯咨寓書都門，以遺文見
貽，乞序一言于首簡。守己捧讀數過，逌然曰，嗟乎！守己荷師陶成，三十有七
載于茲矣！而今迺得睹師文之全，若日星之昭回雲漢也。余不佞，曷能贊一辭？
第嘗閱昭代之名家，妄意評騭，而知師之名高藝林矣。夫昭代名家，北地、信陽
爲稱首，濟南、吳郡其極也。北地以磊落雄材，首闢榛蕪，其爲文如崇山疊嶂，
巉嶪岥岈，視之令人神慴而氣阻，顧晶瑩澀泐，錯雜互見，探奇冥搜者不無欣厭
其間。信陽則鋒鍔不露，而精光隱隱，終辟獻吉三舍也。濟南之材，大類北地，
而傲睨過之，其爲文祖殷盤、禰周誥，而掇拾乎左、國，遷、固而下弗庸也。然
合篆組以成章，藻繢固工，卒與錦文不相似，吳郡固已厭薄之矣。而風行水面，
雲變晴空，余謂元美獨得執牛耳，而說者猶以爲敘事如丘明、子長，而論辨須孫
鴻寶諸訓，其然其不然虖？緊四公者，皆起郎曹，未嘗與玉堂諸英彥上下其議
論，而步趨其繩墨，固宜各樹赤幟，各闢堂奧，而成一家言。若吾師者，則極天
下之選，而以文辭侍禁闥，爲天子掌綸綍、代天言，其所撰著，各有體裁，不得
與騷人墨客爭奇勝者，又何可與四公較工拙？今觀其生平濡毫，諸所點綴，匠意
必極天巧，鑄辭必本天成，琢字鍊句，悉遡西京而上之，蔚宗而下，不復置齒頰
間，是故其文若端冕佩玉，雍容廊廟上，望之者亡不歛容而欽仰；若鳴琴鼓瑟，
合以桑林之舞，節奏舒徐，而音韻和平，睹而聽者，亡不心怡神悅，佇立而忘
倦。不知四公見之，能不辟席而揖讓再三否？其爲聲詩，則古近諸體，宛有盛唐
風致，不作大曆以後語，其跌宕不羈，少孫二李，而擊石鳴球之度，固可雁行

王、何也。余不佞，不能爲媕阿語，試觀國朝侍從諸名臣，如宋景濂、方正學、解大紳、商文毅、李文正、呂仲木、康德涵、羅一峯輩，未可屈指數，各有著作，布在海以內，學士家亡不耳而目之者，有如師之皎若玉樹暎日臨風，精光溢而射目邪？且也圖事揆筴，析利害於秋毫，賈太傅見之，能亡擊節？使得佐主當揆，其所劑量，有不上毘皇猷，躋斯世於康阜之域者乎？惜師壽不媲德，位終一少宗伯，而心上經綸，未獲寸展，徒以辭華見稱於宇內也。余於師，蓋爲之三歎，故因長君之請，而揚其美。其行誼著在鄉評，官伐著在國史，姑不贅及。時萬曆庚戌冬十月既望，門生洧上范守己頓首撰。

（黃永武審查　　張子文標點）

山居草四卷八冊　明劉元卿撰　明萬曆癸巳（二十一年）安成陳國相刊本
12586

明周一濂前序

……（前闕）吾邑尤稱彬彬。迺至隆、萬間，其業寖弊，格修者外膠，念守者內窮，無患也有，則鑿鑿譚體，一以爲心寶靈虛，物有結之，須離物以存之也者，一以爲心貫動靜，即觭證於動，靜失其居，須兼持於寂感也者，一以爲遺事者離，兩存者攴，須研幾於勝負屈信之始也者，夫研幾其近者也，猶隱然若有物焉。其間雖一貫自命，其實岐心與事而二之。二之矣，豈復有能即事盡道者，彼且帖括自愛，彌近彌遠，先後唱喁，相驅罟擭，吾懼夫悵悵貿貿，白旦而長夜已。徵君夷然不屑也，曰，六經語孟，無若所云，豈其子輿氏之言四端，猶不足澈上下、貫精粗，而顧思以易之。吾一宅而寓於不容已，內外有無，百斯置焉，況心量無涯，萬物皆備，故兼三施四，下襲上律，然後乃今滿其量。不則索之一腔，安得謂存？是則徵君之大者矣。前是楚黃耿先生，嘗以三關之說授徵君，徵君愈益自信。歲辛卯，復偕余稱贄耿先生所，余猶識先生之別徵君也，蓋穆然咨嗟，三致意焉，明以先王之道屬徵君守之，豈其中天揭日而猶瞥然土苴一切，以跳於堯孔，斯所縣各置兩君於江漢之間，使還相爲證，以信於天下來世，則天之未喪斯文乎？顧在安成，猶若於斯旨未盡嗌焉者。於是陳大學私於濂曰，子嘗語徵君於余如是矣，未必人盡所謂，毋乃罄欬之不可得於心，孰與誦讀其書之可據而繹也。吾今請其文於木以流焉。濂曰，噫！固也，端木氏憶則屢中，曰，夫子之言性與天道，不可得聞。夫固謂即言即道，而惜洙泗之間之無聞也。今徵君之文行矣，觀者豈由曰夫子之文章，可得而聞耶？若是則余亦不敢知地，不可虛陳君之雅，敬次其著作，卷區爲四，以復於陳君，而弁其端如此。萬曆癸巳孟夏，陳會山人周一濂譔。

明 周 之 望 後 序

原夫混沌既鑿，元教裂而百家方術益分，微言絕於六藝，人各其緒，戶各其傳，遂使守交者失天庭，承沫者迷源窟，此古人所爲不勝一卷之異意，而興慨於曉曉者也。是以日月之經，不千里不足燭六合；江河之流，不四海不足王百谷。夫已氏謞唊多誦，肇帨是繡，苟以譁衆取寵，蒙無猜焉。若乃稱堯舜，述孔氏者，猶且察於單詞，信其隅說，或崇奇而卑坦，或取顯而置微。有則信習疑性，是性猶假於人設也；有則尊見抑心，是心可使有二本也。堅瓠拒入，繫匏不食，若斯之倫，有同聚訟。於是張臆而譚者昉，乘罅而奮其觚舌，因斯以言，其故可知已。我瀘瀟劉先生，啟獨識於上玄，稟正印於先覺，匪姚姒不服，直輾轉以透其關；匪鄒魯不依，務馳騁而要其宿。演繹之暇，發爲文章，爰自詮情以逮柝理，或敷衽論心，或搦管紀聞，稱引殊端，宗歸共貫，統之廓彼滯義，暢厥皇衷。夫曙執中之竅，不可眩以奇邪；踐集成之途，不可盡以偏致。又何至儳儳然設一持以蔽觀，躭故曰塞竇哉！粵昔五臣纏纏於虞謨，四科斷斷於魯語，近者姚江揭知體，新會明自然，皆升乃聖之堂，跡殆庶之軌，具有篇籍，覺我來裔，距之斯時，人設反理之評，士吐詭道之論，紫色蠅聲，所以姍笑素王，惑亂黔首者，紛紛滋蔓，蓋不勝隱慼焉。其在哲人，烏能已已。里中陳大學、周山人，咸託性遠夷，屏心塵雜，其於先生，固已自同資敬，穆若芝蘭。甫乃採兼金於麗水，探艮璧於崑壠，收其全瑜，登其絕精，得若干卷，科別爲四。嗚呼！韶鈞奏而濮上之調息，正朔定而偏邦之戈倒。讀是編者，誠知覺寤，庶幾含經之士，望涯而反；味道之儒，盈量而歸。二君之志，將由乎此，豈直以媒彫章、衒緯采已哉！如其意在買櫝，心匪得魚，甚且疏汙壤以充閬，服蕭艾而盈腰，則申椒之芳馨不減，幽蘭之綴賞無期也。文將在茲，請俟來哲。門人永新周之望渭鄉譔。

明 陳 國 相 跋

　　桓譚氏必子雲之書之足行於後也，自書必之也；而猶不能不惜其親見子雲
也。嗚呼，末乎其言之已，何必祿位言貌動人乎哉！我劉徵君求仁之學，不倚名
位，不待功能。就之和以溫也，冬日之日也；聆之辨而理也，盈量而歸也。則莫
不就之不忍去，聆之懼其言之易以竟，於是願得徵君一言半句於紳帶間焉。徵君
假四方之所請謁，一切寄意於篇札，固已犁然滿笥已，其奈有見不見也。余因謀
諸周山人，得次而梓之，使不止爲閨閫閒物，其故則思極氏言之詳矣。雖然，讀
其書，則懇懇惻惻於赫蹏者，無非言其所以也，固可以得徵君，而不必親見徵君
也。親見徵君也，則言論心思，宛然其書也，亦無憾於親見徵君也，而何論書之
必行於後哉！萬曆癸巳冬十月，書刻成，因識之若此。二酉山樵陳國相跋。

（黃永武審查　　張子文標點）

張陽和先生不二齋文選七卷三冊　明張元忭撰　鄒元標選　明萬曆癸卯（三十一
年）山陰張氏家刊本　12587

明 鄒 元 標 序

　　清江令張肅之氏抱其先宮諭牘過泣曰，此先大夫生平心神所寄，然簡帙煩
重，願更定以傳。子與先大夫辱在心期，曷無讓。予思與公相遭星沙之濱，公先
一日登嶽麓去，予後公一日宿古寺，覩公詩淋漓壁間，次韻急歸慰吾母，意謂與
公合併有日，迺公再出，而元標乞歸舊隱，公遂爲古人。兩人徒書牘往來，今復
從故牘中擬公，嗟哉！元標杜門旬日，凡公所譚學者碎語尺牘，亟收之，而所闡
揚忠孝節烈事，亦並收不遺，公志也。昔人有巨魁者，曰志不在溫飽，然史不載
其學術鑽研何似。公自登第後，所至求友，汲汲皇皇，若擊鼓求亡子，聞一言當
于心也，拜而受之，里民有疾痛也，引爲己辜，不難以其身爲百姓請命，公何心
哉？眞以斯道爲己任，而任道者必以明明德于天下爲極致，此公學之崖略也。蓋
嘗論譚學華亭時易，譚學江陵時難。華亭時右名理，即以理學爲窟宅，朝登講
堂，夕睨華要。江陵時禁錮斥逐殆盡，世且爲波流，且爲茅靡。公亭亭孤騫，至
冒江陵誚，不辟易，公勇矣！或者以公未大行于天下爲憾；不知古人不得志，獨
行其道，道無窮達也。昔有大臣善鑑人者，覩舒文節未第時曰，子今之文毅。既
文節魁天下，再過之，問曰，止此乎？曰，忠孝狀元，子小之耶？假令起羅舒二

先生與得意者論，必不以彼易此。先生爲秀才時，作賦弔楊忠愍，登仕未幾，上
書危言而扶掖太僕公崎嶇羊腸鳥道萬餘里，兩上書叩閽，鳴太僕公冤，心可剖，
血可枯，命可捐，以報親九泉，即古忠孝何加焉！先儒云，學之爲言，孝也。忠
孝立，百善從之。先生之學，其必傳也無疑。往予聞先輩論學，謂夫子言仁，子
輿言義，橫渠言禮，新建言知，今當提信字。此皆謎語也，夫道猶水然，溟渤雖
汪洋不測，然一勺之水，亦具全海。言仁而義禮知信畢具，語一德而四德渾然，
天下寧有無仁義禮信之良知乎？顧譚良知者多憑神識爲家舍，王汝中氏發揮詳
明，公羽翼汝中，如兩輚然，神而明之，存乎其人，汝中以之不言而信，則公其
人矣。嗟乎！予自立朝，覯紹興多貞純不二心之儒，與公輩同心同德以闡繹聖
眞。而近復名儒班班輩出，如公冢嗣肅之，兩令劇邑，以循良著。行見新建之
學，浸明浸昌，夫孰謂種佳谷于地而弗生生也者！新建之傳，藉公等無涯哉！時
萬曆壬寅孟秋月吉旦，吉水侍教生鄒元標頓首拜撰。

明 周 汝 登 序

　　蓋自陽明子以理學倡於越，而我越中人士，遡其旨而邃於學者，先後不乏，
當時及門固有獨傳其心印者矣，後數十年而有陽和公。公篤信良知，歸依誠切，
懼末學談本體而忽工夫，則揭致字以爲提撕，謂知良知而不知致者，終非陽明子
之所以教也。故其褆身率先倫理，竭力事其太僕公，生死以之。忠愍之弔，自弱
冠已然。其後抗疏立朝，所建樹往往有同臭味之意，忠孝狀元，海內人人知頌之
矣，然此固其大節之顯然者，更有一片精神流貫爲世道攸賴，寔近世士人之所
希。公處江陵柄國時，人譚言學，而公矗矗口不絕談，在京師聯羣京師，在越聯
羣於越。嘗登公懷永之堂，朋徒滿座，子弟侍側，三五□□□方爲童子，布衣革
履，洒掃詩歌，志意忻暢，而一郡興起不戒，以喻其在它所可知矣。見人之善多
方接引，義所當爲，有瞻前顧後之士所逡巡者，而公挺身一無所避，至今想見其
懇懇之衷，直前之氣，猶令人神王而心竦。以此精神作用擔當世道，鼓舞人心，
宇宙間不可一日無若人者，公之於世重矣。昔聞肅皇帝之謂陽明子也，曰王守仁
是有用道學。大哉王言！道學而無用，則亦無用此學矣。世之談學不少，而有實
用者幾人？彼嗜學之念不切，而毀譽得喪撓其中，則精神不貫，而所學卒成無
用。無用之學，雖稱孝稱弟，猶爲士之次，忠節比於東漢諸人，猶謂之無當於
道，無救於時，而況其下者乎？此公所爲重於世，而余深有嘆乎近時之不易得也

已。然公學足用而世又以其不究於用爲惜，夫既以精神爲用，則亦何間於存亡？公往矣！而今其弟若子，脩公之業而聯羣不廢。今伯子清江君以其學施之政事。且我輩講究是事者，日滿文成之祠而莘莘濟濟，凡此皆公之精神、公之作用，未嘗一時不在也。公有遺文若干卷，一句一言，皆精神所寄，業已付梓，而近吉水南皋鄒公知公最深，復加選訂，精光愈露。既成，而清江君與其弟太學君乞言於余，以余素辱公與可，而且同學陽明之學也，余因爲之敍述，以附鄒公之後。夫茲集行，而公之究於用者，其更有終窮也乎哉！萬曆癸卯午月之望，同郡侍教生周汝登頓首拜撰。

明 鄧 以 讚 敍

此予年友張宮諭遺稿也。予與宮諭同官詞林，予最善病，藥物是須，何暇及其他，即宮諭有所著作，不以示予。惟時又與予從事問學，要以萬物一體爲宗，而以明明德於天下爲願，其望聖人而蘄至之切於饑渴，予所習知也。乃今讀其文，析理于幾微，而起戒于恍惚。譚民之寬，若己推之，道人之善，若己有之，眞意溢發，使予對之如對宮諭之面，親承其語，豈非精神所注，有通接于言外者耶？昔人比立言于功德，抑惟是眞之所傳，自不可朽，如徒粉飾其辭，以是爲行遠，容非虛車之喻乎？宮諭又嘗修郡邑二志，其人物傳引以自專，或欲限以年所，宮諭曰，莫信于耳目所睹聞，又以嫌自避，而欲推之所不知何人，自視得無薄乎？于是概取而裁之，不以一語相借。是時予南昌亦脩志，予與同郡邑二三君子，皆謙讓不敢居，且爲限年，予謂諸君子曰，以此視宮諭，其力量豈不相遠哉！諸君子曰，委有專不專耳。予曰，試再思之，即委專矣，其能任乎？諸君子凝神久之，答曰，子言是也。聞今鄉論久而益定，又孰非一眞所屈耶？嗟夫！眞者，聖門所未見而思，國家所癉痡而求也。由予私心之望宮諭，實謂極其所止，將有與于斯文。又且秉國之政，使賢者在位，能者在職，如昔人所謂天下文章莫大焉。顧徒以此留其精爽，予能無慨夫！予能無慨夫！萬曆癸巳，年弟新建鄧以讚頓首書。

明 吳 達 可 序

余筮仕稽陽，獲瞻陽和先生矩範，氣溫言侃，蓋有道君子也。去稽陽幾十載，而後再聆謦欬於京國間，先生以夙誼視余，亹亹不倦，無非樂與人善之心歟。迨余視隸晉東，而先生已不可作矣，天生哲人，學未竟用，惜哉！越十又七年，余出按江右，適嗣君縉綬臨陽，亟索其遺文讀之，閎深淵懿，類多論學邃語也。先生之學，妙契良知宗旨，至語以示人，則云本體本無可說，凡可說者，皆工夫也。旨哉言乎！陽明先生病俗學之支離，特揭本體爲聖學眞詮，而後之襲其說者，往往脫略於檢點，至令聰慧無忌之徒，藉口超悟，以掩護躬行，其去聖門之訓愈遠矣。先生自悟本體，而以操修立教，可謂善發陽明氏之蘊奧者乎！門人序言有曰，見徹則進以褆修，行高則啟以覺悟，摹擬古人則以自信爲眞，空譚玄妙則以踐履爲實。提醒人心，修悟並進，是豈徒事口耳者可窺闖其藩籬也。嗟乎！安得起先生於九原，相與覿面論心，以訂正聖學哉！遺編會心，追感昔雅，因俞嗣君之請，以寄神交之志云爾。若其文章經濟，觀者當自得之，余何容贅焉。時萬曆壬寅歲季秋月，荆谿吳達可書於臨陽公署。

明楊起元刻張陽和先生論學書序

後世談學者各有一時之說，宋人多言天理人欲，其在近世，則多言本體工夫，要之，皆屬支離而非孔孟宗旨也。此理在人，無方無體，自感自通，平鋪於日用之間，學則聖，不學則凡，豈能加減於毫末哉？孰爲天理？孰爲人欲？孰爲本體？孰爲工夫？種種色色，皆由見生，復以我見而破彼見，此言所以轉多也。雖然，任斯道之責者，固不得而辭也，亦各云救而已矣。蓋昔王文成公云戒愼恐懼是本體，不睹不聞是工夫，則本體、工夫，原無二項明矣。陽和先生最尊信文成公者，顧於此獨不甚肯其說，曰，本體本無可說，凡可說者皆工夫也。先生之論主於救世人之不用工夫者，故不嫌於分析歟？後之學者，果能由工夫以達本體，則始雖分而竟必合，否則徒守文成公之緒論，雖說到渾合無縫鐸處，亦對塔相輪去此尚遠也。起陋劣實賴先生提醒。今先生已逝，痛何可言！曾舜徵氏刻先生書稿以公同志，爰弁數語於簡端，志不忘也。歸善楊起元書。

明曾鳳儀陽和先生論學書後序

世所推尊聖學者，豈不以盡性至命哉！顧性不易知，而以虛靈當之，則局於見；功不易盡，而以篤行當之，則泥於迹，此下學上達一貫之所爲難也。誠知於穆之體不以見，見不以聞，聞而流動充滿，無微不貫，則復性之功不容不戒，不容不懼，而收攝保聚，無間可弛，如是之體，是謂眞體，如是之功，是謂實功，

融徹外內，齊一天人，註我六經，覿面千古，則謂之紹明聖緒豈虛哉！吾師陽和
先生，英姿偉識，好學樂群，求友四方，不忘規戒，見徹則進以禔修，行高則啟
以覺悟，摹擬古人則以自得為真，空談玄妙則以踐履為實，補偏救弊，宛乎下學
上達之旨，不蘄以文詞勝也。一日，手其書若干以示某曰，近見如此，試與子商
之。亡何，而先生不起矣。嗚呼！痛哉！先生孝友在宗黨，端潔在鄉閭，直節在
朝廷，令聞在天下，無不可為後學法程；至默契良知之體，雖文成入室弟子，自
謂弗如也。某無能為役，恐終怠棄，謹守其遺書，奉若蓍蔡，因梓之請正四方有
道，以終先生之志云。門人曾鳳儀識。

（黃永武審查　　張子文標點）

鄧定宇先生文集六卷六冊　明鄧以讚撰　明萬曆癸卯（三十一年）吳達可江西刊
本　12590

明 吳 達 可 序

　　□□青衿時，讀先生所為制舉義，已翩翩鳳翔之想，而未窺見其學術何若
也。後余試令劍江，始得時相問訊。及先生蒞止焦隱士□□乃扁舟過訪，三宿□
□□□□具悉焦山問□□□□□□□□之表先生，蓋深于悟者也。越十又一
載，余奉璽書出按江藩，而先生已不可作矣！操修踐履，事事合真，自鄉紳大夫
以至兒童走卒，無不歷歷能道先生懿行，如成均士之煦育春風者，先生蓋深于修
者也。余私淑心慕，亦既有年，入其里，不及覓其踪，亟從伯氏比部君索其遺
編，未得。冬月巡方吉州，會年友南皋君于文江，譚及先生風範，因出遺稿視
余，讀之見其微言訓矩，不離日用倫常，而先天無極之妙奧已寓，蓋修悟合一之
宗乎！更有足多者，自紫陽、金谿兩相辯證之後，學術往往岐而為二，以故譚道
之士，各立門戶以相高，株守一班，互相譏訕，先生之學，匪獨支離形跡不滯胸
中，即良知解悟之旨，大行于江右，人人尊信師說，而先生亦絕不落其藩籬也，
惟自得為要，嘿嘿然言詮之務去耳。藉令先生生同朱陸鵝湖鹿洞之間，可無事紛
紛乎？集成，余思以其言公之同志。南皋君謂先生生平不願以言傳世。余謂默識
無言，聖學也，而六經垂訓，炳炳萬世，何嘗諱言哉？且崇儒範士，藉言以傳，
觀風者責也，因屬黃汪三令閱正而付之剞劂，以垂永永。時萬曆癸卯秋仲吉旦，

荊谿吳達可頓首拜書。

明鄒元標序

　　當正嘉朝，浙有楓山先生，以耆儒爲海內宗盟，惇尚恬退，屢起屢上書辭
免，每即家強起，積官至大宗伯。考其施爲，惟一見成均愚常，思之必有不蘄言
而言，不蘄信而信，昭天地、光日月，而質鬼神者在，不然，何永終有譽如是？
乃隆萬間，吾西江又有定宇先生，科名出處大略與楓山先生同，官國子、領銓
曹，亦以在家強起，至再至三，乃拜，海內尊之也若威鳳祥麟，共目爲希世之
瑞。韓子云，青天白日，奴隷知其清明。先生以之。蓋常考較二先生學術，章則
步趨濂洛，言動一尊先程矩矱，鄧則澄神內照，洞徹性體。當西江諸儒，祖述良
知，後既不落其蹊徑，而亦不遺其精詣，務求自得而已。元標蓋辱先生莫逆，常
窺先生退然陋巷中，純誠孺慕外，即几案床榻，塵埃滿坐，而容凝然，而神穆
然，而心宿然，有友問曰，道何似？曰，難言。再問之急，曰，知而言未晚。絕
不得窺其涯涘。先天而天弗違，先生殆其志于斯乎？先生薨，海宇不勝梁木之
嗟，侍御安節吳公知先生最深，當先生隱約時，嘗特薦於朝，頃按部江右，愴然
念九原之不可作也，已崇其廟貌，風勵後學，而又欲表章其遺言，予乃搜求諸門
人私相抄錄以應命，微言片語，神情畢露，達者自取，要難口舌傳也，謹爲述其
崖略如此。先生恥爲纂述，絕不作應酬文字，萬不得已，亦經十餘年始應。與人
接，終日不輕吐單詞。先生如有知乎，得無曰，吾欲無言，爾瞻奈何以言求我？
以言求我，卒不見我。雖然，世求見先生不可得，姑從其僅可見以窺其不可見
者。夫此惡足知先生！時萬曆癸卯歲季夏月吉旦，吉水通家侍教弟鄒元標爾瞻父
頓首拜撰。

　　　　　　　　　　　　　　　　　　　　（黃永武審查　　張子文標點）

————————————

新輯文潔鄧先生佚稿八卷六冊　　明鄧以讚撰　　明萬曆間萬尚烈昌平刊本　　12591

明陶望齡前序

　　吾觀凡人之情，皆信於所有而不疑於所信。伯夷曰，離萬物，廉也。聞者
曰，然。展禽曰，同萬物，大也。聞者曰，然。令二人者更其詞，而曰同萬物而

廉，離萬物而大，聞者又將曰然，所謂信於所有而不疑於所信者也。吾繇是以論
學。昔孟子嘗言性善矣，程子曰，人生而靜，以上不容說，是無善惡也；周子言
主靜矣，程子曰，體用一原，顯微無間，是無動靜也。然異世而下，未有置疑
者，以其說之未始異而論出於程子也。故道有待而明，言有籍而信。言足以明矣
而不信，信矣而不免於疑，非其詞不足，其爲之藉者未盡也。吏部侍郎諡文潔鄧
定宇先生以殆庶之質，早窺道域，韜精鏈華，孤往獨復，輝光篤實，厥德日新，
斯世之士，聲蹟之所未接，莫不望風斂避，稱爲眞儒，泊然凝默而人服其有言，
終身寂寞之濱，而世占其足以大用。既没，天下望其斷簡滕墨，奉爲菁蔡而不可
得。望齡於先生，蓋嘗聞其風而悅之，而不及見焉。癸卯，見其伯氏敬齋君京
師，詢咨風概，每爲語一事，輒內愧汗出，繼又得遺集於友人左景賢所，讀之，
蓋平日所嚮往於先生者，妄意以爲如是，而今固不啻是也，迺歎曰，先生海也，
海可測乎！夫先生之孝友誠篤、粹白淵冲，如語蘭以芬，語璧以潤，天下既因其
所有而信之矣，至其微詞密旨，卓然足以紹絕學、統聖眞，獨解而獨言者，人且
積其所信而不敢復疑，於戲！夫亦有爲之藉者而然與。自正嘉以還，其賢者往往
以琴張曾晳之見，談顏氏之學，而人亦窺見其行之不掩，以求所謂不貳者而未盡
合，於是言足以明矣而不信，信矣而不免於疑，諸君子者宜亦有責焉。易曰，默
而成之，不言而信，存乎德行。夫行載其德而言出焉，故其言尊，聖人之道亦
尊。若先生者，其有功於明道亦偉矣！遺文裁若干卷，皆敬齋君手定不誣而可傳
者，景賢遂屬諸昌平守萬君刻而公之。於戲！後將有信先生之言，深求而自信
者，其在斯乎？其在斯乎？會稽後學陶望齡撰。吳郡後學嚴澂書。

明左宗郢後跋

萬曆壬午，文潔先生以冊使至盱，謁明德羅先生於里中，時宗郢以小生與講
下，明德之誨人，如裴旻舞劍，遇空便砟，欻忽晃朗，□人意失，而文潔□顏終
日，問答俱喪，若□□□□息韜□□□而巧力躍□□□□能測知先生爲□若人及
年長志□□嘗求之言語智識之內而罔得也。稍□悔悟，還思曩日所覩於先生者，
□〔庶〕幾有會焉，而不可復見，慨然於懷。庚子，聞先生之學於切磋友劉元
丙；癸卯，得考其遺文於先生伯兄敬齋公，已而嘆曰，先生之忘言也久矣，而吾
徒竊竊焉求諸吐棄之餘，豈先生之心哉？雖然，有道者之言，皆言其忘言者也；
至言去言，如大毒之已毒，遇者且恍然喪其所有，而何言語之足患乎？郢之卒業

於是也，如魘而獲寐也，當世賢智之士，什伯於郢，烏知無覩鞭影而遙驚者哉？先生嘗曰，吾輩所脩，須與人同；與人同即與天下萬世同。冀斯言不磨，血氣之倫，偕之聖域，斯固先生大同之雅志矣。將廣而傳之，以謀諸明，自劉公鏡源涂公而皆曰然。昌平守萬君，大雅士也，遂令厖工而鏤，以示同好焉。盰江後學左宗郢謹跋。

（黃永武審查　　張子文標點）

蟫衣生粵草十卷蜀草十卷六冊　明郭子章撰　明萬曆庚寅（十八年）周應鰲金陵刊本　12593

明周應鰲蟫衣生粵蜀二草序

談士之病，病在各守其顓門學，而不批引其大宗，於是彊者伐異而聚訟，弱者分曹而局趨，道幾破於辯矣。道之破也，則學人之學而不自學，其學也捨。然綴學於己而不惑者，不佞應鰲概乎當世，蓋得三人云。日自姚江主盟，經以陸氏而不廢考亭爲緯，故兩家合，而韋藩剖然搦管之儒，猶彈其弱於述藻，蓋合而未大也。以籑圃之業，飾以西京，而融漢宋爲一冶，自有衡廬而始大，然登壇之彦，猶病其漏於諸體，蓋大而未化也。自有郭先生而始化。郭先生之學，都人士謂得之衡廬而不盡衡廬，猶衡廬之學得之姚江而不盡姚江，蓋自學則局鑐我操，局鑐我操則門庭闚，門庭闚則函夏之大，可以目窮而臆裏，不則鑐主於涂人，三尺之墉限之矣。然則姚江之所以合，衡廬之所以大，郭先生之所以合而大、大而化，局鑐操也。先生之學不可管窺。比不佞從副墨子得其粵蜀二草卒業焉，亦似有見其局鑐者。蓋廬山先生未夢瑰時，先生嘗臚詔不佞以文矣，及廬山先生捐館舍，元年而粵艸出，又若干年，洊有蜀艸。以粵草視臚詔者，則上方醍醐與玄石之酒也；以蜀視粵，直帝女天漿摠五齊而爲氣母者耳。夫二草即顓於藝乎？然其進也，視地而不視楷我者之存歿，此先生所爲摩今古、採苞符、原本山川、極命草木，自學其所學而抆引文章德業之大宗者也，誰謂二籍者非先生左券乎？先民有言，世之事，其魁奇嘗足以開人之拘攣而得其未始有，故庖羲啟畫於河中，軒轅得珠於赤水，放勳問道於五星，神禹識禮於裸國，尼父老智於泰山，蒼頡成書於鬼哭，無之而非師也。嘗聞粵之墟，麵有桃榔，布有橦花，海有纖絹之人，

市有泣珠之女，象背有土著之國，至如三巴兩蜀，控以白鹽赤甲，包以玉虛金
罏，烺烺象表，不可名狀；而青城棉竹，更多得道不朽之士，先生旦暮遇之，而
吞吐其胎魄，質以人間世之所耳食者，而得其宗博者，文也而進乎道矣。即斯以
談，容詎知曩者庖羲諸人之學非先生學也？又安在自學者之不爲學人也乎？當世
有郭夫子，步趨者且遍四瀛，不佞竊懼泥毛相者，蒸食哀家梨而復墮顓門守，故
於梓二草成，以記謁之先生，而并以詔採菽者。嗟乎！中原庶民，能不爲先生
者，乃能爲先生者也。萬曆庚寅夏六月六日，同邑晚生周應鰲頓首譔。

（黃永武審查　　張子文標點）

蠶衣生黔草十六卷四冊　　明郭子章撰　　明萬曆間刊本　　12595

明 來 知 德 郭 青 螺 先 生 諸 艸 序

　　青螺先生宦游海內三十年，所至皆有艸，督學蜀時，德廑管窺十分之一。今
黔中以全艸見示，德喟然嘆曰，先生于道辟則造物者歟？東皇造物，隨地而胚其
物焉，因物而鑄其質焉，道無往而不在，物無地而不生，楚而蘭，彭澤而菊，會
稽而竹，徂徠而松，新甫而栢，嶧陽而桐，殊形異狀，爭美競芳，物之不齊者，
物之情，而所以物其物者，非物也。惟文亦然。三才皆可以言物，人成位乎中，
威儀文詞之有形者皆物也，而所以根據之者則德也。孔子曰，君子以懿文。德
曰，文莫吾猶人也，躬行君子則吾未之有得。曰，有其容則文以君子之詞，遂其
辭則實以君子之德，執此三說，可以論文矣。今之爲文者，德惑焉，鑿空鍊誕、
牛鬼蛇神，陰陽違乎爻象，政事違乎典謨，情性違乎風雅，榮辱違乎春秋，和序
違乎禮樂，其理覥人之目而不可曉，其字咬人之口而不可句，六經之文，孔子所
以載道，文不本于六經，何必置之麒間哉？先生之文則不然，爲東西南北之人則
行東西南北之道，行東西南北之道則洩東西南北之文，其教、其議、其約、其
論、其文、其序、其尺牘、奏疏，皆道不離乎其身，故文不出乎其位。孔子所謂
君子之懿，君子之實，君子之躬行，非先生與？至黔則忠信行于蠻貊，聲教孚于
鬼方，較之陽明先生居夷于風清月朗之際，青螺先生居夷于枕戈被甲之時，難易
雖別，而所以行道則一也。昔蘇公步處，後人以蘇步名之，千載而下，黔何緣而
得理學名臣二妙步于此地哉！德初讀其文數千言，宛然有同心之臭焉，讀之既

久，如餐落英，嚼之而其味無窮焉。總而遍讀之，想其三十年來，道德文章，相爲表裏貫串，確乎如筍如心，貫四時而不改柯易葉焉。分而細讀之，文章之枝枝葉葉，散布于天下，以正人心，以維世教，枝可棲鳳，葉可剪圭，指日朝陽。德復見其論道爕理之艸焉，曰蟫衣者，謙言也，喻言也。德少日不揣愚劣，願學孔子，今耄矣而媿未能，故于同志之文，惟以孔子之言序之。萬曆辛丑歲孟春月望日，治下晚生梁山來知德撰。不肖男孔陵謹書。

（黃永武審查　　張子文標點）

蟫衣生蜀草十三卷閩草六卷養草三卷留草二卷十二冊　明郭子章撰　藍格舊鈔本
12596

明陳于陛青螺蜀草題辭

　　文章技也，神化關諸心匠，丰澤運之襟靈，纖塵作翳，則純淪之光弗吐，絫黍失程，即皦繹之音靡曇。古刻意立言者往往逃虛，莽棲空石，以究其湛冥幽眇之思，乃能探藝海之玄珠，啟辭林之夕秀，結片撰以升堂，縣日月而不朽，至乃婆娑周行、繩牽史牒者，非不沾沾命觚自喜，顧欲以蓬心蒿目、兼擅雕龍之業，寧渠得工即工而敏且博稱名家者，吁！其難哉！今觀余友郭相奎氏，殆不其然。相奎蚤成進士，司李建安，已從郎闈出守於潮，皖皖焉強半繩墨亡奇之境，所至以神明績最聞，而能灑滌滓痗，鼓舞靈粹，舂容鉅篇，凌厲作者，余每飫鼎臠珍味不醳。其來董蜀學事，俛對青衿屨跂，帖括家言、轓軒歲徧，隃糜日親，神眩於覽閱，腕脫於評竄，未嘗稍稱倦。飢暇輒進博士諸生，相與講業賦詩，而猶下帷讀書，倚馬飛翰，思精繭緒，機迅風雲。蜀草數萬言，皆屬構三年間者，其生平鴻製，紛綸滿家，亦復可想，恨未覿薈萃之全耳。意相奎淵識，當有加人數累者，非然，胡以衆難獨易，略不爲塵勞事障所汩縛耶？射御亦技也，聊取論譬列禦寇，措杯其肘，引貫而發，適矢復沓方矢復寓妙於射者。至觀伯昏無人履危石、臨百仞之淵，足二分外垂，伏地流汗浹踵。造父立木爲塗，董取容足，計步而置，蹈之不跌，巧於學御者。及太丙之駕乘雲入蜺，扶搖抮抱羊角而上淪天門，則縮惡不敢與爭先，何者？技固有至不至，其至者深於道者也，技殆不足以名之。相奎家廬陵，醰精先正性命之指，彌極而彪，景與神傅，斷梡不煩，萘鞠自適，蓋駸駸之道之閫，進乎技矣。然則其工而敏且博云者，亦直寄焉，又奚斵斵以豔稱之爲？時萬曆己丑秋八月望日，南充辱治陳于陛元忠甫書。

明郭子章歸養偶記識語

　予奉旨歸養，以己酉四月還，子舍菽水之暇，一過南臺，四十年來所積簡編，幾至充棟。六月六日命兒孫一曝之，幸不殘於脉望，不囑於社廜，撿閱一番，以耳目睹記互參訂之，得若干條，題曰歸養偶記。昔人歸田有錄，輟耕有錄，山樵雜記、東園友聞，皆解組後記事之書也。茲記即無當，如蟲食木葉，偶得成字，謂蟲解字不可，謂非字不可，故綴之養草之末。子章識。

（黃永武審查　　張子文標點）

松石齋集三十六卷八冊　明趙用賢撰　明萬曆壬子（四十年）海虞趙氏原刊本
12597

明鄒元標敘

　夫世餌於靡也，若三冬老嫗，耗無暖氣，此非有陽明挺直君子起，疇能振之？余於定宇趙公，有退思焉。趙公常熟人，鐵面長髯，矢口直腸，在班行中，望之如長松拂霄，又如羣少年絃歌爲歡，忽一燕趙奇男子排闥而至，令人骨竦。乃無端爲人齮齕歸，辭世十餘年而集行，子琦美、隆美走使謁序，予受而卒業。公所爲詩與文，有排山倒海之勢，有吞天浴日之象，丁丑後半在牢騷挹鬱中度日，故多商音。然公傳者非文也，文者人之神情寄焉。人履幽憂愁苦中則其神閟而不揚，不閟則不光，此公文所以傳也。余往習趙內江事，輒爲神王，及見公，如見內江焉。內江廷爭北虜事，左尉荔波公嚴譴去，死無幾，顧內江從崎嶇嵐霧中深證名理，公不無稍遜。然公集種種匠心，又非內江可比。內江雖大拜，席未暖去，與公不能平章國事者則一。內江儲於肅皇，受知於穆皇；公絲庶常逕穆皇首拔之，今上始未嘗不知公，儻公而在，其遇未可知。記當時內江爲人攻擊，疏辯云，以臣庸則庸，以臣橫則橫，橫必不庸，庸必不橫。余讀其詞悲之。夫以陽明君子，居丞弼之位，必□〔？〕點之去，此何心哉！公之遭，殆與內江後先並驅而馳者也。或曰，趙公墓久宿艸，而議者求多何居？余曰，子謂公可淄乎？夫單辭不能勝廷論，隻手不能掩天日，此皆巧爲造化，用撲之而愈光者是也。或又曰，玉以潤而稱至寶，文以禮樂，古有明訓，趙公徑情直行，故世得而間之。余曰，松栢堅凝，桃李色澤，即造化亦不能密移，若執文以禮樂訓，則世始以一事市名，卒回心易面，取大位如携者，文邪？禮耶？樂邪？世無孔子，狂簡誰裁？趙公如在，半榻可以盟心。今公既注寸管，惟有詔來，與子仰止可矣。常怪海虞一蕞爾地，五十年間，如文靖、文懿及陳莊靖，皆彬彬大良，爲世名碩。趙公復起，然半生吞炭茹蘗，視三先生者良苦。讀公集者，可以觀世，可以興矣。萬曆壬子夏月，通家友弟吉水鄒元標爾瞻甫頓首拜譔。丁巳玄月，雲間晚學金燿公理甫敬書於振秀齋中。

（黃永武審查　　張子文標點）

馮文所巖棲稿三卷三冊　明馮時可撰　明萬曆乙酉（十三年）刊本　12599

明歸子遇跋

　　先生自童時與余交幾二十年矣，襟懷磊落，有運量天下意，余雅重之。近自黔歸，益進於聖賢之學，講習六經，即交足詬語，亦能檢照，用工密矣。先公厚於貲，而先生悉以讓諸昆季，每至屢空，近直指公報命薦疏有云，家徒立壁，門無襪賓，其語近實。然其具文武之才，蘊王伯之略，世未能盡悉也。是集多歸田後所作，蓋能以六經之學爲二史之文者也。詩則出入漢魏六朝盛唐間，格高律諧，於古人何遜。余雅不知文，竊聞名流所評許，謂王李不能逮。知言哉！世當有賞音者，特爲之引，俟明公序焉。乙酉十一月六日，玉峯山人歸子遇有時跋。

（黃永武審查　　張子文標點）

方初菴先生集十六卷六冊　明方揚撰　方時化等編　明萬曆乙卯（四十三年）新安方氏家刊本　12604

明焦竑序

　　初菴□□〔先生〕與余交最久，靈谷僧寮、薊門旅邸，無日不與俱也；一相晡，未嘗不以孔孟之學相策勉也；讀經評史之暇，未嘗不以古文詞相討論也。辛未，君成進士，余留滯周南，乃別去。未幾，君入郎南計部，其志日篤，爲詩文益有功。尋出刺漢東，丞嘉興，守餘杭，在所有循吏聲，君之所學，乃見諸實事，非虛車比矣。迨今三十年，君既逝，而余亦衰憊，無復有意筆研間。君二子時化、時俊，輯其遺文爲十六卷，而屬余爲序。余何足以堪之？竊惟古之文章，惟西漢有六經遺味，建武中興，禮樂法度，燦然如舊，而文章頓衰，崔、蔡之徒，日趨靡弱，而范曄復以雕績綴緝之語文之，其時惟陳壽、常璩所撰著，淳淡簡質，蔚有古意，然知而好之者鮮矣。近世名卿才士，以筆墨馳騖相高，類剷剝以爲辯華，刻削而希清越，大書深刻，炫耀聾瞽，後生繼起，波流茅靡，莫之能返，如初菴君，豈非卓然特立於頹俗之表者哉！蓋君於諸經子史，淹貫融洽，停涵既久，發之筆端，汪洋奧衍，諸體悉備；間出新意，渾厚震厲，不失高古，雖自鑄偉詞，而竟取鎔經典，余所謂西漢人之文，非耶？是集當得大手筆冠之，而君平生知己，凋謝殆盡，余學殖荒落，徒以後死不得辭，又自愧矣。雖然，使學者三復此編，庶前輩之風格，自此少振，而淺薄固陋之病，不遂至於沈痼，非細事也，輒不辭而爲之序。萬曆乙卯秋日，友弟瑯琊焦竑著。

明 賀燦然 敘

　　西漢去古未遠，經術則有伏生、田何、董仲舒之倫，詞賦則有鄒陽、枚乘、司馬相如之屬，而文翁、朱邑、召信臣諸君子，則用循吏顯，漪歟盛矣！顧嫻於文學者不聞長於政事，長於政事者不聞嫻於文學。即以文學論，文苑鮮明經之儒，儒林乏宏詞之士，蓋兼嫟若斯之難也。吾師方初菴先生，固其人哉！先生繇進士高等刺弘農，遷司農大夫，已復刺漢東，晉丞檇李，隨擢臨安守，先生匡濟之才，宦軾所至，循政奕然，而我檇李濡沫最渥，丞佐太守不得尚因革之宜。先生高標清操，嶽峙冰澄，海內共推名德，先後良二千石爭折節先生。郡所宜張弛，類從先生規定。間視郡篆，所爲興除利弊甚具，其大者如崇學校，清徭賦，平冤獄，除巨盜，默消兵民之變，載在去思碑及生祠記及請祀學宮諸牋牘中，此其教化類文翁，潔廉類朱邑，多方略類召信臣，即方漢循吏，復何讓哉？乃茲讀先生集，則益嘆先生政事、文學，兩擅其嫟，非輓近世所有也。先生之文，不佞諸生時嘗從管中窺見一斑，茲先生伯子輯先生遺稿，屬不佞校而授之梓，因得覩其大全。語錄一卷，箴論一卷，四五七言古一卷，五七言近體律絕一卷，序記雜著四卷，狀傳志銘祭文四卷，書啟尺牘三卷，公移一卷，凡如干卷。語錄類皆精言格訓，闡儒先所未發；四箴十論則禔躬之矩，經世之謨，非窾言云者；四言古抒靈寫性，得風雅之遺焉；五七言古及諸近體，沖夷閒曠，幽奇秀爽，不斬工而工；序記狀志，簡而有法，煩而有致，不摹古而古色蒼然，古韻鏗然；祭文洋洋纚纚，懇懇款款，文生乎情；書牘菁藻斐疊，然非關理學，則關政務，匪徒佗翰墨之工而已；諸公移則治蹟在焉，可想見曩者循良之概。先生生而以聖賢自期許，志在三立，獨奈何齒不滿德，位不酬功，即茲藝文，亦爲先生未竟之業，伯子搜羅略備，散佚尚多，蓋茲文不足盡先生之素，茲集亦不足盡先生之文。然反覆一再讀，原本六經，取裁史漢，而更有超然獨詣之致，眞令伏生、田何、董仲舒之倫，遜其經術；而鄒陽、枚乘、司馬相如之屬，失其詞賦者也，是西漢儒林、文苑、循吏所不能兼者，先生實兼之矣。不寧惟是，先生向丞檇李，不佞獲事先生，先生聖步賢趨，語爻默象，即一言笑不苟，昭昭無矯情，冥冥無惰行，若解牛之才，懸魚之節，又不足爲先生道也，其孔門閔、冉之流亞歟？當求之漢人上矣。公伯子伯雨、仲子求仲，皆彬彬質有其文。伯雨已舉於鄉，異日讀書天祿，當不獨以循吏顯，其通經術、工詞賦，蓋稱濟美云。萬曆壬子九月朔旦，賜進士第、天官司封員外郎，檇李門人賀燦然頓首拜撰。仲子時俊敬書。

明吳國仕後序

　　卓哉初菴先生之詣，殆未可端涯，其篤志在聖域，其精忠在天家，其實澤在生靈，其芳名在寰宇，其衣鉢在吳楚鉅儒名公卿，其箕裘在伯子。余小子，伯子之門人也，快淑先生之淵源，茲又天幸，出守乃在先生之故治，祠祀廟貌與遺施聲實赫耳目焉，余小子所緜獲步趨也，余于先生非偶矣。嘗見古今諸名家文集，其裒集可得而論也，詞章家集以部以類，名理家集以地以年，然概諸先生有不其然。先生寔以名理凜爲風節，發爲政事，詞章其表見之者也，故舊見先生家藏諸本，爲山中稿，爲中州稿，爲南署集，爲南征草，爲浙中稿。茲也伯子捧就賀銓部校正，遵遺命也。銓部之言曰，先生事業本性宗，宜語錄第一；禔身盡四箴，矢國盡十論，宜箴論第二；至其文章，未嘗不大家敵也，宜經之以部以類，緯之以地以年。善哉銓部！海內清望，余向所謂衣鉢，蓋其首出耶？余也有門牆再傳之誼，有故部後塵之遊，今又有遺集殺青之遘，何余小子之多幸也！余知進矣。遂敬書末簡，志余之慶併裒集之由，以告後之仰止先生者。賜進士第、知嘉興府事，前刑部郎中，門下生吳國仕頓首拜撰。

（黃永武審查　　張子文標點）

賜餘堂集十四卷六冊　明吳中行撰　明萬曆間晉陵吳氏家刊本　12606

明吳可行序

　　蓋嘗稽諸唐陸贄敬輿之傳矣乎！天植其忠藎之心，而授以匡濟之略，其爲代言奏議之文，若天成也者。自唐距今千有餘歲，吾弟吳中行子道出焉，將無似也與哉？敬輿歷官侍從，旋入平章，中困於寶參，竟尼於延齡，而忠州之置終焉矣。子道筮仕詞林，雅稱侍從之職，未得平章之任，而既涉其涯矣，代言未之逮也，而奏議再上，具在集中，視敬輿多寡懸殊。官秩之崇卑，職司之閒劇，去位之蚤暮致然，毋亦有困之尼之者乎？乃其文之天成也，誠似之矣！古昔以文名世者，未易更僕，安得有盡似者？莊宗乎列，而列之朗潔，莊之汪恣，不似也。固因乎遷，而遷之奇峻，固之整密，不似也。柳善乎韓，而韓之綜脫，柳之工刻，不似也。歐納乎曾，而曾之簡委，歐之爾雅，不似也。三蘇父子兄弟，自相師友，而明允之蒼鬱，子瞻之條暢，子由之紆折，不似也。彼皆有意於爲文，而學之所詣，各極其才之所至，其不似宜也。敬輿根柢乎忠藎，發越乎匡濟，不得已而有言，不經意而言有文矣。漢人稱文似者，不曰揚雄之於相如矣乎？相如稟趫捷之資，揚雄好深湛之思，烏在其相似耶？殆未可與不知言者道也，然猶以文而已。敬輿忠藎之心，匡濟之略，子道有焉。詩云，惟其有之，是以似之。雄與相如之所有，未必盡同，故其爲文，亦未必盡似。子道未嘗模擬敬輿之文，而出其所有，不覺其似之眞也。且夫文之稱起衰者，豈非變駢儷聲律之習，而復先秦西漢之矩矱乎哉？試讀敬輿之文，間作駢儷，而其氣愈昌；或類聲律，而其辭愈達，即爲先秦西漢者，不能超乘而先之也。子道疏正綱常、振法紀，及議郊廟諸篇，比而同之，其似與否，豈不知言者所能辨哉！集中詩歌凡若干章，應試應酬之作凡若干首，聊以當敬輿醫方之輯云爾，藉以名世，非子道之意，尤非其所詣極之學也。敬輿自謂上不負天子，下不負所學，偉哉！志也。子道從予也久，稔其所志亦如之，此文似之由也。雖然，敬輿救一時之敝，其文劃爽而深爲之慮，子道垂百世之典，其文嚴切而大爲之坊，相似之中，微有不似者焉。敬輿謝客忠州，踰五而歿，弗克俾其儔之釋忌，弗克待其主之召復，而文之用未究也。子道

杜門故里，年僅五十有五，則又似之矣。蘇子瞻氏今古號知言者，劄獻敬輿奏議
於朝，于以自紓其忠藎之心，而輔其匡濟之略。子道茲集行矣，予安忍必他時無
子瞻氏其人哉？若夫易贊爲宣，則更有所俟矣。萬曆二十八年、歲次庚子，孟夏
朔日，期親兄可行撰。

明管志道敘

　　吾友晉陵吳學士子道，初以植綱常第一疏，觸權相江陵，杖闕下幾斃，削
籍。凡五稔而江陵敗，乃詔復原官。晉秩宣諭，則又以讜論侵閣部大臣，坐是引
疾歸里者數年，朝夕以圖書自娛，而扁其堂曰賜餘，謂垂絶之餘年，皆天所賜
云。子道蓋以不怨不尤自砥，而屢推屢壅，復拜南掌院之命，不果行，竟齎齎賫
志以歿。歿後歲餘，而其仲子孝廉亮哀其生前著述若干卷，命曰賜餘堂集，先次
其在朝時所作奏疏、講章、閣試、館課四卷，來示曰，唯先生知吾父居官居鄉心
迹，又知吾父之所以爲不朽也，請敘之。余已久謝世文，而念子道立朝則共風
波，居里則同菱苑，子道逝矣！闡幽之責奚辭？獨以未覯全集，緩其請。越一
年，其所善新安詹淑正持前後集一十四卷傳至，因得其長公後菴先生所弁敘文，
擬子道於陸宣公敬輿，爲之大暢，蓋昔之論文者，嘗擬韓子於孟子，擬歐陽子於
韓子，愚心旨子道之文，尚未得其所擬，得敬輿之擬而爽然。試玩集中諸作，如
奏疏、講章，則切直中浮忠藎之悃，閣試、館課，則典麗中饒通達之才，鑿鑿乎
蔚有敬輿風軌。其諸詩敘、頌記、誌表、碑銘等作，大都斂塞諤於和平，藏英發
於恭遜，婉婉曲中事情，絶無苛剋憍虛之態，辭則信筆所流，不求摹古而七襄之
錦爛然，所謂贍而不穢，詳而有體，非乎後菴先生狀其未嘗模擬敬輿之文，而出
其所有，不覺其似之眞，眞知言已。先生蓋不徒以其言之似，而以其忠藎之心、
匡濟之略相似也，此則子道之所以爲不朽也。夫敬輿不能使竇參之無困，延齡之
無厄，忠州之無謫，而能使七年不言之諫官伏闕門而苦諍，至欲裂黃麻以殉之，
向微敬輿平日忠誠貫天日，何以感人至此，奏議殆其芻狗歟？維子道之所以不
朽，亦不在此十四卷中。吾獨傷叔世之爲竇參、延齡者何多，而爲陽子野者何寡
也！世人亦但知子道不朽於植綱常、正朝廷兩疏耳，豈知不朽之實在陰騭，不在
顯名。子道之生平，蓋有忠竭於人所善稱，德施於人所善報，迹同甯武子之愚，
而心難與庸衆人道者，其孰矜而孰白之？子道師事吾婁王相國，友執虞山趙少
宰。相國初起，子道投以血誠，有周公迂方之諷，師既振而身入山林矣。少宰中

亝,子道殉以去就,有虞卿棄印之風,友既安而骨銷積毀矣。顧安得有以訟忠州別駕之冤訟子道者?是子道之抱屈,尤甚於敬輿也。敬輿訖無怨言,而子道不無微啣於此,此子道之當遜敬輿處,而隱德亦過人遠矣。讀是集者,其毋以語言文字索子道,亦毋以氣節一端盡子道也。萬曆庚子夏四月既望,執友年生古婁管志道識。

(黃永武審查　張子文標點)

擬塞下曲一卷一冊　明萬世德撰　明萬曆癸巳(二十一年)丁此呂越中刊本
12607

明萬世德引

　余既隨少保鄭公經略關陝,以歲庚寅十月戊寅抵皋蘭,下令殺虜南牧者,乃有鎮羌諸處之捷。十一月戊申渡河,駐允吾,而套虜欲闌入塞,其酋長與虜王勢頡頏,蓋左賢上也。將史乘其潰邊而擊之,於是有水泉之捷。逾歲正月庚戌,入湟中,虜王以下悉驚遁,部虜夜起避林莽中,老弱間走死,往往資畜,隨後去與各部亂;至丙辰,火酉卒渡河,潛塩、池、海西僻處也,所遺巢穴,虜仍觀望爲盤踞計,我兵出塞馳八百里,於是有莽刺之捷。嗣是虜中震恐,虜王數遣使乞哀,將以全部回故壤。重爲春困,已中瘴癘大疫,畜產死者什四五,竟不能如約。我稍寬時日,而羽檄益稀闊。余日侍少保公,談機宜外,閒及藝文,公因出擬塞下曲一編,蓋公封虜王時作,所詠亦款貢事居多。余愛而讀之數四,間以隙暑妄擬,得百首有五,先是有作如關邊鎮者併附之,得十有八,共合百二十三首。出以示客,客曰,然乎否也?虜之西牧也,非受封時,少保公之經略也,非款貢時,子何艷談往事,至與征伐互稱之?恐非一時之通論也。子獨不習史乎?孝武躬將率深入窮追二十餘年,千古譴之。趙宋始終以和而敝。今即虜不渝盟,中國可常以利啗若乎?奈何既戰而復和,以覆轍自愚也?余曰,然然,否否。客知孝武之撻伐,而不知匈奴之□驚。漢自高帝時業已和親,歲賂遺單于甚厚,至孝文仍與通關市,而匈奴數背約寇邊,於時即已躬戎馬、習戰陣,而武帝遂奮然爲征討之役。我數出塞,而虜亦旋入殺掠。元狩間,兩將軍出塞絕幕,得首虜數十餘萬,單于乃請和親,而漢公卿或言遂臣之,單于聞計大怒,留漢使以相當。

而漢先後失大將軍以下及士卒亦數十餘萬人，而吏民不與焉。匈奴雖困敗，至孕重墮殰，罷極苦之，而其意不過欲和親。本始間，宣帝以五將軍帥烏孫兵擊匈奴，單于亦自將數萬騎擊烏孫，我復合烏桓三面擊之。其後漢出三千騎，捕虜數千人，匈奴終不敢當，其衰耗特甚，史稱茲欲嚮和親而邊境少事矣。則知武帝所以傾府庫、耗士馬以天下事征伐，蓋在一和親之約，而虜且不願顯然受之，豈能偃然而臣服之乎？今經略統七鎮精銳，不能當漢什一；少保公誠重臣，孰與天子自將兵待邊也？我以只尺檄命降虜，下走宣布國恩，彼惴惴恐後，孰與丞相長史中郎將軍也？比時單于猶肆然拘留之，然使非中貴人，必刺折其詞氣。今不費尺繒半釜，而虜無貪求；我數殺獲鹵畜產以數萬計，而虜不敢言狀。又孰與虜使死漢，使佩二千石印綬以護喪遠報也。嚴尤稱周秦漢三家，無有得上策者。我國家奴縶北庭，監司連帥名王以下，無不屈膝，不啻超三代而上之。漢即強，武帝誠武，視今何如？海內虛耗，終身猶稱敵國也。奚論弱宋哉！則余所稱詩尚不能盡，客何言之深也？客虒然而喚，憮然而失曰，聞子之言，不惟不知詩，亦不知史；不惟不知國家事，而亦不知漢宋事矣。今方呶呶責邊吏，謂款貢爲非計，盍表而出之，非獨爲談藝示也。因弁簡端，以俟世之大雅君子。時萬曆辛卯夏六月穀旦，雲中萬世德伯修甫書於湟中邸。

明 屠 隆 序

鴈門蜚狐、句注雄天下，其人多沉鷙壯悍，尟秀潤之氣，亦其地然哉！余友萬伯修，夫獨非雲中產邪？乃忼慨負英雄志略，似是其天性，而半容藻雅，翩翩軼群，實稟靈哲異氣。往余從伯修長安遊，詩筒酒榼，相得甚驩。尋自司馬署出備兵湟中，屬虜犯界，伯修躬擐甲冑邀擊之，五戰皆捷。俄中文法解職。居無何，虜大舉入寇臨洮，關陝震動。朝廷命少保鄭公經略西事，廷臣交舉佐少保靖寇安邊，非伯修不可，遂復起關中兵憲，日參少保石畫，師絫奏捷，大創虜，稽顙請和，乃與款貢，西垂始息肩。議者謂虜不宜與和，至舉宋和金覆轍，訾在事諸公。余謂不然。虜不可測，誰能不戰？兵不可黷，誰能不和？要使和戰之權常在我。戰不忘和，我有餘力；和不忘戰，我有餘備。以和爲戰，戰氣日倍；以戰爲和，和盟可堅。貳而討之，服而舍之，何必諱和？宋人單弱不能自立，惟虜命是聽。虜怒則戰，戰則遂無中國；虜喜則和，和則以中國奉虜。惟恐以戰怒虜，相戒不敢言戰，而惟和是求。方和則君臣嘻嘻，恬不設備。是宋之失不在和，失在弱而忘戰也。今我大創虜，虜恐，乞款而許之，可和可戰，戰則賜武，和則息肩，罔貪戰功，一服即舍，罔恃和盟，一貳即討。此其勢與宋絕異，何必果於一逞而後爲愉快乎？豈可以中國嘗虜也！伯修英雄人，以彼才氣，何堅不摧，何銳不靡，要以能戰能和，老成長慮，爲國家建萬全策耳。少保有塞下曲諸篇，伯修和之，得詩如干首，寄余山中，敘關塞之險雄，則氣吞絕漠；寫壯士之驍武，則志激風雲；譚上將之于襄，則伐光廟虜；述征戍之勞苦，則情感閨幃。惣之淒抑流麗，悲壯沈雄，鍊格既高，託意復遠，在李供奉、王龍標伯仲間。而指掌邊事，永垂勝謨，又不爲徒作者。威明出塞，仲宣從軍，長劍如龍，不律如虎，伯修兼之矣。丁右武使君爲刻之越中，以序見屬曰，方今英雄人從鉦聲鏦戟中，能念緯眞對酒當歌，拊劍慷慨，稱一片有心男子者，以余所見，伯修無兩。余謂海內弟兄有伯修、有右武，意氣自兩生而外，又寧有三？方諸陽燧蜀山，靈鍾以氣，頗收合兩生英雄人。余實么麼文弱不顧而辱收之，殆亦要離之埒於專設諸哉！今天下方有事，急英雄，爾者東夷爲封豕長蛇，日聲言內訌，中國洶洶，彼所恃者六十六洲與新併朝鮮之衆，衆心未附，狂謀不已，取敗之道也。昔曹操以六十萬焚於赤壁，苻堅以百萬敗於淝水，則所遇者公瑾、安石，雄杰也。世有英雄，善以弱爲強，不然，雖衆易寡。今右武在東，何虞夷；伯修在北，何虞虜。右武刻伯修塞下曲，以英雄表英雄，天祚我皇明，此兩雄者，其來有自哉！余體貌文弱，而壯心亦復不減，近乃以蒲團銷之，脩然枯寂矣，兩君子猶尚以田光先生壯盛之年見收也。君歌出塞，余謠采芝，余且揮手別夫君而入蒼莽之野矣。他日擲頭上珥貂而物色余於山中，請敕嶺上白雲迓兩故人，兩故人無往而不返也。萬曆癸巳元夕，友人屠隆緯眞父譔并書。

明 朱多煪 序

往丁觀察右武數爲余言，晉中有萬觀察伯修氏，其人文武奇士，心竊壯之。其後右武從金城還，則手一編示余曰，此伯修氏所爲塞下曲也。余擊劍讀之，迴環數四，每服其有深致焉。蓋虜自昔爲中國患，中國亦靡歲不備虜，而漢唐以來，文人墨士，欲宣其軍中苦樂之情，類托于征夫怨女之口，其好爲誇詡者，又多設爲不必然之事，以聊自愉快，故論風土則曰塞北江南，侈擒獲則曰生禽吐谷，毋乃詭而不情也。若伯修之篇什則異是，彼其生長塞下，又習在行間，頃奉經略之命，出其材武，萬里深入，一月三捷，且不厭久暴露于外，以故關隘之堅瑕，士馬之強弱，以及虜情變態、戰款機宜，皆目攝而心計之，而時發爲詩，不謂瑕爲堅，不謂弱爲強，不專言戰，不忌言款，蓋實錄也。夫邊境之事，大率以上下相蒙而敝也！吾而謬爲好語，以聊自愉快，以蹈文人墨士糜弱之習，此非所謂老成謀國者也。吾姑錄其實，而令聞之者足以戒，則折衝之具不遠橫槊間矣，則伯修氏所爲詩，而余以爲有深致者也。充國之平西羌而歸也，客有戒以勿言西事者，答曰，吾不據實爲上言之，誰當言者？當其固請屯田，解散羌衆，不急攻伐，與伯修不忌言款，同一長慮却顧之見。不然，以伯修之材，豈不能竟其兵力犁庭掃穴而不廢表餌羈縻之術耶？余方跧伏楚藩，無由一置足邊陲以求自試，竊幸得讀公詩，知公遠略壯猷，不減充國，而國家安危，有公在也，余又何虞焉！又何虞焉！右武則與公相望而砥柱長城者也。輒因右武付諸剞劂，而綴數語于簡端。萬曆壬辰孟夏望，豫章朱多熿宗良書。

明丁此呂題後

余比歲還自塞，里中諸君子競過余問塞事，余日爲陳說河東西險阨暨天山、青海之奇，間次第虜強弱情形及年來携服狀，往往至丙夜不得休，唇舌幾裂。久之念無以謝客，因探得篋中萬伯修塞下曲一冊，其於虜情塞事，不啻農夫之耕，蠶女之織也，暇日置几上，一諷詠其間，即橫戈躍馬，直搗賀蘭山，所睹記不核於此矣。爰授剞劂，庸代筆談，固不獨豔其詞而已也。萬曆癸巳中春，豫章友人丁此呂右武甫書。

（黃永武審查　張子文標點）

銓部王先生集二卷修縣志小序一卷二冊　明王教撰　王所明編　明萬曆丙辰（四十四年）河南巡按張至發刊本　12608

明畢自嚴序

世有功業之士，薄文章爲無當，而以文章自命者，又傲睨功業而不屑，此俱藏拙之言，不足信也。夫言之文者，何嘗不適於用？而經天緯地、自煥乎其文，伊周而下，能兼之者誠難多屈指哉！余觀先進秋澄王公，則其人矣。公少與先大人同出儀部張松石先生門，先生嘗目公曰，異日必以文章功業著名當代。已果登

上第，佐計曹，榷崇文、澕墅稅，冰蘗無染，酌泉逾清。未幾，轉銓衡，正直端
亮，署中吏胥，不寒而慄。於世味甚澹，在官在告者半，最後補考功、歷選郎，
剔盡程能，稽實杜請，激揚清濁，若九鼎燭而六規斷也。故事，選部值選期，中
貴人多緩頰，必擇美缺鬻之以爲常，公獨力爲謝絕，中貴人無不謠諑，目攝公，
會公疏起廢諫官，二中貴人伺上震怒，檢進御覽，致閽司削籍，而公竟掛冠矣！
公歸，而繼公爲郎者皆以公規爲隨，即相繼報罷不悔者，公風之也。藉令公當是
時稍一上下其手以示意，九列可立躋；縱九列所得孰多？公雖爲瘠犬嚚，而嚴氣
正性，陰令懾憚，繼事者得祖前規，以葳成事，關係不尠矣。公居田間，囂然不
談世務，兩臺使至無不交章論薦公者，朝議屢起公，卒不起，公無罾焉。公少有
雕龍繡虎才，於書無所不讀，解剝經傳，玅得玄旨，縱橫千古，駿發奇思；文詞
非先秦兩漢語不道，而詩歌出少陵、昌黎間，刻致獨標，不襲唾馥，高者凌太
虛，秀者奪萬色；晚修邑志，諸所慷慨論列，尤多直筆，居然一代史才。先是，
吾鄉于鱗先生爲海內宗匠，公每服膺之，今觀公文詞，固在鴈行伯仲間，非若他
人邯鄲武也。公没，而冢嗣文學君暨小阮孝廉君緝公遺編梓之，以序屬余；夫余
不佞，何能爲役？惟是余髮未燥，即從先大人侍公講業，通籍後，每歸省輒辱公
提誨，登床小友寔感之而實媿之矣。嗟乎！以公之才，弗尼於位，而能究公之
用，酌元氣、登泰階，功業不在伊周下矣；乃長才短馭，途半而歸，遂使公三十
年彈天地壓山川之手，僅時溢於芒毫片楮間。蓋名山大川，縱不得興雲致雨，潤
澤寰區，猶能蒸霞絢彩，照耀泉石，宜海內讀公之文，若清鏽大鏃，日夜望其在
皋門圜祀內也。惜公之才，見之功業者二三，見之文章者六七，然而推公集中
語，上典誥而下史傳，即以經緯天地可也，功業文章不兩著哉！魏文有云，年壽
有時而盡，榮祿止乎其身，未若文章垂之於無窮。余於公集益信矣。時萬曆四十
年壬子春王正月上元之吉，賜進士同出身、朝列大夫、奉勅協理糧儲、分守冀寧
道、山西承宣布政使司右參議，年家門下眷晚生畢自嚴頓首書。

明文翔鳳前序

　　天官氏王秋澄先生引繩而拒濁，弗中貴人通，中貴人銜之，偵上有他震怒，
以其諫官起廢之函進，遂以見扢去，蓋東序失河圖而名山有副墨矣。羽蛻殆二十
祀，而愚始以按兩河侍御張公命，次第其詠歌史乘之在篋者，竊歎先生之力爲獨
競也。夫畫之力八百年而殫，字之力千二百年而殫，惟文章稱春秋之大者，直始

終元氣之母，而文章之力，亦各自有久近，如射者之欪拾而挾鏃，有至弗至焉者。苟力之弗競，則爲秦武王之絕脰於歆雲之晜，而力又弗止，以丹濃青緰載之而發，以炎氣爲大丙之御，如鳥語水流之自就音節也。其吐之情而中肆閭之藹以入，是以特久而眯者侍妍於繁廡之詞，假態於排比之字，顰笑弗宜，呻吟無病，如安樂公之閉眸而淚弗注，是強悲也，如副急淚之灑於帝妃而情在衆姬，雖悲弗涉也。亂楮之玉，三年詎得成林？乘風之鳶，十日不免墮地，欲遠施而久著乎？夸父之力終嘆矣。試發先生之策，籌除季葉沿習之陋，而洗發心靈，音節自叶於古法，其辭或之左之遷，劉向、荀悅割席比几；韻文則代骨於靖節，借照於蘇州，摩詰之精暎雙騫，嘉州之蒼華並蹈，而質固自秋澄。其亮節直襟，琅然表鵷鷺之署，進秉國成，退關天步，松風不和莎羽之鳴，潤泉詎寫繁弦之響，眞氣所射，宜石飲而札穿矣。哲匠信範古而命釗，未始不援矦矢口也；通人信博稽而圜囑，未始不透晤拈宗也。杜陵之愛君而□〔？〕杜鵑朱櫻，咸含情弗置者，故杜陵氏質也；青蓮之俠而僊者，故青蓮氏質也；而學者往往取樂府十九首，各模一闋，胸臆之云何？騷苟可，宋歌何必九？賦苟可，枚發亦何必七矣！向使秋澄人遜於往者，即終日七襄而報章詎成？窮年五組而製錦徒學，將一夫之宋冠而魯服，自姓孔而字仲尼者，果爲不及禹三寸之腰與？即我儕人弗秋澄師也，而徒章擬句肖其文章，亦奚異買絲繡平原，而望其收却秦存趙之功耶？文仲子之銓序六代，彷如矯掌而獨以陳思爲君子，非謂其深以典與？朱文公獨以王梅溪配諸葛、老杜、昌黎之筆，而信其爲君子，松對而壁嶄，不爲纖□〔？〕語也。文章固有眞，侍御公命令斯文而極表其師學行之豫方，斯鄒魯之珍，以暴諸同調，愚獲於校讐之役。有受持之而弗思服其人不同時是憾者，愚其甘口過抑，亦待八百年、千二百年，而聞者之尚藹以入也，厥乃占力之獨競與？丙辰三月，西極後學文翔鳳謹撰。

明張至發後序

　　余師慕秋澄先生王氏，其人詎非所謂千載有餘情者哉？而風概在建邦之署，韻澤在敬梓之鄉，高山景行，於胥嘉尚，鏤金鑴石，於胥誦法，天下之知弗知，咸惜有未究之蘊，儻若昐大皇之戀眷離嗜之音，而至使軼文之弗章，天收而地藏乎？則我及門之罪于何辭耶！爾其從我大人遊，良不啻扶風三千之帳，以東樓算事之一康成冠之，其偕鳴珂於帝里，蓋欲表衣鉢而竹帛，貌麟閣於鱸堂，而余童

然其罔廓，則先生又孔鑄我矣，儵所謂伐柯者，則不遠乎？爲箕幸續良弓，度鍼
獲看繡譜，肆余奉其孤標，若將叩羲皇之座，珍此古道，不禁疑落月之梁，而手
不朽之言，暴獨知之契，詎因箕尾之騎歸天上，遂使風雷之摯失人間耶？先生之
葉輕於去國，蓋天下事有陰持柄而誤之者，天官之署，非權璫肉食之藉、請謁之
庭與？而先生長天官氏署，則力謝絕，其問遺涎垂者格弗行，其報復直蜎須耳。
吁嗟！范文正之進百官圖時，其一筆勾，又豈以一路號代一家乎？而曩之以言罷
者淹弗起，亦以畏忌故，先生詎忍以畏忌失天官氏職耶？亞以賜環請，良不以我
易諸賢，倘古所謂折齒補牘者哉！會上有所訶怒，中者得間奉疏前，則闔署咸罷
去，公其倡之者，是公又成闔署之罷者名，殆錫類於諸君子哉！其嘉遯數十年，
不拈片刺付長安人，高軒輜輧之客，莫之能器，臺笠接籬，僵走十畎之間，周公
不嘗欲明農於野與？而先生直以擊壤荷鍤代冠冕之桎梏，斯其人得不求之三代
上，避大賢之席而薦之，而式廬之請，或造膝而叩石畫，則一語徐出，臣山言至
井井斤斤如也。其布筆陣而揚推，則左馬之風格、室車而塗轍者，韻文儷句，如
虛壑之嘯長風，疎林之涵皎月，水奏山空，雲流壁斷，選魏律唐，軼邊而駕李
矣。垂彤管而勒邑乘，遂爲一國良史；磔永鼠而剔害，貢麗金而籌良，施諸四海
而準，窺全豹於管斑耳。蓋望其崢嶸則削三峯，而玉卓瞻禮恐不前，即其盎睟則
挹五章，而鸞峙低回弗能去，是以六經在函，問字之屨疊臻；兩楹既夢，採風之
使咨度；既崇鄉祭之儀，又列易名之請，望山河之壯，則其剛大之氣，亦儼可挹
矣。夫文章，杜陵氏稱小技，於道未尊；詞賦，子雲氏稱雕蟲，俄壯不爲。秋澄
之眞骨相既偕其蛻去，而余爲公其口代者，以貽同志。昔陸宣公既解吏部，避謗
不著書，僅集古今驗方五十篇示鄉人，至今憾微言之弗著；而秋澄之響獲愸留於
子墨，詎非來茲之幸，聊爲脛走於八垂，緊豈一人之私好乎？時萬曆丙辰仲春之
吉，賜進士第、文林郎、巡按河南監察御史，張至發頓首書于天中之思補堂。

　　　　　　　　　　　　　　　　　　　（黃永武審查　　張子文標點）

────────────

辰華堂集十卷續集一卷五冊　明程正誼撰　明萬曆二十七年華陽知縣張埏刊本
12612

明 史 旌 賢 刻 序

　　程叔明先生宸華堂集，刻於華陽令張子，既成，以諗於不佞。夫是集也，胡以系之宸華？張子曰，志思也，是公先大夫方峯先生樂道之所也。公副墨貯於斯堂，殆庶幾羹墻之見，以孝思訓耶？余受而卒業，則歎曰，夫叔明先生者，余知之矣。日先生備兵吾滇，余晚亦分臬於浙，得執鞭，慰忻慕焉。戊戌，余入蜀，則先生爲左伯總蜀藩。蜀故天府，一切征輸，視他藩倍蓰，而是時蜀益多故，上徵材旁午，梗楠杞梓，蔽江而達於燕，而又勤中使榷稅於市，鑄金於山，亡命子相緣爲奸利，夷播遂有戎心，日仰給於藩帑，若司徒、司馬、司空，身兼數器矣。不佞從旁頭岑岑而先生咄嗟應之，大者斧斷，細者櫛比，急者電驟，緩者燭照，悉片言而辦，條理森然，堂皇臨羣吏，正色凜凜，釐剔弊蠹，城社不鋤而滅。質明而受事，日中考政，日夕而罷，與藩臬諸大夫治具高會，賦詩譚奕，漏下數十刻以爲常，余未嘗不爽然自失也。蓋其人方嚴端亮，磊落不羣，而才優繁劇，世罕比者，余觀於斯集，乃知文章之道與政通也。夫言者心之聲也，出之情而發之天倪者也，文人學子沾沾爲韻言，而不知有周盛時，途謳巷吟皆風也，初唐、盛唐奉有菁蔡，而不知漢魏精微，源遠流長。其選也，先生不沾沾文人學子之好，而取裁漢魏，勒成一家言，蒼然其色，若垂紳而正笏也者，其品格之端亮似之；鏗然其音，若刻羽而引商也者，其治才之條理似之；夷然、澹然，拔乎波流茅靡之表，若飲露而餐霞也者，其人之磊落似之，是出之情而發之天倪者也，故曰文章之道與政通也。張子憮然曰，不穀之刻公集，以文若詩也，而不知其通於政也。若夫一佔畢而不忘父母，又著作之大者乎！斯堂而有斯集也，即與晉公之綠野、魏公之晝錦，同不朽可也！余深有味乎其言。萬曆二十七年己亥十月朔日，洱上史旌賢廷徵甫頓首撰。

明張埏後跋

　　宸華堂者，大方伯程公尊先生樂道之所也，公世居寶婺之華釜，負麓爲軒，因名宸華。公振起家學正宗，瀋祥衍派，益究何、王、金、許之傳，以上窺孔、孟之際，獨得所爲眞實心地克苦工夫者貞之，幼學壯行，故德行文章爲斯文山斗，海內人士久艷慕而皈依之，即埏不肖，在束髮時已私淑嚮往於公，雖執鞭，所欣慕焉。獨私怪公文辭不少概見，何哉？尋公從比部歷齊魯東南間以迄蜀都岳牧長，不肖始得沾一命，操刀華陽之里，爲公屬下吏，既進不肖於左右，風旨循循如焉；又進不肖而提之誨之，色笑藹藹如焉，不啻朝夕鼓篋於春風中也。公爲人，博大如函牛之鼎，峭峻如凌霄之峯，尤首重性命之學，其餘緒以佐太平，其糟粕以泊古文辭，非第於詞壇立赤幟也。乃埏之秉度而受成，較夙昔慨慕有加矣，令不得公緒論心聲垂之千古，毋乃當吾世而失之，因齋沐請公全集刊行於世，至再乃可，徐出辰華堂兩帙以示埏曰，非吾志也，吾名吾書而藏之華山之堂耳。埏曰，有藏則有副，以俟後世君子，乃得卒業以傳焉。今讀其文，渾渾噩噩、洋洋纚纚，根以名理，而氣格翩翩欲僊。其敘事簡而核，藻而不穢，稱述典而雅，詳而有體，左腴馬骨，不足方之。古詩肩漢、魏，軼江左，居然風雅之遺；近體招搖沈、宋，驅騁元、白，排闥盛唐康莊，至感時憂世，酷似杜少陵；若詩餘，則秦一黃二難乎前已，惜不覩其大全，茲特存什一於千百耳。然熟酌是篇，亦足仰見公之抱負高出尋常，萬萬孝思與忠愛同情，江湖與廟廊一致，何其光明俊偉也乎！蓋公源淵世德，積慶深長，湛為道學，浮為英華，一動作不漓天性，一字句具見本來，即心即學，即學即政，經緯萬務，莫究所施。方峯公所訓，不負天子，不負所學，而見之行事者，茲其一斑窺之。因憶公剄歷仕途，作兩朝名世，掩古振今，何所不有，而籍僅止是，公之所重良自有在，而先達之貴實不貴文也如此。近世仕人見屬望洋，識慚半豹，遂爾繪句摘章，務工肇悅，文集爛然塞乎域中，而本實先撥，視斯集可以興亦可以愧矣！刻成，余當序諸末簡，夫公既不以文事為急，余敢復為游辭以忝先達？輒舉昔年所以慕向公、與公所以用心者，為吾黨告焉。至公他日從容調鼎，揮灑彌綸，併立德立功，垂為三不朽之業，是編固其鼓吹也哉！埏不文，又將搦管以俟之矣。萬曆二十七年歲次己亥七月既望，屬吏華陽縣知縣，古郢張埏頓首撰。

（黃永武審查　　張子文標點）

東館缶音二十卷十二冊　明朱常㳻撰　明萬曆間刊本　12614

明　韓　國　楨　序

　　不佞楨自燥髮時，即知宇內有賢王如益國者，蓋自蜀、魯而外，希遘也，則時時心私嚮之。蓋其忠厚肇基，世敦禮讓，深仁厚澤，覆冒南土舊矣，雖封內不知有王國也，以是海內共賢之。而至其博學工文，則有經生學士所不能不辟易者，如端、莊、恭、昭四王，暨今國主潢翁老殿下，奕葉承輝，其來尚已。乃儲主仙翁世殿下，則益宏令緒，稱賢肖焉。蓋不特親冠諸藩，而賢亦先列辟矣。歲甲申，槙以直指使者，按部如旴，例得朝謁。夫四拜坐受，令甲森嚴，匪自謙抑，誰敢過望？而潢翁老殿下顧不坐受也。由承運殿公宴，以迄存心殿燕見，諸凡折節之恭，欵論之洽，錫賚之厚，恂恂若儒生然，洵殊禮已。已復詣東邸，朝儲主仙翁世殿下。故事，朝世子禮如朝王禮，而世殿下每謙退不欲當，雖詞翰之贈不遺，侯鱐之儀不廢，而托疾之辭，輒傳之謁者，以故人多不得晉接，接則至比之登龍云。而槙幸緣紹介，見之，則溫恭冲粹，盎若陽春，揚榷古今，復亹亹數伯十言不置，時已竊窺其醖藉之宏矣。退而詢諸郡邑大夫士，則無不人人驥麟之者，故槙之始而朝也，繼而謝也，終而辭也，具以詩獻，中有鍾靈河嶽，儲國賢豪，縱橫文雅，浩蕩風騷之句，志其實也。而尋拜賡韻之教，則鏗鍧鏜鎝，淵然大雅之音矣。未幾報命北旋，京塵荏苒，猶時辱音問之及，則情文爛然，溢於毫楮之間，槙每尺璧珍之。間從諸梨中得其所爲觀史雜咏，見其尚論之精，睿德之紀，見其揚親之孝，徽音之念，見其陟岵之哀，儻所謂有德之言，非耶？然謂此直八音之一耳，非全樂也。迨晉丞棘署，復儼然枉書臨之，則東舘缶音之集，全帙函焉，作而嘆曰，於都哉！此天球之響也，豈誠澠池之聲也歟哉？是故情神則可以牙官丕、植，博綜則可以伯仲向、歆，麗冶則可以馳驅白、賀，蓋奏響鈞天，張樂洞庭，非瓦礫硜硜者可同日語矣。槙以是知缶音之云，志謙也，益國之休聲，不將大振哉！則何容以無傳？而槙亦敢自附於伯牙之誼者也，又何容以無言？故喜其書之成，而僭題數語弁之，欲讀之者知其爲有本之言，自當雷鳴藝苑，而槙之素所傾耳者，非私也。謹序。萬曆己丑歲孟秋既望，賜同進士出身、中憲大夫、大理寺右少卿、前巡按江西監察御史，韓國槙稽首頓首謹撰。

明 許 國 序

……（前闕）宣流聲於竹帛而已也。昔季札聘魯，歷觀四代之樂，褒嫩譏慝，國之隆替，若燭照數計焉，抑何異也！豈非以聲發於心，而臧否由之以類應者乎？國抽毫史局，得覽天下所上副書，聞帝胄之賢，無如益國，若魯有靈光然。異時以使事辱晉接於恭王，謙尊而光，備諗世德之盛。今王潢南老殿下方膺主鬯，彬彬有獻雅之風，天下想望其丰采，而國幸獲承清閒之燕游，談劇論眞，遠覽玄詣哉！維時仙源世殿下始封益世曾孫，妙質冲齡，恂恂儒服，鳳毛麟角，卓爾不羣，國心固已異之。頃者冊寶輝煌，晉位儲貳，肄習於胄子之教，涵濡於

庭訓之深，聲詩所宣，爛然盈帙，廼寓書都下，而屬序於國。國諦視之，類皆抒
發忠孝之忱，揄揚際遇之幸，迭奏塤箎之歡，摹寫象彙之富，婉而不隨，直而不
俚，麗而不浮，非天啟靈明，充以閎粹，何以妙合風人之旨若此哉？戞玉鳴球，
朱絃綺調，即藝林宗匠，方將却步下風，而顧云缶音者，殆攪挹之心，與淇澳之
咏，相爲昭映也。國愧人非季札，第采詩之義，有史氏之家法在焉。聞斯音也，
繹斯旨也，益國之祐未艾，洋洋乎其列於大風哉！若尼父取魯之意，則惡乎敢。
萬曆己丑歲孟冬望日，賜進士第、光祿大夫、少傅、兼太子太師、吏部尚書、建
極殿大學士，許國稽首頓首謹序。

（黃永武審查   張子文標點）

觀槿續稿十卷二冊　明吳敏道撰　曹大咸選　明萬曆間刊本　12617

明 耿 隨 龍 序

　　吳曰南甫十歲時，語即驚人，有七步八斗之才，有三墳五典八索九丘之籍，
爲弟子員時，當事諸名公多折節下之，久之，卒以歲薦入南雍，大司成許公、少
司成張公，咸以國士遇之。曰南意小用不足以行吾志，且二親捐養，非捧檄動顏
時也，竟謝兩公以歸，大隱於茂林嘉樹之間，一切世味澹如也。曰鍵關著一家
言，其博綜無涯，多子雲窺未遍者。至於憫時慕古之懷，慷慨激烈之氣，往往于
詩發之。昔刻數種，司寇王公總名之曰吳曰南集，亦既序述之、詳評之矣。曹塩
城道經茲土，輒式先生之廬，彙其近稿，選之得七百餘首，而蕭臨淮昔爲文學掌
故，與先生結社爲莫逆友，同謀梓之，題曰觀槿續稿，信可以垂不朽。梓成，予
慮世之誦其詩者，不知其人，而徒目之曰詩人、詩人已也。噫！若曰南者，豈直
工於詩乎哉？其清之皭然不可汙也，可以廉頑立懦；其節之毅然不可奪也，可以
託孤寄命；其性之好施而不恤己之懸磬塵甑也，可以賑窮周乏；惜乎終其躬處奧
渫，與蓬累樗散者埒耳！藉令掇一第，畀之四方之事，其所施措表樹，可勝道
哉！予重其足不及門也，每就其廬而問政，言言皆教不佞所以幹濟之筴，未嘗一
言及於私，當事者擬之武城得滅明，則予何敢當言偃哉！第竊比子賤之宰單父，
得事之而稟度者，曰南一人也。曰南之所以垂不朽者，直詩文云乎哉？予承乏茲
土，知曰南最深，故著其行於首簡，其詳則大人臨淮君亦既傳之矣。後之誦詩論

世者，毋徒得其華焉可也。東郡耿隨龍頓首拜撰。

明曹大咸刻跋

　　淮南吳曰南氏既獻書闕下，即有箕潁之志，然且薄游南太學，于時今相國新都許公爲大司成，今宗伯南昌張公爲少司成，兩公者聞曰南至，欣然把其臂，延之便室，待以國士，許公曰，以子之才，朝士靡不推轂者，稍抑而涉世，供奉、拾遺，何足多哉？張公曰，子幸已樹不朽之業，甚盛，夫浮世榮豔，直朝槿耳。曰南竟謝兩公而歸，築觀槿草堂於氾湖之上。許公悵惜之，語李文定公，子參軍，當強之出也。許公殷殷憐才若此。曰南不以張公言爲是，亦不以許公言爲非，咸稱知己云。曰南平生所著述甚富，梓行者才百之一，又皆萬曆丁戊前稿。余乃取己卯後詩，僭以己意選得七百餘首，與其地主耿寶應、友人蕭臨淮同梓之，題曰觀槿續稿。張公所謂不朽之業，其在茲乎？乃其詩若文，則王司寇評之確矣，奚容復置喙哉？江陵曹大咸撰。

（黃永武審查　張子文標點）

正始堂詩集二十四卷八冊　明陸君弼撰　明萬曆間刊本　12618

明潘之恆序

　　潘之恆曰，以余觀陸無從先生，天之所賦，何其全也！唯全，故能爲專，爲純，爲偏，爲變，能取於棄棄於取，能離而合合而離，能衆喙而揚聲，能齊肩而峻極，能餘勇以賈人，能足智以自衛，能不違俗以從時，能不詭隨而獨立。又況歷年久，取精多，涉故深，當機熟，移乎其所不得不移，化乎其所不得不化。惟其如是，而先生不自知，知之者益鮮，而可與言者誰乎？先生生世廟初年，逢文明泰運，弘正之習未遠，隆萬之氣未靡，醞釀詩書之圃，揖讓禮樂之鄉，亦既汰蠢未耄，儼然百歲人矣。吟社者更數輩，接引後進者百餘曹，而有造者可僂指，時而登壇摽幟，不爲名高；時而聯臂踏歌，不爲特摻。其初之近濟南弇州也，而有不近者存，以骨力神駿，不易湔瀰。既而中立不阿，易蜀絃，掩吳趄，卻秦詛楚，而未嘗爲孤調。以靈光瑩徹，不爲汨没，其時會，其氣聚，其人力備而天賦全，何遽以初自嫌而以晚自慊哉！吾故曰，觀先生之全而後可與言詩。因蒐校全

集，偶窺一斑，而繆爲此臆說。乃若評品公論，有李、吳兩公序在，予小子何述
焉。萬曆辛亥冬孟望日。〔天都社弟潘之恆撰。〕仁和何偉然書。

明吳夢暘叙

　　今海內譚詩者，咸首舉江都陸無從先生，又習其人爲長者，而詩益重。無從
自童年業詩，與大父行亢，及爲諸生，名藉甚。在嘉隆之際，其名傾海內，而無
從勿居也；嘉隆以後，復變格爲詩，名復歸之，而無從亦勿居也。今春秋八十
矣，始輯其四十年間之詩，屬諸同社定之。詩合若干卷，以所居正始堂命集，而
寓書不佞曰，吾鄉者之爲名高，叙吾詩者別有屬，今乃屬之子矣。竊謂詩者，情
之符，情無形而形於詩，形於詩者爲詩，形於詩之合者爲樂，則皆情主之。卜氏
說詩有云，情發於聲，聲之成文者謂之音。音之爲詩文之文者也，而一不根乎
情。其聲莫知所從出，而何所文其音？樂記本之以論樂，樂無詩無所成樂，詩無
樂無所用詩。乃今遺樂而說詩乎哉！吾無庸論詩於用，而論其有可用，求其根乎
情者而已，是足以論無從詩矣。蓋其詩師古，代肖之，人肖之，體肖之；其詩風
世，境繫之，事繫之，人繫之。其音不能無異，而卒之無所異者，壹出於無從之
根乎情者，肖之繫之也。凡其情之溢者節之，激者平之，反者諧之，滯者暢之，
所采備，所觀遠，所被微，所嗜篤而精深，是爲無從之晚而成一家言，藉令采之
用之，安知不自無從詩始？乃其所自叙，必自異於嘉隆間者，豈必以其爲嘉隆間
而異之，特異其有不根乎情已耳。唐殷璠固嘗有云，詩有神來，氣來，情來。其
曰神、曰氣，若將別於情而命之者，試求之三百，曾有可舍情以命詩者乎？其斯
殷氏爲失言。後世自侈者輒云，吾詩則有神在，有氣在，而安用此烏烏然而局
之？是乃舍情以爲工者也。善論詩者，寧爲不工，而必根乎情，固無害其爲詩。
舍情則無詩已，而工安用之？無從早辨之矣，然無從業已深竺乾之旨，而情獨非
障耶？又嘗觀寒山、拾得之爲情語而無情，殆有化境在。夫伯牙之琴，絕技也，
而其友成連進之以化，則語之曰，吾將遺子之情。遺其情而樂不囿於樂，詩不囿
於詩，化之謂也。請俟無從幾於此。延州吳夢暘譔。閩中洪寬書。

明李維楨序

　　隆慶戊辰，余從沈肩吾讀中秘書，肩吾數爲余言，陸無從、鄔汝翼兩人善屬
文也。蓋肩吾游學廣陵，與兩人相友，深知之。余識於心不忘。甲申，余禮白

嶽，遭汝翼，則已黃冠稱道民，見其人與詩，殊愜所仰。時肩吾爲少宰，無從尚困諸生，汝翼深相非望，白頭如故，傾蓋如新，豈不信哉！肩吾乃不能爲無從地耶？余慕無從滋甚，嘗兩過其鄉，迫他期會，不及請見以爲恨。無從亦知有余，爲詩三章而不欲作未同之言。蓋至己酉以急難僑寓廣陵，始奉無從杖履也。四十餘年傾嚮，一旦覯之，眞如撥雲霧而覗青天。廣陵人言，肩吾罷相，折簡召無從，無從謝不往，其方軏如此。而獨折節下余，恨相見晚，招余入淮南社相唱酬，已衷其生平譔著，俾余評校之。余作而嘆曰，夫陸先生籠蓋人群，其文易知也，其所以文不易知也。科舉之業與古文辭，分道而馳，士少年竊一第，弁髦棄之而後專心學古，不然，則山林之士不事科目者耳。先生治博士家言，自齠齔至老，而不以帖括妨嘯詠，此一難也。人生精力幾何，爲外物所煎灼，而居沃土尤甚。廣陵，江北都會，伐山煮海，素封之家相望，習富貴容，窮當生之樂。先生雜酒人博徒，分曹角技，倀童妖女，左右歌舞，簪遺履墮，留髠送客，夜以繼日，寸陰之隙少矣，而腹笥儲胥，手墨淋漓，即下帷不窺園，仰面看屋梁者無以踰，此一難也。頃日詞人多游大人以成名，不遇，則行卷充贄，廣交借資，乞憐取寵，幸而遇，則使酒罵坐，盛氣陵人。先生恥脂韋滑稽，一名謁不輕投，非同志不談藝論文，而不溪刻縱誕，油油然與衆偕。才如先生，不佩半通之綬，以逢掖老而且食貧，小丈夫當此恚怨，徵色發聲；讀先生集，無一憤厲不平侘傺失志語，靈府天倪，暢然廓然，可以想見，此一難也。世所指數詞人，大要觭長於詩，詩觭長於近體；先生體無不具，無不合作。長於詩者不必長於文；先生短章碎金，大篇尺璧，人間熙事盛典，冀幸一言爲重。至於網羅千古，經緯百氏，爲郡縣志，鴻儒良史，見者歛袵韜翰，此一異也。詞人不必多年，若伏生、申公、轅公之談經，胡昭、向朗、沈麟之、徐廣之好學，篤老不衰，其文無傳焉；高允九十，假手劉模、張琦，百五歌厪二篇。先生耄耋，伸紙揮毫，敏倍壯夫，神采色澤，照映稠人，此一異也。蓋先生之爲人，同不害正，異不忤物，才不揚己，廉不矯情，壯不競進，晚不易錯，不沾沾自喜，不落落難合，上可以交王公卿相，而下可以群牛醫馬卒，濁可以游賣漿狗屠，而清可以對高僧羽客，誠難以一節名先生。先生之爲文，識偉而學能副之，才逸而法能禦之，格高而氣能劑之，有風雅之溫厚和平，有騷些之凄緊深至，有兩京之樸茂雄渾，有六朝之靡曼精工，有唐宋之舒緩流暢，各撮其勝而調於適，亦難以一家名先生。合人與文觀之，而後知汝翼往者爲先生惜厄窮，猶未識其大也。先生病今之爲文者，以鉤棘

言精練，以晦僻言該博，以寡弱言清絶，以俚淺言冲澹，旁蹊四出，古道陵夷，
賢知之過入焉而溺，顏其堂曰正始，其指深遠矣。有先生之人，斯有先生之文，
和順積中，英華發外，寧可襲取者哉！先生匪直詞場之赤幟，其在人倫，亦狂瀾
之砥柱矣，故爲具論之如此。余嘗服膺肩吾文，實雕龍繡虎手，廼以位掩。今其
年少先生而長於余，都可十歲，謝政後神愈王。試以余言質肩吾，能窺先生一斑
否也？大泌山人李維楨本寧甫〔撰〕，江都後學夏應芳書。

（黃永武審查　　張子文標點）

後吳越游十二卷六冊　明王叔承撰　明萬曆丙戌（十四年）吳江知縣徐元刊本
12619

明 徐 元 序

　　……（前闕）裴回焉，歎曰，嗟乎！古今人豈大相遠也哉！安得張陸諸君
子，與之烹鱸馴鴨、雄心杯酒，而蛻跡身名也邪？居久之，諸吳下文士騷人謬許
余不作風塵俗吏狀，稍稍雲集星聚。余即不文，時輟理倒屣迎之，庶幾采民風，
問土俗，蓋不徒浮慕諸君苟獵聲譽而已也。而諸文士騷人數數爲余稱說昆侖王山
人詩，自余在吳先生門下，縱攬所謂吳越游者，業已稔山人名字，私下之，乃山
人抗臂林壑，放情煙霞，口不挂時事，足不涉官府，即求山人一面而未能也。歲
甲申春，吳先生遠騎黃鶴，過我縣齋，酒半，先生向余言曰，吾燕中故人王山
人，天下士也，君號能下士，頗請見山人否？余對先生具如前語。先生笑曰，安
有徐令君不識王山人者！君以余書往，山人當來。於是余走使奉先生書抵山人
廬，山人時病新起，方括闊臥春水上，喜吳先生之命駕千里也，強攝衣而至。至
則吳先生勞勞苦，驪踰生平，而山人近止酒不飲，遂相與霏談六合內以外，連日
夜不休，余乃恨見山人晚。已先生索山人詩，山人謝無有，余從旁固請，山人因
出一編示先生，即山人後游吳越諸草也。先生受而卒業，擊節賞不寘，顧謂山人
清標遠韻，精言玄箸，往往奔軼絶塵，不肯襲人間纖俗態，尋命余梓行之，爲吳
越千秋勝事。而山人雅厭城市，信宿各罷去。余苦不得旦暮望山人顏色，每睹山
人汗漫狂游，操一刀子，圖書几席，無它長物，入其家，蕭然四壁，裁蔽風雨；
又夙習禪觀，躭靜義，不復問家人生產，居恒泊如也。二三年以來，山人未嘗干

余以私，余以故重山人殊甚，不獨其詩壓太白山人，即其人丰姿玉立，行誼霞皎，後太白山人者誰哉？昔言游得子羽，其言論風指，無所考見，而子羽非公事不私謁，則言游所推，信有超然於言語之表者。乃今余所治，亦言游鄉也，竊以山人行履大類子羽，而其蘊藉才名且溢之，則余借山人而重，山人不以余重可知也。丙戌七月幾望，秋月橫江，蘆花吐白，會余被召北上，山人念余非一日之好也，追送余周繼之舟中。余媿無以爲山人報也，敬如吳先生命，小割月俸，屬繼之梓山人後吳越游，而聊爲之引其首。是歲秋孟，雍丘徐元書於晉陵道中。

明 王 世 貞 序

　　崑崙山人王承父始所爲詩曰吳越游，其之閩曰荔子編，之楚曰楚游編，其最後曰後吳越游。荔子編，余業已序之矣，其詩不能盡承父，而余序亦不能盡承父詩。已而與承父交益堅，其知承父益深，乃爲作崑崙山人傳，意以能盡承父矣。既而承父出其所謂後吳越游者，而屬余以序。余乃曰，吾之不能盡承父於荔子編，固也，至崑崙山人傳，於承父生平得十之九矣，而承父若有未盡者，何說也？得非以茲編哉？於是取讀之，凡五日而後卒業，大歎咤曰，吾誠不能盡承父，吾負承父！吾負承父！立爲之敍。敍曰，余束髮而談詩，自風雅而下，至於近代，亡慮數千年，於調格升降，亡慮數十，而所考鏡若黃初、建安、六季，以至三唐、兩宋、勝國，其人亡慮數百千，而體亦因之。至明興中葉，而北地、信陽、歷下之輩出，乃能以一人之宏識，而盡擷羣有之高舉，囊括包併，若力政之於六雄，可謂體具而功不易。至承父獨不然，以爲事與景者，天地所自有之物，偶遇而收之；情與意者，吾所本有之物，偶觸而發之耳。彼吾役也，吾不彼役也。然獨承父之材甚高，工力甚至，以故其句就而色自傅、聲自律，篇就而用恒有餘。當其忽然而至，沛然而出，風馳電擊，縱衡趹跋於廣莫之外，使人心悸魄奪而不可禁，而悠悠旆旌，徒御不驚之氣象自如也。及乎劌心爲字，琢字爲句，或陡削峭拔，或宛曲縣麗，驟讀之而恍然若新，既諷之而又恍然若故，則人工之極，葉玉而與眞玉同，求其雕鎪之迹，不可得也。承父于諸體無所不精，歌行尤其至者，五七言絕、五言古律小次之，七言又次之。其編可十卷，五卷而前，猶不能盡去何秘巧偶之累，五卷而後，則以茂功之不敗，而兼萬徹之大勝，無餘憾矣。談者尚謂承父上之不能超景龍，而下之不能汰咸通以後爲恨。嗟乎！此所以爲承父也。以承父才，使浮慕其名具體而必古之是徇，以與三君子角，彼所稱襲

三而爲四不難，所以爲承父者漓矣。余老且厭吟咏，其於序學士大夫詩，亦不勝
窘，今獨忻然而草承父詩序，豈惟毋負承父，亦且毋負我耳。是編也，梓而行之
者，吳江令徐君善長，其識承父最晚而最眞，今以高第拜御史。弇山人王世貞
撰，友人周天球書。

明 王 世 懋 序

　　唐以前，詩道未廣，至唐以此進士，而士之嫺于文詞者爭業詩，則詩在廊
廟，不在山林，終唐三百年，所稱山林游士工爲詩者，孟浩然、方干輩不數人
耳。我國家右經術，士亡緣詩進者，放曠畸世之人，乃始爲詩自娛，宜其權在山
林，而世不乏響。然弘、正以前，風氣未開，振騷創雅，實始李、何，其人又皆
以進士顯，而其間稍稍建旂鼓菰蘆中，能與相角者，一孫太初山人而已。山人于
詩，可稱具體，未見其止。嗣是而後，駪駪輩出，六朝爾雅，則俞仲蔚氏標其
宗，盛唐颯颯，則謝茂秦氏專其律，亦由孟襄陽河漢梧桐爲五言之長城也。蓋至
于今而登進之門日艱，譚藝之家日廣，褒衣古冠，肩摩踵接，皆自稱游，則詩道
益襍而多端，而猥鄙嘔噦之夫，時竄名其中，以奸吏議，至使縣官下逐客之令，
其爲山林辱甚矣。王子曰，予于王承父氏握手稱石交，願爲之序，蓋不獨以其詩
云。承父少豪于酒，不喜爲章句學，與胡原荆、陳貞父、顧益卿爲刎頸交，已復
交王元馭、范伯楨，最後與予兄弟相得。方益卿吏越，則有前吳越游，貞父吏
楚，則有瀟湘游，原荆、貞父死，承父時有山陽之慟，元馭拜相，益卿中丞遼
左，承父絕不往干。晚得病逾，遂不復縱飲，時汎輕舠，往來吳越間。其游不能
絕遠，而自喜爲詩，豪益甚。縣令今侍御徐君聞而重之，固要與見，已爲捐月奉
二十金刻其近稿，曰後吳越游，時人兩賢之，則今之游士所爲勤造請而不得者
也。承父于諸家聲律靡所不工，而尤長于七言歌行，頃刻數百千言，如荆卿相
泣，樊舞陽裂眥，灌將軍罵坐，又如陳思王初見丁敬禮，傅胡粉、說俳優，數千
言後，整衣冠，陳皇王之道，可喜可愕，種種變幻，眞能以牛溲馬浡爲藥餌，嘻
笑怒罵爲文章。李、何以還，于斯爲盛。蓋標其專詣，則太初讓精；綜其全文，
則俞謝遜兼，抑亦可謂詩人之豪矣。世懋間語承父，今山林道衰，所見唯有足
下，願終自愛。承父重感予言，嘗慷慨謂予曰，君無憂叔承矣！人爲海內二三知
己信重迺爾，即欲爲不好，不可得矣。君無憂叔承矣！其襟趣眞率如此。予謂承
父不游大人，而游丘壑，不以人游而以天游，然則區區吳越者，何足盡吾承父游

也！予爲此序，要使後之君子，誦其詩者，知隆、萬間有不辱山林士如王承父。而徐令君之好士，亦緣是不没云。同郡王世懋譔。

明　顧養謙　序

王承甫故有游癖，余官閩，招爲武夷諸游，官越，召爲鴈蕩諸游，官嶺東而招游羅浮，官滇南而招游點蒼，則承甫以母老不果來，乃今移鎮遼左，復再書以醫無閭招承甫，承甫顧病後，稍戢豪游，徜徉吳越間，不自果。而吾臺中今侍御故吳江令徐君，方捐俸梓其後吳越游艸，承甫書謂余嘗同游吳越，已即隔萬里而遙，序我詩如面也。蓋往昔海內二三兄弟，登堂拜母，結爲生死交，而余寔兄事承甫。余之兄事承甫也，不以其才，以其人，然承甫之才發于文詞者，亦往往類其人也。承甫少負不羈，不可一世，無所託而逃之俠；已而放志山水，逃之詩，又逃之酒，晚進于道，則逃之仙、之禪也，皆寄而不有也，故別字子幻，而號其室曰蟭螟，寄以見寓。承甫嘗自謂吾之于文詞也，特以幻遣幻云。吾觀承甫，其洸洋自恣，傲六合、空萬象，而立身結友，篤意氣倫理，亡論貴賤賢不肖，可浮沉混迹，而一言不苟出，一介不苟入，氣薄雲霄，才淩日月，而頹然多長者態。澹泊一切，生平不二色，而從人挾美浮白，不廢逸情豔語，大都渾渾莽莽，人無定裁，故文無拘品，乃其所以幻而詩者耶？承甫嘗謂余曰，夫有韻之文在天地間也，猶大風噫氣，萬籟異聲，各鳴其自然之眞而已。自風雅之變，爲騷爲賦，爲樂府，爲五言古等，蓋楚漢魏晉而降六代以至于四唐之諸體，變極矣，雖世異而體別，人雜而音殊，要之亦各鳴其眞矣。說者謂宋元無詩，非無詩也，聲文愈變愈極，愈極愈變，流而爲宋之詞，爲元之曲，亦各自臻妙致。譬之太行龍脈，屢行屢結，垂盡而延袤傍走，結爲支局云爾，故曰詩之餘也，其眞聲何嘗不在哉！近世中原豪傑輩出，欲挽古道于摩擬，分途竭工，期羣轍悉美，其上焉者不遑深論，亦或徇蹊徑而餘故滓，或操瑰瑋而離本性；而下焉者至掇拾糟粕，吠聲成風，抵掌如優，捧心益醜，而驕于世曰，吾古詩，吾古詩。是不惟見笑于齊梁後塵，李唐晚葉，而弱宋、胡元之鬼，且揶揄地下矣。此王生之所以必欲別成一家狂言，以仰對千古，而俯照百世者也。快哉，子幻乎！承甫之高論矣。故承甫之于詩道，攬古而吸其精神，匠心而超于矩矱，內之所懷，無不可吐，外之所遘，無不可采，因篇而自爲格，因句而自爲調，各體任眞而靡有所式，而世獨重其歌行，以爲可追李、杜。余則謂承甫故所蓄豪蕩莽蒼之氣，幼眇秀逸之材，神奇玄詭之思，多發之長句，以自逞自玩，庶幾沅湘之騷，子虛之賦，龍門之史，南華之經，卒然遇之，可當一面。即使青蓮、少陵並驅而角勝，未知鹿死誰手？吁嗟乎！此可與知者道耳。王天台有言，承甫之詩，不必求之古今，自當稱崑崙王，以不朽。而王太倉又云，承甫之于詩，猶其青山綠酒，聊以游戲性情，非浮慕詞家名媚世，而何有于是非毀譽也？此皆知承甫之深者。乃承甫自爲得失寸心知歌，有我亦呼吾作知己之句，抑亦可以觀其微意之眞哉！余方督理戎事，試以兵論承甫詩，其霍嫖姚不耐古兵法，而一任方略，百戰百勝者乎？其韓淮陰倒用孫吳，而市人可驅之勝敵者乎？其李將軍不肅部伍行陣，而士卒人人樂用者乎？蓋所謂蟭螟之寄，子幻之虛，詩乎？游乎？即承甫亦不自知其所究竟矣，奈之何耳視目論者，猶竊竊焉求承甫于邯鄲步趨？是承甫且龍蛻鵬舉于太清之上，而猶以人間世形骸而土木之，何其遠也！異時承甫能過我者，且登醫無閭而望溟渤，灑然逍遙作天游，則吳越江山，又當枋榆蹄涔也哉！萬曆丙戌九月九日，海東友弟顧養謙書于遼陽開府別署。

明顧冶後序

　　故光州陳貞父既梓王承父吳越游若干卷，傳海內，乃庚午秋以來，承父游吳越間益盛，其詩益多且工，蓋近之洞庭、林屋、吳淞、甫里，遠之金華、括蒼、龍湫、鴈蕩，大抵入承父聲詩中矣。承父先世本松陵人，其家僻在爛溪嚴墓村，溪常孕珠，徑寸許，爛然成五色，而相傳嚴夫子理玉其處，文彩精靈，頗鬱而無所洩，歷百千年，始盡洩於承父，宜其爲人爲詩，自翩翩得也，第世鮮闚其深者。嗟乎！夫世安所底也！余見近世所號稱詩人者，稍稍以詩爲市，此道陵遲矣！獨承父居恒少所齟齬，亦少所阿邑，穆穆落落，沉冥軒舉，故宅不過一廛，業不踰儋石，諸皮相者或口語狼籍，承父即不問。當其巖游川觀，倚酒稱詩，卑不耐俗，高不局古，要以內無伏情，外無伏景而止。諸耳食者或又目論蜂起，承父復不問。客怪之，余固曰，嗟乎！夫世安所底也？吾人有眞理，吾詩有眞境，譬之妖冶戚施，皆貌也，穠華幽卉，皆色也。殉它人而喪吾眞人，溺它詩而失吾眞詩，是掩醜而求妍，惡澹而爭豔也，非其質矣。世以是論人、論詩，嗟乎！夫世安所底也！往武昌吳明卿輩，講藝燕市，承父嘗與之游，相善也。異時明卿訪道婁海，路出松陵，松陵徐令君者，明卿門下士也，則謂令君曰，君知王先生承父耶？今安在？令君避席謝曰，某聞王先生足跡且徧方內，獨靳玉趾不一城者，

此爲王先生哉！於是使使奉書承父之廬，如明卿言，承父亦重明卿指，遂強從之
游，明卿竊喜甚，已請觀承父詩，承父漫以病解，令君笑謂王先生病廢游，不廢
詩也。因破承父篋，果得後吳越游，都幾卷。令君遽請付築氏，乃承父不有也。
一日，余過故里，會承父攜其艸至，猥命余校而題之。余罷筆研久矣，然余縱觀
吳故，若張季鷹聽金閶橫琴聲，偶落賀家船，借游京洛，一遇秋風，憶鱸肥蓴
美，便棄官歸，迄今誦其黃花小史諸篇，風流冉冉可想。其後張子同釣苕霅間，
正顏魯公守吳興，相與酬漁父詞，光照煙波數百里，子同竟仙仙飛去。而最晚有
陸魯望者，自名江湖散人，挐舟闘鴨間，與皮襲美迭唱更和，累什百首，署曰松
陵集，響合千秋，以爲佳話。夫徐令君以儒術緣飾吏事業，不媿魯公，而余交承
父，才駕下，誠不敢幾襲美，顧承父爲人，無非任眞理，爲詩，無非寫眞境，何
論世所號稱詩人，即絕塵魯望，軼駕子同，方軌季鷹，可也。余西矣，承父其理
茶鐺、采蓴鱸，俟我鴛脰湖上。萬曆丙戌夏日，金瀨逋客顧冶世叔甫書於梁鴻山
艸堂。

明丁應泰跋

　　王山人承父詩，清而麗，雄而圓，奇而有致，如春江纖月，秋島層雲，栖託
既高，風韻自別。五言如三月龍門信，桃花春水來；恍得天官酒，分成月俸錢；
煙霞終老癖，山水再生緣；窗綠懸秋樹，城青映晚山。又如片紙成春夢，千峰赴
艸堂；家餘蘭澀酒，客過釣灘星；古樹青浮座，寒江綠到山；白魚江縣酒，丹橘
洞庭船；苑花迎畫史，宮女識詞名；賣藥饒供客，栽花秪結隣；人煙春樹綠，社
酒野花紅；涼颸通野樹，鮮鱠近江船；蠻雨挾人去，巖風吹酒醒；老態多兒戲，
卿游半旅情。七言如病裡一杯眞夢寐，眼前萬里即風煙；五夜雲濤秋氣逼，萬家
煙火雨聲含；已知酒自生前綠，猶喜山餘病後青；羣峯映酒夕陽紫，片水拂衣春
月明；啟事定高山吏部，詩篇新得沈休文；子晉吹笙纔度鶴，麻姑書信又通潮；
痛深寡婦江應竭，冤極孤兒天自高。絕句如雨後兩峯嬌不耐，雙蛾新黛點春然；
十萬梅林三十里，人家盡住白雲端；相調眼色如相識，隔著桃花信未通。皆亹亹
唐音，而五七言古及排律諸作，益多佳句，往往露輕世肆志之意，華而不靡，逸
而不蕩，所謂良工心獨苦者非歟？江夏丁應泰書。

明顧憲成後序

　　王山人承父先生既行其吳越游矣，已而有瀟湘編，有荔子編，翩翩四方之志
可覩焉。既晚，頗不樂人間事，而會海上曇陽子□〔？〕承甫心善之，遂妙徹玄
理，時時謝病杜門，故其游益稀，而其所往來不出吳越之間，於是又有後吳越
游，松陵徐侯善長氏爲捐俸而行之，既成，屬序于予。予重承父而嘉善長，序
曰，而詩蓋難言哉！予不敏，何知焉，所知者承甫耳。承父負奇自喜，驟而接
之，恂恂然，徐而與之語，光怪狎出，可以喜，可以愕，可以涕，咫尺之內，頓
令宇宙改觀。而又最嗜言俠，嘗曰，古今人往往致羙于郭解氏，何其薄之乎俠
也？予意不然，惟是堯舜之揖讓，湯武之放伐，孔孟兩布衣遨遊四方，所至王侯
抗禮，後車數十乘，從者數百人，恬不爲怪，庶幾各當一班耳。□〔？〕言近狂
而大有致，予不敢疑也。由此觀之，可以知承甫矣。弇州王先生評其詩似青蓮居
士。說者又謂予，承父信佳，顧其爲詩，往往不大求麗於格，何也？予曰，是固
當，而此乃承父之所以俠也。子不見堯舜之揖讓、湯武之放伐乎？是遵何格哉？
夫格者，之噲、勝、涉之徒，所假以文其不足者也，奈何以囿承父？脫承甫無所
短長，而讓讓焉惟格之是求，合則喜，不合則懼，其去俠也千里矣，何以微郭解
氏也？客曰，善哉！子之言承父也，敢請松陵侯何如？顧憲成曰，諾！予將問諸
承甫矣。丙戌八月既望，錫山顧憲成書于淮陰舟次。

（黃永武審查　　張子文標點）

修禊閣稿二卷一冊　明張汝元撰　明萬曆己丑（十七年）秣陵張氏原刊本
12620

明吳子玉序

　　夫詩貴集微而作者鮮全構，攻蘊藉則乏致，尚調響則失典，嗜冥幻者無著，
襲軌躅者傷泥，故詩之大槪，論境論氣，然理在人區謂之境，不繇於學，非眞境
也；勢凌雲表謂之氣，不根於素養，非厚氣也，難與語全詩矣。世人掇拾唐之緒
餘，如屑玉剉綺，然菫菫爲五言聲律，遂劇口譚詩，無論漢魏，即唐之歌行，唐
之七言律，漫不得其一二，而急懸之日月，千金自享，謬加賞好，望風吹瑩，若
是者何可勝咤也。金陵爲古陽帝氏之都，至六朝最麗一時，詞章似之，風先萌
焉，綜採繁縟，亦極彬美，顧四學並設，風流所靡，但見隅曲之一指，而恢恢皇

度蓋未之睹，則禎圖靈篆開其丕業，彌綸八殥，經緯二儀，通先聖之遺教，諸文苑得邁一代之盛運，必有標其鉅麗，稱鴻筆之彥者焉。歲戊子，予以司佐功令來金陵，會方司徒公爲予言張伯子太初詩，既太初設弟子之座，盡出其所爲詩，讀之，豔而有法，邃而多致，清之不憔，實之罔硋，諸體俱善，而尤矜于古選歌行，以是知司徒之所稱與，非過詡也。太初年方美茂，尊公太守公督之制科業，毋墜家學，予輩見其制科業，皆謂良寶耀璞，妙選俊乂之倫。而太初亦于制業之餘暇爲此藝，其工若是，則由此以射策，得察舉，而用其全力，其所超詣流光遄紀，又豈可量哉！夫九州謂之九囿，金陵之一囿，熙代爲至盛，中必有產魁茂士以鳴其中穆之咏，而當金陵之靈囿，於太初觀之也。金陵故有祓禊堂，六朝之公卿賦詩爲多，太初取以名閣，因以名其詩云。大障山人休寧吳子玉著。

明張汝元題辭

余前既已梓其楚游諸什以問于四方，而是集也，則余從脩禊閣中所漫賦者也，友人從臾嗣木之，而余系之曰，詩理淵鴻，談何容易！自桐峰捌咏，瑤池載嚮，三百標其麀角，兩京振其鷩采，沿自曹馬，以迄隋唐，魁士名人，家秦戶郢，連蜷尺素，天雲鬱于情端，雌蜺千箱，風霜生于字底，含意湘筼，聲飛嶰谷，吭豪荊玉，名剡苔華，蓋五車之所未窮，亦七略之所難記，風雅之場，良爲邈慕矣。余燥髮之齡，希心是軌，得二之勢，漫儗于圖秦，而聞百之譏，終窮于望若，然而陸沈之士，猶感拾穗而行歌，丘壑之姿，尚睹瞱芝而結歎。矧余菰蘆跡隱，歎樂情深，故每撫事而抽毫，間亦懷人而談賦，敝帚之嗜，久不自持，而禿穎所存，遂煩掌記。昔人有言，既瑚璞嶧，世無長閟之珍；未賞聲柯，亭有永枯之竹。余一斑自閿，六翻未滿，敢懸咸陽之市，謬碎京洛之琴，儓鉛刀許其一割，嫫母廁于下陳，則是編也，雖不足以屬左廣之前茅，亦庶幾可供大方之覆瓿矣！遂竟殺青，用忘嘲白，而校售之役，則徵甫、仲履寔有昌歊之癖焉，其它以俟君子。

（黃永武審査　　張子文標點）

廢稿八卷六冊　明吳成志撰　明萬曆戊申（三十六年）余懋華刊本　12621

明余懋華刻敘

嗚呼！開宇先生蓋古者延陵之裔，而應山先生冢子也。應山之學尚無一傳，而得先生砥礪好脩，博洽能文，有父風，今之作者，先生當阼。華從先生之日久，先生視我甚厚，我得先生甚多，先生期我甚大，而我所望於先生，與先生望我者同。敢謂先生而所以表見於世者，僅區區文采也。往先生嘗刻晤語，實道德之言也；今茲廢藥，又不朽之文也。晤語刻而先生神王無恙，廢藥刻而先生已作古人！泰山梁木之悲，余又何能已已，余是以反覆其遺書，校讐而剞劂之，日置案頭，庶幾以神交恍惚如見先生；且令當吾世而欲知先生者，以有廢藥也。廼先生著述，實不止此。門人余懋華題。

明馬明瑞序

……（前闕）洽於山陰余侯，揚搉之餘，因出其所師開宇吳先生廢藥一帙，將有於鐫播，而屬不佞為次第之事。夫余侯胸襟夢澤，翰墨天孫，雲龍霧豹，觀□〔者〕眩瞀，而猶北面吳先生，先□〔生〕固安可量也！乃作此寂寂□令，英風爽骨，錦心繡腸，同□花之委露，殆不能不致疑於斯焉。紫陽之地，舊為文學淵藪，其先大人一源公，又以文章理學雄鳴當世，而先生遂哀然出，芝草無根，醴泉無源，豈其然乎？豈其然乎？故先生之文，揚則高華，抑則沉實，悟語則微參妙乘，豪語則鞭策中原，橫經倒史，出些入騷，□亭而上，迺逼先裁，直欲後□淵雲衙官鮑庾，豈非得天□厚而瀋流者長乎？大抵清□者天地所惜，文章者鬼神所忌，稗官小說，紫色蛙聲，兢自皦皦塗飾，以諸逐臭，而寒山一片石，落落秋雲，亦足以發明造物之有偏嗇矣。古來代不乏才，士每每賫沒風塵，甚有歷履氏籍，無一落人齒牙者，是以春江澆其礧魂，秋雲盈其襟帶，其於文乃益奇□卓，調益以寡，不佞於先生□何怪乎？雖然，千秋之業，期□不朽為事，拾遺供奉之名□槧，家無不著蔡而神明之，不以悲其遇而拙其文。先生雖莫然當世，人貌榮名，附青雲之士而益顯，儻所稱不朽，非邪？不佞生晚，猶將求先生於精神之內，期旦莫遇之，微此帙，不知天地之內有先生；微余侯之磨洗為之表著，不知先生之有此文。昔左氏三都，茂先服膺，王生論衡，伯皆資議，吾不以獨重先生而多余侯之能，不私其好也。然則士之顯晦，名之微著，本不足以為衡，而又安所抵造物於小兒邪？至於縣書擲賦、矬薦截髮，以微知先達為延譽計，吾又以知先生之不屑屑然矣。先生其亦以不佞為知己否？萬曆戊申中秋日，當湖後學馬明瑞書于古虞之天章閣。

（黃永武審查　　張子文標點）

────────────

堯山藏草三卷三冊　明釋僧悅撰　明萬曆辛丑（二十九年）古嚴潘之恆編刊本
12628

明　虞　淳　熙　引

　　矔鶴先生以古先生爲師，義龍之角也，諸義龍爲其家先生傳語，繞而聽者，
有肯有不肯，乃矔鶴先生自傳，自語石且聽焉，所言石肯生公法，蓋自命云。其
遊居蜚遯沖邈，閑綽無鄰，亦惟是片石壏語耳。語又極玄，具卷荷根者，反不如
石多竅，閟堯山矣。潘庚生，聞人也，採焉，比閭丘之於寒、拾，□□□〔合四
卷〕，許作石聲歌之，衆山皆響。曙子治兜玄，用列樂部，大司成廣厲儒林，躬
藤木之役，進於國風，有戛拊而不舞者乎？鑿竅闢聰，凡耳並睦，哀松放而赤鷹
下，致足嗜也。魯山扣瑛，鮫人裂篷，僵騏唳露，潛虬吟淵，不足齊其音之幽以
清矣。若迺夫布行雖短，句身無量，古先生之伽陀，惟觀音聞，石爾何知？聽斯
弗瑩。所頌道德，聊以屬聇；聇也其肯之！萬曆辛丑夏五，曙子虞淳熙書於煙霞
之月窟。

明　潘　之　恒　道　德　頌　序

　　金陵古佛地，在晉名德尚清談，每集講瓦官寺，輒理莊子一篇，琅琅金石
聲，堪作梵筴鼓吹。自達摩西來，不立文字，而清譚漸廢，其流韻至今猶存。當
嘉萬間，三大師比肩長干，而老莊盛行于世。先是歷下、婁東、餅中諸公，皆以
著作顯，競蒐奇獵豔於漆園，而三大師獨標名理，所稱雪浪恩公、矔鶴悅公、湛
懷義公是已。三師同時同里、同席同參，常歷嵩、岱、衡、華、峨眉、終南、天
台、五臺，憩足於伏牛。闢草萊，龕木石，艱阻同之，而矔師尤厭世味，耽禪
寂，一切講壇齋筵，俱謝不赴，獨居善提場，招同志結黃曲社，深研道德五千
言，稍用羽翼十二大部。歲乙未，余從師襄陽，出示道德頌二十餘首，余釋頌而
拈經義質難，靡不鑿鑿玄解，得契新義，然後展頌一詠，如游縹緲間，超於意象
之表。因尋繹數四，漸窺旨奧，似深沈而出，又似率易以成，不入楷模，不事雕

飾，欲合欲離，惟恍惟忽，孔之繫易，揚之草玄，殆庶幾矣。顧師勉終之後，結制伏牛二夏，而八十一章始成，間以示人，人罕諭者。或比之風雅則已亢，或等諸評唱則已卑，或擬阿難讚佛則似詼，或擬郭象註莊則似誕，皆非師意所安。師亦隨有所感，自詠自適，斷章取義，以附麗於經文，如斯而已。故無事於牽合支離，視文人蹊徑，若有避而無染者，頌所獨致也。潘之恒曰，余嘗慨夫穆如衰而頌聲寢，清譚降而奇豔滋，道欲日損，辭欲日廢，孰能濁而徐清？蓋自矓師譚理而南華始廢，開頌而道德亦廢。一廢而忘辭，再廢而忘理，故辭忘而後南華存，理忘而後道德存。存者存存，而後廢者不廢；忘情忘言，乃至于忘名忘義，吾不知誰之子，達摩密印付諸長干，今以伏牛爲龍淵矣。矓師謂余知言，且合頌本意，命書于簡端。萬曆辛丑中伏日，古巖佛子潘之恒謹譔。

明 潘 之 恒 跋

　　菩薩悲願救度一切，世或以爲空談。試觀矓鶴師居伏牛山，目擊僧兵流毒無盡，慷慨長謠，聞諸當道，乃下議立革，猶將百世賴其庇，則師所密庇，牛山外暨閻浮，又不特一僧兵已也。仁言利溥，況菩薩神呪功德，可誣哉！于時當道爲前開府韠菴吳公、今直指怡所王公，俱新都人，豈非發菩薩心者耶！勘錄至此，遂并紀之。辛丑末伏日，豐干潘之恒跋。

　　　　　　　　　　　　　　　　　　　　（黃永武審查　　張子文標點）

────────────

飲河集二卷空華集二卷二冊　　明釋如愚撰　　明萬曆間刊本　　12629

明 阮 自 華 飲 河 集 序

　　世尊四十九年文句言身無涉也，說法爲謗，兩綺獨波旬乎？然世尊十日出矣，妙高億簇，鐵圍京網，燭頂烜膚，爛若錯繡。即不知洼溔濁溔之濱，一夫蹞踔以東，一馬躑躅以西，此馬此人，爲無分影，於行之水，輒盲瞽耳，何預於日？非盲瞽得日以行者，可謂羲和弗飭，入我汙瀆哉？邈矣世尊，五家之文獻，不吾徵也。愚公綜汎義海，澄瀋理窟，妙指琳瑯於因明，溜智昭回於般若，賢首、天台，仰覿非古，況其他乎？至其爲世人詩，則取莊生言，號曰飲河。吾已諗愚公八功德狀，不知飲者愉志暢快歟？愚公則謂一浮漚已滿腹矣，夫亦安得不

如此也。世尊王因陀羅世界時，其君臣氓庶，莫非神足，至欲爲一大事因緣作
目，即有強牽擗地之患，甘心著糞掃數家珍，呴濡黄口，生今之世乎？將不爲同
事攝者，吾即知不能爲之。又必現丈六紫金光，聚即横目不見，何況聞也。今日
糞掃垂手者，非從宰官族姓中現身，沽酒置金，然後衍說，雖斷取此土如陶家輪
投之威音之邑。居此土上者，即不自信，信有金色臂舒掌仰承者乎？愚公已見此
土宰官族姓中有大乘氣，即不得不如此。然其翩翩致足殊耳縷旃檀者，一以爲蝀
龍，一以爲蜈蜋，珮之皆足過人於肆，析而焚之，皆聞四十里外。苟能不爲陽
焰，雖象馬兔鹿、鍼喉熾腹之徒，莫不得涼渥。愚公爲世人詩，悽惋濃倩，即復
加摯於世人，觀其所摯，足信此法妙阿耨多羅，不爲誣也。今宰官族姓，不吝恢
詭譎怪，俛首一效莊生。莊生乃曰，一與言爲二，二與一爲三，倚之則巧歷不得
也，而一者終與之爲賓主。然則飲河之解，莊生自有之矣。萬曆丁酉如望，三城
道人阮自華譔。

明周應賓飲河集序

　　昔晁文元、蘇文忠，皆文人也，而喜言禪；靈澈、齊己、無可之徒，皆禪門
中人也，而喜言詩。禪與詩其有二耶？其無二耶？夫祖師西來，直欲捐一切文
字，而況於詩？又況於風雲月露之詩？若爾，得無犯綺語戒乎？嗚呼！迦陵之
鳥，自其在㲉時而音已異，如來蓋有取焉。夫如來之有取於迦陵也，豈徒以音已
耶？愚上人亦喜言詩，其爲詩也，必極其情之所之，才之所至。見之者皆以爲風
雲月露之致語，而不知其於禪教固甚精也。乃知禪不妨詩，詩不妨禪，禪與詩果
無二已。然則斯集也，豈曰河水之一勺乎？吾必以爲醍醐，吾必以爲甘露。萬曆
辛丑秋日，吏部侍郎，四明寅所周應賓撰。

明于若瀛空華集序

　　世之儒者厭經術，恒托之禪；釋者畔宗教，又托之詩。厭者謂經術淺也，無
如禪更得以無生標高論；畔者謂宗教深也，無如詩猶得以綺語眩俗眼。以故儒必
禪，釋必詩。必禪必詩，似合詩與禪一之，實岐詩與禪二之。二之，斯詩外有口
頭禪，借以愚衆生，禪外有無情詩，借以結士類，而詩與禪兩僞。寧獨僞哉？交
作此惡業，惑與結靡有已時，眞者無以自解。愚公者，法門中上乘也，根深機
峻，悟蚤思玄，鼓廣長舌，爲衆生說法，剖經析旨，聖凡悉了，又間吐韻言，寄

宣妙偈，久之成集，曰空華。歲丙申，曾以敍屬不佞，踰六年矣，俄見公於北固山下，始了夙諾。公更有石頭菴集行於世，世爭誦之，得無猶謂以綺語眩也而詩視公乎？雪浪和尚教公云，詩是普賢萬行，可爲方便門者，利人之一端。嘻！詩耶？禪耶？禪合詩耶？詩岐禪耶？有空華耶？無空華耶？集空華耶？非集空華耶？不佞儒而將老矣，已亡能經術，又安能說此。世有法眼在。如具俗眼，自是綺語，公終無以自解。萬曆壬寅閏月二十一日，爾時居士于若瀛書。

明　張　民　表　空　華　集　序

夫文以情變，志由辭顯，情志蘊乎內，文辭暢于外，諸相非相，即空亦空，如眼中華，無有眞實，故非內外中間三處，情志亦華，何況文辭？然而道術著于粃糠，慈悲廣爲說法，實惟妙偈，非關綺語。江夏愚公，神悟機發，思緯通長，奉任天眞，寄心玄勝，釋典故自淹思，莊叟尤能宿契，清談奇進，操行簡拔，兼之文不加點，思不經時，可謂受記之法器，般若之上根也。故其爲詩，清蔚令達，弘潤恬和，遇境遣意，緣質披文，五言古便自入選，七言古亦遜六朝，近體楚楚初唐之致。民表以世眼讀諸佛偈言，一心慕觀七寶蓮座，以法眼視之，便當一棒。復以此二眼覽空華集，藻辭麗句，絕唱高蹤，不佞不敢贊一辭。至于空華華滅，既滅何集？集緣苦，苦集是凡夫。凡夫妄見空華，空華集處是苦。聖人見破空華，集處無集。集空則華空，華空則凡夫空，凡夫空則聖人空，聖人空則空空，空空則何有愚公？何有民表？民表以身受公棒矣。萬曆癸巳清明日，方外友弟中牟張民表撰。

明　袁　宏　道　空　華　集　序

余往住京邸，聞家伯脩與愚公談禪，心竊喜之。然余于禪本不甚解，亦不知作何語也。今秋過白門，訪愚公于碧峰，復見愚公眼益強，神益王，所就益不可量，每驚怖其言，不啻河伯之嘆北海也。余謂愚公于詩爲伯，于禪爲宗，于人天爲眼，于義學爲虎，南泉以下，圭峰以上；而伯脩醉心禪宗十餘年，亦當在裴相國、陸大夫之列。獨余淺陋，不能如張拙、胡釘鉸諸人往復其間，爲可恨耳。愚公何以振我？雖然，弟且不能得之兄矣，何況朋友。他日毘盧頂上大寂光中，將此集流布十方法界，俾一切衆生，了知身心皆是空華，則生死涅槃，同於起滅，妙覺圓照，離於華翳。而愚公超然塵垢粃糠之外，阿鼻故人得邀惠致聲，間浮天

子少寬數日枷鎖，於願足矣！愚公勿以我爲笑語也。時萬曆丁酉八月二十四日，
石公山人袁宏道書。

　　　　　　　　　　　　　　　　　　（黃永武審查　　張子文標點）

————————

石頭庵寶善堂詩集五卷三冊　明釋如愚撰　明萬曆丙午（三十四年）劉戡之南京
刊本　12631

明 曹 學 佺 序

　　今之世未嘗諱詩，而又似深諱詩也。縉紳家□者什七，而談則百無一，不談
則諱也。山人詞客行于世者一詩，私而論之，又一詩也，所行與論悖則諱之之故
也。顧獨武弁與僧家日趨于詩，則以是文其其〔其，疑衍〕陋爲要結耳。詩而至
于資要結也，尚可稱詩乎？惟其諱之之愈甚，故其竊之之易爲力也，則所好之不
眞也。人而苟眞好詩，則何害于禪？禪所以資詩耳，猶乎冠冕揖讓、鉦鼓號令、
煙霞水石、樵采傭作之間，無一而非詩也。或曰，詩作矣，何必于談？曰，夫子
不曰德之不講乎？佛不說法乎？又不曰講武乎？不談則其義理不新，而人無所資
發。愚常見有書中所不載者，而多得諸四方之口也；有思慮所不通者，而忽現於
立談之頃也，故談之之功，與思學相參焉者也。余在金陵，有詩社談詩，社中有
愚公。余之初訪愚公于石頭菴，愚公自江上來，余讀其新詩，異之；今年信宿菴
中，始得覿全集。頃愚公講經永慶寺，與余邸相近，蓋朝夕過從于謝公墩之側
矣。愚公詩，古體有氣力，五言律奇而險，顧多慷慨悲憤之句，不作禪語，所以
爲佳。僧家詩苦入禪語，是猶縉紳家有富貴氣，秀才有舉業氣也。愚公遇山水則
樂，友朋則樂，夜談則樂，談興則起舞，蓋得乎詩之趣矣。或曰，談非不可，懼
有禍耳。曰，夫人不常言晉以清談取禍者乎？晉室東渡，功必首王謝矣。新亭數
語，羣興剋復之心；對奕如常，已知淝水之捷。夫不談則不成王謝，無王謝則不
足以祚晉，是晉得談力也，何禍之有？噫！石頭是昔所營戎壘地也，愚公以之名
其菴，日與客談詩，值太平時耳。夫以士馬倥偬、成敗俄頃之際，而從容談笑自
若，此予與愚公日徘徊于荒墩野草間，而未嘗不三歎興起于斯人也！閩中曹學佺
撰。

明傅新德敘

譚禪者以悟為則，詩亦然，比興錯雜，假物神變難言不測之妙，感觸突發，流盪情思，言之者暢，而聞之者足以動，則三百篇尚矣。遞是以降，鴻舉豹蔚，而金石其聲以自附於古之作者，代不乏人。然人獨稱淵明、太白、右丞、襄陽、蘇州諸君子，其所自得處玲瓏透徹，絕無聲色臭味之習，如羚羊挂角，無跡可尋者，夫豈嘔血刳心，枯脣澗齶，窮日之力而不得一辭者之所可同日語哉！此無他故，則所為悟頭別耳。碧峰寺蘊璞上人醉心祖道有年，胸中灑落消搖，殊不知人間有所謂印組者，終日閉門宴坐，左右圖書，蕭然與世外隔如避秦人，然問法者時來瞻禮，茅菴席扉香一縷出竹林中，始知所處。間與同調煮茗匡坐，相對譚名理，能使深源掩口，支公卻步。已稍進其詩數卷，力去雕飾，天然冲夷，太羹不和之味，流羨於齒舌間，相與吟咀，久之若置身於陶韋諸人之前，而厭世之工於藻者，余固知上人之洞於悟也。或曰，淵明、太白諸人之於詩，雖各有妙悟，至以拈華微笑，正法眼藏勘之，其大致不出綺語耳，非真於性命分際有所窺徹也。上人而淵明、太白、右丞、襄陽、蘇州也，則何以少林、黃梅、曹溪、百丈、溈仰哉？曰，陶、韋諸人，以詩禪者也；上人，以禪詩者也。以詩禪者從外入，其致偏；以禪詩者從內出，其力雄。見則同，境則懸矣。譬之雨然，落天宮則珍寶，落修羅則刀鎗，而落人間則雨。又譬之水然，諸天見為琉璃，地獄見為濃血，魚鼈見為窟宅，而人間見為水。何以故？所証異於中，斯所觀變於外耳。故詩一也，詩人為之則綺語矣；道人為之則妙偈矣。楞嚴不云乎？如我按指海印發光，汝暫舉心塵勞先起為物轉與轉物之別也。作詩者能不為詩所轉，則何渠淵明諸人不為少林諸宗乎？余之謂上人詩不碍禪以此。上人籍江夏，嘗游衡山，山故有石頭菴，頃自江夏來金陵，所居寺又近石頭城，則總而名其集曰石頭菴集。余讀石頭菴集，而祝融、君山之奇，洞庭、雲夢之秀，鍾阜、大江之雄，天闕、棲霞之觀，若盡收而入於子墨之府。上人妙明中所現山川名勝，殆爭流競秀，令人應接不暇矣。嘗戲謂上人，此中末後一句謂何？肯容學人同參否？上人聽然而笑曰，去！去！石頭路滑！南京國子監司業，了心居士傅新德書。

明郭正域序

詩文非禪家事，則阿難多聞，富那辯才，非歟？間一切法不礙真心，詩文何礙之有。吾鄉蘊上人所著心經正論，精到縝密，其為詩文，不襲成言，自抒胸臆，從性靈出，時出時入，有獨造語，令人快意賞心，近代詞人，步武前軌，不離尺寸，而眞趣妙言，索然無有，即音響盡合，格調不爽，所謂腳跟汗、口頭禪也。余更有一語，世尊雪山十九年，一麻一麥，從苦行來；自在菩薩，行深般若，行之不深，證之不密。今之僧雛，善爲曠蕩圓通之說，輕言行、而厭言苦矣。夫詩文不苦不成，戒行不苦不深，眞心不苦不現。蘊上人苦行久矣，眞誠爽朗，不落禪家近套。吾老矣！他年與上人同歸里中，共講無生之學，苦之一字，更相與努力。禮部侍郎，江夏美命郭正域撰。

明 祝 世 祿 題 辭

余方外交愚公者，江夏名家子。少歲行腳四方，中歲思歸南嶽石頭菴未遂，遂卓錫石頭城南碧峰寺。莊嚴戒律，妙透梵典，隨喜作詩，久之成峽，中有卒然得之騷人墨客經年纍月嘔心斷鬚所不可致者，其徒刻之，名石頭集，志所居也，而問序於余。余不欲以思議文字，於佛頭著糞，爲拈數語，聊應所求。咄！此亦一石頭，彼亦一石頭，愚與頑遇，針芥相投，無中唱出，石石點頭。去去，不愁路滑，冰輪雙駕泥牛。萬曆歲辛丑重陽後三日，豫章祝世祿書於細雨黃花處。

明 顏 素 序

詩何爲者？仁人志士不容已於言者也。不容已於言而言，其言必眞。辟夫孩孺神完足而情暢悅，不覺慷慨發歌，頓足起舞，本無節奏鏗鏘，亦無緣飾求悅於人，而見者莫不愛且樂，眞故也。江夏蘊璞公飛錫吾郡，諸宰官婆羅門要留結夏，爲弟子輩談楞嚴，暇以詩視我。我欲於眞處觀，而蘊公獨於眞處得，故其發言直鈔性靈，不假外飾，道人之所極欲道，而寫人之所不能寫。然則蘊公以此鳴詩，則一掉臂，一咳唾，皆珠璣璀璨，金石始終。以此鳴禪，則蘊公於眞處無所得，余於眞處無所觀，以無所觀，觀無所得，則世人何可以詩目蘊公，而蘊公何可以詩視世人哉？吁！具超方眼者，自能辨仁人志士之用心也矣。其題曰石頭菴者，指所居而言也。萬曆己亥夏端陽日，皖人顏素和南書。

明 湯 賓 尹 敍

談詩如談禪；今之帖誦者，人人稱詩，亦人人稱禪。自吾近日逢人衣冠之族，著衲持齋，往往而是，所居處無不懸佛作禮，案無不置經軸，相與譚無不印

及性命，禪道之盛，無今日過者。然高曠之性，或借以浮游，不類之徒，至竄爲
窠窟，禪之弊，亦無過今日。豈惟弊也，禍且滋甚。予嘗以爲今日之禪，髠者頭
似，我輩舌似，要之未寢其皮，安論神髓？其于詩亦然。夫禪之道，當下便掃，
不立文字，便是文字，此禪訣也，亦詩訣也。天地化工之妙，微特今與昨變，朝
與暮殊，同時共刻，針芥不容之間，大地眉端，山河瞬盼，呼之氣轉而爲吸，初
念脫而爲二念，即已陳陳不堪覆拾。辟之既謝之花，既槁之葉，重黏枝上，必無
生理，而況其聲音字畫之粗乎？見形而起影，緣像以索眞，高樹深宮，終慙舐
唾，鳳凰鸚鵡，未免捧心，焉有之乎不識，宮徵莫辨，短成五字七字，輒稱詩
句；撮合前人一字兩字，輒稱詩人乎？吾客天界且久，而愚公始自遊歸，所居石
頭菴，與吾竹樹相望。往故愛其飲河、空華諸刻，尋貽近作，快然讀之，似其口
門徑吐，腕下直書，了無沾碍，眞所謂得詩之意，覺嚮者之猶費臨摹也。愚公歸
未一日，爲大衆擁之鷲峰，布講楞嚴。每聽其所說，絶無師註，亦不毋經，故吾
所交方外人，必以愚公爲禪伯焉。萬曆辛丑佛降生日，宣城湯賓尹書。

明 劉戡之 刻序

　　夫有天下之至情，斯能闖天下之至文。文不本於情，文之所不載也。譬則風
嵐霧縠，幻合於未雨之先；牛鬼蛇神，肖形於立天之始。以至景星卿雲，器車醴
泉，威鳳祥麟，徹上徹下，倏生倏滅，雖天地無心而成化，萬物無心而成體，總
之皆情之所生，而誠之不可掩也。故曰，其爲物不二，則其生物也不測。俾天地
無此實情，則萬物之生也偏枯，之死也斷絶，安能保和太和，各正其性命哉！余
所禮之師石霜和尚得此至情，故能妙悟三乘，歸根一義，譚塵之餘，內外典謨，
諸子百家，以至稗官小說，恢談俚語，寓目即穿，拈筆即成，寫情寫景，凜凜生
氣而如畫，此其故何哉？蓋本於一念慈悲，眞實不二，情而得其正者也。安有發
之文辭，發之聲歌，倏而變態，而不風嵐霧縠、牛鬼蛇神？倏而正色，而不景星
卿雲、器車醴泉、威鳳祥麟也者？孔子見老聃，歎曰猶龍。余十年前問法，朝夕
起居，作師禮篇，亦曰猶龍。今殆不然，乃其用情也不二，故其爲文也不測者
矣。余之所以知師者止此。若師之所以自知者，自有師之文在。余實不文，余又
安能盡余之情，故盡授師之文於梓。萬曆丙午夏，戶部員外郎南郡弟子毘耶居士
劉戡之和南譔。

（黃永武審查　　張子文標點）

瞿冏卿集十四卷附錄一卷八冊　明瞿汝稷撰　明萬曆辛亥（三十九年）張養正南
京刊本　　12632

明 高 攀 龍 序

　　人言科目未必足以羅豪傑，而豪傑必由此進。余謂不然，科目未必不足以得
豪傑，而豪傑不皆由此進，則瞿元立先生其徵也。或曰先生何如人也？高攀龍
曰，此所謂豪傑之士也。曰，先生之學何學也？曰，經世之學也。曰，先生好禪
學，方且糠秕天地，土苴萬物，豈屑屑於世者哉？曰，不然，先生之學，無倚者
也，期於皜皜盡無可盡而止，豈其倚於禪？倚於禪，非禪矣。世之倚於禪者，遺
棄倫物，繆戾是非，舍民義不務而汲汲於所謂佛事，蓋徇其迹而失乎己，受其敝
而禍乎世者也。夫禪之敝，一言蔽之，曰無理。其所謂理，非吾所謂理也。先生
之學，格物窮理者也，用禪而非用於禪者也。聖人中庸之道，至於一毛而曰有
倫，豈非至極至極者乎？又何道足以尚之？先生以禪爲近似焉而好焉，故其言
曰，吾於釋氏，以輔吾所求於儒，非以叛吾所從於儒也。此其學可見矣。往歲壬
辰，吾識先生於留京，當是時，先生方浮沉間局，間嘗抵掌時事，屈指才品，若
別黑白，吾於是窺先生之學。及其守黃州、守邵武、守辰州、使讞司，遂卓卓炳
烺宇內，吾又益信向所窺於先生者之不虛。至於詩文乃其餘緒，然亦見其圓神妙
運，本深末茂矣。故曰先生之學，經世之學也。夫學以當於理而止，苟其協諸天
理而協，其學可知也；才以當於世而止，苟其施諸一世而宜，其學益可知也。嗟
乎！先生身不踰五尺，而胸包六合，年不滿七十，而行足千秋，豈非豪傑士哉？
眉山張公鴻岄，先生所鑒也，果爲名御史，其不爽於是非類此。公刻先生集而徵
序攀龍，故爲之明其學，以見人心無所倚，好禪而不受其敝也。萬曆辛亥冬日，
梁谿友人高攀龍撰文。

明 張 養 正 敘

　　鴻岄子慕百家之潤，覽眾藝之流，慨然曰，古之有意於文者，其一生都無兩
事者也。窮太史公之精神，史記止矣；窮左丘明之精神，左傳止矣。不聞於史
記、左傳之外，有散書遺墨流傳人間，其精有所規而趣有所一，故其文足以名

世。非如後之學者，今日業舉子，明日業古文，又明日業詩賦，而又以功名迫
之，而又以衣食亂之，而又以世情交態搖蕩之，文章離合之變，足以觀矣。然古
之至人，以其文不朽者，又或從無意於文者得之，此何以稱焉？鴻厓子曰，古之
至人，不以其權授之文，而文之權未嘗一日不在吾之手，蓋天下之文出於天地，
天地者，文章之母也。古之至人，寢食之所依，夢寐之所懷慮，無不寄於天地。
今有人焉，皇皇焉晝夜唯其母之是求，母之來矣，其子焉往？禹貢之文千餘字，
而山川之形勢，貢賦之委悉，絲毫皆列之掌上，使其一落文人之筆，吾未知其何
以汎濫也。孔明不以文章自命，而前後出師，古今擬之伊訓。唐之文章非乏也，
而宣公之奏議，隔世動才人之慨慕，而惓惓爲君父之進。豈非負天地之思者，能
使其文遠且大哉！本朝王弇州、楊成都具以博聞雄視一世，而世儒之論次者必左
陽明，豈非文章之權不在字畫口舌間哉！冏卿瞿先生嗣大宗伯爲冢器，其於困衡
之事，無所不經，夫以宗伯之子，而經困衡之故，則其動心忍性之端，必有大異
於常人，而聲色貨利之交，不入其患難之衷，使公得畢其當世之務、而竟其經綸
之願，頃者以公領辰州僕吏沅陵，其所以旦暮交酬者，大都皆聖賢相與警戒之
意，至褒嘉奏績之時，有王道不外襟帶之語，僕每流涕感激含媿，深知凡稽其一
歌一詠之間，無不與世道人心有所裨益，惜天下盡知有陽明，而不盡知有公，以
爲是非公之事，而門下士之恥。然少陵詩才伯仲青蓮，青蓮享大名於當世，而少
陵之盛，乃在其身後。嗚呼！此豈有門生故吏爲之表章而發明之哉？動於情之自
然，而符於運之必至，然則爲公表章而發明之者，寧獨余之事而非天下人之事
哉？萬曆辛亥季冬吉旦，南京貴州道監察御史，舊屬下生張養正頓首拜手書。

明 嚴 澂 後 跋

　　賢哉元立，予之師也。是集足以盡元立乎哉？以其文概其人，十之三耳，以
斯僅存之文概其文，又十之三耳，是足以盡元立乎哉？予與元立垂髫至白首，相
期不投世好，規失儆惰，即杯酒山水間不爲浪擲，以故人亦目予兩人爲莫逆。予
惟知其人因以得其文，其介石之操，百折不撓，故其文廉以潔；其溫恭之度，終
始不渝，故其文冲以和；其覃精百氏而掇英茹華，故其文宏以肆；其秉心寧厚不
爲薄，故其文忠以愛；其禔躬寧約不爲奢，故其文整以飭。蓋予自人而之文也，
是爲從源達流，不知者自文而之人也，是爲由影索眞，此其難易淺深，不啻判
矣。嘗憶丙午歲，予有概於大慧語，與元立相爲唱和，當其時若岨若失，若喪其

一，今其偈具在集中，能讀之而復覩當時真境乎？矧以十之三而概其全文，又以十之三而概其全人乎？噫！姑舍其全，請循其略。夫人而廉介溫恭也，覃精百氏也，秉心厚而褆躬約也，亦無愧爲人矣。賢哉元立！予之師也。若其洞玄齊化，文與人外，別具通霄一路，非所論於此。友弟嚴澂頓首拜書。

（黄永武審查　　張子文標點）

鼇峰集二十八卷六冊　明徐燉撰　明天啟乙丑（五年）南居益福建刊本　12636

明 南 居 益 序

　　□□公名燉，初字惟起，後□□□興公，故壇苑人之□□興公獨著。然余聞君□□□日之糧，而性喜蓄書，常聚書至數萬卷，每見異本，典衣購之。或道旁小肆，蠹簡半殘，觸目輒繙檢，鬻去□中，有一二名篇在焉，排沙揀金，容獲瑰寶，世不知其自來也。所居鼇峰下，客從竹間入，環堵蕭然，而牙籤四圍，恍遊羣玉，興公雖祭酒布衣乎，縹緗之富，侯卿不能敵矣。君壯而好遊，輒與其高壇酬酢，晚乃簡出，日手一編，問奇之履，恒滿里中，事無大小，人人願得君一言爲榮，君亦多與少拒，故生平之撰述獨多。胸中既已富有，考據精覈，故自爲題識亦侈。詩自樂府、歌行，迨古近體，文自序記碑銘頌贊論說題跋談叢，無所不備，非止小才者之僅一長焉。余仗鉞兹土，籌海小暇，邀君集署中者再，見君如冥鴻獨舉，浣水流沙，鴈鶩自有他稻粱，而君不屑也。君鼇峰集凡若干卷，未及梓行，余爲授之副墨氏。因歎徐氏之先，有二人焉，孺子南州高士，陳仲舉爲特設一榻，去則懸之。今試爲興公特設一榻，其懸也，不既多乎？偉長懷文抱質，恬淡寡欲，有箕山之志，著論二十餘篇，成一家之業，辭義典雅，足傳于后。興公是編行，可與偉長並稱彬彬君子矣。天啟乙丑仲秋，關中南居益撰。

（黄永武審查　　張子文標點）

梅禹金詩草二十卷六冊　明梅鼎祚撰　明萬曆癸未（十一年）汝南梅氏鹿裘石室刊本　12637

明劉紹恤序

　　今之以諸生稱詩最著者，寔惟宣城梅禹金云。令甲用經術取士，士不繇茲進
者，即有奇安施？以故士顓意經生語而罷詞賦，不爲比對，公車而仕，始撼拾餘
言，藉以潤飾吏治，而務爲名高也者，不必其精工，否者謂無益殿最，終其身不
譚。薄視博物，君子以爲不得當於用，奚取懸空文自見者，爲惑且滋甚。若諸生
則拘攣本業，而功令使者操之如束濕，士斤斤俛首占一經，日不暇給，何暇議於
繩墨之外乎？微才質大過人，固鮮有能兼之者。宣城故名郡，有謝、李之遺風
在。第觀輓近世所謂聞人，類以經術起，著於春秋，未聞以詞賦名家者，以詞賦
名家，斷自禹金始。禹金讀先太中書，脩業而食其息，六籍之外，益賈其餘勇，
多所博外家言。先是舞象之年，輒嘐嘐好古，以請於先太中。先太中大奇之，不
奪其志，禹金退而發憤，畢力極思，以無愧於雄之文，視彼童烏，眇小豎子爾，
是以有與玄草。迨先太中棄賓客，得予寧，如漢博士弟子。禹金既薶謝博士籍，
杜門讀禮，間以悲悼痛毀之志，發而爲詩，言固少殊，要不失蓼莪之響，是以有
予寧草。庚辛之際，益多故，禹金不堪其憂，且閔時悼俗，關切國家大計，亦因
以抒其孤憤之衷，詩往往具是，而壹稟於從頌，若沈君典所亟稱，斯爲得性情之
正。乃禹金自謂，則曰歲在龍蛇，賢人嗇，不於其身，而及其所親，傷之至也，
是以有庚辛草。三艸，諸君子各有序述，而季豹爲獨詳。季豹於禹金，爲先太中
行，亦以諸生稱詩並著。余嘗語季豹，君家禹金才自高，然其法必軌於正，迺逸
調秀句，直若天授之奇，海內譚藝家莫不推轂禹金，何但以諸生稱詩之故？大都
禹金所爲近體，自開元、大曆而後無論，晚益肆力於五言古，手漢魏一編，擬之
無不得其似，洋洋乎有風之義焉。余惟禹金年菫三十，後所就業，孰與今多？無
論立致其身於青雲，俾斯文繫之而名益顯，即不必顓意遇合如輓近世士，而概所
爲詩，必可信今傳後，禹金自有不朽者。人咸稱梅氏多才，余所深習者獨禹金、
季豹，晚乃識泰符，皆斌斌異等，要之待禹金而興。萬曆歲癸未冬十月朔日，安
陸友人劉紹恤撰。

明朱孟震與玄草序

　　梅禹金與玄草八卷，其前若干卷，余見之金陵，其後若干卷，余去金陵領渝
州，不及見也。禹金數千里走書渝州，而屬余序其首，言余金陵所見詩刪什九
矣！禹金，宛陵人，父參知公，以直節清風著聲海內，二伯氏才而短折，禹金尚

樨，參知公尤憐愛之。初海之舉子業，禹金即工爲舉子業，然心厭棄之，而獨好
爲古文辭，參知公又絕憐愛之，和而歌，相樂也。其草名與玄者以此。初，參知
公喜延接方外士，陳山人鶴、王山人寅，皆以詩鳴江湖間，來輒留數月，禹金皆
從之遊。陳山人來游時，禹金方舞象，二山人顧心服禹金，爲忘年交，在宛陵所
交而最暱者，則沈太史君典一二輩爾。隆慶壬申秋，來游金陵，左顧右昐，馮軾
抽毫，有遵南之賦，一時昏賈爲之頓高。余時守西曹，與禹金相過從，揮麈劇
譚，四座風動，膚玉色朗朗照人。無何別去。癸酉復來，已又下第去。余去金
陵。禹金詩道日進，已從黃白山遊，作黃白遊稿，械書示余渝州，書歲三四至。
余入汴，禹金簡余詩四，有云，逢人馬首中原入，憶汝嵩山畫戟前；又云，抱關
小吏勞君問，亦有夷門任俠人。噫！余顧何人，禹金獨殷殷繫念之也！其全篇具
後草。禹金齡最幼，筆最老，才雖最高，然心最下。以彼其負視青紫，不啻拾芥
取之，而屢試屢躓，然遇屢塞而業愈益進。其於人交，愈久愈益親，即遠數千里
外，情若在目睫。其詩出入盛唐，上薄騷選，格力雄渾，不露翩翩逸思，誦之如
見其爲人云。朱子曰，宛陵之先有梅都官者，在宋詩名最著，廬陵歐陽公，一代
文宗，獨稱說都官不置，禹金其後人耶？然禹金詩格，在古人中所爲賦班、蔡、
潘、陸之流，且將軼都官上之。世有歐陽，當必以余爲知言矣。萬曆己卯夏五月
朔，友人新淦朱孟震譔。長洲陸士仁書。

梅守箕校次與玄草題辭

　　禹金蓋年三十而三草成，此爲與玄，其初草也。與玄草凡八卷。余生也後禹
金，而□□金，且及從太中兄遊，因得列其大都而校之。余時尚未稱詩，故集中
無與余詩。□□生是稱詩宣城者，有先都官氏，彼其崛起宋代，亦自錚錚，後
四百年而太中公作。太□□□□□□□□□□□換金，厥體賸矣。禹金爲
太中叔子，少英敏嗜文，舞象之年，即能摛詞若春華，曰中參參，前熙□□，後
無來者，而以太中開之。太中藏書數萬卷，禹金朝夕從事，不遺餘力。都人士兌
禹金所爲，且不解其作何語，咸駭以爲怪。而禹金非獨其言軌先哲，其服御亦多
則古。性嬾而節疏，好遊衍，而惡徒往來作寒暄語，即好客，客非其好者，至輒
不出，遂咸讁以爲狂。禹金益用自遠謝一切，而并力于茲役。始而爲六朝、初
唐，太中曰，綺麗矣！去而爲盛唐，太中曰，雅馴矣！馳騁未極也。爲歌行，太
中曰，才達矣！神未傅也。爲古五言若賦，太中喜曰，神與才傅矣。當是時，禹

金名聲籍甚，蓋余郡之啟疆闢土，文章之道，于是始鴻，每一篇出，流傳通都，即當代名家，爲之辟舍。而禹金又質直好義，有介操，有司者每賓禮之，非有故不肯造有司之門，昔所謂怪而謫之者，咸內巽弗如也。是草爲丁丑而前，皆及其先太中之存，多庭間倡和，而以與玄名草，云先君子躬行而默成，顧其遺言具在，或可附以不朽，其或玄之，反爲白也，亦足以覆瓿焉耳。余謂童烏能與父書，然已卒無所著作以見其志，不有酒公，後世誰知者？語于禹金，則有龍門氏世擴其緒，班氏代興，可謂云而已矣。禹金以太中公嘉靖中爲給事中，產燕中，故其悲歌慷慨，有燕趙士之風，數齡而登會稽、探禹穴，浮于淮泗，服軾于齊魯之鄉，觀于鄉射鄒嶧，頗類龍門。其淵渟鴻贍，超識玄覽，固緣人力，殆亦有天造矣。萬曆戊寅春三月望書，從叔守箕季豹父。

明梅鼎祚與玄草自序

　　余行在叔子，伯仲無祿，則余適當戶，家大人且良食，不以余當戶也。即爲博士弟子數年，非其好，亦不以余急博士也。故余居多暇，家多藏書，因以其餘力，獲肤篋焉。性簡脫，竟大義而已，間有所纂術，亦不肯湛思，以大較悅己而已。初，余郡稱詩著者，宜莫如先都官。家大人嘉靖時郎司農，已給事中，嘗從萬章甫、趙鼎卿諸君子爲詩，是時余甫生。余生十歲，而大人勾身歸。數歲，余見客，客多大父行，其能詩至者，令習爲客和，家大人詩成，亦輒令和之，屬相率以爲常。逮歲丁丑，先難作矣！其明年春，酒糟丁丑以前詩若賦，既就讀之，意不自得也，蓋方余在子舍，不敢廑于遠以爲親憂。家僻處宛上，以取適丘里，則至言不出，以務跡古人，則有其不可傳，其勢不得不自用，而其造不得不多岐。夫師心者不達，懷貳心者無成，良非欺我。顧茲則庭中虛矣，鶴鳴在陰，惡取其和？竊閔墨而內傷，遂稍存其什伍械之，名與玄草云。敘曰，與玄者，本揚家童烏事。烏雖凤敏，然卒以不秀。余生也椎，幸而免爾。揚子不逢世，矻矻而庶幾一遇于玄，其人可亡論，其志可憫矣！先人丁明盛之朝，數用伉直黜，豈與揚子之所稱明哲焉而徒托空言以自見，非先人志也。人言余小子以紹明世乎，日好多聞而名高也者，其正業之謂何？則玄之將爲白也，有解嘲在。萬曆戊寅二月既望，汝南梅鼎祚書于鹿裘石室。

明歐大任予寧草序

大江以南，王氣獨鍾金陵，而下游澤國，其氣日沉溮漉漫，往往宣洩，鬱而
爲宣城。宣城故股肱郡，地饒奇宏麗，有玄暉、太白攬集於此。予登敬亭，其上
蓋有謝、李祠云。上下千餘年，衣冠蟬聯，勛名鼎立，談者尚謂靈秀掩於物，而
或靳於人，蓋於今而有梅禹金者。余昔文學掌故江都，攷儒林傳，魯若申培，齊
若轅固，燕若韓生，咸以詩名家，其時江介之士無稱焉。自禹金起，而宣城之學
日有聞於天下。禹金於書無所不窺，其究也在西京、建安，下逮開元，其篤好古
語，沾沾自得，而即爲博士家言亦藉甚，而竟不進士舉也，乃益工於詩。詩多所
刻，而斯集則博士弟子予寧日所著賦，予知其本楚人纂組成文矣。予觀五言古，
出入漢魏六朝，蒼然而骨立；七言歌馳驟樂府，時極少陵之致；近體其氣完，其
聲鏗以平，其思麗以雅，蓋彬彬中宮商也。今而人操觚榛莽，其高奇而氣益以澌
薄，如啖爛蠹大蔵，一過無餘味耳矣。惜嘈嘈衆哉，奚庸是禹金所求結撰？肆力
千古，亦自可當吾世而不失海內名公朗人指歸其大業矣。夫禹金家多甲第而宦，
而貴用事，而始古文辭。禹金即以古文辭甲第而宦，安所負博士家言而弁髦古文
辭也？語曰，家有千里驥而不珍焉，人有盈尺和氏璧而不貴矣。而今大江以南之
氣，始寄於物，而終閒鍾於人邪？其閒鍾於禹金者，貴邪？將與天下後世共珍之
邪？萬曆癸未秋八月朔，友人嶺南歐大任譔。嶺南崔光玉書。

明梅守箕校次予寧草題辭

此爲予寧草，蓋禹金之二草云，屬余校次爲八卷。是草之名也，漢法，博士
弟子有親喪，予寧三年。今制因之。禹金年十六入博士籍，是時太中公方健，比
箸後十數年，爲歲丁丑而太中不作矣！明年春而始爲寫哀詩。其于虞祭諱日、大
小祥及歲時改燧之候，而或孤雛哀鳥、白華蓼莪之屬，與情會輒亦傅之詩歌。若
太中所稱門人故吏，禹金所稱暱友，比及二三兄弟，用片言相慰存者，禹金少爲
和答，凡此以宣其無聊而寄其罔極，以庶幾無毀性焉爾。然禹金過于情深，又多
慷慨，而人情貴生賤死，益有感于雍門翟公之言，大都諷泳之，驟焉若奔，徐焉
若矜，充充焉若有求，蘇蘇焉若無所容，始若即，亂若遺，儼然若存，而邈焉莫
即也。題曰，自太史公稱非窮愁不能著書，而後世少傅其說，謂夫窮者無所征
繕，以嬰其心得，從頌簟門，以終其事，而于是也有餘間。又其才抑鬱泯歿而無
以自見，其思廓落蟬媛而無所之，則所以廅切而操持之也有餘地，此猶未語于窮
之益人也。語云，木窮見柢，人窮見志。余讀禹金詩，其丁丑以前，豈不鴻邕高

偉,有鏗然之節乎?其氣颺溢,其志駘蕩,其境霍靡,其詞以麗勝。至于服苦而後,抑何沈沈按節而不發也,神漠焉沖而徐盈者邪?蓋其初侍其先大人,委蛇于詩酒泉石,內外一切,不得關白,顧景自愛,美哉!其適于和也。而逮于兹變,則無論致毀于陟岵,而緣象即境,所謂舉目有山河之異矣!以故颺溢者日用冥,駘宕者日用濡,以麗勝者日用摻,落夷其外者,反其家之道也。其痛定之時,亦稍稍及于遊衍,遊有紀。或知交相與,周還杯酒而有所贈貽,不必一字一涕,顧其神隱而其和含,其幾微而其用藏,經營四隅,還反于樞,已雕已琢,復歸于樸,杜德機矣,無復之…(中闕)…從叔守箕季豹父。

明 周 光 鎬 南 遊 集 敘

余之知梅叔子也以詩,而其所以知梅叔子也匪以詩。叔子所爲詩,大都命景抽靈,匠心甌哲,抒欸崎磊碗之抱,而調之以淵柔渾灝之氣。詞則諸體咸備,一循瓠裁,古者豪崛,近則秀拔,注然,勃然,油然,瀏然,不襲不蹶,濬乎有源,游乎無間,夫是之爲大雅。往所刻游黃山白岳諸稿,咸可覽而概見也。是帙則爲南遊集,蓋南來眺三山、登雙闕,顧詹舊宮,引睇陵寢,探六代遺事于墟落榛莽間。定交諸名人作者,投契披心,一時都人士翕然傾焉。乃叔子不苟于納履,非逼且不出,再閱月歸而是藥成矣。夫詩之稱于今,豈不嘈嘈衆哉!大率尸祝濟南,呴嚅瑯琊,亡論上循漢魏,稍及永徽、貞元之際,且口歙而不張,于其所用,亦以納贄銜名借涂徑,嗟乎!士之詭也,道之弊也,奚庸乎是爲哉?叔子于是輩,蓋皆其所掃迹者,故自立,僅一時希驥上乘,以是稱詩,操趣覘矣,故知叔子以此,此其所以緜重叔子也。叔子世出宛陵,籍在博士爲高第,即經生業非其所好,而閎博慧解,隨施命鵠,用古用今,何所不當?知者行且需之石渠金馬間矣,叔子其勉之!是集刻于重光大荒落之歲,來游則前夫其二載云。司封氏嶺南周光鎬識之而授以梓。

明 梅 鼎 祚 予 寧 草 自 序

曰余未壯而孤,始當室,廼稍檢柙奴客,循行畝首,出則應賓,入則奉母,卒卒無須臾之間,其感物造端,亦或稱詩以諭厥志。志有所迫,則氣不勝厲,物有所迫,則境不勝窮,昔所謂學詩之士,逸在布衣,而賢人失志之賦作矣。居三載爲庚辰春而服禫,因出戊寅以來所論著,略次之,名予寧艸。予寧者,蓋漢法，亦今制云。敘曰，余籍予寧，要不常至毀，其擊歛壹鬱，何居多乎哉？殆益信詩之本乎情矣。若廬居而塊處者，禮矣夫！然非余所能止也。歲庚辰脩病月朔，千秋鄉人梅鼎祚書于玄白堂。

明沈懋學庚辛草序

　　自禹金以文起余郡，而江以南無不推轂余郡者，說者猶謂江以南土風清淑，其氣間值于人，而獨萃于禹金。海以內無不推轂江以南者，而禹金稱能私其緒則其家季豹，其次爲不佞懋學耳。禹金文西京而上矣；其詩三十以前爲三草，前二草屬季豹校次，而是所爲庚辛草者，余竊効役焉。蓋余始睹禹金之全，而益以中媿也。禹金方卅，已爲古文詞，時余年及壯，左提右挈，惟禹金是从，而余性跅跎，好浪游，譚天下大計，其爲古文詞，任腕而已。禹金斤斤務當于作者之軌，而劑之以才，不使其桎于法，達之以志，不使其衍于辭；至其神藏，其指遠，無待而興，有盡而止，則庚辛之際乎？初，禹金爲大夫之子，晏坐堂皇，飲酒賦詩以自樂耳，佗若一無所概于中者。由丁丑而迄于今，儼然孤矣，豈不亦內外多故哉？而禹金處之從頌，若一無故者。即雖諸生乎時時操布衣之權，以提衡諸貴達，諸貴達或有所庚革，未嘗不就禹金咨詢之也，而其人長退貨物，良苦聲色妍蚩，又未嘗不質片言于禹金也。讀禹金是草，至褋懷詩，其人豈以自樂耳，一無所概于中者邪？而于庚辛之際，固特有隱憂云。夫余好譚天下大計矣，業徼一第，卒亦無所建明；余爲古文詞矣，下里之音，卒不能以當一咉。而禹金其于古作者且莫遇之，何論今世，其志與才即詘于遇也，固施于有政矣，而況禹金齡三十，藉令世直多故而亟，禹金必當處之從頌若一無故者，猶庭內矣，故余睹禹金之全而益以中媿也。是秋禹金當副貢，學使者頗有意舉之，會其太夫人病，爲詩力辭去，獲如所請。而余比侍中，將圖微言以存大義，然竟閼抑不得發，則余所爲媿禹金者，非獨是。萬曆辛巳蠟月望日，友弟沈懋學君典撰并書。

明梅守箕校次庚辛草題詞

　　蓋禹金先是二艸，皆余手爲校次，辛壬而後，余適成心疢，沈君君典任其事，及其剞劂既就，君典化矣！余又爲南游，禹金即寓書南中，乃始能卒業而爲之題其端。題曰，詩靡于永和、元嘉之間，入唐而變以論，其世興衰可睹而記已，然餘風猶未亡。風之亡，其于今之世乎？其比詞非不鴻且博也，而卒以詞病意，屬偶非不工，而工反爲拙，至于引事，必徵其匹，取材則依于諛，調高則傷氣，工庸則廢裁，序歷則無經，修力則忘巧，賦頌嬴而比興之義微矣。夫詩言志也，性情之道也，故夫舉大木者，前呼于後呼喁而木舉矣，雖有鄭衛之音，無所用之。何者？聲永言，非言能永聲也。如以其詞，郁郁乎取文具而已，將安事志？且夫里歌巷謠，行呻坐吟，木桃芍藥之戲，採民風者有當焉。而今搢紳先生或以爲難，則余不敢知矣。禹金年二十稱詩，即能爲工語，其氣揚而色華，討論多而以脩詞，無亦能狹小古人主近世邪？藉令繇此以往，如入邬而北轅，道滋遠耳。禹金駿美博聞，其德適足以自反，故于戊巳之際，一舉而更張之，琢雕爲璞，緯事以情，有興則必窮，無思而不入，顧其廉隅，有矜守而未化，既竭其才，末繇從矣，而至于今，豈不從頌焉有餘裕哉！其詞微，其旨遠，其情譬而喻，其聲悠以沈，蓋三歎有餘音焉。當其時，禹金新除服，哀定而思爲靡靡之樂，以貞勝之日，從諸少年雜飲，有味乎淳于子之說，故爲豫聲。若諸游覽詩，入秋部使者校博士藝，禹金雖不爲博士家言，亦且工，然竟以故溷諸生，益用自廢，而習爲隱，是以有感騷諸篇。已而有不成殤之女，其內人有所患苦，則與俱越國就醫，是以有蕪陰詩。明年有內外之喪，縞素往赴。又且部少年給喪事爲之祭酒，以此思哀而爲悲悼詩。居無何，其先恭人病矣，于是郡中將貢士屬禹金往，彼以將母之不遑，敢因而爲利，固不往，爲陳情詩。以至凡蒿目而及當世，爲雜懷詩，其詞憤而多怨，而有隱微之意乎？其它爲紀事詩，爲應酬詩，要非無因而作，莫不有風在者也。夫禹金其少故能力爲工，又暇爲工，而若無當于風之旨；及是不暇爲工矣，又不欲爲工，而得于風也者，興而言，意而言，猶猶然而言，則亦莫不工，索玄珠以象罔，可以知風之自矣。余從禹金起，日盡三篋，忘書而不進。禹金進我以風而愈或焉。乃今執筴以游，稍廢其故業，于是庶幾有見乎？語曰，知而不知，不知而知。瓦注則全，金注者昏。事固有如此者夫！萬曆癸未中秋月哉生明，從叔守箕季豹父譔。

明 梅 鼎 祚 庚 辛 草 自 序

　　庚辛草者，余庚辰、辛巳所爲詩也。彊圉之難，蓋庚辰中春，服既除，距辛巳之冬，而我先恭人遂覆捐養。其六月，姊夫鴻臚以艾終；九月，外舅觀察粵西以訃至；十月，媦氏澂江病致其守歸，卒以不免，而先是歲有無服之殤。實維十月內外之親，不絕如線，此一時也。往余席世資，庭中無故聚，百順以事親，何

衍衍也，彼一時矣。夫古之至人，喜不毗陽，怒不毗陰，淵然以其神游，而塊然
以其形立。其次則不能無成毀，有所以圜之，無償驕而已。是歲月在酉，先恭人
食味中肺，乘秋而病興，會有司方行里選，余當副，陳情迺已。凡操藥以從者三
閱月，而余所籍詩，亦以酉月竣，故要多商慁之音，然猶未至償驕也，則庶夫其
次者虖？因本歲紀名卅云。敘曰，人又有言，龍蛇之歲，賢人嗇。余狂戇子焉，
負俗而行，宜以其身及之者，而以及所親，則余非賢益可知，鴻臚而下固皆賢者
矣。歲壬午端月，梅鼎祚書于秋水齋中。

（黃永武審查　　張子文標點）

鹿裘石室集存五十二卷十四冊　明梅鼎祚撰　明天啟癸亥（三年）宣城梅氏玄白
堂刊本　存首五十二卷　12639

明 湯 賓 尹 序

　　語曰，在則人，亡則書。人未有常在者也，傳其姓字而常在矣。今之媒姓字
者，竊竊焉題名仕籍之間。題名三歲一易，仕籍一歲數易，非能傳之物也。生則
上第，死則腐骨；生則尊官，死則腐骨。又從而緣飾之，高揭壇坫，招搖徒與，
造作聲價，於乎！借人以傳其聲，孰與夫自傳其聲也哉？子之言曰，文在茲。
曰，天未喪，斯文興喪之運。聖人特仰而奉之於天。六經之刪述，明以天自處
矣。經萬世常在，子亦萬世常在，後死者，不得與於斯文，已矣，後死者少得與
於斯文，與天分柄，與將喪未喪爭系。於乎！喪者必不終喪，則不在者常在。天
之所寄，偶焉而已哉！蓋吾宣爲童土之國，前此謝李流聲，非生於其地也。迨宋
有梅聖俞者，廬陵公推下之，眉山又爲之徒，天下知有梅宛陵矣。後若干年，而
有禹金。禹金之父大中大夫宛溪先生，與侍御沈古林先生，並著人倫，爲鄉國
冠。侍御有子君典，與禹金少相好也，竝躓詩文蚤譽。然禹金益沈欎自遠，賤今
人而貴古人。已君典舉進士第一，禹金脫然喜曰，吾以千秋代之。盡搜今古奇文
秘藏，晝夜研諷，籬圃之間，悉置刀筆，揉結之時，或墜坑塹。宓犧氏以降，抵
于六朝，輯其音律，可被管絃者，爲古樂苑；有韻之言，爲詩乘；賤啟赤牘，爲
書記洞詮；鴻篇大籍，隻字單詞，合舉之爲文紀；而別以所得發爲詩歌，與應
酬、贈送、記、序、誌、讚之文，鹿裘石室集成焉。予往入詞林，接侍先輩名長

老，輒問禹金無恙。嗣予田，禹金樞門益牢，撰緝益苦，間爲予起扉相辯難；或游佚終日，諸侯干旄，鄉大夫興從，十不得一涉也。禹金沒，而予有天喪斯文之嘆。哭之詩，其一云，無復歐陽子，何人哭聖俞？年來山澤興，賴爾未全孤。其一云，驗灰新正樂，搜壁廣詮文；累劫前倉頡，千年後子雲。蓋實錄也。初，時同禹金起者，有季豹，其賦與五言古，代欲寡貳，卒先禹金死，又奇窮，無能行其集者。禹金遺集在笥，其家人爭授之梓，海內爭行傳誦之，亦以知禹金精靈所結，亡而不亡者，幸有此也。君典官修撰，不一年，忤江陵歸，又三年死。天下高其風節，跡君典所由傳者，政不在上第矣。夫道德文章，事功節義，流行天地間者，數物而已。士不一出於此，而欲以名世，吾慮其爲陳之人哉！天啟三年癸亥中夏，友弟湯賓尹書。

（黃永武審查　　張子文標點）

西林全集二十卷四冊　明安紹芳撰　明萬曆己未（四十七年）句吳安氏墨顥齋刊本　12641

明俞安期序

明興以來，詩凡幾變，諸不暇論，論嘉隆之間，七子並興，而歷下、瑯琊，雙建標幟，于時凡操管者，陋江左之卑靡，慕中原之高華，競習大言，而吐洪□〔闊？〕，空疎其中，彊奮其調，虛喝相賞，謂之今體，其如無情之齦笑何！余友安茂卿獨不追逐時好，搦管抒思，一以清婉爲主，阿堵中未嘗見有惡道，含識中未嘗見有惡趣，遣辭發旨，著爲詩篇，皆儁朗清超之致，不知有漫罕狼戾之辭。余後八子詠中列茂卿云，茂卿洵嫻雅，而負儁潔才，幡然營大業，遣言暢中懷，處身璠璵蒮，碌礫列無階。斯實錄也。今讀遺稿，篇篇清整，語語儁永。綺歲爲劉大司馬所重，流連花月，揮霍酒杯，其篇牘非不連累，客爲刪選，往往以片字之累，棄連城之珍，所存亡幾，壯年以後悉無瑕之玉，爲有用之器。顧分力公車之業，篇什逮少，所輯僅僅如此。叔小范嘗對余笑曰，吾家阿咸，生有二反。少年當悉力公車，竟以流連詞賦，誤致身之事。彊年以後，正當寄興酒杯，寓意篇什，而乃攻苦公車，以誤大業之藏。余亦爲之絕倒。苟或不然，則其所就，應不止此，而篇什之多，又不知幾幾也。茂卿又善繪事，生時固不易購求，易簣以來，片紙之貴，不啻秘寶。此詩剞劂成集，不知洛陽之紙，騰價又何如也？萬曆己未七月吉旦，震維居士友弟俞安期撰。

（黃永武審查　　張子文標點）

寥寥集四十卷六冊　明俞安期撰　明萬曆末年刊本　12643

明汪道昆敘

……（前闕）雌無雄，身與名胥下矣。又其下則風波之民也，寧詎託山林為名高。俞山人籍吳江，徙陽羨，故名策，字公臨，庚名安期，字羨長。疇昔見客挾筴陳詩，不佞以為嫺，則猶折節請益，于時穀以楚漢，鵠以杜陵，諗以潛心，修以特操，山人諾諾如嚮，歸而請事吾言。其曹耳食山人屬厭故業，奄忽口爽，嘖有後言，鼎實必薦新，無寧陳餘閣以當辨味杜陵旨矣。乃今人人誦法之，數薦不鮮，其何以悅厭常者之口？山人則以澤畔河梁而下，至今誦之不衰，知常曰明，何可厭也？即詩三百，居六籍先，用之邦國，鄉人千古無射。如將以厭常廢業，又奚取于知新？今之尸祝杜陵，徒得其容觀耳。直以雄渾若海岱，壯麗若未央，桓桓若三驅，臑臑若千籍，沈著若鍼砭，精煉若刀圭，是則夫人亟稱之矣。乃若大言泱泱，小言淅淅，微言中窾，放言中權，玄言無名而名，卮言無味而味，蓋心力有所不用，神解有所不煩，來莫測其所由來，止莫窮其所自止，非夫黜聰反聽，惡乎知之？不佞概聞其言，瑩然若振空谷。山人既輯詩紀，由陶唐以迄盛唐，寓目百家，周歷唐室，衍為各體，亦猶吹萬而咸悅之，僅屬和者若而人，彊立自若。先是涉丹陽，藏都市，入楚蜀，赴豫章，悉發篋中，區別為集，歷十年所，復入新都，不佞授館魁父之丘，就而卒業，獵纓而起，是足為宇內雄，秉羽先登，則專壹之效也。有專攻，故客王謝，旅秦淮，其辭鉅麗；有專致，故攝艅艎，周斥堠，其力閎深；有專主，故鄂渚、豫章、新都之致意為惓惓；有專成，故古風近體、排律長歌之就業為兼長，為獨至。要之，積斯厚，厚斯培，渢渢乎其音也，蓬蓬乎其行也，寥寥乎其與天籟鳴也。語師古則無成心，語師心則有成法，其斯為楚之遺，漢之逸，杜陵之王父尸乎？於是載其籍曰寥寥，登山林而上之矣。如有所否，吾其質之大方之家。新都汪道昆撰。

明 吳 國 倫 序

今天下布衣之士，能言詩者不少矣，乃獨弘、嘉間孫、謝二子，詩最近古，又率附當時諸名公以傳，遂得賈重一時，爲後進生地，微諸名公，天下且不知有布衣也，何論詩工拙哉？今二子詩故在，豈有加于諸名公而爲之游揚藉譽若不及者，蓋有意焉，猶之古人登葵蕨五鼎之前，進縫掖二千石之右，存雅道也。予所聞晚近少年，方剿剝一二蠹豪華艷語，曾未得其似，而已沾沾自多，且面謾人而力抵之，以爲無當，至欲歸而盡焚其牘，此餔糟歠醨，而指瓊蘇琬液爲無味者耳，將誰欺乎？俞羨長與予交最晚，而予知之則最先。頃自陽羨犯溽暑，遡大江來訪予甗甄洞中，與之言詩者踰月，益復深相結而過信之，大較趣舍同而意氣不相狃也。已盡出其紀遊詩二峽視予，願受彈射而請序焉。予閱其詩有孫之逸趣而巽密過之，有謝之苦思而宏麗過之，庶幾一時布衣之雄乎？而予所交王行父、王承父、黃孔昭、葉茂長、方仲美、胡茂承，則先後雁行之矣。予因詰羨長所受詩從來，謂自弱冠厭經生業，而好從大人長者遊，乃得習爲韻語，取材漢魏初盛唐，而心師當代諸名公，日恐不得其似，且聞先生嘗有一言之譽，竊有請焉。予既知羨長詩別有心匠，而無抵掌效顰之迹，廼其志廣而辭遜若此，豈必附青雲之士以傳者乎？因稍稍爲精求，得十之七以復之，羨長遂不復有所疑，而授之剞劂。嗟乎！以羨長視諸少年，奚啻蠛蠓螟蠃哉！然羨長又非徒以詩雄也，年未強而修長者之行，心尤高之，蓋羨長故龍君揚客，而君揚遇以國士，比聞君揚之謫也，則入楚慰之，及其戍也，又入豫章送之，今觀詩中憂喜相關、急難相呼號，眞有古國士之風焉。夫君揚以高才被重譴，天下人惜之而不以爲冤，而羨長獨冤之，蓋必有以察其微，非爲私恩蔽也，不然，以一布衣力，不足以叫帝閽而脫故人於法，而徒斷斷然爲是奮臂鼓舌何爲？嗟嗟！此孟舒、田仁所以稱長者至於今也。讀羨長詩者，其知羨長哉！甗甄洞叟吳國倫撰。

明 郭 正 域 序

羨長藻思橫溢，禪觀亦深，與余言禪，既不負墮，企最上乘，既言語亦不勦襲，亦最上乘。有前後遊楚詩若干卷，合梓之。羨長自言生平於楚地不能無情，於楚人不能無言。夫大道去情，而詩緣情生；衆生著境，而詩觸境發。然則妙思盡屬綺語，佳什盡爲口業，既墮有情之境，寧爲得意之言，詩乃叛道之物，禪豈修辭之具乎？夫因心而發，語語三昧，觸象而生，處處六通，詩不礙禪，禪可言詩。羨長又言取材于選，取刪于杜。蓋嘗浪言之，顏、謝麗於體物，而少獨匠以寫性靈，則色澤爲累，能爲實而不能爲虛，是墮有也。陶、韋工於獨致，而罕象貌施之廊廟，則寒儉已甚，能爲虛而不能爲實，是墮無也。子美有雅頌之才，而時多苦態，譬之由教入宗，不無粘著。李白有風人之致，而不顧羈的，譬之以宗爲印，不無馳騁棒喝。宋元而下，不見佛日。國初諸公，各張一的，未盡射鵰，是人天小果有漏之音。晚季諸子，凌厲前輩，氣格傲睨，似墮阿修羅，而語或帶嗔。羨長以爲然否？夫不著執境，不掃情境，爲上上禪；不學古人，不墮今人，爲禪中詩。羨長步選而無其黯氣，學杜而振其靡風，發前人之未有，挽今人之既波，入楚諸作，未既厥美，總其生平，肖形萬象，不見鑪錘，凌架虛空，不淪象罔，神與境合，不即不離者也。羨長何時不墮有情，何時不立文字？然則此帙爲楚歌、爲南宗乎？江夏友人郭正域撰。

（黃永武審查　　張子文標點）

汲古堂集二十八卷二十四冊　明何白撰　明萬曆間刊本　12644

明 王 士 性 序

　　予嘗南遊鴈蕩，渡江心，歷謝客、王右軍奮游，爲問前輩風流，猶有存不？客有以何山人對者。至則芒鞋布帽，神采逌上，予固已心異之，比談詩，而益爽然自失也。已與潘明府去華攜山人于玉甑之巔，指海上三山觀出日處，山人則復翩然有凌雲之氣。別後時時詩寄來，予受而讀之，爾雅湛逸，無一語作大曆以後，至樂府古風，益凌厲無前矣。山人以今丁亥歲九日過予於谿□問序焉。王生則爲序曰，古稱詩理性情，□緣殖其靈根，而色聲香味所自流也，故□生于格，格定于品，迺軵近世所稱山人□什，予得而言其概矣。初未能以子大夫□顯融而無以游揚於公卿間，則山人搦□□管爲羔雉而陰取償其直，陽浮慕爲□□□則山人，甚者以揣摩捭闔之術，糊□□而無以自試，不托跡于章縫則不售□則亦山人，故軵近所稱山人者，多大賈之餘也。語稱大隱則朝市，小隱則山林。今山人不山居，而借朝市以藉口焉，朝崇冠而博紳，暮習咿吾以備顧問，取人已吐之□，而飭以爲己能，此何爲者也？明興，謝榛、□楠之後爲盛，楠猶悲歌骯髒以沒，榛絕□於歷下恥矣，即有一二自穎脫者，然其格終卑卑不振，品固然也。予

起搢紳，閱海內士，惟松陵王叔承稱神交，能自成一家言；永嘉何白最後起，其
才情不減王生，少年厭舉子業不事，而一意爲古詩歌，非不能以一第顯也。故此
二山人者，廼世之介士也，蒞其地者以客卿卿之，二山人以布衣據上坐，祭酒弗
讓也，張口哦詩外，一□□事事以自滋潤，故其作，摠歸之爾雅，謂□情之道不
藉之二山人以起耶？故受詩於山人者，當自其品始。何君謝不敏；予曰，人情靡
不有初，能使海內誦君詩者，終不疑於予言，則予與君俱厚幸也。君倘負笈游吳
中，遇王生于虎丘洞庭之側，其亦以予言語之。赤城王士性恒叔譔。

明 李 維 楨 序

　　予往爲何无咎序山雨閣詩，以吳越布衣中無輩，諸人口謼而心服者半。已无
咎游楚，登玄嶽諸賦記出，讀者服十九；比无咎游秦，覽百二山河，按行諸塞，
文益富且奇，于是有汲古堂集，而後人誦服，以予言非妄。予於古未深窺，第以
唐論唐，詩推李、杜，文推韓、柳，四君子皆六代後人也。六代詩文纖靡俳偶，
風流結習四百餘年，李杜韓柳歸於大雅，成一家言。人知四君子之不受變於六
代，而不知四君子之善用六代也。詩文大指有四端，言事、言理、言情、言景，
盡之矣，六代而前，三唐而後，同此宇宙，爲詩文者寧能外事、理、情、景而立
言？惟夫理與情有強造，事與景有附會，謏多鬭妍於字句間，而纖靡俳偶之病生
焉。四君子於六代得其蘊蓄，采其精華，詩去纖靡，文去俳偶，故臭腐化爲神
奇，而笑罵皆成文章。无咎詩宗李、杜，文宗韓、柳，其所損益因革，擇之精、
守之不變，故四君子超六代，而无咎踵武四君子以此。夫李、杜不足於文，韓、
柳不足於詩，无咎兼之，又善用四君子者也。或曰，无咎以汲古名堂，唐人寧足
盡古？陸士衡不云乎，世閱人而爲世，人冉冉而行暮，人何世而弗新？世何人而
弗故？四君子掃除六代蹊徑，於唐若自爲古，无咎別立三唐閫奧，於今若自爲
古，其致一耳。後之視今，猶今之視古，必不以予兩喜多溢美之言矣。萬曆歲在
乙卯，大泌山人李維楨撰。

明 陳 繼 儒 敘

　　永嘉何无咎先生別三十六年，往矣百尺樓上客，半已化作晨星，獨无咎詩
境、文境，氣吞千秋，名走四裔，眞魯國之靈光，陳留之耆舊也。先生雅好奇
游，嘗賦兩京，溯三楚，高陽池畔，天柱峯頭，流杯尚旋，題名未蘇；已而入潼

關，搜訪秦宮漢闕，復從大將軍出獵沙磧中，眼閃電光，弓鳴霹靂，擁紫貂裘、
噉蒲萄酒，醉艸軍書露布數十通，名王解辮於前，小隊擁歌於後，洶豪舉矣。歸
而偃息於東渚之上，艸堂花嶼，映帶林坰，宵竹鑠而月淡，曉松沉而霧黃，笙發
子晉之臺，丹留弘景之窟，芙蓉負辰，鴈瀑跳珠，不以籬落據之，井竈役之，則
以勝情勝具收之，異人異書享之，將迎既謝，簡傲日休，鵬運殊勞，龍臥乃適，
收視聽於亡羊之境，斂鋒鏑於逐鹿之場，屋住兩頭，榻穿雙膝，箋仲長樂志論，
詠謝朓驚人詩，精麗沉雄，迥絕時輩。昔何萬倫養志衡門，崇以著述爲業，何子
平敦厲名行，暗室如接大賓，小山兄弟都無宦情，通夫衣冠，悉復古製，方之无
咎，非特蔭映東甌，抑亦總持先覺，玄根難朽，英彩羣飛，可謂竹樹繞鍾球之
音，猿鶴披鵷鷺之色矣。自來隱人遊士，蹊徑不同，苦樂亦異，彼談天騖地，炙
轂智囊，絮言訹語，沸于蜩螗之鳴，戀秣仰芻，渴于牛馬之走，不知荷篠抱甕
者，早倚一丘而睥睨之！惟无咎早年悟道，故晚歲得遂沉冥，燕語鶯嗁，無非談
道，蠕言蠳動，即是教兒，傳家積等身之書，垂世有副山之草，日與孝廉君父子
相師，文行相砥，皆王謝後不死人也。予終日垂嗛讀易，身如繭蛾，無復飛動
意。今實汲古集一卷於案頭，裹以異錦，薰以名香，覺大羅太玉與望衡對宇相
似，豈必絆野客青鞋，從无咎爲台蕩碧落之遊哉？友弟陳繼儒頓首撰。

　　書附

　　往甲午過訪，終日娓娓，皆吉德長者□言詩文，固蒂深根，又具有力大人之
相，不必問姑布子卿，望而知其身名俱泰，非浮遊猥薄兒所能夢見也。恨老矣，
無能往掃先生之門，忽勤手教，反覆讀之，宛然王微蕭大圜牘也，飲酒十首宛然
陶處士、白居士詩也。坐客見之，抄寫讚揚，幾于穎禿。弟即裝爲一長卷，從長
松修竹間朗讀一過，病以之代藥石，寂莫以之代鼓吹，北窗高枕時，以之代顏氏
瓢、曾點瑟，子孫寶之，以代紀之甗、鄭之瓚，無施而非先生之鬚眉面目也。汲
古堂出自手選，大言小言，毫髮無遺恨，極欲發皇一番，以報知己，會有修郡志
之役，當事督促，瘝利繼之，不得不艸艸成篇，并昭文公壽文寄上。正如逡巡
酒、頃刻花，出于藍縷風道人則可，若置之鳴玉履珠諸君子之前，皆譏訶嘲罵，
笑其艸野，不擠而出之門戟以外，幸矣！山水老筆紛披，奇峯突兀，荆、關以
後，罕見其儔，董思翁咄咄，駴爲勁敵。弟長男在城，次男在邨，僅一孫六歲，
但解持竿逐鳥雀，明歲受書，今句讀猶未上口也。總之，天際眞人，山中宰相，
覺无咎先生獨得其全，造物豈有私哉？蓋亦有耳鳴之德焉。臨楮神往。七月廿九

日，友弟陳繼儒頓首頓首。

明 李 維 楨 何 无 咎 詩 敍

今山人稱詩者在所不乏，余或不識其人，即識其人，或故爲博士弟子員與入太學上舍，於山人名義不類。而交遊中若吳人王承父、葉茂長、曹子念、方仲美、俞羨長，皆布衣崛起，無所因藉，稱山人殊當，而又皆善詩，以爲吳多才，天下寡二。晚而得永嘉何无咎。无咎之爲山人，與五君同，而其詩跌宕爽暢，追琢藻贍，奄有五君之勝而成一家言。余讀之竟日而甫卒業，乃大歎咤曰，子越人，何子之詩之似越也！方越之棲于會稽，至迫厄矣，而卒能沼吳而有之。子之身貌，中人耳，濱於東海之陂，而蛙黽之與同陼，攔然起而與吳作者爭雄，其英概同也。越十年生聚，十年教訓，田野闢，府倉實，居有三年之食，而後能舉事。子上下古今，三百篇之溫厚和平，離騷之悽惻篤至，兩京之渾朴，建安之高華，六朝之工麗，唐人之秀朗，靡不屬飫而枕藉之，於以發之觚翰，銳若干將，艷若館娃，瑰異若金閶，殷賑若長洲之苑，峻拔浩瀚若洞庭、太湖之高深，其蓄積同也。越蚤朝晏罷，臥薪嘗膽，填左闒以土，側席坐而不掃，其趨時猶救火追亡人，蹶而赴之，唯恐不及。子之爲詩也，虛其心，實其腹，弱其志，強其骨，晝夜忘食寢，冬夏忘鑪扇，妻子忘飢寒，九天之上，六合之外，何所不馳騖，魂怳惘而若亡，體疲茶而如楉，其刻厲同也。越將有事於吳，三徙舍、五布令，而斬有罪以徇，汰其筋力不勝甲兵，志行不足行命者，而中分其師以爲左右軍，以其私卒君子六千人爲中軍，故衡行江表，莫能與抗。子之詩，氣不欲沈，格不欲卑，語不欲凡，韻不欲乖，大小不奪倫，始終不錯度，繁而有法，逸而有制，大曆以下，却屏而不得御，其精整同也。子誠越人哉！何詩之似越也！而客有爲吳左袒者，君奚隆於越？夫吳五君，亦勍敵矣！承父天才絕出，超忽飛動，不可端倪；子念、茂長，興象風神，格調音律，種種具足；仲美好深沈之思，詞若方而意則圓，景若淡而致實濃；羨長閎大雄奇，如淮陰用兵，多多益善，是寧易與耶？余曰，不然。无咎善用吳者也。吳自弇州集詩道之大成，而諸君羽翼之。諸君於无咎，禮先一飯，如茂長者，業已爲古人矣！无咎年財三十，日力暇給，而柯則不遠，五言古風不茂長，七言歌行不承父，五七言近體不子念、仲美，長律不羨長，必不以其朴示人，宜五君之爲无咎有也。夫不聞孫承祐之宴客乎？一旦而得西粟、東蝦魚、南蜵蛜、北紅羊，小有四海矣。就山人而論，无咎之奄有吳，亦猶是也。吳何病越？客則又起而課曰，越亦大矣！無論他郡，永嘉不腆，山人而稱詩，有康裕卿、洪從周，亦君之所知也，奚隆於无咎？余曰，不然。永嘉美山水，以謝康樂之篤嗜，爲守且久，遊徧諸邑，所至爲詩詠，而鴈蕩不與焉。懷素亦言，自古圖牒，未嘗齒及鴈蕩。鴈蕩晚出，而名踞永嘉諸山水上。凡物之成名也，先後各有時，安得謂今之人，必不勝古耶？客唯唯。无咎避席而謝曰，先生過譽白，白何足以當諸君？請得畢狗馬之力，從事於斯，以無負先生今日之言。南新市人李維楨譔。

（黃永武審查　　張子文標點）

鶯嘯集十六卷十六冊　明潘之恆撰　明萬曆間原刊本　12645

明虞淳熙引

　　暟子過金臺而歎曰，有負平之骨也，來者受予直，趾腹紫膽之金千流矣。玄扈山有長鬣旅人，能永言，其言五色，以目聽者，聞之屬羽嘉，典司幽田，昭一聾九，此人抱貿不鬻于市也，天下之永言者，此人審焉，爲之和九品，曰尹穌，而持詩之官也，可以群，僉授以言，其群山臞蕨食，未嘗君之羮，贄翟生死，不媒華虫，且市骨矣。暟子發暟而興哀思，千流與爲市，市舌尚在。乃千流者，小易鯖，大易圭，上易綸，下易旌，問之守虞，我無有也。於是長鬣旅人歌雉，噫而過暟子曰，子具耳目乎，夫淹筆璞錦，諤珠雄鳳，具耳目弗逮也；淹筆之直，璞錦之直，諤珠之直，雄鳳之直，具耳目弗酬也。且吾席言于此，玄黃父母，飾五吏陰内之闓中，而逮之與？而酬之歟？吾與吾永言者群迭爲應鼓，無已則應，女樂翩翩，吾盼盼也。晝而紀其聲，渙與齡孰多？有長門之直焉，無已則應。鳥官鸍鴿來巢，吾與爾言，爾不克踰濟，而吾踰江遵海，離瀟漢之故都，彼且謚吾躲也，將由鶯嘯以取雎鳩氏之直哉？夫上永言不陳于太師，望之群，望之女子，望之禽虫之屬，怨矣。虞聰四啟，匪聾於官，雎鳩氏鳴鼓而正關雎之亂，以開四詩，長鬣旅人位高金多，始基之也。旅人者何？郭庚生父。暟子夏官，守在雎鳩。萬曆辛卯上巳日，暟子熙撰。玉山程福生書。

明梅守箕潘景升詩集序

　　景升初治經兼葭館，年未二十，則已博該羣籍矣，以其餘力爲詩，即一言出
而傾其坐人，其先有名文章家者咸心折景升，不敢與齒。景升益自翔異，進而求
之古人，自風雅漢魏樂府以至盛唐，無不疑神而奪像也者，有兼葭館詩。于是汪
司馬與其二仲結社里中，則景升爲稱首龍君，御司理董其事，若李本寧、丁元
父、佘宗漢、屠長卿輩，遞賓之，而又未嘗不推讓景升，景升篇什又獨多，有白
榆社詩。景升好游，而吳越近在京國，其間名山川以十數，杖屨必至，至必紀之
歌詠，凡所交接與邂逅之遇，或贈以言，寓情述景，月無虛日，有東游詩。繼東
游者有冶城詩，而西湖詩即東游中次爲集者也。蓋景升于舊京、虎林、金閶，時
時往來，故冶城、東游，各有續草云。景升之北也，在己丑、庚寅之際，淹留再
歲，其以壯心落落，客計無因，雖不作和歌擊筑，傍若無人之態，顧意念深矣，
有黍谷詩。景升自北還，息肩白門，方日就沈淫之思，間理其舊所梓，命余合序
之。夫序景升詩者，若王司寇、周尚寶、吳水部、虞職方、何刑曹、方學憲、張
給舍、吳廣文、謝文學之屬，言人人殊，皆一時大雅君子，而又焉所取于我？抑
余嘗序景升東游詩矣，其評騭品藻，十不得一，又況景升之全詩，得無爽然自失
乎？而景升暱好，余謂知言難，知人尤難也。知景升者，誠莫如余矣，又何讓
焉！夫詩之道，自風始也，本乎情，止乎禮義，寓乎律呂之間，可以言解，而不
可以言解，可以意求，而不可以意求，觸之似有物，索之不可得者也，故謂之
風。彼以桑間淇上之詞，即文王、生民、清廟、臣工，不得先之，豈非以其衷有
所託，而音聲在意言之外乎？昔者婁東王先生之論曰，風未亡而雅頌亡，傷享祀
之失典耳。至于今日，乃亡者不于頌而于風，非風則亡，風襲頌體而亡，風襲頌
體而頌亦亡，以其有盡者該其無盡者久矣，其詩之亡哉！凡景升與余言若此，故
其爲詩，溫厚深至，怨而不怒，所寓者境而詞不足泥，所之者志而格不足徇，所
寄者聲而材不足藉，所運者神而像不足衍。其建安哉而麗以美矣，其晉宋哉而氣
尚之，其齊梁哉而整以栗也，其貞觀哉而澹焉，其開元、大曆哉，其思何淵以渾
乎！古之人得其一，猶足以旗于世，景升會而通之，神而明之，不徒沿其體格，
而其風有獨存者，然則景升之于風，其周漢之子遺哉！世人不知，則以爲猶夫人
耳，不則爲名高者耳，胡其輒以重貲徇然諾耶？不者其江左名士耳，其最則謂一
代文人耳，其不知景升一也。蓋景升才氣過人，寧忘己事而急人之困，其心遠逸
在世外，即謾言、不及田舍，又嘗挾邯鄲倡、徵樂召客，似豪舉之游，故其跡易
知，而亦難知矣！然世無不知景升詩者，而無能知景升詩者，悲夫！習染之相漸

濡，徒知以事類相屬爲詩也，而安知大曆以前風調耶？則又何惑乎其不知人。景升盟余于牛首瓦官寺，期程仲權、何無咎與俱，將謝此雕虫小技，爲立言不朽之計，藏之名山，以俟後世，不知，亦何病焉？先爲序其副通都者。萬曆辛卯十二月朔，宣城友弟梅守箕撰。同社劉一然書。

明謝陛兼葭館詩序

　　始予與諸子稱詩豐干，則景升已從予游矣。肤篋讀書，自昭明而上，無所不窺，相與解頤，于心莫逆，獨于詩第肆業及之爾，予謂景升勿亟，異日者將動子天機，而不知所以然。蓋自去予索居，一旦而出其所爲詩若干首，動于機而中于則，絕塵而奔，予且瞠乎其後。夫釋氏家有頓有漸，頓有一而漸有三，頓復有一。猶之味然，從牛出乳，頓也；從乳出酪，從酪出生酥，從生酥出熟酥，漸也。從熟酥出醍醐，漸頓融也。當景升讀書時，引繩批根，務探作者之旨，非爲詩也，機發于踵，天籟自鳴，其斯爲頓而已，則兼葭館由此其選。當世士枵然其腹，輒妄意操觚，少知古昔，亦徒漁獵之間，朝樹木而夕息陰，其喝也可立待。夫襲取易窮，厚積難閟，故頓易則漸難，勞逸之較，遞相爲乘。景升茲集，得于頓爲多，其庀材博，其操調高，漸以至之，與條出以間入，迎機而解，皆醍醐矣。或有嘲予景升出於子者，於子何如？語亦有之，青出於藍而青於藍。雖青於藍，然不至漸而爲紺緅，則以其所出者本藍也。景升故自超，則安能忘所出乎！乙酉夏五，豐干友人謝陛譔。

明周弘禴白榆社草序

　　郭次父住焦山，而素習左司馬汪伯玉先生，更與其二仲善也，故往來於新安，而酷愛斗山之勝，乃就左司馬謀結詩社，社曰白榆，左司馬實主茲社。而余楚人，龍司理君善宰之，入社者則潘君景升并仲淹、仲嘉也。無何，君善復走書招四方之能詩者，以共重白榆，嗣至則有儀部屠長卿、太史李本寧、司理徐茂吳、陳立甫、呂玉繩、明府佘宗漢、丁元甫、章元禮、朱王孫貞吉、俞山人公臨焉。夫諸君者博雅名儒，即專制一方，尚足以稱雄，矧左提右挈，併力同聲，則稷下之談，鄴中之會，不足侈也。以故天下騷客詞人，咸跂足而望白榆之社。往者徐茂吳與余言之梧州，而余亦脉脉焉心動矣。社中有會編，而諸君亦各自爲編。余未見其會編，而僅得見其景升之編耳。景升他詩別有刻，是刻刻其白榆草。詩不數十章，而諸體欲備，情合於景，景湊於神，〓調朗朗，聽之心悅，露葵風柳，雪竹厓松，即先鋒而可卜其全師，信李陵之士皆材，而田橫之客皆義也。以一景升能重白榆，況有數君子在。且景升之詩，不盡於是刻，而景升之才，亦不盡于詩。余今邂逅景升，而知景升之奇多矣，故讀其詩而遂爲之序。萬曆己丑夏至，楚西陵周弘禴撰。玉山程福生書。

明方沆白榆社詩序

始不佞入周南，則豐干社程子虛、吳虎臣、汪仲淹、仲嘉、謝少廉後先過予譚詩，甚適也。最後潘景升至，出其所爲詩，調雅馴而風氣自上，譬如渥洼之駒，業已以識其一息千里。比不佞謫居，再至周南，景升再出其所爲詩曰兼葭館艸、曰白榆社草、曰東游艸，抑何其愈出而愈工耶！蓋白榆社詩則汪司馬爲政，龍司理君善泪二三子執鞭弭以從，選勝揮毫，左提右挈，景升益以發舒其深沉之思，而取裁于情景之變，故即之若披綺繡，而叩之往往中宮商。無論二三子若不佞辟易下風，司馬故時爲景升擊節稱善也。乃王司寇序之曰，所未盡備者體，所小不竟者變。其大致在於充實而光輝、大而化之而已矣，又何以稱焉。景升茲不北游于冀之野乎？冀多馬，請以馬喻。彼其直中繩、曲中鉤、方圓中規矩，國馬也；乃若天下之馬，必索之牝牡驪黃之外，得其精而忘其〓，得其內而遺其外，此九方歅所爲執轡躊躇，而耳視者狂走而不顧也。景升通于相馬，而益工于稱詩，緣景以傳情，具體而適變，沿新安江左而直登之天寶建安之上，豈惟詞林赤幟，有如致士請自隗始，舍景升其孰先鞭哉？蓋不佞若司馬日望之矣。丙戌莫春，友人莆中方沆譔。

明梅守箕東遊詩序

蓋壬午之歲，余得交于景升，遂爲莫逆，相與說詩，心醉焉。既出其所爲詩，讀之鏗然，一則乎古昔，足以雄一世矣，而景升猶退讓不居，曰，子徒見我之外者也，我猶未盡我之材，未造物之境，未達變之情，吾其託諸遊乎！吾以畢情於境而達材於變者，必此役也。于是爲遊，自東方始，時在甲乙之際，與其方物叶矣，其地則吳越之畛域，其建國則大禹、泰伯、春申之故封，伍胥、要離、季子、句踐、種蠡、孫吳之遺烈在焉，其山澤則會稽、虎丘、陽羨、天目、金焦、北固、嚴陵，具區之勝，望洋而爲大海，委蛇而爲長江，浩漾而爲錢塘，衍

秀而爲西湖，鬱葱而爲鍾阜，地勢張矣；其所與俱則司馬長公、來王孫、李太
史、汪二仲，所矜式則司寇王先生，其所主則喻郡丞、陳司理、吳水部、沈侍
御、呂中秘、朱光祿，所與往來則沈嘉則、莫廷韓、胡元瑞、王百穀、曹子念、
吳翁晉、俞孟武、劉季然、謝賓王、王申之、吾家禹金之屬。景升年少而貌沈
深，思遠以曠暢而和，至于即境爲情，緣事爲變，前喁後于，唱予和女，而其材
寔足以發之，蓋自司馬司寇而下，無不傾心景升，以爲畏友矣。夫詩之爲道本乎
風，交適于性情而止乎禮義，可以言論者其粗也，可以意致者其精也，言之所不
能論，意之所不可察，致不期精粗焉。景升故所爲詩擬之而後言，一成規，一成
矩，洋洋乎其有以振我也，得無疾視而盛氣乎？及其于遊，無所事工，乃神全而
氣不設，緣虛而葆眞，此會之適也，可以傳矣。凡景升居湖上詩百二十餘篇，水
部君謀梓之署中，景升固弗與，有側目景升而陽與好言者，卒持其草去。先是，
閔君麟見景升詩而悅之，錄其半置笥中，茲所傳者是已。使世不盡見景升之全
詩，而幸及其半，若以神求景升乎？固可無憾矣。梅守箕曰，風始乎閨壼，于情
近也，故溱洧不廢。當景升東遊，有所目成焉，是以多情至之語。長卿既私文
君，而以爲諱，作美人賦，自刺也，若有搩然，則景升爲賢矣。夫潘氏以詩著者
莫如安仁，其材沈抑篤至，景升駿美整縟，直當凌之。且安仁以弱冠應辟，多憂
生之感，景升年將逮其二毛，雖復不偶，而情適逸豫，則其得全于天者，又可知
矣。乙酉冬十月朔日，宣城梅守箕書于寶林菴。

明王世貞東遊詩小序

　　潘景升從余游，每見，必出其所業，余因得以窺其進。而至萬曆之戊子秋，
謁余於金陵右司馬邸，是時景升方與其儕偶相逐而角鴻都門之業，尋又不利，亟
去時，卒卒未暇叩。景升今年二月復游金陵，則益梓其近詩若干首續東游篇。蓋
景升家黃山白岳間，而又好游，若金陵、胥臺、虎林，山水固其比席間物，至是
遂渡錢塘，棲四明。四明襟海而孕山，東湖其中，古剎名蹟，處處皆是，景升與
二三君子窮舟車杖履之勝，發而歌詩，往往清遠蘊藉，如金閶、鑾江諸曲，能以
宋齊樂府之調，而出入建安之門。近體要亦不下大曆。雖山水之勝有以啟景升，
而景升之深會獨詣，其靈承者自不淺淺也。間與其鄉袞方司徒及之，方公欣然意
合，獨謂景升恂恂太學諸生，步武尺寸不失，而詩多燕姬越女謔浪挑寄之辭，是
不累異日搢紳間聲耶？余報公將以景升眞有之乎？古之才人墨士，志有所不遂，

則必借以發舒其抑鬱；才有所不盡，則復借以騁騖其藻麗，此齊梁之所以輝暎一時，而青蓮、少陵氏之所不能廢也。令景升而改玉甚易，雖然，何以稱哉？司徒無以難也。因志於簡端。萬曆己丑穀雨日，瑯琊王世貞譔。

明 謝 陛 續 東 遊 詩 序

景升東遊續草成，手以觀予，首變江曲，卒以禽言，中多情語。適二客在坐，一謂景升青衿之士，乃作微辭，兒女情多，名教何有？客先予答，若何淺之乎知景升也！千金之子，幾道一言，才著進賢，風流頓盡。景升名士，上未入官，不下諸俗，故其稱詩，緣情而靡，夫亦宜然。予曰，否否。前者之言是耳論也，後者之言是目論也，非唯不知景升，且不知詩！夫詩本性情，風在里閈，男女之情最俚而近，興觀群怨，此爲最先。由是而事父事君，雅頌備矣，故詩先風，以近情也。士必才也則有情，古今才士如白太傅、元微之、杜樊川、李供奉，以至六朝諸子，與生家安仁，姑且勿論，獨不觀諸國風乎？采葛褰裳、投桃贈芍之篇，豈盡出婦人之手？無亦才士代而爲之，或藉以咏朋友之交，君臣之際，未可知也。在仲尼不刪，其後變而之離騷，又變而之樂府，以逮近體、絕句，文雖變而情一也。海內之稱詩者衆矣，各著一編以爲交游藉手，甫一展卷，其所贈答多顯貴人，上自宰執，下逮尹牧，若除書然，以動觀者，類都獻佞，大是不情。雅不在朝廷，頌不在宗廟，而多在章縫，風斯下矣。景升此集則不，文生于情，亦才士事寄也而非溺也，否則其託耳，夫亦國風之鼓吹也歟哉！清音亮節，似淺而深，似近而遠，似淡而腴，似不盡態而有餘妍，才既具矣。朝廷燕饗，宗廟登歌，以雅以頌，蓋優爲之。當世搢紳先生之詩，吾不敢言，其在吾黨，則如吳興吳翁晉、宣城梅季豹、姑蘇陸成叔，皆翩翩富有才情，景升流也，故其稱詩，率多同調。獨不佞才在下中，未能忘情，聊復云爾。景升起而揖曰，先生知言哉！謹謝客。萬曆己丑上巳，豐干友人謝陛譔。

明 何 喬 遠 冶 城 詩 草 序

自予治軍司，空閒無事，庚生則挾詩數過予，庚生曰，吾黨幸以是業，附於當代之契，烏能曠焉？不痛談得失向背之端，於千古之下，吾將及子往復論。生之言曰，凡詩之道，非謂摹古人而象之之謂也，又非謂離古人而去之之謂也。凡結撰之體，千百年而不變，而造物之精華景象，用之日新而不可窮，夫惟以其日新之至變，合不變之體於古人而不越畔，吾之守此有年矣。予所以益生，則謂古之作者，非徒取合於古而已，皆有以明其意，使千載之後，如見其爲人。居無何，庚生將試南都，且別去，則出所爲舊遊南都詩示予，且嗛然若不足者。夫生也取骨於漢、魏，其旨遠；取態於宋、齊，其詞艷。變出於心矣，體合於古矣。抑予聞之，善守、善化、善聽、善廣，生誠守其言無易，而以吾說兼焉，其不化且廣者，未之聞也。萬曆十九年三月三日，友弟何喬遠序。句吳周恭先書。

明虞淳貞庚生冶城鸚嘯集跋

庚生好鸚，見九山詩及贈別吳梅兩生詩中。吾生不識鸚，紫煙白雲間或有之。庚生從左千障子乞鸚，尚曰求之明鏡乎？吾兄長孺謂庚生無侶，至與鸜鵒對語，悲夫！安得能言之鳥，踰濟巢于薊樓，當是屬舞鏡中耳。乘鏡鸚，乘幻影也，而俗士誂庚生爲好色，無所發吾雷嘆，憑巖一嘯，雙鸚下來，便與庚生乘之而去。彼腰纏千流，累揚州鶴，庚生不顧矣。鸚上人虞淳貞書。

明張應登黍谷詩題辭

潘庚生詩律根之天兒而曰之聲調，清濁、小大、短長、疾徐、哀樂、迤速、高下，周流以相濟也，君子聽之，得鄒子之律。夫騶子吹律而燕谷溫且黍，順氣成象，其神哉！谷今不音溫，而樹藝萬寶，胡言乎黍？蓋聖明都燕而苞六合，太和元氣烽涌無垠，金玉之輩，雍雍濟濟，萬籟泠泠，直鄒之一吹邪？然則神鄒律而黍谷，庚生之詩也；就騶律而黍谷，庚生之詩也。不佞下里，方取嶧竹，截十二筒，應鳳聲而吹之，得律與不，尚不自辨，何有于黍谷？內江張應登玉車甫題于百花堂。吳郡顧願書。

明屠隆涉江詩序

唐以前，詩在士大夫；唐以後，詩在布衣。何以故？唐以前，士大夫巖居穴處，玩心千古，游目百家，其爲詩文也，仰而摹其古法，返而運其心靈，軌則極于兼收，而神采期于獨照，閉門研精，或一二十年，而後出以示人，是飛衛紀涓之技也，擅場名家，良非偶耳。今之士大夫則不然，當其屈首授書，所凝神專精，止于帖括，置詩賦絕不講，一朝得志青紫，孳孳而程簿書功令，偶一念及，曰吾都不習吾伊，人將偕父我，我其稍染指哉。于是略漁獵前人韻語一二，輒奮

筆稱詩，輒託之殺青，詫之都市，駭者却步，讀者爭前，烏知薰蕕黑白耶？而布
衣韋帶士，進不得志于珪組，退而無所于棲泊，乃始刳心畢力，而從事此道，既
無好景艷其前，又鮮他事分其念，用志也專，爲力也倍，雖才具不同，要必有所
就而可觀也者，故曰在布衣。余友新安潘景升氏，高才銳氣，累困澤宮，結客少
年，萬金都盡，可謂窮矣。乃悉其全力爲詩，詩名大起，其後經兩都，走吳越，
尋南泛洞庭，浮湘澧，覽荊王故都，尋屈原、宋玉遺蹟，先後與吳明卿、李本寧
諸君游，而詩益大工，最著者爲涉江詩。余快讀之，取骨漢魏，取藻六朝，取韻
三唐。其雄以渾者，如七澤興波，三湘鼓浪；其奇以峭者，如大別臨水，祝融刺
天；其秀以靚者，如江花媚人，澤蘭被坂；其妙以麗者，如漢女明妝，湘妃挾
瑟；詩道至此，盛矣微矣，蔑以加矣！雖景升才高乎，然自窮愁以來，目亡他
營，精亡他用，以此致力，何境弗詣，何美弗臻，斯鬼所縣哭，帝所縣畏也；彼
千騎東方、百城南面者，又烏得與景升分曹角技哉！若余進而與士大夫伍，則進
賢羞其塵甑，退而與景升垺，則名士輕其覆瓿，余何足敘景升詩，而景升故昌歜
暱余也，則何居！萬曆己亥春王正月人日，東海友人屠隆緯眞甫譔。南郭友弟劉
然子矜書。

明袁宏道涉江詩序

　　近日江南北談詩者，什九出汪王二公之門，其一雖不出二公門，然用意屬
詞，居然在二公繩尺內，間有稍知趨向、恥爲摹擬者，雖亦時時姍笑此輩，及下
筆，未免爲格套所縛，浮泛雷同，往往而是，雜毒之入人甚矣。其尤可怪者，曰
唐無五言古詩，青蓮、工部諸公無古樂府。夫唐人作古，不效齊梁，此是唐人高
處。六朝人擬古樂府雖近似，然牽合附會，如小兒吹泥畫壺，萬口一腔，不知李
杜當時，何等厭薄，始別出一番手眼，譬如見瞽者之杖，而責明眼以空手，見跛
者之扶，而譏捷足以單行，吁，豈不悖哉！至云詩中忌用唐宋事，則尤爲乖戾可
笑。夫唐人既可用梁隋矣，今獨不可用宋元與？七百年間，好者可鑑，醜者可
戒，顧在人善用與否耳。且唐人未始不用唐事，如羅虬比紅詩用太眞等事是也；
宋人未始不用宋事，如東坡魚蟹有監州是也。諸如此類，不可盡述。近有客盛稱
武當者，但以不得唐以前事爲山病。余謂茲山與天共闢，不爲不古。古人不見武
當，古人自不幸耳，茲山何病？談者無以對。詩忌之說，無以異此。嗟夫！一鳴
百吠，虛傳實證，遂令後學小生，空腹高心，轉相剽竊，全不知詩爲何物，詩道

之壞，至今日而極矣。潘景升與汪司馬同里同社，又曾遊元美先生門，而所爲詩，顧獨清新超脫，不入近代蹊徑，可謂奇極。往予與東南士談詩，高者駭，下者笑，惟景升一聞，以爲決不可易。計交游中與余論合者，寥寥數人而已矣，聽者且難，況能爲詩者哉！涉江詩舊二十卷，予精選得十之四。倘有刻意爲詩，無淪舊習者，請以涉江爲篙櫓焉。戊戌元夕，石公袁宏道敍。

明梅守箕涉江詩序

　　明之稱詩者衆矣，由成弘前而論，不勝靡焉，惟慮其不似古也；論正嘉而後，人人務振躍之，惟慮其似古也；隆萬以來，紛然自爲跳逸，乃似古而益不似古也。此何以故？以其非詩人而爲詩人也。夫都盧旃檀之香，焚而知之，然煙之所及者近，而香之所聞者遠。琹之聲以絃，而有不在弦者；書之法以筆，而有先于筆者。故孟氏說詩，不以詞與文先意與志，善哉！夫六經之有詩，猶日之有月，樹之有花，其景象意態，必不可相無也。仲尼刪民風，採閒適奇縟之言而以爲經，故有言外之旨矣。世之人徒役其思于規畫篇句之間，乃謂之詩乎？蓋昔之靡者，沿于習也，其振躍之者，工于擬也，其自爲跳逸者，益之以多聞旁搜而已也。自其爲漢魏人而似之，則輕議六朝，自其爲初盛唐而似之，則輕議中晚，是何詩道之捷乎？于是無不朔操觚而望，即以名家者，此無它，非詩人而爲詩人故也。吾友潘景升者，本詩人宿因，生而能詩，其意度情識然也，能任物而不著于物，能使其才而不爲才使，能立身揚名，而不受有名；多情因而寡情累，有普濟心而無普濟迹，有身事而不涉身患，日游于世而離于世故，此其獨全于天者與？此所謂詩人也。得其意與志而文與詞傳焉，練之以沉思，廣之以多學，泳之以游覽，淬之以諸艱，唯阨苦仳離鬱邑侘傺之中，而閒適之景常在，故一寫之于詩，而其味深長，詠歌之不足，而不知手之舞之、足之蹈之也。涉江詩由廣陵、秣陵，而止江夏，西豫章、東滄浪，其所溯歷必窮其勝，目之所寓，情之所極，何者非詩，而必使外無餘境，中無匿情，深厚婉致，自然而然者，夫豈有待哉！余嘗謂詩之道，自南宋而來，一靡一振，無非襲取，有待于人者也。弇州晚造，方啓其端，要之一代之音，由今始暢，非余私景升而漫爲是語也。景升客楚時，江東故舊，人人望景升，其爲漢南之休者。或以咎景升，然景升不楚游，游而不久，久而不困，亦不能極其所至如此，涉江之爲益，顧不多耶？大率景升詩皆得于游，今其涉江、黍谷、冶城、東游與白榆社諸冊具在，其日異而月不同也，信乎能自立之爲賢矣。序涉江詩者有雲杜、四明、公安、桃源諸君子，余于詩疎甚，不能如景升爲工密語，何能序景升詩？第深知景升人，而最好景升詩。千古之下說詩者，其謂余知言哉！大明萬曆庚子中秋日，宣城友弟梅守箕譔。門人羅㸒序書。

明虞淳熙涉江詩跋

袁二挾方子公來，稱是潘郎弟子，問潘郎何得便交袁二、袁三？子公爲出涉江詩，大有新客，亦復慕好李公大德，乃李忽先有所投，何也？一片憐花心，翻爲此曹輪轉，競來擲小果哉！卷中吟贈著壞色衣人二十三輩，是何物人，嫵媚得如林姬范月卿否？命兩娥纖手繡之，便自有百千種色耶？涉江採芙蓉，偏得勝蓮，故當不惡。若一日千偈，從袁二、袁三，肇林社熱，白榆社寒，如舊盟何！幸好一曲薤露，送明卿修文地下，地上詞林，政爾盡屬潘家。然七才子，才鬼矣，將無藉向人懺摩綺語？即潘郎受讁僊，決不免驚心押舌哉，半盎半逍遙，纔可自娛。空望六馬仰秣，未似百歲後邀命，命涉德水、唱和雅音，西方美人，那得不更嫵媚？萬曆戊戌夏日，西泠友弟虞淳熙書。

明江盈科涉江詩序

潘太學景升，古新安人也。稟性豪宕，賦才俊警，自君髫時，輒以古文詞受知汪伯玉、王元美、李本寧諸公，赫赫名起。乃其挾策赴公車，連不得志，于是爲君稱屈者日衆，而君之名日益起。君夙負向平之興，不屑蟠伏藕孔中，頃歲渡江，倚棹廣陵，弔隋宮遺址，欷歔久之。無何泝江而上，歷潯陽，陟匡廬，登玄嶽，經武昌、齊安，郢中諸山川郡國，其間若滕閣、鶴樓、雪堂、赤壁，蓋陶彭澤、禰處士、李謫仙、白舍人、蘇學士窮愁扼腕之所，君徘徊想望，意趣灑然，若有合者，每觸境感事，莫不侈詠于彩筆，襲美于錦囊。已復放舟東下，從青陽躋九華峰，蓋興盡而返之時也，起視篋中艸，遂哀然成帙，君自題曰涉江。行次眞州，二三友人袁中郎、汪仲嘉、程仲權、梅季豹，各爲君選次，蓋披沙揀金，所存皆寶，計得詩凡若干首，彙爲十卷。君將歸新安，取道姑蘇，出以示余。余展閱一過，大都君古體能稟于法而未始不極其才，近體能抒其才而未始不閑於法，要以蒼健爲骨，秀美爲澤，方之古人，鮮有不合，求之近代，罕見其侶，名下無虛，君之謂乎！余覩君方面美髯，貌符其養，形中其聲，竊謂昂藏如君，必非終老煙霞者；而君年四十不得意，又性喜周急，好結客，遂乃囊乏一金，家無擔石。夫世之貫朽粟紅，前歌後舞者，多屬椎魯不文之夫，而君雅負妙才，貧困乃爾！然則飽鷿飢鶴，司命之袟，吾將執之。言畢假寐，司命見夢，揖而告余曰，甚矣子之闇于命也！不觀古卓王孫、王愷諸君，豈非雄于貲者乎？迺其人不能吐一佳語，使後世稱述；而杜陵、李白、賈島、孟浩然輩，筆搖山嶽，唾噴珠璣，率空窮匱乏以死，造化乘除，理固有然。且千秋而後，總計所得多寡，則杜陵、李白，必不肯以我之空窮，易卓王孫等之富厚，明矣。今子乃欲我李、杜、卓、王，合爲一人，則請子爲司命，我乃爲子，恐子不能以其全奉我，而我反執子之袟，子且困矣！不佞聞之，憬然有悟，謂此足以解景升。抑不佞有不能自解者。不佞令長洲六年，貧如諸生，而風雅肺腸，見蝕薄書，不勝繡澁，富貴文章，都無所據，豈其猶多肘間五兩銅耶？撇却肘間銅，退而與景升爭衡文苑，鹿死誰手，必有分矣，司命其無余靳！余將終執爾袟，不相放也。景升聞余言，不覺失笑。君鄉人程君光祿迓孟國學鉉仲慕誼嗜文詞，相屬爲君助梓是編，輒援筆題數語爲之序。時萬曆戊戌夏五月，楚桃源江盈科題。吳門薛明益書。

明王稺登涉江篇序

今歲戊戌春暮，景升自維揚來，客吳門凡三月，將歸新都，余亦有明州之役，蓋余不見景升幾十五寒暑，景升神情益朗，風度益高，才品益峻，長者之行亦益修，覩其涉江篇，神來意愜，捋君于思，浮以大白，呼潘郎可兒也。君曰，子爲我序之。是篇盈箱，存者十二，袁中郎披沙，江進之爲鍐木矣。二令君者，非與子同心乎？子何惜一言！余既重君詩，且重拂其請。舟抵武林，暑如灼，取景升一篇讀之，都忘褌襪，於是知詩如清風矣。見異色者目流，談異味者指動，景升詩非異色異味乎？好豈獨在余，人人艷且慕之矣。然景升不自名能詩也。景升好游，裹糧躧屬，求仙采眞，登高丘，望遠海，凌霄漢，出宇宙，疇謂我嚴君尚子哉？景升好俠，釋紛死黨，排難居間，千秋一言，千金一諾，疇謂我朱家季布哉？景升又最好詩，秀若朝霞，皎若寒月，駘蕩則嬌鳥游絲，凄清則驚蟬落葉，秋水芙蓉，不足爲采，空谷幽蘭，不足爲芬，疇謂我厮養曹劉、衙官沈宋哉？詩不談詩，乃爲善詩，猶易不談易，乃爲善易。玉不脛自走，珠不翼自飛，桃李不言自成蹊。不聞西子以毀忌稱妍，騕褭以齮齕逞駿，譏評可以博名高，謗訕可以誇獨步？嗟嗟！風流頓盡，大雅云亡，曾謂詞人不如屠沽儈父乎？司馬相如客臨邛，臨邛令日往朝客，客由此重。景升才何必減相如，長洲公豈不臨邛客？客於吾土非不久矣，既無柔曼以動琴心，又鮮阿堵以供資斧，徒割五斗之餘償剞氏劂氏，游不太薄與？無乃譏評謗訕可得志，桃李珠玉乃見擯耶？此邦之人，奈何不知異色異味、不目流指動，而俾景升之不馬卿、江侯之不王令也？君歸爲我謝新都諸公，長洲非鄙小邑，但饒含沙，不饒程鄭，豈直貽我敝邑寡君羞，余亦竊醜之矣。是歲六月初伏日，王穉登序并書。

明張敉涉江集跋

夫造物之於人也，予之以富貴若常，予之以才藝若悋，故人之生斯世也，求終身尊顯則易，求片言幾道則難。予中年遂知新都有潘景升，嘗抵掌而談秦漢，奮力以挽風騷，及過吳門，潘爲壯夫，予已白首，各恨相見之晚，猶以修名見屬以後世相期。予則顚狂自廢，爲日久矣！間以東游、冶城、黍谷、兼葭諸品相示。予覽不終篇，惟恐遽終，不能去手，執簡嘆曰，其志爭光於日月，其言等敝於霄壤，名下無虛，豈不信然。又以涉江一種，命爲小引。適桃源江使君令吾邑，右文好士，於景升歡踰重客，誼過臨邛，述匠心之源，究作者之概，予復何言哉！景升吞吐六代，綜括三唐，音非朱絃，詞非黃絹，寧棄去不屑就也。大都諸集不貴於旨綴綺靡，而貴於興寄才情，故不襲古調而頓超時格，每出新意而悉去陳言，最爲快矣。予友顧靖甫稱景升好義若渴，擬香山而開社，置鄭驛以通賓，其舉晏嬰之火，分邱成之宅者，往往而是。一集中如陸無從、李卓吾、朱貞吉、李季宣、喻邦相、鄧太素、吳明卿、李本寧、屠長卿、袁小修、丘長孺、方子公、王行甫、何仁仲、王幼度、顧所建諸君子，皆不肖交舊，雲雨既散，山川間之，自是蘭心遂成萍梗。景升于諸君子授簡，擬梁園之勝飛，蓋眆鄴駕之遊，江左風流，盡在於是。言有重於金石，而諷有篤於韋弦矣，亦思將其小乘，附諸大方。長洲張敉幼于撰。

（黃永武審查　　張子文標點）

鶴汀詩集十卷四冊　明李之世撰　清乾嘉間覆刻明萬曆間刊本　12654

明李本寧圭山副藏敘

太史公曰，詩三百篇，大抵聖賢發憤之所爲作也。吾宗子長度，豐於才而嗇于遇，絕不見怨尤於時，又何以稱焉？然吾觀其圭山副藏諸篇，不過騁奇逸之氣，以寫其祖太白而宗靈均之概，求其困窮拂菀於揮毫濡墨間，寂寂無聞焉。說者曰，此固李子之善於怨也。夫可以怨者詩教也，則如古風、歌行、五七言律諸作，殆可與燕齊吳越諸君子相頡頏。當時之士，靡不願奉程式，而長度遜謝未遑。比觀長度爲人，目空一世，心期古處，時時欲並駕齊軌于襄陽、東坡間，則圭山副藏之名是編，蓋深切矣。太史公曰，藏之名山，副在京師，以俟後之知言君子。長度亦況此意，其爲詩如此。是爲敘。時萬曆歲在己未上巳日，秦淮宗末李本寧頓首拜譔。

明韓上桂北遊草敘

余與長度交垂二十年，其始長度與蘇汝載、楊亦琳善，余嘗游古岡訪亦琳，未及問長度，適其北還，走片札訊汝載曰，孟郁來，不一省予，令人不無嚶鳴之感。余時始知長度，及一見，遂莫逆也，詩篇訓和，郵筒之使不絕。是時長度在諸生留數載矣，雖工古文辭，尚觭於遇，衆或以此尤長度，乃長度不少改。亡何，督學山陰朱衡嶽公來，再試俱首長度；龍巖王虞石公來宰古岡，喜造士，每課亦必推長度最，於是長度之名遂震。丙午雋賢書，挾余偕計，道上遇方孤旋、陶逸則諸子，亟口道長度才，亦不鄙余以旗鼓相上下，以故長度雖暫蹶，而燕齊吳越之間，莫不知有長度。長度爲人，美鬚髯，善談笑，遇景臨勝，翛然若有獨往吐諸吟咏，不數大曆而下。今所彙梓，其北遊諸稿也，沉詣有致，一軌於法，以示海內雄壇，豈出鴈行下哉！余與長度既夙善，不能多譽長度，乃其淵然、蔚然若在篇章者，固不可掩也，遂直敘其概，以諗世之知音者。時萬曆己酉中秋日，賁禺社弟韓上桂頓首譔。

明吳兆等選刊題辭

相傳合選諸稿，編目三十卷。自其初稿之選也，則有家園草、圭山副藏；行稿之選也，則有南歸草、北游草、竹笑亭草；家草之選也，則有涉園草、雪航草、浦山殘什、諸如小草，又有溪上草、息廬詠、青竹園稿、塗草，又有詠物草、不住菴草、山樵雜詠；至於所云選稿，又名泡菴草、崧臺草、一榻齊草、冰竹洞稿、剩水山房稿、當泣編。司鐸于瓊，始著朱厓集之五草，一集浮槎、二集可廬、三集歇園、四集和蘇、五集韻語上。（紀諸稿多殘缺失次，僅存十一于千百，幸見朱厓集原刻瞭然，餘皆湮沒，可勝惜哉！）選閱同社諸子爵里，吳兆字非熊，新安人；冒愈昌字伯麐，如皋人；林古度字茂之，閩人；吳元字彥先，新安人，兆之弟；喻應蓋字叔虞，南昌人；孫穀字子雙，華容人；周應辰字斗文，蘄縣人。

明冒愈昌禽判獸經題辭

予既選長度詩若文付之梓矣，長度復出此二則見示，則纂于長度而其弟文度襄之者也。余讀之不勝心賞，夫此雖長度之游戲三昧乎，乃多識鳥獸艸木之名，固吾夫子之言也，則亦何莫非詩教乎？是故更梓行之，不以爲帳中之秘，而并貴雒陽之紙。廣陵冒愈昌譔。

（黃永武審查　　張子文標點）

————————————

來恩堂草十六卷八冊　　明姚舜牧撰　　明萬曆末年刊天啟間增補本　　12661

明朱長春序

有經世之文，有名世之文，亦有持世之文。上不越道，下不騖才，獨稟稟以其眞行取翼古，輓近所裨理系，俗化最篤，世可摹而式也，必何用雕蟲□藻斧，壹擷百氏六藝之菁爲文乎？則賈馬升堂而入室者哉！長春自束髮從先博士謁游姚先生之門，習先生湛於業，嫻於詞，樸嗇內敦，都無競營，厚執于昔理儒之篤行。少有名經生，壯登賢書，困於十上□仕三令，以故非好，又直意行古，不□於當世滑脂遇合之善，抑抑氏眉俯仰，揚権賢豪，間賦遂初，歸杜門讀書，專家人之務。數年而長公江都君以進士起，則先生庭趨世其家明效云。先生晚通五經，猶雅深於宋君子理道之書，每會其微，自摽所獨詣，與今古諸師儒訓故揚扼上下，期直暢本宗，行有五經四書疑問及性理指歸諸書。名賢之士，素守一業門戶，見而往往心醉。天下用其成言，發儒林高第比比，輒爲先生悲，解頤不試也。門內六子三母，螽斯鶺鴒之風，雍雍如一，各相其能，分任耕讀，代主錢穀筦篚，先生一無私，諸郎亦一無私。吳興故多豪於鬩墻操戈之變，破家刑骨肉獨甚，世世不絕，聞先生家風，無知不知，誦義無已，云孝友姚氏焉。所著家訓，人頗比家範，酌古義、調今情，是爲實志足徵矣。平生自好，罕可一世，以長春陰行獨脩，敦於家，嗜道畸人也，間嘗進與譚經藝，賞其一往微中、別解助起之表，又稍稍名于古文辭，以近所刻集屬序。夫經爰典常、弘訓善世，善之固以持之。聖人曰，言之無文，行之不遠；不又有言有枝葉隱于榮華乎？使五車八斗無旨遠之辭，壹鬭工於華而拔其根，雖名百代，太山之一落葉耳。自爲道，浸厭故技。慕往善世之用，猶累于才，出入古今名理之間，必用通俗持道。姚先生可謂引經自善、去華而植本者，故不以文行，先生亦自曰不以文。五湖門下道民朱長春太復甫撰。

（黄永武審查　　張子文標點）

余學士集三十卷續集不分卷二十冊　明余孟麟撰　明萬曆庚子（二十八年）重刊本　12663

明曾朝節敘

　　學士幼峯先生集殺青，竟授節讀焉，喜曰，可得而聞者，名也；不可得而見者，人也。讀茲集，乃見先生焉。先生雅善奕，四顧目中少有與爲敵者。然奕亦若用兵者爾，有稱曰，某能將兵數勝，才將也。某之勝某，以某陣絕奇。夫稱將若是止爾，當其戰、以法布勢，以巧鬭捷，緩急在心，機動神運，能令觀者駭愕嘆息，不能以其狀存於異日有據而可傳也。奕之疲神苦思，料在著先，算超意外，局終客退，不復記其所以勝矣，孰與茲集之能托於不朽也歟？節嘗學爲詩矣，派從擊壤集來，景之所觸，即爲見解，興發情至，無復雕飾，亦其初入主之，不可移易，勉而爲古不能，江門先生欲以堯夫兼杜許之乎？其於文亦然。苟可以發攄一得，即工拙不暇問。受性質野，不知有粉繢冶豔之好，長而効人，愈覺不類，奈何語於詞藝之林哉？今先生之詩，雄渾沈鬱，繩墨漢魏，裁之以體，不以情趣流失而傷於易；程之以律，無一字經生口吻，以趨於纖細卑弱，甚矣先生之嫻於詩也！文亦先生之手談也，神閒識朗，從容一枰之上而有餘思，所蓄貯者厚，故辨而裕；所陶洗者精，故華而整。蓋先生之於詞，亦其天性所就嗜者在此矣。自其家食稱詩名在才士墨卿間，即不高第，而在承明著作之庭，已不泯泯。既而入翰林久，詞固其素業，乃益探討當世，淵博矣，著作之盛可量乎？詩

若文共三十卷，集之行，爲萬曆乙未，其夏，節獲論著之也。賜進士及第，南京
吏部右侍郎，前詹事府少詹事、兼翰林院侍讀學士、正史副總裁、經筵講官、國
子監祭酒，衡郡曾朝節頓首撰。

明 劉 元 霖 敘

　　古今名能文章家，誰不以標格勝哉？顧此未易譚也。胸不羅二酉，目不涉三
五，猥以黯淺之致，跟蹱塵壒，徒取其餘靈，學一先生言顯托作者之林，卒其所
就，彀音耳，故夫大人則不然，朗徹洞視，狎睨千載，取精多而命物弘，倜然以
不朽自托，繇是抽要揚芬，往往景與意會，事繇神傳，鏗鏘璀璨，似卿雲麗天，
鍾呂在御，斯文章之極觀，而大雅之遺則也。不佞愧匪嫻文，然嘗持此說以流覽
古昔，惟龍門卓絕奇才，復好游名山，以博暢瑰瑋，故逸氣翩翩，不可捉摸。李
翰林身不澤垢，固神僊中人也，雖寄跡金馬，而凌厲之氣，不啻口出，當時唯賀
監知之，一見呼爲謫仙，不虛耳。二公外，撰構時有擅場，不無要唯，靈襟磊
落，瀟灑出塵，則指不數屈，此豈天之生才實難，抑遭會致然邪？明興，文運熙
洽，著作日富，自北地生起，始力挽西京體。嗣七子並馳，講業中原，即瑜瑕不
掩，而各邕其才情所至，以雄長藝壇，彬彬乎一時之選矣。乃吾師幼峰先生則尤
自樹一家者，非邪？先生蚤膺鼎甲，入明光，讀中秘，累官司成，中外望其大用
有日矣，乃先生冲夷亢爽之氣，得之天至，雖居禁近，蓋多煙霞之致焉。而獨時
時摹古修辭，名篇大章，多自手出，竟以性有獨適，不能首鼠兩端，自癸巳歸里
以來，大放厥詞，益闊以肆，積盈緗篋，悉付之梓，爰命不佞序之。嗟乎！霖何
以揚扢先生之大哉？顧唯先生之文，壹似先生之爲人，先生神明祛練，偕之大通
一切，誹譽利鈍，烏有空之，鶩精四游，千古間極意命物，毋復追痕，若犄足五
父之衢，而自顧其步履之所安。嘗試讀先生疏策，而耇然鴻碩也；嘗試讀先生傳
敘，而穎然周委也；嘗讀先生銘誄，而悽寂若隱也；嘗試讀先生詩歌樂府，而晨
光熹微，而襭襭雯馳駮電也，高逸雅馴，直頡頏秦、楚、漢、魏、開元、大曆
間，絕去近日噪蟬塗雅之態，則先生所稱獨步，而知其必傳於後無疑也。嘗觀我
朝東里諸公，倡爲館閣之體，循循尺幅，辟之彫玉，懼損其肉。先生獨窺徵夷，
力追古作，固研精所致，然其胸臆，羽翼騎驥鸞鶴，則余所術史遷、太白風流，
不曠百世而相證哉？雖然，先生文具在，連城照乘，見者自珍，何有於霖不佞
言。霖不佞，而謬爲一言讀先生，是謂吹劍首者，映而已矣。萬曆戊戌孟秋上浣

之吉，賜進士第、中憲大夫，奉勅巡撫浙江、都察院右僉都御史，門人瀛海劉元
霖謹敘。

明朱吾弼序

　　先生當甲戌廷對，發抒淵藉，纚纚萬餘言，時聖天子嘉異，賜及第，寓內人
士宗之，衷然有公輔望，此其時，何遇合也！茲先生以大司成歸矣，三山二水，
棲遲其間，一切塵寰間毀譽、利鈍失得之故，不復嬰諸念，暇則手次其前後所爲
詩文以見志，且曰，吾輩負七尺軀，蓬蓬人世，詎直雪煜勛名、鼎彝竹帛爲幻跡
哉！吾何知何求耶？嗟嗟，先生之天定矣，彼人喜於試其材，而又欲騁夫材之所
極，急爲世用，每緦緦焉恐齟齬而未盡用。夫材欲騁其極，則意不勝揚，用恐其
或齟齬也，則意奪而不勝閔，故有所托憭摛藻，格卑氣弱，而弇淺無味，思以附
作者之林，難矣！吾弼繹先生集，迺充然自得而與境會，境合則收天地之和美，
以寫吾快，不合亦不抉天地之商慴，以洩其不平。凡陳事宣情模景，總括諸家言
而用之，體裁正、神氣王，嗜之雋永而不窮，衡古通時，蓋眞有德言哉，我故曰
先生之天定也。昔人稱文章與時高下，必若所云，則自西京建安而下，皆無文章
矣，豈知時有變遷，而理寓夫文，則亙古亙今無二也。彼士君子資適逢世，應風
雲，馮日月，豎掀揭事業于當年，此必俟時至耳，無時則否。若德由我也，言則
由德，雖值波靡轗軻之秋，吾德吾言自若也，時得而限之哉？先生在史館，聲籍
籍甚，及涖南雍，士或趨澆漓擘帨之習，翻然一新，不謂先生之不遭時與用也，
第以先生蘊藏道德，將伊周事業，旦暮遇焉，而竟以詩文寄，固深爲擘腕爾。雖
然，先生直浮雲視之，即功與言皆幻也。千秋而下，評先生者，當與歐陽文忠並
列。文忠變鉤棘奇喬，歸於和平雅淡，迄今讀六一居士集，猶爲欹袿，吾弼於先
生亦云。若夫論先生之大，則冢宰衡陽曾公序之矣。萬曆乙未陽月既望，賜進士
第、南京福建道監察御史，門人朱吾弼撰。

明顧起元序

　　學士幼峯先生集，凡若干卷，業板行矣，已而中燬，侍御朱公，先生門下士
也，謂先生立言之盛，意在斯編，請更梓人，緯諸逤貫。刻既竣，先生授簡起
元，俾書其事。起元恭承嘉命，樂觀厥成，深惟不敏，獲奉履絇，與聞典述，嘗
竊伏歟經國之業，江左代興，在昔先民，並擅奇響，至其異曲同工，實未有若先

生者也。蓋先生巧極天符，精合神緯，而又少習蘭臺之籍，長繙藜閣之書，以故無思不玄，有言必麗，集中所載，諸體具存，芒引星辰，氣凌河嶽，譬則玄圃之積，靡非夜光，東序之陳，壹皆秘寶矣。至其高文大冊，聲諧楚音，緝藻陳詩，律諧周雅，所謂龍攄玄扈，鳳扻紫庭，郁乎治世之文者也。若乃苞孕道眞，詮綜朝典，探之可以作津梁，循之可以立壇宇，又非特遒文麗藻，炳朗詞林耳矣。是編也成，實惟懸諸日月，道在不刊，豈直張彼國門，人莫能易乎？然今先生年高神王，齒宿意新，青簡益充，墨莊彌富，未發之韞，其可量諸！侍御公本以入室之英，獲觀武庫，復以藏山之業，播在通都，信乎絳帷之策，必屬康成，玄經之興，惟期桓氏矣。起元守在甕天，觀同牖日，敢以小言仰贊鴻業，所爲不辭而書之者，未云王生辨賦之知，聊副蔡公與名之意云爾。萬曆庚子仲冬至日，賜進士及第、翰林院國史編修、承事郎，年家晚學顧起元頓首書。

明 袁 懋 謙 敍

　　不佞謙自束髮受書，雅慕古不朽之業，于時文喜漢兩京，詩遡大曆而上，歷漢魏古樂府，靡不掇其菁英而含茹之，而以觀于世，鮮有犁然當鄙衷者。乙酉之役，謬以經術受知幼峯先生余公，先生出所爲詩若文示之，與曩所冥契合。歲戊戌，復拜先生於白下私第，則先生謝事歸耕幾年矣。於是先生之籍成，間以畀謙曰，願以玄晏屬子。謙受而讀之卒業，乃敢復于先生曰，余讀先生籍，而感古今升降之大機也。夫稱文以漢，稱詩以唐，譚藝家類然。第世運密移，如江如河，有莫自知其墮者。漢世破觚斲雕，其文爾雅深厚，如賈誼、董仲舒、劉向、匡鼎之徒，匪經弗援，匪史弗采；詩三百篇，其旨温柔敦厚，而唐人獨得其遺，毋論侍從應制諸什，春容大雅，即摛爲放臣棄妾，無聊不平之辭，靡不忠厚懇惻、怨誹不亂，則何妮風人哉！續是綴文之士，舍經而子，舍史而稗官，習爲洸洋自恣之談，而文日漓。弘正間，作者繼起，風雅猶存；嘉靖以還，士始挾氣逞力，語多憤激，間雜佻浮，三百篇自此詘矣。作者實苦，亦惟是世變人心卒不易挽。今先生成籍具在，試按籍而求，其文不典謨、詩不雅頌者幾何？蓋先生天授既奇，儲材尤富，陶鑄今昔，抒發淵靈，原本六經，極命庶物，鴻裁灝灝，大風泱泱，蓋眞可著廊廟，可被金石，而近作雕蟲家，當之辟易矣！或者謂先生躬際熙明，世當景鑠，承明橐筆，容與高華，故其爲文，若世所稱館閣者。使先生退而就荒涼闃寂之濱，其境移，其言當不爾爾。此夫以遭遇論文，而不究其本眞，謂知先生不可。不佞謙謂文生於境，境異則遷；文生于情，情至靡易。先生冲和凝粹，自其天性。于學雖無所不窺，而尊經信史，確不可易。蓋自爲諸生，以至三策天人、兩都械樸，且退而相羊三山二水間，數十年一日也，而文亦始終一轍，此豈移易外境者哉！而先生爲人，復爾恬漠寡營，搆世而不爲世所滑，嘗語不佞謙，名與生俱浮，榮與賤相倚，即目所覩記，成毀圓缺，不知幾何人，而吾道自若也。故其神思翛然，不復攖情去住。世所知者，先生古文辭爾，而澄懷朗識、軒軒霞舉，非交先生久，鮮有窺者。不佞謙因敘先生集，而及先生所以爲人，見文不涉境，自生于情，而先生之文，直與漢董、賈及盛唐諸子，並傳不朽可也。萬曆戊戌中秋日，門人豫章袁懋謙謹敘。

（黃永武審查　張子文標點）

天倪齋詩十卷四冊　明鄒迪光撰　明萬曆戊戌（二十六年）梁溪鄒氏原刊本
12664

明鄒迪光自敘

　　嘗謂古人之於詩，必窮而後工，今人之于詩，非窮不但不工，亦不敢作，彼振纓承華、抱牘展采之士，曾未嘗輕自操鉛槧出一語示人也。往余弱冠釋褐，官尚書郎，領將作事，與貂璫者俱行，多掣其肘，三十專城握虎符治高安九屬邑務，日夜孳孳，得民和。三十餘而爲楚督學使者，奉子墨氏以往，焚膏繼晷，迄無寧日，拮据前後，不暇爲詩，更不敢爲詩，有所哦咏，甫薄咽喉而遽收之，間一落筆伸楮，第以自適，不敢懸書國門，實惟是觸諱犯忌之爲兢兢。乃今放逐歸來，衣大布，短笠芒屩而游田間，窮矣，窮則無所於顧忌，而得爲詩矣！故才不必倚馬，思不必七襄，語不必雕蟲，葉玉而自喜爲詩，甚至于詩成而日益減產，損匕箸考所不問，即窮亦且忘之矣。第余拙甚，無能爲工不工，而亦竟不能多，大考卒歲可得一帙，積二歲而集始一出。茲稿乃丁酉春至戊戌夏、一歲有奇所爲詩也。客曰，子蓋嘗揶揄海內人士，操觚未前，而刷青在後，猥以瓴音托于九皋，詫示海內，至使鄧林之材，僅以供刻集之用，而不自知其爲木之災也。脣口未乾，而子自蹈之，亦不自笑而笑他人耶？噫！嘻！不然。昔伯牙鼓琴，鍾子期聽之，志在高山，曰，巍巍乎！泰山。志在流水，曰，洋洋乎！若流水。子期

死，伯牙終身絕絃不復鼓。夫何以故？重知己也。世也而無伯牙，我者則已籍令
六合以內、九有而外，有一子期，余安得不急之，余安得不急之！余又安能矜愚
匿醜、掩然退藏自爲帳中之秘已也！若乃因噎廢食，惡醉止酒，創世風而去獨
見，固哉！夏蟲之於冰，余無取矣。詩凡二百九十首，四言二首，樂府三十五
首，七言古三十三首，律一百八十首，絕句三十九首，而統命之曰天倪齋詩，以
多成自齋中故。時萬曆戊戌四月既望，鄒迪光彥吉父識。

（黃永武審查　　張子文標點）

鬱儀樓集三十卷八冊　明鄒迪光撰　明萬曆癸卯（三十一年）刊本　12665

明 鄒 迪 光 自 敘

　　此集詩若文計三十卷，詩六卷，自己亥至壬寅三年內者，文二十四卷，自甲
午至辛丑九年內者，總之歸田以來所作也。不佞生平宦拙，乏捷足以趨逐，少揚
面而造請，以項則彊，于舌爲短，恥作和柳，厭捧毛檄，又世好抵萬乘、傾同
儕，飾情箕穎，假口濂洛，敗衣廢履，敝車羸馬，陽爲名高，陰博厚稍，而不佞
皆不然，故宦路岨峿，遂以強仕之年爲挂冠之日歸矣。歸而木雞自保，塞馬不
問，又無能營素封之業，而爲計然；結歡伯之好，而爲公榮；崇□睐之奉，而爲
登徒；逞濟勝之具，而爲尚平；往往取枯腸涸腹，羼形弱質，而從事於世涂。厭
棄人情屑越之物，翰墨競作，伊吾不輟，左圖右詠，濡首滿志，乃一奪於善病，
而文園消渴，藻思垂萎，再奪於團焦，而丈室毗邪，語言幾絕，何能貝葉與筆花
遞茂，三墳偕五石齊嗜也。且文亦難言矣，繁葩失實，純樸累藻，博虞鮮裁，約
懼未騁，獵巧而雅敗，酌奇則經廢，鬱伊愴怏，和漸以滑，游矯沕濔，情于何
有。締法者遺心，匠意者踚搆，工端者忽尾，極亂者略初，詞壇學步盡屬壽陵，
文苑棒心悉是東里，求其本之以天府，索之以帝先，範之以古鉶，琢之以神斧，
探之以陸海，噓之以橐籥，馭之以衡氣，收之以溟漠，葉玉非玉，弄丸非丸，運
斤無斤，解牛無牛，則習者蝟毛、臻者兔角矣。昌黎氏不云乎，苟非天之所與，
求一言之幾乎道，不可得也。不佞能如襪線，智似挈瓶，曾無子建七步之材，殊
少太冲十年之力，既鮮士安淫書之癖，又罕茂先博物之見，以季緒之委瑣，當明
遠之才盡，總非天授，徒爾學習，有所結譔，卒不過借以適意因而送日云耳。蓋

用之杯酒以代譃，用之哀悼以當哭，于祇洹爲偈語，于山林爲樵唱，歌風則謳謠，慶喜則祝詞，燈前比於兒女之談，岐亭將爲執手之贈，豈其妄意作者，希志大業，亨嫩帛以千金，輒覆瓿爲帳秘，刑白馬于壇坫之上，垂青汗于名山之窟也。嗟乎！人亦有言，文窮而工。又曰，身隱矣，焉用之。故沉沙腐體，騷史乃出，拾栗帶索，詞采不著。今不佞身隱而文，大非其當，窮愁且拙，不工于詞，二者將奚取焉！且不佞既以學佛，又復善病，而乃拈不律弄側理，刳心剔腎，塗藥醉墨，將無增其明，淫賊我靈府，滋消渴之疾，犯綺語之戒乎？因於行散後書此數語，向薄迦氏前一讖吾過，若曰以詫示海內，則不佞烏乎敢！萬曆癸卯五月既望，鄒迪光彥吉父。

（張健審查　　許惠貞標點）

石語齋集二十六卷六冊　　明鄒迪光撰　　明萬曆末年原刊本　　12668

明鄒迪光自序

　　文章與時遞變，時隆則隆，時替則替，迴狂瀾者不百一，而逐流波者長十九，自昔而然，至於今而變甚矣。厭工而尚率，棄奧而即浮，訾壯而貴桮，斥閎而鬪纖，弁繪而競俚，惡恬而嗜棘，忽腴而甘瘠。街談巷語遵爲典謨，齊諸虞初等之訓誥，取蘇長公咳唾之餘，饗以千金，即袁中郎優俳之語，亦當法物。尋聲逐響，希光跱景，轉相傳效，互相摹倣，而至於六經子史諸書、左馬班楊曹劉阮謝沈宋李杜諸家，則曰，安所得此朽腐樸遬也者而用之。其或有稍自陶鑄、微能梭織者，亦不過小鬟昵語、阿儂細唾，而元氣元神索然殆盡，敝也極矣。惟夫卓犖瑰瑋之士，其自植完，其自運力，其自釀深，其自置高，其自治嚴，其自積厚，其自會遠，祖秦禰漢，禘六朝，祫三唐，而實不借彼朽骨，托彼靈爽，藉彼芻狗之陳以爲用，於禪爲大乘，於師爲大將，能使野狐破膽，偏裨受律，直將變世，而不爲世所變，楚咻不入，廣陵自操，嗟乎！安得若人，而與之礫犁丘之鬼、蕩潢池之寇哉！余生平有一片冷腸，不肯隨逐人，有一條傲骨，不肯附會人，而於抽毫命管，亦有一段靈明，獨裁獨搆，不肯附人口頰，隨人踵趾。世以今，我以古，世以今人學今人，我以今人學古人，世以學今人而勝古人，我以學古人而勝今人，古人所未至者我至之，所未盡者我盡之，今人之所謂已至已盡者我置不問也。假令一時操觚之輩招我於壇坫之上，我決不肯入，擯我於壇坫之外，我亦不爲憾，知有古人而已，知有以自己神情命脈爲古人像貌而已。顧余質魯，無吞雲吐鳳、探珠奪錦之奇，又賦性嬾，無懸樑鑿壁、撚鬚走甕之猛，趨時不能，而學古無獲，虞兩失之，是余所爲，自少至老，神藥心茹而不但已者耳。集何以名石語？昔庾子山謂北人難與周旋，惟溫子昇寒山碑差足賞，舍此片石外，無可與語者，甚哉其言之也！余於文不能隨人，則亦何以語人哉！善乎少陵氏有言，文章千古事，得失寸心知。斯言一出，石爲點頭。石戶農鄒迪光。

（張健審查　　許惠貞標點）

————————

始青閣稿二十四卷十二冊　明鄒迪光撰　明天啟元年梁溪鄒氏原刊本　12669

明 鄒 迪 光 自 敘

　　方余之有事於著述也，□□曹劉文學司馬遷而十□□□六□而詩…（中闕）…之詩學□□□□學蘇長公而十不得二三□學愈近而所得愈難，寧□□難之，已艾之年，力不副□□固然者，近且悉置諸氏不問，而專與己周旋矣。人所必無，己則必有，人所必有，己則必無，人所或有或無，而己則必無必有，我與我周旋諸□□□□少陵漆園義□□□□目口鼻盡已忘卻□□□□而人之非矣，然己果是乎？□〔己〕果非乎？我逾諸氏乎？諸氏逾我乎？不能自辨，而須人辨之，此是集之所由出也。乃余之爲此卜筭之意，更有多于考業之意者，蓋夫人晚而習操觚之業，不日進則日退，其大較也，日退而虞其無年，日進而喜其永筭，又大較也。余將用此問人，其進乎？退乎？進而可益筭，退而虞無年乎？如其夕葩正茂、花冠未萎，當將此不律與軍持樏椎互相爲政，倘或不然，定舉郳侯之架、惠施之車，擲之香水大海外，決不復共生活，若曰必用以受彈射而改玉改趨，則余已矣，不能以有盡之年爲彈射改趨之地矣。天啟改元秋仲之望，石戶農鄒迪光彥吉甫譔。

（張健審查　　許惠貞標點）

————————

隅園集十六卷八冊　明陳與郊撰　明萬曆丁巳（四十五年）海寧陳氏賜緋堂刊本
12671

清錢謙益敘

昔尹莊簡嘗與張靜之評宣德以來六垣人才，靜之首言林季聰，莊簡曰，季聰何敢望與中。與中者，吾吳葉文莊公盛也，文莊當己巳之變，一日三疏皆切中機宜，兵垣至今傳誦之。余讀文莊文集及水東記，通經學古，熟習掌故，沈浸含蓄，浩然無涯，蓋其所淵源者深矣，與文莊同時在諫垣者，如林莊敏、尹恭簡、姚文敏及張靖之諸公，狀貌才識行藝相副，諸所建白卓然可觀，蓋先輩問學咸有原夸，發攄之爲文詞，厝注之爲政事，浩汗演迤，若甕大河而決之，非如後之儒者，徒以科舉剽竊之學酬應世務，捃拾支吾而坐見其詘且窮也。故太常寺少卿海寧陳公，萬曆初所稱六垣人才也，公始應制科，即以鴻裁艷詞沾被作者，及官掖垣以至都諫，志氣發舒，所條上皆天下大計，其所爲疏草，核而不劌，詳而有體，識者以謂有文莊諸公之風焉。公没凡若干年，其孫甫伸刻其佚藥，予得而論序之，乃知公之學問，所謂通經學古、熟習掌故者，卓然不異乎先輩，而非後世科舉剽竊之學所可庶幾其萬一者也。韓子有言，士不通經，果不適用。文莊諸公邈矣，居今之世，有欲求通經適用之學者，舍公其誰爲質的哉！自公去諫垣以迄于今，九變復貫，不可勝紀，然叫囂詬諄之風殆如江河之不可返。文中子曰，太熙以後述史者幾乎罵矣。讀公之集，令人有餘愾焉，公之言曰，江陵以前爲諱言之世，江陵以後爲輕言之世。世道之升降，公兩言彷彿盡之，余姑不具論，而獨以謂通經適用之學漸湮於世，此則人才盛衰之原，而國論得失之林也。故因甫伸之讀而序于公之篇首以致嘆焉。甫伸遭家多難，奮跡賢書，汲汲焉求公之遺文而闡繹之，以昌明其先德，可謂有志者也。海虞錢謙益謹敘。

（張健審查　　許惠貞標點）

隅園集十八卷十二冊　明陳與郊撰　明末海寧陳氏家刊本　12672

明李維楨敘

漢文帝言，年壽有時而盡，榮樂止乎其身，未若文章之無窮也。故操觚家嘔心涸腸、囊古邁今，以蘄於無窮，文誠無窮乎哉！然非根極經史，而鏤泉畫脂、無當於用者，則窮根極矣；而炫奇弔詭、不範於型者，則窮型範矣。而境泰波恬，據梧滴露，不出没於驚湍怒濤，以激其顛倒震撼之勢，壯其跌宕磊塊之襟，則不之動，豪桀之諮嗟而亦易窮，無窮易言乎哉！余平生縞紵交不乏，而主盟中原者無踰臨邑邢子愿，子愿不可一世，而莫逆無踰鹽官陳廣野，廣野之於余又不寧子愿之以。自余待罪浙臬，時披其帷、抱其度，扼腕其不平，肝膽非一日，故廣野歿而銘其墓而哀之，缺焉未獲闚其匱室之藏，亡何冢孫佶挾笈遊白門，謁事蘧廬，出公佚藥若干卷，屬余敘之。余卒讀之，不勝憤盈焉、唏噓焉，廢筆而長太息曰，有是哉！才之見忌也，不獨於人，造化猶然。公生於東南宏麗之區，而根柢六經，吐吸百氏，以攟藻而膏文，有不東西京之序傳碑紀乎？有不建安六朝之表啟銘頌乎？有不董賈蕭劉之封事論策乎？葩若六橋之映帶，而不暇應接也，矗若兩目二峰之嵯峨，而莫可攀謫也，洋洋乎若溟渤巨浸之灝溔，譎怪而莫可端倪也，此之以窮公乎哉！乃黃門諸流抑相推揚，遺佚汰冗，費肅蘆疊定壽宜哉？謇謇謣謣，鰓鰓娓娓，昭德塞違，以當聖心之采納亡具論，至於直諫言路通塞之因，略云，蕩蕩平平謂之路，禁不得行為塞，君懼不敢行為塞，乃競出於旁蹊曲徑以行，而故謂之塞臣，不謂之塞，言路大夷而人好進，則好進者塞之耳，言路固未嘗塞也。壬午以前，可謂諱言之朝，壬午以後，可謂輕言之世。少年見一二敢言驟權朝右，希踪歌歎，往往不蟄而雷，不晨而號，則言輕；一縱舌鋒自亡顏面，狺狺焉，吠內為譙，嘗蘭為蕭，則言輕；未嘗學為牧而談牛羊，未嘗學為田而談禽事，不中機情，不中內相，而高自附於引裾請劍，則言輕；或捃摭殘編，或翻瀾遺唾，不但新進制老成之命，即弟子唾其師不顧焉，則言輕；一手握名，一手握爵祿，得繼彌重，得位彌高，故未出國門而心計橫飛，直拜之年如此，而以奪位鐫秩化正之，是陰事其所重，而陽遏其所輕，何異以魚去蠅、以肉屏蟻耶！流布中非，無不膾炙人口，洵當年之藥石、今日之膏肓哉！而無奈忌者之噂沓叢至也，彼時江陵已敗，而必江陵之，太倉未入，而又太倉之，太倉去矣，又組織往銓考選之溢，以林魚之，終老城隅，婆娑三徑，自以為無違，天人無爭矣，而又以飄瓦拾煤之禍中其家，□□〔其？卿？〕必死之為快哉？讀蘋川諸剳記，強半囊饘中，刺血裂腸所吐露，吁嗟乎！自簪筆迄懸車以畢世，其間出沒于波濤者，不知其幾矣，造化忌公邪？余故筮大有之三，以仰公于黃門，筮遯之五上，以快公於隅園，筮無妄之三，以為公鬱壹於蘋川也，而猶幾幾公碩果之必萬卷，菲之勿逐，剝無不復，而終克有濟也。造化果忌公也邪？抑有疑于公焉？古今□〔？〕之行世，幾于塞屋充棟，諸體載備，公亦間作傳奇、小令，令童子按節歌之以禮，倦乃獨詩賦不載行歟？余知之矣。□〔？〕世詞壇龐雜，枵腹而談，空拳而搏，捃拾爲賦，叢韻爲詩，跳浪於詔，人情徒之，間乞靈於學士大夫之口，以爲嚆矢，而羔鴈騷雅陵夷，於斯爲極，猶之粤無鎛、燕無函、秦無廬、胡無弓車，蓋夫人而能鎛、能函、能廬、能弓車者也，官人無之以爲有，公有之以爲亡，誠不言天枵腹空拳輩，魚目而砥砥之也，不然以公之才，太玄潛虛讓其邃，屈宋揚馬遜其藻，何難錚錚細響而藏拙之爾乎？供奉之律、拾遺之絕如二手，李杜不以文敵詩，昌黎不以詩敵文，獨擅其至，自古已然，而何疑於公？公不事諫垣乎？諫草纍纍，陸敬輿不足過也，且不以諫顯，而安在以文顯乎哉？公不以文顯，而螫公猶不休，藉令公之文早見于世，公之志時見于詩歌，則青蓮眉山之禍中，公志豈其微哉？茲集也，雲霞珠玉，朗朗映人，其若孫搜佚而得之者特一斑耳，而公之在朝言朝不負朝，在野言野不負野，概可睹矣。遇而不遇者，公之遇也；窮于無窮者，公之文也；窮無窮，非公志也，而況年壽榮樂之云云。余故敘其所爲，以愧諫爲名，敘其所不有，以媿詞爲名者。大泌山人李維楨撰。

（張健審查　　許惠貞標點）

棣萼北牕唫草十三卷七冊　明謝杰撰　明萬曆間刊本　12673

明謝杰小言

棣萼北牕者，從祖都憲約菴公所搆以怡諸祖者也。余祖東湖公於公爲叔弟，以余貴，暨先考學諭梅厓公俱贈通議大夫，先是，余家稱通議者，董約菴公一人，至是有四焉。竊念茲軒者，都憲終於斯，祖父二通議老於斯，黄陂、楚臬、瓊州、象山暨諸文學習於斯，而余杰寔生於斯，謂非天池靈峰之秀所鍾焉不可也，故余集向名天靈山人，而易以今名者，志不忘也。且也吾鄉聞人輩出，項背相望，則天靈也者，乃先達後進所公之名山，豈余一人所敢獨專乎？不若名之棣萼北牕，猶可一家私而有也。昔康樂惠連夢池草於西堂，藝林迄今膾炙焉，余之牕昔之堂也，嗟夫！春草之堂以西、棣萼之牕以北，與別墅之在東山者如出一轍，則夫澄江之練、薔薇之花，安知奕世而下無以南薰繼響者，書以俟之。萬曆癸卯朱明之吉，知非子漢甫杰書于退思軒。

明于愼行敘

往予待罪長安,從繹梅謝公遊,數聞諸名詩家推轂謝公甚盛,僩然在交戟之中,未得請益也。予罷歸日,而公出撫虔臺,乃使使相聞,示以鐫詩二帙,俾綴末簡,受而卒業,獵纓而作,美哉渢渢乎,至音也哉!其才朗以逸,其味雋以腴,其調閑以適,其藻質以綺,內足於性情,而無所強,外合於物象,而無所待,得其眞者也。閩自國初,稱詩有林子羽、高漫士之流,刮磨舊習,倡始正風,百有餘年,復得鄭少谷氏,與何、李諸公方駕中原,自後作者雲興,彬彬稱盛矣,而公又爲之赤幟,地靈煥發,固有時哉!夫詩道固難言也,三百篇之作,本乎性情,徵乎物象,無所強與待也,世之以高張亢節而求助於氣,則內不能無所強,以極命鉤深而致力於辭,則外不能無所待,離其眞矣。何者?詩成於聲,聲出於氣,天地之氣發爲中聲,於音爲五,於器爲八,高下疾徐、清濁纖巨,不可比而一也,是故建鼓之震駴,不慕簫管之和鳴,琴瑟之靜好,不羨鐘鏞之駘盪,其於人聲亦然,惟所稟而應焉,要以自然之韻各鬯其眞,不相假而已矣,如必盛夏蜚霜、隆冬熾日,奏清角而裂帷,歌曼聲而雪涕,非不駭里俗而會急節也,顧所謂細抑大陵不容於耳,和平之道遠矣,斯知內無所強、外無所待。公蓋得其眞者與!公氣韻豪爽,學殖淵博,始仕,大行揚飆異域,既有所適於遇,旋周卿棘容與從橐,又有餘於時,故能內調性情、外含物象,而於是道深也。今茲位躋公袞,進符泰階,將以和平之聲鳴國家之盛,雅頌幾可作矣!視閩先諸君子遇時何如?吾以卜世道焉。

明 馮琦 敘

今之爲詩者一何與古異也!古人之詩情而已,若遠若近、若切若不切,而可以自紓其情,可以諭人之情,人己之情兩盡而語不必盡,彼與我知之而後人有不及知者,此古人之所工也。其在後人不然,其人其地其事與夫官秩姓氏,皆引古事相符合,以爲典切,而己情不必紓,人情不必諭,語已盡,而讀之不了了,一了而遂索然無餘,蓋古人以情爲詩,後人以詩爲情,古人似虛而實,後人似實而虛,虛調易擬,實境難工,出乎虛者有極,而入乎實者難窮,蓋天下千變萬化惟情而已。今人以意爲雲霧、鬼神,肖不肖無可據也,然不過數十百端,即彼與此相類矣。善畫者圖,天下人妍媸美惡、肖不肖立見,苟得其眞,則萬億人無一相類者,此虛實之別也。司寇謝公尹京兆時,因魏長公識余,以詩命余序之,余受而卒業,法而雅,詳而典,肌豐而骨強,色正而語和,詠物則妍麗於徐庾,述事則沉酣於子美，事無牽會，語無湊泊，因實境所至而因以命之意者，合於古人之所謂情，而余所稱寫眞者耶！蘇子瞻稱畫竹必有成竹於胸中，執筆熟視，見所欲畫者，急起就之，如兔起鶻落，稍縱則逝，此眞能得竹之神者也。詩亦有神於此，當其卒然而遇，冥然而合，情與境相際而生，夫無外境即內對不起，然當其胸中所無，即外感之不應也，此無他，神相得也。謝公起自閩，生而攬結武夷之勝，又官使垣，轍跡半天下，琉球之役，波濤萬里，與天俱碧，歷歲始致命於闕下，比之子長龍門會稽之游，益遠益奇，而一寫之於詩，不知情生於境，境生於情，要之非謝公，所歷不足以益謝公，非謝公，雖有江山不爲助，此無他，神相得也。談詩者執余說以窺謝公，因謝公以窺古之作者，庶幾旦暮遇之，總之不離實情實境者近是耳。

明 李 廷 機 敍

　　京兆謝公，與余同庚午舉者也。余嚮得公詩一二誦之，窺豹一斑耳，今手是編，諸體種種備焉。自昔謂詩有別材，非關書也，有別趣，非關理也。公詩固從讀書窮理中來，而材趣自足，故辭贍而氣逌，致密而響逸，足以規摹前秀，鼓吹休明，稱詩穎已。夫詩以賦事見志，聲音之道本與政通，故吉甫作誦，穆如清風，詩三百篇往往矢自賢士大夫之口，自功言途析，而始有從政不達，專對不能，如尼父所譏者。今代自李何二三君子以詩鳴己，不競于仕，其它搦管登壇，騷雅自命，而及其從政，率豪舉疏節，絓于吏議者比比於是，墨守之士戴星衡石，以吏爲師，仡仡簿書期會間，鮮復講誦風雅，而公自起家大行，以至今官，所至職思其居，精核細綜，號爲治辦，顧能有餘力以游於作者之塗，仕不廢學，吟不妨政，聲律、吏事兩擅其長者乎！世風既下，甫爾蚤鳴，傲然虎視，哆口而譚建安開元之業，若無人然，而公逡逡篤行，即以余之習於公，每見其蒿目時艱，僂指世務，未嘗及詩，即是編非其邑屬請之之勤，猶不欲發篋也，如公敦厚，蓋得詩之教者，詩其必傳！

明 陳 省 敍

　　天靈山人集者，繹梅謝先生所著也。先生逢衣爲諸生時，於書靡所不窺，即百家衆技、稗諸小說，與夫道典佛乘，咸究觀洞徹。或誚之曰，士既屈首受經，爲舉子業，惡用博取，効陽翟人居積也。先生曰，吾取其博要以合吾之約，不爲病也。既而登鄉籍、薦南宮，海內操觚之士爭讀其應試弘博精深之文，歛袵避席，乃所作古文辭唱咏諸什，里之人知之，四方之士未獲覯也。茲天靈山人集出矣，邑令長健吾孫公刻之，屬余序焉，孫公文雅，聲詩振南海，宜其篤好，余則何以序先生也夫！亦以茲集也，先生之緒言也，而非先生之極至也。余嘗登崑崙，探河源，混混然而瑩，淵然而冲，漠然而不可窮，其流也，淙漅汪洋，涎涴瀠灣，瀉而狂奔，注而涓涓，橫側曲直，高下方圓，形聲貌勢，隨直變遷，皆可以爲水，而不可謂之源。先生邃養厚積，彌中彪外，吐而爲辭，唱而爲聲，敷而爲政事，積而爲功烈，抑揚闔闢，剛柔微彰，夷險常變之遇，與道咸宜，夫亦先生之緒餘也，而非先生之極至也。今觀其集，長短唱和，其雍容閑雅、冲淡和平，如杏壇揖讓，舍瑟起對，何適也；而橫放激憤、魁傑崛巖，又如彈筴擊筑，持盤攝衣，一何壯也；其優游惻怛，戀戀不忍，如江州聽絃，不辭更坐，何婉也；而慷慨正直、果決安定，又如談笑而當衷甲，一何烈也；蓋篇帙無幾，而文字屈伸之變盡於此矣。先生家世業詩，其尊人梅崖公，仕邑博，爲中丞約菴公之從子，喜吟咏，以古學倡邑人，先生少習其教，今仕大行，涉齊魯燕趙吳越之墟，邇奉使琉球，入海外之國，布天子聲教，以勞晉光祿丞，駸駸密近，恭覿禮樂制度之盛，預講中外政俗之變，其所聞見日益廣，所制作日益富，所頌述形容、功德美善日益習，夫亦先生之緒餘也，而非先生之極至也。余於先生有連情且厚思欲叩先生之混混而瑩、淵而冲、漠而不可窮者，庶幾一飲滿腹焉，乃先生未有以告余也，抑先生將取其博者以合其約，歛不爲密，放不爲顯，目觀乎虛室之白而非近，足窮乎日出之地而非遠，片言希聲而非簡，盈几案牘而非煩，郊丘宗廟，敷著論闡，可以爲雅，閭閻閭閻，憂思愉佚，而亦可以爲俗，先生方且躍然自失，即欲言之而不自知其所以爲言，以余之讔讔，乃於序先生之集，欲別其爲源爲流，指其緒餘，探其極至，似不足以窺先生之概，將有待於思焉而得之也。因書之以復孫公，且以質先生也。

明 魏 允 貞 敘

夫詩之道尚矣。三百篇刪自夫子，其言曰，誦詩三百，授之以政，不達，不能專對，雖誦何爲。余讀大京兆謝公詩益信。公閩人也，少業詩，長以詩起家進士，筮仕行人，即奉命使琉球，宣主德，揚國威，俾海以外熙然嚮化，有越裳重譯之風，所稱專對者，孰公若？已晉光祿，光祿治，酒醴鹽梅惟和；晉太常，太

常治，夙夜惟寅惟清；晉銀臺，銀臺治，出納命惟允；晉京兆，京兆又大治，政
惟平、訟惟理；所稱達政者，孰公若？今讀其詩，渢渢乎，洋洋乎，多擬古見
志，感時述事，有三百篇遺意。南征則皇華之致也，金梅則鶺鴒之思也，節母則
柏舟之義也，封壽則春酒之調也，諸陵則清廟之頌也，登岱則陟岵之詠也，若
是，公於詩深矣，宜其投之所向無往不效也與！余不佞，不足以知公詩，特表其
有關於風化世道之大者如此，若夫言而文、文而行遠，敦厚藻麗，與古名家爭上
下，則公詩備矣，諸君子之敘亦備矣，余何言！

（張健審查　　許惠貞標點）

───────────

來禽舘集存二十八卷十二冊　明邢侗撰　明萬曆戊午（四十六年）史高先襄陽刊
本　缺卷二十九　12674

明 李 維 楨 序

　　今所在文章之士皆高談兩京、薄視六朝，而不知六朝故不易爲也。名家之論
六朝者曰，藻豔之中，有抑揚頓挫，語雖合璧，意若貫珠，非書窮五車，筆含萬
化，未足語此。又曰，文考靈光，簡棲頭陀，令韓柳授觚，必至奪色，某有六朝
之才而無其學，某有六朝之學而無其才，才學具而後爲六朝，非修習日久實見得
是，寧知其然？國家文治休明，幾與三代等埒，自二三作者淪喪，壇坫虛無人，
邢子愿崛起山東，而海內傾鄉之，如岱宗之長五嶽，如東海之表大風，其文出周
秦漢晉諸家，殊非六朝所能盡。雖然，即目子愿爲六朝，亦吾丘壽王所謂天下少
雙、海內寡二者也。六朝人論文，莫如文心雕龍，雖有作者，莫之能易，試取子
愿詩文，參以彥和之論，統其凡而言之，則神思、體性、風骨、通變、定勢、情
采、鎔裁、聲律、麗辭、練字，有至境矣；典雅、遠奧、精約、顯附、繁縟、壯
麗、新奇，有具美矣。分其品而按之，宗經則情深而不詭，風清而不雜，事信而
不誕，義直而不回，體約而不蕪，文麗而不淫；明詩則采縟于正始，力柔于建
安，情極貌以寫物，辭窮力而追新，或析分以爲妙，或流靡以自妍，有曲當矣。
就其人而擬之，則賈生俊發，子雲沉寂，子政簡易，孟堅雅懿，平子淹通，嗣宗
倜儻，叔夜儁俠，士衡矜重，心手相應，表裏相符，有全德矣。天授之才，人益
之學，囊括千古，驅役百氏，建杓藝苑，傳播夷裔，名下故無虛士，項日後進廣

先輩之說，謂爲僞兩京易，爲眞六朝難，眞能爲六朝如子愿，豈不難哉！余嘗以邢子才比子愿，特取其同姓耳。子才六朝人，在北易爲雄長，令與江左諸君並驅，或亦韓陵片石之類耳。山東有子愿，而南北士林推遜率服，不謀同辭，豈不難哉！子愿每有撰著，注想沉吟，良工不示人以樸，故其遺集視弇州、太函、馮元敏、鄒彥吉諸公，僅可十一；又精六書，多古文奇字，常手校讐，付家梓人，仲子與堦史民部畀余審定，余謝不能，屬之冒伯麟，喻叔虞、茅止生參伍討論而後繕寫，可以剞劂，因述居平所評鑒如此。象白髦殘，鵁酸螭脢，世所希御之珍，不盡悅口，惟識者知其味，地下修文郎庶幾快然若雖霓之讀矣。萬曆戊午仲秋月穀旦，大泌山人李維楨本寧父撰。

明 李 維 楨 序

　　東晉後文獻徙江左，而中原以五胡雲擾，遂若荒服。明興則江左帝基肇迹，故南方之學得精華者校西北殊衆，北史稱邢子才文章典麗，年未二十，名動衣冠，南人曾問賓司，邢故應是北間第一才士，今代有臨邑子愿氏與子才同姓，又北間第一才士也，客有傳子愿詩文十許篇示余，將授梓，使爲序。余按，子才文不傳，度不能超六朝而上，子愿文體沿六朝，而精鑿整潔、新奇充滿，出入秦漢，無六朝人強造不根、誇多傷煩之病。詩自建安以至大曆，撮諸名家勝場，非子才比也。余所見子愿詩文不止此，以兩邢相挈，子才之同於子愿者有三，子愿之賢於子才者有三。子才爲州，有善政，桴鼓不鳴，姦伏及守令短長無不知之，不營生產，糴粟就食，及代，吏人父老媼嫗攀追號泣不絕，立生祠，勒碑誦德；子愿爲令，所日用若酬往交際，悉取家橐，縣以大治，爲御史，出按秦晉，爲楚參藩，察吏如衡鑑不爽，所興除利患悉當衆心，金矢之罰，錙銖不染，以資艱厄，所在尸祝不衰，一也。子才事寡嫂甚謹，養孤子恕慈愛特深，兄弟親姻之間，稱爲雍睦；子愿御諸弟，一體無二，推之群從支屬，有無相共，緩急相爲，鰥寡孤獨各得其所，田所出木綿利差饒，什九在人，什一在己，一也。子才望實兼重，不以才位傲物，脫略簡易，不脩威儀，車服器用充事而已；子愿世家，席父貲鉅萬，而見素抱樸，與閭閈浮沉，衣褐寬博，脫粟飯，蕪菁俎，款段下澤，不識金紫貴人，一也。子才不能閑獨，公事歸休，恆須賓客，爾時南北分據，人故有數；子愿之門，四方賢愚貴賤輻湊輻屬，和顏接引，殷勤勞問，末年析箸，產日減、客日進，婦之簪珥常在質庫，一也。子才繕脩觀宇，爲之名題，有清風

觀、明月樓，不擾公私，唯使兵力，然非當官所宜；子愿領職，不妄興作，家有
來禽館在古犁丘上，蟲具木石，又與衆共之，外戶不閉，一也。子才雕蟲之美獨
步當時，每一文初出，京師爲之紙貴，讀誦俄遍遠近，彼北朝無豪，易高耳；子
愿當一統全盛之朝，學士雲蒸霧涌，以同郡，則于麟之後爲李邢，以座主，則東
阿之後爲于邢，以鴈行，則益都同時爲邢馮，視子才之初稱溫邢、再稱邢魏尤
難，且其臨池染翰，宛然晉唐宋人手筆，上自宮禁，遠及四夷君長，購得隻字，
寶爲九鼎。子才世息大寶，有文情，大德、大道略不識字；子愿諸子都得父所
長，家幹戴祿，亦能校六書，有區惠恭、李善之致，一也。昔陳慶之謂衣冠文物
盡在中原，非江東所及，夫以戎馬蹂躪、羶腥穢濁之後尚爾，況齊魯聖迹未湮，
家絃誦，戶詩書，遺風未泯，國家積德二百年，禮樂大興，子愿巋然特出，籠蓋
人群，奔走天下，豈易也哉！子愿全集出，自有識者所共贊述，茲特桂林一枝、
崑山片玉耳。余第取子才相方，子愿當不受也。大泌山人李維楨本寧父撰。

明史高先小引

　來禽館集，余外舅氏、世稱邢子愿先生所著也。先生少而慧，長益博雅，弱
冠登路爲循良吏，爲名御史，偶里浮議遷楚參藩，秦閟卿移疾乞休，年甫二十
餘，輒被髮入山矣。素不治家人產，日蠹魚經史、諸子百家、稗官掌故間，網鮮
罝翠，漁獵靡遺，嘗恨少人間未見之書，而又字勞編絕，叩玄問奇，反覆商略，
抽繹精華，曾非啜拾餕飣，如世之食生物不化者。以故高文大冊，歷百千萬言，
悉穩嚴古儁、富滋串洽，篇各有體，語各盡意，能令忠臣孝子、義夫節婦、貞士
烈女、勞人逸民，靡不模寫其神情、申晰其肺附，即化工之巧，亦復爾爾。至傅
會枯寂，意態橫生，泠泠穆穆，擲地作金石聲，讀之若際景會，而著見形色，則
又起雷造冰手也，更從轉措處換出天機，無湊泊痕，纍纍乎端如貫珠，一氣噴
飲，敷成大觀，即小而跋標題，寸幀尺牘，泚筆戲言，妙臻典午法門，縱當日
捉塵談鋒，亦坿是美令耳。詩分科品，率蜎宅風騷、枕藉魏晉，以初爲祖，以盛
爲禰，間沿厥中，絕不傍晚季口吻。書法工諸體，章、懷、鍾、索、虞、米、
楮、趙，規模肖像，咄咄逼人，而其最會心慊意，尤在晉王，的是右軍後身，居
然有龍跳虎臥之致，試取臨池妙墨錯雜諸名帖中，不辨誰古。輓歲作蠅頭眞楷，
遒媚如舞女低腰、仙人嘯樹，它擘窠大書，體勢洞精，奕奕生動，雄強如劍拔弩
張，奇絕如危峯阻日，孤松單枝而一種秀活，又如揚州王謝人共語，語便態出

也。偶作意寫卷石、莎草、長松、脩竹，遊戲點綴，羅羅見其清疎，大抵防叔明元章筆意，素練方麴，略騰數墨，上及宮禁，遠逮裔夷，爭傳快覩，即朱提赤仄數流十千，不與易矣。先生能文、能詩、能書、能畫，蕞會諸長，擅絕兼品，褒褒懊懊，鬱爲鉅儒，海內離壇牛耳，微先生屬誰？雄峙狎執也歟哉！乃年政六十有二，鬚髮鬒黑，風神健王，一疾遽殁，殁之日，余方官白下，竟未及訣袂一慟，計聞亟，趣錄貯先生遺藥，貌諸四人，幸長君饒才藻，有父風，綜緝笥中檔，凡若干卷，寄余，余破涕謀諸李本寧、馮元成兩先生，黼閱再過，則付之冒伯麐、喻叔虞，徧購殺青氏，蹉跎匝再歲携歸，復謀諸王涵仲兄，涵仲謀諸牟鳳區公祖，時牟公以齹臺按東秦，慨然括鋑羨，擬壽梓矣，會余有襄陽之役，薄倖可佐不給，矧也牟公首倡風雅，涵仲從中慫悤，余雖蒙愚寧忍舍斾，且在今日，非余之任而誰任焉，於是更番攷訂，集中用古最深，屬司李洪聲希、襄陽令王士完、南漳令李玉彎、穀城令張玉筍，參伍質證，期於義協文通，仍有一二闕疑若三數魯魚亥豕之訛。是集也，散佚什之三，刪削什之一，俟異日蒐羅續補可耳，若乃字櫛句比，校讐編次，始終厥事，則棗陽諭陸敬叔，此君大雅，又緗槖世緒，不負鑒裁，致足嘉也。余蠛蠓者也，不知文翰，焉敢妄評文翰，然得自疇曩口授頗真，故稱述其梗概如此，以爲謬悠亡當大方，余甘姍笑，如以爲阿私所好也，則世自不乏具隻眼者在。萬曆戊午九月九日，同郡樂陵子婿史高先頓首書於襄陽之凝清堂。

（張健審查　　許惠貞標點）

來禽舘集二十九卷十六冊　明邢侗撰　史以明重訂　明崇禎丁丑（十年）留都書肆刊本　12675

明史以明重訂跋

　　外祖子愿先生繼歷下、弇州而起，薄海內外奉爲一代宗工。小子以明，其生也晚，當萬曆辛亥，府君携赴南京民部任，計方五歲，時過外家，僅記外祖右口旁一大黑痣，併彷彿其冠裳肅客容，及取小子抱置膝上一二事，不意其爲永訣也。及稍長趨庭，府君每及少時爲外祖標識栽培，輒思外祖不置，未嘗不泫然淚下，圖所以報之，手出入來禽一編曰，存則其人，殁則其書，將以此志心喪代服勤焉。治襄之暇，訂較付梓，業使天下問字來禽者，得少窺見門墻，然猶以爲未得懸布國門爲歉。會今丁丑，留都書肆，重梓以行，天啟壬戌，府君藐諸孤，且不知有崇禎改元，何論茲集？今之流傳，料地下脩文亦一快事，因簡閱原稿，每見手澤，益爲唏吁，勉爲訂定，欲不失來禽本來面目也。新刻成，大司馬范質公先生庚爲之序，其論外祖人品文品甚悉，所言氣格遒上，直逼東西二京，本寧止以六朝相方，未爲通論，又外祖爲眞六朝，非豔六朝，眞兩漢，非竄兩漢，尤爲知言。外祖家世文章翰墨詳于當世，諸明公茲獨附所自出。外祖有五男子，伯舅玉符、叔舅玉襄皆有聲文學，先后早世；仲舅玉衡博雅，善詩文臨池之技，人稱小邢，世皆目爲大令云；季舅玉節得外祖楷法，兩舅屢薦賓興，需時聯翩起；少舅玉褒醇樸能守世業，亦文學。老母內行三，胞姊二，一適齊河尹，一適禹城楊，皆海岱世家。老母拜封安人，制稱恭人，十五從府君，而其字也以結童，外祖常目爲快婿而標識栽培之者。生不肖，二子二女，稱邢家外孫，外祖素嗜鮒魚，老母寓石頭官邸時，每寄奉，及聞訃，絕不加匕，如曾家羊棗矣，至今二十餘年，每見南糟，思其所嗜，即望之流涕也。小子以明忝爲龍門骨肉，深愧不能大振兩地家聲，惟是此集外祖之神情畢注，府君之手澤實存，恭爲重訂，用作家珍，願與諸舅謀之，決不負兩家先人著書刻書本意。時崇禎丁丑八月二十二日，樂陵外孫史以明頓首百拜跋于家之鳴和堂。

（張健審查　　許惠貞標點）

支華平先生集四十卷附錄一卷十六冊　明支大綸撰　明萬曆四十七年支氏清旦閣刊本　12677

明 陳 繼 儒 敍

　　昔者常樅張其口，以示老子舌存齒亡，天下之事已盡矣，吾無以語子矣。獨孔孟不然，一則曰我未見剛者，一則曰其爲氣也至大至剛，以直養而無害，則塞乎天地之間。夫分剛分柔，此孔孟與老氏皎然大關棙處也。夫老氏鄉愿之漸也，鄉愿鄙夫之漸也，柔弱法門姑可行於宦途，而斷斷不可行於藝林文苑，蓋一有唯唯諾諾之心腸，必無磊磊落落之精魄，百練繞指，昔賢所痛，況文章何事而可以脂韋入之哉！華平支先生甫釋褐，聞江陵有紅蓮白燕之獻，草疏糾之，會抑于座師，不果。已官司理、官藩幕散吏、官奉新，所至執法無秋毫假借，如雪洪侍郎奇冤讞、安溪永春墨吏狀，持論彊鯁，聞之使人心怖。其他憤世憂時、酬知紓禍，凡結轖于胸懷而逆轉于喉嗉者，悉發于詩文雜著中，大都練規格于兩京，采膏腴于六朝，鏗聲調于三唐，而衷之以洙泗之微言、濂洛關閩之正脈，讀其書想見其丰采，殆古之至剛人也。若使得時而駕，亢厲守高，鉗勒貴戚大臣，則汲長孺朱公叔之流，或手提一劍介馬疾馳，決能笞兵數萬里外，爲小范，爲老種；不然，授之高文大冊，指事陳情，隨時敏給，度不減劉穆之輩，而惜乎旋起旋蹶、偓蹇崎嶇，反爲巧宦無文者所笑，豈老氏學術果勝于孔孟剛大之說歟？辛毗有云，是不過使我不爲三公耳。公前爲吏時，部使者以禮徵文于公，公不移晷立具草，若移檄促之，公謾罵曰，支丈人非而記室也。即大中丞無以加公，而公亦傲然，不以屑意，拂衣長往，寡交絕游，其氣益發紓，其骨力、膽力、筆力益得以孤行壹意，惟吾馳驟而莫之敢衡，鼻息所衝，上拂雲漢，穎鋒所注，旁帶風霜，魚不見水，龍不見石，文士不見忌諱，務以洗脫天壤間鄉愿鄙夫之習而已。微獨詩文天地之大也，以剛氣爲覆載，而五行隨之，木銳而好上，金銛而好割，火無性而善觸，水無骨而善排，惟土覺中和，而金木水火之最剛者生焉，女子得之爲貞烈，男子得之爲忠孝、爲劍客、爲文人，皆至剛之所從出也，知此可以讀支公集矣。公晚年自悔少作，半付祝融，今嗣君輩收拾餘燼，而無始以來剛大之氣尤有存什一于千百者，語云，大直若曲，余謂不曲乃直，太剛則折。余謂惟折廼剛，遇不遇何足以論公哉。華亭陳繼儒撰。

明 李日華 敍

吾郡魏水竝時有支、袁兩先生云。袁務爲淹宏多蓄，其文俶詭百變，不可端倪；支先生神骨峻峙，於書無不讀，意所可不可，劃然中斷，若干將之齒肉，性喜扶揚幽節，擊刺大憝，不遺餘力。與袁石交，意偶牴牾，輒引繩批切過苦，袁初格，終煥逯，先生歿而袁操文慟哭以祭，蓋其碌碌礧礧於道德文藝之林，而卒澤於道德靡間也。先生潔廉好義，襟府灑落，湛如曠如，不雲之空，淒霜之曙，清剛沈澱之氣相對，射人觸事，感慨不禁，爲吐砭世語，或褻詼劇嬉笑以出之，不幸有是疾而受砭者，不勝護痛，得先生文，至忸怩不能終讀曰，激哉苟矣、懟歟！嗟乎！水與石齒則激，矢與絃絕則激，水不激，勢不震盪，矢不激，入不深，人負隱慝，而先生爲震盪，急疾以効瞑眩之劑，仁哉，何嫌激！且惟疾犯丹

靈、鬼藏肓穴，斯一痛攻之，而他可不類毛舉，又何苛？先生雅意經世，所至飾
綱陳紀，鏊弊剔隱，爽爽獨運，動求滿志，不顧四伏之戎，世固不容以成先生之
大。夫天既縱先生以睥睨千秋之才，又恣以夷由一壑之適，綠波青嶂，候鳥時
花，一瘁一榮，互進於無閡之宇，幽几淨牕，名香異帙，忽吟忽嘯，自鼓爲天成
之籟，以印心則有古人，以嗣響則有佳胤，若夫烏鳶之所嚇、蠻觸之所爭、炰炊
槐穴之所營營，先生直奮三寸不律，揮之單越于遂矣，何所不足而復實懟歟？故
夫先生之文，陶世十九，超世十七，酬世十五，玩世十三，而砭世之作十不能一
二，是一二者悉抒於潔廉好義本衷，與虛舟飄瓦之偶觸，規瑱忠告，先生雖不任
受德，又何致媒人睚眦間哉！先生歿且十年餘，諸嗣君合梓先生集而謀曰，先人
剛腸峻詞，盍稍裁之以寡怨。余曰，不然，凡物粃綴附合，久必渝，而眞者不
朽，先生眞品眞文，其所刺譏，眞神注焉，不可裁也。昔司馬子長傳游俠、傳貨
殖及諸名公卿，紕繆悉舉，即茂陵諸政無諜隱也，奈何圖千秋不朽盛業，而置目
睫之論邪？藉令袁先生而在，亦必以余言爲然。嗣君曰，唯唯。敢敬附殺青之
端。賜進士第、禮部儀制司主事，通家晚學李日華頓首拜識。

明　唐　時　敍

　　余性喜芡實，流寓武塘，友人憐余病不能飲，率以芡實代酒，然武塘去武林
三百餘里，至彼者皆五日以後之芡實也，余顧友人，我等所啖者，皆無魂之芡實
耳。友人曰魂之說若何，是時几上適有華平先生集，指而告之曰，艸木將生，其
色青，青者象天，比其將終，其色黄，黄者象地，天所施也，故生而象天，歸藏
于母，故終而象地，象天者魂也，象地者尸也，筆畫者字之尸也，刀者鐵之尸
也，運之以雲長，則凡刀皆魂也，運之以右軍，則筆畫皆魂矣。今之文集大抵皆
具字尸耳，人之生也尸輕，亡也尸重，此有魂無魂之別也，今之文集豈復有輕者
哉？魂之爲道，有大力焉，而有力者又不必其有魂，何也？書生腕力必不逮農
夫，然農夫擎三寸管，未成半字，而臂指震動如降千斤之刃，雲長舞千斤之刃，
臂指如意如舞寸管，此可以知也。余山中曾畜小猿，童子持豬肺過猿前，猿驚怖
欲死，夫猿之魂豈不足于童子哉？當其攀高奮擲，有勇士之所不能，而猿則優爲
之，何怯于豬肺也哉？緣其胸臆不了然于肺，奪散其魂耳。今之臨文者矜其魂而
魂亡，不明也，猿之見肺也；鼓其魂而魂不勝，不習也，農夫之舉筆也；利其魂
而魂鈍不靈也，死尸也，五日之芡實也，華平先生之文曾有一于是乎？烏程後學

唐時頓首譔。

明 戈 靖 邦 跋

　　夫自古位不配德，德不載才，爲豪傑缺陷界往往而是。然而位不配德，即稗秩枝官有足鼓吹聖明、羽儀世教者，其人固蠖蟄而龍驤者也，倘德之不克載其才乎？舞高會，營糟丘，月幕風帷，蕗廬人代，而桎梏檢迪，爲誕、爲縱、爲癖而已矣，雖日繁少游之精騎，富長吉之錦囊，亦醢雞未啟其覆耳，而碩喆何取焉？我舅氏華翁起家世德，髮未燥即潛闚理學，直接姚江聞知之緖，而奪席於龍溪、南屏二先生之門，爾時泚筆千言，試輒敓蜚弧，祇剩技耳。少不逢九烈，君壯而始通籍焉，宇內靡不星岳之，而翁之所自矢者，業欲印夔龍而班申甫，詎屑鹿鹿魚魚爲繞指柔？坐是名太高，如孔翠威鳳，弋人爭籠而中之矣，雲舒電爥之獸，秭不試一卷，而歸田依然風節高標，謝諸大夫干旌，不溺于五難七惑間。懷孤憤而洩之爲聲歌、爲贈言、爲著述種種，皆碩人之衰鉞、名教之甄型、蒙眛之燈炬，而非徒祖秦禰漢之戔戔、摹古而爭雄也者，所謂讀書破萬卷，下筆如有神，洵爲翁詠已。翁洪胄賓于鄉，兩次矞且鵲起未艾，相與檢散帙以彙爲一編，夫才而德載之，則鑴是編以出，僉謂武塘支先生兼四科而成三立，亡異啄已，翁所謂掀髯呈才于上清，而請觀十竇者，維其德矣，曷問位矣。邦辱倩愍，殿數言，若曰，冰鑑溢毫楮而么髍，子以玉潤而對揚乎，則吾豈敢？歲庚申麥秋下澣吉，子婿戈靖邦齋沐百頓首跋。

（張健審查　　許惠貞標點）

趙忠毅公文集二十四卷三十二冊　明趙南星撰　明崇禎十一年吳橋范景文刊本
12679

明 周 鳳 翔 序

　　昔孟子闢邪距淫而先於正人心，人心者天下之所以一治而一亂也，生於心，害於事，作於事，害於政。子雲曰，楊墨塞路，孟子辭而闢之，廓如也。廓如之云，有味乎其言之也。我國家當神廟英歲，篤敍正父，無斁康事，鳧鷖既醉之風、卷阿天保之樂，有過無不及焉，而二三憸人窺牀旁之微，生動搖之計，紫芝

之歌難招，黃臺之蔓幾摘，於是一時君子起而爭之，而枋國者陰陽押闔，以剪鴻
鵠之羽。今夫刑人殺人之不可得於明主也，無曰刑人殺人，乃以頓挫而巧錮之，
朝去一人，暮去一人，積漸以往，如易地形，人心之司南者，不在朝寧，而在草
野矣。於是郿上則夢白趙先生，江右則爾瞻鄒先生，三吳則顧叔時先生昆弟高存
之先生，領衰正人，如衣裳之有冠冕、山川之有河嶽，若高則趙先生所舉士也。
諸君子言性命、言氣節、言文章，要皆以正人心、固宗社，萬年之本爲主，諸小
人之訾厲者，不曰彼直寄焉，而曰是好爲黨，引繩而批根，吾以東岡之陂困之
耳，困剛掩也，諸君子以忠義憤發之，故掩而不得出，不能無所發舒，於是以講
學之禍明禁之，邢恕、胡紘、林栗之徒，群陰翩翩矣。諸君子之言有物而行有格
也，皆能脫屣富貴、塵芥功名，彼翩翩者豈知諸人之不可以腐鼠嚇哉！俾諸君子
之道窮桎不行，則天下之人心皆眯而入於邪，懷山襄陵，千變百出，惟吾所爲
耳。諸君子之爲言與學，或以廣大，或以和平，或以精簡，而趙先生一以剛毅發
之，養其浩然之氣，配道義而出，闢仁義之途，使之廓如，其爲人如麒麟之不可
羈縶，其爲才如干將莫邪拂鍾立斷，其出辭不問大章小言尺牘，務出於直截痛
快，如日月之光華，如盧扁之鍼石，又如霆鬭電走，百邪坐碎，間或蜥吻裂脣，
又雜以微辭卮言，使人愉懌，其文辭具在，有心者可攬而得也。先生駕虬驂螭，
不可一世，鴆毒鳩佻，不敢睨其門牆，即蕭艾易臭、龍蠖行權，一經先生之目，
黑白顥如，寧以瑕瑜不掩爲忠，而以浮沉挫銳爲大惡，其慷慨自矢者，蘭枯玉碎
之志至老不衰，蓋自斥於考功。及神廟末年立起田間，驟登三事，而切雲之冠、
明月之被，巇如也，煇如也，卒以荷戈荒塞，溘從彭咸，正人之禍極於北寺，雅
儒之歠悲於南操，矰弋機於上，罻羅橫於下，先生殂，而其巨子至於自沉。嗟
乎！非聖明登極，天宇重開，返旅櫬於雷州，招忠魂於汨水，贈以孤卿，諡以美
號，天下人誰知爲善之福與顯遂之典哉！然生爲國柱，死爲世砥，五十年之內安
危是非之極，先生身行之者，以言紀之，身不能行者，以言昌之，其文可以媲經
墳，其詩歌足以昭信史，若止以離騷、天問、少陵、太白誦其詩，以兩司馬、
班、范讀其文，猶之乎買櫝而還珠矣。丹陽姜抱宏以大司馬范公之命，發其師門
之藏，盡以付之剞氏，先生之靈藉以不朽，不佞翔承命序之，爰告同志曰，昔吾
有先正，其言明且清，即以爲孟子復出，非私於所好矣。崇禎戊寅秋七月，南京
國子監司業，山陰周鳳翔書。

（張健審查　　許惠貞標點）

紫原文集十二卷十二冊　明羅大紘撰　明末集慶堂刊本　12683

明 李 維 楨 序

　　故源議匡湖公卒，諸子彙集其遺文，有賦，有序，有記，有奏，有論，有議，有說，有解，有銘，有贊，有頌，有詩，有傳，有碑，有墓，有行狀、祭文及雜體，凡若干篇，經說、語錄不與焉，欲附剞劂，而以序屬余。蓋今文盛之代，諸起家科目，而遺集十或有半，大都非孤陋寡文，則靡麗浮誇，非軋苴譎怪，則刻畫纖巧，名理之士，餖飣宿腐而鮮心得，名節之士，虛憍高張而乏醞藉，亦十或有半矣。公自為諸生，博學強記，茹古涵今，而晚潛心於學，故其文以理為君，以才為相，以意為帥，以氣為充，不依昔人之籬落，不循時人之蹊徑，譚道道明，敘事事中，陳情情暢，斤斧不露，而鑪錘自工，繩尺不爽，而橐籥無窮，伎倆不施，而形相無遁，文不在茲乎！海內讀公奏，想其風標，若昂奮九霄、縱橫萬里，不可嚮邇，而著作典則雅馴，蔚然有餘思，冲然有餘味，若是放黜三十年，樂天知命，忘機杜德，其涵養深醇，有由然矣。頃者先帝遺詔錄建言，被罪諸臣驟登九列清卿，日以十計，而公九原不可復作，令人扼擘。夫公經世之業未就於一時，而垂世之文可傳之不朽，何足為公憾。公生平行實，余為誌墓，殊未宣備，今敘集復然，蓋愧無能為公役，故語覺縮澀耳。大泌山人李維楨本寧父譔。

（張健審查　許惠貞標點）

雍野李先生快獨集二十卷六冊　明李堯民撰　明萬曆三十六年陝西道監察御史康丕揚刊本　12684

明 康 丕 揚 序

　　快獨集者，雍野李先生所為詩若文，余為蒐輯而梓存之者也。梓存者何？蓋先生才甚高、行甚峻，獨立獨行，於書無不窺，於藝無不工，然持不喜存之以博譽，故其詩若文亦散漫靡考，今所集，蓋余與其同里友人司理侯心于氏，托其季子盡發蠹魚之藏而得之者也。詩文凡若干卷，間存十五，雖不足以盡先生乎，然齊城徑珠、楚山寸玉，庶足以窺先生概矣。余辱先生國士知，前役晉，聞先生病，走役間之，旋已不起矣，誼不忍其無傳，因爲次而梓之晉中。蓋先生以儁才侍今上，爲名御史，舊理鹺三晉，三晉之人至今思之，故刻之此地。且先生攬轡省方，風裁矯矯，毋論南北薦紳，先生均能道，而會上神聖莫測，宵人時詗輕重以爲奸，先生遇靡不言，言靡不至，甚至大政大議舉朝合詞以諍者，御史大夫必舉以屬先生，而先生援書立就，每奏出，靡不人人心折也，故數十年來，西臺稱直臣者必首先生。然先生退閑多閉室，鮮延見，即居里時，蕭然齋署，亦靡倡酬之侶，歲時臨眺群唱和，自數友人之外無與焉，聊自媮快而已，蓋先生不喜飲，獨與數人者飲必醉，不輕詩，獨與數人者游必吟，是可以觀先生之獨矣。今先生之集具在，古體五言追建安宋沈，七言律直擬少陵，七言絕則與青蓮、龍標爭驅並儷矣。今世人驟聞余論者，或謂有然有不然，然使按集而奏之，引商比羽，有不信余言之非虛者乎？嗚呼！奇矣。然先生負其奇，而不欲以奇見，仕踰三十年，位僅至京兆，天下方用先生之自快者，因以卜先生之大用，乃先生遽已矣。壽未躋耋，而位不配才，此海內之所爲聞而悲也，悲者此世情急才之念固然，乃先生生且爲獨守，爲好澹，且不欲以文自見，而又烏計人之知不知也，故嘗自題其軒曰快獨，蓋其脫落一念，見終身之不肯少踰云。嘗有人勸其少爲圖通者，先生報詩曰，生來堅把船頭柁，不借人家水作船。嗚呼！是可以覩先生之微矣。余讀先生集，感其自快之意，仍以快獨名之，庶尚論者當無失先生之眞云。萬曆三十六年孟夏吉旦，陝西道監察御史，濟南古平原門人康丕揚譔。

明李維楨序

郢人李京兆公畊堯，家有樓曰快獨，日讀書其上，討論著述，即家人鮮接見。公既沒，而其子從樓中得手澤而整輯之，其姻戚知交于尚寶、康直指、侯郡李、梁明府，相與校訂，而付之梨棗，本原公雅尚，遂稱之快獨集云。蓋今之作者爭好古，奉若功令，轉相倣以成風，盛粉澤而掩質素，繪面貌而失神情，故有無病呻吟，無歡強笑，師其俚俗以爲自然，襲其叫呼以爲雄奇，字琢句劌，拘而不化，麋而虎皮，鶩而鳳翰，迹若近，實愈遠，于以命令當世，取須臾之譽，猶夫色屬內荏、穿窬之盜耳，則獨不快之以也。人生意氣，心知靈明，變通可以窮千古、羅萬有，奚必傍人門戶、拾人咳唾、因人嚬喜爲哉！今李公集具在，統而評之，其襟度恬靜清遠，其格力沉厚雄健，其韻調俊爽妍雅，其詞氣平正通達，析而評之，其詩古選簡澹，近體朗秀，其書牘嫻婉，其序記典則，其志載贍藻，其奏議論事論人如指掌列眉，規諫之言剴切而溫恭，不翹過，不磯怒，蓋于古作者無不取財，無不具體，而景之所觸，情之所向，思之所極，匠心自妙，恒超於聞見格局之外，閉門造車，出門合轍，使古人受吾役而不爲所役，善寫照者傳其神，善臨池者模其意，蓋中所獨得深矣。公出而宰邑，爲循吏神君；入而居臺，爲法家拂士；督學政，爲鴻儒嚴師；佐九列，爲鉅卿重臣；所經歷時態，或貴綜覈，或貴建白，或貴清談，或貴勇退，終不追趨逐嗜，人莫得以一節目公，而集亦若是，不可名一家，獨知之契，執極不變，獨運之才，錯出不匱，眞君子哉！余嘗志公墓，于快獨之指，未及發明，因敘公集而具論之。夫愼獨自慊，聖學第一義，公所造詣，潔淨精微，廼求之言語文字間，固哉，余之知公淺也。雲杜大泌山人李維楨本寧父。

（張健審查　　許惠貞標點）

────────────

少室山房類稿一百二十卷三十六冊　明胡應麟撰　明萬曆戊午（四十六年）刊本
12687

明 王 世 貞 序

　　自余結髮而好言詩，所與海內豪儁游，亡不以詩進者，犬馬齒日益，稍見所論著，則諸豪儁自喜行其詩，少不以詩請者，余之不能工爲佞，不能使人極意以爲艱，而思謝去之，幾且焚筆研，而最後乃爲胡元瑞序少室山房詩。元瑞之爲言曰，子所可必者一，所大可恨者，與我所不子負者各二。子甚幸我，而我薦其敝帚以希一言之華袞，則可必。子許我而不即寵施，我即子一旦不可知，大可恨；我雖晚，猶幸及子，而不終子之惠，使後世疑其異時不相當，大可恨。即子過許我，而我竭蹶步武以求踐子之許，不子負；有所彈射而我惕焉，以子爲鑢錯，不子負，子以爲奚若？余乃謂元瑞母刺，促請息焉，而爲若序。余之得元瑞於余仲者半歲所，而元瑞進其詩，余覩之，未嘗不三擊節歎也。天不靳人以材，而人願取其凡者；氣之流行亡所擇，而取其濁者與弱猥者；古人不秘格於後人，而取其下中者；天又不秘其聲色，以供吾詩，而聲取其蠅哇者，色取其黝黮者，纍日吾接，吾汰其精而英者，情自吾發，吾不衷其肺腑者，以是而治詩，以是而號於人，曰吾善詩，吾善詩者何也？元瑞材高而氣充，象必意副，情必法暢，歌之而聲中宮商而徹金石，覽之而色薄星漢而攎雲霞，以比於開元大曆之格，亡弗合也。余嘗語乎仲，諸前我而作者，涵洪併纖，與亭毒並，吾故推獻吉，然不能諱其滓；絕塵行空，卿雲爛兮，吾故推昌穀，然不能諱其輕；刻羽雕葉，舍陳而新，吾故推子業，然不能諱其促；鞭風馭霆，以險為絕，吾故推子相，然不能諱其疎；融而超之于鱗，庶幾哉！然猶時時見孤詣焉，後我而作者其在此子矣夫！其在此子矣夫！以今證之，抑何左契不爽也，亡已而有子規者在，昔鞫傳之稱田光曰，智深而勇沈，不深不玄，不沈不堅，入之沈深，出之自然，完之粹然，如大鈞雕物而不見工，如良工夜輝而泯其痕，斯三百篇、西京、建安之懿乎！是集也，其始基之矣，而猶未也，子之邦君有喻子者，其問梓焉，而以不佞言質之。萬曆辛巳仲夏朔日，弇山人吳郡王世貞譔。

明汪道昆序

　　王者有事名山大川，公五嶽而侯四瀆，有目者之所周覽，有趾者之所周游，則亦亭亭乎高、洋洋乎大矣。乃若環齊州為神海，環神海為瀛海，吞嶽瀆者千百億於其中，即離朱不能窮，章亥不能步，其殆無量已乎！昔濟南先五子鳴，江左猶然，自下濟南，非先秦兩漢不讀，江左無所不窺，一務研精，一務博洽，蓋遞為桓文矣，余則以善為濟南也者不必得一江左，蓋為江左也者不必失一濟南，故推賢唯峨嵋，而自比于滄海，其言出于江左，則亦由中始，不佞以臆言之，孰為兩大，蓋高者有畛，大者無涯，元瑞未及見濟南，故嘗經其畛矣。其嚮往江左，直以為百谷王，江左之言曰，自北地不貴多聞，率屏載籍，斯人寧買吾勇，殆且先登。余嘗程材於作者之林，未可遽數，推乎吾前，吾得濟南，軼乎吾後，吾得瀫水，天假吾年，吾願為多財賈矣。癸未之秋，余遇元瑞東省，方舟而入婺江，少室山房初藁成，長公序矣，中道併出續藁，屬余序之，兩家之言不約而合，諸賢豪目攝元瑞，胡然俛得兩家。後七年肙命嚴瀬，乃更出別藁，是為詩藪內外編，余益多元瑞，語具序中，其年喪長公，滄海劫矣，元瑞西入白榆社，相視露襟，載出筆記十編，命曰叢藁，應麟無所涉世，第作一蠹魚，老萬卷中，堇而不僵，此其沫也，余受而卒業，其該博視詩藪有加，自十三經、二十一史、三墳二酉、四部、九流以及百家，莫不囊括刃解，復屬余序，余在不辭。則又曰，往聞之長公，與司馬並建旗鼓，茲惟司馬為政，猶幸及於寵靈，願奉盟言以冠四藥。始余執業與濟南同功，比歲一周，迄秦漢以上止矣。濟南高自視，嘗以其私語余，彼其無餍，為目不為腹，藉令果然望矣，曾一臠之未嘗，吾弗旨也，不佞唯唯。及四部藥出，睹日月而蔑眾星，即含譽，終負代明，又惡能左江左？大哉孔子，博學無所成名，自生民以來，未之有也，楚鄭而下，代有其人，或博而無徵，或徵而不作，西京或博異物，或博陳言，迄於南度馬鄭諸人，亦傳於博，近則成都，博而不核，弇山核而不精，必求博而核、核而精，宜莫如元瑞當之，則千古自廢其諸搏扶搖而契溟涬者邪？其取材也無非材，其取法也無非法，能閩、能闥、能玄、能黃、能睢盱、能萌芽、能儵忽、能混沌、能雕、能朴、能純、能常、能正、能奇、能變、能合、能王、能伯、能俠、能儒，左右無不有、無不宜，有之似之，固其所也。余齒始彊而目有眚，蓋廢書餘二十年，夙嗜三車，不一寓目，竊惟天地一指也，須彌一芥也，默存而已，疇能盡三大千？善財得法、文殊躬歷之矣。是則元瑞之優為也，余何有焉。元瑞避席曰，余小子故中書淫，重以善病，不嬉游、不讌飲以為常，乃今橐不載書、匕不問藥，飲可盡斗酒，游可盡宿舂，託諸漫衍，無家思息，跰于逍遙之國，視四藥猶芻狗，寧復藉之自眯乎？余灑然異之，此至道之歸也。語曰，所過者化，所存者神，過無方故化無方，存無體故神無體，第令過不越跬步，存不入窈冥，化室神馳，于道何有，強名曰道。弇山今始得之，信如元瑞言，蓋亦觀其竅妙矣。余無以脩元瑞，元瑞又惡用予言。左司馬，汪道昆撰。

明 江 湛 然 序

明興，以帖括俳偶之文籠士，士不復知有古文詞。正嘉以來，搢紳先生始名古學，蓋濫觴於北地，而婁江、新都始暢其流焉，當二子角崎海內，如唐昌黎、柳州，士闖其閾，涉其階墀，即可以傲睨當世，況其服膺避席，而不敢與齒於當世，又何如哉！蘭溪胡明瑞以殆庶之姿，策勳竹素，於文無不工，而尤工於韻語，自漢魏流、開元大曆以還，皆字摹句擬，如循枝攬葉，以探厥本根，意得之餘，泯然與之合轍，其致辯成都勰勰不倦，余季幼清以為忠告，其然乎？又何怪當世方聞博雅之士，聞聲而色飛、望景響而股弁矣。嘗一登婁江之堂，婁江曰，吾不能諱獻吉、昌穀輩之玼也，融而超之于鱗，庶幾焉，後我而作，其在此子矣。交新都，新都曰，成都博而不核也，江左核而未精，博而核、核而精，宜莫

如明瑞。夫濟南之秀句、婁江之東野也，江左之賅練、新都之退之也，若曰吾終
身所服膺在是，餘子錄錄，不復置齒牙矣，一旦得明瑞，而遽躋之二君之上，此
寧可虛詞浮說相假借哉！苞蓄之富、位置之高、騁騖之弘放，誠有以服其心、折
其喙，如尹望邢而泣、季咸見壺子而却走，固不自知其如此也。夫當明瑞罷公
車、脫塵鞅，高臥蓉山靈洞之間，目視雲漢，非其人，即貴倨弗友，傲然以千古
自命，莊生有云，談二子於載晉人之前，猶一映也，豈不然哉？昔喻君邦相尹蘭
江，慕交明瑞，相從於山巔水涯，唱詠連日夕，余心實向往之，適視璩茲土，而
明瑞已騎雲煙去我而游寥廓，勵購其遺文讀之，而板復漶漫紛錯，因以公事之
餘，稍爲銓次，又得蘭溪令君盧爾騰以襄其役，鴻臚趙君文鎮以董其成，孝廉徐
伯陽、章無逸輩以校其訛，皆閎覽博物君子也，卷計爲詩八十，文半之，臚分部
列，犁然可觀矣。余嘗讀弈山羊石生傳，時明瑞年纔三十有八耳，而所著詩已二
十卷，他所撰述計二十四種，共爲卷二百三十有三，制作之富逾於古人，後其年
復不少也，計所論著，當有所散軼伏匿而不出者，購成全書，將在來喆。嗟乎！
蘭陰之間，瀫水之上，高門華閥，上第元僚，指不勝僂矣，其間道德功業昭垂於
日月者，殊不乏人，而明瑞裹敝幘，弄三寸柔翰，直與爭不朽於穹壤，天嗇之於
彼而昌之此，於世正得失半也。乃世或爲明瑞扼腕一第，夫唐以詩賦取士，猶失
之李杜，況夫俳偶帖括之習，又烏足籠吾明瑞哉！史氏傳文苑，要當置是子婁
江、新都間耳。萬曆戊午中秋日，新安江湛然書于金華郡齋。

明盧化鰲序

少室山人者，瀫水胡元瑞先生也。先生天資穎異，目靡所不窺，嘗賈其餘勇
著書，有詩藪、筆叢行于世，而其屬詩，自樂府歌行以至五七言近體絕句，約八
十卷；其屬文，自序記傳狀誄銘尺牘，約四十卷，噫嘻盛矣！郡司馬江公署蘭之
浹碁，民和政暇研神竹素，爰輯而表章之，時則趙鴻臚文鎮與孝廉徐伯陽、青衿
章無逸，若而人咸主校讐之役，余入蘭數月而書成，因得而竟業焉，泱泱乎大風
也哉！蘭地多出碩儒名公卿，其德業文章斌煥海內，即學士所頌述兩賢良而後，
以迨章趙二文懿、陸宗伯諸公，鴻冥龍躍，顯潛殊操，其勒成一家，均足以廉頑
立懦、開覺來學，遭時所陳論，侃侃乎關軍國大計、政治得失，先生與趙陸兩公
同時，意不可一世。幼嘗從其尊人憲副公宦于燕，每嚮慕賢良之不事科名，意已
遠道，迺今讀其詩若文，若讀先秦兩漢兩司馬家言，六朝初盛之風裁罔不具體，

其卷帙之富、篇什之麗,可謂遊五都之市,觸目琳瑯,聽宮商之奏,取韵鈞天者
乎?大都天實生材不盡序巖廊之上,則爲皋夔,置丘壑之中,則爲箕穎,藉令先
生起制科,翱翔木天,高文典冊,一鳴國家之盛,何憂不致身融顯?而一舉孝
廉,絕意纓紳,破產購書,幾五萬餘卷,其撰述稱是有足多者,所知交盡海內諸
賢豪,而夔江、新都最著,夔江之言曰,推乎吾前,則有歷下,輓乎吾後,則有
潊水。新都之言曰,成都博矣而不精,弇山精矣而未核,博而核、核而精,則惟
元瑞,嗟嗟!其論定矣。余于此道猶醯雞,又安能知先生,第就蘭先達之文而論
其世。章趙諸公當朝之九五,道與時偕,故能經緯區宇,彌綸彝憲,而兼總不
朽,少室仰止賢良,綜述性靈,組織詞令,露山川之含光,驚斯人之耳目,身隱
而言章,言立而名附,潛龍勿用,時爲初九,要以數公,不必爲少室,少室亦不
必爲數公,潛躍隨時,符采炳曜。先生所以爲文,道之文也,揆諸聖門,蓋在游
夏之科,即胥臣多聞、子產博物,不足侈矣。易曰,鼓天下之動者存乎辭。其彙
稿之謂也歟哉!客曰,先生論著或滿或不滿,子津津艷之,何居?余唯唯否否,
麟鳳懸體以徵祥,金玉殊質而同寶,形器易昭,今昔所好,廼若篇章浩瀚,質文
或加,賞鑒難該,醬瓿多議,睇月露而躍心,向黏天而旋面,斯亦物情之大恆
也,抑子所謂知希則貴者乎?至觀先生之托跡少室,著書數萬言,藏諸名山以俟
諸其人,超然于塵壒之外,其出處大致,質諸仁山香溪不謬,寧獨文哉!嗟嗟!
太冲不作,皇甫已傳,後有知少室者,當無俟于言之詹詹,第因江公之表章而爲
之稍次其梗概如此。萬曆戊午冬朔旦,清漳盧化鰲書于樂胥堂中。

(張健審查　　許惠貞標點)

────────────

郊居遺稿十卷四冊　明沈懋學撰　明萬曆三十三年沈有容福建刊本　12690

明 何 喬 遠 序

　　國朝以狀元大魁躋位鼎鉉、著名公輔,不可勝記,其不仕而稱者,吾得四人
焉,則羅彝正、舒國裳、羅達夫、楊用修四君子。之四君子者,立朝論事或有不
同,類皆輕溫飽之志,尚慷慨之節。而宣城沈公君典寔與伯仲,其出處之跡頗類
彝正,而其時其勢微有異者,彝正得昌言廣論於不諱之朝,身雖遭斥,竟無有逢
干之恐,以得遂章雲之抗,公之所處,則猛虎磨牙,毒蛇當道,胸度不足膏礩

鑕，而口業以爲斧鉞，故公之飄然而去，堅然而臥，即無彝正之遭，而青天白日之氣、烈風震霆之象，均足皎然於人之耳目。公既以持論奪情不合時相，雖不及露章顯諍，然時相業聞忠告之言，惜乎其徒陷於諛佞之輩，不數年間，時相僅僅以要領殁，而公已淪墜九原之下，世道人心之不幸，其可悲也。公兄子有容，來爲閩閫帥，出公遺集示予，蓋去公殁之二十餘年，時公子有則已登薦書，而有容之兄有嚴，方以德慶□□諱家居，有則至泉，則述德慶君與閫帥君之意，使予爲公訂而刻之。予讀公之集，論學則懲良知末流之弊，而必躬行實踐爲宗；論政則鄙當日綜覈之嚴，而以王道寬大爲本。蓋學問文章出於正義，非徒用一節自皎皎者。公夙承尊甫侍御公家學，既端以修，又故慕尚豪傑長者，傾財好客，說劍談邊，慨然有烈丈夫之風，其文采葳蕤，襟懷磊落，直欲置身古人之間，固未嘗拘攣咫尺步趨之誼，乃其心事較然，終不放焉措於非義之塗、不仁之事，蓋庸夫孺子皆知公之爲正人傑士，斷乎其必爲之也，天假公年，必有潛心默會，以進於聖人之道。而當日公所以自待既高，天下之慕公者亦臂交踵接，竟不得以其間有所著述以垂於後，然則公壽不長，殆天靳之，至其心跡物論，已足見於後世矣。予爲諸生上計，時過吳越間，是時公方舍承明著作之庭，縱遊江以南，江以南人士慕誦公甚，而予缺於一見，乃今得讀公文於公之兄子，勃勃尚有生氣，其猶交公之存也，夫其猶交公之存也夫！晉江何喬遠書于鏡山之自誓齋，萬曆三十三年乙巳歲臘日。

（張健審查　　許惠貞標點）

紫園草二十二卷六冊　明曾朝節撰　明萬曆丁酉（二十五年）吳楷等河東刊本
12692

明曾朝節引

　　紫園者余所卜紫玉園也。今不能即歸而同人於此，歸則將託處焉，蓋夢寐之所不能忘，故凡近草一篇一什之存，皆污之於此園，庶以寄余志。夫余平日蓋學爲儒者也，所爲詩若文不能工，亦不期工，與世詞家異趣，聊用道述余志，與余同趣者或賞音耳。余門侍御太軒吳君、觀察雲石岑君見而欲刻之，茲其有契於余也，意亦另有在乎？不則何以取哉！萬曆丙申閏月初吉，衡郡曾朝節撰。

明 馮夢禎 序

直卿齒視余蓋十年以長，爲同舘諸生祭酒。直卿邃于學，而又嫻于詩，所至輒以詩倡，蓋非徒留連光景，而以陶寫性情，樂而無荒，有風人之旨，君子韙之。余自癸未夏從直卿咏葡萄，遂哭先君子歸，折而復起，比再相見南都，蓋餘十年所，彼此各蒼顏衰翁矣，而直卿意氣更倍，每出必選勝地，同年數子互爲主人，遍則門生故舊繼之，所至必有詩，不數月，遠近三十里間，稱佳麗者足跡幾遍，而詩亦成帙矣，自題曰南遊草，示余，因徵序焉。余觀先儒如程邵諸老，俱學而不詩，今所傳擊壤諸集，雖自成一家，而合之三百篇唐人累黍，未免直露偺父面目，直卿可謂兼之矣。直卿詩於諸體無不工，而七言律尤爲獨至，神動天隨，自中律度，視石渠諸篇，所謂青于藍者也。余才劣，不能爲直卿役，而懶更甚於直卿，所唱踏不一和，顧能賞直卿之詩，杜陵云，安得思如陶謝手，令渠述作與同游。余願托焉。直卿之門士侍御柳君實任剞劂，而誅諾責于余，時余叨新命東歸，舟次毘陵矣。燈下援筆書此授使者，因柳君而質于直卿，想見欣然一笑于三百里外也。長至前二日，年弟馮夢禎題。

明 吳 楷 序

紫玉園在祝融峯下，金粟相映，沈寥曠遠，乃吾師植齋先生之所卜居也。先生領袖白虎諸儒，出入承明之廬，何以題其草曰紫園？明志之有所託也。夫謂先生之志託在紫園，而因託在詩文小技，以與世之著作家門爭馬肝蟲臂之長，是又烏足以知先生哉！先生際鴻昌之運，攻纂述之業，貫穿百家，兼總條貫，實能破耳目支離之筌，抉性命道德之秘，冲玄恬澹，無思無營，而恬不能不觸爲風，玄不能不發爲駿，且得有言乎？且得無言乎？當其無爲有之用，當其有爲無之因，非有非無，若滅若没，宅根於靈鑰，徵興於山川，厄材於目前，融機於象外，故挼慮緒思則鳴，張憲表則則鳴，體物肆采則鳴，徹遠代蔽則鳴，其鳴也，初未常規規然句斤字櫛，如胡寬之營新豐，模擬刻畫，工苦殆盡，而古或合之，今或離之，不蘄合亦不蘄離，情自桴也，調自鼓也。今讀其詩，如四瑚八璉，森然宗廟；又如陶弘景被詔入宮，析理談微，而松風之夢固在，卻不墮在玄妙窟裡，陶冶性眞，鼓吹風雅，無意乎其爲文，是天下之至文，而稱三百篇之遺響者也。昔中郎罷筆於靈光，士衡輟翰於三都，孝緯設案於玄暉，少陵推轂於水部，彼不過競長於音調，退舍於符采，若先生則不徒以音調符采勝也，詩以言志，其辨志詩云，吾道有標的，千秋孔與姬。此先生之志，與先生之所爲，時鳴其籟，以成自然之文。而余與雲石岑君所爲，因言以測其無言之旨，思以公於天下後世之同志者乎？夫太音無聲，聲固不必按也，眞火無候，余又何所求焉，求諸有言無言之間，庶幾其近之矣。時萬曆丁酉新秋吉日，欽差巡按山西等處監察御史，門生吳楷頓首書于河東之虛受堂。

（張健審查　許惠貞標點）

陸學士先生遺稿十六卷六冊　明陸可教撰　明萬曆戊申（三十六年）郭一鶚等浙江刊本　12693

明龍遇奇敘言

　　寶婺三洞，奇勝甲天下，逶邐而西，瓊瓃嶒峻，瑞雲靉靆，其英靈之所孕鍾，往往碩儒名卿出焉，則余師陸先生里也。先生之先鶴山公與章楓山諸公，倡明理學，先生徹沛艾而起，琳琅文獻歸望，海內宗之若泰山北斗云。遇奇以薄技出先生門，來宰長山，偕東陽郭汝薦、仁和吳方之遊先生里，式其廬，瞻謁先生遺像，依依低回不能去，詢之長君，得先生遺文若干卷，以屬劉大史刪定，將諶諸同門遊浙者，協梓以傳，未遽就，會郭吳二君，以得擢行，遇奇在事且久，而大史劉公、觀察黃公、大參蕭公，並以先生門下，先後手書相及曰，此先生千秋業也。屬奇力督是役，誼弗辭，因考先生之遺藁，散佚固多，而茲編也劉大史刪類又甚精，以視全集僅十之五，蓋集中代天言、代人言者，先生原不居名，應酬之章，得者爲鼎，作者爲卮，先生亦不盡居實，讀刪本，先生之集益粹、道益尊矣。奇等嘗侍先生，先生每與門人言文，別其途，曰平淡，曰神奇，而揭其歸，曰信，曰眞，直以屏棄筆剳、究極聖賢裏蘊，爲庶幾當於作者、進於文矣。夫淡非淺膚之謂，其謂詞簡而味沉、淡而不厭者也；奇非詰聱之謂，其謂思玄而旨粹、奇而不詭者也；淡不厭乃眞淡，奇不詭乃眞奇，追琢不用，名理自饒，內而信心，外而信天下萬世，斯至文也。當代作者，北地崛起，用創爲功，濟南、弇州、新都嗣興，或以氣勝，或以才勝，或以詞勝，豈不亦遞執牛耳、高蹻先登與？乃其齗齗二陵，謂視古修詞寧要諸理，夫詞與理安可離而岐也？理苟塞不喻，假之詞，詞汎博無次，軌之法，詞以達理，理必麗法，六經固名理區藪也，而法千變不窮，當令人舉遺編而躍如，彼豈以盲史腐令事事不根理道，而故爲不可讀之語以傲人乎？周禮周官，屬類比事，結撰搆思，豈盡渾樸而未剖者乎？余觀先生之文，其頌疏詩賦序傳雜記，鴻篇短牘，不拘繩墨，亦不離繩墨，隨其意之所到、境之所觸，矢口成言，無不洞然劃然，婾暢于心目，其才情氣調，即以鴈行北地諸君子，奚讓焉！然而先生非有意絜長字句間也，先生挾班馬之才，養歐蘇之氣，而會程朱之旨，其爲文期於根極道要、闡明蘊奧而止，故不務神奇，務平淡，不務藻繢，務眞實，即平淡眞實之，未嘗不藻繢神奇也。連連乎，其若轂轉！颯颯乎，其若雲行！不匿于理而亦不跳于法，參諸作者，百羽集而競飛，濟南、弇州則摩空之翼也，新都、二陵則鳴崗之儀也，先生其翩翩九苞而翶翔千仞者乎？里稱先生爲人磊落坦蕩，自遊鄉校，至出入承明，無華素二相，宦遊二十餘年，第容旋馬，家無長物，讀先生文，按先生生平，忠孝節概，淋漓懇惻，而難進易退之義、澹泊寡營之致，具灑灑晤，無異故眞也。以行徵心，以心徵文，先生之文眞矣，先生之眞，不獨文矣。繇斯以譚先生青箱之傳，固大有光於鶴山公，乃淵源所自，多得之楓山諸先生，而何王金許與東萊諸大儒，則又先生生小鄒魯鄉，所脈脈私淑而皈依之爲鼻祖者也，以此爲奕史冊，垂休來茲，良豈偶耶？遇奇捧遺編，佩爲弦韋，其于以緣飾吏治，儼然羹墻函丈也，匪曰汙阿所好，是爲敘。萬曆戊申歲臘月既望，金華令，吉州門人龍遇奇頓首拜撰并書于玄暢樓中。

明盧洪春序

夫人文有二乎哉？擴達峻潔之士，其文多清新遒勁，究則能以正爲奇，若淺若深，而意恒在於法之外，辟則和風甘雨，天施其常，而物之變幻自異；深雄沉驚之士，其文多汪洋宏肆，若顯若晦，而法亦寓於意之中，辟之奔雷閃電，天著其變而物之流形自同，故韓醇以典，柳麗以壯，歐蘇疏以暢，各隨其學力之所及，以成一家言，總之人與文相肖也。明興，李獻吉之文豪宕鼓壯，而其人矜氣節、熟經濟；何大復之文敏秀瑰麗，而其人務綜博、敦行誼，讀其文想見其人，嗚呼盛矣！邇來文士珠馳璧立，而尚論其人，較若畫一，此亦評文之一法也。吾友陸敬承，特起隆、萬間，自幼警慧，日誦數千言，九歲能屬文，十六補郡庠，燁燁有聲，中癸酉省試，丁丑會試第二人，改翰林庶吉士，以編修充纂修經筵講官，兩主江右應天鄉試，叠典春試，所拔皆一時名士，擢南北祭酒、南右宗伯，

以父喪哀毀搆疾，竟至不起。先是，敬承既讀中秘書，益博洽淹貫，倚馬數千言
立就，初若不搆思，而卒無所竄改焉，文成不自珍惜，又不善收藏，每脫稿輒爲
人持去，故自頌疏試錄外，詩文詞說，百不存一，今且人與文併亡矣。冢子陸合
壽搜括笥中遺稿，僅若干卷，而門士郭、龍二君以屬劉大史刪校，并約同門諸君
子各捐俸，付之剞劂，以志不朽，而屬序於不佞，顧不佞孤陋寡識，不嫻於文，
何能爲役，然不佞與敬承同郡，同舉鄉會，而又脫我於危難之中，交最久而知最
深，素習其爲人，請先言其人，而遂及其文，可乎？蓋敬承胸次灑落，坦夷空
洞，內無城府，外無組織，故文亦春容爽朗，若雲流霞布，無聱牙刺齦語，性復
恬退，咀藜衣褐，不好紛華，不邇聲利，故文亦冲素冷澹，若太羹玄酒，無濃艷
妖異態，性即冲夷，不沾沾自好，而居家孝友，立朝忠清，循矩而趨，望牖而
納，有養志格心遺風，文即簡澹，不屑屑字句，至談古今成敗、國家利害，川至
泉湧，動中綮竅，有江都長沙餘調，說者謂其人似呂正獻，外若猶夷，中實峭
厲，處紛眉巨，不詭不隨，非希世以就功名者。其文似蘇長公，不事彫琢而天竅
自發，驟而若淺，復而彌深，才氣懲溢，無所不極，且窺作者堂奧矣。他如法祖
頌諷而有體，悼亡詩哀而不傷，五七言律古體歌行排律皆清勁流麗，若矢之飲
石，有餘力焉，置之元和、長慶間，豈在長吉、長卿諸人下哉！使天假之年，其
文章勳業當有不可量者，奈何賫志以沒也。嗟乎！典刑雖在，風流若掃，青燈吊
影，空懷山陽之慨，散帙曝晴，更成蜀州之嘆，雄文佳什勒之琬琰，亦足不朽
矣。敬承侍從迄二十年，無他表見，獨以人事君之誼卓冠一時，若東陽之郭振
龍、金華之龍鍾華，時稱龔黃卓魯之流。不佞日湮濡而親炙之，皆陸子所簡拔以
福我嫠民者也。至于諸門士，或列翰苑，或任臺省，或居藩臬，布滿中外，天下
桃李盡在公門矣，故不佞敘其文，併及其以文取士能爲國家樹豐偉之業云。時萬
曆己酉孟春，賜進士第、禮部祠祭清吏司主事，眷年弟盧洪春頓首拜撰。

明劉日寧刻序

　　余師陸先生所舉士，曰郭東陽、吳仁和、龍金華諸遊浙者，刻先生集，余嘗
校之。當先生起詞林，善臨朐馮公，臨朐尚通達，先生尚執；其所爲文詞，先生
法歐，臨朐法眉山，遂齊名，然皆不及于大用以死，獨其遺文至今學士譚說不
絕。余嘗寓書陸伯子，願收合先生遺稿，以志千秋，蓋嘗陳摠而諦觀之，津津乎
名理也乎！然其詞修，搖筆而登作者之壇，嗣風人之音，然不以抵掌肖孫叔，即

躋先生於北地、歷下、吳郡之間，固當狎主，然不別作藩籬，亦不喜爲附，其篇章甚富，余以爲文取必傳爾，安用浩汗，今其梓者僅十之五也。夫古之修士尚眞，今之修士尚釣，眞故不作、不詭、不勞、不炫、不敗，釣者之途多端矣，大都與眞反，而其敗亦易見。余嘗兩謁先生，竹林豐草之間，屋數椽爾，敝楊故書，外無長物，夷然居之，其後再哭先生，則瓦燈丹旐、蕭然蓬蒿之間，而其子遂有饑寒之色，世有驕語於陵萊蕪挾以釣奇者，視先生當爲煩赤，且不啻勞矣。先生性不設城府，飲酒賦詩，盡朋友山水之趣，蓋示人以暇，以夷、以直，雖慷慨時事，語常忤權貴，然平心侃侃，又或不諧衆人，居常退然自下，然極意苦口，不善持兩端，蓋摠其心術行誼，斯所謂脩士用眞者邪！古今謂文章可以觀人，余既從先生游，讀其文蓋愀然思、恍然如見，其洞達者爲神明，經緯者爲詞章也，置夏后氏之璜、周氏之鼎於五都，即望者知爲三代之品。然余又疑造物者之戔戔也，天之有意于先生亦甚明矣，其德立，其道光，其年未老，其兆行，廼獨不挈世道以授，先生反古人之眞，去末俗之釣，而徒使其言立。悲夫！灝之先，清獻最著，其後三百餘年，有章文懿者，明之賢人也，章嘗以諫顯，先生當在宮寀，所上封事不啻數萬言，語具集中，文懿久臥山間，風固高，先生避權辭要，留滯周南者十餘年，半在里巷，概其出處亦略似矣，灝多君子，其然哉！其然哉！然文懿方没，遂蒙不次之恩、太常之議，千古美譚，而先生之令德未盡表揚，是誰之過與？語曰，知我者希，則我貴矣。楓山無改，荒臺依然，即兩公者固不緣一字始重，先生之所可傳，其在此邪？在彼邪？集刻成，會余有母喪，不與于役，自惟母於師誼在三，不敢辭廢業，乃檢舊所屬草敍先生集。門人豫章劉日寧譔。

（張健審查　　許惠貞標點）

淡然軒集八卷七冊　明余繼登撰　明萬曆三十一年馮琦等刊本　12696

明 馮 琦 敍

　　余少從世用論文，每有結撰，互相商略。余才不逮世用，而有季緒之病，時于世用文不無評駁，廼世用莫逆也，歸而易之，至不仍一字，其勤敏類此。世用有志當世，非聖之書不習，非經濟之筴不譚，嘗謂文章經國大業，古元公哲匠所以鼓吹休明、潤色人代，胥文是藉，而徒取點綴風華、薈蕞景物，斯誠壯夫所恥。經國之謂何？余讋其言，世用著有國朝紀聞，余既序而傳之矣，傳未幾，其人與俱往，余爲國家惜世用，寢門之淚至今薿薿，尚安忍輯世用文？然世用文終不可無傳，廼搜篋中藁殺青，計若干卷，文倍其詩，奏疏倍其諸文，嗟嗟！世用之以文章稱也，詎世用意哉！余每見世人文字有絕似其人者，有斷不似其人者，其似者衷言也，其不似者貌言也，今世用遺文具在，讀之如孤峰斷崖居然千仞，又如玄珠璞玉不假雕飾，而磊落逌上之氣時溢毫楮，則其天性使然，昔人于顔魯公字亦云，余固謂魯公字、世用文政足方耳。世用性至剛，不以加人，行至高潔，不以驕人，平居呐呐言，事不出口，至當國家大議，是曰是，非曰非，即萬夫不能奪，事有所不可，義形于色，事過即已，未嘗留胸中也。不佞謂才易得耳，氣如世用難，氣亦易得，而御之以正，能自知自勝如世用難，世用不可作，所彷彿百一者，其文在耳。同年友吳公及世用門人李公，其意雅與余同，故相與刻而傳之，要之世用之必傳者，以其人，不但以文也。若廼世故暌離，心事淪薀，疇爲披腹，令我輒絃，此猶余惜世用之私爾，不具論。萬曆三十一年癸卯上元吉，賜進士出身、資政大夫、禮部尚書兼翰林院學士、國史玉牒副總裁、經筵日講官、前詹事府少詹事、掌翰林院事，年弟馮琦頓首拜撰。

明吳達可題序

余觀文士家言宗理窟者，類規模伊洛，而文詞則朴，工詞章者類希聲秦漢，而旨味則疎，甚至兩相譏而兩不相下，若聚訟然。夫惟有道之士沉涵淵蓄，理道經綸了了胸臆，而托之爲文，往往攄所獨得，無事摹擬，而精神自露、詞彩自工，豈非藝苑之精華、文家之芳軌哉！若余同年友余文恪公是已。公爲人樸中，呐口恂恂，若無所表見，而褆躬勵行，凜然不可犯以非義，故形之文詞，精深淵懿，根極理要，而冲和恬雅之趣燁燁楮穎間，則又超然色相之外，而不著跡于理障者，若其封章論列，隨事敷陳，反覆婉轉，必期于感格君心而後已，即唐魏陸諸名家不是過也。上雖未盡行其言，而終公之身，温綸慰留，至再且三，庶幾盛世明良之遇哉！公屬纊之日，今宗伯琢菴馮公追念年契之深，檢笥中遺藁示余，而因以屬公之高第李還素君，以廣其傳，余樂觀其成，而喜公之精神托遺編以不朽，爲之序而歸之。時萬曆壬寅之冬日，同年弟吳達可書于洪都公署中。

明李開芳卷後

集以淡然名何？我余文恪先師以淡然命軒，因以名集也。夫集文也，道之華也，其曷取于淡？爲先師生平人淡，故靡所不淡，有官列秩宗，無邸可旋馬，居淡；襪子如墨，衣淡；味不兼月，食淡；視儻來如雲過太虛，淡寧惟文？日者開芳入致東朝慶典，今大宗伯馮公面命開芳曰，子曾過若師故邸乎？對曰，故邸空閉，過而涕之無從，已而述彼時之訣別狀，中夜夢日升西楹，侵晨如其夢景，遂作長別，師家卒然，不能具含，至無以爲殮者，相向承睫者久之，且曰，若師有不與俱往者，淡然軒集在。今按江右侍御吳公業捐俸刻于祠司，不果，即就之江右，而臬長張公皆吾譜也，必佐斯役，子盍董諸？開芳見師集若見師在，受以南旋，趣泊頭，躡其隴岡，而哭之曰，門人開芳局使事，不能築室於斯場，如心喪何，低回不能去，復哭之故第，對長公失聲，痛次公之俱歿，而不能以百身贖也。見景象蕭蕭，果不殊狀中逕蒿沒人語，即與長公商集不朽計，并錄諭祭、葬謚暨誥勅、諸龍章、諸墓文、諸譜籍、門人奠文，同淡然軒集刻爲一部以傳，使來茲百代無不知先師爲今上寵注殊常，而朝紳之翕然追戀不忍忘云。刻既竣，仰而讀，頫而思，憮然三嘆曰，懿哉！師集大擔當世道，足爲世道賴，率淡之以也。在今之世，何患不濃，正患不淡，讀諸章奏，勤勤懇懇，恨不能力挽鑿山朘海之繹騷以盡還。夫抵璧投珠之朴略，惟是建儲十七疏，不旋踵竟用其言，諒師可無憾以瞑矣。至於端士習正人心一疏，動數千言，大都羽翼聖經，闢詖淫邪說，勿使燗亂天下之耳目，今且著爲令，昔人尊孟夫子距楊墨，功不在禹下，先師功豈在孟下？乃序記碑銘皆正大洞達，絕無婞阿，銘詞尤鏗鏘古雅，追漢而上，詩大攄性情，古體最長，有三百篇之遺，嗟嗟，是救世之文，而經世之文也，淡云乎哉！乃淡豈易言，自有天地來，太極化爲五行，莫先於水，水至淡也，而寔爲五行之首，即五色之素，與五味五聲之龠也，仰觀俯察，莫非文，莫非淡爲之質，故文人之文易，而廊廟之文則質有其文難，師集固質有其文，而天下之文章其在是。人評曾子文章世稀有，地之江漢、星之斗，開芳於先師之文亦云，豈阿所好！是役也，同門友參商，不得聯綴共舉，甚爲缺焉，有如覿集而復剖劂，以廣其傳，是在後死者之責，先師其永垂天壤並存虖。萬曆三十年壬寅長至日，賜進士出身、中大夫、江西等處承宣布政使司右參政兼按察司僉事、奉勑整飭南瑞兵備兼制湖廣興國等六州縣、前戶部貴州清吏司郎中、奉勑督理永平糧儲，閩永春門生李開芳頓首拜撰并書。

（張健審查　　許惠貞標點）

快雪堂集六十四卷三十二冊　明馮夢禎撰　明萬曆丙辰（四十四年）黃汝亨等金
陵刊本　12698

明朱之蕃敘

　　萬曆癸巳歲，具區翁馮老師爲南少司成，蕃自北雍改南，獲□〔列〕門牆、
執弟子禮，首蒙…（中闕）…筆硯□年當□□□□□□言□蕃之恩與生我等，何
以伸報稱于萬分一哉！師晉掌南篆，拜大司成，方駸駸嚮柄用，忌者造爲無根蜚
語以中之，師捨榮名，就眞樂，造化之優厚，非常情所能測識，乃未十年，而師
已厭囂煩，返淨土，游蓬瀛，又若昔之避鐘鼎、甘林泉者然矣。又十年，兩…
（中闕）…遺編廣詢博訪，彙梓以永其傳，蕃受而卒業讐校，因得縱觀師言，而
紬繹頌法焉。蓋師嘗自敘云，自弱冠遭多故，讀莊文郭註，掩關兩月，遂有所
得，遂解綬投林，棄若敝屣，隱居湖上，塒植梅柳，主盟煙月，名流禪宿，時相
追從嘯咏，偃息于湖山間，若生平未陟朝班，都□□者□□榮□□〔譽〕毀得喪
□〔升〕沉，不復挂齒煩□□府望之翩翩若神仙中人，師亦儼若枯禪法侶，超出
塵壒之外，暇則扁舟杖屨，遨遊名山，具挾濟勝，興嗜探奇，知師者咸謂，不復
與家人忤，亦不與世忤，一切委順蕭然，至今後讀佛乘，漸就冰釋，師之所得於
天界者，既純粹無染著，而其所深心體會涉世出世之具□，畢露數語間矣。至其
不廢著述，則又有云，爲文以邀身後名誠舛已，即當年之樂，有踰于極才情、弄
筆研者乎？當其得意，指撝千古，役使萬靈，王公失其貴，賁育失其勇，飄飄然
有憑虛御風、羽化登仙之適，而謂之苦，可乎？此又師之茲集所由作，而確然可
以範今垂後者，皆從此起見也。師晚年自命眞實居士，而名其堂以快雪，以蕃竊
觀，師之行若文，無有一言之不眞、一事之不實、一念之不快，其神情朗徹，轍
跡消融，降爲世瑞，功歸造物，非雪曷以擬之？總之，耻趨纖以逢世，勤獎藉以
誘人，高視遠覽以謝紛，嗜古安貧以忘遇，即一序記誌狀之作，無不歷歷述其所
眞知灼見，不爲諛詞艷語示人以欺。至其紀敘游踪，恍映眉睫，□□禪法備中肯
綮，則又筆端有舌，詞中有畫，雜之坡仙集中，無復能辨，豈其蘇公之後身，而
以今之逍遙閒曠易昔之艱難險阻邪？是終不可謂天之無意於吾師，而吾儕亦可釋

然于師之用不究材、年不配德爲已。蕃不敏，嘗服膺吾師眞實之訓，故敍師遺
集，亦不敢侈爲游詞，而直述所見，以就正于宇內之知師知言者。萬曆乙卯歲孟
冬朔日，金陵門生朱之蕃謹書。

明 李 維 楨 序

司成馮開之公舉進士第一人，已爲庶常吉士，同榜則沈君典與江陵公叔子俱
及第，江陵奪情，公同君典語叔子不可，而翰林諸公或抗疏被罪，或以星變計吏
竄逐，公亦同君典病免。江陵没，始赴闕，除太史，然持論往往與當事人左，卒
坐左官，稍遷至司成，而後進復詆諆之，遂罷不復用。余承乏秉越憲，始晤公，
公少余一歲，業已皤然老翁，落落穆穆君子人也，自是意愛日密，見其兩子皆有
才情，別數年而公遂卒，兩子屬余爲傳，已梓其全集，視余，余嘗聞李嗣眞論王
右軍書，每不同以變格難儔，樂毅論太史箴體，皆正直有忠臣烈士之象，告誓
文、曹娥碑，其容憔悴，有孝子順孫之象，逍遙篇、孤鴈賦，跡遠趣高，有拔俗
抱素之象，畫象贊、洛神賦，姿儀雅麗，有靜莊嚴肅之象，皆見義以成字，非得
意以獨妍，竊謂文當如是而作者一，而用之恆不相肖，公所論著必似其人、切其
事，喜怒哀樂之狀，讀之宛然在目，此一譬也。或問杜輔玄法性佛性寬狹，輔玄
曰，在寬成寬，在狹成狹，若定是寬，則不能爲狹，若定是狹，亦不能爲寬，以
非寬狹故能成寬狹，寬狹所成雖異，能成恆一，夫文之體裁各有當然之則，而好
尚偏定每不相通，公大章短篇、法言巽語，清辭秀句，因應無方，率有妙悟精
詣，此一譬也。二子微哂曰，君於書于禪都不解，何以評先君子文，則不有范韓
兩家之說乎？范蔚宗曰，以意爲主，以文傳意，以意爲主，則其旨必見，以文傳
意，則其詞不流，然後抽其芬芳，振其金石耳。韓昌黎曰，本深而末茂，形大而
聲弘，行竣而言厲，心醇而氣和，昭晰者無疑，優游者有餘，公文妙得兩家指趣
矣。二子曰善。錄之爲公集序。大泌山人李維楨本寧父譔，秣陵許延祖書。

明 焦 竑 序

文之變至矣，人出所長，暴耀震發，其勢必至恢詭譎怪而後已。金玉犀象，
人之所寶，梗楠豫章，人之所材，至於通都大市，常珍盈目，非怪產奇觗，不足
發人之異觀，於是海中腐石出爲珊瑚，溝中斷木以爲犧樽，夫異則異矣，要之如
蟲蝕木，自然而成，非雕鏤所能至也，學者不知文有天機，自是性中一事，而特

執古之芻狗求之，譬如餔糟歠醨，無復眞味，孰不厭而棄之？具區馮公在詞林久，於余爲前輩，壬辰歲余以使事還金陵，公實爲司成，於茲詞林故事，類以體式相矜嚴，見科目稍後者不復相假借，公獨一見歡然，以其間時爲梯，接杯酒咲，談無少間，蓋任眞推分豁如也。滿一載所，余乃別去，公蘊藉風流，弘獎後學，有以制義進者，片語當心，輒推許之，恐後亡何無不得上第者，人以服其鑒。而公亦時時泚筆爲文，以應四方之求，當是時綜玄理者師其致，執簡書者咨其政，懷鉛槧者程其詞，可謂盛矣。頃之返於初服，臥菅茨以適性，飲清流而澹思，齊物混迹，與時游衍，回視玉堂舊事，如浮漚䍦夢，然而人亦不知其爲貴人也，如是又數年乃殁。其仲子袞所作爲若干卷，持以過余，而求爲之序。余讀之，大氐格不必摹倣，語不必鉤棘，伸紙行墨，惟筆機所至而天眞爛然，語不足而味有餘甚矣。公之文有似其爲人也，唐韋左、白香山之文，氣質閑妙，渾然天成，始若不經意，而人莫能及，然史稱左司性高簡，所居焚香掃地而坐，意必有超然自得者，香山嘗放浪湖山，聲伎自隨，而洞達禪理，知足而寡欲，此其言語之妙自有根荄，非偶然而已，公爲人大規與兩人同，而詞復近之。余特序之如左，令讀者知公之文爲胸懷本趣，非置木立塗、望洋而向若者比也。萬曆丙辰三月，瑯琊焦竑書。

明顧起元序

　　吾師具區先生以萬曆戊戌解大司成印綬歸，築蒲園于西湖之上，日與友人嘯咏于其中間，命輕舠，載歌兒，吹簫度曲，蕩漾六橋三竺間，人望之飄飄然若神仙也，如是者九年，而先生海山之館就矣。卒之日，集藏家笥，三子以貧不能壽諸梓，今年夏秋間，伯氏驥子、仲氏鵷雛先後來白下，乃舉快雪堂集屬吾友黃貞父儀部校而行之，因醵同志捐貲，以就其事，既成，二子謂起元宜有言。余曩游成均，受知先生，深不敢辭也，憶先生丁丑舉南宮第一人，推擇入詞館，于時海內名能詩賦古文詞者，罔以壇坫而奉瑯琊與新都，蓋觚翰之業未有能外二氏自爲言者，先生雖亦以聲氣感弇州，而好獨行，其意沉鬱澹雅，簡遠冲夷，稱心而言，盡興而止，諷而詠之，有如清廟之瑟，朱弦疏越，一唱三歎有餘音者，昔昌黎有言，惟古于文必己出，當風流相煽、絡繹奔會之時，卓然以瑜自見如先生者，豈不戞戞乎難哉！先生洞覽流略，手不釋卷，寸心千古，獨詣爲多，試觀集中所爲，程量人才之良楛，剖析政事之得失，掎摭文章之利害，皆別有具題，賞識殆無剩材，所延攬獎藉，殆無虛日。至于鑒定圖史，則張彥遠之記，摩挲鼎彝，則薛尚功之錄，以古况今，未知孰勝，而又妙解音律、雅好歌舞，晚節末路，人竸以白香山、蘇東坡目之，求諸集中，彷彿可見，然先生自謂中年讀莊子有得，浸尋入佛氏閫奧，覺己不與世忤，世亦不與己忤，恬然怡然、自得自失而已矣，是以中更坎壈，不下潯陽之泣，平視禮法，不開洛蜀之黨，彼且以身世爲泡影，以功名爲露電，以造化爲玩弄，以生死爲去來，而何有于區區之聲色祿利、誹譽進退哉！然則讀先生之文者，尚進而求先生之爲人，苟其有得于先生之爲人，則先生之文眞有如神仙之咳唾落九天、隨風生珠玉者是，直當以琅函蕋笈奉之，未可以人間世議其方也。萬曆丙辰夏日，江寧門人顧起元頓首書。

明黃汝亨序

　　秦漢以後作者，惟韓歐學本經術，追踪遷向，柳有沈力，王有偏識，曾有樸質而才不逮，獨蘇子瞻之才貫串馳驟，而又得之禪悟，頹然天放，白香山次之。後世學無本原，相師小慧於韓歐亡當，則動稱蘇白以文其陋，蘇白天爲徒，又焉可刻畫求之也！近世作者蔚起，嵽峒殆庶如唐應德之淹，尤足珍焉，余獲交先生廿餘年，其道俗環應，若與物諧，而具體澄泂，不受涅緇，佳惡貴賤，曠然無繫於懷，放似莊，慢似長卿，澹遠似彭澤，而於蘇白全領其神，故其文眞性地之文，與天爲徒，以視近世藻繢襞積之流，豈非所謂一龍一豬者哉！先生衣冠作止、笑語諧謔俱妙有天解，惜與其人俱往，而可見者僅此編，余乃遡韓歐，通歸熙甫之簡核，即才非絕代未盤古始，蓋王、曾流亞，它文人燁然盈篇如蘇，外廓間有其人，而性地少似，何也？性地靈則可以鎔萬有而無，可以提萬無而有，又若不盡係乎學術之鴻殺，而吾獨於馮開之先生深有當焉，何也？開之記序碑志之文不必一一盡學古法，而簡素夷朗，無近世藻繢襞積之習，其小傳小記尺牘短韻之文，任筆所及，有致有裁，而所譚禪那之宗，游三昧而戲六通，澹宕微妙，尤宛然蘇白風流也。詩七言與長歌，或不能並驅古人，選詩及五言近體，得趣山水桼尊間，觸物賦詠，出入顏謝，今亦不多見也。別有日紀若干卷，隨事漫識，取適臨時，應手疾書，不避淺俗，而自有意表之辭、物宜之象，如點滴甘露、鋸屑寒玉，而上下於文人之間。噫嘻乎！先生有知，亦嘆曰文而已矣。武林寓生黃汝亨譔併書之白門之雲上軒。

明丁元薦序

馮開之先生遺稿如干卷，後十年而梓於秣陵。其孤貧也，成之者黃儀部貞甫與諸門人也。稱孤山者何？先生志也。孤山何以爲先生有？非先生不能領孤山之勝也，個中臭味，山靈不言，寄之先生，先生不能言，吾以名其集。丁子曰，明興而以文章執牛耳，人人哆秦漢魏晉初盛中唐，幻者竺乾，詼奇者諸子，究乃不能宋，非才與力之弱，而神識不足也。神識本之情性，憶昔己卯，贄先生於潞河，望而知其爲道人也，無懷、葛天也。從先生游，至白首，而先生之爲道人無懷、葛天，三十年一日也。先生以宦途爲蘧廬，以塵世爲海鷗，以山水爲蒍軸，以浮生爲泡影，以文章爲遊戲，由通藉至儼然南面諸生，貴矣。再起再蹶，強半家食，登臨勝賞，四座雄風，景物陸離，才情橫溢，或掀髯高咏，或兀坐冥契，或程量千古，或感憤世局，或與名流衲子微言妙解，片語隻字綽有餘韻，若廼達官長者豪子弟具章服、蕭筐篚爲壽，乞先生一言，先生口不忍却，犟懃酬應，非其好也。晚年小構孤山，一亭一樹，楚楚動人，花晨月夕，鳥啼客散，此先生獨往之候也。辛丑，一貴人起海上，衣冠奔走如鶩，先生堅臥不動，曰已矣，無溷廼公。興到泚筆，境與神會，解組後諸草，先生手自刊定，皆是類也。世眼刻意效顰，總在聲調色澤，先生獨舒性靈，便覺天壤。嗟乎！先生不可作矣。風流道盡，大雅淪亡，明聖湖至今黯然無色，得其解者，眉山公也。萬曆乙卯冬日，故彰門人丁元薦頓首序。

明朱鷺別敘

集中文，一一先生性靈流露，而法典禪機，尤句句本色，非一切混俗差排□〔？〕喑筆札可並觀也。先生嘗示予文章之道，一眞而已。眞極而文生，溢爲光怪，讀先生文，而不於其本色極眞處拈取，亦不善讀先生文矣。先生最喜蘇文忠，爲五百年獨知之契，然文忠超縱自在，而先生秀骨玄語，居勝場似微不同，至釋部則皆以心地慧發筆頭光握珠同照等切婆心稱，一堂兄弟無疑耳，具法眼者當自得之。門人東吳朱鷺頓首書，時在金陵客署。

（張健審查　許惠貞標點）

宗伯集八十一卷二十四冊　明馮琦撰　明萬曆丁未（三十五年）康氏刊本

12701

明 于 愼 行 敘

北海馮公者,今之雄儁寶臣也。束髮升朝,早躋八座,弘謨雅度,光映周行,大政要機,多所參預,世方需其輔理以兆昇平,而青鬢韶顏,奄然騎箕上矣,此則天地精靈,國家氣運當之,夫何言哉!方公病亟,其友侍御康君請其遺書以梓,遜謝再三,出而付之曰,必也東阿爲敘。蓋行也從公於朝,相與上下,藝林頗稱莫逆,而公之政業識略,有王沈二公誌碑取信萬世,毋庸更辭,則以侍御之請,綜術其文云爾。敘曰,古稱不朽者三,言居其一,要以圖功緯德,非文曷遠?則尤其載而不朽者焉。天壤之間,有形有質之物,未有能不朽者,必化而後不朽,金石之堅,泐且蝕焉而朽,土木之膴,蠹且蘇焉而朽,惟毋化也,水之洋洋,代而不息,朽乎哉!火之炎炎,傳而不盡,朽乎哉!何者?化也。人心之精,吐而爲言,言之倫要,敷而爲文,此必有變而之化者,無所變而之化,而欲高馳虎視、樹千載之標,豈其質哉?近世名家輩出,非先秦西京,口不得談,筆不得下,至土苴趙宋之言,目爲卑淺,而眉山氏之家法亦若曰姑舍是云。鄙人少而操縵,亦謂爲然,久而思之,不也,蓋先秦西京之文化,而後爲眉山氏,眉山氏之文化,而後爲弇州氏,眉山氏發秦漢之精蘊,化其體而爲虛,弇州氏攬眉山之杼軸,化其材而爲古,其變一也。世人不知一以爲趙宋,一以爲先秦西京,徒皮相爾。且夫先秦西京之世,有以文命者哉?漆園之洸洋,則論著之書也;韓非之精切,則短長之策也;長沙之宏贍,則陳對之牘也;龍門之逸蕩,則紀述之史也;此皆眉山氏之所釀而爲文者也,盍嘗取而紬之,廓之宏篇,約之單語,安所尋其軌迹?安所索其斧痕?故能不爲秦漢者而後能爲秦漢,此則不可朽爾。何者?文以神化者也,不會之以神,而合之以體,不合之以體,而模之以辭,則物之形質也,方興、方圮、方新、方故,不朽何之?今觀馮公之文,色澤膚肌惡乎爲秦漢乎?而精神脈絡惡乎非秦漢乎?其修學博而不濫,其抽思深而不譎,其綜藻華而不雕,其稱名奧而不晦,其論議辯說邈探惚恍,冥造希夷,愈入愈研,愈出愈邑,而不可端倪,莊也而無之也;其指畫政體,陳說機宜,密策決於一言,碩畫陳於萬里,名實必中,權正相資,韓也而無之也;其奏對之疏,獻納之章,辨官敦典,考古究今,理侈而核,辭亮而婉,可以納牖宸衷、光華王度,賈也而無之也;其鋪敘事理,操縱闔闢,虹流波詭,而繩尺森然,無少遏佚,遷也而無之也；軼而至於百家之說、六代之體，皆有而未嘗有，皆用而未嘗用，滔涵吐納，刊削澡滌，衡之不得其垠，縱之不得其首，故夫眉山之後，化秦漢而爲虛者，吾獨以馮公之幾之也。蓋頃者先正諸公亟稱擬議以成其變化，豈非名言，然擬之議之爲欲成其變化也，無所變而之化，而姑以擬議當之，所成謂何？夫酒醴成於麴糵，而麴糵非酒也，湯液成於藥石，而藥石非湯也，有如以酒醴爲澂濟，而醲其醴醨，以湯液爲清泠，而咀其渣滓，文而肖是乎哉？無論秦漢立言之家視爲何若，政使趙宋諸賢，誰不捧腹，何言蘇氏？故吾謂馮公之文可以不朽者，謂其幾於化也，所未盡者，蘇公如走盤之珠，肆而不得流，而馮公如出匣之鋩，抑而不可遏，此則時未從心、年不待力者矣。噫乎！天之喪斯文乎？慨世道者爲一代惜九鼎之材，而商藝文者爲千古揭天球之寶，均也，掩袂太息，不知涕之無從矣。侍御能傳其著述，爲楊氏之君山，而行也無能發其流別，爲左氏之玄宴，則甚愧而不得辭也。至若有韻之文，則古出建安，而下逮於唐，近出高王，而旁薄於杜，又當世所不幾者，嘗別爲之敘，故不重詮。萬曆乙巳季秋上浣之吉，賜進士出身、資政大夫、禮部尚書兼翰林院學士予告、前經筵日講、國史副總裁官、知起居注，友人穀城居士于愼行頓首拜撰。

明 李 維 楨 序

明興，罷丞相，置內閣，簡文學臣侍從，備顧問，論道沃心於廣廈細旃之上，向後委寄益隆，秩位益尊，於是內閣無相名，有相實，而沿襲迄今，拜相率繇翰苑，幾成天子私人矣。往余承乏史局，萬安朱司空先生嘗教之曰，翰苑所貴在經濟，不在詩文，猶武臣所貴在謀勇，不在騎射。蜀趙文肅先生爲館師，又教之曰，文章家所貴四端，經明道，史垂憲，封事通下情，詔令宣上德耳，課花鳥而評風月，壯夫羞爲也。蓋成、弘以前，臺閣文體既卑弱不振；嘉、隆而後，唐詩漢文作者相望，而質諸文肅司空之所貴者，復不能多僂指，就不佞所睹記，則齊宗伯馮公其人哉！公方在娠，而夢韓魏公入室，因以爲名，王父以來，世舉甲科，藏書充棟，兒時無所不窺，日誦萬言，翰墨游戲多驚人語。已爲舉子業，闡抉道奧，益人意、知權衡，是非得失瞭如指掌，此故集所不載，其載在集者，若經筵講章書牘策論之屬，羽翼聖經，鼓吹信史，差可窺其崖略，然而昔人有先得公同然者，未足奇也。所歷官奏議討論、朝典世故，最爲詳覈，匡主德、定國本、肅官常、愛人才，皆關切大計，上下陰受其賜，而不知然，而朝衆容有與公意見合者，未足奇也。政莫虐於礦稅，議論莫淆於西夏東倭播州之役，財力莫疲于修河轉漕邊鎮馱市之費，自閣部臺省郎署以及當事諸臣所建白籌畫，波委山積，曾不得其要領，按公之集而求之，言言中竅，事事破的，成敗利鈍，隃度千里之外，而符合數年之後，惟公一人而已，豈其身從事矢石奮甶，習貫自然，或有枕中帳中秘密授公，公亦寧有兩口四目異人哉？其平時咨詢周規略預，而神識超絕，闊達大度，能使群策群力畢爲我用，眞宰相才也。上自癸庚以來，與初年治體迥殊，深居簡出，獨操威福之柄，莫可窺測，假令蕡相公二十年，斡旋馮翼，必當機宜，發縱指示，必收成效，政無私門，朝無多口，士氣無挫，國體無失，海內無萬數生靈無糜爛于輸輓鋒鏑矣。公既佐冢宰、位宗伯，正色立朝，鞠躬盡瘁，濱死不忘忠諫，沉幾先見，定力雅量，天下翕然宗之，得其敷奏一言，傳誦繕寫，等諸蓍蔡，而宮府之勢日隔，煬竈之蔽日深，天未欲平治天下，雖公末如之何。公未四十而躋卿貳，人每艷其蕡貴，不佞猶以爲晚也，古之聖賢，經世爲功業，而垂世爲文章，皆名不朽，要以託諸空言，不如見諸行事，孔子刪述六經，功在萬世，而兩楹夢奠時，尚眷眷於明王不作、天下莫宗，意念深矣。夫孔子不可思議，韓魏公故有集，後世知魏公者不以集，故公集非魏公可同日語，而信公能爲魏公，惜公不得爲魏公，則集可考鏡耳。侍御康公與公有莊惠蕭朱之好，公没而函行其集，屬鄉先生于可遠宗伯爲敘，復以屬不佞楨，楨楚傖少文，人與言萬不足爲公重，而辱公生平知己，義不得辭已。讀于宗伯敘，盛推許公以方周莊休、漢賈生、司馬子長、唐韓退之、陸敬輿、宋蘇子瞻、本朝王元美，與者無曲筆，受者無愧辭，不佞又何加焉！竊惟公所以名世，不出於集之外，不盡于集之中，而第以文章爲一世雄伯，起公九京而問之，或姑舍是，因推明文蕭、司空兩先生之論，爲于宗伯更端，此兩先生言亦于宗伯所稔聞也。萬曆歲在丁未夏日，雲中李維楨頓首撰。

（張健審查　　許惠貞標點）

北海集四十六卷十冊　明馮琦撰　明萬曆末年雲間林氏刊本　12702

明林景暘序

　　……（前闕）主上知公忠誠稔久，亦迫欲大用，公華鬌韶年，簡在九列，捵鉉宣歷，旦暮且下，而時事多艱，勢與志齟，感時憂國，竟以身殞，繫厥所施，百未讐十也。當公在事時，每嘗謂，士大夫樹口煩之意多，而脩職業之意少，脩職業之意多，而憂國家之意少。兩言遂定世局，故公自起家庶常，至典三禮，皆夙夜精勤，洵舉其職，而公所履冰而懷杞者，又獨在邊圉瑕釁之萌，宮府暌隔之漸，與士大夫吠形射影、以下囂而成上距之口，時事若轉梟覆奕，倉猝屢變，而公輒策之十年二十年之前，如數往事而鏡方來，無弗合者，況公所商繹國家大計具在集中，皆腐心蒿目爲宗社數百年長慮，若畫脂印沙，無復凝隱，後之謀國者當知所採衷也。往東事起，降胡叛酋繼梗西陲，當事者張皇，六師已不無道傍之議，至厪天子宵旰憂，公移書制府，以一二語扼事之竅，已卒就公計中，如指諸掌，令早用公言，可以不煩而定。昔李文靖先識遠見，憂微杜芽，即同列疑爲過計，及事至漸不可支，始嘆服，以爲聖人眞不可及，公之慮事，何以易此也。公於文章，既淵本經世，不復屑屑擬襲爲先秦兩漢家言，而涵聚既久，隨事觸發，皆精警痛絕，讀之使人開心目明，識者謂公年小而心長，其始似長沙賈傅，既乃似宣公敬輿，温婉而忠惻，晚又似蘇公子瞻，於境無所不達，而於情無所不詣，然長沙、敬輿得與人主諍論於五尺之天，而公時漸異，則公心獨苦，子瞻以文字名與人主爭勝，至元祐之黨釀成隙孽，使正人之氣墮，而國運隨之，公調停閔默，身任名讓，文章滿天下，不立文字名，事業滿天下，不立任事名，尤經綸高手，惜公未究其用耳。公所著有經濟類編已行世，兩朝大政記藏於家，在經筵有通鑑直解，因事納忠，歸之諷諫，尤橫經虎觀者所當枕籍，予嘗謂可孤行，故不重載。昔歐公以文章政事推轂子瞻，而迄今兩公皆名在日月，公勛猷名位皆過子瞻，而予則甚愧歐公，聊識首簡，以塞公夙昔問序之意，殊遜前茅矣。癸卯長至前一日，賜進士、中大夫、南京太僕侍卿、前翰林院庶吉士、禮部都給事中，侍經筵官，雲間林景暘書於玉恩堂。

明 林 有 麟 跋

宗伯馮用韞先生，少侍金華，蚤歸玉局，雄文鴻譽，流照四裔，顧先生無意立言問盟作者，直以銳心經國，蒿目憂時，感事輸懷，義切忠婉，此則壯猷弘略，裨益廟堂，並可勒旂常垂不朽，豈與夫鬥鶴矜蟲、塚筆研穴者可驂輪而駕哉！海內習先生試事所發策，具宮府至計，人人懷之如赤刀大呂，然止先生寸臠，其居恒自小言竿牘寥寥數語，皆劌痛而有沉憂，動關國家大慮，惜流傳未廣，學士大夫或未見其全也。公幸以沆瀣一氣，凡五寄副草先君，最後一及不佞，而問先君子序，皆公所手定，尤爲善本，遂梓而公之，讀先生集者，知先生經世之業匪獨以其文，如以其文，公亦自以綜領淘汰之識力敵古人，非區區傍人籬壁，所謂擬議以成變者。後學林有麟仁甫謹跋。

（張健審查　　許惠貞標點）

東越証學錄十六卷四冊　明周汝登撰　明萬曆乙巳（三十三年）刊本　12704

明 陶 望 齡 序

　　望齡嘗聞諸達人，明文學最盛，修古業爲詞章者多矣，而卓然可垂無窮者蓋鮮，非獨無以加諸宋唐，而鮮有及焉。自陽明先生盛言理學，雷聲電舌，雨雲霶施，以著爲文詞之用，龍溪紹厥統，沛乎江河之既滙，於是天下聞二先生遺風，讀其書者若饑得飽、熱得濯、病得汗解，蓋不獨道術至是大明，而言語文字足以妙乎一世。明興二百年，其較然可耀前代、傳來茲者，惟是而已。會稽東海僻處也，天下言文者，以二先生故歸之，若曰明文在焉。進者曰，二先生之文也，非文人之文，而文王孔子之文也。孔子既没，文不在茲乎！蓋以當代而得二人焉，以系千聖、跨作者，郁郁乎明文於斯爲盛！越之爲越，其亦幸矣。海門子少聞道龍溪之門，晚而有詣焉，自信力故，尊其師說也益堅，其契也親，故詞不飾而甚辨，四方從之遊者，皆曰先生今龍溪也。其門人塙輩哀其答贈之文刻之，讀者又曰，龍溪子之文曷以異諸！望齡蒙鄙，獲以鄉曲事先生，受教最久，舍而北來，先生憂其日趨於艱僻，莫知反也，投之以藥，言意甚苦，具在刻中，每展讀，未嘗不惄惡汗下，顧復自念，古今之學術非二，古人重言悟而今稍易之者，曷故焉？没人之教其子泅，始必有憑之者也，浮囊也、汎木也，既蹈之不測之淵，驟挈其藉而去之，俾自力以出，而子於是善游矣。先生殆誘人而投諸淵乎？見予而未見其奪，故惑以爲易，令學者杖成說、滯故塗，先生且轉而奪之，吾惡知不爲浮囊汎木也哉？教下生陶望齡謹序。

明 鄒 元 標 序

　　東越証學，周子繼元譔也。或問曰，學何証爲？鄒子曰，學斯証，証斯學。

周子自學自証，亦欲人共學共証也。証者明也，誠也，誠、明人人本有，然或蔽一隅，或局聲聞，聲聞者如人譚山水之勝，聞者據以爲實，不知陟巓窮源者不以譚也；蔽一隅者，如從隙中覷日，以爲日體如是，不知日之體光周九有而不滯一隅也。今末學媛媛妹妹，總不越此兩涂轍，至有直窺性命自然，而告之又如蜀犬吠日，茲周子証學之所由傳乎？鄒子故與周子同籍，初周子拜南部，人謂其奕擅國手者久，而又謂其通象數者更十餘年，周子從謫籍起，復與鄒子聚首南都，旦夕惟以學相切劘，余訝其變而之道，一日大會中觥籌交錯，周子復持論娓娓，鄒子中以小言歸，而周子與諸同志大并心神，一旦恍然無疑，既持憲嶺南，過鄒子茅菴，相對旬餘，始知周子剟心于無窮之途、不匱之源，忘能所、泯色相，視彼弄影搏空者，方且悲憐之無及，眞可謂大勇矣。或曰，新建傳習諸錄所稱存理遏欲，諄諄詳擎，天泉証道，初語如花欲吐，尚含其蕚，後龍谿氏稍稍拈出，聞者多不開悟，周子復揚其波，何耶？鄒子曰，學必知性體，而後爲眞學，証必徹性地，而後爲實証，山盡水窮，能者從之，龍谿見地，非不了義者所能究竟，繼元後龍谿而出者也。雙目炯炯，橫衝直撞，所至能令人膽落心驚，亦能使人神怡情曠，東越之學從今益顯益光者，非繼元氏乎？雖然，語上語下，吾夫子蓋並言之，望鞭影而行者，千里得一士如比肩焉，繼元其謹護世法，堅持末路，世不自証，以繼元之身爲証者，重且周矣。萬曆乙巳春正月，吉水年弟鄒元標頓首拜撰。

（張健審查　　許惠貞標點）

寶庵集二十四卷附錄一卷八冊　明顧紹芳撰　明萬曆間西晉趙標刊本　12706

明吳應賓序

　　吾師顧學海先生以清白世其先正司馬所遺，兩文學寢丘而外，圖書若干篋、文章若干帙而已，兩君曰，奈何以清白吏子孫自免，使先太史著作不表於後世耶？則函同門趙太僕所序梓歌咏之文曰寶菴集者，寓書千里，以名理事辭之文徵不佞應賓先於剞劂，且曰知吾子也文者，莫先太史若；知先太史也文者，必莫吾子若也。夫物感乎耳目，然後能得之於心，而命其態色，況雕繪萬物、參元化而不朽者乎？今日而必聽其引商而賞其流徵，以寓諸無竟，是問冰于夏蟲，而越人之製錦也，必不幾矣。雖然，心之精神是謂文，易曰，美在其中，而暢於四肢，發於事業，文之至也。其動也天倪，其合也天則，其鳴也天籟，其鏤也天巧，雲物不組織而麗，華葶不膏沐而妍，風之長林，泉之危石，不搏拊而和，文不相肖而各全乎天，惟觀乎天文者可以觀乎人文，天之文一而人之文萬，歌詠、名理、事辭三者，同出而異名，同謂之天。鄉吾之於夫子，感其天矣，虛而入者實以出，實而入者虛以出，目象外而耳聲前，𪃣然抱忠孝廉貞之樸，而挫銳解紛以游乎人間世者也。今先生入於非人，而應賓二十年爲世長物，一牀之室若曠若浮，不以飲冰助陰陽爲虐，先生教也，今又屬耳歌詠以招九京，而與其不可傳者遇，諷詠則先生之深念也，閒適則先生之遠心也，慷慨壯烈則先生之直節也，一渚之月覸千江矣，一葉之秋悟大地矣，歌咏不失風雅建安大曆，而名理失老易莊周，事辭失尚書左氏春秋司馬太史，將無造物者擇喙而聲、選柯而色耶？是二天也，惡足以知人文之變化。先生志在經世，塊然無營，寧鵲起與察察者居，毋蟻行與汶汶者伍，麾不去易，招不來難，先生清白吏乎？固社稷之臣也，修文小淹，賜及於事，心之精神，膏澤俱流，元化俱洽，鼓腹相杵，夕秀朝華，旁礴爲一，以入於非人，而何莫非先生之文也者？怪乃雕蟲之夫，獨抱遺竿，爲之躊躕，爲之太息，以先生之文若私者半，若靳者亦半，私者問諸先生，先生不知，靳者問諸眞宰，眞宰不知，知者人也，不知者天也，知其所知，以知其所不知，以是知先生之文之大全也，天之未喪，文乃在茲。雖余小子瞠乎其後，或亦閣中摸索，而竊附青雲之上，以行乎無涯之域者哉？因次第其語於書，郵以歸兩君，兩君無乃謂吳生能以意爲言，以耳爲目，以歌詠爲名理事辭，而知先太史文也者，果莫吳生若耶？吳生猶爾，何況大方？洞庭懸而九鼎列，誰謂清白吏子孫，貧者載枕其流，載烹其魚，長跽剚心，以當瓊玖，雖先方伯之盲史孤，亦揚揚稱富矣。

附輓詩五言十二律

公子金閨彥，才名玉樹高，詞林過驥足，經笥隱龍韜，宇宙開雙眼，乾坤妬二毛，傳書心倍苦，天問續離騷。　八座家聲舊，三台興望新，寧知辭帝里，無復謫仙人，書已藏司馬，經應老獲麟，風塵諸弟子，恩重獨沾巾。　龍性歸中散，鴟夷對太玄，調高知寡和，心靜似逃禪，夜月青藜外，春風絳帳前，九原那可作，腸斷卜居篇。　載筆鳴金馬，含香動紫薇，誰言六月息，直待千年歸，慧業天人遠，雄文代寶稀，自知慚學步，不敢謂傳衣。　病骨郿千里，長鳴遇九方，金臺憐得士，玉樹忝爲郎，名以東山重，身歸北斗藏，自慚非宋玉，獨泣向巫陽。　憶昔事夫子，清風肅羽翰，畹蘭春有色，藜桂月生寒，名附青雲易，歌傳白雪難，一冠從此挂，不忍爲人彈。　生存感華屋，涕淚欲何依，海內傳經畢，門前問字稀，花磚愁夜月，玉笥失春暉，萬里御風去，海天雲自飛。　不惜春明遠，因乘秋興還，一生堪几杖，多病妬雲山，師席中分魯，門人獨薦顏，悲風繞梁木，千古泣潺湲。　游戲朝三殿，逍滛訪十洲，心迴東壁曉，月澹北門秋，燕市黃金盡，秦關紫氣收，杜機成萬古，不復見壺丘。　憶昨趣函丈，僊舟不可攀，著書忘宦拙，愛酒覺身間，伏驥何堪老，冥鴻竟不還，瀛洲滄海月，夜夜照崐山。　零落悲生事，空懷御李君，斗才沉劍氣，箕尾動星文，無復巴人曲，難逢郢匠斤，猶瞻白虎觀，五色散朝雲。　今代麒麟閣，梁丘第幾人，金門方隱吏，靈嶽已歸神，江海詞人淚，簪纓弟子身，生芻唯一束，原憲本來貧。是篇也，嘔心而吟，以需布颿之便，十有八年矣。乃眇者不能視，而跛者復不能履，髮且鬤鬤白也，後天之痛，遂當没齒。悲夫！因兩世兄之徵文也，發諸敝篋，血淚之班，與蠹魚相亂，不復能以耳讀矣。稍加刪次，附在末簡，兩世兄其爲我長歌之，以當三飯之侑乎？萬曆壬子長夏，門人皖舒吳應賓拜手稽首謹識，後學歸昌世書。

（張健審查　　許惠貞標點）

薛荔山房藏稿十卷十六冊　明敖文禎撰　明萬曆間關西牛應元刊本　12708

明 郭 正 域 敍

　夫詞臣之習爲詞也，猶之乎言責之習爲言，而官守之習爲官也。唐宋文章之柄盡在詞臣，高皇、文皇盡羅一時才俊之士教之中祕，親自品評如家人子弟，而天下文章盡歸臺閣。嗣是選不盡才，才不盡選，而雄俊奧博之士或逸於別署，於是乎文章之柄岐而爲兩，外署以其偏鋒選勝，與詞林角，而卒不勝，何也？不中於繩墨，不宜於廊廟也。詞林亦以其堂堂正正與外署角，而亦卒不勝，何也？不新於耳目，不聲於觀聽也。隆、萬而後，臺閣之體盡變其初，爾雅神奇兼用而互出之，於是乎天下操觚之士靡不左辟詞林矣。丁丑諸君子極多才俊，以予所交，如曾尚書之典實、馮尚書之辨博、沈宮贊之精警、楊少宰之理學、陸少宰之雅贍、馮司成之簡要，皆稱不朽，而吾師敖先生清新恬澹、冲夷博雅，言言理道，語語經綸，穎蕚並暢，華實兼茂，超然自得於語言之外，亦詞林盛事矣。至其挺挺大節，侃侃危言，超越諸君子之上，已在滿朝耳目，先生故與同里鄧文潔厚善，而廉退沖夷似之，入仕以來強半山林，禮卿一衡，至遜於兩科之後，此可以知先生矣。予初第時，獲遊師門，偶以所業請益，一受品評，澀然汗下，後予在朝，先生在家，先生在北，予在南，凡二十年，始得共朝夕，而見先生之剛介不可奪也。嗚呼！詞林固不乏才俊，如先生之持身範世，寧獨門下士奉爲規矩，後進君子聞先生之風，而嗜進速化之心泠然消也，可以廉且立矣。此集刻自中丞牛公，牛公與予同出先生之門，而所操尚、嚮慕，臭味一也，中丞雅意寧獨以詞章風世哉！江夏門人郭正域頓首拜撰。

明牛應元序

　　宗伯龍華敹先生遺集，詩若干卷，文若干卷，郭明龍宗伯次而序之，不佞應元校焉，且任梨棗之役。評先生集者曰，詩似杜也，文似史遷、孟堅也，未具論，論其世，不佞出先生門，知先生世者也。先生行不爲虛，言不爲詭，定之於中正仁義，文之於禮樂，其心欲抒之於經綸康濟，乃徘徊詞林垂三十年，不柄不用，悠悠乎抱志而往，天下惜之，他日青史有遺憾焉。說者謂，以先生之才，少自呈於入史局時，即不必讀墳典索丘，珍爲楚寶，相羊花磚，可釋筆研而操化權，先生獨嚴不見之節，如范淳夫於荆公也。既而愛日悲景、衡門樂饑，歷八星霜而後出，道不行於勸講，膏一屯於里閈，先生又浩然賦歸矣。其晚出也，天下想望丰采，謂主眷特達，旦暮爲霖，而先生侃侃亭亭，不附柄人一語，玄都千桃，坐觀開落，岱宗松柏，自任風霜，昔孟浩然所嘆，朝端乏親故，鄉曲無知己。以先生視之，殆其莞然，是故文可主衡而司國鐸，望可貳銓而淹詞曹，台垣方朗，而隕星告變，雖天則司之，彼尼先生者且乘化而翻覆其手，奈何不令人咨嗟哉！大江之西，廬嶽千尋，彭蠡萬頃，汪洋澎湃，崒崔魁磊之氣，鍾爲賢喆，鬱爲詞華，先生道德文章尤其炳杰。習先生者知先生，即不習者，讀其文，想見其爲人，縱與日月爭光、雲霞暎采可也。生前絀信，烏足較乎！烏足較乎！關西門人牛應元頓首拜撰。

（張健審查　　許惠貞標點）

由拳集二十三卷十六冊　明屠隆撰　明萬曆八年馮開之秀水刊本　12710

明沈明臣敘

　　屠長卿蓋從潁上徙青浦矣，令潁時，諸所著文章詩賦，潁諸生乃請付剞劂，而非長卿意也，海內諸人士讀而豔焉，輒從長卿乞集，而長卿雅不欲傳，然終不能拒，間亦一二屬工墨之，楮輒風雷，於是長卿益自秘，以故傳者菫菫。而及今令青浦，所著文章詩賦益鴻鉅，益不能自秘，而馮太史開之謂前刻稍潁，乃取而與沈太史君典刪定之，增新者十之六，更名曰由拳集，蓋由拳故青浦地，人傳泖水澄，隱隱下見城郭狀，以故是集得專名焉，而開之更取付剞劂，屬予敘，謂曰，長卿嚴事先生，先生知長卿盡，合有言。予於是序曰，即無論長卿才，即長卿治狀卓越，它日史氏纂國紀，文苑、循吏當兩傳之，而世又謂文人無行，乃長卿顧碩德操嚴、卓行高誼出等夷，爛然不污於時，倘所謂完士者非耶？長卿文遡則古昔先王之訓，自六經周秦楚騷兩京六朝已還，無不總覽，而以時出之，不拘拘守一物；而詩則三百篇漢魏及諸樂府鐃歌以至大曆已還，亦無不總覽，而以時出之，不拘拘守一物，以故宏肆鉅麗，高華秀美，燁然動人心目，而溢出無長語，儉用無窘幅，才與情副，華實並茂，神變惚慌，而陰陽錯化，故本非舊訓，出其口便足千古，固雖緒論，入其筆輒爾神奇，譬之用兵，如韓淮陰，多多益善，雖驅市人以戰，自成奪趙滅齊之功，而又如李將軍，不治軍籍，不擊刁斗，自衛不正部曲行伍，人自不能以程不識謹文法，議其後，倘所謂國士而才氣無雙非耶？然此亦菫菫。長卿年未四十，方在卑位，尚自冠絕如此，而更令後日，又何如哉！又長卿毫不待吮，而出語妙天下，既負枚叔之捷，兼收相如之雅，人復以馬長卿擬之，疇不謂當然哉？而予獨曰，兩長卿不得同日語，何居？蓋馬卿文無行。於是兩太史輾然笑曰，先生知言哉！先生知言哉！合書是爲由拳集敘。明萬曆八年歲庚辰五月甬，句東沈明臣嘉則父撰。

明彭汝讓敘後

　　由拳集者，東海屠長卿先生所著也。集凡若干卷，摛菁弱冠者十四，振藻登庸者十六，蓋既成而有客謂先生曰，物之精華，天地所秘，何物長卿乃手探象緯，口吐霞霧，雕錦匠之奇，洩造化之窟耶？又曰，櫝有異珍，詎令長藏，懷有明珠，曷俾暗投，盍廣諸？先生謝客曰，丹素異炫，識鑒逾昏，故茂先寡智，則誰爲干將？誰爲莫邪？子期亡賞，則誰爲高山？誰爲流水？鮮英罕存，華璧易毀，吾將藏之名山矣。客曰，子虛賦而孝文恨不同載，法言成而君山知其必傳，余固靡有知識，詎寧以麏爲麟、以雉爲鳳耶？且好醜愛憎初匪相關，椒蘭琚瑀亦所並崇，縱積毀扇於青蠅，多口滋於妬娘，吾爲子解嘲矣。乃親披編牘，用以殺青云。嗟乎！先生志堇曜靈，蛟門孕秀，家無擔石，釜有生魚，門對大流，曠多塊抱，雅蠋雜伎，獨喜豪吟，探玄而玄，咀微而微，上瞬千古，闊步一世，旁無人也。嗟乎！先生束髮授書，游心區表，開設門戶，標樹旗幟，縱橫蔚於河漢，綺繪充於箱帙，猗與偉矣！夫敏以楊脩，彌日不獻，才以劉孺，攬筆遲回，先生舌妙談鋒，腹涵經庫，含毫輒參千言，動墨即申長素，雲飈電駛，風行濤怒，飛兔膽驚，山鬼魄褫，洵才轥賈誼、捷先枚乘矣，聿稽竹素，可得而云。其文漆園在前，御寇在後，先秦驅左，兩滿馭右，其詩諷深三百，韻標十九，沈宋良朋，李杜好友，其易則迸澀艱之指，其難則薄平淡之趣，其詭怪則目游神螭，其突蹶則肘搏巨蟒，其深長則遠人之入太興，其奔佚則造父之控生馬，思劇沈鬱，語亡襲仍，凡極天岸地，形越神超，即小際嫻情，意新句繪，曾何心於凤搆，特掉觚於食時，嗟乎！先生所謂天地心生，心生言立，言立文明者耶！先民有言，州縣之職，徒勞人耳，載觀先生，有不其然，夫法程銜勒，雅道趑趄，磬折塵容，斯文氏迕，姦猾則弄吻舞文，豪強則關白請覆，材難徧及，職豈易容？先生爲之，子產服寬，魯恭著異，府若無人，庭若無吏，惟恢刃以覃猷，每掞麗而清嘯，南州之榻以下，北海之樽不空，雖宓子鳴琴、葛生勾漏，胡足云矣。汝讓以襪線之材，誤收藥籠之物，幸披心胸，猥屬論序，魏文騃觀於捧玦，交甫詑視於解珠，無以過也。雖然，概蘭英之爲國香，豔仁表之爲人瑞，汝讓不敏，敢不攄肝以嚮意，摛辭而抒素云。青浦門人彭汝讓著。

　　　　　　　　　　　　　　　　　　（張健審查　　許惠貞標點）

————————————

白楡集二十卷詩集八卷十六冊　明屠隆撰　明萬曆間太末龔堯惠刊本　12718

明丁應泰白楡集序

　　當嘉靖間，六七大夫修西京之業，闕下斌斌然以理義之文應，薄海內外，想聞其丰采，天不慭遺，李君早世，不佞不及濟南，從鄉曲而習下雉，從公車而得

夐州，從筮仕而親太函，三君子者油油然而下，不佞爲之逯席者屢矣。不佞令新
都且久，而狎侍太函，太函每談藝，臚數海內諸名家，輒首及雲杜本寧李先生、
東海長卿屠先生云，二先生先後入新都締白榆社，而長卿且再至，尋筴其所善業
而質太函，太函嘉之，忻然任爲序，社中生程元方伯仲任剞劂行焉，甫鳩工，而
司馬下世，梓人且散去，元方不但已也。司馬有成言，益督之，踰年而告成事，
元方貽書不佞，太函頹矣，夐山甀甄先後崩且圻，誰爲導？白榆固自有導也，欲
以生質也，生好言屠先生，先生何脩而得此哉？不惠辭不獲，敬起而颺言，語有
之，天不人，不因人，不天不成，先生所因而成者，畢有合也。國家稽古右文，
直將超漢唐而比虞夏，著作代有興焉。天造之初亡論已，一盛于成、弘，再盛于
德、靖，海內靡然向風，至隆、萬之間，六七大夫勃然起，盛矣美矣，蔑以加
矣。資適逢世，是文章乘王氣，時也著述遞起，薦紳炳然，多經世之業，由是尸
祝古先，糠粃近代，祖騷禰選，薄宋黜元，重熙累洽，中外相應，時則優爲之
矣，天地美秀之氣盛于東南，而迫盡乎江海，先生家甬江之北，大江四面環抱，
海門之秀，奔薄雄結，寥廓淪浮之靈寔鍾焉，其斯以王百谷、滙隩區，俊民豪賢
比屋接軫，震旦文明之域所鳩聚而醞釀者，詎不爲先生助耶！夫人幼學而困帖
括，壯行而困功令，及兒官，而計無復之，困于自廢，嵬然著作之庭，瞠乎其
後，望望然去之矣，先生亦足以雄矣。長卿兩爲令，善循良，以不能附會，僅得
入爲郎，尋典客，忌者顧得甘心中之，長卿罷矣。長卿矢從事無生之學，攝玄定
希太上，而既罷，夷然故吾，中無幾微動，儽儽乎采眞行遊，蓋自落穆世外，菲
妻之言安所冒長卿也，不幾于盜首陽而嬲柳下者耶？嗟乎！太函終，而嘉靖間六
七大夫且盡，熙朝之人文無餘矣，幸而才如長卿，復廢棄之牢騷闃寂之鄉，早躓
而晚達，遠出六七大夫下，豈文章之爲賈窮具哉？文以窮而後工，亦以工而後
傳，窮何病焉？祇以成長卿之不朽而已。本寧李先生業已退耕江漢，文人多窮，
固非虛語，余謬序長卿集，而質之李先生，庶幾乎太函無浮譽哉！元方伯仲急太
函於沒，而急長卿於窮，沾沾然行其集，而無私帳中之秘，其陳義亦良足重矣，
是爲序。萬曆庚子蠟日，江夏丁應泰元父譔。

明程涓白榆集序

　　東海，屠長卿先生故籍，諸生稱古文辭傾海內作者。既上公車，兩拜劇縣
令，於時懸書邑國，爲由拳集，峨峨乎高者躋九峰，津津乎深者潤三泖，斐然成

一家言，及先生以治行高等拜爲主客郎，薄海內外爭趣。先生京師總持風雅，其門如市，忌者願得而甘心中之，於是絕纓疑而滅燭，罷先生以道民行矣，于時筴而傳之于越，爲栖眞集，彬彬乎而富宗廟百官，飄飄乎而超遊仙巖壑，卓然多大方之家言。先生既堅自罷，而居常修古卑今，屬辭不廢，寤寐三天子由東海而訴新都，始至則講業太函，繼至則乞靈素岳，悉篋先後所就業，質成司馬而社白榆，是爲白榆集，決決乎視由拳則絜大，瑟瑟乎視栖眞則較精，犂然鼓吹衆氏，而錯出百家言，司馬氏亟多之，以屬余宗太學元方伯仲梓而布焉，謂不惠涓序矣，不惠謝不敢，而司馬固命之余集者，夫子固有意乎？記余客長卿海陽，凡浹月日，呼酒竟夕，語文則自卦畫、典墳、索丘、左史傳語，肇自三五以及先秦西京建安開元升降之格，諸子百家之言，以至二氏虛寂之旨，五金八石萬物之性，山川之幻靈，鬼神之情狀，元會運世之終始，遞叩而遞得之，莽不可以窮詰，長卿又銳於思而饒於材，寂寥數語，結搆自豪，頃刻萬言，淋漓自喜，以立取而立應，毋所躓於楮、腐於毫，夫非人傑之絕資、作者之極則乎哉！今其集具在，分部者二，分卷者二十，計言者餘億萬，騷賦似楊、枚，五言古凌三曹、出二謝，次治六朝，七言歌行出樂府，時時太白之致，近體五七言律若排律，備具大曆諸子，詩餘詞餘絕類宋元，序記疏啟表議策論碑銘贊傳哀誄之文出東西京，書牘出左國而放于漢魏，靡所不該而有也，長卿具此治博士業，故有雋聲，爲令令名，爲郎郎名，早服重積，孳孳靡替，即攖不根之謗，而益務不厭之勤。居常恥爲豪舉，欿然自下，即其操行犖犖，亡急近名，嚴事則推先進，獎拔則急末流，師資麗澤，庶幾論世而遍宇內，已無所靳其交，人無所愛其情矣。稽時則如彼，揆地則如此，取人則修益，若是其無方，天因而人成，先生修此三者，固全也，文不在茲乎！先生早負重名，文采風流照耀海內，海內計以爲有七賢六逸風致，即而就之，則恂恂然木彊，少又易簡而已，嘿存而已，跡先生名者，猶然疑于市虎，習先生狎者，雖有三至之言，若風馬牛不相及，虎豹來田，飭驪虞而獌貐之矣。文人多阨，固當先生，且也先生晚而帥友造化，冥心太上，睢睢盱盱，儵忽混沌，雖有毀譽，置之兩忘，純白備而不居，正常解而使去，安事沾沾雜組爲也。即由拳、棲眞、白榆三集者，鼎立而並行，不啻犛狗視之耳，于先生何有哉！有以觀竅，無以觀妙，請以有無之間就正司馬，司馬當有眇論持焉。不惠涓生也賤，交先生淺，而深得其爲人，不避不文，敍其大概若此，言亡足爲先生重，而祇毋爲先生贅矣。萬曆庚子春正月吉，新都程涓臣源著。

————————

重刻楊復所先生家藏文集八卷十四冊　明楊起元撰　明萬曆間楊氏家刊本
12722

明 劉 廷 元 序

……（前闕）而不能以其所自信者信之，後死吾道非耶？孔子曰，文不在茲乎？而漢之言曰，文者貫道之器也，不深於其道而有至焉者不也。吾觀於天地之道，而知文之至已。天地無文，而不能不吐曜于日星，點綴于河岳，含輝於草木；太史無文，而不能不叩於虛中之鳴，滙于蓄極之洩，而激切於憲章祖述之思，豈亦有天意寓焉！余竊慨于道術之異久矣，自閩洛傳詁以來，岐分縷析，不可勝紀。我明興，操三重之權，幸斯文之未喪，其自丘索墳謨逮龍宮法藏，悉著為令甲，載在秩宗，謂其可以暗助皇綱、弘宣道脈，無非為斯求真儒，作用涵養二百年，始有江門主盟嶺海，靜養端倪，為道學首唱，而後姚江闢良知悟門，應之倡和，一時海內知有聖學矣。嗣是以還，豫章黃楚吳越間，日與嚫切，大煽宗風，非不欲闢程朱之藩、入孔孟之室，而不免於鴑驪茸甕、掠教剿門，間或少補濂關之闕，而名根未斷，輒多一種囂凌訴詐詡習氣，鋒刃所向，有如五宗濫觴之後，拈一二清涼話頭以消焰解醒，甚而訶罵從事耳。太史邁跡羅浮，遡江門正脈而得其概，嘗屈節嚴事盱江，不啻游楊之於二程、七十子之於孔子，既讀中秘書，手御製文集，獨窺太祖暗助皇綱之精意，慨然有憲章思焉。曰吾舍昭代，其何適矣。故其為學也，不依傍人門戶、持鉢向宿究乞餘唾，只灑然一味見性為宗，體認大人赤子之心，每尋聖賢樂處，而家法則願學孔子而已。而其為教也，亦不更立宗旨、樹壇坫，徒搏箇中人一笑。今其文具在也，有目者可得而見，有耳者可得而聞，曾有俶詭離畸，好為不可方物，以駕軼於功令外否？曾有詆甲訕乙，以氣加人，襲捧喝套語否？又曾有追鞭逐影，向魔軍隊中度人賺人，所謂鄉愿其心處否？試讀之，如甘露清泉，一酌清人骨齒，消人礧塊，沁入而不可知，而要之則布帛菽粟，又生民日用不可須臾離者。大哉！文至斯乎！程伯子曰，吾學固有所受，而天理二字則自家體貼出來。太史之學豈無所受哉？乃憲章一念，又從其忠愛至性體認時出者，故卓然於今日俗學中，軒軒翔鷺，矯矯不羣，若其

非譽喜謗、顯晦升沈，則斯文廢興，固自有時，亦如造化消長、枯榮開落，自有
其時，而吾道固自若也。頃百粵志成，例得屬諸人物，操觚者大都束於程宋之
見，少太史以左袒竺乾，相持久之，嗟乎！其亦不達于爲下不倍之義矣。乃余猶
及覯記太史所爲文種種，不啻充棟，而茲集僅如干首，無亦尚向中下人語，第重
市太史以名心，而未便輕酬太史以道價耶？不則文章、性道，其何以二視之？子
貢得聞文章之後，而曰，夫子之言性與天道，不可得而聞也。則茲刻也，其以爲
文章乎？性道乎？太史固自有獨重者在矣。長水後學劉廷元譔。

（張健審查　　許惠貞標點）

儀部張先生文集二卷四冊　明張敬撰　張中發編　明崇禎十三年刊本　12723

明文翔鳳序

　　儀部先生集，蓋按兩河御史臺張公表其先君子篋中之作，其史文翔鳳獲次而
論之曰，文章殆兼禮樂之用、國運之權衡與。典謨叶于禮，風雅叶于樂，姬公兼
六代而制作，孔父衷六藝而刪定，肆子思子論文，有前輩典雅之目，匪典匪雅，
焉尚詩書？昔人觀被髮一祭，即知伊洛終淪于夷裔；歌南風一闋，即知荊楚不競
于上都，文章之道亦復如是。一代之國運大且遠，其元氣必發靈于哲匠之筆，以
吐其光爛，而表相堂皇，元氣有昆侖豐厚疏達龐雜之異，則文亦惟肖，如漢孫
周、東漢孫西、唐孫漢、宋孫唐，而靡極于隋，淫極于元，六朝何其駢複，五代
何其寥落也，其體不踰辭命、序事、議論、詠歌，而總出之以元氣，故之三代則
昆侖，之兩漢則豐厚，之唐則疏達，其他則龐雜，而元氣放絕矣。迁客陋人毀爲
雕蟲，靡關治體，性情筆札，劃之使二，至不可莊讀，知道者以爲大訴。明興百
六十年，而古道始矯，起自李獻吉氏，其辭命序事方漢，歌詠方唐，惟議論差不
逮，元氣則豐厚而疏達矣，使有知道者不懈，而造經之典雅，繩詞人之濫觴，振
理學之弱雲，禮樂殆復作，雖知聖之事未竟條理，然嗣者尚不失爲漢唐，我朝之
元氣大且遠，其發靈必不止如漢唐，魯鄒寔經之苑藪，可令鼓吹自他方氏邪？自
海內失元美，亦遂無取濟南，代之者子愿，姑承乏長一方，屠長卿云，海內無復
望龍門，濟南邢侯差快意，辛亥道臨邑邢氏造訪，下車未及揖，即抗手曰，君父
子先秦而造于經耳，我則專守西漢。既又曰，著書立言，我不如君，應世之文，

君不如我，謹稱憊謝左辟去。之青城于公，于公曰，若安得以其應世當西漢之新城諸王，諸王曰，若安得西漢之海上語高孩之。孩之曰，若六朝之尤靡者耳，奈何欲窺二李之座，然東人尚無道張先生者。其又歲踰五，事侍御公中州之部且二載，始獲其書二卷讀之，則舍然大喜，茲詎鄉者六朝之靡與爲西漢，惟允萬古之權濟南，其遞相付邪？翔鳳雅嗜古，尚弗敢章乙而句讐之，久之，解剝其支，曉暢其節，每發一策，輒稱善至失聲，其取材比律，則周官左氏國語離騷太史之博闊□□□□□一語矧如□天□□□□□于舍筏法掩才則□□□□□取其文一通□□□□□雙瓕書典而詩□□□□□如獻吉不至爲刻削示以璞有于鱗之矯矯多□無其鉤棘使氣之勞其條理□知之事爾力亦至與？然其名尚未謤揚推之口者，以其晚獲第，淹潘鬢□郎署，又引裾輒去國，而蚤謝賓客館，故其文止若干篇，侍御公又晚出其若干篇之在篋者，未遽行世，時匪無英雄，而使彼成名，昔少陵歿四十年，而元禎始推爲古今之才所總萃，先生往亦且三十年，而翔鳳獲論次其遺文，孺子其幸哉！敢謬自列于知已耶？近此道爲點夫所嬉弄，不憚夸父之渴，欲撤二李門庭，而削其迹曰，吾且爲蘇長公，即長公不嚴事漢唐人乎？漢唐去詩書寔近，至謂長公詩勝李杜，東南響答，至或小乘元美，西北人亦自操戈其室，元美固嘗曰，後進開美服膺何生，即信陽調何所不漢唐。夫紫氣中原之客，信媿于德盛日新，蓋亦擬議以變化，何至以市諺方言捲風騷，而置之防口，如川決無徵，將弗信，蓋歐陽子得韓文廢書簏中，誦法之，持以正古文之衰，是集出弘治之音，再戞功古文，遂不啻老韓，即其鄉人倘謂道尚在魯驪，孩之、季木信倔強，亦安得滕其輔頰舌邪？惟先生不獲究用，禮樂肆，侍御公之翻羽于飛，維天子使以亮節命世，淑問如咎繇，巡行如君奭，直當一度河清，胎育我一代昆侖之氣，不啻以文章，將以禮樂錫類冢君，又乘海運風舉矣。以家學，世篤國祜，將家慶之大且遠如其國，孝子忠臣寔收元氣之應，其敢貶筆以古道佞邪？權衡倘徵信于鄙言。萬曆丙辰夏日，賜進士第、南京禮部儀制清吏司主事，後學西極文翔鳳頓首拜撰。

明趙秉忠序

　　天壤間有法物雷文焉，篆古色黯，然識者會心自賞。子雲玄經必傳後世，詎獨桓譚氏始識其奇哉！余年友憲松直指持斧按大梁，事竣寄余一編，乃其翁甫松石先生遺稿也。先生性資鴻猷，宏覽博物，鉅而墳典丘索，纖而微遺規中，奧而星緯歷數，珍書陳法，靡所不屈首而心醉焉，究所措施，經世之猷，蓋樂可量，東方士紳咸師事之。大都先生爲人寬然長者，以崇正黜邪爲務，其涉世顧不爲機事，而爲文顧獨高古，時時操觚，則沈精覃思、肺腑欲嘔。以萬曆丁丑進士官祠部郎，鳥啼吏稀，退食多暇，揮塵據梧，遊神掃翰，其文出，率艷涵浩博，鉅麗典重，澹雲之奇未之專美，嘗諦視焉，一一心輒異之，乃今獲覩其全帙，左之葩、馬之逸、班之斧，往往紛錯於毫楮，蓋至今讀其書，歷歷如身在，其時接之人目覩其事者，其寒勝耳，獨稟律度，好捐第筌，撰結離奇，色相紺黝，如軒轅之鼎、昆吾之劍、渭濱之璜、青壇之履，儼然前代法物，詩賦如干首，具諷諷大雅之音也。明興以來，高曾諸儒高其壇坫，先生實握中權焉，以時相國專政，雅器重先生，數向先生問奇，先生顧澹泊寧靜，高臥齋中，意自分，坐是拂相國意，爲郎至十年不調，同志爲先生嘆，惜先生才。閉戶著書，友千古而酣六籍，念余蓋牽輿，嘗辟之松檜貞姿，嶔巖蟠屈矣，以遂其千尋直上之勢，而偃枝橫之，少有異態，先生壯心銳志不獲措施於經世，而自娛於文，宜其文之工也。迨先生没，兩嗣君褒矜先生文以傳于世，乃先生諸稿多撰集，笈中實未嘗有文，間從友人及門下士括其舊時遺稿，付殺青，僅僅廿之一耳，好文者珍其奇，未嘗不惜其略，余寢謂文章之工固以多寡論哉！烹龍文之鼎，嘗寸臠而知大嚼，覽鳳德之輝，覛片羽而知蘆采，疇之紛也，一畫幾何，衁之紫也，五千則野，文章之工詎以多寡論哉！嗚呼！世人盡知先生者文耳，獨是澹泊寧靜，親炙若浼，潔體亮節，眞可以諷慰悲而師百世，故因雄藻綴附景行。萬曆歲在戊午，青郡年家晚生趙秉忠頓首書。

明 賀逢聖序

　　逢聖讀書至君奭，讀詩至江漢，蓋嘗想見成周有道之長，其君臣父子所爲戩天休、矢文德，尪冒海隅日出，而稽首天子萬年，一何篤棐裕而維翰隆也。當召公請老時，周公反覆勸留，惓惓於商六臣、周五臣，眞若偶耕宣乘之不可一日缺焉者，則平格考造，卜筮所繇，罔不孚也。江漢錫祉，一則曰召公是似，再則曰于周受命，自召祖命，夫必似召公以洽四國，乃能對揚王休，作召公考，則圭瓚秬鬯，令聞所繇不已也，盛世大臣事君如父，視國如家，鞠躬盡瘁，知無不爲，力專於報主，而孝思維則，實藉純忠以揚之，功成身退，寵利弗居，明乎子在道，而世德作求，遹追來孝以顯之，若是，雖伊陟不專美於商實，而召康仍接踵於異代可也，逢聖不佞，敬以是序儀部張先生集。先生爲憲松相國父集在，神宗顯皇帝朝比於成周，則文王修和、武王丕單時矣，相國受今上特簡，以元輔得請捷敘優，存賁相望於里門，則虎拜稽首，天子萬壽之徵符矣，而乃彙先世之琬琰，傳諸通邑大都，不第珍爲家乘，僅副名山，逢聖是以歎公爲大忠、爲純孝，以爲臣子之鵠，殆匪夷所思也已。神祖在宥天下，正四十八年壽考，作人久道化成之始，其時朝宁四方，主德相業，六卿之績，百職之功，與海內殷陳綜核之效，先生每一篇之中，咨咨乎三致意焉，文酷似典誥，不類世之有頌無規者，子瞻謂古之君子必憂治世而危明主，明主有絕人之資，而治世無可畏之防，君子懼焉。先生之文歷六十餘年，炳蔚日新，愈久而輝光愈不可遏佚者以此，少司寇陳公尊先生於壇坫，經術經世如日始東，而傷其不待，嗚呼！茲先生所以待相君者哉！先生爲保衡而後有伊陟，爲召祖而後有穆公，天道猶酌不朽，先生固政未易測耳。相國敬德明俊，式克不怠，游大川而能濟，而幸丕時可讓，敬治多賢，得以遂召公之心，因以彰先生立言之美，是相國君臣父子之遇，交際其盛，三代而下，平章重臣未數數於世也者。先生聲施後世，則何窮極之有，淄川故夾谷地，斯集之來，相君藉手肺附王公，公方奉上命勦賊，文事武備，有孔子家法在，于彊于理，王國來極，逢聖於相君爲小友，於王公爲隣氓，遠頌文章，近覯成功，總徹靈先生不朽，相君將無謂鄂之鄙人，詞誠不腆，亦庶幾足表我東海泱泱大風哉！則逢聖割華多矣。崇禎十三年歲次庚辰春二月二十九日之吉，賜進士及第、光祿大夫、太子太保、禮部尚書兼文淵閣大學士、奉勅同知經筵日講、制誥總裁、國史玉牒、東宮提調講讀官、欽賜馳驛回籍遣官存問，通家後學江夏賀逢聖頓首拜撰，丁丑進士吳夢熊、孫丁丑進士門下晚學生貞啟謹頓首書。

明陳禹謨小引

　　夫古文辭必根極理道，始神情有主，而面目隨之，未可遂事變屈曲模寫相役也，此攻古者，理苞塞而辭益奧，索解自不必公冶葛盧，辭浮跳而理微匱，無味必且如撞木嚼蠟，彼卑詞賦於雕蟲，而薄宏辭於優俳，夫豈有激乎言之哉！我明天子無挾書之禁，人獲朝夕經史、飲食子集，雖坐玄駒之穴者，亦將劃然自奇，而有能駸駸數千載格者，卒非其人，自滄溟挾主齊盟，探六經之奧，吐百家之奇，嗣所跂嚮而自奮者，濟南更有張爾和，余與爾和丁丑同籍，且同師門，已復同官中舍，甚習其衷愫，間嘗更端北面，若游汗漫之野、觸深之淵，莫可窮詰，竊謂其當以經世行經術，如日始東而傷哉？其不待矣。後三十年，余叨鎮襄鄧，適嗣君直指公按部中原，先聲所暨，日煦風清，公餘寓書不佞曰，吾父一生心血，剩有數卷殘書，敢乞一言不朽。夫余非知文者，特知其人，固知其必有言也，請得即其人與晬於形容、徵於詞氣者序之。爾和介性端默，雖善戲謔不爲，惟雅自茹素，深湛好書，以故酣適理道，驅役今古，振筆而風霜爭飛，落想而魚龍忽變，細若氣，微若聲，麗若春，粧峻若秋壑，玄遠若倚白日，摩弄青窮，高深若坐太行，臨睨渤海，駸駸數千載格哉！抑亦何有於滄溟也，眞可謂不忝以還造物矣。余竟讀其篇，益不勝識，意其人而所謂知其必有言者，蓋必其爲有德之言也夫，必其爲有德之言也夫！萬曆乙卯嘉平吉旦，武林年弟陳禹謨譔。

　　　　　　　　　　　　　　　　　　　　（張健審查　　許惠貞標點）

────────────

瑞陽阿集十卷十二冊　　明江東之撰　　江世東編　　鈔本　　12724

明江世東序

　　……（前闕）自謀而拙于偕俗耳，廼上固知之矣。嘗謂江某盡忠言事、摘發大姦有功，時邊臣掩□□□朝議遣掖垣一人往勘，上曰，非御史江某不可。于乞歸，則遣使諭留；于起廢，則旋推旋補；于持平，則睿斷特孚，即至衆口含沙，而竟不變其簡用之心。惟是播州之役，慈母不能不投杼于三至，迨播事蕩平，論功行賞，矢口何人說紀生耶？…（中闕）…有詔霽自外至，凡以播事降黜者俱准優恤，以昭浩蕩之恩，而翁不及見矣。悲夫！方翁林居十餘年，廬不蔽風雨，田不供饘粥，郡邑大夫不得一望顏色，日惟寄傲陽阿之間，漱流枕石泊如也，翁之襟期固已遠矣。憶昔長安舒比部闔門疫死，親故交知無不望而却走，翁顧往襁其孤，歸而撫之，人誠翁彊年方舉子，獨奈何爲駴俗之行。翁謂，死生有命，伯彊胡能爲？則翁業已□達死生，通徹性命，況區區寵辱成虧，且等之夢幻泡影，曾何足以攖其寧哉！要以瑞金鍾靈，篤生正直，于以弼聖明而勵頹風，砥中流而迴既倒，固如此。不肖方待詔臺中，典型具在，後事可師，因與弟爾松哀翁著作并遠近之所以頌述吾翁者，僅得十之三，爰付剞劂，命曰瑞陽阿集，聊以寄仰止之思，且俟吾弟之繼述云。萬曆辛亥春王正月，進士、文林郎、知蘄水縣事、考選雲南道御史，從子世東頓首拜書。

鄒南皐集選七卷六冊　明鄒元標撰　明萬曆丁未（三十五年）余懋衡刊石城周氏
博古堂印本　12725

明 黃 鳳 翔 序

　　是集也，吉水鄒君爾瞻所譔著，而侍御婺源余君爲梓以傳者也。君自登仕
版，輒論糾權相之戀位奪情者，是時氛曀蔽日，被重譴謫戍夜郎，居七年，天日
開霽，賜環易朞矣。先後掄諫省，改銓曹，皆弗獲安厥位，非明主初意也。君優
游留署，尋退棲南皐之野，而道日尊、名日重，海內士無論識與不識，咸稱之曰
南皐先生云。余曩典留雍時，曾晤君于講席，比君赴銓司之命，甫詣闕，而余釋
春曹歸，君就行色中一晤語焉，蓋自是而余跧伏荆扉者，凡十七載，魚筒雁足，
好音屢屢，頃得君集讀之，如炙丰容、聆謦吐，奚啻講席旅邸時景象也。夫古昔
才士多好自誇詡，又常嘆知己之難逢，陳孔璋善書檄，不閒詞賦，而自附於司馬
長卿，丁敬禮鐵中錚錚耳，乃其自譽曰，文之佳麗，吾自得之，後世誰相知？定
吾文者曹子建，一彈一許，遂欲定千古月旦，顧敬禮之文，今安在哉？益以信譔
著之難如是。君潛心性學，遠則周程朱陸，近則河東餘姚，遡索論難於宗傳一
脈，卓有冥契，不屑以詞章鳴者，惟是陶寫性靈，興懷成詠，藹然若春，冷然若
秋，而世之鄉慕君者，咸覬得片言爲重，君特用聲氣之同、應之無飾，語亦無避
忌，豈與夫騷人墨客競麗爭奇？又豈規規然爲之較量曰，待後世相知，而吾文始
定也。大都君心事如青天白日，出處如行雲止水，所爲詩章亦似之，由今誦其
集，處遐荒，無賈生賦鵩之感，還清朝，無韓子慶雲之頌，諸所酬答譔述，無李
賀嘔心之苦，詞贍而逸，氣雄而典，有道之言信足傳也。余老且衰，學殖落矣，
宜擲筆裂研，以畢餘生，特以一念景企私衷，僭弁君集端如此。萬曆丁未仲秋朔
日，晉江侍生黃鳳翔拜手譔。

　　附宗伯儀亭黃公手啟

　　捧讀佳集，滿几瓊瑤，論心性則奧竅洞開，論人物則妍媸如鏡，眞後學進趨
之的、當世得失之林也。兩侍御序中，有英風傑氣語，時似有之而盛美未颺，不
佞因不揣荒蕪，謬裁小序，竊謂老丈心事如青天白日，進退如行雲止水，所爲文

章亦似之，頗於龍文鳳采窺見一班，第全篇自覺拙陋耳。

明吳達可題序

世所稱文士家言類鈎棘，其詞軋苗，其句以爲藝林之藻繢，不復求之理窟間，有譚及理道者，往往拾支離之餘唾，借影響之陳言，而心體性真漫無省悟，亦何貴於立言哉！余年友鄒爾瞻氏，少禀奇姿，負偉氣，甫登籍，侃侃封事，扶翌綱常，觸忌冒諱，竄謫遐荒。余筮仕稽陽，寓書相訊，大略謂陽明先生昔貶官龍場，群狐狸，侶豺狼，不惟富貴俗慮不入於衷，而節義高標亦無處倚著，後來勛業道德悉從一竅靈明發之，兄今所立之志不愧先哲，所居之地是即龍場，弟將拭目大成等語。公欣然會心，以余言爲有契也，居夷困頓者且七載，嘿悟本心，洞見道體，據所自得，發之篇章，形之歌咏，不出儒者矩矱之中，而亦不著儒者事理之障，不脫烈士英傑之氣，而亦不留烈士憤激之腸，蓋節義文章、道德性命，渾融合一，真足維風而立教者乎！余觀風江右，行役安城，邀公以一小艇晤語，文江舟次，芝蘭臭味，種種愜衷，亟索公所爲撰著，頗有吝色，柬懇數四，而後出笥中藏藥示余，余展誦賞心，携之行篋，晨夕玩味，宛如坐春風、飲醇醴也。京國晤余少原侍御，譚公意氣問學，蓋昔令永新時，莫逆於心者，謂茲集不可以無傳，慨然捐貲付匠手，余即不文，何得無言以寫胸臆、彰懿美耶？夫以言傳世，終不若以學經世，公身雖退，譽望益崇，聖天子念忠藎舊臣，不宜久實巖穴，且晚綸音，左右密勿，論道宣猷，維綱立極，掀揭事業，東越先生不得擅昭代之美稱，斯不孤余先年賁竹一函之期待哉！併書此爲它年左券，又不獨以文鳴己也。年弟吳達可頓首拜撰。

明余懋衡序

昔人以立德立言岐之爲兩，余謂不然，孔子曰，有德者必有言，而韓愈亦曰，仁義之人，其言藹如，則言爲心聲，猶山川之出雲氣、草木之吐華實，不可禦，亦不容假也。世人妄作名字，自相刻畫，而烏知其非有，蓋有二焉，詞人墨客，雕龍繡虎，懸河倒峽，非不謂足藏名山，顧以象爲楛葉莖柯，豪芒鋒澤，亂之楛葉而莫別，而于真體何居？否則借竺乾柱下之餘瀝以恣洸洋，非不諉聞而動衆，顧于大道，則茫如捕風，而終蹈于荒唐謬悠之弊，二者不同，亡羊均也。南皐鄒公髮未燥，已負奇骨，比釋褐，抗疏斥柄臣、扶倫紀，流離夜郎，蓋夷狄患難之鄉也，七年困楚，不慍不沮，其學日益邃，而性體日益徹，後詔起掖垣，補銓司，出入承明，陳誼侃侃，故或一歲歸，或二歲歸，而大要山林迴翔之日爲多。公于世故人才無所不凝注，尤刻意于聖賢之學，其爲文章，英風傑氣時露毫端，而盡絶叫號冗厲之習，與人談性命，不求爲同，亦不求爲異，要以抒所自得，不者，即金屑亦翳也。其作詩歌無煩繩削，而自合矩矱，軼臣逐客全不掛口，而時吟風弄月，有康節空曠之致，若其跌宕豪邁，則幾與青蓮相上下。夫詩文如金玉，自有定價，覽者當自得之。余令禾川久，得從公游不淺，每訪公廬，但見山窈水瀠，老屋數椽，比鄰學宮，問奇者屢恆滿，則不待見公而已游于廣莫之鄉，及聆公言，則泠然清風解我燥渴，後得公集數卷，藏之奚囊，以資展玩，則塵滌而竅開，猶未及覩集選，侍御吳安節公，夙與公爲金蘭好，自按江表還朝，手出集選示余，余受而卒業，種種皆天機流動，性靈融液，非務華而絶根、任達而課虛者也，付之梓，以公同志，而吳公爲之序，序核矣，余之爲此贅也，以吳公頻促，姑漫衍而置諸末簡。侍教弟余懋衡頓首拜撰。

（張健審查　　許惠貞標點）

────────────

鄒子願學集八卷五冊　明鄒元標撰　龍遇奇編　明徐弘祖等重刊本　12726

明焦竑題序

　　余與鄒爾瞻先生志相合、道相許，數十年于茲矣。爾瞻以眞人品發而爲眞氣節，由眞氣節溢而爲眞文章，人見其詩文醇深踔絶，動中軌度，莫不欲爭覩之爲快，而爾瞻初無意也，惟知詮道而已，蓋欲以詮道，故不容于無言，惟不容于無言，斯言出而道之明晦因之，非苟而已也。世之眛于道，而因以眛于言，即巧托人僞，以爭須臾之譽，而揣籥捫燭，去之愈遠，此余謂爾瞻非能爲之爲工，以不能不爲之爲工也。爾瞻統翼聖眞，振起絶學，堅挺於欹崎歷落之場，而洞豁於身心性命之故，余別之垂三十年，詣益深而養益邃，解黏去縛，觸處靈通，直指橫發，妙投機鑰，余近以老病，方欲剗除枝葉，獨證本根，而爾瞻乃能於語言文字之中，宣無上義，則敏與鈍之別也。侍御龍公覃精理學，闡發弘深，曩自纂聖學啟關一書，嘉惠後學，頃視齅之暇，復刻爾瞻願學集以行于世，蓋深憫學道者之迷津，而樹此以爲司南，爲意甚盛，讀是編者，誠能神而明之，因其言以會其所為道，始知爾瞻之千言萬語，總屬無言，斯無負爾瞻之心、侍御公之心也已。萬曆己未季春，瑯琊友弟焦竑拜譔。

明 周 汝 登 題 序

　　南皋鄒子舊有太平山房集刻，業多家珍戶誦矣。頃其學益邃，而撰著日益富，海內無繇窺其大全也，侍御紫海龍公視鹺淮海，以理學道其士類，既以自所製啟關密旨昭布之，又謂其鄉達鄒子，理學所宗，請其素所撰述篇什梓行，以惠一方而及天下，鄒子慨然以願學一集授之，夫不曰文，而曰學，其意甚微，乃侍御公之請梓，其心良苦哉！夫其所以命名者何也？文與學不得分為二旨，要本之六經論孟，六經無文法，而道之所載，天地為昭，論語尋常答問講學而已，精求之，則在茲之文即是而寓，淺求之，則雖謂志學篇為自壽之章，侍坐篇為敘事之記可也。孟子與列國諸侯、及門弟子，談仁義，稱孝弟，自吐胸中所學，何嘗有意為文，而蘇老泉氏於其章法句法，丹而乙之，奉為文軌，即學即文，即文即學，聖賢所以為文者如此，後世學不傳，而文亦遂喪，是故起敝興衰，以文師百世者，莫如昌黎，而或者譏之曰，紛紛易盡百年身，舉世何人識道真，力去陳言誇末俗，可憐無補費精神。傷文與學之離也，昌黎且然，他可知矣。有宋星聚，聖典重昭，四篇文字，是其最著者。逮至我朝，斯道益昌，陽明子以萬死一生之力從事問學，既徹千聖之心，遂開千聖之口，宏篇瑣語具足昭垂，一時門士作述相承，文與學始合為一耳。繼陽明而起，今則又有南皋鄒子，鄒子由困衡而喻其脈、正其眼，明平生所孳孳者在學，而不在文，然而感遇贈遺，時為宣洩，法度從容，旨趣深遠，或明言道理，如開門見山，滿前洋溢，或不涉道理，如水中鹽味，咀吸自存，其文也即其所為學也，故以學命集，而且曰願學，所願何人？所學何事？穆然可思，豈不甚微矣乎！余惟自古聖賢皆為覺悟羣蒙，故文稱有補絕學之餘，乃有陽明，然其時文與學分，可明辨也，今不數十年，弊殆轉甚，為講學語者若合學于文，然而意見強持，門庭妄設，似是惑真，多指亂視，不徒無補，而且將有害，於斯時也，必有人主持而旋轉之，侍御公蓋已屬之鄒子，是以表章其語言若曰，循其名，讀其文，而究其微，是可以遡陽明而達鄒魯矣。衛道之念何切，吾所謂苦心者以此。嗟乎！侍御公身窺道奧，而又以斯取斯，何魯國之多賢，而一時之偶值也，吾道永賴，寧不稱隆興之盛事也哉！梓事告成，侍御公以序見屬，謂余與鄒子莫逆也，鄒子之文豈待人言者哉！吾聞陽明子論學，人初未肯，惟仰其勁節殊勳，遂不敢置喙，枝葉亦本根之藉也。鄒子凜凜之氣節，慥慥之修持，肫肫之心地，海內方且投誠，而一信無所不信，其所自爲藉良多也，人言何有哉！顧惟侍御公之命不可負，而余且樂附於應求之誼，故強爲之言，而論次如左云。萬曆己未春仲之吉，東越年弟周汝登頓首拜譔。

明　蕭　雲　舉　序

　　學貴明宗，宗安在？在識仁，仁無體，以天地萬物爲其體，孔聖曰克己復禮爲仁，夫己克則見一，見一則知體矣，一者何也？仁也，仁于天地爲生物心，于人爲立命根，其體一，其用弘，其道合而靡貳，而最害仁爲知有己。夫蟊生於禾，蠧禾者蟊也；火生於木，燔木者火也；仁從人生，亦以人滅，多諸我見，長此安窮，蓋執而難破惟己，閡而難通亦惟己，其役於己也，動則紛紛，靜則憧憧，掃之忽積，撤之旋蒙，夫如是，雖日夕營厥體焉，而一膜之外遂成胡越，仁於何有？孔氏罕言仁，而直以立、達與俱之謂仁，天下同歸、家邦無怨之謂仁，至於見賓承祭，造次顚沛，即終食而不違仁也，何競競也，它日曰，仁，吾豈敢？第爲無厭、誨無倦云爾，諦思之所爲所誨者何事？不厭不倦者何心？誠于斯識，取仁舍聖安歸哉？顏曾以後，獨軻氏承宗，而直揭之曰，仁、人心也，以尊爵名，以安宅名，而謂求其放心盡學問之道，夫學至存其心，則情不離性，物不離則，安所弗仁乎哉？明興，自新會姚江直尋本際，二溪、盧山共闡斯旨，爾瞻鄒先生宗而大之，其意曰，天生蒸民，有物有則，匪仁奚則？匪學奚仁？不即且爲曠爲邪，可憂孰大焉。故講必貴衆，衆必有會，會必有所，歲集士紳於青原山或白鷺洲，有田有舍，爲規爲約，所檢飭身心甚勤，章闡名理甚晰，其間大言小言法言巽言，概之以聖爲鵠，以仁爲根，獨露眞常，全彰至體，曾無纖毫剩法，與人爲知爲解者，而又因緣吐發，隨機引導，猶之老農言稼，皆嘉種也，老圃言茹，皆嘉茹也，即未嘗以意湊泊，用識搏量，而勃窣於名理中者，決若發塘，令人即之也意消，而聽之者溟涬心折，若乃蹠玄闈、蹈實域，參繇眞參，悟繇眞悟，先生所爲鍊性治身者，塵掃而膩卻，其闇修穆行可質神明，學仁至此，庶幾哉有指歸矣。余恒謂功業之士易浮，文章之士易蕩，氣節之士易恣，何者？心未仁也，三者類從仁出，則爲無爲、事無事，若行空之月，處處分輝，過樹之風，塵塵絕跡，邊融際廓，渾成一體，其爲仁也，如水之必寒，火之必熱，其不爲不仁也，如騶虞之不殺、竊脂之不穀，斯豈依稀彷彿倅易臻此，古人信道篤、見理明、操心密、立志遠,始焉願學聖人而究也,一念萬年,至於無願、無學、無聖,亦無凡,忘形喪我,莫可踪跡,若是而後,仁體徹也。先生道見其大,學稟於宗,厥行不爲嵬崖嶄巀以示異,厥言不爲要渺浮闊以明高,所著義語合編、太平山房等集,無不規孔武孟,而又脫略見聞,要以自性自靈之所出,恬如澹如,即眉睫之間、帶袵之上,躍躍乎杏壇宗旨,其願學之心不在子輿下矣。世謂先生出若懸曜,處若收雲,風節矯然,日遒日上,烏知其道廣心恢達,不愉遯無悶,帶絲弁騕以鎭流俗,而解殳杜機以全聖眞,由由夷夷,出六虛而含九有,歸乎大學也哉!夫士也,戴圜履方,不識仁,不成其爲人,不學聖,不成其爲大,有能收攝精神,併歸一路,讀先生之書,不患無省,又何必尙二氏之虛寂,驚百家之綢繆,悠悠逐逐,視仁體茫如也。嗟乎!宇宙萬世,任重途康,五十無聞,聖人弗畏,矧余又倍焉者乎?故過時而耕,雖種不栗,老至而懼,靡哲不愚,物之先得日者,梅常侵臘,後得日者,桃迺失春,時乎!時乎!蓋觀于遷喬之鳥、在陰之鶴,而信求友之亟也。廿年前,余曾啟蒙於新建,喚醒於盱江,久之,法侶漸稀,各雲散煙消以去,歸來深懼,大事未明,良朋鮮獲,時一猛發,仡可小休,俟河之清,老冉冉至矣,里有仁賢如先生者,而又以川途間之,無從縮地,兼葭白露,余甚思之,語曰,君子蘭芳無之而非好也,則以懿德在也,雖然,甘辛異味而同和,黼黻異采而同章,東西異海而同性,緬惟天壤,此事何物堪偶,要以明明自地,密密歸根,象罔玄珠,無煩多索,若因有言而悟所以無言,祛假己而尋所爲眞己,是謂不負本靈,不没先德,洙泗可以接席,閩洛可以聯裾,上聖之宗風,千古之仁脈,藉斯亡墜,然而先生已肩之矣,即吾儕願學,儻在斯乎!儻在斯乎!山人握筆觀縷,未免重下註腳,願于異日把臂入林,相視嗒然而笑,先生以爲何如?萬曆己未歲仲春朔旦,西昌眷侍弟蕭雲舉頓首拜撰。

明 蔡 國 珍 序

余往與胡盧山先生同釋褐,盧兄一見,以遠器目之,引之使學,余謂學非講說爲也,必由悟入,人性各有悟,因悟而修,修而悟,修悟相尋不已,庶幾自得,而學在是矣。能學則無道德政事節氣之名,而兼有之,況於文哉!況文以載道,道則文,非道則不文,而徒以雕琢藻繪相高,是則技而已,雖工何補?盧兄不以爲不可。南皋鄒公志眞氣銳,唯務自得,不隨人口吻,不徇人腳跟,不以顯晦置意中,觀集中所載,謝蕭兄隅、柬友人、答近溪、見羅、柬周山泉、徐魯源、馮望山、答李養愚諸作，其得正學之宗，可少概見矣。至於文，奏議得體，不必論已，他詩文皆無意於文而自文，辟之言詩者宗盛唐，以其先神韻而不先格律故也，公得其先矣，況有不可以徒文言者在，又奚論工不工哉！吁！使廬山兄尚在，必首相印可矣，然其進猶未可量也。二侍御共授之梓，誠有益於道與世也，余雖學未有得，然覩此集，義不可無一言，故書之簡端。萬曆庚戌歲春仲初吉，通家侍教生蔡國珍頓首撰。

明湯顯祖序

　　通人之言曰，善觀人者，不觀其人，而觀其人之天；相千里馬者，取其精遺其粗，見其內而忘其外，以此謂之天機。子言之矣，富貴貧賤不以其道得之，君子有所不去、不處以成名，于其仁，蓋造次必於是，而顛沛必於是，是不有天機存焉者乎？不然，而曰必於是，是固有不可得而必者，何也？其外而粗焉者耳。故曰，言語者，仁之文也，行事者，仁之施也，行莫大乎節行，而言莫大乎文章，二者皆所以顯仁而藏其用於世，固非以成名也，而名不厭成。國朝制天下，常以此屬臣子忠孝之節，吉之羅公彝正倫，大臣起復非是，後百餘年，爾瞻鄒公繼之。羅公止于賤貧，公顛沛殆甚，前後公而必於是者，固亦有人焉，而公之名以成，何也？天下國家可均也，爵祿可辭，而白刃可蹈，中庸不可能，中庸者天機也仁也，去仁則其智不清，知不清則天機不神，乃至有顛沛可必，造次不可必，貧賤富貴之際，終其身有可以為名不可得而成名者，公於其際固屢矣。仁存其心，如將造次而弗離，然則公其天機勝與！何以知之？以其文知之。公所為奏議、傳贊、書論、詩歌，無慮若干卷，大抵皆言均天下國家、蹈白刃、辭爵祿之事，而未嘗不出乎道中庸之意，正而不羈，旁而不離，發憤譏切大臣之事詘然而止，餘多以大雅寬然之思感動主上，所傳記悲美，多以表發道術，感慨烈行，幽憂所不能平。與學道人酬答，常治其偏，至言修曰，必有以悟，言悟曰，必有以脩，言悟脩曰，必其中有真而後可。蓋學道人言多出乎是，獨公言之如冰玉之清以明，如芝蘭之馨，如英英乎其出雲，如昭昭乎其發春也，令人抱而愛之，不可忘，受而禮之，不可易，緒為詩歌，瀏然以和，公其天機勝者與！蓋予童子時從明德夫子遊，或穆然而咨嗟，或熏然而與言，或歌詩，或鼓琴，余天機泠如也，後乃畔去，為激發推蕩、歌舞誦數自娛，積數十年，中庸絕而天機死，蓋晚而得見公文，乃始憬然嘆曰，是何仁者之心，而智者之言，如相馬者，吾今猶未能定其色，知其人之天而已。公固爲余曰，非子莫爲序吾文者。因爲欣言之如此，固將有事乎此而就正焉，非如世所云，以托公千秋之名而已也。友人臨川湯顯祖撰。

明 劉 日 升 敍

蓋余讀鄒爾瞻先生太平山房續集，而三嘆立言之難也。夫言非難也，使人思得其言而誦之則難，又使人得其言，繹其所緜言，不能釋去則難。思得其言而誦之，必其人修身淑世光明俊偉，矯然拔於流俗，其高風佚韻直可厲世貞教，天下爭慕快睹，願爲執鞭，夫是以人人思得其言；得其言，繹其所緜言，不能釋去，必其言本於閱歷之熟，習於討論之深，於古今賢聖微詞隱誼，窺其要眇，明其根宗，不期有文，而文自勃發，淺求之而厚風俗，深惟之而見性命，夫是以人人喜得其言，如是而後言重，言不亦難乎！爾瞻先生舊有太平山房集傳於世，茲其續著，爲好事者梓行，集有古近體詩，有赤牘敍記傳誌表，有雜著，凡如干卷。先生少舉進士，時主上冲年，執政驕恣，道路以目，先生不難出萬死一生，抗言廷爭，以爲綱常，天下聞而壯之曰，是何偉男子而忠讜若此。尋起爲諫官，爲天官郎，秉直如初，復爲當事所忌，先生遂力謝，蕭然田間，天下忠智無問識不識，望以大用，爲時中砥，延頸相屬，山公之啟，歲不下數十上，先生掩耳不欲聞，日偕諸同社及四方從學之士，相與講業太平山房，口不譚當時之務，踰二十年一日也，天下聞而益壯之曰，是非少年忠讜抗時宰者乎？第謂是礧砢英多，或不屑於聞道，而發憤彊學，老而彌堅又若此，是以先生用則爲廟堂楨榦，不用則爲斯道金湯，槀學者奉其面命耳提，信於蓍蔡，聞風者獲其單詞隻語，寶於球琳，先生雖欲無以文章爲重於天下，不得也。是編諸體詩不踰榘矱，直攄性靈，間襍偈語，以示鞭影；諸序記崇論竑議，獨造深心，偉然作者；傳誌表不爲溢美，犁然信牒，裨於國史；諸赤牘則與友人商學爲多，即娓娓言之，皆宗門見性，而狂解決防之慮，飭躬維教之指，每爲諄復，先生毅然以斯道自任，班班可攷，顧善讀者謂何耳。夫學道之有關於文章家非淺尠也，不學則恣於才情而蕩，不善學亦局於封識而錮，藉非六通四闢，聞所不聞，諭所獨諭，上之無羽翼之功，下之無匡扶之效，即殫平生之力，極詞人之致，其究卒歸於楊子所謂雕蟲小技、壯夫不爲者而已。曩余諸生時與先生讀書青原山中，先生故不屑攻苦制舉家言，意所獨到，鮚筆伸楮，淋漓滿目，初不經思，往往笑余輩澄涵躲索，以爲自窒靈機，曩第媿謂是才不才之不相及，繇今觀先生所爲詩若文，而後知子墨客卿之言獨擅，直以餘力收之，乃所深探而力爲之者，固淵源於鄒魯，旁證於宗儒，非淺學可造次語也。夫舞劍得書，山林杳冥，海水洞涌，而得水僊之操，彼故超然自悟於點畫之外，絲桐之表，谿逕不存，意象俱適，事故有進於技也者，先生之於詩若文，夫亦若此矣。余不量固陋，書之簡端，今世之尊慕先生者，知循其本，肆力於學，圖所爲不朽大業云。萬曆甲寅季春朔旦，眷弟廬陵劉日升頓首譔。

明龍遇奇刻序

明興，道化翔洽，人文蔚起，海內歸然負物望與脩古文詞以自表樹者，固不乏人，顧合口膾炙而盡人尊信者，指亦不多屈，獨我南皋鄒先生，宇內人士無問識不識，望之咸若威鳳祥麟，目爲希有之瑞，而得其片言尺牘，又不啻若靈蛇珠、夜光璧，何以故？毋亦以先生抗史汲之直，負由夷之潔，高其品，故重其言，凜其氣節，故珍其文章爾。乃先生純修極詣，粹然理學眞儒，爲斯世斯道倚重者，則或未之悉也，即有悉先生直承正學、牛耳斯文者，第亦曰，必其登壇絳帳，闡道淑人，則信爲傳宗明道之書，而泛常集文疑止於因人賦象、隨事班形，不必皆與道合眞爾，乃先生立德立言，蓄極而流，無言非道，即文即學之完養，又或未之悉也。夫先生淵源正學之鄉，稟負超穎之資，自燥髮便以性命爲依歸，以孔孟爲家法，惜分局戶，體認獨至，困衡拂鬱，磨鍊益精，居常集六先生要語以自勗，悟門日闢，惟其洞徹性體，早有欛柄，故夷險一致，無之非是，龍鱗可批，權奸可忤，貶斥三黜可聽，流離夜郎可赴，清風一榻蕭然環堵可安，而不磷不淄，一念則千古一息，萬死一生，必不可磨滅，先生之淵懿奧詣未可窺，而卒業先生集，梗概亦自可覩。其論學以闡道也，不隨前人口吻，不落俗學窠臼，獨抒心得，自印道妙，直截透露，一往獨詣，聽之者不啻披霧見天，震霆破睡，開左藏以貸貧也。其論人以證道也，如臨大方銅鏡，寫我形骸，皮髮毛孔，秋毫畢照，即有器局偏至、瑕瑜不掩者，咸爲箴砭誘掖，偕之大道，無忌避諱飾之嫌也；其論事以詮道也，鬱者舒，棼者理，即有難顯難狀者，而引經質典，揮灑道之，燦然星漢流，沛然江河決，誦之者靡不厭飫自得，心曠而神怡也，蘇子云，行乎其所不得不行，止乎其所不得不止。先生諸所闡發，皆迫於眞性之盎溢，故其言如乎其心，其明白洞達，輸寫府奧，類乎其人，所謂無言非道、即文即學者，非耶？慨自三代以還，性術不明，理學、事功、氣節、文章，分曹而議，遂至人品亦因之，大成之學問缺如矣，乃如先生以透性爲宗，以心行俱眞、皜皜懁懁爲實際，以即體即用、默識貫通爲自然，以萬物一體、俱立俱達爲究竟，言脫支離，行渾名相，如太和元氣周盎無端，任時行物生，機趣自暢，故有繼往開來之眞事功，而無朱陸同異之徑，有鳳鳴朝陽之眞氣節，而無龍門標榜之號，有吐詞爲經之眞文章，而無風雲月露之名，要以統翼聖眞、振起絶學，則庶幾集此學大成，無問印證明道陽明六先生一堂，即謂直接魯尼之傳而班思孟之科，誰曰不宜！繇此窺先生之文，所謂文章即性道、稱在茲之文者，即此而是，讀先生集者宜證覓洙泗宮墻，毋徒慕昌黎山斗則善矣。說者謂先生道全德備，獨格於賜環，致井渫雉膏，久鬱不食，爲先生憾，不知邇來聖明以靜攝致釜鸑，即使先生儼然應弓旌，非無至誠格心之忠，難投納牖遇巷之會，先生寧徒舍所學徇之，則何如待價而沽，擁皋青原白鷺之墟，與天下萬世人同歸於善之爲大也，雲龍風虎，都俞吁咈，取必於行義達道者，自古難之，此尼父所以轍環徧天下，未嘗終三年淹，委吏、乘田可仕，際可、公養可仕，而接淅、不脫冕之行，終難自禁，先賢有言曰，窮則獨善其身，達則兼善天下，此賢人分也，達則兼善天下，窮則兼善萬世，此聖人分也。王心齋亦曰，仲尼之爲不厭、誨不倦，即仲尼之位天地、育萬物，達乎？此先生願學之意，可以深長思矣。學者以先生之願學，願學先生可乎？詩曰，高山仰止，又曰，維桑與梓，□〔必〕恭敬止。余也鄙，無能闡揚先生，獨距先生居甚邇，荷先生教甚深，習先生學之大、風之廣甚親切，姑以刻先生集，次紀歲月，期與四方人士共識高山之仰云爾。己未春仲月，眷晚生龍遇奇頓首書。

明 李 日 宣 序

夫文章性道一致也，乃端木賜氏可聞不可聞，一似岐而二之，或者謂其穎悟終隔顏曾一塵，見地性有差殊，而不知此政端木悟到語，意當在聞天何言哉以後光景，夫子文章何往非性道，其不可聞即可聞中妙境，賜殆益矣，文章不根性道，如夢裡散花，雖極艷麗，覺來蘧然何在？不知性道，妄語文章，亦如以盲繪天，以蛙測海，儘其侈口風雲，月露抵掌，汪洋澎湃，即恍然如親見之，竟是扣槃捫燭以語于日，愈近愈遠，故嘗怪今之作者，動敝帚宋儒文字，曰語錄、訓詁爾爾，嗟乎！語錄訓詁何非至文哉？宋當五季濁亂，正學榛蕪，非諸君子廓然以性學振三百年如線之緒，滔滔江流，莫知所止，今諸君子制作具在，誰非發抒性靈，根極理要，洋洋灑灑，直升周孔之堂，而造顏思之室，安在性道之非文章耶！吾師鄒先生之學，人但知其從千折萬磨、困心衡慮來，而不知先生帶來，原自烱烱，照徹萬古，乃其所歷諸艱，復隨時變易以通於易，以自參考，則凡先生逆境一皆順境，是以其文思入玄冥，吐出崚嶒，而又絕無斧痕，舉手應心，自成佳妙，政先儒所謂眞積力久而豁然貫通者，故人有千萬想不得徹、千萬語不能了，先生常以片言破之，令人解不解都胸次開霽，不肖每造先生，先生無不以近作見示，如陟群玉峰，坐萬花叢，眼花不定，神色欲飛，弟子日孳孳求師于語言文字間，政恐時行物生，覿面錯過，日墮不言何述障，則聞與不聞都成夢幻，顧猶記齠年時，一日，家大人携去見先生，先生取手中扇，題之曰，人能通性命，人欲即是天理；不能明性命，天理亦是人欲。吾子留此疑團胸中二三十年，參之未晚，尋示一尺素曰，世間有一件事，有世間極聰明男子，讀盡萬卷書，下筆滾滾萬餘言，却被人瞞過。噫！先生之授弟子也，早已露其大端，而懤懤者今二十年一日，猶芒然若是也，曉蠅觸窗，不知何由窺見一隙，夫不明于先生性命之旨，將并其文而失之，寧惟弟子不習，是懼千古而下，未易任耳矣。日宣過太平山房，讀諸生所梓先生續集，先生命弟子可能贊一詞，弟子主臣，忘其固陋，爰攄草昧，以識請事云。萬曆甲寅歲中秋，眷門生李日宣頓首拜撰。

明史孟麟敘

　　侍御龍君來淮視鹽政，因梓南皋先生願學一集，且爲弁其首，又徧告海內知先生者共爲之敘。嗟夫！願學二字豈易言哉！子輿氏曰，乃所願則學子也。自孟而下，漢有江都，唐有昌黎，皆知願學孔子，但當書契火爐之餘、理道湮塞之日，其兩人所謂孔子，亦僅依稀相似耳，然後世猶知有董韓者，無他焉，蓋其有願學之心而已矣。我國家繼伊洛大明之後，雖三尺童子盡知孔子學究，而立身、立家、立國、立天下皆與所學相反，與孔子之道相戾，終其身不知自絕於聖人者比比而然，嗟夫！是可謂願學也哉！然猶未已也，近世良知學脈燦然爲昭代儒宗，余觀其言曰，無善無惡者心之體，有善有惡者意之動，知善知惡是良知，爲善去惡是格物。厥後門人附會之，且曰，若悟心是無善無惡之心，意即是無善無惡之意，知即是無善無惡之知，物即是無善無惡之物。嗟夫！心、意、知、物，吾人學孔子大法門，性善一言，又吾人所以心意知物大法門，如此學問是以學孔子者壞孔子學也，是可謂願學也哉？雖然，余更有說焉，當時如夷如惠如尹，子輿氏皆不願學，而獨願孔子，倘斯世有人於此，果如求仁得仁之夷，果如不怨不憫之惠，果如堯舜君民之尹，三子者而有一焉，雖不學孔子，舉世當必以眞學、眞孔子歸之矣，然子輿氏不願彼而願此，何也？夫亦曰，虞廷厥中之心法，文王未喪之斯文，毫釐千里，厥關甚鉅，如此則孔子，不如此則非孔子，如此則爲學，不如此則不爲學，嗟夫！願學豈易言哉！獨我南皐先生眞見及此，故以願學名帙，當世儒宗盡以願學許先生爲不繆，而余獨拈此學問與先生相質證，概與海內儒宗共相質證，不自知其言之荒繆云爾。至夫先生之在朝在野，宇內士人無問智愚、無問小大、無問識不識，皆知有南皐先生，且龍君序曰，先生夷險一致，龍鱗可批，權奸可忤，三黜可聽，流離夜郎可赴。又曰，有繼往開來之眞事功，而無朱陸同異之見，有鳳鳴朝陽之眞氣節，而無龍門標榜之號，有吐詞爲經之眞文章，而無風雲月露之名。龍君者其眞知先生者矣！余申一言以蔽之曰，今日之南皐氏即昔日之子輿氏也，他何用嘵嘵爲哉！陽羨教弟史孟麟頓首拜譔。

（張健審查　許惠貞標點）

馮咸甫詩集九卷二冊　明馮大受撰　舊鈔本　近人鄧邦述手書題記　12730

明王世貞序

詩眞無益於世哉！上之不能奏清廟、備疏越，如唐山夫人、鄒子樂以數語當一代之盛；下之公車不以程士，不能如錢起、李肱褎然諸生間，一入仕籍則絳灌耽耽焉，振睚眦而伺其觩，大者削，小者斥，不快不止，然而學士大夫好之轉甚，其好之甚，高者用以自婾快，視天下之事亡足當，而劣者至於樹門戶、煩牙頰。余幸得以生還里，將焚棄筆研，而金華胡元瑞贄其詩來謁，余覩其風格高邕鴻麗，中實愛之，而會彼乞一言之弁，余乃粗究近代名世諸公所以失得者，勉使劑之，非敢有所揚抑也。諸爲元瑞者沾沾，而不爲元瑞者眀眀矣，夫眀眀者之與沾沾皆過，然不能使余不懲其口。而雲間馮咸甫氏復以所業詩來贄，則又覩其和平暢爾，能酌於深淺濃澹之間，高不至浮，卑不至弱，稍加以沈思，可揖讓高岑，而蹈藉錢劉矣。念咸甫與元瑞俱猶滯公車，何渠爲合左師，以要晉楚之成，而交暢其盛。今年三月，元瑞來自燕，適余病甚，隱几而問，天下計吏與偕計者悉集？苟不盡從事吏道與佔俾時義，有一言可以當若意者乎？元瑞首屈一指曰，

汝南張觀察助甫。余應曰，嚮者余所畏也。既復屈一指曰，雲間馮先輩咸甫。余
應曰，邇者余所私也。問元瑞更有之乎？元瑞曰，即有之，未敢遽以聞也。余不
覺推几而起。五月咸甫亦來自燕，大出其新編以求一言弁如元瑞，余謂咸甫，吾
欲使若沾沾，毋乃使若重受睊睊乎？子姑爲我見元瑞，使彼不惜格降而博求其
變，子程格而務深沈其思，又何古人之不可作。雖然，吾老矣，無所藉於世矣，
名將逐子而走，若影之傅體，可畏哉！子其托蔭而息焉可也。蓋與咸甫偕來者，
諸生章子敬氏所爲詩句，意亦清雅可風，頗以余言爲然而志之。癸未夏日，□□
□王世貞撰。

明屠隆敘

　　夫聲詩之道，其思欲沈，其調欲響，其骨欲蒼，其味欲雋，而總之歸於高華
秀朗，其丰神之增減，大都視其材矣，材多則情贍而思溢，光景無盡，材少則境
迫而氣窘，精芒易窮，則其大較也。宣父道臻神聖，文兼國華，故采詩婉暢，語
語神來，以今讀之，如叩哀玉而撞巨鐘也，即令尼父降而爲近體，必不作傖父之
譚，楚氣雄慓，則屈宋擅其菁英，漢道昭明，則揚馬吐其鉅麗，魏騁鵾爽，則曹
劉之步絕工，晉尚風標，則潘陸之聲特俊，六朝綺靡，詩道隨之，江鮑徐庾則其
雄傑，雕繢滿眼，論者或置瑕瑜，然聲華爛然而神骨自具，辟如蘤英芍藥，何嘗
無質，驪姬南威，何嘗無情，固與剪綵貌影者異矣。夫山海氣厚，蒸爲雲霞，乾
坤化廣，鍾爲靈喆，則文章道勝也，如木然闍鈍，冲然純白，眞一而已，安用文
之，如業已搦管摛辭、敷華流采，奈何貴死聲而薄俊響也。華亭馮君咸甫弱齡稱
詩，速悟漸詣，前三歲君方爲諸生，以詩見投，出語雖工而神力尚乏，猶然措大
本色；逮得雋南國歸，出白下遊草見視，如吸青霞乎，聲響頓殊，肝腸似易；比
遊燕諸作，復加雄峭；近者復之秣陵，泊金閶，浮錢唐而西，而詩之神力更倍，
合風霜之氣，盡宮徵之變，收山川之靈，則入於妙境矣。而所謂思湛調響、骨蒼
味雋者，咸甫是有焉，故其材足稱也。余少好此道，元神爲傷，材性不充，風味
殆盡，而馮君方以少年全力奮於大雅，夫騏驥之行，一日千里，咸甫當之，強弩
之末，不穿魯縞，則僕是也，請燒君苗之研，以成孫子之名。萬曆辛巳冬日，東
海鞠陵山人屠隆譔。

明莫雲卿敘

　　夫古今稱詩才之盛，莫侈于唐矣。說者謂李唐諸人士業詩干進，有司持繩墨而示之趨，士亦終其身疲力焉，以求中其所好，固宜其專而工，迺猶論其世，不無汙隆，元和已還，何濫觴也？當代用經術論士，士顧能詩，朝而課經術以進，夕而務聲詩之習也，則又往往能稱大曆已前，雖隨性適分，各附所安，而卒恥襲唐季之靡，此曷故哉？蓋詩以言志，聲根于情，唐諸人士方兢兢以有司為繩墨，追新逐巧，日殊月異，好尚附于風會，淳澆乘乎氣運，斯何暇求諸體要、防其波流？于是進退工拙之情，質文雅俗之變，默化潛移，莫究底止。國朝稱詩一格于初盛唐，不階有司之繩墨，不附風會，不乘氣運，人得以展其材具，而見其本真，上器通方，一往輒詣，良有以也。吾友馮君咸甫英玅清通，少籍時譽，弱冠起魏科，振其家聲，而又攻聲詩，以其餘力盛氣逸步，靡有倦思，研精檐楹之下，飛神寥廓之表，發藻賓朋之坐，暢情登臨之賞，伸翰響臻，落筆神王，當世哲匠，一時同人，爭先推轂，而遜其前鋒，于是郵筒赫蹏之傳日益富，眾體略備，積若干卷，彙而成編，翩翩之致無美弗合，李青蓮之豪舉，杜拾遺之沉快，王孟之冲澹，高岑之清越，趣深獨造，能擅兼長，假令與諸君子比年而遊，不啻塤篪間合矣，故曰，上器通方，咸甫有焉。第請更端以質咸甫，昔子雲薄詞賦於雕蟲，陳思恥翰墨為勳勣，善乎莊生有言，風之積也無厚，則其負大翼也無力，咸甫方少壯，將培風力以大所負，當別有在而不獨以聲詩已者，子雲、陳思所稱，厥有當於咸甫之心哉！倘謂詩能窮人，余嘗試以有驗，而諷咸甫之無為詩窮也，即今蓬累之士不必皆工于詩，彼不達于命者，率借齒焉，以抑雅道，而激功名，則余之所不敢知也。君姓馮氏，名大受，咸甫其字，祖廷尉公，父京兆先生，俱文章節義鳴世，而諸父美卿孝廉，粹然理窟，敏卿學憲，屹為儒宗，語云，蛟龍是居，淵則孕珠。以馮氏之多賢，而卒孕咸甫也，此可以觀矣。辛巳冬十一月長至日，莫雲卿廷韓甫書于小雅堂中。

明 張 鳳 翼 序

　　馮咸甫瑰才雋格，弱冠蜚聲，隨所閱歷，播諸篇什，彙成遊草數種，而長卿、廷韓二君子為之序，則既倍三都，而兼士安矣，而次問序於予，予是以知咸之為咸也，以虛勝也。夫桓公設庭燎以待天下士也，士無至者，而九九者見，蓋士始皆自以為賢莫桓公若，故自九九見，而天下之士接踵於高庭矣。咸甫之詩，典而不沈，逸而不浮，而天復縱其年力，第令爭橫漢魏、頡頏晉唐，如反覆手，又以二序爲之先驅，莫王羽之推轂，則談藝者孰不辟易退舍，是拒流辭壞，何止海之能成哉！惟以予爲之九九，而海內綴文之士且輻輳於咸甫，其益固無方矣，予固知咸之爲咸也，以虛勝也。雖然，予於咸甫，猶有懼焉。夫以咸甫之才豈不能扶搖直上？而庚辰之役暫爾鎩羽，天固少挫其鋒，以成其虛也，今將三年不飛矣，嗣此且高步天衢，然青藜簪史筆以從事於絲綸黼黻之業，方以摛藻非弘勳、詞賦爲小伎，天下之士又將辟易退舍於咸甫，吾故爲懼焉，必使九九者當見，而後聲詩之進與勳業均無藝，故曰以虛勝也。若乃標英摘奇、揄神闛麗，曰某篇入某調，某字得某骨，則亦隘視咸甫，予故始終以咸虛之說復其問序之意。萬曆辛巳嘉樂月之望後二日，長洲張鳳翼書。

明　王穉登　敍

　　論者謂公車之業盛而詩亡，以僕而觀，詩不盡亡於公車也，乃巖壑之士亦爲之。夫巖壑何能亡詩？蓋大要不通於經術，而徒剿襲先生之譚，左枝右梧，掇拾餖飣，詭以游大人，而子諸侯，往往以代羔鴈、易債泉，假篇翰爲旁薪，詩安得不如線哉！若夫待詔公車者，非明經不起家矣，然志在高蓋大冠耳！排比聲偶豈不足君所乎！而安爭風雅哉？故論者以爲詩亡繇此，而鴻生碩彥知青紫非能不朽人也，取其朝夕吾伊者，一洗而空之，以求合於其次立言之旨，於是彫肺肝、刻心腎，單辭半言足使泣鬼，視夫巖壑之士蓬心蒿目卑之無高論乎，不翅魚目之於夜光，則詩之亡不亡，顧安所任其咎耶？華亭馮氏自廷尉公而下，策名金閨者若而人，罔不琳琅珠玉也者，咸甫年少舉於鄉，工爲博士家言，以其暇爲詩，詩又窮工也，其風調曼好，神采雋越，寄興逸而含思婉，若飛空御氣，然人間安自得之、環堵毛褐之？夫蠹魚乎聲律，日組月績，求如咸甫片言而不可得，乃咸甫一鳴，遂令作者卷舌，非其才絕代使然哉？龍馬駃駒，墮地汗血，奚俟御樷磬控而後千里乎？雖然，僕願咸甫之進於衝樷磬控也。咸甫貴矣，貴不期諛，而諛自至，上風而吟，下風而頌，休明者惟恐舌之不骿，疇能不半九十耶？使讀詩者得以藉口，非夫公車者之過與！咸甫席父兄之餘烈，晦蹟埋照，如田禾公子，其不溺於習可知，務益階而上之，將無所不橫絕，豈推稱江東之俊與白眉馮氏已耳。左鞭弭，右橐鞬，與二三子並驅中原，臣髮短矣，猶能持一幟從諸侯之士，登壁門而觀楚師逐北也。王穉登。

（張健審查　許惠貞標點）

松門稿八卷附錄一卷六冊　明王庭撰　明萬曆癸丑（四十一年）汪學海華州刊本
12731

明 畢 懋 康 序

　　夫不陟閬風，無以睎殊詭之獻，不泛洪瀛，無以觀氾濫之行，若乃選勝於昔
賢，徵奇于往帙，睿慧獨解，林籟發其噓，位理飛聲，泉石激其韻，則有王敬卿
先生，茲稿蓋靈變之上裁，非局器之所察也。先生降華岳之神，稟渭水之精，嗜
學有流麥之勤，得句無懷鉛之遺，故能佃漁六學，穿綜百氏，鳳銜龜負之圖，胖
其玄文，車炊桐叩之杵，辨其異質。然而悟生獨智，志越作者，以爲心存而言
立，巧運而道存，雲霞絢綺，各就化工之奇，艸木傳華，無資雕匠之賣，而非今
者引繩于漢楮，模古者假響於秦音，抗筆而或嫌其乖，發篇而每求其合，句沿字
襲，員動之調希聞，聲類采殊，神明之妙斯廢，故義以無因爲異，詞以不常爲
高，脩短聽其思來，抑揚隨其意至，是以綜述既曠，刻鏤無形，騁足逸驥之場，
發釧庖牛之肆，吟情咏性則生韻琳鍠，寫氣圖貌則成章紅紫，雖以建安文府曹王
揚其洪波，巴蜀詞林褒雄驅其軼軌，風飈未遠，高妙能參，殿西京以興文，抗三
秦而爲儔，斯其至矣。先生以廷對高第序官國史，時申散其龍藻，道行奮其鴻
筆，冠冕當世，固其宜也。而標格煙霄，居體風素，孔文舉之峻峭，裴叔則之夷
澹，兼而有之，情度超然，然公輔之量，靡戾物舋，王佐之才，允表天骨，而生
屬亨路，年違奇庬，顏生不永于德，長沙竟隕於才，遂使馬遷宏博，將藏名山，
嗣宗文雅，僅存好事。予以按秦，幸及蒐逸，訪南林之揵末，探合浦之流英，因
謀汪守，以勤梓政，宛委山中，爰探藏金之簡，會稽磐下，遂開負勝之文，暨其
竣業，乃爲弁言，若夫宮商操調，思託夔襄之音，斲削成能，每欽班爾之手，則
存茲以俟，所謂大禮存于玉帛之間，至樂形于鐘鼓之外者矣。萬曆癸丑小歲日，
賜進士第、巡按陝西監察御史，新都畢懋康撰，池陽後學來臨馭仲書。

明 盛 以 弘 序

　　松門稿者，蓮塘王先生遺集也。先生幼負異稟，寓目簡編，輒妙契嚌其葳。
年甫十七舉于鄉，秦人士無不前茅推先生者，庚辰奉廷對，賜進士及第第三人，

一日而名聞天下，天下士無不前茅推先生者。先生雅嗜誦讀，既直石渠天祿，典
著作供奉，益務博綜，自六籍注疏、歷代傳紀以暨諸子家語，賾探五車，奧窮二
酉，其摛而爲辭，洋洋纚纚，風檣霧縠，莫可涯涘。然色恬節和，步莊致雅，未
嘗不古是儀的，而未嘗或古是剽掠，漸腴潤于縹緗，揉而涵之，而不必孕其縟，
範型局于往模，鍛而渫之，而不必躡其踪，居常稱述崔文敏公之論文曰，義精則
言簡，蹈實則旨遠，昧者反是，怪以亂精，鄙以淆雅，淺以混明，艱以迷奧，蓋
近世操觚者引繩先秦西京，句沿字襲，彷彿其語一二，輒沾沾自詫于今古，然蹴
鼇脆兇，贋終不能勝眞，反姍前哲之瑜以自掩其瑕，曰古辭之法曠蕪千載，迨于
今而後振也。夫已陳毛膚，剽之如畫餅鏤脂之無當，試取與前哲之集並觀，且當
反走，詎曰却步而顧，欲以此凌厲之也，惟先生族祖槐野先生，神明古法，自攄
天機，即躋之漢唐諸君子而無怍，何者？彼其生色神氣誠足捪也，先生謝去虛憍
靡曼之習，標響性中，搆眞象外，直追媲槐野先生，俱馳希聲于藝苑矣。嗟夫！
文爲心聲，有是神情，斯有是色澤，詎可襲飾，彼其郛廓之黶索，皆中扃之不足
也。先生庸心世務，國是廟謨、民風吏治、古今得失，詳究而精研之，夫是以溢
之于詞，充盈斐亹，奧而不艱，明而不淺，雅而不鄙，精而不怪，厥有元本，所
謂蹈實則旨自遠者非邪？人皆以先生懷奇蘊略，早世未展爲遺憾，然是集行，即
先生匡濟之概，亦可因以見者。先生兩子茂才伯仲，久思繡梓，顧輟于無資，頃
侍御畢公持斧按秦，既已偏舉時獻，更遴名卿碩人之產于斯域者，而彰範焉，得
是集，檄咸林郡守汪君付剞劂，汪君經術吏治高冠時流，于是笥珍笈秘煜然布之
宇內，夫是集垂三十年而得畢公、汪君以流播，畢公、汪君之屢軫所治，罔有遐
遺固然，抑垂三十年之久，而名公詞伯亟務廣宣，則斯集之必傳，豈不益昭弘？
跡先生夙所稱引者，以求其概，知其必傳者實在此，乃弁言簡端，以復茂才伯
仲，亦因以質之于畢公與汪君。賜進士第、奉訓大夫、右春坊右諭德兼翰林院侍
講，後學關門盛以弘頓首題，後學郭宗振書。

明秦鄰晉後敘

　　嗟乎！此吾師故太史王先生遺稿也，乃輯遺稿而圖壽之梓，求敘述於不佞
者，先生季弟庭諫文學暨胤子承祚、永祚兩茂才也。先生歿今且十五年所，而集
始克傳，余安忍没先生之名不傳也？先生之文傳，不俟敘言，乃先生之人，非所
覿識者安知之？先生生有至性，仁孝明恕，意豁如也，自里塾以及薦紳大夫士，

苟遇先生者，靡不飲其醇而披拂于春風，人人得其意以去，乃先生意念常有以自
下，雅志非苟以徇人，善乎馮宗伯之表先生也，坦夷眞致，不爲纖趨小文，率心
所安，而語無匿心，亦無溢詞，恨士大夫今不及見王先生耳，當時及見先生者，
茲見其文如復見其人，今不及見先生者，欲知其人，讀其文如見之矣。蓋先生學
本經術，而出之以眞致，識力弘明而恥趨于纖靡，余于先生之人習之，今取其文
繹之，聲欬色笑，面貌神情，無不言言符合者，誠欲使宇內不沒其人，是安可沒
其文不傳也。惜乎！先生弘遠之識、淹明之學，天不使竟，方先生在史局，留意
當世之務，博綜條畫，意念甚深遠，今所遺集獨不見所籍經世之業者，蓋且賫志
未成耳，而況于施行見之當世乎？惜哉！余于先生閭門相望，鉅細無不畢知，逮
丙戌，邀一日之知于先生，方終事先生以自型範，而先生遽不可作矣，余獨傷夫
如是之哲人，而天不憗之竟所施，即所著作，假以數年，不如韓如歐以傳于永永
不沒哉？然即所傳，識者亦足以概先生矣。賜進士、中憲大夫、四川按察司副
使，門人渭上秦鄰晉頓首撰，門人東文豸頓首敬書。

明來臨跋

　　王敬卿先生，庚辰廷對第三人，一日科名赫奕，所著文章成一家言，足不
朽。論者謂關西風氣蟺蜿，所產文人才士，多雄沉篤摯，質幹不衰，自北地獻吉
先生闢其途，厥後王氏之先允寧先生者振其響，爲文法史遷，爲詩法杜少陵，學
者宗仰，與二舉爭棱嶒。敬卿先生爲允寧先生族孫，然其詩若文，固祖禰而嫡胤
矣，先生稿具在，辟之商彝夏敦，位置几案，不必磨礱脩飾，令人把翫有深情，
彼編珠貫玉，錯金縷綵，初亦豔目，一遇此物，不免習態撩人可厭也。先生殁，
介弟信卿、器君爾釐、爾申世其家學，手校先生集，櫝藏車箱箭栝之間，未遑鋟
布，垂二十年，新都畢侍御先生按關西，博古蒐幽，購先生集，大爲嘉賞，屬華
守汪公梓傳，學者獲之如寶吉光鳳羽矣。信卿暨阿咸甚善余，梓成首示，願得數
言，因牽率綴之稿末，托先生以不朽，既而有感於畢先生也。畢先生按池陽，屬
余無似作賦一首，直蟬噪蛙鳴耳，不圖亟相許可，推轂亡不至，嗣得余詩一帙，
又貽貲梓之，夫梓王先生集甚當，余無似，奚得竽濫，豈畢先生亦同嗜荼嗜昌俎
者耶？嗟乎！遠表先達，近掖後進，好黃鍾而不遺谷音，畢先生不可測已。余北
面畢先生，曷能一日忘，而王先生之弟若子，其不忘畢先生，知與余同也，因附
著於此。萬曆癸丑嘉平月，池陽後學來臨馭仲甫題並書。

明王庭諫述後

嗟乎！亡仲兄敬卿蚤世以歲之辛卯，今刻所遺稿以歲之癸丑，辛癸相距已周二十二星，而先生稿始克行於世，後死者愧矣。稿稱松門云者，先生自構草堂，居先君子憂時，與亡叔兄命卿三年讀禮其中，淒然父子兄弟之誼，終身志不忘也，而仲叔兩兄殀歿亡者，皆以松門三年居也。平生志力不克自單於著作之林者，三年喪考，四年喪弟，血淚流灘，酸辛以死，蓋積恨與天壤俱者，城南宿草之原也。稿議刻於歲丙午，先生門下士秦汝睦業爲之題辭，今汝睦歿又五年所，而直指畢公、郡伯汪公始求遺稿以傳焉。大雅斯存，九京可作，余痛先生科名冠冕，陝右三百年居先生第者三人，胡先生年不滿四十，位不踰郎官，遽殀歿亡也，文運龐鴻，斯人殄瘁，撫令悼往，蓋不知涕淚之無從矣。時萬曆癸丑歲仲秋三日，季弟庭諫拜手謹識。

（張健審查　　許惠貞標點）

孟叔龍先生集八卷附錄一卷四冊　明孟化鯉撰　明萬曆丁酉（二十五年）刊本
12733

明張維新刻敘

余鄉孟叔龍先生，潛心理學君子也。卯髮師西川尤公，性靈超悟，一稟王文成良知之指。及成進士，擢大曹，以用人忤當宁，遂投劾歸里，愉愉片祜，譚說聖眞，鑪錘後學，四方負笈裹糧，每輕千里，戶外屨常滿，居無何，欻焉捐館舍，哲人萎矣，豈天之將喪斯文耶？余匍匐哭木前，檢先生書篋，得其集，以質關內馮仲好氏，馮、孟夙稱莫逆，已詒余書曰，叔龍平生苦心盡是矣，盍傳諸？余因命副墨，用公同志。嗚呼！志士固自有合耳，余與叔龍自入洛遊梁已來，肩從齒序，氣味相洽，歷三十餘禩如一日也。向從燕邸，促席請益，以吾輩誠心學道，只重力行，而奚以空言爲？叔龍頤輒解曰，昔文成謂惟精是惟一工夫，譬之治米，舂簸篩揀以到純然潔白，無二說也。嗟嗟！叔龍往矣，言猶泠泠耳根也。嘗溯精一二字，自虞廷始，伊尹演爲克一，仲尼闡爲一貫，至宋周子開關啟鑰，惟曰聖可學乎一爲要，即伊洛諸儒所以上接孔門命脉者，只是道爾。余載卒業叔龍著述，其言詳略淺深不同，直證本心爲力行根柢，悉從文成良知冥會推衍到此，洵由精以進於一者，集中藝文並勒，雖其一斑哉，亦皆意寄神行，而非於道術無當也，奈何輓近以良知爲嚆矢，認本體爲工夫，遂謂一切現成無須磨汰，獨不思文成之居夷處困，至蓋棺畢念者何物，不冥力於精冒，謂吾之已一，此良知之學所以裂，而去道爲愈遠也矣，且不能逃識者揶揄，詎可令叔龍知邪？叔龍一生，尺步繩趂，擇言毅行，未嘗矜神解、略躬修，眞得文成心印，而爲西川之速肖者，假令後死表豎中外，道盛業隆，曷可涯涘，乃踰艾而藏舟於壑。惜哉！雖然，猶幸有殺青在焉，凡慕叔龍者，不獲覩其眉宇，儳手其遺編以自淑艾，亦庶幾哉！不至沉芬埋影，如所謂人琴兩亡者，叔龍夜臺有知，其以余言爲然否。萬曆丁酉嘉平月，年友弟汝上張維新頓首書。

（張健審查　　許惠貞標點）

農丈人集二十八卷十四冊　明余寅撰　明萬曆甲辰（三十二年）周禮寫刊本　清同治七年徐時棟手跋　12736

明 郭 子 章 序

　　予竊慨今之日，泰不講於農之術矣。士就閒燕垂紳笏，商賈負擔何，工傭辨功苦，藝搖舌談龜筴，卒受直踐更，氓至於計無復之，始脫衣戴蒲，盡四支之敏爲農，顧自士以下，依農爲命，此其爲功巨、取效廉而其聲甚銷也。予又竊慨今之日，其文之質者，泰似於農之術矣，儇豔之語，裁四儷六，模遷範固，出莊入列，而鴈鼎見悅，畫龍不駭，彼師孔談經，質有其文者，埒之自鄶，其爲功巨、取效廉而其聲甚銷也，猶之農也。世不貴農，至論大徇，農師一之，即司徒太師五之七之，農之自貴，不爲世所不貴變也。世不貴文之質，至論大聲，隱隱轟轟，久而愈盈，白日照之，江河滌之，文之質者自貴，不爲世所不貴變也。蓋予讀農丈人集也，以爲講於農之術邪，似農邪，而丈人自名農也，則又非徒講於農之術邪，意者眞農邪？農者曰，先生者美米，後生者爲粃，是故其耨也，長其兄而去其弟，不知稼者去其兄而養其弟，文亦有兄，丈人取眞醇、棄糟粕，是養兄之農也，故其辭精而格高。農者曰，權節其用，及寒，擊菒除田，以待時耕，及耕，深耕而疾耰之，以待時雨，文亦有待，丈人從容按節，優柔適會，是待時之農也，故其理融而情邕。農者曰，穜之挃挃，積之栗栗，其崇如墉，其比如櫛，以開百室，文亦有穫有積，丈人乘一總萬，舉要治繁，是開百室之農也，故思合符契而文成矩矱。夫農與文，二物也而道一也，以農之心抒之詞，則其樸尊，其約膠，其氣章，其味甘，質有餘而不受飾；以非農之心抒之詞，則野有寢耒，繁華沒實，皆知其末，莫知其本眞，唐秩東作而堯文安安，棄爲農師而周文郁郁，有有莘之耕，而後能作伊訓，有南陽之稼，而後能吟梁父，非意之也。或曰農而文也，彼世之糾笠趙鎛，與堯童牧孺肩相摩者胥貿貿焉，蕫辨菽麥，世之棄畝棄甽，委耒築、解襏襫而襲組據軒者，十九彬彬也。曰農而闇於農道也，何能文矣！彼不農而農其道者，未有不嫻於文也，其農丈人之文邪？丈人始爲農，既釋褐成進士，歷官至奉常，復爲農，故始終名農丈人，丈人爲誰？予友人四明余僧杲也。丈人集二十八卷，詩得其八，文得其廿。萬曆甲辰歲清明日，友人泰和郭子章敬撰。

（張健審査　　許惠貞標點）

────────────

顧端文公集二十二卷四冊　明顧憲成撰　明崇禎間無錫顧氏家刊本　12739

明馬世奇題詞

　　當神廟初服，大雅中興，吾邑顧端文公涇陽先生，以英絶領袖，餘膏剩馥沾被都人士，天下翕然奉其文以爲渡世之津梁。已登仕版，偕二三同志感事憂時，協持國是，天下翕然奉其文以爲迴狂之砥柱。無何，緣謇謇爲患，退而從水邊林下參同道契，天下翕然奉其文以爲指迷之斗杓。往聞先生爲諸生，于古今文沉湎濡首，至衣不解帶者數十夕，顧其爲文灑焉出之，似子美詩，妙處更在無意于文，其諸論議敘記雜體之作，先生多率胸懷與筆墨語，而察隱析疑，雖人鏤心腎爲之不能至，固知先生之文，未可以尋常修辭家論也。昔人論三不朽，曰德、曰功、曰言，夫六經者，古人立德立功之事，而立言具焉者也，三代以下，間有宗公鉅儒不屑屑名一家言，而率爾命管，風軌德音，爲世作範，如出師兩表、通書、西銘、定性、皇極諸編，遂爲懸諸日月不刊之書，故德功弸于中而襮之以言，此立言之所爲至也。先生負望人宗，位與年槪未足竟其功德之施，然而先生之言皆先生功德也。先生立朝楝銓，所縈切在國本安危、正人進退之際，方竝封議起，引裾補牘，讜論肆廷，先生實篊倡之，顯皇神聖始怫終俞，不必用先生之身，而卒用其言，至庚申末，命吉水高邑諸君子先後陟九列，發抒風概，天下知國家終用先生之言，而惜不用其身，然先生之功德則均效之乎言矣。自吾為諸生暨通籍，所從游賢士大夫，登車之光幾于雲漢，顧心謂先生用較大、識較遠、氣較平，三書之上，舉國為譁，先生袒懷受鏑，以俟論定，而譁者竟無纖毫加于先生，夫先生胸中曾置門戶見哉！故能讀先生文，而雒蜀朔之同異可化也。先生於性命所喫緊致辨，在無善無惡一言，然實為文成堅壁清野，而非濟河焚舟者，大約先生豎議有金谿之快，不墮其玄，有紫陽之醇，時通其執，每意義未孚，彼此交牾，得先生片言，四座厭心，故能讀先生文，而朱陸之同異可并化也。子瞻之序六一稿也曰，自歐陽子出，天下爭自濯磨，以通經學古為高，以救時行道為實，以犯顏納諫為忠，長育成就，歐陽子之功居多，斯言也，人讀先生文而知之。史稱韓魏公天性好士，其人可與，雖所不悅，亦為引進，聞人一小善，自歉不及，所用人率以公議，士不知出何人門下，杜祁公罷政家居，見賓客必問時事，有善喜若己出，至所不可，憂形于色，或夜不能寐，如身任其責者，斯言也，人讀先生文而可以知之。然不必盡知之，蓋先生卿景也，先生所為弸于中而襮之以文，卿景之精華也，故曰先生之言皆先生功德也。先生始終所望，君相一心，次則閣銓一心，而孤忠鬱悒，無已，以節高之，無已，又以言正之，歿遇明主錫贈易名，發其光芒，與日俱杲，視子瞻隻語片文竝膺厲禁，遲回再世，始得以其書徹乙夜之覽，先生固當大勝，今所需兩楹祔記之典耳，然先生文具在，知必有援新建、河津諸君子例以請者。吾邑自明興二百餘年，久為東南鄒魯，讀文莊集，詞約而理該，令人作天根月脅之思，讀忠憲集，旨潔而味深，令人作金聲玉色之思，而先生兼有其美，於文莊不忝為後海，於忠憲又不忝為先河，山水英靈鍾諸先生，猶夫二室九峯之鍾乎程朱也，故先生之言皆天之與，先生于斯文，而為天下萬世之功德也。余少荷先生獎題，惓惓以夾護桑榆相屬，顧浮沉仕學，僅保書生故我，捧誦遺文，彌增魯多君子之愧，因木之重刻先生集成，不揣數言，聊代執殳，亦以闡導宗風，後死之責，冀天下或有循言以私淑先生之功德者，若夫世喆繼軌，有木之父子叔侄在，俾天下覿斐焉述作，而翕然如奉先生，此自家庭明發有懷，無忝爾生之事，余幸辱異姓友昆，敢即稱先生茲集，竊比于詩人之小宛。同邑通家後學馬世奇拜手敬題。

（張健審查　　許惠貞標點）

青棠集八卷六冊　明董嗣成撰　明萬曆間東海茅國縉刊本　12742

明　謝　肇　淛　序

　　吳興自沈隱侯爲四聲嚆矢，絣注之士代不乏□〔人〕。明興顧獨寥寥，嘉隆以來，然後藝風翔暢，逸才比肩遝出，以余所睹記，蔡子木、涂子天而下，無如伯念者。伯念燥髮時，即蹀躞不羈，其王父宗伯公方以計然之策起家，擅素封於江以南，伯念弗善也，獨折節讀書，習爲古文詞，既成進士，授祠部郎，會上以建儲議格杖諫者，廷臣惕息，伯念抗疏爭之，前後數萬言，疏再上，不省，坐削籍歸，歸則遯居山中，不復與世接，時余方至苕，間屏□〔？〕從過之，野服相對，命酒賦詩，靡間也。居無何，董氏難作，宗伯公不愛重貲，以天黔首嬀一二耽耽視者欲得而甘心焉數矣，卒以伯念故。是時微伯念，事幾殆，既廷議雅重伯念，命強起之，會伯念死，不果。伯念於書無所不讀，至於書畫篆籀皆窮其妙，其詩古選憲章陶謝，近體沐浴岑王，用物弘而鑪錘□〔著？〕，取態巧而意象具，如藐姑射仙人飲□〔？〕浪風，軒軒霞舉，蓋自弇州、太函相繼下世，天假伯念以年，駸駸乎將立壇墠，與海內爭雄長，必不肯指黃河以北自作龜茲已也。烏乎！金刀捶鑪，長淮絕涸，在昔歎之，冥契既逝，發言莫賞，余於伯念有餘慟矣！伯念既死，茅侍御薦卿兄弟念甥舅之好，爲葺其遺稿行之，而余爲序之。謝肇淛曰，余初識伯念於長安道中，蓋嘗一以牛耳許之，於兹十載矣，伯念死而不及見其成，則天也，夫天之於人，富貴其所不惜，有或洩靈秘而擅聲華者，則眞□〔？〕若點隲之，以吾觀於宗伯公所謂富好行其德者也，爵上卿能使奴自蹺而盡其力，轉轂百數，豈不洋洋大哉？然造物不少蹔也，董董一伯念而遽奪之矣，豈固有才不幸耶？抑生爲之者所重，將不在彼而在此耶？夫伯念已矣，吾將以俟諸不可知者。

（張健審查　　許惠貞標點）

魏仲子集八卷四冊　明魏允中撰　明萬曆戊子（十六年）南樂魏氏刊本　12744

明　王　世　貞　序

　　魏仲子集者，故司封郎魏懋權所著也。其稱仲子者何？懋權兄弟凡三人，其仲懋權也，三人者次第仕於朝，以文學氣誼稱，懋權最有名，兩舉皆高第，而官又最顯，一旦以病夭故，伯子悲之，而爲行其集也。序之者誰？吳郡王世貞也。始世貞隆慶初起爲大名兵使者，而仲子在諸生間，太守言其秀才，召見之，僅踰冠耳，其人瑰茂朗洞人也，叩所爲經生業，尚未曙於體，然而奇思奕奕出人表矣，已奏其詩，多老蒼不經人道語矣。余方有事於邢州，挾之與二三生俱，間呼之飯，坐定飲噉自若，談說慷慨無少顧，其經生業漸就矩，而詩亦以益進，余乃以一五言排律授之，於茲道三致意焉。余既去大名，而仲子妻試，爲諸生冠，籍籍三輔間聲，然遇大試輒不利，而又久之，始以第一人薦順天，又三載以第三人登南宮榜，以第一人傳臚乙科，海內無不名仲子者。而是時大相勢張甚，仲子意不平之，咈咈見辭色，又於時事時才間有所詆諆，大相躁，欲收仲子不得，後微覺之，且擬逐仲子而死矣，仲子不以時稍平，而益其危言，顧其行益峻、道益尊，天下之忌者卒不能勝其知者，而乃有天部之擢，仲子亦不以一擢而解其危言，遇不可，將大有所論白，而病扼之。嗟乎！天之所以篤生仲子者，爲有意耶？無意耶？無意耶則不當有仲子，有意耶而何遽奪之也。仲子於詩，無所不工，五七言律，尤其至者，大較情眞而語遒，意高而調協，即其才何所不有，而實不欲以江左之浮藻掩河朔之風骨，蓋得少陵氏之髓而略其膚者也。文尤典雅簡勁，直寫胸臆，譬之赤驥盜驪，以千里追風之勢而就銜勒，毛嬙麗姬，汰人間之粉澤而以其質顯，惜也酬應之、請奪之，不獲悉發其蘊抱，以追儷千古，成不朽言，而今所見者，僅一班耳。仲子於家，與伯子、叔子以三才子稱，其在朝，與同年顧憲成氏、劉庭蘭氏，亦以三才子稱。伯子名允貞，今爲光祿少卿，叔子名允孚，今爲刑部郎中，劉生蓋先仲子夭云。嗟乎！令皆不遽夭，而與三君子並老於朝，不爲名臣？於詩若文，不爲名家者？無所用吾言矣。萬曆戊子秋日，吳郡友人王世貞撰。

（張健審查　　許惠貞標點）

楊道行集三十三卷十八冊　明楊于庭撰　明萬曆乙未（二十三年）錢塘知縣湯沐刊本　12747

明鄒觀光敘

世之論者曰，絳灌無文，隨陸無武，文章功業其不能兼所用明甚；而文士自
矜重夫文章，以爲是不朽盛事，籍令立功名、致通顯，不以彼易此矣。兹二者之
言皆過也，英雄儁異之才，立言言垂，立功功就，偏至而獨見其長，有用有不用
耳。而文章之用虛，其益緩；功業之用實，其益宏；士而自以其名立，兩者均顯
融矣，爲世道計，則寧收士之用于功業，而無寧使之以空言顯也。余友楊道行
氏，少而好爲詩賦古文詞，已與余同舉進士，時南樂魏懋權、無錫顧叔時、漳浦
劉國徵、懷寧吳幼鍾並以道義名節相砥礪，用其餘力揚挖文詞之業，而道行跋扈
其間，業日益進，待次西曹久，凡鬱悒悲歌、嘻笑怒罵皆寄之乎吟咏，世莫不知
道行氏雄于詩矣，而道行殊不以其故厭薄吏事，人亦不以道行爲詩若文，疑其不
達于用也。已守濮州，治行殊絕，吏部大計吏，舉卓異二十餘人，而道行衰然高
第，尋郎民部。已調郎兵部，扶服歸，免喪，郎職方。君之郎職方也，朔方事
起，叛夷殺都御史副使而嬰城，以逆顏行赤白之囊，重跡而押至，上西顧，遣大
臣經略，遣御史視師，已赫然逮督臣，及出尚方劍，讋懾軍士，皆下兵部行之，
而是時恬熙久，所在無兵職，方當推轂大將，更置材官良家子，徵調兵食，糺紛
旁午，至不暇休沐且飯，而給事中、御史人人上書談邊事，戹言十一，歉言十
九，議論之難劑也甚于籌兵，道行益侃侃自發舒，無所依阿，蓋道行既能不以文
章故而土苴功業，又能以文章而用爲功業，庶幾兼材矣，而寧夏事定，道行竟中
忌者歸，歸而乃大肆其力于詩賦古文辭。夫道行之業，其大者莫著于籌邊，余取
其所爲詩若文，而質之兵家言，若有合也，其跌宕橫厲、激昂鼓壯若動于九天之
上，叱咤而廢千人，其縱橫闔闢，矩矱不亂，若不至學古兵法，而旗鼓進退錙銖
不爽，其宏于庀材，而廣于寓境，體無所不搆譔，而藻無所不薈蕞，若七萃六
部，雲屯魚麗，多多益善，其隻事興端，片詞寄緒，往往能以咳吐譴浪而破千古
之的，若偏師一旅批亢擣虛，卓有餘勁。道行氏之言曰，世能使我苦心嘔血之功
垂成而弁髦之，其更能以譾訑之口而奪吾千秋之業乎哉？道行誠有以自信，余無
能難也，設令道行不爲夫巴氏所齮齕，當論功行賞，增秩賜金幣，如是止耳，所
得孰與仲多？顧道行以此自雄，然非縣官急才意矣，道行既罷，語及身之不用，
怡然愉暢，寧有幾微牢恾之感。至其談述邊略，感事憂時，思深而語壯，一篇之
中，三致意焉。道行之門人湯伯恩氏梓其所爲詩若文以傳，而道行意謂必不佞爲
之序，不佞居恒謂道行飛揚卓犖，有正平、文舉風，余不及君沉冥落殁，與世寡
諧，君亦不能頻而就余，然至其語于文章之際，則道行不以余爲無似，而使備礱

錯，故序道行集，不佞不得辭。抑孫武子有言，夫兵不過奇正，而奇正之變不可
勝窮也。文章亦猶是矣。道行春秋富無論，他所著作未見其止，上明聖，一日拊
鞞，思道行即君家子雲，所謂戎馬之間、軍旅之際，飛書馳檄，宜用枚皋者，亦
豈能終舍道行，余更得受簡而序之。萬曆乙未十月穀旦，九畹居士友弟鄒觀光
譔。

明 吳 嶽 秀 敘

　　此全椒楊道行之詩若文也。友人鄒孚如業已爲序以傳，秀誼不在孚如後，何
得無言。竊謂天無私授，世乏兼才，常若有所靳而弗與者，蓋造物微旨矣，乃茲
得吾友道行云。始道行爲童子時，有神解，下筆驚人，長淮南北，咸以爲江夏黃
童、龍門子安復出，既成進士，隸事西曹，蓋與不佞秀洎魏懋權、鄒孚如相朝
夕。已而先後識顧叔時、劉國徵，講業燕市，驤若同生，是時道行年最少，跋扈
飛揚，銳不可當，纚纚數千言，一刻燭擊鉢可立就，隱然有孫江東之號焉。亡
何，分符濮上，濮人士罔不龔黃我道行也者，然凝香燕寢，懷子建之雄才，慕莊
生之豪舉，一往深情，寄吊於句，則詩與文日進。乃道行復以治行異等晉職方大
夫，值朔方叛起，道行日佐大司馬，借箸前籌，倚辦石畫，不數月而蕩平，人人
咸以爲禁中頗牧也，即羽檄交馳而意氣整暇，口不絕於韜鈐，手不輟於篇翰，則
詩與文日大進，顧道行信心而行絕，無婾婀態，以此稱才，亦以此買謗，則冤甚
哉！歸來瑯琊山中，往往以憂時憫事之心、戀國懷君之念，發爲詩歌，無少幾微
不平之感，似又可以怨而不怨也者。嗟嗟！畏路糜人，文章憎命，自古已然，於
道行乎何損！獨念宇宙以來，屈宋不爲近體，而李杜不爲騷，才有所獨詣耳，道
行詩盈盈成帙，大備諸體，而文筆尤奇，直寫胸臆，成一家言，即不佞所覩記，
以較周秦二京六朝三唐之業，若胡寬營新豐，未有不像肖者也。且世之齮齕道行
者，不過謂其勞而不謙耳，至語道行之才，傑然名世，亡論海內知己，業有同
然，試探之齮齕者之口，而有不然者乎？夫丈夫資適逢世，奇勳駿烈，書竹帛而
著旂常，士之實也，鴻筆麗藻，勒金石而傳天壤，士之華也。方今主上神聖，疆
圉多警，行將起道行於行間，道行之功且昭然如日月之大明於世，道行年甫四十
餘，揖揖攻古文辭不休，它日竹素之業不知何所底止，猗與盛哉！倘道行得所願
爲於一時，而無當於不朽盛事，辟之石火電光倏閃倏滅已爾，道行奚取焉。顧不
佞惓惓推轂道行，而親暱之若兄弟者，非徒以文章重道行，蓋文一也，或以爲大

業，或以爲小技，彼誠各有所重耳。道行幸自力脫謝朝華，勤思太上，完養其神明，而堅忍其德性，則升沉得失擧所已知者浮雲耳，何與於我！又極之無不可耐也，而後稱完，如以其文而已矣，則安所擧楫嘆賞於我道行也！江北爲聖祖龍興之地，功業震世者不少，而文章僅得宗、薛二君子，今併道行三矣，不佞願與道行共勉之，毋令海內人士謂我大江之北徒以文辭顯也。萬曆丁酉三月望日，皖城友弟吳嶽秀譔。

明 季 東 魯 序

　　蓋周自屈宋、唐自李杜而下，騷雅寥寥，其絕響矣，非無騷雅也，夫人而能爲騷雅也，夫屈子以忠見放，行吟澤畔，噎塞精愷之氣，一寓之騷，如凄風驟雨、迅雷掣電，宛轉反覆，悲不自勝；唐人杜甫值世多難，仳離奔走，而搦管不忘君國，以故其詩味厚而氣雄，使人讀之，凜凜如見其人，後之人往往櫛其句字與其聲調，竄青媲白，長韻而騷，短韻而雅，故夫人而爲騷雅而卒寥寥者，所重不獨文矣。滁陽冲所楊先生自甲南宮，出守濮，文章經術兩無恙，入佐大司馬，西戡叛，東持危，竭忠畢慮，犁擘一世，而卒不免上官大夫之忌，乃歸滁，以所未盡發之奇，大肆其力於文章，蓋以古人之人爲古人之文，不擬議而合，無宮商而調，即屈子讓騷壇而杜公避雅席矣。今年秋，先生適游虎林而集成，東魯與錢塘湯令校付剞劂以傳，夫文因人重，地因文重，先生文固自奇，然以先生人益重，虎林多佳山水，如三竺兩峯、西湖南屏之屬，收入先生篇什而益重，東魯與湯令幸俱承乏虎林，又俱先生門下士，而先生集又適成於虎林，因得與剞劂之役而掛名末簡，則又以地重矣，是役也有三重焉，顧非先生人，即騷雅弗重矣。濟南門人季東魯撰。

明 湯 沐 跋

　　曹子桓有言，文章經國大業，不朽盛事。不佞嘗竊疑之，曰立言不朽，盲史亦云，至譚經國之業於文辭，言何容易！乃今讀吾師冲所先生文而信之矣。先生少年以文雄海內，甲南宮而稍稍試一割於濮，業已剖經綸之芽，蜚聲紫庭，入佐大司馬尚書郎，維時寧夏之役至抗王旅，而海島獷夷竟屋名王之社，先生佐大司馬，帷幄鹹叛，將逐獷夷，海內外肅然，洗甲兵而振威稜，則先生指授功居多，經國大業業睹一班，會中忌者歸，益以其牢騷之意雄於文，憑巖壑而嘯歌，臨展

槊而揮洒，不啻盈篋矣。今年適游西湖之上，郡守季公及不佞見而奇之，彙爲
集，付之殺青以傳，既竣事，發而莊誦，無論忠君愛國之念，往來楮墨間，即讀
其文辭，魁梧磊落者足徵先生局，慷慨激烈者足徵先生志，湛泓淵渟者足徵先生
藉，煙波浩渺者足徵先生致，清貞毅直者足徵先生操，經國大業居然如指諸掌，
乃今始信子桓之言不誣也。先生旦莫大召，將以曩所試之濮與未盡試於司馬與所
論著者，見之行事之實，以撫方夏、鞭笞四夷何有？蓋見之行事，而後知先生之
業之大者，是衆人之知先生也。今日不佞從先生文，謂子桓知言，安知世人不從
先生所建，謂不佞知言哉！敬次其語於末簡以俟。楚郢門人湯沐撰。

明 馮 烶 後 序

　　夫道一而已矣，而道之岐何多也！多岐喪道，而殊途同歸，則所爲配道者氣
之用乎？蓋自臧孫氏以德、言、功並稱不朽，而於是道德外，文章與事功岐，就
文章中，而詩又與□□〔文岐〕。昌黎文起衰代，供奉詩壇，正□□於兼才皆
譏，且道夢於岐，而岐又有岐，至以六義附庸蔚成大國，而畫境不與詩通者，寧
有異？故意矜于偏致而氣索于相摹爾！夫氣發于無端，而行于無際，所以挾思運
理，闡性寫情，斡旋六虛，鼓吹萬有，不得跋扈自我，豈容掩襲在人，而邇多外
借鉛華塗我面目，神采不流，行何能遠，若昭代斯文，獨禀全氣，未有盛於□□
冲所楊夫子者矣。夫子慧性夙啟，逸思雲流，矢口成韻，擲地作聲，便足凌礫盛
唐，頡頏漢魏，意謂別才□□□□稱是□閱其文，又何窮□□□□物象形讀常恐
□而氣殊有餘也，彼其事功不概見，而間見之詩文，業已守郢，郢理典職方，職
方敉寧，籌哼策倭，十不失一，而且以前箸中籌之餘思寄之鐃歌凱章，直令魏三
祖橫槊賦詩、元魏修期下馬作露板，未爲奇絶，無何，銳意中口，則有潔身明
志，即當宁再留、閣樞共起而挽之不得也。而夷考投簪，年未強仕，家無以爲，
而□有剩在，抑何勇決獨行，略無需忍乃爾。蓋賈生俊發，故文潔而體清，嗣宗
俶儻，故響逸而調遠，先□□□□斯近之阮，固無□獨賈□□□□已見風騷之□
□策□書，具徵通達之用。而表餌疎於計虜，嚜愱拙于處窮，則猶未爲匹也，蓋
子輿氏不動心，得自知言養氣中，而知言實在養氣後，其于善□浩然之旨，不啻
詳哉言之！則所謂四十而卿相霸王不爲□〔動〕者，故可識也。先生絶去淫遁，
直□靈明，既勒成一家言，而功著朝邊，身安蓬累，又絶無兩戰意，觀□□□當
知會道處得之養氣爲多，而比于子輿，更爲先之，是以難耳。□□□十峽，詩六

而文四，詩刻于□□□□□□□文尚有待，烶故□□□□□□□子不獨以詩鳴□
□□詩文之所得者于氣，抑以卜其當大任，而竟斯道之用者，今即絕想而會須有
日云。萬曆丙申歲長至之吉，古越門□〔人〕馮烶頓首拜書于新吳之澄心軒。

　　　　　　　　　　　　　　　　　　　　　　　（張健審查　　許惠貞標點）

———————

愼修堂集二十三卷七冊　明劉日升撰　鄒元標選　明泰昌元年原刊本　12750

明 鄒 元 標 序

　　乾之九三，終日乾乾，夕惕若子，繹之曰，在立誠忠信、進德居業、知至知
終爲事，所謂乾與惕者，非墮玄虛，然德非有加于忠信，忠信即德也，業非有加
于誠，誠即業也，知至即至，非至之外復有至也，知終即終，非終之外復有終
也，如是可上可下，不驕不憂，僅得无咎者，何也？蓋三離見其在三，見而未見
也，即四而猶或躍，雖欲不乾惕，可已哉？予友扶生劉公足以當之。公自爲司
李、爲郎署，連蹇矣，而恬然自適，由尚璽而冏卿，而大京兆，上進矣，而惕若
不已，抱一守肫，孳孳研究，眞精所孚，中外誦德，進退完名，淵然穆然，與天
者游，所謂至而至、終而終矣。嗟乎！世非無譚名理者，大樸未散者有幾？世非
無見幾奉身者，不言而信者有幾？桃李不言，下自成蹊，公之謂矣。憶與公二三
兄弟結盟矢心，當公在，如魚依水，今公往，如蘭摧芳，得公隻字，若起公而生
之，矧公著作皆有關性道之大，即置之文苑中，亦令作者辟易，予故彙而傳之，
見吾道在忠信、在立誠，倘不知至知終，即業而非業矣，公業大矣、至矣、終
矣，廬陵即有作者，與公頡頑何如？請以似知者，時萬曆庚申上巳，吉水友弟鄒
元標頓首譔并書。

明 董 應 舉 序

　　明自劉公清眞有道君子也，初理吾郡，皭然不滓，絕出前後，歷官尚寶鴻臚
太僕，雖閒曹，必勤修所職，遇不可必爭，不直不已。及轉京兆，飄然遠引，世
亦莫能挽也，平生加意士類，所成就爲多，歸而猶能爲桑梓興復斯文之美，鄉有
特祠焉。世之高公者，以爲冰壺玉柱所在輝映而已，孰知其一進一退皆有功用，
不以顯晦終始少懈其心如此乎！蓋公之學得之塘南，所謂眞性充溢，天不能遏之

妙，而又與爾瞻密證於龍華，得其所謂自信信古者持之終身，故夫世之所托爲風節行誼、政事文章矯然以爲名者，在公皆爲眞性之發見，行止可否一斷於心，絶無所矯，非惟名根盡斷，亦不見其依傍聖賢之迹矣。公之詩文爾雅曠逸，貴其在我，雖隨物賦形，其間發明性學自不可掩，爾瞻先生序其文，引易之乾惕修詞立誠之旨，明公進修之無已也，予以乾之六爻潛、見、躍、飛、亢，皆以龍象，三獨指而名之曰，君子心無可象，象之乾乾，潛以惕潛，見以惕見，躍以惕躍，飛以惕飛，亢以惕亢，故曰，用九，見羣龍无首，吉。无往非惕也。即全易無非此義，故曰懼以終始，此之謂乾乾，此即性體，修此爲吉，悖此爲凶，存此爲誠，信此爲君子，此亦公以愼修名堂之意，亦爾瞻序文之旨也，敢併發之。泰昌元年臘日，閩舊治生百洞山人董應舉頓首撰。

明　郭　一　鶚　敍

　　昔周子有言曰，言之無文，行之不遠。不佞鶚爲轉一語，文之無實，行之亦不遠。夫所云實者精也，心也，緣精而溢華，根心而創論，自然關切世教、竅繫人倫，以誠六經，昭垂千載，至與二曜爭光，豈非心精之自溢、眞教之範世哉？行之遠不遠無論已。余邑中非乏能文者，靡不推盛劉明自先生，先生神姿天挺、虛心內瑩，於書靡不窺，於學靡不窮，一動念凜然天地神明之與俱，一注眉洞然皦日晴空之自信，宇內士無問識不識，咸以先生爲世眞儒。鶚蚤遇宮墻，心儀而信服之久，近得愼修堂集，選自文江鄒先生者，興誦而潛味之，其爲有韻之語、必傳之敍。與謀曹交酢之日，鑿鑿然揭日月而行天，汨汨然沛江河而溢地，典而核，麗而質，旨遠而詞文，疇非精心所自溢而符響論之極者與！雖行之百世可已。昔劉道光潛心玄易，嘗言讀書當味義根，何爲費功浮華之詞，蓋易者義之源，太玄者理之門也，先生豈其苗裔耶？生平玄易透悟，會其源，詣其門，故若斯文有實而行自遠。鶚匪能文，亦匪知文，猶憶曩在燕邸時，側承左右，先生爲鶚撰外王父大尹三江胡公一傳，迄今讀之，三江公神宇豪邁若存，且示鶚以諫止礦稅與蚤建元良諸大疏，炳炳忠謨，編中猶未盡載，是豈採蹠浮華、餖飣詭飾者能望其景光之一二乎？文江先生藻鏡人羣，不浪許可，獨以乾九三方先生品格，予亦云，修詞立誠正九三君子所挾以居業者，若先生眞文之得實、行之自遠者耶！序成以示客，客曰，子亦庶幾乎知言！泰昌庚申仲冬，賜進士第、南京光祿寺少卿、前南京河南道監察御史，同里後進郭一鶚汝曹父拜手撰，同郡通家小姪高葵卿書。

───────────

何氏拜石堂集十二卷六冊　明何三畏撰　明萬曆間祝允光等刊本　12752

明　王　泮　敍

　　米無爲以袖石當次，公豈在石耶？所會心遠耳。士抑先生受寵命，司李郡中聞其在家山太倉王相國顏其堂曰拜石，而胸中之壘塊可知已。再讀先生芝園諸刻，而見先生之壘塊有華嵩泰岱之觀焉。先生名滿天下，幟奪藝林而卒業。先生古文詞及詩歌賦頌，靡不字挾風霜而驟煙雨，夫大雅不作久矣，先生胡型範古今、肩雁騷雅乃若是，蓋先生惠車鄰架，窺人間未見之書，阮嘯嵇琴，抱人間未有之致，且也犯斗躋雲，採人間未到之奇，以故大者鴻芒，細者蚡響，深者淵停，高者霞翔，正者嶽厲，奇者海颼，獨開人間未出之口，都人士得先生一字一句，若獲百火齊。拜石堂最近刻也，其神氣飛越，意調沈雄，如躋日觀點蒼，不可仰視，先生固彈指千言，不加點竄，文章吏治直倒囊出之，即吾郡稱繁劇，爰書案牘川嶽叠，而先生以忠敏愼附赦立，剖視其庭，第見青落案頭、鳥啼長畫，先生玩石治之已矣。署嘗臥龍山之半，千巖萬壑攢列眉宇，先生依紅泛綠而沛川泳雲飛之興，著作當益富，山陰道上多應接，頃得先生大吐星芒，寧不爲我山靈更生色哉？治行文豪將與昔郡伯曾王劉范埒，一捧檄歡，知不足概先生矣。嘻！古文詞賦，余惟秦漢晉魏來，代不數人，人不數作，作不數佳，而熙朝自北地、濟南、瑯琊外，僅見先生，先生其駕李班王，鼎立千仞而小天下乎？南宮而在，將衣袍笏拜先生不暇，奚暇拜石！廣政蹟者，又寧待石窮而後把臂也夫！越治生王泮頓首撰并書。

明　徐　桓　敍

　　我國家以文登士，士每以帖括相切劘，曰吾以是應主司足矣。求其銳情古作兼工吟咏者，宇內指不多屈，況望其富且美、敏且精也。余爲諸生，浪足雲間，博訪名士，時何公方弱冠，即有聲庠序，鏗鏗稱藝林中翹楚矣，然特見其能文爾。予令丹徒，見芝園諸集，迥出時表，始知公有兼長，尤未覩其全也。迨乏留垣，見鄧少宰公，亟稱公為奇品，且曰，吾生平止一老友，蓋喜其詩文類己也。
王相國嘗以拜石顏公堂，而公即以拜石命其稿，余甥祝允光、允烈遊公門，裒其
稿若干，付剞劂氏，而丏予言序諸簡，予幸覩其全，敢以不文辭？予惟文以興理
為貴，以詞達之而已，此六經之文也，晚近世文不據理，專務閎博，紛然以怪誕
深沉爭相雄傑，不奇詭則鉤棘，嗟嗟！文蓋裂也甚矣，世稱韓柳歐蘇為詞林冠，
以文皆近理也，然據理敷詞，非天才與學力兼到者則不能，何者？材非天縱，則
所出必不厚，文氣無以沛，學非純熟，則所養必不粹，文機無以融，氣沛而機
融，此文之至也，所謂得心應手，文不求工而自工者也。公資稟穎悟，超邁卓
絕，一目十行，過輒成誦，其天才厚矣，性好涉獵，貫串百家，旁搜今古，精研
理學，其學力充矣，以故於聖賢理奧、古今事變，皆融會於一心，而隨觸隨應，
隨吐隨妙，不假思維，而得心應手如大匠之運斤、庖丁之操割，氣無不沛而機無
不融，此其所以能富而美、敏而精也。昔楊脩稱曹子建握牘持筆有所造作，若成
論在心、借書於手，言其敏捷如是，公之敏似子建，而文之精美實過之，其得於
理窟處多也，公師事鄧文潔久矣，文潔公為今理學宗主，公之學所得於文潔公者
實多，然則今之文集不將與文潔公稿並傳不朽耶？獨王相國以拜石名公堂，豈以
宋米無為目公耶？史稱米文奇險，所為譎異，不能與世俯仰，公文平淡中有至
味，而應事接物，圓融中有執持，若與米無為迥不相類，今司理吾郡，政多平
反，而經綸厝注有可以柱石邦家者，則其文章政事，當有並垂不朽者在，非不佞
一言所能譽也，姑以是塞余甥之請，而僭為之序。會稽治生徐桓頓首拜譔并書。

明朱敬循敍

　　自昔稱文獻者，首稱吳會，爾時鳳鳴龍躍，夫孰非機雲之儔哉！明興，以文
德洽縣宇，尤為首善，壬午，家大人典試北闈，雲間繩武何公褒然薦賢書高第，
於時文譽藹鬱，膾炙海內人口，家大人沾沾自喜得士，不佞謬附交籍，時與揚搉
藝林，洵足掩暎當時而膏馥後代也。越都人士雅服，習公而爭尸祝之，邇奉三尺
司理東陽，讞決平反，洞燭沈滯，理棼衡量，歷拭彌瑩，清獻之清、子容之愼、
韓魏之勤，公不啻以身肩之，而觀風問俗之暇，出制義以視博士家，博士家握靈
蛇為之紙貴，已又出其拜石堂稿，都人士競傳手錄，若威鳳之陸離而快占千仞之
輝也者，表侄祝允光、允烈，公門下士也，為梓之，以敍屬不佞，不佞得寓目，
集之為騷選近體、記頌赫蹄、春容大篇、急就小語，洋洋灑灑，吐納風流，若斯

之兼也，觀止矣。夫公才識朗徹，自是開美而斲輪游刃，玄解在心，是集其一班也。第昔子長下龍門，登會稽，探禹穴，而後其文奮若蛟螭，瓓若韶韻，公藉奏公車，歷閱既廣，而覽觀岱嶽山川宮闕之盛，不減奇遊，其櫽括六義而苞舉百家，嫺婉斐亹之致，足當南金大琛，世有未睹公之全者，此堪拭目矣。世謂文士無當於用，而公才猷黼黻，其所抱負經畫，足以文明治世者，獨此立言之不朽云乎哉！嗣是，登高之賦、千秋之業，邑有宛委，足藏其副，請無煩鄧林之材矣。光烈曰唯唯。謹懷觚以俟焉。治通家弟朱敬循頓首撰并書。

（張健審查　　許惠貞標點）

李文節集二十八卷十四冊　明李廷機撰　明崇禎間刊本　12754

明 葉 向 高 序

　　文章千變萬化，不出于六經，經之言文，不過曰辭尚體要、曰修辭立誠。夫非體要不足以爲辭，而辭非修不足以立誠，此文之正軌也。近世爲文，荒陋者既不知修辭，而好異者又逃之于艱深奇僻、汗漫冗雜，不知體要爲何物，文節李公每與余談而深病之，公之言曰，文猶組也，五色錯而成文，雜以麻苧則非矣；文猶水也，微風鼓而成文，蕩以狂飈則非矣。故公之文覃精極思，鎔鑄敲推，一字不苟，而氣格渾融，體裁莊雅，骨肉調勻，情景穩帖，絕無怒號叫跳、支離險怪之習，讀之如韶濩、咸英，雍容和暢，使人心平而氣舒，又如清廟明堂、冠裳佩玉，趨蹌揖讓，彼田間傖父見之，不覺其惝然而自失也。其所撰述，序記則序記，志傳則志傳，章疏辭令則章疏辭令，以至代言之章、進講之牘，應酬課試之作，無不肖貌象形，各成面目，黑白蒼素不相攙溷，一時館閣鉅公翕然推服，以爲當代作者雖不乏人，求其辭修而體得，罕有及公者，蓋公自少年穎悟絕人，所爲制舉家言，已沉酣醞藉，不逐流俗，困公車日久，得以肆力于鑽摩，自六經子史以至近代諸名家，無不貫穿，故一登上第，而所就已如此矣。公在詞林，所友善惟余與江夏郭美命，美命之文，凌厲奮迅，與公各成一家，而余弱不自振，然自爲史官以至揚歷南北、備員綸扉，皆與公同事，而公又與先人同選于鄉，故相知獨深。公沒，余造其廬哭之哀，顧未暇問其遺文，再越歲，而公之友太常李公始裒集付梓，屬余爲之序，余既卒業而嘆曰，言者心之聲，文之肖其人，豈不信

哉！夫以李公之刻意操持，禔躬峻潔，一言一動，皆稟于規程，惟恐有纖毫之瑕
纇，如其文之修辭；其生平持論，以臣子分義，當憂國奉公，各營其局，不可舍
己而責人，寬于當官而求多于君上，故自筮仕至貳卿佐銓典禮，所至遵功令、明
職守，斤斤繩墨，如其文之有體；而公為文，尤好人彈射，每脫稿必持以示余，
余有所不可，公必更定，至再三不厭，甚有舉全篇而易之者，其虛懷受人、不自
滿假如此，乃世之病公者，或以其枯清強執，果于自用，幾若王臨川之流，豈其
然乎？公在政地三四年，而杜門乞歸之日十居八九，其胸中所抱負，欲見之施行
者，十未一二，居恒語余，楊縉作相僅旬餘日，薛文清在閣亦不數月，人貴樹
立，豈在久近，由此觀之，公之志可見，而要其行品亦無愧于二公矣。公之人不
以文重，而即文亦可以見公，蓋公初第時，刻其時藝，名之曰百鍊草，其後常扼
腕言，士習之日卑，由于文章之不振，文章之不振，由于時藝之怪誕。余深以為
然。嗚呼！百世而下，有欲知公之文與其人者，其以百鍊概之可也。賜進士出
身、光祿大夫、柱國、少師兼太子太師、吏部尚書、建極殿大學士、知經筵日
講、制誥、予告存問，年家晚生福唐葉向高撰。

明 洪 啟 遵 序

　　或問於余曰，文節先生天下之清人乎？余曰，清人也。天下之隘人乎？余
曰，隘人也。清則必隘，理固然乎？余曰，噫！若第知清名，而未知隘之用，是
烏能知先生！先生以文章名世，以氣節禔躬，以所學經綸天下，天下仰之如景星
慶雲、祥麟威鳳、爭先覩為快，而公毅然恬然，自筮仕以至台輔，其介不易而節
不衰。方公之未登第也，天下士無賢不肖爭誦其文章，王公貴人得其一字，如獲
拱璧，有貴人欲延公者，公遜謝不就，有欲以莊百畝餉公者，公笑而却之。當公
讀書永春窮巷中，陋室蕭然，風雨不蔽，見者喟然難之，而公秉志益堅，謂餓死
事極小，失節事極大，且津津於澹臺子羽之為人，公之氣魄亦可以概見矣。登第
後，即却一切饋贈，課後輩唯惓惓整齊振肅四字，觀其立法簡便，釐剔精詳，革
舖行，施衲衣，爭郡爵之濫，省溢費之金，其細微如窮夫凍丐無不委曲相周，至
若是非予奪、關軍國重大事，則明目張膽、務在愜理而後快，雖雷霆疾擊，若將
赴焉，雖同事群起而誹之攻之，若將安焉，此非公之力量有以過人，乃公之清有
以過人也，非特公之清有以過人，乃公之妙用吾隘者有以過人也。蓋公自掇魏科
後，唯報答國恩一念屢形夢寐間，外此而世故之周檢、交游之引重、餘粟餘帛之

累吾君、毀譽得失之弱吾神，公皆有以却之，其胸中較然一無所容，雖知公者亦疑公隘，然不如此，則力不勁、執不堅，見紛華不得不悅，則不能清，投艱大不得不懼，則不能任，不清不任，公於茲可少此一段神力乎？且公嘗寓此意於議邊矣，曰苟苴不絕，請托不杜，繇今之道，無變今之俗，而欲將勇兵強餉足，其道無繇，夫今日之不杜請托，不絕苞苴，坐不能隘耳，使公秉軸久，盡行所學，將見弊絕風清，頑廉懦立，使天下縉紳學士、武夫悍卒一變而敦羔羊素絲之節，享清淨畫一之化者，未必非公峻節所貽也，是公能隘而後能清，非清而偏流於隘者，孟子曰，伯夷隘，君子不繇，非不繇，不能繇也。千載無兩伯夷，今日誰復匹公？雖然，觀公之意似乎不止學伯夷者，公雖托志於澹臺子羽，而事事盡肖吾夫子，觀其言，每哀人窮不能周，見義事不能舉，有義舉不能助，至引欲立、欲達之論以自解，而終未歉是心也，吾夫子大道爲公之心也，公之高天下萬世者，豈特文章氣節已哉！余生也晚，不及事先生，因讀先生文，不揣而僭爲序如此。崇禎甲戌秋季望日，晉江後學洪啟遵頓首百拜書於吉州之天苗齋。

明 曹 士 鶴 跋

李文節先生集刻成，十有二帙，余小子視鐸于茲，重以五岳蔡道臺之命，蚤爲鰲正，俾無傳訛。蔡爲先生辛卯所拔士，而小子則廁甲午之選者也，爰是受而卒業，譌者訂之，缺者補之，雖云管蠡無裨，亦庶幾亥豕無誤云爾。若先生之文品、文行，自有定千秋之鑑者，小子鶴何能贊一詞焉！是爲跋。崇禎辛未孟冬朔，新安門人曹士鶴謹識。

（張健審查　　許惠貞標點）

劉大司成文集十六卷十二冊　　明劉應秋撰　　明吉水劉氏家刊本　　12755

明 鄒 元 標 序

□□□□□時心最不能下，獨見士和劉公藝，大爲心折，而予叨舉于鄉，公數過譚藝，揚扢千古，斗酒爲驩。予既成進士，從軍，公偕諸兄弟駕舴艋追逐波浪中，予入夜郎，臥一小樓，己卯秋忽夢劉而魁西江者，醒曰此必士和。乃公以壬午魁省試，明年進士及第，予得賜環，相晤都門，語之夢，友從旁解曰，子之還朝,政與公發跡合,神兩告之矣。時江陵事起,人人發舒所欲言,公不亡技癢,予語之曰吾輩故有言責,公等在玉鉉之章矣。公笑曰,似河之清,人壽幾何?明年,予謫南都,轉司封在告,公亦以羅母憂歸,昕夕偕羅大行廓盤桓天□龍華青原間甚適。已丑,公赴都,徙南少司成,予再起爲司封,公同艾鴻臚觴于燕子磯,語多深憂,蓋未知公胸中有欲吐者在。別未幾,公以譚邊事疏至矣,予亦調南,覯公慷慨歷落,益發舒不能制。未幾,晉官坊,積官至大司成,中口語遂歸,公之中人言,蓋新建在事,軒然自負,最不得海內士大夫心,欲撼新建,先以公嘗,而公又不善自韜藏,矢口譚國事利敗、賢否哲愚,一惟其意所欲言欲行,寧知仕途如登九仞之坂,不能如吾意者十常八九,新建意不可一世,士寧有所私于公,故每論公出處,未有不令人憮然長嘆,嗟乎!新建未相,先負天下偉望,海內遂信其初而已。公卒已十餘年,子同升浸浸有鉅人志,思公文彩照暎人間,刻以傳世,泣而過予曰,嗟哉!先子志欲得一當以報國,今已矣,幸有茲集在,惟先生一言弁之。予謹述生平交遊之悰如此。公爲人介特峭拔,而詩文雍雍舒徐,出入韓歐間,自有知者,不待予言,若使公得永年,閟鬱之氣必有所宣洩,而所自期許者必竟其所欲爲,而惜公蚤世,此予抱餘牘而有無窮之感也。公今久蓋棺矣,二三兄弟虛縻歲月,不負公者何如?書以志愧,同邑鄒元標撰。

明 湯顯祖 序

士和司成兩都,兩都士稱爲兒陽先生。先生言道德而近名法,常曰,學士先志,官先事,空文何爲?蓋其天性廉毅貞穆,生于吉州忠孝之鄉,而道學之世,故其言動出入必以形影相格,不肯流遯而之他,其教然也。予性故馴而達,官南都,與之遊,于世俗者好一切無所當,好談天下事與天下賢人而已,予稍爲通之,引與達觀先生遊,倘識所爲西來意者,時亦爽然自失,然終束于其教耿如也。今其遺詩文若干首具在,蓋士和之去國與被病,皆出意外倉卒,不克自定其文,然所存者亦可以知其所亡矣,所亡者其人,則東漢之人,所存者其文,則南宋人之文也,而先是海內人士稍稍傳其與政府諸執事疏記,指發端委,稱引連類,綱維大細之弛張,人材善否之進退,惆歎焉,流連焉,彼其身未嘗一日當天下事任,而其心不忍一日付天下之事于不治,蓋至于言而躓、動而窮,然後歸而嘆曰,吾讀養生家言矣。最後探旌陽令,至德觀,宿張道陵龍虎山中,上追洪厓驂鸞之跡,下睨仙巖遺蛻之處,嗒然有思,汯然而悲曰,死生亦大矣,吾無以

處，吾心又何以譏稱爲？將招予汗漫之遊，竟長生之事，曾幾何時而以無妄之藥
已矣。傷哉！天地雖云大，無之寄此身，此非吾兄詩讖乎？不問家人產，誰要國
士知，此非吾兄心行乎？孟子曰，誦其詩，讀其書，不可不知其人，欲知其人論
其世，然則士和之所爲人及其所遭遇之世，於士和之書之詩，其能無惻然長嘆者
乎？知者何人，吾亦忍涕而待之耳。臨川湯顯祖撰。

（張健審查　　許惠貞標點）

蒼霞草十二卷八冊　明葉向高撰　明萬曆丙午（三十四年）高安陳邦瞻等刊本
12758

明 郭 正 域 序

　　宋時文章之士盡在館閣，彼諸曹大夫無問鉅細，皆應其選，故琬琰之士盡羅
詞林。明興二百年來，士成進士即選中秘，遂與諸曹大夫顒若兩塗，而所爲詩若
文者亦顒若兩塗。國初館閣體大半模擬宋人，期乎明白條暢而已，世之擬古文者
遂不勝其凌厲詃語，大略用漢人唐人以勝宋人，合諸縉紳暨諸草澤，以勝詞林，
詞林奪於其氣，不無少謝。行之數十年，而所爲漢唐人語者轉相倣効，向之臭味
皆成食餘，糟粕易盡，神理無有矣，先是訕笑宋人，且浸淫而陰用之，霜降水
落，興盡悲來，塗抹可厭，必反眞常，自然之理也。夫詞林文字視諸作者概不能
同，彼大旨不出山川草木、離合感慨、雄豪自命、自放自廢，而此則絲綸黼黻、
禮樂刑政，小致不能盡，孤懷不能述也；彼氣有必伸，才有必放，此氣不盡伸而
要之和平，才不盡放而閑之軌物，解羈靮而鳴和鑾，其步殊矣；彼之色澤，山珍
海錯，鳥羽蚌胎，無不輻輳，而此之色澤，非山龍日月，不施於杼，非牢醴馨
香，不登於俎；蓋論文於詞林，難以成一家言也。比年以來，館閣英賢跨軼前
輩，一時文章醞釀歷代，聲響色澤、神髓氣骨大變其初，海內操觚之士，揚挖風
雅，又靡然左辟詞林矣。吾友葉進卿起自海天，所爲舉子業，神奇變幻，膾炙人
口，以爲神運鬼工，進卿亦沾沾自喜，余心奇而首弗肯，意其未大。亡何，兩人
各以憂去，又十餘年，會於京邸，進卿名日益高，文章流布宇內，余心豐而氣弗
降，意其未化，間從一二友人窺見一斑，大矣化矣，悚然自失矣，夜半與語，把
臂莫逆，傾囊讀之，愧向者知進卿淺也，孔子有言才難，不其然乎！夫文章家亦

才難耳，調可聲氣求也，格可字句練也，色可絲縷織也，若乃因物賦象，隨地班
形，風雲雷雨，應筆而至，出有入無，信心而成，大小方圓，青黃赤白，從口而
說，冠冕佩玉，戈矛劍戟，隨照而寫，是才也，非人力也。蓋不佞上下數百載，
文則西京，詩則大曆，非不代有其人，而才則未敢輕許，今已屬進卿矣。國初文
字之才傷於調靡，浮於格萎，枯於色瘁，近代文字之才陋於調窮，遁於格同，膩
於色濃，有才而善用之，時離時合，可喜可愕，無不有，無不妙，在進卿矣。夫
道一而已矣，言之而文，行之而遠，寧有館閣自爲一道乎？古人文字言其所有，
今人文字言其所無，古人言所欲言，言所能言，今人言所不欲言，言所不能言，
即使莊叟、丘明，降而爲今祝誕誄墓之辭，太白、子美，勉而爲今獻諛無情之
詩，吾知其不能工也，何有於神妙哉！文體日卑，道愈難矣。注者王司寇遺余
書，文章之權原在臺閣，後稍旁落，余深媿其言，自惟晚末，何以當前哲，敢爲
大言。夫以劉誠意之奇絕，宋景濂之温醇、解大紳之豪爽、曾子啟之英邁、李賓
之之浩瀚、王濟之之簡嚴、王敬夫之高邁、高季廸之超脫、崔仲鳬之修潔、丘仲
深之博雅、楊用修之奇崛、王允寧之簡練、康德涵之雄俊、廖鳴吾之富有，此權
自在，要之化境，尚隔一間。近代鴻儒偉士麟集鳳翔，所爲朝堂典要、雄文大
篇，式於宇內，而向者叫噪儇佻之士，幾改步而革心，視往時臺閣體如何也？嗚
呼盛矣！余與進卿交相勉也，余則安能爲，是在進卿矣。江夏年弟郭正域撰。

明 顧 起 元 序

　　國家道化釀郁，人文宣朗，嘉隆以來，瑯琊、新都擅聲古文辭，紹明北地、
信陽之業，而踞其上，天下學士大夫蘊義懷風、感慨波蕩以從之，而文章號爲極
盛。其人既往，代之作者即已爲碩果，爲晨星，皆得與于斯文，乃識者獨憂其道
將日萎薾而不可復振，而吾師臺山先生以命世之才通遰貫、維絕紐，得古人之旨
于形摹蹊逕之外，蓋儲精覃思、摩厲激揚者二十餘年，而其業成，遂曠然壹新其
耳目，挽晦蝕而純熙于是，人謂文章之權獨在館閣，學士大夫景附響臻者不啻如
瑯琊、新都，而文章又號爲極盛，於戲！此天授，非人力也。昔之文人不多顯
者，顯矣，或回翔中外，或項領簿書，抑或拘牽年事，往往不稱其意氣。先生弱
冠登朝，其地皆在日月之際，以石渠天祿之清華、鈐索車門之休暇，而又用其全
盛方剛之氣，注射于辭章，以是其文最工，而其成又最蚤，且也日新富有，行地
無疆，過此以往，蓋未可量，館閣之士或搜或引，文章卓然與兩漢同風，前世未

有與其奇者，豈偶然哉！故曰天授，非人力也。小子元竊嘗讀先生之文，而妄意之，在中祕時，潛毅神機，曠引古法，有若金之出鎔，玉之既琢，雲雷蟠互，璜瑀琤琮，琅琅東序之上，見之者罔不目賞其珍、心器其重。在宮坊時，則節和而莊，理暢而逸，若九天仙人，聲欬珠璣，步履雲霧，雖汪廧肅穆，不敢狎視，而神儀散朗，使人意消。在留都卿貳時，則擬議盡矣，變化成矣，傾困而出，迎刃而解，難顯之情，難狀之事，揮灑道之，能使鬱者舒，萌者遂，棼者理，燦然而星漢流，沛然而江河決，喤然而鏞鼓鳴，誦之者靡不心曠神怡，厭飫自得，以爲明白洞達，輸寫府奧，類先生之爲人，然左規右矩，揆諸古人，若合符節，技至此虖，蔑以尚已。昔賢尊文章者，目爲經世之大業、不朽之盛事，自非鼓吹聖謨，綜裁國體，幽鴻橫廣，總于邇言，垂諸日月，其誰與我，迺末流所蕩，各以其知舛馳，綴緝吞剝，襲而不眞，鑿悅雕蟲，麗而不典，排調啁哳，狎而不莊，即彼魁人宿學，時復闌而入之，大雅不羣，顧安取此。先生斟酌道德之淵源，殽覈仁義之林藪，盪瑕滌穢，釐正醜邪，大之而究皇儀、展帝容，次之而鏡人倫、崇士檢，于凡學術之是非、政事之得失、人材之良楛、文章之利病，燭炤數計，了然于心，故筆之所書，無境不眞，亦無情不暢，人即雕鏤苦刻，迴複奧晦，以昌其文，不能如先生之言，曲而中此，乃足當大業盛事耳。文章之道與世相通，窊隆之際，有大力者負之，而趨當瑯琊、新都之後，軋苗兢起，先生在館閣中，執標準以號天下，使彬彬嚮風者共遵皇路，以追古初，道之合符，意可知也，謂爲天授，豈虛乎哉！小子元自年十七八時，誦法先生之文，業已願爲執鞭，不可得，久之，先生從行卷中覩元文，亦嘗許可，顧元不知也已。丁酉，先生典南畿試，元迺幸與甄拔，進見之日，先生亟倒屣接之，語若平生驩，及元謬塵華貫，謁告歸里，皆幸獲從先生游，每有著作，輒命訂賞，而元才智荒落，無能助發，以副深知，安石咨盡于白馬，休文激譽于雌霓，但有慙負而已，而先生所以循循誘之者終無倦。比蒼霞草成，爰命小子一言以通其意，於戲！元敢謂知足以知先生哉！昔歐陽公知貢舉，蘇子瞻實出其門，能大放厥辭，與公爲于喁之和，有宋之文章于時遂號爲極盛，今先生之視廬陵，不啻超乘而上之，執鞭弭以奉周旋，門下士宜有能爲眉山者，而元非其質也。大浸稽天，一蠡自廢，高山在御，敢托知音，雖然，天之將大斯文也，有大君子出于其間，士得附青雲以施後世，蠅之螻飛，志在千里矣，迺敢忘其拘虛，而論次之，幾以幸先生之教焉。萬曆丙午夏日，賜進士及第、翰林院編脩、文林郎、直起居注，門人江寧顧起元頓首撰并書。

明 董 應 舉 敍

　　天下之事，苟非其性之所近，則爲之而無成，學之而不能以至，雖疲精神，窮歲月，而性與習不相受，跡與妙終不相入。匠氏之斧斤、庖丁之牛，其妙至於凝神者，蓋皆性獨有之，非但日習其事然也。天下之事尊而名貴、可學而能以行遠者，莫如文，古今才人士嘗喜爲之，而有至有不至，蓋自漢以來至今，歷數千百年，操觚而爲文者不知凡幾，其灼然名家行於世而可久者，代不過一二人，或四五人止耳，何其難也！豈獨學之不至哉！蓋有其學而出之無其才，有其才而運之無其法，有其法而變化之未能神，皆不可稱作者，夫神其至矣，非學可能，又非一切才敏可及，若有靈心，天寔濬之，蘇子瞻所謂行於所當行、止於所不得不止、至於所以然而然，雖作者亦不自知者也。以曾南豐之沈篤醇至、王臨川之峭古，其於此道，尚隔一塵，然其醞釀傑異，出入經術，與歐諸君子各自爲法，各臻其妙，亦各有神解焉，非夫天之所縱、千古斯文之所屬，何以能至於斯極也。故曰，性有所授，學有所因，神而明之，存乎其人，世乃欲字櫛句比、模擬格象、襞積襯砌以爲工，甚且謂唐宋可廢，直接漢統，而不自知其去愈遠也，斯不已惑哉！以予近所見吾鄉少宰先生之文，寔能卓然自拔，獨得古人之所謂神者，而出入馳騁，若舞、若飛、若江河之流轉，回環往復，錯綜要眇，若抽雲煙，若燭日月，有蘇歐諸君子之風而不襲其跡，時離合之，以自爲家，其爲文特譚笑杯酒枕席之暇，操筆伸牙，咄嗟而就，大作小篇、長言短牘，隨物賦形，無不斐然秩然，可喜可愕，浩乎渺乎！不知其勢之所止，與其機神之所以合，蓋其性有獨縱焉者，變化之道於斯盡矣。與少宰同時並駕、相許可者，莫如江夏明龍先生，其文悍疾揮霍，如風雨驟至，號吼霹靂，使人失視，如怒濤激浪，驅使舟楫，而與之上下，以放乎中流，其家法與少宰不同，其爲透徹如意，各得其解，則一二公疑皆有天授者耶！何以卓然自拔如此也！昔唐宋之盛，諸大家同時並駕，各相取下，不以其家法不同爲嫌，其往來議論、相翼相詡之概，有可想者，近世文士每不相容，如何之於李、七子之於唐應德王思道輩，互軋交譏，不遺餘力，斯皆偏見獨識，不睹其全，宜其所就者不遠，少宰獨能與江夏交贊，以力此道，其識有非今人所能及者，其能起衰復古、羽翼文明，以成國家昌隆之運者，將於是乎在？予乃與少宰同里，朝夕其議論，而一無所庋，少宰謂予可語，命題其稿，予積時日、竭心思而不能就，廼知文章眞有天授，苟非性之所近，雖爲之無成，學之不能以至者，如予是也，予重負少宰矣！予重負少宰矣！萬曆丙午秋日，眷晚生董應舉頓首拜書。

明　陳邦瞻　序

　　蒼霞集者，少宰臺山先生所著。而少宗伯郭公美命嘗序次而論之，以行於世，茲刻則請自先生之屬諸曹郎，而先生稍稍刪定前帙，益以近作若干首，蓋先生之文至此逾妙而化，視前者又一變矣。刻成，僉謂不肖輩躬際盛事，不宜無言，不肖則謂先生之文至矣，政非不肖輩管窺所宜有言也，無已，則爲讀先生文者一言，可乎？天地之大觀在乎山海，而山海之精英往往鍾爲珍奇怪特，如所謂丹碧空青、珊瑚夜光者，而觀於山海者亦時探而得之，山海之藏無盡，而恣其得者亦不禁，然其嶒崒岸崿汪洋震盪之勢，人驟而入其中，心悸神慄不暇，而況欲有所得，難矣！故珍奇怪特之寶非忘於山海者，莫與致也。夫先生亦文章之泰岱、滄溟也，蓋此道之多岐，而作者以見自封久矣，何先生之大而能博而不可一察觀也；其於道德性命之際，剖疑析眇，有宿儒之所不及窺；其論古今事變、得失善敗，如奕者之審局，必盡其變，如醫者之處方，必當其病；至當世賢士大夫之德業，一經先生論列，無論不朽即觀者且併其神情面貌而得之；其他正論旁刺、顯言微中、舂容寂寥不同，而同於各臻其妙，開闔縱橫，雖先生有難自名所至者，故愚以謂，讀諸名家之文，其得尤易，而讀先生之文，其得實難，何者？彼有方，此無方，有方者可以意尋，無方者非神遇必無幾也，是在讀者盡心焉而已。若不肖輩則竊有私幸焉，昔人論知而思見，論風而思炙，蓋誦詩讀書，非不可見古人，然與日侍其側而自化者有間矣，今吾輩幸而朝夕以職業事先生，居恒色笑之所承、風指之所示，靡匪至文，得是編而證之，其入視他人宜差易，而異日者雖散而之四方，人挾一編以自隨，儼然常如先生之臨其上而誨之也。其於發醯鷄之覆而滿飲河之腹者，豈有既哉！可謂厚幸矣，於是諸曹郎僉謂不肖言誠當，而不肖復稍前畢其說曰，夫文章之道與造物通，非可智爭而力得也，其中蓋有神理存焉，古之君子惟學焉，而得其神理於心，神理無窮，而發而爲文，亦新新化化，萬變而未有極，是故讀孟荀者，如未嘗有六經也，讀史漢者，如未嘗有孟荀也，讀唐宋以來諸子，如未嘗有史漢也，今而讀先生之文，如未嘗有唐宋諸子也，蓋近代模擬勦說之陋，至先生始一洗，而文章之變亦盡，所謂於學無所遺，於詞無所假，經國之大業，不朽之盛事，其在斯乎！其在斯乎！世必有因愚言而窺先生者，遂書諸末簡。萬曆丙午秋，中屬下吏、稽勳清吏司郎中，高安陳邦瞻頓首書。

明 曹 學 佺 序

　　夫文者，官天地而府萬物之具也，入于毫芒而出于八極之表者也，夫子一言以蔽之曰，辭達而已矣。子貢言語之科曰，賜也達。沈約之言亦欲使人易見事、易識字、易誦者焉，如是則文之所重者可想矣。直而順者，達之之所趨也，鬱而逆者，達之之背馳也，然亦有說焉，使不壹鬱之于衷，則何以宣而爲言，不委蛇之于勢，則何以衍而成章，故鯤化鵬運必以六月息者，氣爲之也，長江大河不能不一曲者，勢使然也。我明崇重文教，二百餘年間，作者彬彬稱盛矣，要而論之，何以不古若也？其弊有四，夫殷鑒不遠，在夏后之世，漢人上封事，必借秦爲喻所從來矣，今謂非左史兩漢不可用，至唐宋勝國不一寓目焉，一也；且敘事與議論岐而爲兩，不能反復交互，二也；好以古人之事傅會今人，使讀之難辨，三也；非溢美之言則多隱譏之語，爲諛爲訕，四也。前乎二者之弊，北地、毘陵不能免也，後乎二者之弊，濟南、弇州不能免也，而況其凡者乎！我少宰先生之文根本六經，而上下古今得失之林，取材則博，稱譬則近，是曰是，非曰非，不相假借也，今人則今人，古人則古人，不強文致也，其以嘉謀嘉猷而入告者，即以忠厚告人者也，其畫九邊四夷，利害強弱不可更僕數者，即在乎區蓋之間者也，庶幾哉免于四弊者焉，可以謂之達矣。先生不以不肖爲無所知識，每進而與之言，若有當于心者，去年序不肖文，遇自貶抑以推許焉，今裒刻集成，命不肖序之。夫先生之辭達矣，有所以達者，不可不知也，夫子曰，質直而好義，察言而觀色，慮以下人，在邦必達，在家必達，先生誠心直道，物得其宜，且不自滿假，有謙謙君子之吉焉，固宜其發之爲辭者如是也。若曰不肖烏足以知之，則夫子之言豈欺我哉！謹敘。萬曆丙午歲秋日，眷晚生曹學佺頓首撰。

明 葉 向 高 自 敘

　　余自知句讀時，先君子課讀三蘇文，輒能成誦。家故窮鄉，所見書只六籍、性理綱鑑、左傳、儒先訓詁，即蘇文亦罕有習者，又安知有戰國先秦東西京下及六朝諸家言也。比余爲諸生，崇陽胡二溪先生來督學，好古文辭，其校士能爲古文辭者，片語單辭皆置高等，于是戰國先秦東西京六朝諸家言始出，士子爭誦讀，求得一當。而余少年嬉遊，嘗客婦翁家，至數月不近筆研，婦翁不善也，孺子敏而偷，孤吾望矣，余乃感奮，前請翁家有何書，得盡讀之，顧翁家亦無它書，僅搜得史記題評以授余，余讀而好之，又居兩月，盡其卷而去，意中頗有會，稍稍緣飾爲時藝，胡先生及代者四明趙先生皆加賞識。未幾，遂成進士，推擇讀中秘書，課古文辭，余素不習此技，茫然無以應，徒以其意爲之，而館閣先生之稱余者，謂其文殊有蘇氣，或云有遷史家法，余愧而且笑，生平稍嘗龍門眉山餘瀋，輒爲人覷破，是其胸中無他伎倆可知已。既已孟浪稱詞臣，不能廢論撰，又性故慈弱，客以好語乞文，輒不忍拒，遂多應酬之作，余固自念此覆瓿耳，何足傳于世，世亦無名余文者，獨江夏郭美命酷相慕好，每奏一篇，未嘗不稱善，美命教南雍，而余來貳秩宗清署優閒，各衰其生平所作相質定，客有梓美命文者，因及余，余不欲出，而美命固強之，然中常不自得也。又更數歲，復成百餘篇，考功檇李徐君、北海董君暨諸同曹請梓之署中，余益遜謝，然念業已布矣，何靳此，乃取舊刻，汰其十之三，益近作十之四，合刻焉，大較多存其尺幅，稍寬及詞理不甚舛謬者，其餘短章小述、游辭駢句、尺牘題誄及諸封事之切劘者一切置之，梓成，復愧且笑，生平厭人刻詩文，以爲災木，乃躬自蹈之，又嘗爲美命言，吾于文章，當益讀十年書，使胸中稍有積蓄，乃敢與藝苑爭衡，今顇毛種種，此念亦灰，每憶前言徒畫餅耳。居恒自評其文，多率易，無深沈之思，見近代作者，有雕鏤苦刻、迴複奧晦，三四讀不可解者，亦心慕以爲奇，欲摹效之，而賦性佻坦，與人言，惟恐不盡，惟恐人不曉，文亦復爾，終不能強也，此道工拙眞如貌之好醜、命之窮通，稟受已定，無可奈何，姑汗漫爲之，以適吾趣而已，豈復妄意千秋，謁躋于難至之途，爲造物所笑哉！徐君輩既雅有美命之癖，而余亦不能自堅，聽其災木，更取人厭，是可嗤也，故稍述其緣，當解嘲焉，題曰蒼霞，則余鄉名，考亭先生所手書。福唐葉向高題，浦城門生徐庚書。

　　　　　　　　　　　　　　　　　　　　　　（張健審查　　許惠貞標點）

――――――――――

蒼霞草二十卷詩八卷續草二十二卷餘草十四卷三十四冊　明葉向高撰　明萬曆至天啟間福清葉氏刊本　　12759

明 林堯俞蒼霞草詩敘

　　夫詩與文一也，大抵濬發於靈心，錯綜於往喆，摹範在規矩準繩之中，而搏挽在意言象法之外，神而明之，存乎其人矣。顧文之難，常患才少，理苞塞而亡能直，喻事詰曲而罕克旁通，或至迴複奧晦，以贅牙砭目，無他故，才少故也。而詩之患又在才多，才多而騁之，氣有所必凌，境有所必借，蹈厲隤放不能已已，而所敦厚溫柔、優游含蓄，令人憬然自得於不言之趣者，固已寡矣。夫才亦一耳，能縱焉以極文之變，而又能約焉以殫詩之精，屈伸闔闢，無不並臻其妙，斯之謂天下之兼才，而臺山先生其人也。先生之文，郭宗伯爲敘，而刻之留都，讀之者以爲黃鍾大呂之音，又以爲若化工之肖物，無雕鏤刻削之跡，而生意橫流、神彩勃發，然則讀先生之文而其所爲詩者亦可知已。先生之詩，凡長篇短什流布人間，人咸寶之，不啻寸璣尺璧，而獨未覯其大全，南署固以爲請，先生又度不能終秘之也，則彙其二三而授不肖，不肖得盡讀焉，其調冷如也，其詞斐如也，上下僚友之間，懷舊感遇之作，忠愛惻怛，道義勸勉，藹如也，蓋四始六義，先生由茲起家，故宜其獨得于敦厚溫柔之旨，而異乎所謂蹈厲隤放、一洩無餘者矣。近世之稱七子者，大半詩溢于文，其卓然成家者不能一二，此一二中，其所謂蹈厲隤放又時時有之，雖多亦奚以爲？先生之詩視文不過十之二，而氣必調于平，境必摹其眞，詠歌而玩味之，憬然可以自得于言外，而皆不欲騁其才而用之于此，以傷詩之致，此先生之詩所以爲不可及與！吾閩中以文名者，無如王道思，而以能詩稱者，鄭繼之最著，道思之源出南豐，與毘陵並建旗鼓，雖濟南江左交摧而不能詘，繼之尸祝拾遺，聲奕奕在北地間，即甚抗閩者，未嘗不辟繼之也。夫二子者孤行偏至，而猶如是，況先生之文，宗伯心服焉，曰大矣、化矣，無不有、無不妙。其自稱詩也曰，古詩極於六朝，近體極於中晚。乃其詩又能不爲六朝、不爲中晚也，兼總條貫，展也大成，以視道思、繼之，何啻超乘而上，先生之張閩也，不亦侈乎！雖然，不寧惟是，我朝相業尤盛者，必首三楊，建安其一也，建安而後寥寥，幾二百載乃有先生，當白麻下時，海內知與不知無不舉手加額，想望太平之理，先生至則再疏數千百言，皆關社稷大計，天下所以安危，蓋先生以其爲文者，發之於嘉謨讜論，而以其爲詩者，用之於納牖遇巷，又生平亮節赤衷，上足以感格人主，而下信於公卿百執事，補天浴日，恆必賴之，將奚遜乎建安！斯則先生之爲閩山川光寵也滋益大，詎獨詩與文章而已哉！先生若曰，子言毋乃拘方之見，則願終請之宗伯。莆田林堯俞撰。

明何喬遠蒼霞續草序

　　高皇帝得國之正軼於湯武，故不唯以武功首天下，而於文章一事，亦欲使天下士大夫光明正大、疎暢洞達，無鈎棘槎牙之氣，而其時宋金華出而應之，其財雖富，其用雖鉅，斂而歸於溫厚而爾雅；楊廬陵歷事四朝，文章醇潔，若不能勝其質，而終無緣飾之態；岳潯縣纇博之篇，邃於學而明於理；薛河東，人知其以學勝，而不知其長於詩；劉永新博雅蘊藉，有先儒之風；李長沙開肆和平，雖紛挐叢委之中，搦毫抽管，不廢時刻，與士大夫更唱迭酬，如居山林閒靜之域；張永嘉奏疏明健特達，或若以意奪理，而實能發其理之所以然；徐華亭疏通紆徐，不詭作者；趙內江屑然而玄論。今上久道化成，端揆諸公，若王太倉鋒穎銳厲，變化而高華，下筆敷對，倏忽以數千百語，而卒歸於劁切而委蛇，斯實一代之傑然者也夫！是皆館閣諸公，佐綸扉而居台輔者也。自此而外，則有王餘姚，氣象開明，而詞藻沛發，彼其爲一代豪傑有不偶然者，而其餘諸公名爲雄長一世，則皆刻意而思、鏤詞而出，其才力氣勢若有餘於館閣諸公，而不能有其和厚醞藉，有欲學館閣諸公之和厚醞藉，則又薾然而無色，斯亦我朝文章之概也。維我進卿先生，無文而無所不文，其明白暢快，足恢人之耳目，其典刑規矩，足範我之馳驅，意加婉焉，不失其正，詞加蔚焉，不掩其質，蓋遠曩歲讀先生所爲蒼霞草，而大有當於心，謂先生之文眞可起八代之衰，而非徒以今日之位望爲此諛言。而先生近示蒼霞續集，則若古柏高松，稀枝直幹，而鬱蒼之氣掩映霞區，蓋益易簡平淡而益不可及矣。先生向歲過泉，遠以此頌先生，而先生挹然若不足者曰，令我軋苗爲之，我實不能，非斥不屑也。先生居恒自言爲人平平耳，夫使先生以平自歉，則何以大學中庸以平天下爲極也！先生當揆輔主，則平其政；處於士大夫，則平其心志、平其議論，而今復爲此平文，遠徒見夫先生之文之無以加也。中庸之贊仲尼也，曰憲章文武，夫高皇帝我朝之文武也，先生之文推明其意，此先生之所以無以加也。溫陵何喬遠書。

明葉向高蒼霞餘草敘

　　余既刻有蒼霞草矣，其後自綸扉歸，又有續草，頃者謝事檢篋中，復得數十篇，留之無益，焚之而意不能割，乃稍汰而存之，名曰餘草。已自念昔人論文章爲小技，爲枝葉，爲敝帚，今余草而續，續而餘，毋乃贅乎？客有語余曰，昔王荆公絶不喜蘇子瞻，而亟稱其文章，以爲似司馬遷，今世人惡子多矣，然吾見一二士大夫尚有以子爲能文者，子功業既無聞，若併此去之，則終于泯泯矣，且子瞻罹謗觸忌，至以文字爲罪罟，一切毀棄，今子遇寬大之朝，筆札流傳，猶然無恙，存之亦足以見一時遭逢之幸，庸何傷？余曰，君言辨矣，顧余非子瞻其人，何敢言文，姑梓而藏之家，述客言弁焉。福清葉向高書。

（張健審查　　許惠貞標點）

葉臺全集一百三十八卷一百二十四冊　　明葉向高撰　　明萬曆至崇禎間遞刊本
12763

5. 綸扉奏草三十卷
明　林　材　序

　　葉進卿先生總揆席垂八年，主上推誠委重，先生竭股肱之力，加以忠貞，夙夜盡瘁。已而以乞骸請，主上不忍先生去左右，疏六十餘懇，始憐而予之，褒寵異數，蓋自上踐祚以來所未有者。越明年，復詔撫按臣，存問于家。先生荷主恩如天罔極，爰輯綸扉中啟事，累數百牘，梓貽子孫，用章聖德，閒出以示，余因得而言言詳閱之，則歎主上神聖，登咸三五，而先生身依日月，積誠感動，潛收補浴之功，良千載一時哉！蓋余嘗評古大臣計安社稷，必孚中，而後其誠格，必納牖，而後其機通，又必其言之明達、和平，而後忠可輸、圍可轉。漢之賈生治安一策，史稱其通達國體，然慷慨激烈、痛哭流涕，即以文帝之賢，止輦受言，而竟以讓謙未遑置也；陸敬輿在唐，孜孜獻納，忠誠懇惻，蘇子瞻謂其智如子房，辯似賈誼，顧所值者建中、興元間，匡弼徒勤，而猜疑已貳，卒亦莫之聽已。今進卿先生參調密勿，補牘纍纍，間有情急勢迫者，未嘗作賈生流涕之談，乃其詞之詳明、心之眞懇遠追敬輿，至遭際聖明，都俞吁咈，回視漢唐，有不趙霄壤者，余諸不具論，舉其大者，福邸久稽屢疏趣就國，正而不阿，侃而不激，甚至內降直以封還，此則漢之子房所不能以口舌爭於高帝者，而主上獨忠先生，較羽翼于商山之皓何如也？插貂之瑤馬跡遍天下，閭閻煽虐，戕民以逞，先生從中勸諍，隨撤之回，奠海國於春臺，斯之爲伐，詎獨遺一方安而攸暨且溢區宇矣。在昔名哲之輔，有以詔旨納帝前，而逐逆豎、出空頭勅者，千古而下，令人願爲執鞭，兩者舉以視先生，寧有異哉！世之人好慕古非今，輒云古今人不相及，此亦闇於大較耳。剞劂竣，先生復索余言以弁篇端，余愧迂戇，謫居踰念年，遡惟往昔，秉國成者不勝異意焉，胥有太史之簡在矣。先生光輔宏業，史必大書特書，余何可襲末俗爲一言諛，而先生亦不受諛，不必諛者也。年眷弟林材頓首書。

6. 續綸扉奏草十四卷
明 梅 之 煥 序

　　憶在掖垣，每諄諄以正疏體爲言，嘗有疏云，露章補牘非僅傳之朝報，原以入告君父，浮蔓則難竟，故體尚簡；沉晦則難解，故體尚顯；迂誕則難行，故體尚核；叫號非盛世之音，喋褻豈對君之禮，故體尚和平、尚莊雅。又云，每箇題目一出，輒趨走如鶩，或假托而言，或依附而言，或非其心之所欲，迫于時尚而言，或明知事之不然，借作陷穽而言。又云，朝廷若惟同是求，則臺省間但各置一員足矣，其必令振鷺充廷、鳴鳳共叶，正欲參伍錯綜，如八音五味之相調耳，人主且不求同，而比肩事主之人乃獨伐異，此何理也云云。蓋以此繩人，即以此自繩，珥筆六年，孤行一意，初非作意忤時，而自不能與時合，一麾而出，八載于茲，蒙今上召還，而首揆葉閣師亦已從輿望返綸扉矣，此一時也，言路視昔較易，而政府視昔更難。昔也宸嚴雖無所譴責，而時局則多所擠排，一言不合，異類斥之矣，今眾正連茹雪消晛出，無復有轉喉觸諱者，故曰易也。昔也宮府雖睽隔，而票擬無傍撓，今突創一上傳之例，夫果出上意，猶可言也，倘出左右，尚可言乎？即止出左右，猶可言也，倘出傍門別竇，尚可言乎？狐鼠憑城，更有憑狐鼠者，按之則匿迹甚詭，持之則托名近正，徐之則有煬竈假叢之禍，急之則有決癭忌器之嫌，故曰難也。當此時而救正者若而事，且保全者若而人，是豈第以口舌爭哉！有默奪于疏揭之外者矣。及讀疏揭草大要，苦口而甘出之，深心而淺出之，其人所不能言與所不敢言，又若不經意想而游戲出之，口如其心，筆如其口，令讀者自不覺頤解而心折焉，則當此時而能有所救正與保全，又未始不在此疏揭內也，彼水投石而規爲瑱，豈獨聽言者過耶！雖然，蓋有本焉，揚雄以艱深之詞文其淺陋之說，中不足也，蘇文忠筆端有口，寧直才勝哉？良由心事光霽，如重門洞開，忠義之氣自不能不橫溢毫端，而初非有意乎爲文，聊表而出之，以爲進言鵠，猶曩日正疏體意也。楚黃門生梅之煥識。

明 葉 向 高 序

　　此余再入綸扉三年間所草疏揭也，共二百餘通，而乞歸者幾三之一，司馬聊城張公語余，讀公乞歸疏，時政畢具，故雖累上，而不覺其複。士大夫亦多云然，余殊愧之。往余事神祖八年，獨身任事，苦口逆耳之言無所不盡，皆荷優容，然常以不得親見天顏爲歉。迨事今上，日於朝講，承下濟之光，事有不可，輒與中貴往復辯論，皆達天聽，多有疏揭之所不能盡者。余嘗懼其觸忤，而上曲賜採納，常十之八九，蓋余之受知遇于累朝深矣。其苦苦乞歸，實以老病無能，恐誤國事，且與貪位固寵、漏盡夜行者同譏，非敢恝然于去就之際也。病榻中，每憶往者告鄒南皋先生，公講學必講孔孟，余只講閻羅王。南皋曰，何謂也？余曰，不佞老矣，填溝壑之日近，苟有欺君誤國、傷人害物、招權納賄等事，於閻羅殿前勘對不過者，皆不敢爲。南皋笑而首肯。惟是叨濫多年，積愆叢戾，去國之後，累被人言，省躬引咎，悔艾實深，暇從篋中檢諸奏牘，觀之嘆曰，此皆閻羅殿前之卷案也，罪狀具是，何敢自匿，因梓之合于前草，告諸幽明，庶幾少逃于文過之愆，且以見神祖今上之聖德焉。福唐葉向高書。

7. 後綸扉尺牘十卷

明 葉 向 高 序

　　余生平尺牘，皆焚其稿，惟前次在綸扉、有關係時政者，間存之，以附于奏草之後。比再入政地三年，值封疆多故，議論酬答皆兵食大計，雖書生未閑軍旅，而苟有所見，不敢不盡。憶往里居時，聞神皇以遼左之亂諭大臣，疆事破壞皆由文武不和。余初聞之，不知所謂，後身當事任，目擊情形，乃知神皇之聖明，眞不可及也。山居無事，檢諸尺牘，凡屬寒暄，悉投水火，所餘無幾，乃政地之艱難、疆事之得失，大較可見，他日尚論者，亦或有考焉。福唐葉向高書。

　　　　　　　　　　　　　　　　　　　　　（張健審查　　許惠貞標點）

————————

弗告堂集二十六卷十冊　明于若瀛撰　明萬曆癸卯（三十一年）原刊本　12764

明 葉 向 高 序

　　詩與文雖同出于性靈，然其派既分，其源亦別，文之道實，而詩之道虛。實

者主于指事陳辭，明白曉暢，讀之使人□□爽目而自得其意于言之中；虛者必其
沉思極變，曠絕清遠，讀之使人旁皇恍惚而深求其旨于言之外。自詩教湮，而世
之以文爲詩者多矣。吾友于文若于文無所□〔不〕工，而不以文爲詩，其詩冷然
超然，不襲□〔前〕人半語，而情景宛至，非跡象可尋，凡所爲述懷喻志、惜別
傷離、登山臨水、弔古懷人，或然、或愉、或寫、或寄，無不匠心盡態，若遠、
若近、若露、若藏、若在筆端，若不在筆端，若具得風人之神，而近世詩人所苦
心力索而不能得者，文若直從容出之，此何可於塵壒煙火中論其才品也。文若自
郎曹觀察入列九卿，遽引疾歸，里居五六歲，乃復召起尚璽陪京，江左人士望文
若下風，不啻三謝菁華、二陸文藻，而薦紳大夫覿文若，庶幾紫芝眉宇、名利都
書□□亦蕭然物外，若忘其身之尚氣纓冕，而蹤跡之尚在風塵，其人如此，宜其
右此詩矣。始文若南來時，登金焦，遊虎丘，直抵錢塘，窮西湖、天竺諸勝返，
休乎白門以□□□下朝之遺跡，故集中詩較他時差多，而□〔膾〕炙人尤甚，茫
茫宇宙同此山川，而文若善收之以爲助，同此宦遊，而文若善借之以爲適，故是
超絕，未與文若同官白門，文若所登臨皆未習遊，顧無一言之幾于文若，人之才
情豈不相遠，故因茲詩行書數語以志愧。詩稱弗告堂，則文若所爲考槃意也，夫
文若之獨樂而不以告人者，乃不在于詩，而詩足以觀矣。年弟福唐葉向高拜書。

明王圖題辭

　　于文若先生刻其弗告堂集成，一日謂王子盍爲我評而敘之。不佞於此道，染
指甚淺，夫安足辱公命。雖然，隋珠和璧，見者珍之，何於具眼，蓋不佞於公神
交有年，而其得承謦欬，則自今日始。往從交游中獲公片蹄，輒用什襲，然流支
耳，而其得睹全海，汪洋浩淼，令人神搖而目不瞬也，亦自今日始。公聰穎超
詣，雅善名理，□〔雖〕紆組縉綬宰官相，然時有濠濮間想，鍵戶焚香，於法得
大自在，又賈其餘力，流覽百代，墳索而降以逮漢魏晉唐諸名家，罔不藏其儁而
咀其華，以故溢而爲文，率能發其心之所欲然，而應其機之所不得不然，如天際
流雲，舒卷自得，斯不亦稱文陣之雄師、侈藝林之瑰寶乎哉！公著作甚富，文尚
秘不傳，姑評其詩。樂府情貌逼古選體，固枚叔匹也，顏謝而下，可置弗道；歌
行雄渾宕逸，高常侍、岑嘉州之流乎？近體清曠秀倩，出入開元、大曆之間；絕
句神境符合，語語會心，非李青蓮、王少伯，未易輕擬也。今天下治詞賦者輒比
能詩自命，然望貌則合，稽情則離，功劣於效顰，而致乏於逐響，以公詩方之，

霄淵懸矣。公爲人爽朗英邁，具經世材，茲官南符臺幾十年所矣，符臺局故閒，公夷猶其間，益得指點江山，以竟不朽之業，無怪乎藻思佳句，若斯之驚人也。嗟乎！以公不朽之業，不使之彪於朝宁而藏於名山，世當有任其責者，不佞第取公名山之藏，相與愓詡之若此。西京王圖則之甫撰并書。

明 鄭 汝 璧 序

　　齊魯於文學，固其天性，然言詩杏壇，曾非比肩，獨賜也以琢磨悟，商也以繪悟，竝得見解焉，要于化境，尚隔一塵，蓋超覽若斯之難也。夫詩自三百篇而後，四聲出矣，擬議變化，作者辟易，不謂當吾世而得之文若于公也。公抗心希古，虛恬朗潤，自癸未成進士，輒請急養其母謝太安人，時時戲綵衣，婆娑乎丘壑魚鳥間，不知有人間世者十年所矣。比出而爲司馬郎，尋衡文關中，秉憲中州，軼迹所經，凡名山勝水，公無不恣覽載筆焉，翩翩乎大雅君子哉！先是歲乙未，余從濟上觀公，駐賞二酉中拾琅玕，不欲去；既而辛丑，再遇公白下，侍芳遊且久，而余乃有以窺公之深也。公衷瑩如瑰，情淨鏡舉，如飛霞居，如凝水日，作天際眞人想，以故蜉蝣宇宙，於性靡所不適，而其稱詩也似之，大都陶鑄彭澤，而復撮王孟諸門之勝以爲佐，讀之則白鷺浴濤、青鳳振藻，何曠逸也！聽之則哀玉送聲、鸞笙接響，何清越也！按之則江楓洗雨、澗竹飄雲，何淹遠也！極之則游龍千狀、尼殊五色，倏乎忽乎，又何繽紛靡際也！譬之六通開士，隨物徵心，因聲成籟，幻無爲有，收華返眞，而玄致備矣。其剪紅刻翠、雕章繪句家未嘗不自矜色澤，倘索西子于靚粧、探玄珠于罔象，公直以此奴隸之耳。夫詩道性情，原本大素，而詣極于化，公素心快語，自悟中得之，篇章方富而縣解若是，日新變化，殆不可爲倪，假從尼父而言詩，超乘絕塵，諸子瞠乎後矣。余不知詩，而嘗漫爲詩，公業兩題之，今以片語報公命，亦聊以寓清風朗月之懷，而非所以盡公詩也。且公負蓋代才，亦自不以詩盡也，生平不焚和、不伐技，淵愉自得，矢弗以告人，然而名起日月之際，排雲御風，可以五色文爲石補天者，異日文章功業當與魯靈光鼎峙天壤，世毋以閒鷗野鶴菫菫求公於象之內也。萬曆癸卯歲在昭陽單閼之次，浙東鄭汝璧邦章甫譔。

明 焦 竑 序

　　夫詩以徵言通諷諭，以溫柔敦厚爲教，不通于徵，不底于溫厚，不可以言

詩。古十五國風，而魯詩者獨參周、殷，而列於頌，蓋齊魯嫻文學，而周孔之風
教，其漸被者所從來矣。明興，作者如邊廷實、殷近夫、李伯承、馮汝言、李于
麟輩，先後鵲起，家有其書，以古若彼，以今若此，其烜奕也，以觀念東于公，
詎不信然！公英名梣寔，爲士品規跡，其迴翔中外餘二十年，淹抑之歎略無于其
慮者，顧日與白足赤髭之侶、牢騷歷落之士，提唱宗風，楊摧雅道，經史之外，
茗捥鑪熏，法書名畫，位置雅潔，入其室者，蕭然如覩雲林海岳之風，蓋公標格
令上，天宇清眞，雍容謙和，聲華自遠，故其詩不激而高，不□〔刻〕而□
〔工〕，□□〔雋永〕藏于溫醇，纖穠寓之雅澹，所稱治世之音者非耶！昔李白
有詩人之材而無其識，杜甫有詩人之識而無其度，故言非世法，動迕于時，輓近
世家相凌兢，斌斌盛矣，乃炙轂以畔經、詰曲而寡適者，往往有之，公刮抉浮
華，獨妙閒曠，其原本山川、極命艸木者，既與邊、李諸公相鴈行，而升歌廟
堂，和情理俗，尤足與奚斯、史克相終始，然則少昊之墟、蒙羽之野，終不夷於
邶鄘曹衛者，非魯能重公，公誠足重魯也已！余負痾屏跡，綜□藝文，知公所詣
無遜大雅，輒錄若干首，用垂矜式，夫世有心賞之士，知言之斟酌中和、節度流
兢者將於是在，其必讚歎愉悅，犁然自解，又何□於余言。萬曆癸卯夏，友弟焦
竑敬書。

明 謝 陞 序

　　昔陸恭仲負人倫鑒，因作較論品格篇，當時以許郭推之，旨哉！其題士之不
可無品也。夫何鍾記室作詩品而不較其人，遂使蕙茅褖紐、鏞瓦同宣，惜矣！余
今讀于文若先生詩，始知先生詩品哉！蓋未讀先生詩，而灼知先生士品矣。先生
海岱間人，古有以清士稱者，惜無詩也，近世有以詩雄白雪者，人亦有品，則俱
稜且棘耳。文若先生詩，諸體各具，遠不盡泥古，近不必泥今，而自出新裁，然
皆有獨造之語，又皆有超然之致，如以其品，可謂高矣，可謂逸矣。先生風儀容
觀，清清冷冷，瞯在霞外，登籍幾二十年，甫得尚璽留都，其門如水，其心如
寄，常自稱龍山煙客，而題其堂曰弗告，身雖紆綬簪纓，而漱石枕流，夢魂故
在，此其品又當何如？固知先生詩品原本于此，則眞海岱清士，何媿于考槃詩人
耶！先生于吾黨士靡不交，而不浮不濫，此亦非徒品詩，而甚欲品人也。先生工
書，有晉人法，工畫，有元人丰神，顧用以自娛耳，不輕爲人作也。王逸少工
書，乃掩其經濟，而徒以書名，諸葛孔明工畫，乃以盡瘁王業終，而掩其畫，五

柳先生、浣花老叟工于詩矣，而英雄之氣、民社之思時一露焉，先生得無類是耶？蓋必知先生士品，而方可品先生詩矣。萬曆癸卯初夏，歙邑謝陞撰。

（張健審查　　許惠貞標點）

朱太復文集五十二卷二十冊　明朱長春撰　明萬曆間寫刊本　12767

明司馬熙（？）序

……（前闕）者錮者與若強項死者率爲厲才鬼，至矣朱子，乃儺乃陳，桃茢辰之前空無人，王然乎哉！酹詩塚者召吟魂，反是揶揄蒲收長吉之遺，而或投之匼中行，吾求匼中乎？將無乃病於任乎？人之無文，病不任也，任之無分，病不附也。史頡以來，其書五車，輔以周藏，益以漢庫鄴駕、宋郒笈韞之積、玉府□□□□□〔腹〕便便以爲笥，淫焉癖焉，屬醫調焉，陳人之思襲五官而生，生三年日，吾得其一枝矣，未得其恆幹，六年日，吾得其恆幹矣，未得其營魄，九年而成日，吾得其營載、其魄生矣，異陳人矣，迺始免任。任猶姙也，免猶娩也，免而提之，使自長也，立當辰紹文統，靳天之曆，不靳人之冊以立也，王然乎哉！有細人於此三食字而傀盈帙，則俯滿□搤，顚以仆行，秘書不可以五步千言，果然，則歕則吐，蔵未化者復歸於俎，瀝液趄賓門，生蟯生蛣，曾是虺蛇，曾是熊羆之與伍，此宋元之季人歟？前李後何、五子之流歟？以不任攻任，必躓；徒手而秘負擔者，必躓；倚蓋輕躎媼神之鷔，必躓，危乎哉！朱子之辰哉！其位正其宅中，其勝祖之任六，父之任八，賓之任七，□之任九，侍從之任十有三，赫赫厥靈，時左右我，甲冑于櫓，於是乎在，祝人獻嘏，厲隱鬼匿，祓之類也，斯謨斯咏入玄扈矣，鎭碧珪矣，胡爲乎匼中，將遠行矣。惟癸丑吾以生，子同生，吾當其閏，吾享其餘，子以宮，吾以商，子以經，吾以緯，子以腥，吾以羽，焚竹而聽九房之語，不思安用官，不生安用姙，不居安用辰，蟲之應聲，優之抵掌，史之傳影者去之，即脩文乎毫端且千人，而有相觀無相忌，瞪子以益朱子，朱子謂之幽詭。時萬曆乙未季冬朔日，錢塘陳治安忠卿書。

（張健審查　　許惠貞標點）

虞德園先生文集二十五卷詩集八卷十冊　明虞淳熙撰　明天啟癸亥（三年）錢塘
虞氏壩務山舘刊本　　12768

明李日華文集序

　　操觚家喜稱說虞卿捐相印，著書自見，言立不朽，糠粃萬事，傲然自快，無
所復須者，嗣後爲翻、爲寄、爲荔，俱續經掞藻，有聞南北。至行秘書，公逢興
運，翊英主，風華蔪蔚，翹然瀛仙之選，然以視昌黎、河東，猶或遜其振起，若
雍公之襄偏業、文靖之奉夷主，鷮采矕光不無闕遏。明化日洽日新，迨我神宗顯
皇帝，涵浸磨礱幾五十年，草木山川競吐華秀，士大夫心胸手腕亦若倍萬，開拓
宏，苞巨蓄，傾瀉無餘，密諦巧心，出生益妙，往代所有，悉入神爐，受其鎔
合，起滅無端，百家所無，萌芽軋苗，蘍鬱敷布，具有新條，蓋由奇偶畫形，宮
商調叶，變化窮極，人之心靈若已殫竭，而文亦無可復之矣，然原其根脉，亦自
可數。龍門郁離，豐縟精警，雜俎純犠，雍雍和備，而羹酒之味不失，春雨遜
志，芒角宏肆，麟驟鳳軒，觀樂始縱，未睹飭歸，北地、信陽嚴古煉格，宣亮抗
音，傑然宗工自命，顧棘端葉楮，擬議之勞，思敵造化，人亦間言歷下超奇、婁
東華雋，並轅聳轡，適在當途，而營伍壁壘，步伐止齊，鬼鬼神神，分合盡變，
婁東固居然百萬之帥也，歷下號飛彪，不能不受部勒，此公言也。余以爲，文至
婁東，無忝盛明，一時橫出者，乃有臨川湯先生、武林虞先生，兩先生不屑拾人
間片唾，所陳琓麗異特，似非經奋史圃蒐獼所得，信心信意，點墨涅染，具成秘
寶，湯先生斐亹雕鏤，孔翠奕奕，半涉情艷；虞先生瀚然道腴，淡乎道味，鷲峰
羊肆，匿策隱文，下而叢穢之諢談、偃伏之魅典、餼腐之語錄，莫不經茹而後
吐，時復出之金剪玉針，組紉渾密，大都古奧闃異，富衍磅礴，兩先生所同，而
動與道期，則虞先生獨焉。余嘗一見虞先生於馮司成坐，偶析一義，欽聞折鹿之
辨；一見虞先生於雲棲法席，忽送一難，驚觸陷虎之機；一見虞先生於西湖酒人
之舫，嘯歌慨忼，微露唾壺伏櫪之歎，及其渾深沉默時，休休栩栩，竟莫之窺
也。先生少有盛名，策上第，夷由郎曹，風采凝泞，人倫景夷，翩翩如挾颸車而
行，小一齟齬，拂袖巖墊，以長有此俛仰揮攠之暇計於人間，無不讀書，無不燭
事，無不研物務，衝口橫心，何非文章，顧門下不養遊士以張聲名，不以半札隻
字易賈人金糈，較子厚囚山、退之諛墓，得無慙色，此又先生卓越樹品，爲千古
文人增氣者也。余黯淺，僅窺先生之藩，殆一眞自娛外，無所復措念，梵王帝釋

之座猶在所捐，寧獨相印哉！余又上下諸虞，而獨多我明之有先生也。天啟癸亥秋季，吳東友弟李日華君實甫識。

明 張 師 繹 文 集 序

嘉隆爲我國家文明之晝，才士坌涌，以喙鳴者、以羽鳴者、以脰鳴者酋然，推王李爲鋒，武林東南重地，卦直巽離，萬物潔齊相見也，乃倡予和女，菰蘆中得一天目山人，意比邾郯，謹奉橐鞬而已。長孺虞公，從青青子衿揖而睨之曰，是可取而代也。已復浮沉柱下，汎瀾瞿曇，沉酣經史百家，訪靈文于緇笠黃冠，問奇字于方聞耆宿，支筇空山，辟穀壁觀，可十許年。癸未薦春官，而公之文沸天下矣。已拜官職方，具熟山川險易、地形亭障、斥堠阨塞、緊望處外，而旐氈君長、部落枝系，重譯始通，公流覽悉如掌錄。已改主爵子部，副在司勳時，復樹棘編籬而簡要清通，不廢筆花墨汁，于是公之文通于禹甸、貴重于雞林矣。一辭而退，三黜自安，夷猶乎明聖湖濱，搴芳拾翠，傲岸于兩高山曲，剪露裁霞，無勝不窮，有奇必討，所與晤言，因之玄對，非蒲團死心之開士，即藥瓢長往之嘉賓，于是公之文登虎觀而據猊床，挽天河而攪酥酪，日下無雙，彌天獨運矣。予嘗得公之文，讀之液角治筋，規矩古法，刮摩埏埴，妙擇國工，幌氏凍絲，七日夜不倦，桃人鑄金也，務竭其氣，自黑濁、黃白、青白以底純青，以故鏗鯨縣龍虡之音，攬結璘鬱儀之彩，禽人之萱、路人之竹、權扶之玉、目樓順之星施，與天球、赤刀、琬琰、河圖共陳五會，哀牢之闌干、冉駹之毲毷、林邑之吉貝、鞮鞻氏之復陶與吹纊、方空、冰紈、阿錫並獻女紅，人視爲天孫錦機、火浣明襹，于公布帛也，人視爲象白氂殘、鵠酸蠵腤，于公菽粟稻粱也。予又嘗即公之文，臆決妄擬之，有弇州之鴻麗，而濟之歷下之高華，有北地之檢裁，而出之太函之雕刻，有雲土之縟折，而調之玉茗之清鮮，有農丈人之莊嚴，而冶之公安之散淡。豈唯諸子？唯公備有諸家，故能役使諸家，不爲諸家之孝子；豈唯諸家？唯公總持二氏，故能奔走二氏，不爲二氏之忠臣，至能用二氏，而一洗溝猶胅篋之陋，一通訓詁章句之窮，一融化其擬議日新之痕，一抽發其引伸觸類之緒，而文章之能事畢矣。昔高廷禮品詩，謂偏至深造爲名、兼長入化爲大，如公集者，不特接武嗣響，非其所安，即比度名家，不超然獨大乎哉？予又深思而妄爲之說，當王李建標，不希光附沫也易，及公安唱導，不彎弓反刃也難，與王李交歡，深相引重也易，與湯袁目成，不拾其牙慧也難。公且具隱德，有德必有言，又寧直文事也。公初扃秘其箐，不輕一出，其没也，公子宗玫、宗瑤始搜玄草，布在通都，不輕徇所知一序，而介予門人聞子，將求爲一言。夫予生蠕蠕果核內，不知有膚，安知有殼，若之何如隋宮女子，剪青繒作牽牛花，散天人諸佛頭，雖然，以貴下賤，則黍可雪桃，以粗治精，則石可攻玉，義取諸此矣。蘭陵張師繹克雋甫撰。

明黃汝亨文集序

吾友虞長孺，文人之異者也。夫道惡乎異？異者常人之所駭也，然必有命代之才能爲異者，而後可以通道，可以開世。鄙儒曲士學一先生，而拘拘焉，小慧小辯未少有得而沾沾焉，皆不能爲異者也。六經非常道耶？而卦疇、盤誥、檀弓、左氏、諸風雅之什創讀之，有不以爲異者乎？古以來，文之傳於世，而人之與于文者，其中皆有所獨至，而標之以出，必其非常人常言也。常言者，常人習之，異則文人操之，然文之墜也，國初即有宋、方、楊、鮮諸公起而正之，僅能扶宋元末季之衰，而文之必周秦兩漢、詩必漢魏之選、唐初盛之律，浸以滅也。北地以大力倡德靖間，其辭古而法，信陽以奇翼之，天下復見彝鼎焉；嘉隆之際，有歷下之高峻、峨眉弇州之大橫溟海，而七子之流左麾右指，天下靡然從之，此夫能爲異者也。然中原白雪之濫觴，而西子之顰、叔敖之衣冠，志士恥之，于是乎王李所不能招，而狡焉啟疆者，秦楚吳越之間蓋若而人，嘗就其人而臆論之，有脫而恍者矣，有眞而俚者矣，有澹而漓者矣，有奇而莽，有逸而野者矣，此即非拘拘曲士乎？所謂小慧小辯、不能爲異者也。能爲異者，吾近得四雄焉，沈以宕，得古人之韻者，爲湯若士；研以練，得古人之體者，爲朱大復；峭以琢，得古人之骨者，爲余君房；其奧衍而游盤，靡所不通，則長孺而已矣。長孺靈心奇氣，畸乎人而通乎天，其本經則尼山，其尋微則西方，其課虛則柱下，文鑄檀左史遷而盪之乎莊、列者也，詩瀉鮑謝而時乎爲寒、拾、長吉也，戞戞乎陳言之去，而人大怪之似昌黎，惟寂惟寞，以泊太玄，而人笑之似子雲，而長孺未嘗爲奇也玄也，自性所至，水流雲行而已，然無當時之怪，亦必無後世之傳，不笑之不足以爲道，天下人豈無爲譚芑郊籍者哉！吾故曰，長孺，文人之異者也。雖然，吾知長孺不如長孺之自知，嘗曰，我文雖似古，而不似古。又曰，蛻去赤立無一我。嗟乎！眞異矣哉！吾并述之，以俟後世有知長孺者定焉。天啟癸亥九日，社友弟黃汝亨譔并書。

玉茗堂全集四十六卷三十二冊　明湯顯祖撰　明天啟元年刊本　12774

明 韓 敬 序

　　臨川先生生應盧岳之霄鈴，骨濯紅泉之靈瀨，遐清高厲，少振發乎純英，醍醐玄齊，總味滋於氣母，極命草木，掀採苞符。鮑參軍鶴翥文場，尤資健翮，陸平原龍驚學海，不假崩雲，既體會夫風騷，自妙諧夫鍾律，三都誠麗，猶徵夏熟於上林，九辨已閟，肯泃春歌於下里，觀其史玄並作，雅變不拘，貫珠編貝以扶光，觸石隨山而注委，砰礚羽獵之盛，顧盼嫚娑之雄，斯亦擲地爲鏘，雕章成虛矣。若乃通諳國體，刺達樞宜，屬詞興事之有端，覈實契本之多致，直氣兼包乎古義，峻標亦削於濡籤，故能仁愛智興，足言足志，斂還奔放，解釋牽拘，由八觀以證一匡，即十難而淹七略，含今古之制，扣宮徵之聲，藻火紛披，不關補綴，車攻徒御，豈失馳驅，匪借名法以申言，雖肆滑稽而皆道，時復金梐度雁，玉茗流鶯，句開芍藥之花，思掛葡萄之樹，笑聞電女，適報驍投，淚滴泉姬，微看珠暈，莫不摟迎張祐，橋記李薈，忽從聾俗狂醒之中，醒以警枕清冰之法，萬千說偈，一二寓言，要以源接旴江，驅百川而入海，席分紫柏，超三乘以安禪，故覃思不數王何，而機捷每先曹洞，晝夜齊視，暄涼等情，閱世觀生，守雌知白，陵祠蕭淡，忘興嘆於北門，瘴嶺流離，反寄懷於南郭，貴生院裡，變鴃舌爲好音，君子亭前，植蒿蓬爲美箭，歸來柳色，依然槐棘春風，老去荷衣，更喜爛班朝舞，迫孺慕極於死孝，而歸全不失達生，栩栩騎蝴蝶以飛，朗朗還星辰之位，重泉可作，九派難追，輟斤慟於莊生，聞笛哀如向氏，惟幸音徽如在，刬復縑素頻通，摩娑吉光之裘，片羽亦秘，飢渴縑緗之襲，連城未償，猶子於茲，頗尚夙好，逖搜近採，短什長行勒成琬琰之章，庶復雅頌之所，猶願羽陵小酉之策，盡出人間，將以山木澧蘭之思告諸公子，務使經緯昭回，光岳肆奠，豈止懸金秦市，刻石漢京，是非未定於陳王，離合猶傷於平叔哉！天啟改元清和朔旦，吳興後學韓敬謹纂。

獨深居點定玉茗堂集三十卷八冊　明湯顯祖撰　沈際飛選　明崇禎丙子（九年）
吳郡沈氏刊本　　12777

明陳洪謐敘

　　材之至者能兼，觭者能擅。與角去齒，習翔昧泳，擅也；牟尼青赤，漩洑方
圓，兼也。古之人，班馬以史，李杜以詩，韓蘇輩以文，其精神各有所詣，而魄
力亦遂橫絕，以是鳴於一代，蓋專取則工，概舉則戾，自吾師不言兼，而材以觭
著久矣。明興，人文霞蔚，若金華、北地、歷下、瑯琊諸公，稱蓋代雄手，其集
椷不勝載，廼攸擅各有一端，而總乎筆墨之全，論世者躊躇而未有可也，又況短
長易殊，內外岐致，其文詞繩樞草舍，而純懿忠方，或波屬雲委，而獷鈍迷罔，
背羽虛翮之數一憑之腕舌與哉！竊有遡於臨川之若士先生也。先生於諸史百家，
蔑不沉酣漁獵，而能達其幽深玄微，化其陳腐聲格，意匠經營，初無慘澹，形制
畢舉，非關斤鋏，有荒荒油雲、寥寥長風者，賦之凌鸚鵡也；有采采流水、蓬蓬
遠春者，詩之譜鴛鴦也；有峩峩太行、宛宛羊腸者，長文之蠻龍虎也；有娟娟羣
松、冷冷獨鶴者，啟牘之挾風霜也；有悠悠花香、蕭蕭落葉者，樂府之戞金石
也；而行神如空，行氣如虹，時脫巾獨步，登彼扶桑，時拂劍絕行，汎此浩劫，
時限紅自嘯，輸我煙蘿，豈遊目以騁懷，忽憂心而如擣，蓋丹石其難奪，抑重基
之可擬，惟是陳詞忠厚，懷君父之思，寄言勸勉，無怨懟之意，先生之集有兼能
也哉！因而按先生，貧似修齡，清同胡質，不難以霹靂手遠馭高厲，而偏身著
書，自托於小詞以傳，然先生馴鱷開雲之蹟，留床載石之風，徐聞之人言之，遂
昌之人言之，即臨川之人能言之，先生往矣，而夫人之言之無異詞也。惟先生以
性情爲文，故往來千載，脫然畦封，以性情爲治，故浮湛一官，儻然適志，其文
弗可及，其人愈弗可及也。吳士沈子天羽嗜古自立，慨慕先生，而論次其集以
行，屬序於余，謂余治吳寧澹清淨，有似臨川，宜敘之。然而余非能爲先生也，
吳俗動而與以靜，吳俗汰而與以約，他未之兼也，兼先生之材，誦其詩、讀其書
可也。崇禎歲丙子季夏日，溫陵陳洪謐龍甫父譔。

明沈際飛敘

　　三五而前言爲經，三五而後言爲子，唐宋以還言爲集。經不可擬而子著，子
不可續而集行。代愈降，言愈繁，而其義愈漓。夫以尼山之聖，曾思子輿之賢，

所垂世立教無多篇，而詩書則在所刪矣。猶龍之叟，夢蝶之儒，富強陰計之士，規一家言，亦未有多篇也。厥後體裁既裂，立言務工，人自製集，羡漫謬悠而不可勝讀，然甚多且久者，昌黎、眉山諸大家而外，未概見，唯濂溪圖說、橫渠西銘，可以擬經，皇極經世可以續子，不隨風氣為靡靡者也。我明以制義帥士，士一志畢慮，故不工而得之，以餘力為古，或求工而失焉。龍門到今，他不具論，如于鱗、弇州數子，號稱巨擘，而句積殊門，章就紛襍，意騖於多，自見其淺，亦復使學人淺也。余沈淪制義，積有年所，而不得其效，乃肆力古業，一遇異書，輒損衣食購之，盈架連屋，身蠹此中，而集則棄去，存者不數種，蓋性莫可強也，今次義仍先生集問世，何哉？吾嘗審制義之風氣矣，東南西北猶之橘柚梅李，甘辛酸苦，原自具味，何能人人問其嗜厭，亦聽其自遇之爾，而風氣轉徙，又若有合冶鑄之者，乃江右實往往轉徙之，故他國多宗江右，而江右未嘗附他國，予心折焉。昔人語云，彭蠡主三江，廬嶽主衆阜，蓋江山之秀，勁挺出之為忠義，則有弋陽、廬陵；沉涵泳之為理學，則有南豐、鵞湖；恬漠守之為清節，則有彭澤、南州；晶英噴之為文章，則有六一、涪翁；若制義之自為派，夫何足云。而義仍先生，其人不可得而見，其集可得而論，殆衷誠慕義，彊執孤行，而躑躅不進，思窮力蹙，故大放厥辭，歡忻悲歎，法戒作止，莫不假是以托情，緣情而著體，非瞭然於中者勿言，非誠有於己者勿述，文至於此，謂之古宜也。然則不盡存之，必為之揚摧取舍者，揀金於沙，而復揀金於金，所汰彌多，所存彌精，嗟乎！胡銓一封不朽，鄭谷一字稱師，亦何歉乎江右哉！義仍復起，應不嘆王維舊雪圖矣。崇禎歲丙子積陽旦日，蘇郡後學沈際飛天羽甫箸於曉閣。

（張健審查　許惠貞標點）

玉茗堂集選十五卷八冊　明湯顯祖撰　帥機選　明萬曆丙午（三十四年）金陵周如溟刊本　12778

明闕名序

詩大難言矣，思通淹緯者多乏天才，才氣俊邁者或疏冥討，氣韻高勝懼少體裁，法律森嚴時減風致，雄渾悲壯求之流利則窮，清蒨蕭疎責以沉著多窘，率意師心託之自然，廼如噉蔗都無回味，腐毫斷髭，命曰精思，恒苦棘澁，不中宮

商，平澹和雅，類有道之言，或大噍緩而無度，急節哀響，有快士之烈，或傷淒
切而不和，豪宕激人，或驟驚四筵，無當獨賞，幽洽自喜，或止宜野唱，不嫻雅
音，夫詩烏有兼長哉？曹劉顏謝沈宋李杜八子者，皆不能兩相爲也，夫詩烏有兼
長哉？庶其兼之，今天壤之間廼有義仍。義仍意始不可一世，歷下、琅邪而下，
多所睥睨，余頗不謂然，廼近者義仍玉茗堂集出，余一見心折，世果無若人、無
若詩，多所睥睨，非過也。義仍才高學博，氣猛思沈，材無所不蒐，法無所不
比，遠播於寥廓，精入於毫芒，極才情之滔蕩，而稟於鴻裁，收古今之精英，而
鎔以獨至，其格有似凡而實奇，調有甚新而不詭，語有老蒼而不乏於恣，態有纖
穠而不傷其骨，爲漢魏則漢魏，爲騷選則騷選，爲六朝則六朝，爲三唐則三唐，
天網頓物，大冶鑄金，左右縱橫，無不如意。當其揮霍，如法和按劍、僧辯濟
師，川岳共命，風雲從指；當其秀爽，如仙人神鼎、帝女天漿，入口冷然，凡骨
立蛻。義仍足於此道大矣、化矣，詎惟獨步，方今且將陵轢往古，此其時寧復有
當義仍者耶？余詩才氣骨力遠不逮義仍，一讀近艸，若鄒忌見徐君，自歉以爲弗
如；尹氏見邢夫人，低首掩面而泣也。世寧復有當義仍者耶？義仍氣節孤峻，由
祠部郎抗疏，謫南海尉，間關炎徼，涉瘴江，觸蠻霧，訪子瞻遺蹟惠州，尋葛仙
翁丹砂朱明洞館，洒焉自適，忘其謫居。久之，轉平昌邑令。邑在萬山中，人境
僻絕，土風淳美，君樂而安之，爲治簡易，大得民和，惟日進邑中青衿孝秀，程
藝譚道，下上千古，假以練養神明、湛寂靈府，令德日新，而詩道亦且日進，登
峰詣極，是天之所以陶冶義仍，斯完矣。義仍不可一世，而胸中猶似著么髏屑
生，每謂諸生言，吾此編，非長卿莫可序我。嗟夫！豈謂長卿眞足序義仍哉！世
無大如來，則向辟支獨覺參印義諦耳。余以小乘爲大乘說法，即令天雨花、石點
頭，何能覰如來一毛孔。

明帥機序

　　蓋聞夜光結綠，非肤篋之恒珍，丹鳳翠黃，豈豢畜之凡物，況夫文也者，所
以發揮垠堮，彌綸兩儀，杼性之梭織，鳴情之律呂，自非苦心極力，博觀約收，
焉能樹幟於詞場，揚葩於藝苑也。國朝用經術、宋學取士，經學既售，間有浮慕
古、強爲詞賦者，業已溺所聞，不相爲用矣，於是乃好持議論，務蹈襲，其憚難
趨易者既因循韓宋，貴耳賤目者則模剽漢魏，甚淡而無味，似而賊眞。蓋自六
朝、四傑而後，詞人百六矣，予竊鄙之，苦無當於心者，獨予同邑友人湯義，束

髮嗜古好奇，探玄史之奧賾，淬宇宙之清剛，弱思不入於心胸，露語不形於楮穎，詞賦既成，名滿天下，乃始登一第。登第以後，斁迹仕途，播遷海濱，益沈精務內，一官一集，其所爲羅浮山青雪樓賦，編星濯錦，當令天台汗顏，其他古近諸詩，聚寶鎔金，可使少陵焚硯。蓋瞥視之，則字句挾風霜，若從天降，潛玩之，則精光射霄漢，皆由內溢，譬諸瑤池之宴，無腥腐之混品，珠履之門，靡布褐之蕪襟，誠余目中所希覯，明興以來所僅見者矣。世俗之人讀其書而未解，求其故而不可得，則或訾湯生爲刻削，疑湯生爲杜撰；不知湯生於世俗之書，非未嘗讀之也，彼固已熟而厭之，有所不屑也。蓋博故能精，淵故恣挹，於塵無不有，乃能吐陳宿而爲鮮新；於物無不備，乃能汰混濁而透清泠。海上人不信有木大如魚，胡人不信蟲能吐絲成錦，無惑乎其訾且疑也。不佞嘐嘐少可，硜硜躭奇，然每讀君集，常覺學有不足，方諸古人，可謂內無遺思。嗟夫！末學牛毛，淺術黽測，燕石之賤，輒擬和璞隋珠；覆瓴之物，自謂鏤金刻版。如湯義集最多，而所選極精嚴，可謂六朝之學術、四傑之儔亞，卓然一代之不朽者矣。湯生與余唱和賞音，爲生平莫逆交，故因其請而序之焉。邑人帥機惟審撰。

（張健審查　　許惠貞標點）

菽園詩草六卷二冊　明茅國縉撰　明刊本　12779

明 吳 夢 暘 敘

　　吾友茅薦卿始令章丘，稱大治，既召爲侍御史，而仍以章丘左其官，因築園於舍傍，曰菽園，以奉其太公，殆泊然有終焉之志。顧太公不懌則曰，若視老人，若是鄙耶！吾自退歸田里四十餘載，未嘗一日而忘吾君，世莫我用，則亦已爾，又奈何以我在而廢若爲，吾不甘若養矣。於是薦卿再令淅川，復大治，尋遷南繕部，請告止菽園者，踰三載。太公迫之，出詞加峻，出補原官。會所司告闕乏，尚方需用，益不節，上書累數千言，指斥時事殆盡，不報。逮使閩而還，乃盡出其客中詩，曰楚遊，曰北征，曰南中，曰閩游，凡若干卷，總命之曰菽園集，而屬不佞爲之敘。曰，嗚呼！薦卿爲東西南北之詩，而必曰菽園者，志思也；其爲菽園之詩，不能不四方，是思而不安於菽園者，以其非太公指也。其詩爲古，而縊建安而降，以揚其波，爲唐，而縊開元而降，以披其秀，是皆其才足以騁、氣足以泄，而要之非其命詩之所繇來矣。鄉使一不稱意於時，退而逐桑者、伊人者流，詩將幾乎放，進而偕簡兮、北門者流，詩將幾乎怨，薦卿皆有所不爲，而油油然退不忘進，進不忘退，思迫而音宛，舉約而旨該，是爲詩人之詩，而斯可以邇之事父、遠之事君，匪直騁之、泄之已也。蓋世稱詩亡已數千年於茲，余則謂詩在而無所用，則謂之亡，其用亡爾。詩固有不可得而亡者，人心是也。詩者心之聲，心不亡，而詩寧獨亡乎？彼詩之亡，人心亡爾，心有不亡而思，思而急其親、急其君，思過半矣。吾論薦卿之詩之所繇來，而詩其不亡歟！昔詩人之思其親者，征役而賦陟岵之詩，違養而賦鴇羽之詩，憂亂而賦沔水之詩，兄弟相戒而賦小宛之詩。凡其思親也，思其親而止爾；擬其親之思也，思其子而止爾；兄弟相戒也，戒其兄弟而止爾。乃若薦卿之詩之以征役、以違養、以憂亂、以兄弟相戒而思其親也者相半，往往廣其思以及於四方之得失，而形諸言，所謂主文而譎諫者有焉，殆不止於詩人之思而已，則以太公爲之父者成之，孝若爲之弟者應之耶！是風也，斯足以風乎人而興起，吾欲使菽園集行於世，而詩非無用矣，然薦卿寧以詩用乎哉！吾姑論其詩爾。延州吳夢暘譔。

（張健審查　　許惠貞標點）

芝園文稿三十六卷八冊　明趙世顯撰　明萬曆丙午（三十四年）閩中趙氏原刊本
12780

明吳國倫序

曩自棘中讀仁甫所爲公車文，見其融冶爾雅，嘗比之於赤水珠光，覽至後場，益醞藉淵富，奇偉鏗鏘，乃作而嘆曰，是非深於古文辭者不能也。既覯見仁甫，則溫然如玉，蘊蓄如武庫，譚吐如峽倒河懸，因其人益重其文云。又數年，而仁甫成進士，予一遭之于秋浦，茲復遭之于溢城，把讀其香雪齋詩草，業喜而序之矣。及閱其所爲古文辭，雅馴雋永，不必索隱而故實孕含，不必曝書而經籍囊括，指事陳詞，咸有裨風教，三復之奇峻嶽峙，隱奧淵涵，神變龍躍，吐納荀王，出入賈馬，諸體悉具，眾妙咸臻，洵藻園之芳軌，而後進者之正鵠也。獨惜吾仁甫，以彼其才，而坎壈仕路，徘徊羊腸，藝文窮人，良以永歎。然而仁甫躓而愈奮，窮而益工，一切聲利珪組，不以介於其懷，而日惟圖史之與親，毫素之是適，孳孳然若龍門之於史、左徒之於騷也者。仁甫蓋有所自負，故其中泊如，而通顯與否，一以浮雲當之，此其人之所以足重，而文益因是而重也。向李太史謂不佞與仁甫交相重，噫嘻！要亦仁甫能重予耳，予安能重仁甫哉！萬曆甲午秋日，甄甄洞叟吳國倫書于匡廬之凌虛閣。

（張健審查　　許惠貞標點）

萬二愚先生遺集六卷四冊　明萬國欽撰　明萬曆己酉（三十七年）南昌萬氏家刊本　12782

明楊春茂序

世之所謂不朽盛事者三，而言居一焉。言者，文也，所以言，不徒文也。抱德流勳，非言不載，故曰文以行遠，而文之所重可知已。以宣衷通理，或敘事極諫，肖心而出，可猷可謨，勒為不刊，誰能湮之，若第抽章繪句云者，顧所謂不朽安在哉！吾鄉二愚萬先生，天挺人豪，自少負時名，制義家得其片言，稟若功令。及癸未成進士，出宰新安，以德化俗，新安人尸之祝之，天子召入中臺，居柱下。未踰年，彈劾不避，如論荒政、論太宰及貳卿，救言官，糾董宗伯，停其存問，擊中涓而實之法，皆關朝廷大體、邊防要機，直言勁氣，時蓋人人為公危，公且以榮辱置度外，生死為旦莫，不為沮也。泰山喬嶽，不佞茂私心仰止舊矣。適者令姪恆麓君共事昭武，合先生遺集若干首鍥之，以示不佞，皆臺中及謫居時稿也，盥手讀之，大都先生之文發自正氣，無論封事，即凡序記之屬，皆因事直書，有規無諛。其詩抒自胸臆，往往有佳致，古人所謂君子之文，若先生是已。觀先生遺文，可以見先生心事，即不盡行于時，而先生之可行者故在也。然先生當庚寅九月朔日之疏，業自拋棄名位矣，豈直遺名位，且遺此七尺身矣，尚復遺集之計乎哉！所遺非先生意中物，而不遺先生所遺，則恆麓君之克世其家者也。蓋君之性學公誠正大如先生，故知先生所為眞不朽者有在。不佞亦深嘉萬氏世有聞人，不辭序一言以寓典刑之意云。萬曆己酉陽月吉旦，福建邵武府推官，通家眷晚生楊春茂頓首拜書。

（張健審查　　許惠貞標點）

龍塢集八十四卷十二冊　明王時濟撰　明萬曆間刊本　12783

明杜華先刻敘

　　余生髮未燥，業從鉛槧家耳龍塢君，則共推轂，謂博物君子云。既束髮，挾馬兔而北走，計燕趙間矣，不習龍塢君者，而余因以習龍塢君公車下也，顧耳之，輒甚奇龍塢君，且必豪舉悲歌，公其偶以藝相君也者，然目之輒謬于耳，覰其貌于于然，聆其聲詹詹然，居嘗溫溫然，無町畦以相遊于藩之外，則若無以文爲者，而都人士莫不文，龍塢君文邪？其不文邪？惡乎文？惡乎不文？今試挈其篇什盱畫之，騷不屈乎？詩不唐乎？文不左丘乎？藉令得當數君子援枹而鼓之，旌旗相望，寧渠溟討左次邪？叔季貴耳，而賦因彼生，見龍塢君容聲無以踰人，安肯第之而葆其覆瓿者，此與以耳食者何異？咄咄獨知之契。千里比肩，使之文也，藏之名山，傳之其人，一當隻眼，旦暮遇之，比豈有不足君所者，計龍塢君必不以彼易此。因爲敘其大致如此。東魯杜華先。

　　　　　　　　　　　　　　　　　　　　　　（張健審查　許惠貞標點）

———————

龍塢集八十四卷十冊　明王時濟撰　清順治十七年王震亨重刊本　12784

清鄒登嵋序

　　天生哲人，口代天言，昔解梁關學明負經濟大器，妙極占算，揲著求卦，遇夬之革曰，歲在丙午，達者當生。洙泗之教脩矣，殷後不王，而仲尼生周，周後不王，則斯人生晉。夫生于周者，周公之餘烈也，生于晉者，陶唐之遺風也。開皇四年王銅川夫人經山梁，履巨石而有娠，既而生文中子，適與卦象相契，貳載知書，厥聲載路，年十五爲人師，嘗稽古于四方，不解衣者六歲，仁壽三年文中子冠矣，慨然有濟蒼生之志，西遊長安，見隋文帝，奏太平十二策，公卿不悅，作東征之賦而歸，乃潛修九年，而六經大就，門人自遠而至。義也清而莊，靖也惠而斷，威也稏而博，收也曠而肅，瓊也明而毅，淹也誠而厲，玄齡志而密，徵也直而遂，大雅深而弘，叔達簡而正，若夫備禮樂者，其惟董常乎？餘往來受業者不可勝數，以是能作成將相基唐之治，則三才九疇之所繫也。越三十五世而有道甫公，文中子之餘裔也，又五世，而省齋公與予爲執友，□〔卒？〕龍塢集一編俯屬以序,且命之曰,河東鄉先生非常,倜儻者比肩相接,然理學則首文清,文學則推先祖。予焚香而莊誦之,乃知道甫以文學度越,即以理學邁倫者也。觀其孔林有歌,顏巷有咏,嚴師有誡,人倫有箴,所謂上敘三綱,下達五常者非耶?豈徒音若壎箎,馳騁乎末流而已哉!抑余嘗驅車稷邑,素耳道甫公丰神澹靜,故其立言有本,蓋道甫得之以爲學,省齋得之以爲政,無二致也。然則是集也,其猶有陶唐氏之遺風也夫!順治庚子孟冬,汾亭鄒登峴謹序。

(張健審查　許惠貞標點)

中寰集十一卷十二冊　明何出光撰　明萬曆丙午(三十四年)扶溝何氏家刊本
12785

明呂坤序

　　侍御中寰何君既卒之十年,厥嗣庠生穫曾持侍御君文集,介以伯父職方君見寰書示余曰,亡弟亡矣,有不亡者在,家藏手墨若干卷,宛然謦欬也,既剞劂矣,惟知己者教之。值余病,不能肅賓,歲餘始下榻一讀,又再四讀,不能釋手,乃嘆曰,中州自大復後,又見一何矣。是可傳,吾獨悲夫斯人也僅以文傳。萬曆癸未,君以進士令曲沃,曲沃之政甲三晉,欲施及曲沃外,弗能,時余在考功署上,上既入爲御史,按畿輔,諸吏凜凜奉法,恒山以南恃爲袵席,欲及河朔外弗能。已按山東,未報命,尋以二千石守太原。夫神龍之爲雲雨也,不徧九垓不止,太原即首郡,晉陽即大藩,視燕趙齊魯不益隘乎?君不謂太原隘也,捉象捉兔,皆用全力。是歲,余撫三晉,得與君朝夕,諸所施設寔弘賴之。先是辛巳後,官倉歲出陳以易新也,守令以多予市恩,繼之者以停催市恩,三晉諸郡邑積逋至五十餘萬,監司數更,代若罔聞,余嚴督之,皆紙應弗爲理,君首倡太原及三關,一歲還倉者六萬有奇,余以例諸郡邑,諸郡邑愧懼,得十七萬。比余離晉日,收逋負幾三十萬,君之力也。罪贖之設,凡以積貯,春夏折銀,備秋糴也,故單以紙穀名,後悉變爲銀,而庾廩始虛矣。余復令輸穀太原,四時皆穀,幾於無紙,其積貯視河東倍焉。寧夏之變,震鄰孔棘,君談戰守具甚核,至六壬遁甲,無不精詣,没哱劉東犯,不能入偏老一步矣。余春秋兩度視師鴈寧,而君居守晉,陽張威武,陰伏機宜,安攘之略,慮及米塩,余於君心膂是託,君亦毅然無難色，乃知君儒將也，而將弗如。其課吏也，身帥廉勤，又有百責心問銘諸座右，以示所部，所部吏奉行惟謹。當是時，千里在春臺，民懷吏畏，余惟恨七郡不爲太原也。明年，察在廷諸臣主爵者，謂君爲御史，多言，以浮躁左遷判寧州，繼知完縣，竟卒於完。嗟夫！天生大器，代不二三，即人人效所志，猶嘆乏才，奈之何君以完歿也！以君之才，俾列八座、馭九夷，偉俊光明，事業當必烜赫人代間，造物者何不偶生之而又不難棄之邪？余素知君，在太原尤稔知君，故於志傳所未及者，一一爲表著。知君之居官不盡所長，知君之所長不盡於文，故於文中序之。若君之文，表表簡冊間，在一世則天下傳，在世世則後之天下傳，無俟余言之贅也已。萬曆丙午孟冬之吉，寧陵呂坤書。

明 王 宗 賢 序

　　明興建旗鼓，中原爲海內嚆矢，則李獻吉之爲文章云。獻吉舉關中，實扶溝人也。扶之文章自獻吉始，于是海內望荊之山者悵懷和之璞，而和之璞抑必產荊之山，則余師中寰公之謂也。其先大人河間公及比肩獻吉，所爲古文詞行世久。其後職方君與余師伯仲也，更相酬唱，爭名其家，著書盈笥篋，且次第行，蓋海內昔重李之一，今重何之三，脫並驅中原，不知誰之退三舍避也，盛矣！余不佞，蚤喜讀古文詞，羞處人宇下，然數不利有司，乙酉之役，得余師拔之闈中，遂魁晉省，已偕計吏詣公車，謁余師邸中，時且以惠文白簡擊大姦之蔽主者，中外悚悚然，既得余，慰藉甚，曰，戮力博一第，相與比肩天下，文章莫大乎是。迨戊戌，余始成進士，而余師以言去矣。夫事業文章同出潭粹，併出則併至，成敗利鈍所不問也。余師長軀玉立，目光如電，喜振拔湮滯，所遇罔直道、脂韋，羞與共北面焉，以故不盡遇合，然事業絀而文章伸，身隱而名益著，百世而下，知余師也長矣。余每憾國朝設翰館，拔質有文學之士讀中秘書，網固恢恢也，而獻吉不與焉，且橫被蔞菲，幾以其身殉，士之生前故未可倪也。至屈指肅皇帝朝，以弘文勁節顯者，有出獻吉右乎？余師與獻吉同里，其大略亦相肖似，今其文行矣，其心事皎潔，勳猷彪炳，亦以蓋棺之後，而盡諒于天下矣。自此而往，其有追獻吉者，當以余師爲之續；其有不泯獻吉之文與節者，當以余師爲之媲。余于中州，得二氏焉，顯晦屈伸，總之乎不可知也，後死者亦如是而已。萬曆丙午春三月之日，賜進士出身、承德郎、戶部雲南清吏司主事，門人王宗賢頓首拜撰。

明洪良範刻敘

士君子樹駿流鴻,爲萬世規者有三,曰德行,曰政事,曰文學。德行言乎其操履也,政事言乎其設施也,文學言乎其蘊藉也。然而操履純全,厝注必當,設施臧美,蘊蓄必宏,未有胸羅今古、言根理道,而持身不稟倫常、厝施不協機宜者。聖門列爲三科,居德行不以政事稱,居政事不以文學稱,蓋難全哉!人而有一於此,足以垂令譽,矧三者兼乎?余讀中寰先生集,而核其行,蓋兼三者而有焉。辛卯歲,先生按部兗東,檄郡邑諸生集闕里,鎖圍嚴試,拔其尤數十人,儼然進於堂而面訓之,先生睟然和悅,溫詞婉語,闡發聖賢奧旨,諸生拱立而承聽焉,若坐春風中,曾不知豸繡之相臨也者,東人士僉謂先生文學宗匠,私心竊嚮往焉。越十年辛丑,余以絕私擯囑,不諧南俗,調扶溝,扶溝先生之鄉也,命下之日,深自喜曰,余素景行先生,兹往也,先生嘉言善行,其得耳而目其詳乎?携兩僕單騎之任。先生兄見寰先生暨諸郎君,一見如舊交,儼然先生之丰度也。邑父老靡不嘖嘖稱先生,大都謂先生少負奇資,氣節凌霄漢,遇事敢言,不與時浮沉,天性篤孝,奉嚴慈,盡志盡物,務求得歡心,事兄執禮甚恭,無巨細事必稟命,不私於財,家庭循古禮,門以內有雍肅風;刊崇儉錄,與鄉人約,亡奢服食,交際一歸於朴;立義倉,儲粟賑濟,由本族及親鄰靡不沾惠;時值瘟疫,備藥設局,擇醫以調,病者全活數千人;修葺學宮殿宇,廊廡煥然一新;建橋於惠民河上,通往來,民不病涉。余曰,先生居鄉若此,德行其可法乎?又謂,先生仕曲沃,有山泉可漑田千頃,鄰民日爭訟,鑄鐵盆,分三孔下洩,而利廼均;歲大祲,殍殣載道,勸好義家貸粟,以濟饑者,設粥廠食他境流離人,多感恩不忍去;立慈幼局,收養遺棄小兒,全活數千人。其守太原也,民租解府賠累,作斂解法,揀官就近收受,即輸於邊,不由府,省費巨萬;時有妖言聚衆謀不軌,設法殲其渠魁,餘黨悉散。完有木稅,苦京猾重科,廼藉歲額起解,不令京役擾民;完地瘠,賦倍他邑,爲之調均糧法,歲省數千金。余曰,先生歷任若此,政事其可法乎?夫鄉有典刑,民之法則,先生德行政事純美,不登俎豆,民將何觀?力請於督學吳公。公素重先生之德望也,移檄入祀鄉賢,先生芳績得與聖賢並不朽。暨而嗣君出先生章奏詩文示余,披讀數日,卷廼畢,又自喜曰,東人士素重先生文學,讀是集,果然,建儲疏爲國家計根本,科場疏爲國家蒐眞才,劾權璫、辯誣金,鋤奸植良,何其勁也?救荒弭盜有議,驛傳塩法有議,非周知世故,不能矣。至於對時興詠、觸事寫懷,又皆天然蒼古、亡雕琢。其爲文也,贍而莊，雅而有體，所稱有用之文章非耶？先生探玄抉微，深解理竅，詩文俱足名家，惡可不傳？嗣君彙成帙，付剞劂氏，余素景行先生，敘其略於簡端。蓋曰是集也，寧惟覘先生之文學，是德行所宣洩，而政事之精華也，聖門之分列，先生之兼全也。後之人誦法而興起，可以作忠義，可以濟時艱，有禆於世道，詎不鴻遠乎哉！賜進士出身、敕授階文林郎、知扶溝縣事，琅邪洪良範撰。

明何出圖刻介弟中寰集序

　　文章發乎性靈，而與精神相流邑，故可以辨罔直、卜顯晦、稽修短之數，蓋取衷之旗而還質之，曾百不一失。初余弟之少也，日頮首經訓，而竊私爲韻言，輒有警句，每沾沾自好，余才之也，卜其顯，既逾壯不售，咎之者曰：是夫溢濂閭之芝而猥以干世，其操朱泙漫之技，與子父擧不任菽粟矣。夫詩三百篇，洋洋大音也，馬負龜呈，實唯元本，典謨訓誥，帝王經世之文備，左氏以一代良史翼聖經，二戴推檀弓之文過彝鼎，茲莊生所稱周、徧、咸者，人特未窺其畔耳，安見少陵、青蓮之不爲晁、董，而屈、宋、班、馬別蹊徑于程、朱耶！則余弟能自信而益肆力所嗜，久之觸景成編，篋笥漸盈，或浸假而登作者之堂，亦未可知也。顧能無溷本業，博一第，爲柱下史，方幸符余所夙卜。無幾何，以言見斥，竟阨抑而卒于官，賈傅長沙，魯連蹈海，百世而下，誰問獨醒乎？蓋才者天地之精英，易榮易瘁也；或又芝菌俱瑞、麟鳳紀祥，造物者固忌多取與。余弟之賦才，天也，其阨于遇，亦天也；與其阨之，何若勿生，既以生之，何又阨之？則所謂即其文而識修短顯晦之數，至斯殆不可解已。當余弟之罷諫也，媒孽者曰，是險而善，蓋卒未有以白也，是能進而不能退者也，以其身爲殉。嗚呼！不知其人，視其言。茲其言具在，可概生平，獲罪之繇，詳于赤牘，邁軸之致，形諸詠言。余弟已矣，直之何報，枉之何懟，直耶？罔耶？付之天下萬世而已矣。余又聞文章爲不朽之業，是刻成，而不朽者又在其得當與否，不可知亦不敢知，倘可供大鼎一蔵，將使無涯之智結爲大年，何晦不顯，何短不修哉！彼趙孟者石火耳、隙駒耳，死則死者也，然則余弟之所得者多矣。兄職方圖撰。

明何稽曾鍥先侍御遺稿跋

　　先侍御自爲縣令迄侍御二千石，其知者率以夒龍班馬品之，顧治績蔚茂，載民口碑，其進賢、退不肖，拔茅脫距，國有信史，燦若星日，即直而叢謗、忠而見疑，譬諸翳去而日月之明不掩也。惟是筆載纂述，竭一生之心力，而常不意得，甫脫稿，又緣手棄去。不肖生也晚，比括藏襲珍，已十不一二存矣。概其凡，韻言較富，緜嘗自選始音、寱言二鈔，儼然具在，益以雜見他卷及友人者，故蒐羅稍盡；條議疏稿讞獄等編，從政時已有梓本。設先侍御在，必謂此敝帚之業，當焚其草。然有用之文，與櫛字比句者異，可令與其人俱往哉？四六所素長，赤牘裁答，多載心事，獨志傳辯賦序記取材左騷，刻意求工，卷帙最繁，辛壬之交，間關中外，遺其半，燕邸檢笥，僅三卷，于體亦不備，然卒無如之何也。蓋先侍御故無心于其文之必傳，傳其文亦未必爲先侍御之指。詩有之曰，維桑與梓，必恭敬止。桑梓其所植耳，矧精神心思寄是，長歌短詠可覘性靈，石畫訏謨可證經濟，評騭志述，當代得失之林具焉，先侍御以易盡之身，抱終身未罄之志，賴不朽之業，存千年不死之人，則不肖守其遺編，即以見先人于卷帙，而天下後世其有徵惠文之直者，猶可識品格于文章，此不肖之梓其遺藁意也。不然，身既隱矣，焉用文之？是先侍御之所欲闇然者，其子炫露之，則不肖罪死。不肖男諸生何稽曾敬書。

明何稽遜刻先君子遺稿小述

先君子之疾且革也，不孝遜以仲子守閭，不及含飯。聞思其季之甚也，命之曰，努力鉛槧，有父書在。嗚呼！終天訣別，存斯一語，抑如何念之。既免喪，裒遺稿手錄，堇二十卷，言言心印，蓋讀不數行，而泣沾巾下矣！何者？先人之志事在，非但以其文也。若文，三代以還，作者大備，宣父且比于述，猥云作乎哉！顧天地之精英不一闢而遽閟，人心之玄湛不始工而後拙，各極其才情之至而已。先君子亦極其才情之至，發爲文章，工拙弗敢自知，矧其子之所可知？非其所可知，又豈所敢評？唯號繼志述事者，要不斬其先世之澤，且人子孺慕，聲欬咳唾，靡匪瞻依，文又載心而出，載事而存，精英動盪，顯于楄柟，是親以不斬之澤詔其子，子以不斬之澤承于親。語曰，見堯于羹，見堯于牆；舜與堯非有父子之戚也，羹牆亦非心思之寄也，慕堯者所必見之，矧其詔且承者在是，而屑越棄焉，安所稱讀其父書而繼志述事乎？往者之命不其猶在耳耶？此不孝兄弟之所行其父之文，不欲君之澤斬也，抑公之人而廣錫類，竊比繼述之善云爾。若載筆雌黃，以俟君子，儻弗鄙夷而爲所許可，未遂湮滅也，則不孝幸甚。不孝仲子諸生何稽遜敬書。

秣陵草二卷二冊　明季道統撰　明萬曆乙未（二十三年）雲間刊本　12786

明 陸 應 陽 序

　　余不佞客燕市□餘□所與結社稱詩，驪然意氣相□，豈不多賢大夫哉！然謂知己交則莫有先季司成亦卿者。亦卿先生雅自重，不輕納客，獨聞不佞足音則喜，不佞客風塵，無善狀，獨過亦卿齋則喜，博辯懸河，橫筆驚座，調高元白，誼掩曹劉，即先生謬推不佞詩，顧不佞么麼伎倆，何足當先生一斑也。頃先生造士南太學，而不佞歸自齊魯，觸熱問先生館下，則出示一編曰秣陵草，讀之清風霍然，坐使毛骨爽立，文進西京，絕不作世俗語，詩可出入青蓮、少陵，而間似陶、韋，豈江山神物借太史發其巨麗耶？宛洛故多奇才，而信陽獨以詩名一代，不佞蓋心嚮往之，然風骨磊落如季先生，恐不在信陽下也。先生業已得告還里第，兩河之南、三江之東，我二人者嘯歌青山白雲，有會心處便可當面矣。臨別漫爲之序。萬曆乙未中元，社弟陸應陽書於留陰閣。

消暍集十八卷十二冊　明夏樹芳撰　明崇禎元年江陰夏氏原刊本　12788

明 周 延 儒 序

　　余觀國家治法復出有宋上，獨大科未闢取士之途，廼稍遜云。夫魏晉之中正欲偵其人於生平，而究也多有意之失；隋唐之科目欲窺其人於倉猝，而究也多無意之失；惟宋開制科，竝衷兩端，最爲詳善，而所得若富文忠，若張樂全，若眉山及橫浦氏，亦極人倫之妙選矣。以余今日所睹記，如五茸之眉公陳先生、澄江之茂卿夏先生，洵足當茲掄簡者虖！眉公以韶年棄去子衿，欲尚奉侍二人，以爲色養祿養，潛見不別也，茂卿則既薦賢書，而辛丑以後念母氏年高，遂謝公車不應，其遒節瑋尚，大江而南，殆相頡頑競爽，眉公之才如瑤草琪花，琅然鮮異，片語落人間，爭已豔傳，蓋其貫穿吐吞，妙裁靈籟，定可翼經史不朽，第其全秩

猶有待而未行。廼茂卿先生苞今蓄古，瑰麗不窮，琬琰鴻篇，日新富有，所纂葺
諸書，纍纍數種，既已縣諸日月，今復鋟詩文全集，則文起明卿孟長，三太史敘
而行之，不佞得一寓目，灝灝乎！煜煜乎！如渤澥貝闕之藏也，如鈞天饗帝之奏
也，一經一緯，欬吐隨風，日星明而江河流也，雖陳思之情兼雅怨、體被文質，
康樂之麗典新聲、絡繹奔赴，何以尚諸！政所謂州來之德不孤，淵岱之寶靡盡者
耶。余先宗伯與兩先生交最善，稔識兩先生生平讀書、砥躬之微，嘗爲余言，如
陳、夏兩公殊材倬品，風教攸寄，既終烏鳥之情，當儀吉光之羽，余心識之，未
嘗敢諼，今幸聖神在宥，文治焜煌，且晚間當特發明詔，下安車，徵二先生輩以
佐承明天祿之業，即漢之嚴樂終、賈中外，相應不啻千載玄感，又奚論區區宋氏
制科哉！賁然來思，以永朝夕，不佞蓋爲日跂之已。崇禎元年嘉平月，義興友弟
周延儒拜手書于寅清署中。

明 文 震 孟 序

　　澄江有夏孝廉習池先生者，天下之眞孝廉也。盛年養母，不赴公車，而以其
暇日，益肆其力於文詞，所著書有奇姓通，有詞林海錯，有法喜栖眞志，有女
鏡，有酒顚茶董，有玉麒麟等書，不下數十萬言，斯不稱富有之大業哉？而今復
以消喝集相視，則生平之詩文在焉。先生之操履蛻風塵、超月旦，師表人倫，士
林山斗，則有學使之揚詡；羽儀吾道、名賢碩隱，則有開府之襃崇；篤孝遺榮、
高名奇節，則採風使者恒多定評；志在千秋，人寰天覺，則監司守相咸鐫實錄；
其他仰止式廬、聞風矜式者不可勝紀，先生之品行孚矣，譽望協矣。韓子有云，
根之茂者其實遂，膏之沃者其光曄，仁義之人其言藹如也，先生包獨運於心，負
獨往於氣，醖於德而釀於經，故其爲詩與其文也，華而不浮，雅而不質，鏤金而
珮玉，擷蕙而咀英，鳴所欲鳴，詣所獨詣，縱筆矢口，神化自流，前無古人，後
無作者，眞可稱騷壇之獨步矣。不逐時而逐古，故吐無卑韻，不信人而信天，故
發皆帝杼，龍虎吟嘯，鸞皇和鳴，九地九天，寥廓自賞，覽兹集者即謂之吞吐二
京、騰躍晉魏，奚不可哉？曩余爲先生序奇姓通，以謂如先生者曷不寘諸蘭臺石
室間，使兼總百家、黼黻一代，而以先生視之，直蜩甲蟲臂焉耳，風標氣骨，落
落矯矯，霄冲淵止，直當豎立三界、縱橫千古，又何較量於升沈晦顯，而又豈以
升而升、顯而顯乎！明興以來，陳公甫以眞孝廉聞，蓋白沙集炳如也，吳中所最
著者，黃勉之省曾、張伯起鳳翼皆以親老謝公車，而專意於道學文章，卓然標士

林、幟藝苑，今又見夏先生也，孝廉之名昉於漢、重於明哉！崇禎元年初夏，長洲友弟文震孟書於葯園之清瑤嶼。

明陳仁錫序

　　賢者固不可測，文亦如之。江陰夏茂卿先生用才也，邁公車而養母，宏詞也，灑衷言以悅心，人與文豈可測哉！嘗試論之。於論交，公所交多天下士，而余嘗師晉陵錢啟翁，啟翁之學本朝第一流，啟翁之易，自漢以來迄今日，未之有也，公所交如此，賢者之人與文不可測，而其交固可測矣。丙辰偕計，啟翁見而規之日，萬物各有首出，公矹矹孝廉，何不早尋出頭？予驚問日，孝廉何以首出？師日，陳白沙其人與是年授淵天之易，余故有紹易測一書已。又規之日，學者當令深潛之意多，而發揮之象少，以爲潛谷易，爲白沙難也。今去三十二年，不能隱又不能默，深愧師言，欲如茂卿公之浩然曠然，其可得乎？既取公所纂述讀之，窮子雲之扎，燃稚川之火，擊玄女之鐘，苑龍荒以牧駿，半天步而無旅，何瑰麗也。既又取公自爲文讀之，不效廷論局趣，亦不屑山林寒儉，英風發于天骨，玄論駛于懸河，婑嫮幽靜，駊娿駘蕩，抑何肆而隱、曲而中哉！身隱矣，焉用文之？此言非是，果爾，何以藏之名山大川。且夫鐘鼎市朝，造物之同人也，泉石山林，造物之私人也，惟造物之同人混，而後造物之私人顯，然造物者私之耳，伊人自不私。坤之冰霜厚德在一身，乾之雲雨文明在天下，有冰霜，無雲雨，是有坤而無乾，出處語默無一可者，以文明施雲雨，以修詞居大業，謂茂卿方軌於白沙，夫誰日不可？茂卿品甚高，抱膝毘山之麓，邦君大夫干旄過之，詩賦相餉而已，聖主興，眞儒出，名山大川惡得私其人并私其文乎？書此以先蒲輪，蓋聞諸吾師啟翁云。崇禎元年孟夏，長洲友弟陳仁錫書于無夢園之介石居。

明姚希孟序

　　近代以名孝廉厭薄公車、主騷雅之盟者，有渭東胡元瑞、吳門張伯起與澄江夏茂卿而爲三。元瑞爲弇州先生所推獎，屬以代興，弇州歿而名稍不振，幾落籍詞壇，然其才實閎博奧衍，惜不甚精詣，寄人廡下，得少爲足，迄未成家耳。伯起稍窘于幅，然學有源委，守先民之繩尺，而無跳越，斯亦黃勉之流亞也，以茂卿而頡頏其間，視元瑞見裁，視伯起則奕燁過之，規風矩雅，遊於典型之內，而繽紛藻彩，騰射而不可抑，蓋能屈才以就法，而不爲法窘，循法以配才，而亦不爲才窘者，於此得文之衷焉。余嘗慨操觚之彥不能鑄古，而崇尚取新，取瘦瘤贅疣而以爲異姿，取癡肥頑肉而以爲邃蓄，取諧謔譎誕而以爲微言，其始也厲階于公車之業，而浸淫及於詩文，有談古人之成法於今時，必大唾棄之，等於塵羹塗飯之不可食，而謹刁斗嚴步伐者，又皆羸師疲卒，無昆陽鉅鹿之氣，安得厚儲其腹笥，以爲文鋒筆陣助，而御之以恬，鎮之以律，輕裘緩帶，蕭蕭馬鳴，領百萬衆而一卒不譁，力扼虎、射穿扎，而體若不勝衣，此乃文章之神境，非茂卿，誰可與語此者？茂卿之才，吾不能闚其津畔，而見其所纂葺，如栖眞法喜、女鏡、玉麟、酒顛茶董、奇姓通、詞林海錯之類，足衙官元瑞無疑，迺其搆思琢句，語中權衡，豔冶之極，自含矜重，奔騰之漸，終歸啁勒，何其謹嚴有法也夫！茂卿固非以文章自見者，依依將母，息意纓組而杜門謝客，監司守令以上望之，如朱霞白鶴，旌門之綽楔，粲若繁星，一赫蹏通謝之外，思望見顏色不可得，經其戶，聞其無人，披其帷，其人斯在，殆茂卿之謂與！茂卿猶老而好學，從此脫去枝葉，直闢本根，便當闌入陳新會之室，詎言元瑞、伯起後先鼎足哉！吳門友弟姚希孟撰。

（張健審查　　許惠貞標點）

冰蓮集四卷四冊　明夏樹芳撰　明萬曆間江陰夏氏清遠樓刊本　12790

明 李 維 楨 敍

　　自晉以來學士大夫頗歸依竺乾之教，往往拾餘瀝殘唾以供揮塵、資談諧，而未必關至極，即緇流能言，如支遁、慧遠輩，識者謂旨在莊老，不盡禪也。予於宋獨善蘇端明，於明獨善王司寇，其人涉世自深，而出世自遠，故能以文爲禪，以禪爲文，游戲三昧，遠過晉人。今江陰夏孝廉所爲冰蓮集，記敍碑銘箴贊頌偈書解疏說文跋歌詩之類數百千言，理窟固於金湯，而機鋒利於棒喝，起蘇王而與之處，知其相視而笑，莫逆於心也。當六朝時，天下從事於寺塔經讖，作有漏小果，不足多尚，而元魏姚秦寇達諸人主淫醜，毒殺滋甚，初祖憫之，單傳直指，不立語言文字，而末流因有燒象棄經、呵佛罵祖者，學人襲其迹，以便其猖狂自恣之行，善念永絕，淪墮無間，在今日尤甚，初祖轉身宜若爲度濟。予聞如來宰世闡化，自覺已圓，迺能覺他，而菩薩發心度人則不必先自度，是集也，圓拔成悟，覺悟成言，豈惟自度，其有度世之心乎？使世人知人各有口，口可說法，無傍人腳跟而拾牙後慧，固一方便功德也，寧不知夫西來大道而作苦吟髮僧，無出頭地，何貴焉。其中必有悟矣，不悟而觀是集，蚊蚋嗒鐵牛，血將安出？集所以名冰蓮，義詳孝廉自敘中。南新市人李維楨本寧父譔。

明王穉登序

夏孝廉茂卿著冰蓮集成，命余序，余問冰蓮何謂？曰，復禪師書法華經畢，擲筆冰上，悉成蓮花，某蓋亦書經也，即不敢望復公，其義則竊取之矣。余觀今世禪人談宗、士人談理者，塵拂紛紜，鉗錘旁午，然不葛籐即木屑，不野狐即山鬼，言之者不成津梁，聽之者徒增障礙。古今詞人深於禪者，前有白香山、王右丞、蘇端明，後有唐伯虎、王弇州、袁中郎，彼其言皆游戲三昧，非有非無，孝廉君此集庶幾近之矣，蓋其神情內朗，機鋒外捷，每下一籤、樹一義，無不境與心融、象從性徹，如迸泉成珠、散花為雨，又如輕飆拂樹、寒月印潭，無色聲香味可尋、意識名相可辨，夫是之謂禪悅，夫是之謂法喜，其視山鬼、野狐、木屑、葛籐之論，猶吐殘膏敗蠟而餐赤城霞、嚼峨眉雪，寒沁腹腸，香生齒頰，一切山河世界、人我是非、生死榮辱不為變幻，即為虛空，不為蜉蝣，即為朝槿，假冰蓮為渡河寶筏、抉目金篦，聾盲之夫，緣此頓悟，自利利他，弘濟法力，廣且遠哉！豈如世人學佛，陽浮慕之而已，食震旦之水穀，居震旦之王土，服震旦之冠裳，用震旦之禮樂刑政，水田其衣，多羅其語，胡跪膜拜，幾不知有中國聖人，及其無明一起化為蠻觸，不知般若何歸、忍辱安在！猶然吠聲聚臭，為荒怪狂譎之言，箕鼓愚俗，非夫所謂鬼傳燈、狐說法者耶？余請從孝廉君乞一編，倚長松而讀之，以當餐霞嚼雪，冰乎？蓮乎？悉付諸亡何有之鄉，不知復師而在，謂余言能契佛義否？廣長菴主王穉登序并書。

明鄒迪光敘

今之為佛道盛矣，而實衰，何也？士人率奉佛氏矣，夫其奉佛氏也，不過月一啖伊蒲，旬一戒葷蕕，室隅咫尺，莊嚴金像，旦晚膜拜，便當竺國，或偶展貝葉，小資譚柄，輒沾沾意滿，而止問能遠睒睗、捐龍陽、薄一切裹蹄朱紫，而十無一也，問能熏修白業，究竟堅固，不啻救頭，然而百無一也，問能窺法海翻羊鹿車，盡古佛宿德語而會之妙明，以自利利他，則千萬而無一也，故其人雖有文通彩筆、明遠藻思、士安茂先之博識，烏能爲薄迦氏吐舌上蓮花，況窮窮者乎？
吾以謂假金剛威力顯然應世，則雞林桁楊、鹿苑爰書，誰能外之？故曰盛矣而實
衰也。廼吾夏茂卿孝廉不呶呶號于人，曰吾齋、吾禪、誦吾大檀越，而持戒兢
兢，蓋纏漸釋，不畜小史，不親鬢髩，不算泉刀，不躡津涂，不嗜鷗絃象蔽，不
飭狗馬車輿裘劍，肉廚浮埃，糟丘坏敗，狹邪屏禦，白足酬往，諸龍宮寶軸與六
籍三墳四始計晷而繹，各得其半，故能以菩提心衍娑羅義，奮五色不律，闡三千
貝多，亡論大言小言，率能曉毘禪旨，弘讚聖諦，使緇流善士聽之，如繞栴檀百
尺座聽獅子吼者，不獨自利且利人矣。夫世皆浮慕，君獨深心，吾以爲佛教之衰
庶幾孝廉一振之，廼孝廉欿然不自是，曰達磨西來，直指人心，維摩不二法門，
廼至無有言語文字，昔人謂欲學道，須碎筆研，多言數窮，法於何有，且也未知
佛而譚佛，不能爲文而文，又是一重公案，學道之謂何？夫君若濃若澹、不瘠不
腴，愛河慾海似有而無，如予前所言，言言實錄，何謂不知佛？君所結課具在，
若天女散花、迦陵和鳴、薝蔔優曇，從風而馥，是又文通明遠之屬也。何謂無
文？法教波靡，漸以淫溢，迴狂振倒，實惟孝廉矣。若乃冥心帝始，嗒然杳喪，
獲大圓鏡、拾如意珠，三藏筌蹄悉歸烏有，則請俟君于異日，集名冰蓮，用復法
師寫經擲筆，層冰生蓮花故事，復亦澄江人，故孝廉得而傅合之。梁谿羼提居士
鄒迪光。

明 夏 樹 芳 自 敍

　　往吾邑復法師寫蓮經，擲筆冰河，而層冰之上開妙蓮花，一時讚歎，得未曾
有，余則安所號冰蓮哉？法師轉法華，而余亦寢處夫法華，法師善寫經，而余當
清曠，亦輒寫經，是之取爾。嘗謂天壤之間，吹萬不同，妙靈各具，故境緣人
設，竅以天開，調有所適符，神有所別賞，如嵇叔夜之嗜鍛、阮遙集之蠟屐，此
之機趣，何有何無，然當其欣于所遇，則之鍛而鍛、之屐而屐，雖死生榮辱相代
於前，弗與易者，余之好談禪，而自托于冰蓮也，亦若是已矣。習懶成癖，性喜
獨詣，既掊擊於世俗，益跌宕於禪宗，或極究毘尼、掀翻寶藏，或時參古宿、了
悟真空，頓覺大地平沈，嗒然喪我，即使玄黃襍糅，鐘鼎喧囂，雲水燕笑之間，
山林遊泳之際，胸懷拍拍，禪機自來，妙理載于寰中，清言落之紙上，都爲一
帙，命曰冰蓮。夫冰蓮妙淨，世所稀覯，此猶慶喜之游，阿閦一見，更不再見
者，余復何脩何營而得自附耶！惟是避規塵以自遠，借繡佛以逃名，抱膝江天，

沆瀜無礙，方之復老，雪冷冰寒，或庶幾其近之耳，若曰龍華會上已證如來，而妄意于擲筆生花，則吾豈敢！

（張健審查　　許惠貞標點）

───────────

鶯鳩小啟十七卷十冊　明連繼芳撰　陳于京等註　明萬曆己酉（三十七年）粵中袁三餘等校刊本　12791

明 顧 憲 成 序

　　澄江郁孝廉元禎携少府榮洲連公四六視予，公自署曰鶯鳩小啟，鳴謙也。予曰，公方拮据吏事，何暇作此伎倆，願爲我悉公之政，可乎？元禎曰，竊見公宅心之慈，藹藹如也；褆身之潔，分分如也；御衆之弘，恢恢如也；察物之明，朗朗如也；綜事之密，井井如也。其職江防也，日討軍實而訓之，旌旄生色，波濤不驚，萑葦魚鱉各有寧所，晏晏如也；其攝邑篆也，適丁無年，悉肝肺而擘畫之，有餘不足損益曲中高低之間，靡不樂生，熙熙如也。予曰，若然，公之四六莫大於是矣。退而取四六一編卒業焉，則又見其原本六籍、陶冶百氏，經緯合而格生，華實合而象生，短長合而調生，抑揚合而韻生，濃淡合而趣生，奇正合而變生，淵乎其蓄，莫可殫也，炳乎其章，莫可秘也，秩乎其倫，莫可淆也，因謂元禎曰，公之政莫著於是矣。元禎曰，善哉！子之以公之四六知政，以公之政知四六也。惟是公釋褐且幾二十年矣，猶然淹在薄書，何也？予曰，是乃所以爲公也。君子之道先實際而後榮名，是故寧恬無躁，寧讓無競，寧屈無倖，寧滯無通，公幾之矣。故曰是乃所以爲公也。元禎曰，志有之，不閟不昌、不鬱不張，今公上獲下信，聲滿東南，當路諸使君方交章推轂，行見翩翩躋日月之際矣，少須之而已。予曰，然哉！始無聞諸公，公且曰，奈何以一時溷吾千秋也？元禎曰，善哉！子之知公也，進乎道矣。遂錄而弁其首。萬曆己酉季夏穀旦，賜進士第、奉政大夫、南京光祿寺少卿、前吏部文選清吏司郎中，治生顧憲成頓首拜撰。

明 薛 敷 教 序

　　余始從荐紳先生後稔臨漳連公名，則已似長卿慕相如狀云。已公來參知毘陵,一再奉芝宇,皎然塵外,雖析理談玄,而松風夢故在也,余益洒然異之,乃公亦津津契余,若有意懶癖之稽生而臭味之者。間出所爲四六一編視余,工巧相錯,即偕徐庾盧駱六七君鴈行坫垃,當不知誰奪趙幟,則余又益洒然異之,公彎筆奮鸞龍耶!而公庚出所爲尺牘一編視余,顏之曰鷺鳩小紀,子墨數行、苏踞片楮,便足凌顏躒謝,含任吐沈,而郵筒晤對,翩翩皆賢豪間游,則余又益洒然異之,公落語吁堛篇耶!曹子建云,文章經國大業,不朽盛事,而揶揄者又以絳灌無文、隨陸無武,謂春華雖盛何益殿最。乃余跡公治毘陵狀,平如衡、守如嶽,菈斷如咸陽銅,濯躬如玉壺冰,一切津要貴人公無難白眼待之,而於諸寥落故人子,沟沫殷殷,慷慨仗誼,又似孔文舉、范純夫之爲人者,公寧惟是從風雲月露間搦寸管而踞高座者也,此一編真公瑰市之碎金、而劍首之一映哉!余綜而論公,大約有漢之倜儻而去其駁,有晉之風流而去其宕,有齊梁之嫻婉而去其弱,有唐之菁華而去其浮,有宋之理解去其拘,余得公之人,復得公之文,而余所流連企羨於公者,又不止長卿慕相如狀也。公今鷄肋一郡,其以六月息乎?指日者進而鼓吹休明、扶搖萬里,將培風上之,而以此編當九皋之響焉,鷺鳩云乎哉?余不佞請向檜榆枋中,騰躍數仞而望公之圖南。治下晉陵薛敷教撰。

明 敖 文 楨 敍

余壬辰之役以文知連君以善也,愛其爲文。比其分符字盰,一腔熱血遍地流仁,吾愛其爲吏,第曰文自文、吏自吏耳。吏則有吏之攣,迄踆踆於遅,抑又攣矣,斯非耘情藝圃、穎禿千兔之日也,課以徐庾之技,則□〔極?〕之難;至其以古鑄今、以己鑄古,雞犬之入新豐、天龍之走葉公也,則工之難;君有兼才,斯其徵夫!夫駢儷之詞未始非文也易知也。間多異語,條陳格上,上獲,惡知文之未始非吏耶!吾又愛其爲駢乎?愛其爲儷乎?要之無非竟其爲文爲吏之愛云爾,美則愛,愛則傳,是刻良不可已矣。客曰,以先生之鑄連君,盍以四六弁之首?夫客亦知冰青之出乎?有出者,有出出者,得是說而繹之,果鳩之鷺耶?抑鵬之搏耶?客口張而不能嚼。萬曆壬寅季夏之朔,賜進士、通議大夫、掌翰林院事、禮部侍郎兼侍讀學士教習、庶吉士、經筵日講,高安龍華敖文楨譔。

明 張 文 熙 序

今天下譚文則祖周秦兩漢,論詩則首建安開元,至於四六一體,或以俳偶少之矣。第自玄黃肇判，象數攸分，奇耦既陳，對待自啟，故北風南枝之篇、紅粧素手之咏，豈云後代，實刱東京，逮至江左隋唐，斯特濫觴極軌爾。然考之八代，曷止百家，其間繡虎宗工、雕龍藝匠，靡不鏤心刺肝，蒐玄抉隱，欲樹西清之赤幟、奪東方之錦袍，乃觀文選采擇，洎覽英華捆擓，亦各代不數人，人只數首，可知此道未易言工。大都四六有聲、有調、有色、有律，必敲金戛玉聲斯和，搏風抗雲調斯逸，編珠萃璧色斯爛，出奇入正律斯合，一音失全，千里猶隔，彼昌黎病其衰颯，固非確評，而柳州詆爲駢拇，亦豈至論乎！吾桂司理漳郡連公，以八斗之才，富二酉之秘，時於手答，不次口占，遂彙赫蹄成書，題曰鷾鴯小啟，不佞偶獲寓觀，漫爲卒業，則見大篇春容，藻麗若霞建赤城之標，短札爾雅，鏘如樂奏湘靈之瑟，質之聲調既叶，求以色律並工，可謂掩八代之菁華、追東京之逸響也已。或者謂公於群書無所不窺，於諸體亦罔弗擅，此雖諛聞，未盡厥蘊，豈知嘗鼎只在一臠，而片牙已具全象，即此所撰，已足可傳，獨謂以鷾鴯名篇，則歉其寄意甚遠，蓋巨細物無定形，邇遐境或遷變，自古大人倏而雌伏，倏而雄飛，彼耳視者固以見在殊評，在達觀者終以竟至定論，繇斯以譚公之所就，又安知鷾鴯之果小而鯤鵬之果大，亦未知搶地之爲近而圖南之爲遠乎？因公見屬，弁言簡端，未深究其藩籬，聊指序其梗概，極知以莛撞鐘，罔克通其全貫，或者寸管窺豹，亦稍見其一斑云爾。萬曆癸卯立秋日，賜進士第、中順大夫、太僕寺少卿、前巡按直隸浙江順天、提督北京畿道、陝西道監察御史、翰林院庶吉士、侍經筵官，始安治生張文熙頓首拜撰。

明舒應龍序

夫架學區中，飛材匐外，文章吏治焞焞乎所從來矣。彼操靈蛇之家，藻思綺合，宮動而商隨之，案頭長物哉！比紆綬折腰之爲劬，而繩以葳蕤牛耳之壇，則課吏於儒從之乎？課儒於吏，其不必攝等耳，此無他故，異物路岐，精分業專，異戶所爲，少斟儷至，至自爲域也，連使君治司空城旦書，郡以內所難，奚翅饒攝之，尚賈其餘於駢儷之技，業揭六經之鼓吹，而立徐庾氏中葉之幟，有是哉！得至之多，而才情脫然於封畛之域耶！余嚮以文章知使君，猥有一日之雅，嚮以吏治知使君，猥有一斑之窺，而後乃今，非深知乎使君之文也者，於詞壇窮其變矣，非深知乎使君之吏也者，於法案竅其詳矣，吏象乎其爲文，文象乎其爲人，故文見使君者文使君，吏見使君者吏使君，文章吏治見使君者文章吏治使君，茲所爲梓，殆架學區中、飛材甸外者耶！使君命曰鷽鳩，豈翩翩乎背負青天而一控地也，豈翩翩乎翔千仞而上，而一搶榆枋也。啟云！啟云！燀迴鸞於詞巘，吐白鳳於甘泉。鷽鳩乎！鷽鳩乎！余不文，請以答諸孝廉之請，孝廉蔣君承皋、馬君中超、滕君之俊、袁君三餘，蓋出使君之門云。賜進士第、前奉勅參贊南京機務、總督河漕、巡撫鳳陽川湖貴州等處、太子少保、工部尚書，治生舒應龍頓首拜。

明 林 梓 敍

　　蓋聞等材耳，不任受通，等技耳，不任受揗。從古以還，業注專精，稟鮮儷至。夫梁麗窮於窒穴，鳾鶴不見丘山，則弗專弗儷之爲畫也，物誠有之，文亦宜然，同文之世，屈指徐庾之技，晨天稀宿，若者詎異人任哉！上弗布以爲侯，下期之爲鵠者臣，不則，經生家穎禿千兔、輭汙十牛，石渠天祿之上，琳琅煩雷電之取，將駢儷絶技乎？豈洵當世不可莊語，後世必有子雲也者？夫人也世弗求多於身，而身自求多乎哉？第令柄薪燂程殿最，在茲乎？在茲乎？宮商之叩，盤盂之水，其徵矣，不則，上士實之，薄爲外技，中士束之，餂於內窮，建安之才人、梁園之賦客，往往互有短長，究亦率沿波流、未登彼岸，矧其他乎？連伯子起家郡邑，所在戴星，神羊與俱焉伯子？兵儲馳核焉伯子？覆盆平反焉伯子？伯子即嫻於詞也，曰足乎？自非受通之才、受揗之技，胡吏案文囊，左宜右有爾爾？徐庾氏不可作，鷽鳩存，則徐庾不亡矣。昔馬史騁疎宕於淮湘，岳州助悽惋於江山，伯子涉獵山靈，坎止情神，固自佳耶？人謂文人肝膽五色，以予徵伯子，操觚虎角而翼，神王鳳吐而翔，猶然自命曰鷽鳩，嗟嗟！不有鷽鳩，則水擊三千，扶搖九萬，奚以壽馨號於茲也與哉！豈其命鳩意乎？諸名公詳哉其言之矣。賜進士、通議大夫、廣西提刑按察使，眷生林梓頓首敍。

明 許 國 瓚 序

　　自經術熾而古文辭詘，縉紳先生尠言之，非其才情各有所至，亦以簿書期會，且旦夕斤斤不遑，矧遑修作者之業乎？明興述作如林，成、弘以後，如信陽、歷下、瑯琊諸君，策軔函谷，長驅天寶，而四六之音殊寥寥不多見，即唐子畏、徐昌穀駢儷名家，今副在墨卿者，若忽若滅，亦未有成書，足以極才情之致，其於六朝月露，似窺一斑而闇全豹，輒起雌黃者之止當已。余僚友連榮洲先

生以經術起家，奇穎膚敏，於書無所不讀，於文無所不詣，於禮無所不譜，論著
傳布，人人誦法。比銓理桂林，日行郡縣先生所，然炬治司空城旦書中夜，每一
奏記，則使者藩臬大夫嘖嘖，謂老吏不若也。而廼嫺於文辭，諸大夫使者朝一刌
焉先生，夕一刌焉先生，先生方且凱亮冲夷，瞿然自下。今年秋，州邑諸君謀請
先生平日所屬啟草彙付之梓，先生乃自題之曰鷺鳩，蓋遜辭也，於是諸君以屬不
佞序簡端。夫不佞徼倖通藉，念五六載于茲，詎非經生術自命哉，而學譾材庸，
杳焉莫闚述作之奧，其於四六，生平不慣，則益難言矣。今讀先生諸製，才情詣
極，師古爲範，斥陳務新，音纏格整，洋洋乎一家之言，雅稱詞壇，即且爲鳳鳴
也者，而海內鉛槧卒業點綴傳誦，詎觳音於九皋，可知其無和也已，人之才量卓
越固甚相遠哉！而不佞烏可無序。雖然，此非先生意也，況乎駢儷之技曷足以盡
先生之材之兼，第揭詞家所未備者，於以成一代全編，俾後操觚君子知遡源取
裁，而興起于右文之世，則不佞與諸君意也。至先生總括諸體，擷精掇華，以追
於成弘諸君子之列，接羽聯翮，先生當爲健翮，而紬繹經濟，攀鱗附翼，以文學
樹吏治於不朽，先生日烝烝起矣，不佞與諸君共券之。萬曆參拾壹年歲次癸卯季
夏之吉，賜進士出身、中憲大夫、欽差整飭柳慶思兵備廣西等處、提刑按察司副
使、前兩奉勅治兵督餉，舊寅侍生晉江許國瓚頓首序。

明　駱日升序

　　曩余間見余里連伯子所爲四六，輒異之曰，鬱乎蔥哉！氣無不薄，典而該者
人也，而巧濬發于天，余以一斑窺四六之全矣，君工四六乎？伯子嗒然不應，余
乃心知伯子非必工四六者，而若是工，有工之者也。已乃稍稍錯見於同好，則莫
不有意於伯子之四六也，片言隻字珍焉，則輒相與傳誦者，概百數十首，膾炙
矣，或請鋟而公諸，古有能文不能四六者，世所共難也。伯子則嗒然徐謂，予非
工四六者，發乎情，止乎禮義止矣，而獨不聞之觳音乎？暢乎機合喙鳴，吾方視
以鷺鳩，而奚而工之？或者曰，魚相忘於水，人相忘於道術，惟其忘之，是乃工
之，如以爲工，有弗工者矣，今君工焉，而不自知，則工之易也，曷爲乎難者而
公諸？伯子曰，夫文瀾則莫挽者矣，騷失經，賦失騷，詩律失賦，吾又烏乎益
之，涉世之流而不波，吾忘焉已！或者曰，時者事之因也，文者因之應也，時之
所至，竅不得不開，而精不得不洩，授之人而不知，發於機而莫測其自，又曷能
遏之哉！將經無騷乎？騷無賦乎？賦無律詩乎？律詩又無四六乎？走麟而飛鳳，

物有所至，品有所極，君亦履其至已矣。伯子曰，晉魏以前無四六，晉魏以後有四六，余循其故，發其自然，昔司馬子長涉歷臨覽，挾龍門之奇而不自知，其言曰，吾欲藏之名山，予亦烏乎知之哉！於是發篋殺青，凡若篇卷富矣，而鋟者不日成之，則嚮所云同好者，伯子固嗒然也，題曰鷃鳩小啟云。駱子曰，四六千數百年矣，無敢登壇而先左足者，而收大全於伯子，余始固已見君之一斑，今則言而信之，蓋伯子工四六，以鷃鳩工者也，斯固四六之一時乎？若其業之必傳，則余於漢魏以來林立作者知之矣。賜進士出身、朝議大夫、廣東布政司參議、前廣西提督學校、南京禮部儀制司郎中、鄉侍生駱日升拜序。

明 張 一 棟 鍥 序

　　夫學士家雅譚古文詞，咸曰秦漢而上，質不關藻、華不掩情，稱篤古云，晉魏以下抑何靡靡也！四六始徐庾氏，人謂方而不圓，好古者斥焉，於乎！對偶音律之文非古也，而取材于經，叶律以雅，則何今之非古也。且也綸綍進奏必莊嚴之詞，啟狀敷陳必簡渾之體，而所難者援證徵於古籍，則博洽之難；偶合歸於大雅，則摛揀之難；格調爲拘，情事莫攄，則委宛曲折之難；是四六而可易言乎哉？吾漢連伯子於書無所不閱而嫻於文，其於四六之文爲尤工，蓋誠易之矣。彼其學山聳秀，筆海涵清，弋獵墳典而咀其華，并包流略而茹其實，其窮通也已更寒暑風雨之序，其揚歷也亦涉浮湛遠近之津，用是枯桐發響，而清音彌揚，怪石騰輝，而夜光愈激，珠璣纏於咳下，雲霞翔於穎端，縷玉繩金，爰稽諸載籍，駢四儷六，一歸於雅馴，抒眞愫意若貫珠，陳時事詞如束帛，以此誇躡應劉、含超潘陸，斯亦奇麗無雙、踔躪橫絕者矣。伯子同余舉於鄉，余不佞，籍尾之最亡當者，騰漢江而久分，濯昭潭而終有，相得甚驩也。出啟草一帙示余，余甚旨之，授簡而卒業焉，則見戞然而扣九皋、離然而中六律，颯颯乎古風也哉！乃以鷃鳩名集。夫是集也，而鷃鳩乎？是控地而止其圖南之思者也，是決起而飛，其背負青天而乘培風者也，是槍榆枋之翱翔，其擊水三千、搏羊角而扶搖九萬者也，鷃鳩之技至此乎？彼世所稱雕蟲者，風斯下矣，於是平樂易君禮、恭城陳君朝策、富川高君一福作而曰唯唯。夫文也，孰謂古今不相及哉！絺膏棘軸而不能運方宰，洪鐘大呂而不能諧里耳，故所貴唯所用爾。吾曹啟事唯四六之用爲急，亦唯四六之工爲難，無寧茲其務學以滋益也，則各置此編於座右，未日乎鵬搏九萬，且效夫鳩鷃數飛焉，請付剞劂氏，以廣其傳。余不佞漫一言弁其首，亦以見會合

之偶，庶幾哉竊附于同調者也。萬曆壬寅陽月，賜進士第、中順大夫、知廣西平
樂府事、前南京戶部郎中，閩漢年弟張一棟任父頓首書。

明沈肇元序

凡夫含生倫類皆有性靈，故磵畔幽人自甘孤嘯，而寰中通士每觸嚶鳴，傾意
氣於一言，締風期於千祀，然而白水之盟固在，紅亭之手易分，蟋蟀青宵，虛剪
西窗之燭，雕鵬碧漢，難浮北海之槎，眼底無人，毫端有舌，於是香玄騁駕，毛
穎登壇，詞之來也若振玉，偶之比也如連珠，顧韵識敪於冥濛，情境觸於縹緲，
裁雲點雪，反離之目前，抉髓摩神，或遺之象外，孤鸞罷淚，凡喙爭鳴，幾令杓
斗荒韜忽使英雄淚下。我師丹穴分晶，紫臺剖異，曜重輝於若月，叠奇采於非
煙，曩堂陰已覆勾吳，兹黍雨更沾甌粵，遊梁賦客，入洛才人，尊開薛荔之芬，
劍合夫容之色，間或鷄淡曠□〔接？〕，鶼翩偶乖，江山助人，物色相君，迺下
舒新繭、漫吐騷思，儗臨淄之檢書，類東武之飛翰，時虞清藾，遞發駢音，嗤工
遲於太沖，踰巧迅於王燦，魚頭綵襷，鸞尾香緘，既如舞雪迴風，亦似星聯緯
合，五色不迷江夢，八行豈忝馬函，人荷百朋，家珍十襲，菰蘆今日競傳繡虎之
名，宛委它年永佇雕龍之彥，不佞肇元爨下叨知，帳中窺秘，雲流橫浦，空浮鸚
武之杯，花暗庚山，不隔鴈鴻之影，馳械而言言囊豹，伏楮而字字驚蛇，魂飄孫
井之朱，目炫潘園之綠，敢因鏤玉，僭爲提鉛，庶幾草玄楊子，問字侯芭，並高
異代云。萬曆壬寅歲玄月，西吳門生沈肇元元瀛父書于清勤公署。

明許令典序

或謂三五渾噩之書，緣本根而生枝葉，四六靡麗之習，循枝葉而失本根。典
以爲不然，天地山川誰爲造設，而對偶若是？刁調于喁誰爲吹籟，而音律若是？
自然之對偶，對偶工矣，自然之音律，音律巧矣，亦本根，亦枝葉也，總之觸機
而赴，散爲走盤之珠，按節而裁，妙合連環之璧，已琱已琢，復還於樸，爲圓爲
方，不離於宗，乃以學術經世務，而匪徒肇悅供諛聞者耳。自徐庾主盟，晉魏迭
伯，隋陳之浸淫已甚，唐宋之氣骨堇存，我明郁郁比隆，彬彬選勝，風雲月露，
鬭捷標紲，錦繡玄黃，鋪張簡帙，視草代言則絲綸黼黻，賡歌名刺則金石鏗鏘，
崇庫敷對，莊誦託之縟詞，故舊款陳，澹思寄之綺語，非祗字櫛而句比，實則繪
象而寫懷，誠以宇宙內不可無此種文章，而士君子共勉爲三立盛事者也。第偒首

一經，既亥豕於括帖，躋身半組，復魚兔於筌蹄，誰是仕優則學、縱膏晷於公餘，儒行飾治、摹化工於筆下哉！郡司馬連公濯英閩海，振藻武夷，二酉之藏，天錄與冢書並富，三冬之足，螢囊偕雪案稱勤，兩浙三吳噢咻撫字，五領八桂問俗觀風，識荊者倒屣而傾蓋，問奇者載酒而及門，名公鉅碩臭味相傾，時彥譽髦芬芳可掬，友若滿乎天下，尚論追乎古人，乃蒐瓊詞，用檢綺句，別類分門，因人肖物，略點綴於數行，通綣繡於千里，叶律以雅，吐詞爲經，對偶則聯珠貫玉，音律則嚼徵含商，要皆漸近自然，思以返歸正始，豈曰雕蟲之伎倆？洵爲濟世之舟航。在蘭臺石室，可備襲珍，即片楮赫蹄，皆能增價，謂非三五質文之變體、四六華實之並茂也耶！敢贅言於簡末，摽修詞之指南。屬下虎林許令典具草。

明 曠 鳴 鸞 敍

文而偶，非秦漢制也，彌天四海，日下雲間，其元始之音乎哉？而浸爲六朝，倣爲唐，而規爲宋，以至于今，斯彬彬極詞人之致已。廼耳食者必秦漢其制，而駢耦之非，夫日晝而月夕，天地不且形爲對乎？竹籟而松濤，草木不且聲爲律乎？文故以象形、以諧聲，苟於人情微眇之間，意與境傳，材憑興適，則徐任王駱諸人，其又何必不在史枚間鴈行也。閩故多材，如連公靈心穎姿，蔚起高第，於古作者詩文辭無所不徹，而此道尤所獨到，鳴鸞承乏屬員，以問政之暇，得請窺其概，大略取材富、運筆巧，鬭奇於一字，而氣足函天地也，透心入韻，畫境出辭，讀之如在雲游鳥泳間，欲飛欲舞，未之或知也。彼古作者人各有所偏至，以自據爲勝，而公兼得之，駱丞之富而慨也，子安之麗而幽也，大蘇之標意清而寄興遠也，擬議變化，日新富有，其大成也。夫至若嬌賦梅花、媚祖西崑，則又駸駸乎變風之餘，於公何當！今歷下濟南諸君子擅絕詞壇，其偶體不少概見，何哉？才各有至、有不至，與公並駕中原，孰先驅焉？公以今之文極古之制，是刻也，千古之元音，其在斯矣，秦漢云乎哉！萬曆己酉長至日，丹陽縣知縣，螺川後學曠鳴鸞謹撰。

明 陳 朝 策 後 敍

不佞策束髮學古文辭，長而無聞，不佞策於文未有知，猶竊意曩所從事，間嘗錯趾宇內賢豪間，相與盱衡揚扢，如古所云不朽之業，蓋于宙爛熳，成者臚焉，往往各有所至，譬之入崑採玉，無不得也。獨於選代以來，四六一格，胸中若殆不能釋然，蓋其義至今用之，求所謂玉振金聲、建崿標柱，以殫擅一家，伊難其人。夫繩畫之徵象籀，象籀之徵渾噩，渾噩之徵歌詠，詠歌焉而德昌矣。夫四六固亦詠歌之屬也，其德以是比於喜，爲陽，陽之爲氣也舒，其爲象也勃鬱而葳蕤，以是比於文，爲出豫，爲入巽，然則四六亦天地必不磨之數，奚而難言之？建安江左儕侶，聲律如應劉沈謝，斯亦前秀，胤茲若王若駱，聯翩振袂，厥自標聲，蓋皆寸臠片玉，要以使人探頤五鼎，扱袵鍾山，未爲稅駕也。夫屈無騷、遷無史、長卿無賦、杜無律，乃百代定評耳，只令應劉諸才人試以四六一格，作者班行，自成闕典，況其凡乎？司理連公曰，予蓋括拾奚囊，有鸞鳩小啟云，予志也，予蓋有意一家之言，蓋十年壁涸牀匡之秉或備於此。不佞策讀焉而豫，釋卷而嘆曰，公之業在騷史間矣，是爲一出而千古，容體比禮，節奏比樂，溶乎其春也，秋乎其秋也，章乎其百昌化也，慶鑴垣刃，衛射蜩承，發於不可知、邈若神鬼者，有本之者也。或曰，連公鸞鳩四六，未始有四六也，猶之乎杜無律也。或曰，連公卓犖奇偉，苞孕容與，施於有政，於物無所不和，是有陽德，其發之四六如此。萬曆壬寅孟冬吉旦，文林郎、知恭城縣事，長溪陳朝策頓首謹敘。

明張垣後序

嘗遡觀邃古，下迄輓近，三五之代既邈，四六之文遞興，抽黃匹白，祖自齊梁，鼎立爐分，極於唐宋，作者盛矣，用亦侈焉。國朝材賢，電燿霞舉，動稱袷漢祧秦，而擷藻徐庾、取精楊駱，亦聞其罕覯，吳先哲有云，昌穀示委勉之汎瀾，匪大雅之知希，意陽春之和寡也。迺書慳半豹，輒訾長卿之類俳，目爽全牛，漫云君實之不慣，此曷異夏蟲之疑冰、斥鷃之笑鳳哉！郡丞連公起家平海，施棨澄江，負懷蛟吞鳥之奇，擅倚馬雕龍之技，對日論天夙慧，鷄碑盡解，編珠貫玉巧心，楮葉如生，吏治本乎經術，德行飾以文章，循良宜蚤侍夫銅龍，卓異暫分轓於竹馬，弄丸劇郡，游刃公餘，鳥啼花落，舒新繭以懷人，夢斷雲停，題文箋而問遠。於焉召客卿爲丘倚，命毛穎爲儀秦，八行斐亹，慶慰情多，五色葳蕤，寒暄誼篤，波臣固蠟，烱兮夜月之忽投，鴈足緘蘇，煥然齊紈之長爛，既托寄之熹微，仍敘致之瑰瑋，或宣鬱而寫悰，洄流膏而沛德，以故民忻寇借，士懼鴻飛，思窮二酉之藏，虞下六丁之取，公不吝傳之副墨，壽以殺青，三都之聲價

素定，六代之宮粉無顏，咤狐裘奚取於羔裘，幸繡虎不廢夫鳴蛩，垣以屬吏宜污
末簡，捧全瑜而喜滿大宅，見大巫而氣已索然，罔獲仰窺夫三昧，竊敢聊讚乎一
斑。厥惟四難，實賅二美，俳偶非揚扢不整，藻繢匪雕鏤弗工，典則務程古以見
長，音律在翻空而徵巧，其制方，方而遞乎圓也，其句離，離而綦於合也。我公
斯刻無難不易，有美悉臻矣，探鴻濛於四游，叩玄微於五緯，嫻婉掇三唐之葩，
鏗鏘留兩宋之質，同十吏之遞供，儆百函之俱發，不亦方駕古人、流暎後禩也
耶！噫嘻！國僑取裁於鄭命，枚皋具草於漢庭，子均矜口授之旨，孔璋標愈疾之
能，子雲之筆，君卿之舌，殊乏兼長，聊城之書，毳帳之帛，俱開積蔽，矧逢明
世，益重修辭，應屬偉人，疇云小道，倘沿波以討源，共含芳而漱潤，是雖玄圃
之片玉，無非九鼎之一臠也。自古循吏必出於文儒，庸謂摛華無益於殿最乎？異
日者，文學則聯鑣游夏，經濟則方軌夔龍，固公之所操券償，亦垣之所持蠡測者
已，念方榮於附鳳，辭何恤乎續貂，爰勒俚言，稍賡盛藻云爾。

（張健審查　　許惠貞標點）

————————————

五柳賡歌四卷二冊　明周履靖撰　明萬曆間嘉禾周氏刊本　近人周嵩堯手書題記
12792

明茅坤序

　　間讀陶淵明所著歸去來兮辭併五柳先生傳，千年來共謂古之棲逸者流，而以
詩酒自放者也已，而予三復之，及讀詠三良、詠荊軻與感士不遇賦，其中多嗚咽
歔歌，而低徊不自已，予獨疑其晉室之傾，或欲按張子房故事，以五世相韓故、
而行雛博浪沙中者，然子房創謀雖無成，猶藉眞人起豐沛、附風雲，稍及依漢以
亡秦也，嗟乎！淵明獨不偶，故其言曰，一朝長逝後，願言同此歸。又曰，惜哉
劍術疎，奇功遂不成，其人雖云没，千載有餘情。又曰，伊古人之慷慨，病奇名
之不立，屈雄志於戚豎，竟尺土之無及。然則淵明豈盼盼然歌詠泉石、沉冥麴蘖
者而已哉！吾悲其心懸萬里之外、九霄之上，獨憤翩之縶而蹄之蹶，故不得已以
詩酒自溺，躑躅徘徊，待盡丘壑焉耳。昔人嘗稱東方朔避世金馬門，予亦謂陶淵
明茹芝黃石叟可也。梁昭明太子序其集亦云，其意不在酒，寄酒爲迹者也。蓋知
而未盡。而蘇文忠公貶海南時，間亦嘗和之，公故以諫諍抗朝廷，豈其放逐以

後，飮鬱無聊之旨固在茲歟！予友人周逸之林藪間、以歌咏自適者，數手陶氏集，抱膝而誦，復累歒不自已，已而一一和之，且按章擷句，按句擷字，按字循聲，毋逎近於俗，所謂無病而呻吟者乎？然其旨趣寥曠、興寄恬遠，其殆倣古之山澤而欲遺名身後者已，非世所云謰謰淺鮮者爲也，予故多賞心而題以歸之。賜進士、河南按察司副使，茅坤撰。

明　劉　鳳　序

　　檇李周君妙閑筆札，工於繪事，性復喜詩，乃取淵明詩和之，爲之序者皆侈言周君之長，其文燦然盈卷，繼復請於予，予邇聞太史吹律以定四方之風，則有吳之風方不兟，予何敢復言詩哉！且言者已推許自三百篇以逮漢魏、國風雅頌、蘇李贈酬，周君兼有之，夫若是至矣，極矣，無復加矣。且詩者一時興會，有所感發，即抒爲篇章，即無論工拙，惟由才性使然，令極其思致，吟研反覆，規擬則效，非不美麗華煥，而遠於自然，則谿徑存焉，滯於迹也。若予非不業焉，而暇再省之，則慚怍之甚，安敢儷美而曰能爲詩哉！今周君乃超縱越逸、橫睨古今，惟所揮灑，無不華贍以鬱、雅正以廣，且謂古之爲詩者，或婦人孺子里巷途歌，聖人尚存之，觀風者因以覘民俗剛柔緩急輕重，而以施政教焉，則詩之係於時，夫豈輕哉！而其取諸人，則不繫於類，既乃重於律，而別出者爲古詩，而議者謂古詩唐以來遂無，而今周君乃效陶，則六代體乎？夫六代綺靡，稍變於漢魏，而氣骨存焉，故似近而遠，似易學而難並即，後來非無才儁力能挽回古初於聲調句字之間，然一言或似，成篇則難，一篇雖似，衆篇則難，而周君乃於陶詩一一和之，昔子瞻尚不免於宋之體格，而今殆過之甚，諸君子共相推許爲曠代作，予惟欣慰得所未見，且諸君子之賞歎獎與者，皆宏才絕識、高議遠稽，其所云則可徵信於後矣。予竊在下風，惟我吳今凋落淹盡，非不咸自洒濯肆爲詩，然視昔之盛，渺不可幾，蓋由寡學鮮聞，不深涉術藝閫奧，而好誇侈誕矜，不肯折下，而妄自憑負、謂人莫己若，亦憒於高下妍醜，以其輕淺流易浮鄙粗厲者互相獎掖，恣爲黨議，抑退沉深藻豔、婉媚勁舉者，故風花早謝，流弊無已，乃使遠遜於越，予復何言哉！且淵明自以耻臣後代，故托焉而逃，其詩固倘佯事外，無復有當世意，周君亦憤世憂生，觸事興感，歎無所出以舒其抑鬱之懷，惟肆於藝事，故其言雖磊砢不平，復不傷於用氣，千載有作，非斯人誰歸！賜進士、河南按察司僉事、前監察御史，劉鳳譔。

明 張 獻 翼 序

　　昔蕭統之題陶集，徒彰士節，不能述匠心之源，究作者之概。夫序之尚難，
況和之者乎？古人云，其曲彌高，其和彌寡。後之和陶，僅學步其一二，尚未有
能彷彿者，況章章步趨，有倡斯對，詎不尤難哉？蓋擬跡於江篇，行剿於沈集，
詞語匪不艷繢，而姿神興態絕無可玩，辟則倩衣於毛嬙，借飾於西子，然腰惎玉
束、眉謝蛾顰，始於模倣，終露本來，作者既非匠心，覽者又多庸目，乃曰甲幾
魏晉、乙庶齊梁，是何古人之多也。周徵士雅善詩，又工於書，觀其和陶一編，
頭頭是道，重重發光，和澹以宣情，舂容以達氣，縱筆諸篇，無一字黝逕，真得
古人之髓，不徒索之形骸矣。詞旨并妍，古今同調，亦奇矣哉！又徵君隱操將興
歌於搴秀，高盼於遺金，於淵明士節雅有意焉，豈惟和其詩而已哉！周徵士石其
畫藪示余，展卷諦觀，點畫精妙，勢若飛動，徵士以字學著稱於時，尤工繪事，
既善山水，兼精人物，圖花卉則管下生枝，寫羽毛則屏間飛去，至題詠，復閒婉
可玩，昔人有見顏魯公書，去而學畫，見吳道子畫，去而學塑工，今觀徵士才
技，所謂廣文三絕者非耶？不知見者當何所去、何所學也。長洲張獻翼幼于撰。

明 屠 隆 序

　　昔秦政東南遊占檇李，有王氣鑿破天星，故山川靈瑞，往往鬱積結爲人文，
文胡隱顯，片言獨掇亦可垂芳。顧世重顯達而懷隱淪，斯以圭纓赫爍者揚聲後
祀，而長林豐草、幽玄潛蟄卒泯冥弗聞焉，噫！可怪哉！就李有梅顛道人，其號
蓋做元仲圭往迓道人子京家，不佞心竊異之，迺道人生長檇李，無乾沒偪囁態，
癖嗜梅，人呼爲梅顛，能詩又善書。詩學唐，若不經思，河瀉百韻不竭，書摹晉
人，肘上運八法，逼古鐷。所著稿不下數種，間嘗和淵明詩成集，集中有出世
語，亦有憤世語，有警時語，亦有牾時語，有奇語，有複語，茈虒嘽咺，大都任
所自得、鳴所自適，道人顛耶？非耶？方內山人毣毣馳兩都，游公卿門不乏作
家，人人自謂吾漢魏、吾六朝、吾初盛唐，即晚唐且不屑唇頰，然舉皆設粉黛、
頂冠服，傚夷光顰，儗叔敖形，祇令人蘧篨絕倒耳，孰與道人發于天倪，感于物
化，不嶮不萎，冲乎育宊，陡乎崩屴，潜沱乎僵僨，似璞在璞也、金在鑛也、珠
在淵也，咀之不厭，覽之成創，道人胸臆獨詩也乎哉！則天目具區之巍嵒，沆瀁
斜佚煜雪，匪特鍾之薦紳先生者，夠磊繯駱，而于隱君子，亦分萃其燊蔚斐奕，
名不虛諑，士不栩附，道人誠得二氏詮而幻用之者矣。吳越千古稱地雄，余甬東

有嘉則，浙西有逸之，兩隱君翹然吳越間，不愧山川靈，余業已爲嘉則題梓稿，又惡能嘿嘿于逸之？夫蠅飛不逮榆枋，然而日千里者，驥附也，今逸之刻淵明集，而和隨之，遭所附矣，名且瞭驕不朽矣。前進士、禮部尚書郎，東海屠隆撰。

明 沈 懋 孝 序

古之至人，含眞葆素，與道合冥，絕響遺景，混若無名，彼豈屑以語言名字附托軼足，而掛世間一日之譽誹哉！自務光、卞隨、許由、善卷、石戶之農以來，亦若有若存者耳，其在孔氏之徒所傳，首陽兩子到今耿光，其烈烈於名也彌甚，傳高士者猶略而弗陳，蓋傷薄云，其見於十五國風，聲詩可挹，邈然如覯伊人，可與之下上，則白駒、空谷、在澗、考槃與夫泌之洋洋者，其名弗得聞，其人概可風也。戰代迄漢，逸人高流，遺名儉德，遯逃山藪，竹素不能盡紀，何可勝道。吾雅慕嚴君平、梁伯鸞、管幼安、陶元亮三四公之爲人，願執鞭策轡，與之遨遊天下，有不可及之歎。元亮之詩傳者百五十餘篇，抒寫靈襟，淡焉逍遙乎六朝三唐上，蓋自昭明以下，鑒賞稱述之家既云備矣，乃若追其聲而屬和之者，陽春絕調，千載一人耳，元亮遠矣，子瞻不可起，寥寥五百，更無沿其風而揚之者，蓋亦其難也，非才之難，其襟抱難能也，非詩之難，其品格難有也，黃魯直有言，淵明千載人，子瞻百世士。不論其詩，論其氣味，此可謂知言已。天壤之下既有子瞻，即復有元亮，自宜共此千載，其詩或眞或肖，或盡似不必盡似，何異乎聲之同哉！易曰，鶴鳴子和，同聲相應。同則應，應則和，自然之道也。吾聞葛天玄鳥，一人倡，萬人和，清廟猗那，一人唱，三人和，聲之澹者，和彌多，曲之高者，和彌寡，等和耳，吾不知其所以多、所以寡。吾郡周山人逸之嗜陶，盡舉其篇章，按聲而譜之，可謂能也已、多也已。山人雅有高韻，嘗愛蘇門清嘯，述其旨而玄暢之，樹梅三百，芳馥滿林，巡簷細嚼，囅然自怡，往往放小艇獨遊泖峯煙雲之隈，工八分書，善摹鐘鼎文，觀古人之象，閒于繪事，然徐觀其意，似未能忘來世之名，汲汲以自見者，余倘得從山人者薄游柴桑栗里之墟，挹元亮乎千載，想見其所爲人，雖葛天玄鳥、清廟猗那，皆可進而屬和焉，不絃而聲，不言意已傳，相視莫逆于其心，則眞尚友也。賜進士出身、南京國子監司業、前翰林院修撰、奉勑纂修兩朝實錄兼理制誥、經筵講官，沈懋孝撰。

明黃洪憲序

　　夫詩者天地自然之音也。天下有竅則聲，有情則吟，竅而情，人與物同也，竅遇則聲，情遇則吟，途咢而巷謳，勞呻而康咏，一唱而羣和者，其眞也。眞者音之發、情之原也，斯之謂風也，三百篇皆是也。夫子曰，禮失而求之野。眞詩在民間，文人學士往往爲韻言律限，屈曲聲牙，律者法也，法家嚴而寡恩，奚其眞？江左一代，詩豪非無應阮左稽二陸潘張之杰，求其冥鴻高蹈踔躒，千古獨淵明一人，讀其詩，想見其人，有俛仰悲慨、玩世肆志之心。弁州謂元亮俳個于東籬，嘻！惟裴回于東籬，此元亮所以不可及也。世宗朝空同先生嘗標其墓、梓其集矣。吾郡周山人逸之仰止芳軌，日諷誦其篇什，興到輒擊缶賡和，猶旦暮遇，山人亦洸洋自恣，傲睨一世，若曰前惟陶、後惟周，竊不自知其不相垺者。夏日過山居，懷所和集出視余，且曰，靖懵夫也，輒不揣被聖化畊鑿之暇，漫和玆集，敢以恩明公，不識有字句得當不？余方卒業，客有揶揄山人者，余曉之曰，詩豈易言哉！當宣父時，詩已亡矣，何論近代！山人之學，豈其按經本傳、探玄抉微者乎？山人之詩豈其推宮敲商、駕唐軼宋者乎？惟是機動籟鳴，情勃思湧，發之成聲，筆之成帙，即問之山人，亦莫知其所從來者，余取山人詩，取其眞耳，安較工拙耶？方今詩家，成社比屋，生有稿，没有集，然必挾遷傳顯，順風加響，黄金贅而白璧酬，山人非有父兄師友之藉，崛起林壑，遂能游心翰墨，婆娑騷雅，亦已難矣！�核其素著有梅顛、閒雲、鴛湖、泛泖諸草，積几盈篋，其雜雕藻繪諸書及攝生茹艸種種奇古，尤工八法，珉鐫三百餘石，爲時所珍，抑其爲人狷介，不淪于流俗、追踪于古人，三吳若山人者，有兩乎？然則和陶之媺醜，胡足爲山人軒輊也！客曰，若是，山人得先生，遇鍾期矣。付剞劂氏。賜進士第、中憲大夫、詹事府少詹事兼翰林院侍讀學士、前春坊庶子、同修國史、經筵講官，黄洪憲譔。

　　　　　　　　　　　　　　　　　　　　　（張健審查　　許惠貞標點）

————————

傅山人集十三卷十二冊　　明傅汝舟撰　　明萬曆間原刊本　　12793

1. 七幅庵一卷

明李維楨敍

　　傅遠度有圖七幅，搆菴奉之以爲客，而自爲主，故曰七幅菴主人，圖各爲之
詠，名七幅菴艸。云七客者何？巢由洗耳，絶世異客也；傅說應夢，治世正客
也；禰衡撾鼓，震世烈客也；司馬滌器，脫世俊客也；朱詹抱犬，待世苦客也；
許彦負籠，戲世怪客也；天龍豎指，了世解客也；七客潛見殊時，奇正殊迹，而
合千古于一室之內，又以其身爲主，若生死肉骨與共，啟居談論異矣。昔趙岐爲
壽藏圖，季札、子產、晏嬰、叔向居賓位，自居主位，皆爲讚頌，非常之人必有
非常之事，遠度異才，其爲此無可異者，恒人視之則異耳。張伯高深於書，歌舞
戰鬪皆成書；蘇子瞻深于文，嬉笑怒罵皆成文，遠度之文，寧可以尋常蹊徑求
耶？余聞遠度將種，少失怙恃，備嘗險阻艱難亦略似臺卿。臺卿生于京華，耳聞
故老之言，目見衣冠之疇，心識賢愚之列，嘗夢黃髮士玄明者與言善否，無所依
違，所著三輔決錄，其人既亡，行乃可書，玉石朱紫由斯以定；遠度陪京人，耳
目心知高明宏遠，意不滿一世，而膠膠古作者七人，與臺卿同，其父夢箕星入懷
舉遠度，遠度亦夢偕王喬空同麻姑宓妃游，作藏樓記，與臺卿同。漆園歎當世不
可莊語，龍門一家言藏之名山，謂後世必有子雲，知人實難，人實難知，居今之
世，思古人、俟後人，誠傷夫知己者鮮，而寄其無聊之思也。遠度別有歷代詩選
曰桃都集，文選曰香案集，有古先生大英雄三異人五豪人諸傳、烏衣燕子諸小集
累萬卷，述作之富較臺卿過之。臺卿年九十餘而後竟其業，遠度甫過弱冠，一日
千里，孰能程其稅駕之所居，恆言七子如徐吳有氣體無神骨，近日袁中郎輩反
是，婁江、歷下互有短長，持論如此，安得不索之七幅中人乎？其友人顧太初、
張夢澤皆名下士，評目遠度，置諸青雲之上，而余第舉臺卿相方，定非所安，然
而七客以天龍爲歸宿，則其意且空諸所有，世人知不知何校焉。大泌山人李維楨
本寧父譔。

明傅汝舟自敘

　　傅汝舟曰，嘗讀傳，見一父結巢自隱，當許由不受堯天下之讓而洗耳，父且
愛牛之口而避其水。吁嗟乎！是非絶世之異客而可語者乎？高宗夢說，圖形卜於
巖，相捧以出，築基王室，木繩大業造於夢醒，是治世之正客而可語者。曹瞞建
三重閣，召賓命作鼓吏以辱衡，衡脫褌裸體，摻撾大罵，而瞞舌橋不敢下，以一
鼓聲當良之錐、軻之匕也，是震世之烈客而可語者。文君司馬，琴心挑走，徒四
壁立，當盧滌器，狀近無賴，而神宇灑灑也，是脫世之俊客而可語者。朱詹少

貧，饑則吞紙、寒則抱犬以讀，卒成大儒，是待世之苦客而可語者。一鵝籠耳，許彥負之，而書生來寄其中，已而一口吞吐妖童艷女、金漿玉錯，不知從來，是戲世之怪客而可語者。天龍和尚說禪，豎一指頭示寂者，嘆一生受用不盡，是了世之解客而可語者。吁嗟乎！頭顱不正，第一流便自讓人，眼界若寬，不二門無非由我，抱傅岩之鋤，好似枯禪，展天龍之手，堪作良弼，不攤古人之藏者，不抉今人之奇，則臥狗嚙書，是英雄本色，不破時人之目者，不發高人之致，則伏巢滌器，正豪傑家風，東魯心胸，自具潁水，老巢面孔，不笑漁陽，若夫或現窮漢相，或作宰官身，或爲破法狂生，或爲守律聖祖，其鵝籠中人，或有與能乎？我取七子圖爲七幅，晤言一室，翱翔千秋，將笑宗少文之臥遊者，山川以無客而不靈矣。胡然生叩庵而請曰，子祖述仲尼者而慕吟七幅，想主人別有說歟？予笑而不答，書一解示之，胡然生倘然而廢然、喪厥懷來而出矣。俄而庵中如揖、如嬉、如踞、如臥、相許而莫逆者，七幅客來尋主人也。萬曆壬子閏月望日。

明傅汝舟自跋

一解示之曰，仲尼千古稱人絕，夢斷姬公思夢說，尼山高並傅岩山，喪狗正臥巢由穴，朱生嚼破絕韋心，禰兒擲碎誅卯血，天龍和尚眞箇奇，指掌無言天我知，參禪不少摩登女，作聖豈廢當盧姬，一片鵝籠何處挂，小小書生堪入畫，假使唾出仲尼來，鵝聲當是滄浪話，七幅我知自千古，不是孔家自得數。又作歌曰，出來岩下老，歸去指頭禪，節烈謦聲脆，風流酒暈丹，寒狗依人夢，癯牛趁我體，聊觔籠裡戲，七幅主人看。遠度識。

明楊名遠跋

傅君遠度非常人也。父大將軍荆山翁暨母太夫人劉禱於神祺，以箕宿在天之夕，夢巨星入懷，驚而誕君。犀角岐嶷，有大人志，長則修幹白皙，目光曄曄，若巖下電，不可一世，人獨坐百尺樓上，讀古人書，且破萬卷，即大地等之漚泡，何物青紫足芥其胸次。自失怙，益刻勵自苦，幾於茹蘗飲冰。甫受室，絕不齷齪效兒女子刺刺閨中語，嘗云，世無絕代佳人，如司馬相如伉儷秀色可餐者，庶幾旦暮遇之，蓋托物以陶情，非昵情於物也。讀書日富，尚友日多，眼界日空闊無際，同游有驟貴顯者，人爭趨之，君略不爲禮，每醉後披髮狂跣，仰天長嘯，直欲飛去，曾夢與王喬空同麻姑宓妃游藏樓，作藏樓記示余。藏樓者神樓

也，爲丹山赤水五城十二樓之一，游後所見異物、奇祕、珍怪時時出口中，落筆
數萬言，若寓目龍宮海藏，見木難、火齊、明珠、大貝，璀燦射人，又若名姝仙
子環珮翩珊，清歌妙舞，絲肉間奏，令人樂而忘疲。余曾被酒臥其側，見美婦人
數輩，與君盤旋謔笑，醒而化爲烏有。君於書固靡所不讀，其於竺乾梵典更多悟
入，曾下帷山寺，邂逅禪那，受弘明了義之旨，心地靈通，若霜降水落、秋宇澄
徹，礀然不滓，自負奇骨，兼生有異徵，挾策題橋，世念未了，就讀書處易其菴
名七幅，搆善繪者貌七客於中，其飄然高寄者巢父也，癯然畚畚者殷相也，解衣
揚桴、傲然具不屑之韻者正平也，滌器當壚、頹然多自放之致者長卿也，臥狗朱
生幾於自苦，然丈夫不發憤，安能爲天下雄，故雖蕭然竇人未貧也，吐呑造物，
捫弄虛空，如鬼如神，茫然不可方物者，陽羨書生也，羣囂中危然獨坐，豎一指
頭點悟衆生者天龍和尚也，斯七人頡頏一室，君以客禮禮之，自命爲七幅主人，
余嘆謂，大塊中何者是主？何者是客？若以七人爲客，君非客乎？君自以爲主
人，眞主人公在何處？七人即君本來面目，煩三寸管一點破耳。騎箕尾入高宗
夢，是君前身，賦鸚鵡，著犢鼻褌，是狂奴故態，臥狗彷彿其苦心，居巢克肖其
高蹈，一付作怪，肚腸露出許多伎倆，此六君子總在老禿翁手掌中過活，自我說
破，遠度不覺連翻幾箇觔斗，即七人是君，主人可君，即七人主人亦可，余因命
君爲七幅菴主人，云君甫弱冠而結菴，命名如是，已足千古矣，況其後乎！萬曆
癸丑元日，姻弟楊名遠譔。

3. 唾心集二卷
明 顧起元 敘

　　仙人之唾爲珠，美人之唾爲華，唾也珠邪？華邪？孰爲之哉？氣之玄、質之
豔，結于心而形于口，歠而爲珠，而非珠也，散而爲華，而非華也，心也，文士
之于文也亦然。文章之要眇，其高可以旁日月，其博可以小溟渤，其奇可以泣鬼
神，非文也，心靈之所變化也，于心中有虛空，于虛空中有天地，于天地中有萬
物，于萬物中有人，于人中有文章，逆而遡之，有一非心之所生者乎？颷然而
馳，心馬也，突然而畫，心匠也，窱然而歌而咢，心優伶也，心能摩千古摹六
合，而千古六合不能摩心，故余常謂文士但能吐其心靈之所孕，而文不可勝用
矣。世沾沾焉好拾古人之唾餘，而不知己之爲珠爲華者，固無盡也，可不惜哉！
遠度傅君金陵之博通才士也，清雄超曠之韻不可一世，從談笑揮斥間發而爲詩，

動皆古今人所未道者，于傍日月見其高，于小溟渤見其博，于泣鬼神見其奇，而君以夢徵志之日，此吾唾心所得者也，讀之者咤其爲珠之玄、華之豔，而君以是爲心之唾餘，且曰吾欲并唾吾夢，嗟乎！心何寐覺出入之有，唾者心也，夢唾者心也，欲唾夢唾者亦心也，人常有一無位眞人往來于赤肉團上，弄之而爲季珠，戲之而爲空華，遠度得之，夫且倏爲仙人、倏爲美人，離合變幻，不知端倪，塵世齷齪，誰爲承其唾哉！余曩亦嘗夢坐大盤石上，口唾五藏，歷歷手自搏之，撥去其淬，尋復吞之，醒而咽痛者彌日，自是覺名利之念頓盡，然余所唾，政自心所結之粗相耳，以視遠度唾而爲文章，相去何若？余不敢謂我夢非君夢、君唾如我唾矣。時萬曆丙辰秋日，友人顧起元譔。

明傅汝舟自敘

　　記予兒時夢入一破室數椽下，幾敗荷葉支，一敝胡床，胡床上蹲一黃面老子，光頂頭，白髮茸茸，白眉修修，至今面目可念也，破衲蔽肩，隻屨在地，指屨曰，兒屨。余屨之，塵几上拈一如線香，手折寸寸斷，計三四數，授予曰，兒吞，吞之，妄心下矣。予掬視之，寸寸成金針也，未記其曾吞與否。越踰年，檢宗門中有吞針一節，兒時初不知何故事也，今十餘年許，抱被來三山，了文字未完之業債，一夕白雪在天，白月在樹，白鶴在江，隱几夢唾心出，覺而曰妄也，又二日夢唾心出，又覺而曰妄也，又二日夢唾心出，狀如卵形，赤血淋漓，軟動掌上，覺而曰，嗟乎！十年針力一朝下矣，稽首黃面老子，今而後，不煩香針也，適几硯間，有唾餘數紙，不欲塵吾胸，因外之故集之，集之而因題曰唾心，若曰兒當嘔出此長瓜，王孫子毋相誇之，浮語非願聞也。嗟乎！夢亦浮也，吾並唾去吾夢矣。乙卯佛生日，因序本末廼爾，江東傅汝舟草記。

明文翔鳳跋

　　傅遠度蚤歲夢異人予金針，云兒吞，吞則兒之妄心下，其後在三山三夢唾心出，形如卵，血淋漓，軟動掌際。顧鄰初曰，某亦嘗夢坐磐石而唾五藏，歷歷手自搏之，撥去其淬，尋吞之，而覺尚彌日咽痛。太青子亦曰，大人未既冠，亦夢五藏墮地，而文章就遂，以其年冠，解造物者固不吝西方化人之機巧，善更人肺腸，而俾之慧之。二客與某大人三徵調於華胥，而泰詹之聘吉咸，若訪佛圖澄於洗腸之池畔，造物良不吝琢玉冶金代之矣，然不解圖澄之奚以有腹孔而絮之，至

臨流即洗其五藏，還復納著，夜讀書而光輒出孔如晝，此界當在幻不幻之間。而
大人三十聞道時，則輒內洞其五藏，并洞人五藏，而立唾之，以爲腥穢不可近。
某時蓋五齡，獨見某心際有光寸餘朗映，不他人黑冥冥也，而又隔垣，質人面孔
不少誤，倘所謂長桑上池水者，固即在紫庭之宇，亦不勞外索耶！某亦不解其所
獲至。某鈍根，弗大人肖發念大早，結果殊大，晚已西北游，內觀則心花都作青
蓮瓣，怳忽有仁字流出，然幻弗以諕人，故其詩云，若話心似青蓮葉，笑落人間
萬口涎。壬子在東海，政暇輒兀坐，見心開如水晶塔，層層都具，而空湛如玻璨
之映月，他紀稱丘長春亦茹苦十二年，而見性如水晶塔，嘻！匪塔，蓋靈臺之九
重梯，宜有此等相心之變化，不可殫形，若與予之夢，且觀者總性之影子，心界
虛明，好相亦妄，若與予無心作好相，而好相現文章，又好相之一種，再變亦無
心爲好詞，而詞衮衮流不可禁，即吾輩亦任之，如梵人之以腹光讀，安之若固，
然不自怪，若心已唾矣，復拈其唾之餘示人，怪其人經神緯者，將無以幻而不可
解，又安知若他日不復夢唾若之青蓮瓣與水晶塔乎？若之詞將益見怪於世，即予
且或終以幻而不可解也。西極文翔鳳譔。

4. 步天集二卷

明 李 維 楨 敘

余嘗爲傅遠度敘燕子集、七幅菴稿，以彼才情前無衡敵，乃遇乖刺，讀書山
中蘭若，有臺高跱，去天若尺五，日坐其上吟諷，名臺曰步天，而集所得詩，亦
以臺名名之，蓋天步艱難之說昉自小雅，臣子失意于君父而作。天可步乎？世所
傳步天歌，自象緯術數家衍之，而謂天去地二億一萬餘里，南北相去二億三萬餘
里，東西減四步，遠度直取有詩以來相沿文字而掃除之，求諸混沌，上無色、下
無淵之代，若天日高一丈，盤古日長一丈，一日九變，其方寸心三寸管，升九天
而潛九地，不必目以定體、足以從之，而度其經涉周迴，過于大章豎亥，所步遠
矣大矣，有鄒衍談天之奇怪，有子綦邀樂于天之恬逸，有屈平問天之憤懣，有盧
敖上無天之放達，有庶女叫天之哀怨，有楊雄高入蒼天之精深，有王充方天、姚
信昕天、虞喜窮天之工巧，有阿鴻摩天、道安彌天之雄概，有樂廣開雲霧覩青天
之爽豁，有張公迴天、韓公捧天之葆力，雖謂之步天可也。夫杞人憂天、隄解以
積氣近是，如以氣則蒼蒼者天亦無知無能之物，而朱紫陽起而決之，天者理，亦
老氏有物混成、先天地生之指，然孔子不媚奧竈，但不獲罪天而作，善降祥，不

善降殃，不符合者比比是，豈天理不盡用耶？人因天，天成人，其之也天人交勝，天賦遠度以才，行年三十裏逢掖、困林壑，其後自享天之豐福，于今良可異矣。釋氏六天、十三天、十四天、三十六天，天何多如許，張子韶供十六大天，而諸位茶杯悉化爲乳，取科目者有見天門開、天榜列名之說，若別有天神，遠度其叩之，天定何如此，步天集者可不待吹噓自上天也。大泌山人李維楨本寧父譔。

明艾天啟跋

傅子築步天華嚴之上，江光隱於案，碧樹四帷，山花作供，青鳥迴翔，陽風吹日，而傅子多俯几據枕，潛思如瘖時，明月在欄，雷雨怒鼓萬峯外，旌旗鐵馬，聲如騰騰雲際者，時登臺聽艾子作魏武枝鵲之歌，俛仰哀至也，彈劍以和，酒三觴餘，勃然髮樹，慘然嘆，又劃然長嘯，弛然笑，呼兒作墨來，噴筆或數千萬言，或數言，或十百言，呼天而語，招山鬼以嘻遨，懷天涯兄弟而呢呢，愴大醉而狂步，天爲舟空，水封四足，而飄然河漢，廼頹然樂也，蓋傅子少以釋迦得度，英雄大志以空澹用之，故其心玄徹無涯，振古未解，一悟解焉，天下所疑頃已斷已，萬載未開之口琅琅屑玉飛，而一世矜記末句纂之語，尋行披墨，視不啻糠粃，自云不讀人間俗字書也，下士聞之笑，然亦孰知其不但驚人之鳴已哉，是性術之靈也。家世武冠，先人賫志以没，傅子生，束髮廼遂弄刀戟，摩娑慷慨，半夜搆燈，從故紙上識古偉人大觀，及壯數折，廼其神愈王，長城之北，東海以南，無不經營前箸、望君門而痛哭。嗟乎！賈生之涕猶乎草莽也。方今讀書，庾妻子富財足矣，而況妻子餓而無財，則所謂三表五餌諸王諸侯之計，即子建才人所謂東屬大將軍、西屬大司馬者何在？而故若此，此心智之大也。傅子家貧，不能脂韋大人間，廼喜飲酒馳射，入山冷坐，出山走馬，入都門未竟，諸豪客即從而縱橫道上，高歌長安市，白眼惟吾輩數人在也。然傅子家雖貧，而留客竟夜，好急人之難，雖著書窮愁乎，而高笑青樓，神采飛上，紅粉辭人靡不傾倒，每賦一詩，昔嘆未有，然雅不止以詩任，是才術之博也。傅子連吳越齊楚燕趙之士，萬里如響，肝腸炎燥，相慕時輒有北風南枝之意，皆金石雅盟、千古雲合，傅子主之，以故發爲詩，以艾子讀之，壯者五弧之弓，堅者五屬之甲，犀者九鋣之劍，奇者海國雲樓，古者大筥九鼎，怪者木難火齊，空者遠山低翠，而豔者芙蓉朝霞，至其悲婉之語可結而冰，哭世之言可炊而熱。蓋予昔嘗以漢魏樂府古難天下，傅子灑毫而篤之，至此爽然自失也，使其才遇靈均、太白、相如，必且搦手相勞，是將爲淮陰之兵、武侯之陣、長沙之書、維摩之詰、蒙莊之誕，何但先驅獻吉之馬項而後亂文長之轍也哉！嗟乎！傅子今天下托詩鉢以致飲食，與無其人而非其辭者，是亦乞人不能道英雄之語，墨士不能破豪傑之心，又相笑乎？蓋楊雄昔規古耳，人已不識，何況傅子創古而恥學楊雄者！則必傳於人不及見之日耳，至如予言，是子雲祿位容貌亦何必足以動人也。盟弟梁父山人艾天啟題。

明傅汝舟自敍

　　問余壯夫何冷也闊也而非也。嘗見天下烏紗貴人盤旋雲際，高人土萬層，其進身以制科藝爲門戶也，俛首竟日夜，舉當代王唐第一科名，及薄海名彥諸篇述而作之，敢自道有微長而未遇也，可笑也，可嘆也，發爲詩歌，文人之剩技也，異代之遺音也。牢騷之餘可以佐酒，倦憊之下可以破鬱，壯年血氣之猛聊以壓雄心而厭時事耳，一時之下可得數百言，一日之中可得數十首，乃余之不屑以傲人，而亦不任受人之我驕也，何懾哉？意者謂我之冷且闊者，其在斯乎？其在斯乎？年來散帙寥落，聊集之作一草本，步天者志地也，唾心之餘，又其餘乎！丙辰七夕，江東傅汝舟記于桂花香裏。

5. 英雄失路集二卷

明張可仕敍

　　我未見者古達人偉士，雖有尼父不能攬姬公之袂于夢醒。昔阮嗣宗觀于垓下，輒橫顧而笑孺子似乎借漢楚之刀鋒，以怖鶴唳風聲者，是何如孔將軍左、費將軍右而睨洗足時兩女子狀乎？余讀而嘆之，以戈鐵之雄端可譬文章耳，于是語遠度，我當吾世見子，又何說古而妬孺子，古文章如丘索久藏在天上、今帝人間者是六經，夫六經聲鼓鐘者首風雅，方且僕楚而隸漢魏，何唐宋改步足云乎？乃後世豎儒莫識所謂穆如清風者，覺天地減韻，千代無歡聲，則我每欲起古才人輩，各捧其笙瑟箜篌一奏鈞天破之，天乎！何幸盡畀我傅子書而讀之也。余始讀七幅，謂是杖鉢者曾藏龍虎，至唾心，其雲中之玉隨風乎？天步艱難，慨有經濟四方之志，則檄我輩躄于步天而未也，于是作英雄失路之歌。張子曰，使傅子扶日月之轂，爲明天子興禮樂，可來鳳凰雛于西山，今夕何夕，想帝已賁星辰于天林乎？豈其版築欲釋手猶不廢嘯歌也。雖然，南山飯牛之曲不愁苦凄金石哉？然

而脫短衣陪仲父，殆識也云爾，神人呼吸上應天關，說與凡兒，低頭誰語，我知
傅子騎虹霓而上之，英雄敢不讓路耶？我竊怪天之薄古英雄者而私傅子也，古如
鷹揚龍臥，雖有文章，莫與學士長技爭，若傅子把鄧林三尺之鐵顧盼天下，行且
有俎豆，子六經者論辭賦哉？即辭賦何洋洋千古也，大抵作開闢語，而吐于神仙
之齒牙，籌燈揖讓，玉帛鏘鳴，及其筆灑聲隨，曳如風雨，方且隻字挾千秋周秦
漢魏等，以及元美于鱗輩，不盡驅腕下哉？何至如天下作者呢喃作步，誰黃初？
誰建安？大曆上下乎？予曾醉語傅子，孔老倦遊乃筆詩書，子未出山，而文章之
業大就，且善藏其技哉！不則雖老佛所稱，盡恒河沙劫不足喻子之藏者也。子向
者步渾天以窺七政，一旦而星官服者千人，與予獵于山，猿驚矢以號者三日，子
巧耶，安所試之，今天下之兵農錢穀屯鹽茶馬倭虜海漕，子囊中大冊不啻言言十
萬也，案輿圖而思靖霄旰之憂者，豈只欲向蘭臺金馬簪冠立也哉！子其出而圖天
下事乎？予知古英雄有不但却步者，而又何笑乎孺子？時丁巳十月，盟弟張可仕
文寺書于紫薇庵裏。

明傅汝舟自敘

　　記予髫年結七幅庵草，紅粉烏紗，囚冠破衲，就兒戲也。已而有胸無心，隨
口浪語，結唾心集。心唾矣，又何言？境與筆會，時來步天，讀書笑吟，又落人
間數張紙也，故結步天集。然人生得志當樞軸，不東南靖倭奴，則西北討胡虜，
且中原何地，非報父母君王之處，經營擘畫之不暇，安得如喪家狗纍纍弄柔翰
也。嗟乎失路矣！將奈何？使我有五畝宅，亦可寡累五嶽，十大洞天之地，可以
傳經，蓬萊雪山之巔，可以學道，又何喀喀作酸書生之窮歌，不快人意也耶！嗟
乎失路矣！將奈何？英雄非敢自況以待天下痛醉讀離騷者。丁巳菊花開時，紫白
仙人自記。

6. 拔劍集三卷
明顧起元序

　　自宋儒以理學之名易士習，而古來君王將相之業多以不聞道見格矣。遠度眼
空千古，志隘四海，毅然以天下為己任，而挾才未售，徒為隱居之求，乃尚論古
來君王將相而揚搉之，蓋藉以吐其蘊蓄之奇，圯上之書、隆中之吟，髣髴可見，
非如李元忠之濁酒素箏自歌自賞，傍若無人，徒豪舉為也。俗儒醉古人之糟粕，

甘老生之唾涕，乍聞此語，耳聾三日，頭碎七分，又何惑哉！今海內多事，當宁左顧右盼，動有乏才之憂，試舉此集進之，知東南菰蘆中乃有如此人，翊襄天步，經營王略，何至廩廩借才于異代也。干將之劍衝星射斗，其光燭天，自非張茂先，誰能賞此？遠度其摩厲以須之，爲殷深源房次律，一洗虛名無實、大言亡當之詬，是在茲集也夫！遯園顧起元書。

明 傅汝舟 自序

　　己未夏，余著君王將相書之餘，系以題墨，約得百首。太青子爲置牀頭萬斛金陵春，一斛一歌，一醉一舞，起而拔劍，如是者數數，久不知劍鋒之或禿也，童子負劍者跪進曰，劍禿矣，予視之禿矣，笑擲之；已而一舞一醉，一歌一斛，起而拔劍，如是者數數，久不知劍鋒之或銛也，童子負劍者跪進曰，劍銛矣，予視之銛矣，又笑擲之。當予未拔劍時，灑毫題墨空中，有嬉公子者來，衣朱衣，眉骨秀色，指爪較麻姑仙人覺輕舉，盤桓予衿帶間，顧予笑，予不知何謂也，予亦相視欲笑，亦不自知何謂也，遂別去。嗣後嬉公子終日空中來，更善衣，或白雲色、黃玉色、紫霞碧梧色，或遠若近異態，大若小換形，如鵝籠中化生人數數，顧予笑，予不知何謂也，予亦數數相視欲笑，亦不自知何謂也。窈窕善狀有一室，予見而人否否，又人見而予否否者，終無言，數數飛去，既而來低徊香案間，若有思者，曰，公子愛吾言乎？公子復相視笑，有欲言，不忍忌予牙頰之忽漏者，予已心領之多矣，不復語，遂拔劍爲公子舞，公子亦即躍身劍頭上，周流上下，似爲予舞，予曰，公子疑吾劍乎？公子復相視笑，予亦不問，太青子聞而歎曰，異哉！我且更置十萬斛金陵春，招子之客白鶴山人、秀嬴居士來，我與子索嬉公子一說劍也，予曰，可可。旋拔劍，一舞一歌，一斛一醉，且未計公子之來與未來也。是劍也拔于英雄失路集之後，第五集，凡三卷，六月十七日傅汝舟自紀。

明 傅汝舟 自跋

　　題拔劍集終，復以餘汁作歌。誰弔猛羽，吾將酒之，誰殺賊莽，吾將刃之，西楚霸王項藉，咤叱中原氣不平，八千子弟任縱橫，若非疎率鴻門去，千古安傳赤帝名？又馬到烏江事可休，何難一劍與人頭，笑他鳥盡弓藏者，但愛劉家幾日侯。新假皇帝王莽，剛暴易撲，柔姦難攻，善柔禍小，姦雄毒凶，哺之卵之，乳盡食翁，推肝置腹，反揩厥胸，窮賤投繳，勢利彎弓，力弱戢影，毛滿肆鋒，模畫周孔，殺人從容，盜仁假義，篡國竊宗，大人君子，易墮術中，披儒生服，取名士容，塗抹面孔，姦人家風，彼假皇帝，乃安漢公，斂險迥別，謙姦不同，至人衡世，凡百直躬，是爲跋。

7. 箜篌集二卷
明 文 翔 鳳 序

　　秦皇帝之厭東南天子氣也，日門地肺，待雄風而擢新爰始，驅淮水之雙流，以會青溪之縹瀉，淼瑟瑟之玉捲者，實維金陵中貫之天津，其應南斗之天梁于星市，亦吳會之清渭丹洛也，的皪乎其綺閤桂鵃之遞相爲主賓，帆以代籠香之金霧，水以代生蓮之珠塵，顧陸之郎纖逸，王謝之姬輕娟，才舞態飛于江山之精麗，各各自謂風流月朕之第一人，字厥渡曰桃葉，則阿敬之所檥江以自迎其嬋媛，譜厥步曰邀篴，則子野之所臥吹以三弄于陽辰，若乃青溪三妹之嫿妍，而神異不解其胡然，二百霜之杪尚蕭蕭之精感以靈屯，箜篌繫束素之要，芳華導含貝之脣，欲界洞仙之風致，宜若茲其騊蕩，亦奚異其微遜清都直上之澹靚而忘情，爰有抗五花七組之管以步天者，忽漫飛一閣之煙築，而翠洰向所配以豔絕，結綺臨春之二妙，其左披枝交馨，接之芳鄰，又得復興淺乎于茲禁不？浮千觴于琳珉之流月，灑百篇于噧晰之幻雲，揚才子之春爛，召異代之清魂，逐樹之槐眉曰箜篌，若髳髴就涇水雷霆之牧野，傳洞庭貴主蕭條風雨之玉音，踐宓氏拾翠采珠之波羅，以割愛于后羿之所嬪，探懷失江妃之珮于數步之有無，靈杳杳兮，悅追風之不可尋，其氣偶而神匹，乃不翅獨天五岳時與放歌遠嘯，其檻端橫淋淋之興拍霞以上舉也，直欲拂青天而詩掃，麾白鷺以水吟，即冠岳者之瓊想，而冰腸亦破調于謔聽，曰箜篌裾帶，我其使酒憑陵之，于是步天人以璜玦擊案，氣激而爲箜篌之曲，儂獨婆娑兮雲笠，而柳衣邀山以爲客，納月以爲姬，水中準兮如席，舟成列兮如棋，不勝洞簫之濤，沸于香脂之喉兮，儂將聯美人七十二隊之鴛行，以爲句句生香之妙詩，未既瞥見其風颯襟而驟悲，荷衝波而齊發，起宿鴻以擘空，練夜色而橫月，又浮一白，其授几曰狂之唱，以待第一客第一詩之和，我良不厭其孤絕也，特引清商以挑之，尚愛三嘆于朱絃而疏越者哉！顧侍者促進研曰，曾若白之蟻沉也，以滋罰天五岳躍然援蘭亭之豪叫者，三不加點以應之曰，香風忽送綵雲來，雲捧芙蓉百尺開，芙蓉現出虛無閣，誰盤璸礎架龍腮，花挾曲欄棲異

鳥，鳥囀花發春縹緲，朵朵雲姬出笑歌，珠裙各繫筼簹好，乍鼓清江立不流，鮫
人再鼓集芳洲，三鼓如催璃珼座，孔帳齊上珊瑚鈎，閣心佳客臨玉案，歷校劫籙
過龍漢，滕以金筍獻紫皇，上元夫人親陪宴，琥珀樽杓五百斛，劚之一一汎霞
漿，飲訖已積丘陵算，欲紀天籌待浣腸，爾時立賦先天調，五億十選窮精妙，諸
天誦者臟生華，異界佛仙欣吟嘯，分布福庭大洞天，易遷宮眷競抄傳，梯仙日計
七十萬，日日香雲舌本穿，緣此清微又長價，羽書銜召瑤光射，重錫仙城十二
區，更增玉妃三千舍，須臾錦氣護桃干，飛捲綺閣向似煙，迢迢天入青冥闥，望
望人歸太紫巔，筼簹去去流餘響，聲高一聲不堪仰，秦淮未涸溪涵青，人間莫掃
懷仙想。擲筆而起，果然雲一葉自鍾山徠，徘徊爲回風之舞，則閣若失其故武
者，豁見線作長江，曾清光之綴地，莽漫漫乎不可以俯也，天五岳大笑曰，我尚
將定萬古風騷之權衡于人間世，其報命有佳期，不必遽攬化人袪以直造帝所也。
久之，若還棲其溪上，復得桃葉桃根之檻，憑而枻鼓者焉，則明月之却者殆三舍
五夫人，似徧開八萬三千戶，若戶戶送天香于長生樹底之羽衣，贈玄霜於金藥淵
頭之玉杵，其潤筆不乃萬倍于皇甫氏之三千，字字三絹之與估耶爾！乃士女之芳
涌于錦浪香風之靡者，眞乍我儕爲揚州空中半夜玉笛之相續，而向來蔣家姑與所
拉玉樹流光照後庭之張孔，且惶恐邇日，箕奴曾靈根之未汰，其蚤見笑于天人之
湛眛乎而。天五岳文翔鳳譔。

（張健審查　　許惠貞標點）

坐隱先生集十二卷四冊　明汪廷訥撰　明萬曆三十六年環翠堂刊本　12794

明朱賡序

　　夫坐隱不易當，故不易名，能當之者，必其名實相符，意者彼有所寄乎？客
有持新安昌朝汪齕使坐隱集來，余拭目繙閱，纍纍數萬言，凡十二卷，詩文各體
無不畢具，乃知閻立本觀畫於僧繇，始而疑，既而信，終而寢食其下，嘻！亦難
矣。夫庖丁解牛，遊刃而目無全牛，痀僂承蜩，而善於不脫，此何以故？總之各
詣其聖神之極致也。齕使蚤工古文詞，兼精公車業，其著述林林，爲寓內艷賞，
經濟之才，奇瑰逼人，汶澹然金馬掩花弄月囗〔？〕昌湖而搆環翠，有象無象，
若顯若隱，三百枯其名，遊神寓目，變化無端，坐隱其中，以味至道，游戲於奕

而不知有奕，斯亦玄之又玄矣。已聞二老不可見，而今見於鯷使，若鯷使者其亦宇宙之一人乎哉！世之強其所不能而論能者之得失，不亦疎乎？又當如周茂叔太極無極並觀，斯得坐隱之心矣。金庭居士朱賡。

明朱之蕃敘

　　汪昌朝氏博雅嗜古，謝去塵夢，闢園居以領湖山之勝，輯文壇列俎，以搜古今之奇。時與人較奕，彙選舊譜而品訂之，訂譜成，而贈以言者盈帙，昌朝氏復即各體以抒藻，思出入於經傳老釋之間，備極夫風雅顯微之變，而昔人所稱坐隱者僅在一局中，今且流溢於簡篇內矣。蕃性迂質鈍，於博奕諸具一無所通曉，僅能循行數墨於所謂坐隱集者，窺見昌朝氏之一斑，乃搦管爲之敘曰，柯爛橘樂，慕仙者侈言之，然不數見於世，悟河圖數，識先後著，玄解者獨得焉，吾不知其蘊也，予有味乎昌朝氏所謂無能生有、有復歸無，竊嘆其進乎技矣，非深得坐隱之道者未易幾矣。橫編中所稱舉皆有也，皆有古人之所已有，而昌朝氏不自爲有也，不自爲有，即無也，無己之所無，而後乃能有古人之所有，究之古人亦未嘗有，而皆有天地間之所自有，是凡有皆無也。十九行中三百六十有一著中，歷千百十年之久，而人無同局，局無同變，變無同著，然無之不能不有，有之不能不歸於無，則一而已矣。握其一者以爲隱，則無乎不隱，奚辨于坐不坐乎？操其無者以爲一，則無乎不一，又奚待坐而後隱、隱而竟有事於坐乎？吾還以叩之昌朝氏，因爲奕而始有文耶？抑因爲文而始有奕耶？當奕之時，豈暇及於文思？而捉筆吮墨時，豈能兼爲奕耶？即奕與文可時相無，而不可並相有也，可互相有，而未始不可兩相無也。無奕無文無隱無坐者，昌朝氏之所以不能不有，而終不可自認爲己有者乎？即謂蕃于坐隱集曉曉爲之序，亦序其未始有而不可不有者而可已。萬曆己酉孟秋朔日，賜進士及第、奉訓大夫、右春坊右諭德、掌南京翰林院事、前翰林院脩撰、記注起居、編纂章奏、管理誥勅、欽差正使朝鮮，賜一品服，金陵友人朱之蕃撰并書。

明曹學佺序

　　世之品人者常腐臭金馬、芬馨山澤，故多左袒幽潛之苦節，而以肉食爲鄙。考言者欽崇謨訓、揮斥卮言，故多擊節經史之唾餘，而以諧笑爲穢，詎知善隱者不必山澤，善言者不必謨訓，通達放曠之儒立閒適圓融之論，此佛氏所謂稱性之談也，斯人也，余上下古今所願推轂者也。漢東方曼倩以歲星隱金門垂二十餘年，拜太中大夫，隨帝左右，言無不用，寵亦極矣，然而笑傲公卿，辭諧口給，風流玩世，下至割肉射覆之事，於君父前令人絕倒，故人以隱名之。至讀其論設客難、非有先生、論封泰山責和氏璧諸作，灑灑乎與昔之謨謀定保、簡直莊靜者不可同日語，卒之諷時刺世，轉移人主於頃刻，又何其言之有用哉！以余觀於余友汪昌朝，甚矣其人之似曼倩也。昌朝富於春秋，通籍䗰使，足不踐市塵，身不偶冠蓋，有園一區，有湖數頃，偃仰其間，而逃名處晦，惟以局戲自娛，昌朝可謂避世金馬門矣。其所爲傳奇種種，引商刻羽，排調詼諧，言言有致，他如無如子贅言、人鏡陽秋、文壇列俎、環翠堂集諸書，亦浸浸乎駕軼作者之林也。至訂譜成，而有坐隱集，曰傳、曰記、曰志、曰解、曰論、曰說、曰錄、曰談、曰對、曰客難、曰解嘲、曰或問、曰原奕、曰奕旨、曰奕品、曰奕幾、曰易奕辯、曰簡書、曰隨錄、曰書事、曰雜紀，以至贊頌偈箴銘之類，而詩之諸體稱之，鱗次臚列如入金谷而數奇葩、排武庫而檢寶玉，反覆玩味，調雅而體備也，言近而指遠也，辭微而道大也，可以窮方外之大觀，探達人之曠致，涼濁世之熱中，引逸士之玄想，是集之奇固不足以盡昌朝，而昌朝之奇亦於此集而露其倪也矣。夫昌朝與曼倩皆當清朝爲大夫，而放浪形骸，其隱同也；一言出而趣致有餘，令人三復之、歎賞之不已，其言同也；況共有仙風飄飄乎雲升霞舉之間，余故曰昌朝之似曼倩。然而曼倩二十時，上書自薦，待詔公車，慇懃日夕，而昌朝方小憩名園，進退綽綽，則昌朝之遇又逸於東方生矣。集成而屬余爲序，余敢以知昌朝者而弁諸首。時萬曆三十六年一陽月，賜進士出身、亞中大夫、四川按察使司川西參政、前南京戶部郎中，侯官友弟曹學佺頓首拜譔，右史李維楨書。

明梅友竹序

　　汪使君無如先生以坐隱名，其隱者耶？非隱者耶？隱則不宜通籍於朝，非隱則不以坐隱名，無如蓋非隱而隱，乃所謂隱者乎？無如生爲間代異才，體玄識遠，小築名園，几席丘壑，藏精神於墳典，寄心志於虛恬，揮塵高談，據梧長嘯，禪而俠，儒而仙，友千古之人而不友一時，求是之是而不求惡是，故好事者不能窺其面，蓋論金者不能測其衷，卓哉其坐隱也！乃說者曰，身將隱矣，焉用文之，則何以集爲？不知言者心之聲也，有心則有言，有言則有文，心之孤憤者其言忿狷，心之豪宕者其言悲壯，心之激烈者其言慷慨，心之長厚者其言醇淳，心之棲逸者其言超脫，心之放誕者其言曠達，無如隱則隱，其豈無心哉？大都以出世心行世間法，一切憤世嫉俗之意、牢騷沈痼之思、牽纏洄洢之念都不入於臟腑，而衣帶薜蘿，胸襟風露，故其言琢六藝之精、鋤百家之穢，閒閒灑灑乎！蕭蕭蕭蕭乎！其挫弄似諧謔，而非工媚也；其敷陳似經術，而非腐議也；其旁引似博文強記，而非誇鬥也；其清言似逃名玩世，而非枯稿也；總之如漫漫松篁，風來則響，嚶嚶林鳥，喜至則喧，又如威鳳自儀，朝陽則鳴，出猿自訃，夜深或嘯，夫孰禁之，而又孰使之哉？令人展卷，如披惠風，如飲甘露，即措大見之未有不擊節解頤者，集行而人搆之如騾頷魚腸，頓使江南紙貴，蓋隱其身而不隱其言，正世之善隱者哉？倘不無如文以無如隱，乃或無如文以不必無如隱，此所常遠見不知無如之圓通者也。余蓋因讀無如集而敘大隱之致，詎為無如解嘲哉！皇明萬曆歲在疆圉作噩，順州守，蜀人梅友竹敘於別壺官署，中岳山人詹三嵐書。

明 汪 廷 訥 自 序

　　余小憩山中，栖心玄旨，自分超此婆娑而外之於一切塵緣俗務，視如空花亂起亂滅，曾不入于其懷，故倚徙去住，有以天地為屋宇而川岳為枕席者，大抵巨壑之縱鱗，空冥之矯翼，惟意所適，人不得以世法繩之也。居閒一局，若有心，若無心，動涵至靜，數藏至理，稍游息之惟以度此居諸耳，如抱甓，如弄丸，未嘗一著意於此也，然而涉世亦久，其間之人我是非浮沉聚散妍媸好惡，頃刻而滄桑者不可摹寫，反於枰間數著了之，則古云以幻修幻，此之謂也。茲訂譜成，而大義見矣，自名公珠什瑤篇而外，小子訥或敷衍而成文，或聲律而成詩，比擬而成賦，排調而作詞曲，註腳而成贊頌箴銘，復檢舊刻環翠集中什之二三關此情景者竄入之，總之情因景觸、興以情生，如籟鳴竅響，不以供人之聽，特偶然耳間之籟與竅不得而知也，則何以說？蓋彫鏤刻畫、纂組繡繢，飛墨池之潤，生筆端之花，咀嚼椒桂，撚爇芝蘭，冀人之節頻擊而殷屢推者，欲投世好之人也。若小子訥隱不著跡，奕且忘情，其御世有總歸之空者，而況作綺語以驚人哉！故集成而工拙非所論也。噫！深沉長者斥無賴于卷端，風雅少年鼓雌黃於煩輔，則不知籟與竅之說也，小子亦何必諱耶！

明 蕭 和 中 後 序

　　坐隱先生何如人？人而龍者也。蓋龍神物也。先生之卷舒隨時，方圓互用，行無轍跡，心有逢源，玄釋並參，理事無礙，神何如也？此非龍不足以象之。至於經籍子史，淹貫沉酣，藩不可窺，奧不可測，龍藏也。吐詞則雲錦成章，灑翰則煙霞滿紙，纏纏燦燦，炫人心目，龍光也。雲逵欲通，泥途已脫，籍既註於銅螭，身將側於金馬，龍驤也。丘壑奪情，琴書染癖，一局之內有以自娛，龍諸也。擊節時事，明目張膽，髮指手揮，龍奮也。樂府種種，刻羽引商，詼諧浪謔，龍之遊戲也。人稱坐隱先生者，即其一節而名之耳。先生之全書一出，遵白法者取其見解，嗜玄學者味其參同，志賅博者賢其考核，工詞賦者尚其風雅，司世教者採其經濟，窮理學者探其性宗，如經要津，隨人所適，如入海藏，任人所取，而先生之最後成者，曰坐隱集，其發微剖蘊，諸名公之題跋備矣，無容贊矣，獨先生曾有環翠堂集三十卷行於世，茲集中多雷同於環翠者，倘讀環翠而復讀坐隱，人必以為重出，讀坐隱而不讀環翠，人必以為浮泛，不知先生彙集坐隱，而摘取環翠，凡詩賦樂府集句之類，語關奕旨，而意屬名園者，皆竄入於坐隱集中，分閱之，不過威鳳之一羽、大烹之一臠，而合之，將窺全鳳而見全牛，正在是矣，以其集而見先生之概，故曰先生人而龍也。沈晴峯先生稱之，謂霄壤間不可無此人，則不可無此書，其知先生哉！萬曆三十七年己酉人日，奉政大夫，蕭和中著，通家友弟項昇頓首書。

明王之機跋

　　汪無如先生之著作炳朗宇宙者夥矣。如無如子贅言、人鏡陽秋、文壇列俎諸書，選鄧林之材，紏武庫之藏，次第寓月旦，取舍寄衮鉞，蓋皆以靈心妙蘊而發為讜論名言者，卓哉其不可尚也，至於奕之為道小數也，而坐隱集者不過發揮奕之理耳，其間為文若干篇而類殊，為詩若干首而體備，然篇為一意無雷同，首為一調無重出，旁引曲證，比物肖形，辭世筆墨蹊徑之中，意入風雲變幻之外，事止黑白攻守之術，妙瀉陰陽進退之機，心性互證，玄釋並參，寫光景則松風花露盡其態，揚趣致則虛亭曲榭益其清，志人物則高賈仙史標其異，闡地靈則羅浮石室著其蹟，傳幽怪則橘中穆墓張其奇，瀝瀝虖！洋洋虖！何以一事之微而廣大悉備之若是虖！無中生有，小中見大，其神通力絕似維摩丈室也，常讀維摩經，見其室不盈丈，空諸所有，舍利弗方慮牀坐不具，何以延接大眾，少時，維摩見神通力，即時佛遣三萬二千獅子坐，高廣嚴淨，來入維摩詰室，諸菩薩大弟子、釋梵四天王等昔所未見，其室廣大悉皆包容。夫室本空也，一時莊嚴牀坐犁然燦然以萬萬計，室本小也，容納四萬由旬坐具，毘離城及閻浮提、四天下而不迫迮，維摩之法力不可思議，亦至此虖？甚矣！維摩之神通見於丈室，無如之神通見於文章，蓋了悟傳心之後，而得此筆端三昧也，故覽集竟而爲之跋。萬曆戊申歲七月望日之吉，中順大夫、雲南按察使司副使，楚友人王之機頓首拜撰，社弟梅春魁頓首拜書。

（張健審查　　許惠貞標點）

轉情集二卷六冊　明費元祿撰　明萬曆間刊本　12795

明 陳 翼 飛 序

……（前闕）爲多最苦情癡，我輩之鍾情特甚，嗟乎！無學終當情死，維余不佞止竟誤生，書既同淫，酒堪作黨，狂之與嬾，逐鹿未分，瘦或勝肥，憐蚊定可，何須問漢孰大，豈曰無佛稱尊，夜雪平溪，未回五子，桃花夾岸，果賺漁郎，擗麟脯而烹白石，沃龍鮓以下青精，既洗爵而移樽，亦傾崖而倒庋，平章經史，重開雨粟之天，點綴偈言，談履散花之地，出奇文以共賞，多轉物之微詞，寶月憐華，曲或終而奏雅，鳴鐘落葉，景未逝而興嗟，擁髻泫然，臨觴涕下，牛山峴首，千載同悲，禍角蠅頭，片時立盡，斯蓋黃粱之惇史，抑亦白骨之奇觀者。其轉法華者阿誰，證菩提者在子，耕鋤如是，頗有萊妻，恭怨兩忘，偏憐庚妾，安石携伎之墅，仲長樂志之園，知子知兼，忘江湖之道術，非絲非竹，具山水之清音，家有賜書，門無俗駕，一夢江毫之五色，吞虞易以三爻，名山之藏已行，洛陽之楮更貴，吾猶惡子之多，孰旨藏公之拙，剗迺藕絲未斷，幾許龍眠，華簪將更，眞聞螳闢，不尋松子，重掘桐人，匪扣天閣，雙逢土伯，半生滅性，豈龍門之後身，九首何□〔？〕，迺蠶室而相及乎？固又續夷堅之一志，添齊諧之健談者也，威鳳無巢，閑雲尚□〔？〕，文鹿有苑，野艸仍銜，嘆司馬于同時，帝必曰見公何晚，遇子雲于旦暮，吾故謂舍我其誰矣。萬曆己未青杪，友弟陳翼飛撰并書于葛溪舟次。

明 吳 泓 讀 小 言

無學生而多情，其怨月悲花、感今追曩較余特甚。居恆誦琅邪王伯輿終當爲情死之語，涕欷欷下，蓋不待男女慕悅之私、功名淪落之際，抑何心也。頃歲病起，綺思消於折肱，憬然而悟，遂著轉情集若干篇，蓋曰，情之所鍾，匪言曷轉？吾將以燋苦之思而轉之清泠之淵已耳。余取而卒業之，大抵如鮑昭蕪城賦、右軍蘭亭記，始皆極陳其盛，終則總歸於盡，其說在竺乾氏之言矣。然而奇詞、奇事、奇意、奇理令人一唱三嘆，不自覺其意已灑然，真異書也。嘗試論之，入園、辭親友等篇，如峨眉天半雪，雖不可及，而寒光恆自映人；館宿、山行等篇，如月挂孤松、花流幽澗，見之者名利之心都盡；掃墓、話舊等篇，如丁令歸來，下視城郭人民，不勝纍纍之感；妻妾子女等篇，如出家頭陀遇其眷屬，語不及田園婚嫁事；宴客、獨酌等篇，如捕魚人誤入桃花源，見其衣冠尊俎皆不似世間；靜坐、讀書等篇，如深山道士，焚香讀易，萬物了不關其志；豪奢、青樓等篇，如三河少年，裘馬閒都，辟易都市，然而有日昃之虞；投壺、彈棊等篇，如陶弘景居官析理，而松風之夢故在；歲序、天文等篇；如久宦初歸，見桑梓廬里親戚，皆生喜想；花木禽魚等篇，如蓬闓仙家，四時花鳥，無復春秋之異；看農、灌園等篇，如蘇雲卿坐臥土銼，世味蕭然；曉行、夜泛等篇，如王摩詰登華子岡，心境澄徹；仙釋、齋放等篇，如世尊出兜羅，綿手示眾，毫光遍滿，眾皆驩喜；臥病、旅況等篇，如劉聰知當爲須彌國王，終不怕死；聞砧、鬪艸篇，如枲操參禪；新浴、清談篇，如公榮飲酒；讀後、題詞等篇，如白頭宮女說天寶遺事，語盡而淚繼之；逸老、破癡等篇，如入定老僧，不作少年狡獪，咸寄意蕭遠，陳詞慷慨，而微言醒語，愁者讀之而喜，病者讀之而瘳，貪者讀之而廉，俳剛者讀之而平，熱中者讀之不啻飲冰。夫情何物，而轉之何義？藉非越人之石、庖丁之刀，吾未見其能斷也，談何容易！雖然，讀是集者須於王母瑤池上，張洞庭之樂，焚迷迭之香，白玉爲床，珊瑚作筆，然後命夷光酌酒，鄭袖研朱，每讀一篇，奏樂一闋，終日而後已，否則如貯阿嬌於涸圍中，不幾負此集乎？客曰，集本轉情，今用此法讀之，情且益熾，奈何？答曰，子不見夫膏粱乎？貧者聞其香美，垂涎至地，至於富者稍屬厭，亟令持去，惟恐不遠，今以此法讀此集，是常有欲以歸於無也，常有而歸之無，轉情之義無餘蘊矣，斯無學命名意也。至於評辭附作，雖意各不同，而語或涉謔，均之爲茲編鼓吹，即以續轉情可也。友弟吳泫書。

明吳之鯨小序

　　無學初以詞賦發聲，著作日富，既廼萃其騷雅瑰麗之觀，而遡原於六經，至所爲家範，而道德淳泓，可詔來禩矣。頃又有山房七史體□〔埼？〕法言讀回生紀青蓮庵銘酷似陶隱居眞誥，最後有轉情集，而收穫艷於平澹，別純素於斐亹，又何委折多態也。噫！遺生而身存，忘歡而樂足，惟情深者能破除有情，亦惟情破而情癡益甚。坡公評淳于論酒德曰，以醉醒之無常，知飲酒之非我，意蕊芬結，此中何可言哉！無學禔身如明光錦，積學若波斯船，而不幸犯霜露，同馬遷之厄，梗楠之干霄有莊，而松柏之傲霜彌堅，觀轉情集，知天所爲，老其才、需其養焉，無學計者正未艾也，因戲語無學能爲人說法，方能乞食歌姬院，而張功甫窮歌舞園林豪快之趣，自然舍宅爲寺、叛命藥王姑俟之。無學又當作支那大藏貝葉千束，遍參靈山老宿矣。題數語其端。戊午試葛日，友弟吳之鯨書於小眉山。

（張健審查　　許惠貞標點）

方建元集十四卷續集一卷六冊　　明方于魯撰　　明萬曆丙午（三十四年）原刊三十六年增刊續集本　　12796

明 李 維 楨 序

　　方于魯與左司馬汪伯玉先生同里閈，畨年從之游，爲詩詩輒工，而以其餘巧治墨，墨遂名天下，尊之宮禁，遠之夷裔，得方寸如獲至寶。其取象與名皆貫三才、極萬有，出入六經百氏，典雅奇絶，方內以文章命世如司馬者，若而人賦頌歌詠，洋洋郁郁，而于魯彙之爲譜，竹帛金石俱長遠矣，卒以此誨妬府怨，幾陷不測，而司馬已謝人間，無爲振者，高下手左右袒雲雨態生死情所在，而有詆于魯墨爲虛名，而且誣及司馬。于魯家日益貧，志日益堅，不求多而求精，不務象而務實，則有今畫一墨，而妬怨之口始戢。于魯居恆嘆夫士窮而工，工豈在墨？在用墨者耳，而緒正其後先所爲詩授梓，余既卒業，而爲書報之曰，子之工墨以子之工詩及之也。人知有子之墨，而不知有子之詩，子之以墨名，以汪先生之名名之也。人浮慕子之名，而不察子之實，始而好，中而疑，晚而謗，而子之墨自如也。迄于今而謗者愧，疑者信，好者定矣，子何藉於汪先生？汪先生何私昵於子？然而疑且謗其身，幾不免者，名爲之祟也。子之詩工與墨等，而名不與，墨早著故晚出，而衆有好，無疑與謗，恨汪先生不及見子詩道之成，使汪先生而見子之詩，必爲之令名，則是集也，能無若墨之受疑、受謗乎？夫取材於古，而不以模擬傷質，緣情於今而不以率易病格，遺世之致、憤世之懷獨見偏長，而自爲一家，是則子之所爲詩而已矣，雖起汪先生於九京，安能短鶴脛以續鳧足，又安能以野鳥爲鸞、以蟾蜍爲良驥哉！蒲葵六角一操王謝之手，而直暴騰踊，人情貴耳賤目類如是，要之，可襲取一時耳，久則必敗，余惜子之詩不若子之墨知名之顯也，幸子之詩不若子之墨成名之早也，于魯其有感於余言否？萬曆丙午季秋，大泌山人李維楨本寧父撰。

明 梅 守 箕 序

自太史公謂窮愁著書，遂以詩爲能窮人。余往不然其言，固以余窮甚而未能工耶，乃余所與知交，其工者無不窮，而後證以昔聞，未嘗不自悔矣。蓋余友方建元氏少稱詩，落落有儁才，能爲沉淫之思，即率爾必獨造人所未經道語，亦以僻遠世情、生產單子，故能謝一切，而併力于文章。汪司馬宰社豐干極好之，而仲淹范古修辭，寡所許可。余童子時見其評品建元詩，則以爲獨有唐風云，建元于是益自勵，寢食茲道，不能復它事事，其人質直而薄于文致，不欲媒而游于四方，歙中地嗇而人豐，又善病，瑾戶不出，無以朝夕，司馬廉其狀曰，寧能坐而困乎？其亦且有所居以清食而濁游也者，不亦可乎？建元遂良于墨，世爭重之。先字于魯，聞于上方，而改今字也。夫知建元者知建元人，知建元詩而知建元墨也，無亦以建元墨知建元詩與其人乎？建元方逃名而之于墨，乃用譜而懸通都，一時爲之紙貴，達者知其有託云爾，建元然後少能自食。居無何，有陽與建元交而忌之者，非能忌建元才，直以建元有名當世間，其人豪于貲，卒能以貲用其豪，建元竟以是遂北遊中原、走都下，以避其不祥。是時建元詩益進，而亦日有聞，縉紳先生多有知建元者，以自適于游耳，而豪者終跡之都門，必欲關前路而阻絶之，然建元歸則窮十于昔矣，其憤邑不平之氣與佗傺無聊之懷無所之，而致之于詩，凡爲歌曲五言古騷賦若干首，一篇之中有所自寓，怨而不怒，卒歸于雅，其意固不在是人也，古昔所爲憤鬱能發其不平者，非若輩也。建元方上遵風雅，沿屈宋以游衍于兩京建安之間，與古之人爲敵國，彼么麼足吾仇哉？寔以極吾于所往，而令吾得致其思、竭其才，滋吾益矣。余往聞建元事，慨歎者久之，而詳其事，尤用奮激，今春入歙，讀建元詩，乃復賀建元不圖神情之一至于斯也，不亦窮而後工之效？與夫詩主聲者也，而情竅之而翼于風，而中有神焉，神動而風生，情感而聲應。凡建元所爲詩，余三見之矣，其先即司馬所亟稱，而仲淹所評品者也，次即縉紳先生所傳頌者也，三即今所爲者也，始則寂以隱，既則通以諧，今則深以則，要之，其風在聲先，而神以情發，足以傳矣。夫今之論詩者多矣，其評品則曰，某似某時，某似某人，夫惟其似之，是以非也。自三百篇以至唐人，不相似也，而相似也，格以代變，調以人遷，而皆不可廢者，以風神故耳。但令建元生于其世，是其所與賡和而接詠者矣，豈字比句櫛而求同哉！余窮與建元俱，而日以崇飲謝日，未嘗不惄于建元，顧與建元譚甚適，于時謝少連、方仲美羽仲、汪士能在坐，數以余言爲然。萬曆甲午春仲，宣城友弟梅守箕書。

明 屠 隆 序

詩大難矣，才不奇不超，而佚宕師心，或越于繩尺，法不比不勝，而拘攣泥古，或乏于神情，斯兩者不兼則不傳，何以故？法者所繇摽的，人代神者所爲，挹注羣靈，自古天壤共敝之業，未有不兼斯兩物者，謂詩以才而超，則有蓋代英雄不工雅詠，謂詩以法而勝，則有博古耆宿不登吟壇，斯又何說也？余嘗以詩喻神丹靈人，上眞必宿稟僊骨、名列丹臺者沖舉乃可期，不然者妄覬亡益，及其修丹，又必授訣尋師，潛凝密緯，功勤百鍊，事在九轉，而後綿而混沌、粉而虛空，跨青螭而驂赤豹，夫詩亦若是矣，駕空凌虛，賦才天邁，固已具不凡之姿，挺秀異之品，而又必游目書詩，研精風雅，討千秋于故實，稟三尺于前良，勤事于洗髓伐毛，而收功于迴陽換骨，然後龍頷得珠、牛耳摽幟矣。夫物未有不敝者，宋元人盡廢古法而匠意爲詩，稱時物，古雅蕩然，則時物敝，我明人矯之，而力返于古，其流至皮毛風雅、影響古人，格局徒存，神采都盡，則古物亦敝，達人於此，要必有妙用矣。汪伯玉司馬開白榆社新都，維時社中白眉則有建元方氏，淵穎夙生，靈哲神授，思淹中疊，玄鑒茂先，兼綜藝林，尤工詩賦，余所欽嚮建元者，在朝夕函叟，極喝于里音，而夢寐古人，寄神情于法律，時流天機，則多自得之趣，時繐宮羽，則儼先民之風，上則泝遺響于六代，下則發正聲于三唐，尊函叟而法或不盡稟函叟，人白榆而詩或不盡出白榆，苞韞瑰瑋，沉鬱蒼華，斯其爲建元氏哉！而大都自其精古凝神得之，方之道則百鍊矣，比之丹則九轉矣，而世之髦士往往欲以浮心剽氣驟而獵此物，我知其不辦也。余嘗著論，謂太保以德掩其言，弇州以言掩其德，右軍以書掩其學，建元以墨掩其才，寶建元墨者，人人而是，寶建元詩者，千百而什一，詩名未大譟，則世未有朗鑒而大賞之者，余將爲君子期，恨身非當世所尊，而口非都人所信，斯披裘公之所以呵季札、眭夸之所以哭司徒也。雖然，虎珀之精久而愈入于地，神劍之光久而彌屬于天，才如建元，烏得而闕諸？不可謂千秋萬歲無賞音人也。東海屠隆緯眞甫撰，林芝偓客書。

明林兆珂序

　　不佞雅好譚詩，暇即焚膏兀坐，取古來名家諸集，句比而字櫛之，見者謂癖，不自知其癖也。尤好締交宇內辭章家，無論及門者倒屣先驅，語輒竟日，即越在遐陬，亦託之楮先生紹介，精神猶嚮往也，以故諸辭章家亦不吐棄而暱就之，緣是竊緒論而砭頑蒙，不佞又自多其癖，咸亦多不佞之癖，而不以爲癖也。庚子夏，新都友人吳大覺見不佞於皖，握手談舊甚懽，間與指數時豪，則出方建元詩一帙以示不佞。夫建元以子墨客卿擅時名，與唐李廷珪並駕，人第知其爲子墨客卿耳，曷知有建元詩！即不佞知有建元詩，亦竊威鳳片毛以爲寶耳，曷得覯其全帙，迺今幸得之，比之櫛之，爲廢簿領者幾浹旬，其珍之也，不啻倍萬於子墨客卿矣，因念王右軍於字、顧虎頭於畫，皆翰林稱絕，崇文書目載右軍詩若干卷、顧虎頭詩若干卷，顧其集不行於世。詩爲絕技所掩，然則匪茲帙，建元幾以墨掩也，爰走使以蕪詞取大，而建元以琬章報，遂定神交。夫不佞何以闚建元之大哉？年來新都建旗鼓於吟壇者，無踰豐干社，曩見汪司馬之記豐干也，斌斌稱最盛，建元殆其前矛，云函翁以詩文爲海內士嚆矢，慎許可、嚴會盟，乃爾推轂建元，此可以知建元矣。頃又讀屠儀部緯眞之傳建元也，爲之擊節者再四，昔司馬子長足跡徧天下，而卒困於蠶室，游道廣窮愁，備筆而爲史，成百代名言，建元歷巴蜀荊楚，下吳越，渡淮泗，抵燕趙，游道不狹矣，往又罹讒鋒、中機矢，先世所積黃金且盡散於意氣，至託跡子墨客卿以供俛仰，可不謂窮愁乎？以故聲之於詩，多慷慨不平之氣、沉鬱無聊之思，然怨而不怒、豪而不粗、新而不詭、俊而不媚，本情以役才，何才不瞻？由才以運情，何情不抒？固宜登作者場，而重有當於吾癖也，異日者墨且以詩重耶？雖然，余猶未知建元之所從稅駕也，即今所睹，庸詎知非威鳳之片毛。漫序之以示同好者。莆中林兆珂孟鳴甫。

（張健審查　　許惠貞標點）

————————

吳敏小草十卷學古緒言二十五卷二十冊　明婁堅撰　明崇禎三年嘉定知縣謝三賓刊清康熙甲戌（三十三年）陸廷燦修補嘉定四君集本　　12797

清 宋 犖 序

　　嘉定四君集者，唐叔達時升、婁子柔堅、程孟陽嘉□、李長蘅流芳所□□□□也，或亦稱□□□□□四君各有集，明崇禎初，邑令四明謝君爲槧板行，未幾遭亂，板亦燬，後五十年，陸生扶照慨然表章，其已燬者刻之，闕者補之，朽蠹者新之，而四君集復完。予覽唐宋史所載藝文志，每歎前人劌鉥心目以自蘄於不朽者，以千百數，其人各已哀然成集，而史家又取其立言之工者，臚其篇目，列之簡冊，宜乎可以傳已，而以今日所見求之，十不存一。意其人品有優劣、學問有大小深淺，故行之有遠有不遠與！而其不幸銷磨於兵燹、朽蝕於蛛煤蟲蠹者，蓋亦不少矣。然則陸生之於四君，非其甚幸者與！四君生平見虞山錢宗伯所爲列朝詩傳，大概卓然名家，能自拔於流俗者。嘉定爲吳下邑，濱海而襟江，地多老師宿儒，崇尚古學，不僅如它邑肇帨纂組，沾沾爲舉子家言者。然自四君之盛，距今垂百年，其風流文采，未有能繼之者，四君洵可傳已。四君之中，李最先逝，年僅五十有五，三君皆八十餘，當時號練川三老。錢宗伯傳稱其暇日整巾拂撰，杖履連袂笑談，與之遊處者，咸以爲先民故老，不知其爲今人也。因叙其集，嘅焉神往者久之。陸生名廷燦，扶照其字，嘉定之南翔人。康熙甲戌臘月，商丘宋犖序。

清 錢 謙 益 原 敘

　　嘉定四君集者，嘉定令四明謝君所刻唐叔達、婁子柔、程孟陽、李長衡之詩文也。嘉靖之季，吾吳王司寇以文章自豪，祖漢彌唐，傾動海內，而崑山歸熙甫昌言排之，所謂一二妄庸人爲之巨子者也。當司寇貴盛之時，其頤氣涕唾，足以浮沉天下士。熙甫窮老始得一第，又且前死，其名氏幾爲所抑沒。二十年來，司寇之聲華煇赫，爛熳卷帙者，霜降水涸，索然不見其所有；而熙甫之文，乃始有聞於世。以此知文章之眞僞，終不可掩，而士之貴有以自信也。熙甫既没，其高第弟子多在嘉定，猶能守其師說，講誦於荒江寂寞之濱。四君生於其鄉，熟聞其師友緒論，相與服習而論討之，如唐如婁，蓋嘗及司寇之門，而親炙其聲華矣。其學問之指歸，則確乎不可拔。有如宋人之瓣香於南豐者。熙甫之流風遺書，久而彌著，則四君之力不可誣也。四君之爲詩文，大放厥詞，各自己出，不必盡規模熙甫。然其師承議論，則經經緯史爲根柢，以文從字順爲體要，出車合轍，則固相與共之。古學之湮廢久矣，向者剽賊竄竊之病，人皆知訾笑之。而學者之冥趨倒行，則愈變而愈下。譬諸懲塗車芻靈之僞，而遂眞爲罔兩鬼魅也。其又可乎？居今之世，誠欲箴砭俗學，原本雅故，溯熙甫而上之，以蘄至於古之立言者，則四君之集，其亦中流之一壺也矣。嘉定僻在海隅，風氣完塞。四君讀書談道，後先接跡。補衣蔬食，有衡門泌水之風。史稱楊子雲不汲汲於富貴，不戚戚於貧賤，不脩廉隅以徼名當世，蓋庶幾近之。夫文章之道，蘄於徵古人而信後世，則固非誘於勢利、望其速成者，可徼幸而幾及也。讀斯集者，尚亦深思其人，而夷考其志行也哉！謝君刻既成，以余獲奉教於諸君也，俾爲其序。吾觀歐陽公稱和凝有文集百餘卷，自鏤版以行於世，識者非之。古人重立言而薄取名，其用意深遠如此。今四君之集久閼於篋衍，而謝爲刻之，以行於世，可謂相與以有成矣，斯亦可書也。

明謝三賓原序

天下萬事，不可違時，而文章獨不可去古。今日文章之惑，莫大於以科舉之作爲時文，而其餘記序碑銘之類，輒居然自處於古。夫晁董公孫之對，當時所謂科舉之文也，不謂之古文，可乎？今之集家，輒居然自處於古者，謂之古文，可乎？在宋天聖間，學者務以言語摘裂，號稱時文，以相夸尚，獨尹師魯、蘇子美、穆伯長之徒學爲古文，匪學其辭，學其道焉耳。春秋未嘗學詩書，詩書未嘗學易，而六經之道未始不同歸，其斯以爲萬世古文之宗也歟！太史公史記學六經而爲之者也，韓氏學史遷者也，歐陽氏學韓氏者也，今其書具在，豈嘗句句而摹之、字字而襲之也哉！亦學其道焉耳。故曰，學古有獲，如徒以其詞而已矣，雖甚與之肖，何獲之與有！嗟乎！求古學於今之世，吾未嘗多見其人焉。子柔婁先生，其學本原歐陽氏、韓氏，由史遷以溯六經，其詩文渟蓄淵雅，無雕繪襞積之陋，無縱橫怒號之習，藹如也，其與人平以恕，其持身簡以廉，吳人知與不知，咸謂之曰婁先生。自其門弟子，以至交友姻戚，泛及兒童婦女無異詞。予承乏宰嘉定，與之交，有飲醇之味，察其行異於澹臺子羽者尠矣，信乎眞能學古者也，匪學其詞、學其道焉者也。爲刻其詩文吳猷小草十卷、學古緒言二十五卷，以視世之文多道寡而自附於古文詞者。乃若編纘讐勘，則其徒馬生元調巽甫之勳居多。崇禎三年春三月，勾章謝三賓序。

（陳錦釗審查　　許惠貞標點）

鄴下草二十卷六冊　明蕭譽撰　明萬曆間楚黃蕭氏家刊本　12800

明來斯行敍

　　詩三百篇，不及吳楚，或以其僭王置之。然燕蔡邾莒未聞改物，而歌咏闕如。廼知跡熄詩亡，責在遺軼，非關名號也。迨乎懷襄，屈宋崛起，瑰奇廣肆，遂與風雅暉映。豈斯文靈秘，晦顯有時！不然，唯楚有才，左史諸賢，寧乏騷人之致，而不得與溱洧宛丘爭鳴一時乎？自時厥後，南風日競，詞壇載書，楚執牲耳，蓋□〔至？〕變多雲，先生而彌圖其宗焉。先生羈旅宦游，幾遍寰宇，題咏贈答，盈筐積篋，標署所定，隨地異名，其在兩河所褒者，則摠題曰鄴下矣。夫以先生品格超曠，萬卷奧區，恣筆揮灑，凌厲古昔，而山川景物，實多所引助。故其在鄉，則瀟湘雲夢博其趣；在燕，則漁陽易水壯其懷；在鄴，則太行漳河魏晉遺蹤，益足以寄其馮吊而增其感慨。俯仰之間，若揖讓陳思而比肩公幹焉者，假今建安諸子而在，猶將虛左而孫席焉。而矧在今風騷衰替之日哉！今之作者雅言漢魏，字畫句摹，談笑孫敖，神理耗矣，其有喜自振拔者，習爲刻削險怪，睥睨一世，而元和淺格，三復厭棄，視先生醞釀弘深、體裁備具、吐納宮商、陶冶載籍，勝劣何如也！且先生于鄴，僅寄一冷署耳，而高名鬱起，海內伏膺，即楚多作者，靡不以蚤弧相讓，而今則簪筆持槖贊佐廟堂，黼黻之業，益以光大。楚之雄風，將先生其振揚之，回視鄴下，有同陳檜，烏足以盡先生也。行不佞，以筆札見知先生，而亦步亦趨，瞠乎若後。讀斯集也，蓋私附鄭氏之箋毛，敢曰游夏之贊孔哉！辛亥孟冬日，門下士西陵來斯行頓首謹書于長安僑舍。

明蕭斯和跋

　　蕭斯和曰，曩家君居鄴日，唯操觚染翰無虛晷，然多所隨索隨應，不遑削藁，其自感懷題咏，又往往爲嗜慕者所取去不盡還，而存董十半，家君第敝帚視

之耳。無何，聲馳藝苑，二三同調，至欲享以千金，間有刻傳，不無訛舛。且遊
梁于澗之役，皆居鄴時事，類得編次，和是用偕吾兄收輯，合鄴下諸賢故校若干
卷梓之，豈惟其寄身游思，差足覽觀，而是時翰墨爲勛，略徵汗簡矣。其四六代
斷，無慮數什百篇，茲不入以俟別鐫。卷凡二十，與燕中草並傳，蓋續藁後第四
刻也。小子和敢識諸末簡。

（陳錦釗審查　　許惠貞標點）

吹劍集六卷三冊　明吳士鴻撰　明萬曆間句餘吳氏原刊本　12801

明王雲龍序

　　余釋褐而知吳生，生時齡方鼎盛，藝文奇邁驚人，作爲古文辭，超超已有特
致，不屑爲西京以後語矣。其擘畫世務，如賈長沙之通達，包羅今古，而心邃
然，自有特詣，固用世才也。爾乃浮沈不偶，脫略功名，遂益肆力於古而就其今
之所爲文矣。高泊蒼天，深入重淵，而彝鼎之色，爛焉一律。至貫理道、切事
情，又非沾沾托之空言，燁若春華而無俾實用者，精沈超朗之致，固有似乎其爲
人矣。彙付剞劂，而以吹劍名編。夫吹劍者，無聲者也。生文具在，當世名碩，
尤不少器生，而題之以無聲，此其志亦足悁矣。嗟夫！扶輿之氣最英淑者，爲文
即如生，終湮淪乎？其獨握靈蛇之契，行且不朽，有非映而已矣者，吹劍云乎
哉！賜進士第、奉直大夫、吏部文選司員外郎，上黨王雲龍撰。

（陳錦釗審查　　許惠貞標點）

滄漚集八卷八冊　明張重華撰　明萬曆間華亭張氏原刊本　12803

明張位刻敍

　　昔余司南雍，都人士雅稱三吳有虞侯張生者。比歲，家弟儼入吳，叩生廬，
益熟其深也。生廼宮保莊懿公之孫，爲人慷慨忠亮，有大節，能麾千金，能友千
古。甫八歲，嘗大書壁間，語指高，其大父封觀察磊塘公大奇，愛之。稍長，爲
名諸生，聲翔海內。家藏書克棟，悉硃圈靛點，糜糜欲爛，墨蹟碑文，手臨摹殆

盡。家弟嘗目覩，心醉之，喻太守邦相治松歸來，亦爲余道及居恒所著詩文蓋百
卷，先梓八卷，名曰滄漚集。辛卯春，雲間沈生孺休來豫章，虞侯削牘丐余序，
余時苦居，未能應。夏五月，書再至，勉題數語云。滄海大矣，名山大塊浮其
中，不啻一芥，況漚則瞬息可謝，虞侯奚取焉。夫人生五濁易消，六龍不駐，所
不謝者，自有上乘也，次則寄之乎文章。虞侯漚視諸種，獨存是編，以遞不朽，
豈直西京、天寶，豔稱連城，其識趣高卓，如海若馭風，非塵凡儔輩哉！虞侯誠
不以一時棄千秋，余尚與面訂之，共蒐其最上者，何如。豫章洪陽居士張位譔，
山東友弟熊傑書。

明姜寶序

　　雲間有張生虞侯者，予丙午同舉觀察受所丈從子也。忽一日，枉翰使山中，
持所著滄漚集請爲序。開械讀其文，則言言欲奇，其詩則首首欲出塵清新也。就
所著蓋自可成名於當世，何取於予言，乃余言抑又何以能爲生重歟！雖然，生來
意殷殷，厚不可虛，請有以告夫今之作者患無才，才患無法。有才而得其法矣，
又患無本。本者文之精，種種心思議論，從蝸甲枯枝、珠絲碧落中來，開天闢
地，亙古徹今，人所不能道，道之超然倫類，首傑出卓然天壤間，可以不朽而常
存，是則所謂不朽而立言焉。嘗求之海，海有驪龍，龍有珠，批逆鱗、探頷下，
能得此足以照千乘而稱連城，此不世之奇寶也。生文能似此，則其所就，非所謂
探得驪珠歟！他時倘更成集，即謂之海珠集，亦可漚云乎哉！古曲阿鳳凰山人姜
寶廷善譔，西蜀門生張文運書。

（陳錦釧審查　　許惠貞標點）

岱宗小稿十六卷二册　明楊夢袞撰　明萬曆間刊本　12804

明胡尚英序

　　龍光氏小藥梓成，出以示余，爲之觀十九友傳，曰，美哉！昔退之傳毛穎，
以文爲戲。今摹之而奇險，卓越一時，其滑稽之雄乎？爲之觀雜著，曰，美哉！
說理類宋，清言類晉，名儒之舌，辯士之鋒，可謂兼之。爲之觀讀史，曰，美
哉！詞嚴義正，董史倚相筆也。爲之觀書畫跋，曰，美哉！異物森羅，筆走龍

蛇。爲之觀同袍約，曰，美哉！左規矩，右繩尺，言言藥石也。爲之觀法語，曰，美哉！深於人情世故，咫尺玄門，片言千古。爲之觀清言，曰，美哉！雋而逸，辯而裁，霏霏玉屑，揮塵得此，清風生矣。爲之觀漫語，曰，美哉！山川形勝，競秀爭奇，持之可稱臥游矣。爲之觀清福清史，曰，美哉！此造物之所最慳者，適境賞心，福未可量也。爲之觀山居纂，曰，美哉！飄搖神遊物外，儵儵乎歸矣。信能行此，眞山中宰相也。龍光曰，君言美矣盡矣！爽以快矣！是所謂哀家梨，而吾書則橄欖也。余曰，何哉？公所謂橄欖者，得非無味之味耶？夫澹然於聲華之表，發爲聲欬，語語煙霞，無味之味，乃至味也。龍光曰，不然。橄欖爲物，入口甚澀，昔人目曰諫果，批鱗伏蒲者似之，此小刻所由名也。噫！余知之矣。出世須是澹心，持世須是苦口，然非澹心人必不能作苦口語。不澹求苦，是猶濃粧之婦，責以冰心玉節，萬無此理。唯是澹與苦合，而天下之甘芳醞焉。則橄欖之謂乎？余首肯，不復能贊一辭矣。年弟超凡氏胡尚英拜撰。

明 楊 夢 袞 自 序

　　昔人有當其少而遇其君之好老，及其老而遇其君之好少者，遂終身不遇，余頗似之。余壯年頗有意於用世，而造物故困之以措大，及其老也，衰颯極矣，幸得一官，讀中秘書，曰，此足以優游卒歲矣。而當事者堅欲困之以省垣。噫！愛經濟則得山林，愛山林則得經濟，是與少而遇好老、老而遇好少者，何以異乎？當余壯年不遇之時，柴扉晝掩，人跡不及，終歲如坐深山中，每以筆墨寄無用之精神，是以有種種小藥，假令蚤遇於時，必不及此。嗚呼！人之有文，人之言也。昔之有言，期以動主司，而主司吐棄之；今之有言，期以動主上，而主上吐棄之。然則余言將終身齟齬而無膾炙人口之日也。橄欖哉！橄欖哉！長白山人龍光氏漫題。

（陳錦釗審查　　許惠貞標點）

文南趙先生三餘館集十二卷八冊　明趙重道撰　明萬曆丙辰（四十四年）荊溪趙氏家刊本　　12805

明 周 道 登 序

國家以經術取士，士白首一經，視兩漢六朝盛唐之業，不啻越之章甫，其結
軫登壇，大都青雲之士，賈其餘勇，勤思不朽，未有帖括風雅，兩攻而不相奪
者，蓋專詣易、兼長難也。吾邑文南趙先生，挺抱異質，博極羣書，餼廩學宮，
聲名籍甚，其所結撰，自制舉而外，日力苦短，豈能一意據槁梧而吟，以攻所謂
章甫之業！而先生之古文詞顧益進，若兩漢、若六朝、若盛唐，未嘗斤斤焉字櫛
句比，如胡寬之營新豐，而意游象外，景傅毫端，寫所自得，蓋組繡錯而圭璋燦
也。如先生才僅僅以老明經為弟子師，見謂詘於遇，然駘蕩之致沉，而先生亦往
矣。先生從弟封公衷先生集付諸梓，而屬不佞以序。夫先生王父以南宮第一，典
刑後學，經藝古文，至今膾炙人口。先生遇合稍不逮，不忝繩武矣。封公有子競
爽，而諸孫彬彬皆國器，則所以鼓吹休明、藻繢皇業者，固有在也。邑衍前休，
恢閎後緒，不佞以是集為中權矣。丙辰秋月，邑人周道登書。

明趙士許序

予髮未燥，家伯父外史氏已聲傾朝野，歷宦且歸休矣。每從家文林後側聞其
緒論，上下今古，吞吐珠璣，不啻五車富而三峽流也。天挺異才，僅以青氈老文
章，豈無定價耶！雖然，宇宙三不朽業，有一於此，即可傳世，外史所遜特一
第，讀書談道，饒有著述，海內名公傑士，半屬桃李，每一矢口落筆，無不什襲
珍藏，永為世寶。又何必陟華臞、鑄鐘鼎之為不朽哉！予家自曾伯祖氏首掇南宮
以還，代有聞人，文章事業，庶幾冠冕昭代。而外史世其家學，後先暉暎，他不
具論，即是集也，琳琅滿紙，諸體畢備，誦之斐然，而測之淵然，在外史不過九
鼎一臠，而讀者已驚怖其言如河漢矣。獨奈坎壈一生，家徒壁立，即蕭然環堵，
歌咏不絕，而盈箱滿架，祇供韞藏。嗟乎！迨捐館數年，伊嗣始出其遺稿以示文
林，而文林遂欣然為之詮次，而授之梓。文林與外史固從昆弟也，友愛素善，臭
味略同。外史嗜古，而家文林亦嗜古；外史喜著述，而家文林亦喜著述。優游丘
壑，書史自娛，業有就，間稿行世，而于宗人著作，尤加意特甚，以故家乘及半
江、漁庵諸集，無不手自刪訂，而斯集尤不靳數十金以付剞劂。蓋其好也，能自
為不朽，又能使人藉以不朽，表章之功，不既多乎？許不肖，文質無所底，雖濫
竊登朝，而不朽之業，有志未逮，反不若淹蹇青氈，猶堪立言垂世也。繩武無
能，吾自媿吾拙矣。三餘集刻成，適從家間寄示，捧讀喜躍，聊為識之簡端。時
萬曆丙辰秋仲，猶子士許書於白門官舍。

————————————

白雲巢集二十四卷十册　明邢大道撰　明萬曆丁巳（四十五年）洪洞邢氏刊本
12806

明張銓敘

　　余丙午之秋，與客游霍山廣勝寺，寺在峯頂萬松中，其下一泉，清冷沁人，可鑑鬚髮。泉外有亭翼然，脩竹蔭映，蔓草蒙茸，內遺文斷碣，幾盈四壁。總之，發抒性靈、曲盡山川之致。惟西隅一石，更屬賞心。詢之，爲少鶴山人詩。山人家姑射山，讀書譚道，隱采弗仕。遂同客物色之，戒期相晤，則一痀瘻丈人也。見其首與几齊，足不及地，俛仰頗不類常人。客不覺胡盧而笑。余解之曰，昔子高見齊王，王問誰可臨淄宰。稱管穆焉。王曰，穆短陋，民不敬。答曰，王聞晏子、趙文子乎？晏子長不過三尺，齊國上下，莫不宗焉。趙文子其身如不勝衣，其言如不出口，其相晉國，晉國以寧，諸侯敬服。臣嘗行臨淄，見屠商焉，身修八尺，鬚髯如戟，市之男女未有敬之者。有德無德故也。王于是以管穆爲臨淄宰。且自昔帝堯長，帝舜短；文王長，周公短；仲尼長，子貢短；葉公子高微小短瘠。然白公之亂也，子高入據楚，誅白公，定楚國，如反手耳。以山人之抱奇蘊藻，諷詠先王，搜羅墳典，倘縮尺一之符，必有可見者，山人掉臂不顧也。嘗觀廣延國人長二尺，陀移國人長三尺，僬僥國人長一尺六寸，迎風則偃，背風則伏。螻蛄國人如螻蛄，手撮之，滿手得二十枚，海鵠國人長七寸，行如飛，百物不敢犯，惟遇鵠吞之，在鵠腹中不死，壽三百歲。今以山人方之，不魁然一大物哉！坐客爲之鼓掌。因出其笥中之秘，縱觀之，大都近情而離深僻，經雅而脫凡庸，朗逸而渺聞遠，飛動而刲輕浮。會景寫神，自成局韻，駸駸乎大雅矣！不然，徒以皮相，則九尺四寸之曹交，果優于晏、趙諸子否也？祇貽賣柑者之誚耳。五鹿山人張銓撰。

————————————

程仲權先生集二十六卷四册　明程可中撰　明新都程氏家刊本　12809

明董復亨敍

　　凡學求似于弗似，弗是雖然似之，而亦弗是也。夫學又各自有眞也，眞者人之精神血脈也，似者人之面目皮膚也。學之而似，是舍己之精神血脈，而借人之面目，襲人之皮膚也。烏乎眞？弗眞弗足以爲是，詩道更甚。三百篇者，三百篇詩人各自寫其精神血脈之所注嚮也。漢魏似三百篇乎？六朝似漢魏乎？唐似六朝乎？即唐人中青蓮、拾遺、長吉、樂天、文房、子厚各相似乎？不似也。不似，所以爲眞詩。近代之爲詩者，學三百似三百，學漢魏似漢魏，學唐諸家似唐諸家。夫似曷嘗非詩？然而非詩之眞也，無論學步、效顰，祇益之醜。即優孟之爲叔敖、胡寬之營新豐，然是眞叔敖否？眞新豐否？故曰，弗似弗是似之而又弗是也。程仲權，新安詩人也，其爲詩近三十年，余嘗取其詩一寓目，索之唐弗似矣，索之六朝弗似矣，索之漢魏弗似矣。肖題已耳，不挨別門蹊徑；寫情已耳，不共古人生活。沈痛而不必爲俊亮之響，辨博而不必爲譎怪之調，綿密而不必爲枝寂之思，的確而不必爲形似之語。以行役詩者，則仲權行役之詩也；以贈答詩者，則仲權贈答之詩也；以寺觀詩者，則仲權寺觀之詩也；以狹斜詩者，則仲權狹斜之詩也。可莊可狎、可澹可濃、可近可遠、可大可小、而不可令似古人一語，即古人亦欲似仲權一語不可。余謂此仲權之詩，仲權之眞精神血脈也，詩之眞也，世之爲詩者，猶其面目皮膚也。夫面目皮膚又何足言詩？非不足言詩，不足言詩之眞也。余友顧太史嘗與余論史，謂太史公列傳每於人紕漏處刻劃不肯休，蓋紕漏處即本人之精神血脈，所以別於諸人也。余歎謂知言。噫！知史則知詩，知太史公之所以爲史，則知仲權之所以爲詩。河朔友人董復亨。

　　　　　　　　　　　　　　　　　　　　　　　　（陳錦釗審查　　許惠貞標點）

────────────

絡緯吟十二卷四冊　　明徐媛女士撰　　明萬曆癸丑（四十一年）吳郡范氏刊本
12811

明范允臨小引

　　絡緯吟者，余細君徐所作也。細君生而孱，幼善病，病輒稱劇，顧性頗多慧，剪綵刺繡，不習而能。父母絶憐愛之，不欲苦以書史鉛槧之務，曰，是笄髢者，習爲婦耳。豈欲操不律應秀才童子科，博青紫榮者耶？少長，間從女師受書，輒以病廢，經年無幾月親筆札。一片紫硯，幾成石田矣。笄而從余，余時爲諸生，雖屈首公車乎，然間以吟詠自喜。細君從旁觀焉，心竊好之，弗能也。迨余舉賢書，偕計吏上春官，而細君間居寥寂，無所事事，漫取唐人韻語讀之，時一倣效，呫唔短章，遂能成詠，父母見而憐之，輒稱善。乃雅不欲示人，藏之篋笥。余歸而碎錦滿奚囊矣。余曰，何不遂成之？從此汎濫詩書，上探漢魏六朝，下及唐之初盛。已而直溯三百篇根源，遂逮楚之騷賦，幡然作曰，詩在是乎？然又不能竟讀，不數行，頭爲岑岑，執卷就臥，思之移時，似有所醒，於書不能記憶，亦不求甚解，而多所悟入，如禪宗之不以漸以頓也。顧獨不喜子美，而私心嚮往長吉，曰，子美雖號稱大家，乃中多俚俗語，初學效之，不免入學究一路。長吉雖鬼才，然怪怪奇奇，語多自創。深求之，上不失漢魏六朝，而淺摹之，下亦不落中晚，豈至庸鄙開宋人門戶耶？吾寧伐山而斧缺，毋牙慧而饘飣。故其爲詩，多師心獨造，無所沿襲，即一字經人口吻，輒棄去弗用，或時涉生澀，於文理有所疎謬弗顧，間吐一語，雖耳目創驚，而暗諧古調，譬之天籟自鳴、音響成韻。又如田夫里姥作勞相和，輒中聲律。豈敢謂擊轅之歌，有應風雅！然無絃動操，無孔度曲，壹似有夙因者焉。或誚之曰，女子不事櫛縰衿纓，篋管線繢，而顧操弄柔翰，吟詠景光，棄而蘋藻，毋乃非訓乎？余曰，若然，則古曹大家漢史，班婕妤紈扇詞，徐賢妃諫疏，盡成罪案。而所稱姬姜太姒、文母伯姬，必目不識一丁者耶？然則葛覃、卷耳諸篇，又何以流傳至今也？細君曰，不然，余少而多幽憂之疾，父母雖不欲困以詩書，而深慕古賢姬名媛，英敏明慧，似不欲余作憒憒人。余竊窺父母志而思成之，不幸失我怙恃，遭家不造，哀思無所寄，故託之篇什自陶，以抒寫其抑鬱無聊耳，豈眞欲學古之人彤管流芳者耶！且余性不敏，不能十日織一縑，五日織一素，以佩帨獻蔬，及事我姑嫜，而聊效噓風抱葉，作絡緯悲吟，以自比於織婦機杼，徐吾燭影，庶幾哉藉口季氏之婦，而解免於山上蘼蕪乎？余曰，有是哉！余細君得以鉛槧代機杼，幸不爲東海嬾魚燈矣。乃葺其稿，付之剞劂，以無忘敝帚，而顏之曰絡緯吟，識所志也。萬曆癸丑冬之日，吳郡范允臨長倩氏書於蒼璧齋中。

明 董 斯 張 序

　　有謂閨閫之間，不設文字，耳食哉！紈扇香茗而下，蜚聲鉛素幾何人。然後來者，其學多不月而日，縱然脂弄墨粲，可奪七襄，睫未踰軒戶，詞未離粉澤，求其研精博思，訪闕文而采逸記，什罔一。至捌爲獨解之語，鳴節竦韻，非阡非陌，百罔一。遂使稍具鬚眉老縱橫壁壘，如蛟之奮、蠹之躍，帷房人囁嚅而無敢進，盡覺軍中之鼓不揚，眞足令雙蛾短氣，則余獨河漢於范夫人詩。夫人生於吳氏，徐實維太僕公首女，吾姑之自出也。翳歸長倩范先生，范先生香名滿人耳，叡心遠暢，符采朗澈，藝林兢尊之爲彝鼎。鄉與余論詩，取材六代，溯源黃初，以視季葉操觚家少當者。顧夫人詩一出，輒彌日嗟賞，謂非復人巧可及。夫人少受內則諸書，一往參詣，便足明通。吾家大宗伯以爲金聲，吾家小宗伯以爲玉亮，吾姑暨太僕公尤絕憐之。歸夫子，於書益無所不窺，盈天下閫錄奇草，過眼盡可彊識。慨然而歎，煆鍊神明，佛聖立致，況聲詩童子技，獨無牛耳我曹乎！於是始治詩。其於詩也，絕不喜唐以後言，凡爲五七言近體者五之一，爲五七言絕者五之三，其氣局神澤，微開元諸名家，弗師也。爲樂府，爲五言古，爲七言歌行者，亦五之三，則獨規摩於長吉王孫賀。賀之爲詩也，吏部束帶於鞅掌，梵天索記於玉樓，杜京兆以爲騷之苗裔，迺微惜其理不及騷，其說小有利鈍。而夫人雅癖嗜之，斷以爲天地間必不可無之。觀長吉政不必不死，即不死，不能少加於理，即奴僕騷可也。史而宋，佻而勝國，膚而長慶二家，卑而晚，文不經奇，何以垂後？吾寧之綺勿史，寧之森勿佻，寧之棘而峻。勿之膚而卑，寧滅景而泛駕，勿齷齪而隨人。轅下恒有所造，焚香宴、坐窮想者，竟日夕囊括區宇，飛走湖海，電奔而鬼騰，形嗒然如欲廢，不縱神于俗所不經之域不自休。羣婢子言夫人體故羸，未任勞苦，日者藥竈未冷煙，是區區者而敝精乃爾耶！夫人顧笑弗之應也，益精治詩不衰。其爲絕也，蓋賢乎其爲近體也；其爲樂府古歌行也，蓋賢乎其爲絕也。迺其爲長吉也，更賢乎其爲開元諸家也。今二十年篋中所鳩者具在，鏃鏃無能不新，楚語人涕，恨語人黯，快語人舞，韻語人香，幽語人寒。雄語人爲之膽張，逸語人爲之肉飛，誕語人荒忽乎無以自持。千詭萬變，環焉無倪。竭夸父所未能逐，泰豆所未能馭。譬之星宿河湟、崩潮飛瀑，曾不得正目視。而太白蓮華踞雪中雲半，人罕攬而登焉。亦異矣哉！抑李氏姊語長吉恒從一奚奴騎驢負古錦囊，遇有得，即書投囊中，及莫歸，非大醉必疊紙足成之，其矜茜寶艷率如是。而吾姊范夫人隨其夫子宦游四垂，而石城，而蕪陰，吊古中宵，酸風射眸，觸境成詠，鬱爲名作。最其後萬里入滇，溯大江而道黔，巫滇山水，爲西南險絕，金馬碧雞，陳蹤宛在，極波濤之所匌，磕煙雲之所吐，欱神鬼之所翕闢，猿鳥之所斷滅，無不從翠幰中領略其喬詭瑰瑋、可駭可怡之概，而出之爲驚人，鳴其所得，較驢背果何若。以故長吉所有者，可以窮一世，而不足窮夫人。越而尋之諸名家所有者，又可以窮長吉，而夫人亦不爲之窮。藉令當世名彥，劌心刻腎，何能擴夫人牙後慧？即材或相逮，而俗腸膠擾中，故未易辦此。嗟乎！古來閨秀代不乏，大率鮮得其柀，雖飛絮謝庭，猶未能忘恨於天壤，青霞齎意，識者撫心，維淑與嘉，庶膺此選。以長倩雄才，故自兄嘉，迺夫人亦何至娣淑，千載兩徐，譽浹無垠，夫非窮古快事邪？夫人每春秋後日，不作組紃，斯時也，一室之內，荀香何粉，相敬如賓。或迴文酬唱，揚扢今古；或亮月半天，川巖在覽；或名花照檻，節序關心。每拈一題，夫子輒疾書之，流出人間，高下傳寫，慮無不各有一通也者，奚必借響於高名之士，乃足振哉？而涼涼焉問叙於不譚不諡間者，此胡然非第能詩？人不得索解，人亦不得解之者。隴西董斯張也，能叙者也。董生者，夫人中表弟也。得叙者也，迺是刻也，長倩實力彊之，故非吾姊意也。隴西董斯張遝周書。

明　徐　洌　題辭

絡緯吟，余姊范夫人作也。志絡緯以彤管，不忘組紃也。試卒讀之，而非組紃間語也。蔚然者與采，鏗然者與音，突兀然者與骨。寧創而異，毋勦而腐。固已謝玉臺之靡響，粲錦囊之奇句。即今之號稱名家，度不能驅乘而先鞭矣。吾吳文士衰落，獨姊與趙大姑相賡倡，駸駸作者，豈一時清淑之氣不在冠弁，而在笄褘耶？余因稱曰，夫笄褘何必遜冠弁也。詩歌神物，巧潚心靈，當意所自得，造物不能與謀。或冠弁而靡，或笄褘而振，要以巧予天、專予習。專而奪巧，而神化莫之或知也。曹子桓稱，文章經國大業，不朽盛事。而楊子雲至薄雕蟲小技，壯夫不爲。子桓父子，梟雄命世，爝國鼎而食之不屬，迺猶津津此道，橫槊不忘。子雲玄亭闃寂，鑽厲窮年，刳腸濡首，顧反薄之。夫豈欺我洵中有鬱勃，不得已而托焉者也！大都文人之志，牢籠天地、彈壓山川，惟其所揮斥欲爲。而間或牢騷詘抑，抒情寫態，如千丈之瀑，騰空而噴薄，遇隘而激射，直障遏之不得，故文不期工而自工。今夫深閨之彥，饒丈夫奇概，不能踔厲風雲，第以帷房數尺地，當寰中五嶽，海外十洲，而三寸弱管爲芒屩，躡幽窮仄、下上今古，忽割然天高地迥之表，奇藻絡繹，庸詎不烈于鬚眉，其肯以鉛華涊涊乎哉？吾姊沉嘿貞靜，志操不減桓少君，而才識殆過阮新婦，祇哀蓼莪，傷陟岵，感憤憂，思勃無所發，迺發諸長吟短咏，而間廣其篇什，是亦以薄之不爲者，姑爲之于有所托，倘猥與班姬左嬪輩並舉，而爭葩競藻，猶之淺窺吾姊矣。姊斂容曰，子惡乎言操觚非女子事？余蓋無心而游戲者耳。且余既奉白業，是綺語障，將毋爲瞿曇氏所訶，梓非余意也，夫以志余過可也。弟洌仲容甫題。

（陳錦釗審查　　許惠貞標點）

立承草一卷一冊　明丁元公撰　舊鈔本　12813

明姚士粦題辭

　　余昔曾蹄濯餘不，溪痕時憶，窓含市亭山色，沈織簾肯分剩業，孔敬康巧作比隣，人特愧姚合無詩，交幸託姜肱有被。嗟此年當二十時，忽便乖違四十載。偶過海上，恰遇原躬，名自副濟陽高流，家亦近丁山壩水，靜知深乎寬易，夢能染爲固松挽，詫有神波醼北海句，言寧怪格跳西昆。影伴何勞僮僕親，意得惟憑友生會，淡嫌月借雲生彩，清罵秋因風寫聲，獨往獨來，亦玄亦定，胸不令功名富貴入想，身宜聽東西南北呼人，草既夢題，只應自解耳。海鹽友弟姚士粦叔祥題。

明丁元公序

　　我者些畫兒，雖則不成文理，每於寫欵時，都要我再書上幾句，我也只得強應一番，總則是不由古路的。從後來因見物類，自家也便要好戲兒寫成了幾句，惟于靜坐時，或睡夢時，常有摩訶詩文，盡是思議不出的，與友談笑時，也暫憶得一兩句，前前後後，括量二十餘紙，相知數友見及，則或笑或欵，或訝或規，以唐學等種種，唯要我對本臨摹碌碌，學做個有名兒去逼古麼。我今者副病骨，既已無用底了，何力又能者搭罅兒裏單單擾擾，到不如將此數紙出去，在人前博個笑欵訝規，再道句丁子不在畫、亦不在詩者，還相我慣唱三江曲兒底面孔些些。原躬子自題。

（陳錦釗審查　　許惠貞標點）

四六雕蟲三十一卷十冊　明馬朴撰　明萬曆戊申（三十六年）原刊本　12814

明李維楨序

今滇憲副馬敦若爲文莊先生諸孫，弱冠即以文學爲關西舉首，兩出守州，一守郡，皆用循良高第顯。此編其所爲四六之文也，四六之文，做於六朝，而唐因之。或者偏取宋人合作，其在今人，更有難於古者。六朝與唐，多以四六字爲句，即增不過一兩字，今句讀至數十言而後屬對，一難也；唐人四六，韻不必平仄相間，今與五七言近體詩用韻無異，二難也；宋人汰綺靡、務平淡，耳目一新，而其敝流爲寒儉寡味，今酌綺靡平淡之中而用之，三難也。故有爲僞兩漢易、爲眞六朝難之說者。五色成文而不亂，八風從律而不姦，大斡玄造，高軋霄崢，吾見亦罕矣。敦若自勅表、詞賦、敘記、書疏、狀議、判案之類，莫非四六體裁，各稱風範若一，壯麗如崑崙天柱、五城十二樓，如未央建章，法象紫宮，千門萬戶；豐瞻如周官王會，方輸錯出，如五都三市，如波斯胡賈，瑰寶鱗萃；整嚴如勒以八陣、菹以威神，步伐止齊，尺寸無踰矩；勻適如凌雲臺，材木輕重，銖兩悉配；脈絡如大海受風，紫瀾白波，前後相屬；音節如清廟朱絃，如鳴鑾佩玉，如鶯簧遞奏；渾成如琪樹玲瓏、金芝布濩，非由人造。蓋聞之曹輔佐白地明光錦，酷無裁製；殷仲文才不減班固，讀書未半；袁豹、任昉用事過多，屬辭不得流便。古之作者尚有遺憾，敦若精工而能古雅，高華而能清虛，平易而能神奇，兼六朝唐宋之美，遂爲此藝勝場，莫與爭能。非夫思極八荒、書窮萬卷、功深百鍊、力引千鈞者，豈易辦哉！余每得敦若書，驚心動魄，不能作一字報，惟藏弄爲榮而已。嗟乎！司馬溫公不爲四六，當以其劇琢過勞故，而拙者因以匿瑕，猥云排偶不足多尚。夫亦未三復敦若斯編，而做其手筆，嘗試爲之也。大泌山人李維楨本寧父。

明翁正春序

文之有四六也，則昉於六代乎？書以爲經，詩以爲緯，故實以爲幹，音律以爲輔，駢麗以爲飾。其制似方而非方也，方之而失，則苦拘攣也；其句似離而非離也，離之而失，則寡神情也。蓋齊梁之間，徐庾致其藻；隋唐以還，楊駱裁其聲。迨宋廬陵、眉山諸君子，遂一洗月露之舊，而務爲情至之語，體稍稍變矣。國朝作者如林，文章大備，獨四六之學，眇闚堂奧，即徐昌穀、黃勉之二氏，俛睎六代，然僅一寄蹊徑，非所謂鳴和鸞而齊步伐者耳！迺今得一敦若馬君。敦若家世馮翊，爲故相文莊公諸孫，既負儁資，兼擅家學，弱歲即以經術薦鄉校，籍甚西土，李本寧太史雅推轂不置。既屢屈首公車一爲景，今載爲易兩州，大夫所至，以治行稱，而尤特工四六，若茲所爲雕蟲也者。蓋敦若于書亡所不讀，而于體無所不備，自牋表竿牘，以迨辭賦序記，璪至青詞綠章、移文署牒之類，信其機杼，矢筆而成，率爾雅嫻麗，鏗鉤迭奏，觚員在手，修短合度。有六代初唐之葩，而不流於靡；有兩宋諸人之理，而不傷於質。甲兵武庫，櫨栱鄧林，佗人所囁嚅而不易施其爐錘者，君直驅車弄丸，無之不可，霍然驌然，務以調之於適。語云，惟其有之，是以似之。蓋徵儷語於一代作者，而敦若翩翩擅絕技矣。題曰雕蟲，志謙也。夫敦若是編，論大雅者所不能廢，詎壯夫云乎哉！遂不辭爲序，俾縣之國門。萬曆甲辰秋月，賜進士及第、奉訓大夫、右春坊右諭德兼翰林院侍講，翁正春書。

明 張 問 達 序

魏晉以後，兩京風骨，剝蝕盡矣。然調協宮羽，精鑠山川，錯五采以成繪，萃千腋以集裘，亦自津津可喜。若曹王先覺、潘陸特秀，江鮑掞天之藻，徐庾雕龍之業，其概足術已。四傑詞斐亹而尠情致，兩宋調流轉而渺芳華，若敘事之中，間雜議論，變幻之內，不乏整栗。明興，惟吉水、毘陵頗與其選，他即新都、姑蘇才隣一石，學窮二酉，未免六朝奴隸，三唐雲耳矣。余郡敦若馬公，馮翊世家也。兒時穎異，風氣遒上，漆園、龍門之籍，枕藉已周；江左雲間之書，吾伊復爛。興到筆來，心得手應，靡文不韵，靡韻不燁，業已籍甚，關以右矣。出而五馬兩州，元本文章，緣潤吏治，民戴如春，士望爲師。堂室餘暇，頻勤批抹，興除大政，多費藻裁，久之帙成，出付殺青，題曰四六雕蟲。見非三五之名章、壯夫之偉豐，志挹損也。馳行使於都門，問佛糞於下走。余謂駢四儷六，琢字敲句，固未渠登龍門之室，分扶風之座。然昌黎文起八代之衰，温國史兼諸家之長，至有韵之文，仍爾謙讓未遑，豈其厭薄輓近，澄汰浮靡！毋亦鼎彝錦繡，難相爲謀，即大儒元老未免閣筆乎？敦若是編，出入經史，縱橫騷選，制勅則陸敬輿，表啟則歐陽永叔，騷則小山，賦則大陸，長篇則趙至、丘遲，短札則右軍、玄暉。唐人之藻、宋人之致，具體兼美。毗陵、吉水，把臂入林；新都、姑蘇，赧顏遜舍矣。余媿玄晏先生，安能爲三都賦序？然既列枌榆，又附金蘭，不敢不濡毫以備邯鄲幼婦先驅。賜進士、中順大夫、太常寺少卿、前禮科都給事中，張問達撰，漆園穆光胤書。

明 牛 應 元 敍

　　近世文學之家，率獵意作者，左史尚矣，漢魏而下，遞有欣厭，唐宋則非其好也。然昭代自吾鄉獻吉獨執牛耳，歷下、弇州欲奪蝥狐，其餘則分部建牙，可以指屈。即自喜刺古者，人摽門望，要之技擊之屬，或奸旗鼓，無乃虛慕左史，實失唐宋乎？得亦爲狐裘羔袖，失則爲春華海棗。余重爲斯道慨也。馬敦若爲文莊家白眉，與余偕舉于鄉，同籍之中，敦若年最青，才最贍，學最博古。顧好爲四六語，每一援翰，而娬辭麗藻，逼穎爲章，不待字句爲觀縷也者。夫以敦若才，何難折珠璧之藏，錯綜而出，比擬于左史，乃俳偶自命哉？夫亦謂文槖于才，才符于情，極其才情之所至，奇偶惟適，奚庸以唐宋氣骨，強附以左史之郛？且如義烏、眉山輩，即俳語，豈不稱絕而薄之也數？一切文賦以至竿牘檄牒，俱成四六家言，金淵玉海，綺合星稠，亦詞場之極觀也。乃猶歉然于子雲之言，以雕蟲自目。夫劉氏雕龍，至今膾炙，敦若何乃自孫而蟲目之！屈則蠖，飛則龍，讀者自辨。獨怪敦若爲吾籍赤幟，終屈於南宮一第耳。雖然，長卿、子美不第于文學之科，而詞賦獨重；敦若政不以一第重也。況令廣川易水之政，有兩漢循良風，則又不獨以文學見者。文章不必薄唐宋，吏治不必讓兩漢，蓋所謂彬彬、質有其文者哉！年弟牛應元題。

明 胡 忻 序

　　蓋聞日麗月輪，象自成兩，陽奇陰耦，爻則相聯。天籟之鳴，雅韻鼓吹；清音之發，靈谷紛披。故自三五而降，亦有四六之文，此蓋取則於天地，而洩機於性靈也。宋、齊、梁、陳，作者林立，字挾風霜，情佟藻繢，既載筆而騁駕，亦樹幟而登壇，顧後蕪靡日盛，氣骨無存，好古君子或病爲方，或詆爲俳，而淺蓄之夫，因是閣筆以自藏其拙。嘗嘆昌黎之掩六朝何已甚也，休文之俟來喆，有由然矣。余同年友馬刺史敦若，英敏之資夙成，豪傑之望世濟。論文學則並驅游、夏，課政事則遠駕求、由，宰割大郡，綽有餘裕，每於鳥啼吏稀，會情觸景，乍舒新繭，時賦古騷。逸思飛翻，綴就函京之製；奇文葳蕤，割來雲漢之章。罔嘈囋於長篇，詎趻踔於短韻。又或嚶鳴相召，臭味遙投，書緘八行，花吐五色，橫雕龍於翠瓦，舞縞鳳於文箋，莫不共羨侯鯖、競珍寸臠。又況表章之體莊重，建議之旨詳明，離堅合異以立談，披文相質以麗事，不束於格，曲寫其情，偶之貫也如連珠，響之結也如振玉，爲龜爲鏡，均稱有用文章，或正或奇，盡是不朽大業，斯亦足成天下之矗矗、定古今之喧喧矣。昔者安石碎金，每見稱於坐客，而大年衲被，致受欬於時髦。豈不以玄言屑霏，率由天才駿發，而未全抽酉山之秘者，奈何輕擬西崑之體哉！以余觀於敦若，藻雄掞天，學擅博古，故達變而識次，似開流以納泉，其言炎炎，其芳馥馥，詞盟所以代興，大雅爲之復振，每披全帙，輒鷲大巫。適承索序之命，僭爲提鉛若此。嗟夫！繡虎而題以雕蟲，敦若則誠謙矣，乃狐裘而雜之羊襃，不佞竊自惡焉。萬曆乙巳中陽之望，賜進士第、工科給事中，成紀年弟胡忻頓首撰。濠梁朱宗吉書。

明 南 師 仲 序

　　夫玉德內瑩，則金聲外亮，色澤生於神理，軌躅準於前蹤，境豈縣空，語有獨至？是故繁枝對葉，皆屬化工，孃白取青，奚須剪拾？要以鑄詞無文，行何能遠？離情越性，道自多乖，故縟繡綺章，符諸本質；駢敷艷藻，咸寓眞機。惟是猗頓之家，斯存鴻寶，玄山之粒，不乏三精。古今儷辭大略可睹矣，作者如林，疇其玄詣。余友敦若，政自斐然，君故相門白眉，藝苑華問。總角吐舌，才情如瓊肩瑤花；弱冠蜚聲，驅馳若蒲稍汗血。削緣梓慶，見者神驚睛儍，繇龍點即欲舞，而尤能游思緗簡，抗志塵寰。五車出于寸笥，千古羅于片穎，神經奇紀，誰匪摩研，茹腴擘芳，輒成佳話，體無心於湊合，機有得於逢源。若曰大塊示我無之非是者，以故語無釘鉦，筆有鑪錘，要使乳酪之味，都作醍醐，旃檀之林，莫非香木，亡論牋表辭賦，機杼天成，雖判牒文移，悉臻妙詣。觀其所就，眞如函谷河山，相逼而來，豈唯人莫能關，即君亦不知其自矣。若夫刺史上國，恆有雲嶠春臨之思，平反西曹，不廢灞橋吟哦之色。賈班金玉，未可同年；潘陸沈酣，寧堪方駕？總之，靈授天界，斧藻千秋，大軌長轅，馳聲萬里，要眇之致，於斯爲極，變化之神，未易徑造者也。久附臭味之同，深媿品題之鑒，如其定賈，自有名言。萬曆戊申七月既望，賜進士第、承直郎、國子監司業、前翰林院國史檢討、記注起居、編纂章奏，渭上年弟南師仲頓首撰。

明 王 驥 德 跋 後

　　馬敦若使君所著四六雕蟲，爲卷三十，爲體大備，取精六季，漱潤百家。李鄴侯之藏書，張司空之博物，庀林宏而甘苦應。手搆思敏，而左右匠心。語麗則織女謝其機絲；徵巧則宋人讓其楛葉。石家梓澤，宛宛皆春；謝氏瑤技，亭亭是玉。紗八音于槧本，駈五色于毫端。鴻烈訓傳，一字挾風霜之氣；天台賦就，此言成金石之聲。洵足赤幟詞壇，青錢藝苑。敦若以爲雕蟲之瓚技，而不佞以爲繡虎之大觀也已。萬曆甲辰嘉平既望，瑯邪王驥德伯良書。

明王之臣序

　　駢語非古也，蓋騷賦之流，而別衍它調也。濫觴于齊梁，分臚于唐宋，而變極矣。惟其久也，故易變也，唯其變也，故不可詰也。彼宋氏駢語具在，說者以爲析理傳情，更踰前代，而知其反衰于錚錚者乎？夫嬴鏤璃繪，詭文回波，不金碧則不壯麗耳；霧縠冰絲，蟠龍翔鳳，不蓼糾則不華美耳。如徒矜衡門圭蓽之清越，而芰荷製衣裳，簣土爲禮樂，將無幾于田老而亂行冠紳者哉！故辭各有體，禮以文貴。與其過于槁也，寧過于腴也；與其過于質也，寧過于采也，則駢語之極則也。里中馬敦若氏，少擅三長，力窺二酉。吞鳥之奇，有夢江筆生花；非馬之辯，無惡雞碑售巧。乃有著作，備載巾箱，古今名家，間裁箋啟，曾不聞諸體具備，累牘成章。敦若之搆，可謂無往無來者矣。貫玉編珠，裁冰剪雪，三都比其聲價，五花矜其刀筆。車斜競病，易其所難；牛鬼蛇神，傾諸所有。歷復通卷，每歎絕才，文莊之澤如新，河嶽之精獨厚，其爲必傳，不待異代。今年春，余候命京師，敦若有易陽之除，相與班荆，沽酒擊筑論文，因授讀其副墨，而爲之序。余不能爲駢語，而所知駢語之體，與敦若之爲駢語者如此。至敦若藻心砥行，斤斤古人，出于尋常詞翰之外，爲吾黨所降心而服者，不具論。友弟王之臣撰。

明王之寀跋

　　聞夫文字性空，迴出思議之表；心言路絕，不落色相之中。顧到岸雖云棄舟，而世諦總是般若。粵自玄黃，剖判熾爾，奇偶繽紛，對白抽黃，駢四麗六，漫言綺句，爲文章所下。寔維排體，亦風雅推難，引用大繁，點鬼貽誚，堆積不化，萃寶是譏。靡曼支離，奚取新豐眞境？掇拾飣餖，浪誇優孟神情。墨卿幾爲閣筆，詞人每致撚鬚。余友馬敦若甫，含二華之佳氣，秀孕朱明；毓三河之眞姿，輝祥紫極。鍾古往今來、上天下地之秀；讀三墳五典、九丘八索之書。筆掞五錦雕龍，搴葘菁于藝苑；文熠陸離彩鳳，揚葩藻于詞林。片語驚人，一言重價。用是蕃弘雋茂，發色朝陽；遂乃凤擅嵬峨，驟跡天漢。珠華綴斗，占入洛之時；玉氣干雲，識策名之日。書癖半世，吏隱當年。分符何俟披星？每登高而作賦；守郡可堪臥治？復閉戶以抽詞。或奏對而搆式森嚴，或啟扎而含情委婉，或登臨而興飛泉壑，或節序而讚祝春陽，或餞別而淒惋於路岐，或條陳而悅可於津要。按律如流宮刻羽，諧聲似戛玉敲金。整飭端莊，允矣朝臣，鳴珮輕揚，蔥菁依然，靚女簪花。語語青霞，抒性靈而發天籟；言言白雪，寫胸臆以叶清商。揮毫萬象劃開，豹斑燁燁；倚馬千言立就，狐腋煌煌。一字一珠，寸行寸絹。長箋岌藏枕內，鬱爲鴻寶怪光；短幅携入囊中，堪作碎金片玉。讀之舌咋，披焉神怡。窠也辱牛耳之盟，久沐浴於清宇，覿鳳毛之句，更飲食于玄宗。今夕何晨，得閱武庫！厥銜雖在，未遍鄧林，仰止夙心，興言偶爾。文高繡虎，詞慚淫蛙，媿著糞于佛頭，眞續貂以狗尾，願言學步，敢曰前驅？會弟王之窠勒于日損館。

（陳錦釗審查　　許惠貞標點）

濯纓餘響二卷四冊　明朱東陽撰　明萬曆間山陰朱氏家刊本　清徐時棟手跋
12815

明黃猷吉刻敘

夫詩者，其教本乎寄興，其旨要於成趣，是故興欲超以脫，趣欲雋以永，如是而爲詩，即不必祖陶謝而宗李杜，以自成一家言可也。顧興與趣非生有其質、性有其好，遺落人間，逍遙方外，難乎其言之矣，二者乏，強而爲詩，雖篇章之富、格律之嚴、句字之工，譬土木而藻繢之，倫家弗取；不必富而篇章、嚴而格律、工而句字，而浩然之興、悠然之趣流溢言表，能令讀者觸情而稱快，斯固作者之林所望爲翹楚者也。清溪公家萬山中，客游三吳，三吳多詩人，廣交而博聞，萬山中多詩料，擷而藏諸胸腑，性復嗜吟，兼有其質，不事家人生產作業，以筆舌代耕，邇不以筆舌經意，神情閒遠，韻致蕭散，若鴻冥鳳舉于九埏八垓之外，興之所到，寄諸聲詩。詩不必繩準古人，以遇爲體，以心爲匠，時而冲雅，時而壯麗，時而橫逸，時而穩密。吊古則九原可作，述懷則滿腔如出，即景則綽約而多態，投贈則腕至而鍾情，蓋全首爲完璧，摘句爲碎金，而摠之乎雋永焉。公壯而學究，老而封君，不讀其詩，而以皮相以爲此學究封君其人而已矣。即讀其詩，而以耳食以爲此學究封君其詩而已矣。今其詩具在，讀留別館東篇，蓋混

迹學究者也；讀冠帶寫懷篇，蓋混迹封君者也。至讀長畈農畊之篇，曰全無鹵莽
心，自有辛勤績，不見草萋萋，但見春柏柏。廼足以覘公矣。公倜儻自負，篇章
自許，謂不于其身，必于其子孫，故雖貧而不鬱，以貧爲吾適然也；雖貴而不
揚，以貴爲吾固然也。夫不以貧鬱，故其詩無窮愁寒儉之態；不以貴揚，故其詩
無淫靡誇詡之習，猗與美矣。古稱三不朽，立言尚焉。公之集必行於世無疑，此
公自爲不朽計，而爲人子者能不以橫金紆紫爲足榮其親，必爲親計所不朽，如斯
集焉。眞是父是子、是子是父者哉！或曰，詩能窮人，如太白、少陵輩，往往而
是。公則獨何以貴盛如此？公腹中所有，惟詩腸與酒腸耳，更無他腸，殆庶幾所
稱葛天、無懷氏之民焉！以故詩不能窮享有貴盛，吾以知長厚者必厚食其報，彼
夫役機智而逞權力，雖倖而值未定之天，然卒以覆敗，盍於公乎？觀之公之鳴，
其心可想見，其爲人者，見乎詩矣！見乎詩矣！時萬曆壬辰日月陽止，前進士、
奉政大夫、守工部尚書郎、勅僉河南按察使予告，年家晚學黃猷吉謹叙。

明 闕 名 後 序

　　昔韓子有云，讙愉之詞難工，而窮苦之言易好。歐陽子云，詩以窮而工。故
嘗以爲窮而工者，不若隱而工者之爲工也。今藝林之譚詩者，謂詩之工、詩之衰
也。夫詩緜於感，感原情，情本性，性統於心。故言，心之聲也。形交乎物，動
乎中，喜怒生焉，於是乎形之聲，或疾或徐，或洪或微。聲之不一，情之變也，
率吾情盎然出之，無適不可。有意乎人之贊毀，則子虛、長楊飾巧夸富，媚人耳
目，非詩之教也。昔李伯藥見王通而論詩，上陳應、劉，下逮沈、謝，四聲八
病，剛柔清濁，各有端序。王通不酬。薛牧曰，吾聞夫子之論詩矣，上明三綱，
下達五常，於是徵存亡、辯得失，小人歌之以貢其俗，君子賦之以見其志，聖人
采之以觀其變，今子之言詩是夫子之痛也。六朝姑置勿論，然唐以詩鳴世者，莫
若李杜數子，鍾河嶽之英靈而工於詩者也，其皆三百篇之遺意乎？率吾情盎然出
之，不以贊毀歟？發乎天籟，不求合於世乎？明三綱、達五常、徵存亡、辯得
失，不爲河汾子所痛者，殆希矣！故曰，詩之工，詩之衰也。我明興以來，鳴唐
之鳴者，世不乏人，北地、信陽亦得河嶽之靈崛起，而剪荊棘，啟周行，爲一代
鼻祖。自時厥後，人抱陵陽之璞，家藏交甫之珮，蒼璧黝璣，筐篚錯嗽，唐若而
人不得尚美矣。清溪朱公，吾郡前輩，大雅盛世之隱君子也，居連萬巘，門遠雙
溪，稟天地之正氣，鍾山川之奇秀。生而性資穎異，好爲詩歌，臨清流而濯纓，

餘響洋洋，一本於性情，而統於心。落筆成篇，隨物賦形，緣情敍事，古今諸體，各臻其妙。溪風渚月，谷靄岫雲，形迹若空，恣態倏變，玩之而愈佳，覽之而無盡，所謂清婉和平、高亢超絕者兼有之，而不計其工拙也。其名大播，不特在吳越間已也，且敎子伯仲相繼飛騰，爲國柱石，屢膺寵命，封都諫，晉京兆，公隱者忘情於市朝，陶然以醉，翛然以游，不知冠服爲何制、鍾鼎爲何物，惟綸巾道服，蕭散自如。常以葛天、無懷氏之民自儗，間赴三老五更膠庠典禮，則一御命服焉。先文安公與公生同甲子，每入郡城，即招公賡吟酬酢。一日，先公手書司馬端明歸洛時招邵堯夫詩句云，林間高閣望已久，花外小車還未來。借以招公，人艷之，以爲不讓耆英之會也。不佞列在子姓行，荷公忘年下交，每有吟詠，輒以賜敎。不佞雖不能窺公閫奧，然亦勉和以求正，辱相倡和，方自媿于松陵之襲美，而令子越崢冏卿、雲崢郡伯彙公諸作，類以成帙，題曰濯纓餘響，付之剞劂，以永其傳，黃觀察已敍之端矣。冏卿昆玉以不佞嘗受公之敎，宜有言於末簡。不佞愧不文，辭謝再三，屬委逾至，元念父子辱公不鄙，豈得終辭耶！作而言曰，詩之傳有三，人品一也，學力二也，才格三也。以人品者，人爲世重者也；以學力者，學爲世師者□〔也〕；□〔以〕才格者，詩由才奇者也。公孝于親，友于弟，不入公門，不溷喧囂，濯纓淸溪，山水自娛，人品之高也；公道傳一貫，學闡六經，詩擬黃初，書邁鍾王，黜浮崇古，致古變通，學力之富也；公之詞氣如風檣駕濤，逸驥馳野，銀河注溟，長虹橫漢，才格之雄也。公三者具焉，必傳之無疑。俾操觚之士，得以取法而矜式云。

（陳錦釗審查　　許惠貞標點）

―――――――――――

白蘇齋類集二十二卷八冊　明袁宗道撰　明寫刊本　12816

明 姚 士 麟 序

　　高江束峽七百里，然後雷瀉東注于荊岳、武黃之間，猶之思瀾言泉，停滙膈臆，透咽而出，必成大聲。雖嘗一聲于黃之夢澤，再聲于興國之甌甄，前後相去，復寥寂數十年，于是蓄極聚聲于公安之袁氏昆季，而太史公旣以明經大魁天下，更自別啟靈竇，別主氣格，與中郎、小修獨唱互賡，陡闢門戶于趁舌應聲世界，蓋不必以詞翰盭名理，不必以名理碍性宗，又不必以詞翰宗理規。規上合乎秦漢唐宋，而惟畢運我眞，用詣萬情，情契眞，眞生新，秖見情情新來、筆筆新赴，亦不自知其筆之快于言、言之快于情，而爲詞翰、爲名理、爲性宗，種種頭頭，提人新情，換人新眼，稱有明自闢大家也。觀此則太史見地已足自雄，奈何前借白蘇標其齋集，豈非以白蘇兩公其心忠、其學禪、其人達、其官皆曾翰林，而白無兒、蘇躁吻，俱足以况邪？但香山、東坡年各四十四始承司馬、團練之謫，而太史即直腸矢口，品地自嚴，方官侍從，名位日上，忽焉隕落，年僅四十有二，竟免兩公風波地面。然讀其仙雀臺樹、鷹隼腥羶，及噉名多局面、謀國半嗔心句，使得年到白蘇，則溢江、赤壁，亦應保有此處。此太史生平可得同于白蘇者乎？若曰，韻言近白，大篇類蘇，又非被人涎沫，自闢門戶之意。故讀之者第當呼之曰白蘇齋，不當以白蘇詩文看作白蘇齋集可也。海鹽姚士麟叔祥叙。

（陳錦釗審查　　許惠貞標點）

盟鷗堂集存五卷二冊　明黃承玄撰　明崇禎元年樵李黃氏家刊本　清趙晉祺題記
存奏疏三卷、議二卷　12818

明陳懿典序

憶在萬曆丁丑，黃宗伯戀中先生奉使歸里，爲子中丞履常擇師，從陳司理請閭郡季試高等，卷遍閱之，首稱余文，遂延家塾，命履常及宅相吳水部應甫受業焉。時余試名在亞旅之末，先生稱賞以爲絕倫，謂自此以往，試必冠冕。後果如先生言。己卯，忝領解額，壬辰，第南宮，入玉署，步先生後塵。迄今思之，不勝知己之感。履常學本家傳，才稱國寶，虛懷受教，篤志下帷。丙戌，先余成進士，人共推其才，行且世掌絲綸，乃不赴館選，釋褐工曹，爲郎十載，功在河漕。宜內轉九列，又辭內就外，揚歷藩臬，晉南京兆，建大中丞節，出撫八閩，立言立功，駸駸未艾。奉太夫人諱以歸，服闋未幾，忽捐賓客，世共惜之。二子申錫、卯錫收拾遺文爲三十卷，殺青，乞余序。余向曾序宗伯先生集矣，今何忍序中丞集，又何忍不爲中丞集序？序曰，自古父子世擅文章之美者，代不數人，如西京之談、遷，東京之彪、固無論矣，宋眉山蘇氏最盛，而老泉身未通籍，僅以布衣著書顯名，子瞻、子由皆幾大用，而終不用，徒以其文流傳。若本朝父子館閣者，如餘姚之謝，新都之楊，至南充之陳而極盛。若王文成父冢宰公，以鼎元著聲石渠，文成不繼武詞林，自郎署擁節鉞，文章勳業，爛然當世，陽明全書，人人傳誦，視父子館閣者尤過之，非但子長、孟堅不敢望，文忠、文定兄弟，亦遜一席矣。若以勾餘之王、秀川之黃，相提而論，宗伯先生摛藻掞天，橫經捧日，今古之業，學士大夫，片牘隻語，尊爲彝鼎楷模，公輔之望，中外共推，較海日公爲更重。履常以進士高第，起家郎署，洊列開府，所至見德，所去見思，案牘旁午之中，師旅倥傯之際，不廢吟詠結譔，落筆斐亹。海上擒倭，銷數十年鯨波之患，以文臣建武功，似與文成頗相類。文成列五等之爵，登八座之堂而尊，人尤不免噍呰萋菲之口。履常品格望實，名流無不雅重，而宗伯貝錦謗書，未能昭雪，亦略相近。苟天假之年，名位著作，未可程量。今其遺集具在，雖不能如全書之苞舉多而探討遠，然體無不具，確然成其爲一家言，必傳無疑。奏疏通達大體，洞中機宜，周詳剴切，何減陸敬輿、蘇長公？書牘、條議、公移，言必可行，行必可久，事必挈其要領。序記碑誌諸類，出入漢宋作者之法，四六原本六朝昭明之選，而開合變化，湊泊天然，絕無痕迹。詩律祖三唐，追漢魏，工力才情，無不兼美。而一種和平宛委之韻，皆出于性□〔情〕。所謂華實並茂，神采符合，殆庶幾焉！眞足嗣響碧山集，寧必世守金馬門，乃稱盛哉？履常介弟履素，嶽嶽掖垣封事，字挾風霜，詩文不乏巨麗，昨歲闡發宗伯先生久鬱之冤，明綸褒錫有加。兩家文子文孫，競擅雕龍，代興鵲起，光大宗伯中丞之緒，比于玉樹寥寥、徒以通侯奉朝請者何如哉！因序遺文而論次及此，覽者毋謂阿其所好也。詹事府少詹事兼翰林院侍讀學士，眷友生陳懿典譔。

明 賀 萬 祚 序

原夫道德功勳，並立言於天壤，文學政事，咸具體於聖眞。蓋經綸有所必資，故竹帛緣之不朽，然非才鴻國寶，學嬗家珍，則或業詘於無文，或功虧於少武，兼通並美，蓋其鮮焉。少司空履常黃公，菁鐘瑤圃，藻掞瓊林，束髮翩翩，繩吾師學士先生之緒，蓋已露湛霞標、天蟾月犀，跡未脫於膠序，而調孤白雪、譽薄青冥矣。洎夫奮翮皇衢，甫丁弱冠之歲，宣猷水部，旋新出匣之鋩，九載玄圭，詎白馬金椎之甲乙，千駟粳稻，起龍堆紫塞之癸庚。而公功成不居，退焉若歇，竟辭朝列，出佐雄藩，淮海三齊、江藩商雒，以及全分陝右，控轄河隴，慮無不搴帷雅化、膚寸霖澍、攬轡澄清、威稜霜闒者焉。若茲陪都豐芑，鐘鼓式靈，京兆句宣，倬絕百郡，則又風裁與秣雲俱翔，恩波共江水同浚矣。聲實既茂，覥大是遺無諸。七閩夷氛蜎沸，公以才望填彼囂訌，時則尊俎撻伐，枕席籌邊，穀推宿將，枹鼓協師，中之貞組縛元兇，指顧息荒滄之浪。論功既偉略無雙，懋賞宜列爵惟五。而公迫奉太夫人諱，抗疏乞歸，既免喪，方用少司空起公，而公騎箕上升矣。揚歷壯猷，本兼資乎文武；卷舒大業，幸未隊於縑緗。則公子翰伯、茂仲兩君，盟鷗一集所繇葺也。公湛涵道術，接黃紀而纂微言；敉獵典墳，探赤珠而窺罔象，固非筆墨畦徑，可得而窮者。止詮次其具在，則嶽嶽封事，讜論訏謨，事理核於敬輿，而畫必可久；忠計篤於充國，而告必無欺。他若咨揭、公移，及河工、漕運、清勾、権務、織造、科場諸議，率皆金版玉條，著爲絜令矣。至於墓碣楚些之章、奏記荅問之牘，山陽風笛，無慚有道之銘；尺素緘魚，遠掇應劉之潤。矧若文成有韻，靡匪抽自秘思。上探風雅，夕啟芳華，洋洋乎聞漢魏軼初中，譬則清鏽大呂，郊廟徽音，擊缶折楊，方斯蔑矣。蓋公學有本源，才無枝拄，在宇內具不朽者三，遊聖門參四科者二，非僅僅以茲集自見。而茲集可以見公者，仁義之人其言藹如也。萬祚少而從於吾師之門，與公介弟黃門履素及翰伯、茂仲兩公子爲布衣懽甚篤，時公且先達爲聞人，而分忘小友，光濟下交，數十年來授舘書幃，刮膜仕路，蘭心奕世，俛仰涕洟，其忍序我公集哉！其忍序我公集哉！矧公集已懸之國門、副之名山，不必再有楊子雲，而介弟兩公子比諸文孫，又闡繹而光大之。即吾師令聞，且因是益昌且熾，萬祚又豈能復贊一辭也耶！盟鷗堂者，公所自顏，憶往年嘗與兩公子對榻於此，公緣攬鳳停鸞之華乘，陟隼輿熊軾之崇班，功著旂常，文程玄史，而狎海鷗以寄託，亦足以知公之所存矣。崇禎元年中秋日，賜進士第、通奉大夫、江西布政使司右布政使兼按察司僉事、奉勅備兵南贛分巡嶺北道、前提督山東學政，通家眷弟賀萬祚謹撰。

明陸應陽序

　　管家仲曰，水具材，聖人治，樞在水。秀水爲三吳上游，夙稱才藪，鄉先達以學術事切著者，豈不彪炳乎？肩背相望。然嫻文章者，或闊略於應世；抱經擠者，或漫漶于操觚。舉文章經濟兼擅其長者，幾何人哉！若少司空黃公履常，余則歎天何縱以全才而嗇其壽，未嘗不念之飲洟也。公二子翰伯、茂仲刻公盟鷗堂集成，請余序。余自歲辛巳叩闕上鄒陽書，舘于黃學士先生邸地，公時弱冠書生也，下帷發憤，善舉子義，旁涉古文詞，下筆千言可立就。余嘗曰，龍門世業不衰矣。比公丙戌成進士，館選屆期，少年行競進，識者皆目屬履常，而公獨引嫌自避守水部，即此人情所難者。以水部治河歷八載矣，會呂梁絕流漕告急，楊尚書四顧莫可借箸者，特疏請黃郎中議成事，擬酹以京卿，已而漕渠大治，公力懇之尚書，願尋常格量移，便此又人情所難者。奉命撫閩南，島夷大舉犯境，公指授方略，嚴將士，一鼓而生擒者六十九人，舉國驚歎曰，百餘年來所未覯者！共以封拜爲公幸。公疏入僅僅一舉其概，而絕不敷陳己功，此又人情所難者。今上御極，以少司空起公，方大用，而公則長逝矣。嗚呼！傷心哉！公生平著作頗饒，遺失者居半，幸二子旁搜博採，裒成是集，凡三十卷。序則華實瞻舉，出入歐曾二家；詩則格調雋雅，大得李唐風致。若啟若尺牘，雖簿書旁午，必句字推敲，毫不苟于裁苓；若議若奏草，皆自苦心擘畫，躬行寔踐，有禆地方，而可垂蓍鑑者。噫！使造物者爲天下惜才，而享公以壽，則著作殺青詎止於是！究其壯猷碩抱，上不負天子，下不負蒼生者，詎止綸綍所褒予者耶！然三復是集也，種種合作，言言名世，信足傳之不朽。留都、豫章，並衣冠清議之地，而思公德澤，皆儼然祠祀千秋，則公也文章經濟，豈不兼擅其長者哉！余故曰，天何縱以全才而奪之壽也。序成而揮涕以復二子。天啟甲子元旦，通家眷友弟陸應陽撰。

（陳錦釗審查　　許惠貞標點）

———————————

鶯林外編存四十八卷附錄二卷二十冊　明周獻臣撰　明萬曆間原刊本　缺卷四十九至卷五十二凡四卷　12821

明汪道昆序

　　大江以西，故多善鳴者，近在嘉靖鄒文莊，以論道鳴，羣而和之，大宗伯、大司馬、太史、太常其選也。今上嗣歷，鄒爾瞻以建言鳴，諤諤同聲，六君子其選也。兩家各以鐘呂自饗，而瓦缶游夏之辭，顧論道非辭不明，建言非辭不達，辭畢用也，無寧以瑟廢竽，乃今則周豂六以修古鳴其曹，蓋三歎已。初豂六執博士業，孳孳古昔先王，以彼其材雄視當世，蓋成於性，縱於天，得之方外之遊、異人之遇。既自公車應制，坐拘格不收，主爵族視之，授陽夏令，日毌中畢吏事，窮日之力，抱機繙書，有詠必高，有作必偉，宇內喁喁嚮往，不啻鳳之下、麟之游。先是北面太原因質瑯琊請益，瑯琊有味乎其雋永，一染指而屬饜，則以賦儷江湘，文儷左莊秦漢，古體近體縱橫六代，出入三唐，或合或離，若滅若沒，旦暮千古，出以天倪，即起鍾期，其言不易。褐夫家食浸久，自絕大方之家，竅六紹介而南，挾笑申請。昔者吾友亟稱歷下、函中、臨川代興，文在茲矣。褐夫耳視，又惡能贊一辭，第竅六新篇源源而出，抑或瑯琊不逮，吾猶幸得縱觀，富有日新，目不及瞬，非降材殊也，其氣則然。楊子有言，氣猶水也，言浮物也。昔之論文者主氣，吾竊疑其不然。文由心生，尚安事氣？既以心爲精舍，神君之，氣輔之，役羣動，宰百爲，則氣之官殆非人力。觀之欹器，觸類可通，虛則欹，滿則覆，惟中正者得之，此純氣之守也。叱咤者其氣暴，號嗄者其氣沖，柔曼者氣濡，彊梁者氣溢，殆非魁桀果敢之列，惟直養者壯哉！氣壯則神凝，神凝則機審，相因馴致，理有固然。木雞之走敵也，虛憍不恃故壯；丈人之承蜩也，用志不分故凝；輪扁之斲輪也，不疾不徐故審。且也山澤通氣而後天地合，天氣下降、地氣上騰，而後萬物生大塊。噫！氣而後羣籟鳴，將在行間，一鼓作氣，而後三軍奮。善用壯者，蚩尤氏爲之折首，防風氏爲之陳尸，夾谷爲之兵夷，汾陽爲之退虜，其稟氣也正，其役氣也壹，軌於中行用罔者。反之，則共工楚霸之所馮陵也。瑯琊卒業，厥有成言。予觀上政府二書、竅詩五十首、頌銘諸體、論著諸篇，直將睥睨六虛、磅礴四極、發揚蹈厲，摧泰岱而躪昆侖，孰爲隆施？氣其轟也浸假，斯文未喪，猶得寓目於瑯琊，殆將無不然、無不可矣。莊生善御氣，其言曰，氣也者，虛以待物者也。唯道集虛，是謂玄牝，是謂天地根，是謂氣母。以此論道，足以塞兩間；以此建言，足以輕五鼎；以此修辭，足以泣鬼神、窮竅妙，入溟涬、出鴻濛，惟所用之耳。此至人之道竅六，故有異聞。藉令廬陵、臨川、南豐鼎立具在，吾懼其未之辨也。褐夫老矣，無能曳長裾而客大梁、陽夏，則今之文園，顧安得枚曳耳。萬曆辛卯良月吉日，新都汪道昆撰。

明 王 世 貞 序

　　自濟南、新都之稱古文辭，而作者雲蒸龍變，代以不乏，然往往自公車士得之，乃其原本經術，紬繹秘典，壯游大觀，有以廣耳目、窮心意，則甕牖繩樞之所爲不敵也。太原公徹鼎席而知貢舉，志欲振奇以得天下士，而一時若劉玄子、舒孺立輩，或強弩之末，或新發之硎，皆能以奇應之，而最奇者臨川周竅六。是時公車之士待詔金馬門,當應中秘,選者亡慮三百人,皆弭耳以俟竅六先,而會小不當格罷不收,仍出令陽夏,乃陽夏令則又稱循良吏,褒然冠京氏考功矣。余以衰病,蒙恩賜歸弆中,竅六一日具書,盡裒其所著書古文辭,若青旬亭草、亦波篇、鶯林別編以示,其書汪洋浩蕩,抵掌而睥睨千古,莫可摩揣,徐風其亂,固謬謂余弘獎風流,許與氣類,尺蹄餘瀋,足附不朽,夫余豈其人哉!既獲稍稍卒業,其諸賦則騷辨之嗣響也,藻而裁,曲而有直體,其五七言古,宏博辨麗,才溢而不自禁,凌庚躒顏,以自命家,蓋齊秦風人之極致也。五七言近體,鴻邕瑰雄,聲格氣力,超長慶而上之,所不純大曆者,無意有意之間耳。他論辨序記之倫,皆能以其才極其詣,思必物表,辭必境外,其格不必盡程西京,而莊呂淮南之旨,颯颯遺響焉。於葱嶺微言,更自針芥。於乎!大原之門固多奇,其奇有能隃竅六者哉?余老矣,度不能盡天下士,有所當心則欣然而述之,若竅六詩文,無俟余言,自足不朽矣。弇山人王世貞撰。

明 王 錫 爵 引

歲丙戌,予從禮闈知周君,既而周君令陽夏,政成且久,而始以所爲詩若文數百篇寄予,讀之輒乙其處,數日始竟,大以爲奇。因歎向知周君固未盡,而王元美序之,謂予振奇能得士,又謂此奇非予所得收,予意正不必奇、不必不奇,總之不敢枉天下士而已。周君博學好古,匠心獨詣,讀其文如燃犀照海,光怪百出,洞心駭目,有足異者。其騷賦、古詩最爲長技,近體、絶句,於唐人有合有不合,其合者繼美古人,其不合者亦已不爲今人矣,卒其有合有不合,能爲奇不能無奇故也。張子高守劇郡,自謂胸臆結約固無奇,即有奇安施?此厭薄外僚之憤辭爾。夫謂守令不必奇可也,謂奇無所施,則以經術斷獄、儒雅飭吏事何人乎?周君爲令能不薄令,又能吐其胸中之奇,發爲文章,然予意文章政事不必奇,不必不奇,奇不奇之間,似之而非也。則予所望於周君者,厚矣。太原王錫爵。

明 張 九 一 序

臨川周竅六氏弱冠成進士,則與弋陽劉玄子、桂林舒孺立,俱以能詩名海內。玄子余友也,文苑二十餘禩,於竅六爲忘年,孺立少竅六二歲,固珠聯而鴈行者。乃玄子比部、孺立太史,竅六顧外補得梁之陽夏。陽夏,劇邑也。或以是

年少，必困於所不習。亡何，篆六以循吏著兩河矣。夫令何負於人，而文章何負
于令也！遠之而言游武城、宓子單父；近之而淵明彭澤、安仁河陽，不施聲於後
世哉？篆六進乎四子矣。尼父謂，誦詩三百，必達於政。子興則云，王者之迹熄
而詩亡。何者？詩固關王道之廢興也。夫幽風七月，觀天文以極變、察人文以成
化之詩，而作者之聖也之治而王者之業也。周公以是成君德、抒性靈、通古今、
美教化，斯非公家故事哉？而以居變風之末，固欲挽匪風下泉，還之關雎麟趾
也。夫漢之西不能不趨而之東，唐之盛不能不趨而之中之晚，人材與氣運若遞相
升降然者。明興，高至於鱗，大至元美，極矣。篆六鎔冶典文，鑄辭以標理，模
範器象，寫物而呈形，脫穎六合之外，冥心萬象之表，故鋒發而韻流，興高而采
烈，鵬之怒而背負青天也，水之漣也，宛虹也，鈞天奏洞庭也，其氣凌厲一世，
而才卓犖不可羈，格以延陵之聽，斯盛明家言乎？知其毋漢之東、唐之中之晚
也。篆六憲七月以爲詩，又憲七月以爲治，庶幾哉稱公旦後矣。評語悉元美、伯
玉序中，予不論，論其大都如此。汝南張九一撰。

明 胡 汝 煥 敘

臨川周篆六令上丙戌以進士起家，詩名籍甚，不啻薄霄漢而懸日星。篆六自
持其言，亦不啻鳴桀封中，河山皆響。先是予友湯義仍與予同舉於鄉，起名甚
暴，十年謝友可出，幾欲掩湯前，而譚藝之家，猶稱湯謝。又三年篆六出，天下
群然宗篆六，不復問元白已。即王元美、汪伯玉、李本寧，皆心折之，其稱引之
言具在，蓋若王者有事，名山大川、公五嶽而侯四瀆之意也。我朝文章，自北地
中原狎相主盟，古文辭始講業於西京，詩軌於唐。弘正以來，天下之人無甚習六
朝者，即譚之，形神不甚酷肖，亡當也。湯謝獨振於梁陳之間，天下駭然，皆以
爲畢方商羊之舞，孰能辨之？好奇之士，浮慕兩生名，幾傾江左。篆六於兩生，
貌也而實異。丁酉，予與篆六共事六館，六館諸生，鮮不嚴事周先生，又沐浴先
生之言，思所以久之龐中，且屬言不佞孟殴弁之首，則元美、伯玉之言至矣，予
又何言？孔子曰，殷因於夏，周因於殷，禮損益可知也。予亦謂，人文世運，遞
相循環，質文異尚，今古代興，雖聖人不能改。先秦兩京尚矣，論其變，周書不
如商，商書不如虞，以代降也；風不如雅，雅不如頌，以位殊也。風雅亡而騷
作，騷，風雅之流也；騷亡而賦作，賦，騷之變也；賦亡而古詩歌行作，古詩歌
行，賦之餘也。論其尚，則周尚文，三百篇而下皆文；漢尚質，十九首以還皆

質。周之文自三代之文，其文自質；漢之質自兩京之質，其質自文；此若樂之出
虛，雷之布響，行乎其所不得不行，止乎其所不得不止。故曰，先秦兩京不可
及。自曹氏父子兄弟出，而古先之業，始有蹊可尋，其得之有意無意之間乎？陳
思萃之八代之先，子美總之六朝之後。詩自子美萃，亦自子美亡。陳思，日月
也，其詩之所開，爲二宗雅之、步兵雄之、記室澹之、彭澤偶之，平原再偶之，
康樂一變矣。四傑，齊梁也，子昂、太白、步兵；曲江、右丞、襄陽、蘇州、
彭澤也，又一變矣。予嘗謂阮陸之詩如齊，彭澤之詩如魯，其彊弱殊，其變亦
異，其尚不同也。歗六詩有意乎言之也，蓋泱泱乎東海之音哉！才非沈鮑之下，
而調在齊梁之間，集中五言古縕婉沉嫩，最稱妙詣；七言歌行穠郁豔發，備極高
華；律體微須整栗，而神至情來，輒如飛空仙人，其鷄犬盼響，時墜雲中，眞傑
作也。夫詩不必盡擬古，而能弗愆於法，亦不必盡非今，而能弗詭於時，澹非枯
寂，妙在玄超，雅非沉幽，期於爾至，質不必離色去聲，貴樸然神理；文不必刻
心繪目，貴鏗然神韻。北地雄深，多詆南習之佻，而實輸之輕俊；南風婉潤，每
言北人之厲，而實讓之沉酣。故曲士不可以言道，井蛙不可以言海。予嘗憐歗六
形骸土木，似於嬾嫚無羈，而實束修名教，蓋有狂度而無狂行，即疏草所建白，
侃直無忌，實自信於情，非險於吊名者比也。詩成，每沾沾自喜，興至即以語
人，亡問人知不知，吾聊借爾自娛耳。其態類多如是。吾嘗評其人嵇阮之匹，其
詩華而不浮、澹而不俚，得之齊八九、得之魯二三，其所尚可知也。歗六之後，
其將興乎？吾於其言徵之已。諸生唯唯，皆以余爲賞音。萬曆丁酉夏六月吉，友
人胡汝煥孟弢父撰，臨海門人王立鼎伯燮甫書。

明 姜鴻緒 序

　　青來氏自編髮在童子中，日誦古文萬言，稍從博士家習制義，適志而已，非
好也。已薦賢書，始切劘爲古詩文詞。逾五年，讀禮浮游山中，遇異人，授丹
檢，賦逍遙遊。方是時，金隄垂虹，水周城堞，方僧集河，西潯招提，青來氏則
又頂禮西方大士，發竺墳，證無生，忍當水月澄空、鐘梵宵肅。興會所至，則散
髮狂走放遊，縞羽緇祖，窟宅半東南靈境，後乃卜室城東僻巷，闔戶齋居，就地
伏薦上覃思，挫天地於毫端，而半刺不通郡縣。時有流咏，率爾走筆，千言不能
休。如是者數年，人無知者，君亦箕踞白眼，左次里中兒，旁眺八極，了不涉
務。湯義仍嘗謂我曰，周生沈落世故，寄嘯蘇門，是吾竹林阮嗣宗流匹也。稍出

所爲詞賦，君性故豪略，鴻篇傑作，傳播名都，然亦不肯護草編次成書。歲丙
戌，當大計之期，太倉王公知貢舉，雅意徵羅碩士，君與檇李袁君、汝南劉君、
鬱西舒君，並在舉中，都下號爲制科四子。業掄才舘，以違格不就，待詔金馬門
久之。頃迺奉使，經過里中，從帥惟審爲社會，手賦一編示我，曰，子其序之。
夫以孔璋之才，不閒於賦；平子疲吻，十年乃就兩京。子雲且謂詞賦小道，則彼
楚辭而降，張蓋藝林，代不數人，人不數首，又何戛戛難也。明興。且貳百餘年
矣，北地、信陽鴈行秉羽，並稱能品，然迹往轍則挂風骨之譏，匠師心則貽軌法
之誚。今諸家具在，假令屈宋分曹，枚馬進牘，無論離騷，可當西京才人哉！君
殷采眞方外，陸沉神州，復且普現宰官，攝聽爰書，居有敲朴之喧，出有龜組之
艷，猶然揪起辭條，揚榷風雅，距不單行，千古稱神品哉？君器識弘深，故多幽
人之思；才情藻雅，故多溫麗之詞；聲韻冷滴，故多簫騷之響。制體甚衆，予所
敘論者，賦一卷，選體一卷，近體一卷，文詞尺牘各一卷。姜鴻緒燿先甫譔。

明　屠　隆　序

　　文章之道，發源眞宰，則卿靄象緯，蔚爲晶英；吐秀黃輿，則川嶽藿蘈，呈
其色象。自非天啟靈心，則拙匠難於神運；非學綜往古，則妙手苦於乏材。氣化
與世遞遷，斯文隨時升降，典謨爾雅，已闢混茫，商周郁文，遂臻鴻邕，鑿破精
元。兩司馬氏，實巨靈之斧，鍊成五色；曹氏父子，乃女媧之神，浸淫齊梁。雕
繪已極，沿洄唐葉，風雅漸還。至宋而俗奏社鼓於村老，逮元而稗謳豔曲於青
衣。夫三唐清綺，固虢國之素面朝天；六代英華，亦夷光之新妝袨服。李獻吉力
追漢魏，於古草昧而未遑；徐昌穀獨創六朝，其采壅閟而莫暢。皇甫弟兄尚是江
左之蓓蕾，臨川諸子始極選體之榮華，乃至竅六，益以恢弘。從蕭統而脫胎，並
收華實；沿黃初而窮脈，直達京周。熅含靈哲，生來之宿骨本奇；綜博縹緗，精
思之淹緯更密。建章之萬戶千門，材料斲彼天匠；仙丹之五金八石，藥物煉以神
爐。乍而讀之，外觀巨麗而駴人；徐而按之，內景玲瓏而洞物。爲漢魏則漢魏，
不入齊梁之調；爲唐人則唐人，不襍徐庾之聲。其合者，既已分先哲莊道；其小
不合者，必無墮宋元阬塹。至於文字彌以偉，如求仗武庫，戈戟森嚴；采寶岱
淵，珠琲錯落。寧獨高步章貢，且將雄視寰區者矣。又其人慷慨然諾，有原陵之
俠腸；忠義悃誠，具龍比之俊骨。肝膽既親，則虛左毛褐；氣勢相恐，則睥睨侯
王。家絫空而晏如，官澿落而不悶。矯矯冥鴻，滅影層漢，嘩嘩威鳳，曜彩長離

者哉！竅六締好弇翁，生香咳唾，論交函叟，延譽齒牙，晚挹紫芝之宇，遂尋青松之盟。論心則味馥申椒，譚藝則契同針芥。老去而還綵筆，江淹之才思當窮，東遊而遇異人，中郎之名理應進。奉命而序，都敢云玄晏，驚文而焚研，竊學君苗云爾。東海友弟屠隆緯眞甫譔。

明吳道南序

余輒慕古建言，觀其竅妙，乃稱擅場者，代不數人，人不數首。此何以故？蓋神識難焉。神惟清、識惟卓，兼兩者以抒繹性靈，故能獨啟橐籥、噓希聲，發天籟之自然，張洞庭之獨奏，亡論里耳，即力追古響、貌小來學者，猶逡巡弗亢，視青來氏茲集，其然哉！余家世聲詩，頗亦願終綸緒，奈重纏繳，無能登更上壇墠，故不鳴也。迨詣公車，追塵青來，後盼五老於匡峯，尋五柳於陶岸，瞻奔流於黃河，揚大風於豐沛；入齊魯之虛，覽海岱之勝，曠若發覆，目暢心融。二人顧謂天下之巨觀備矣，文章亦復如是。已乃青來先第，余亦旋歸，復脩業山中矣。暨今歲皇上不棄菅蒯，置之詞垣，青來仍驅車上都門，見甚懽，發篋出所爲近製，余卒讀，喟然歎曰，何吊詭又至此乎？千世後當必有無遜於旦莫之遇者，則又安所事，拾鄰下雜唾，乞郢中餘巧，以與世暖妹士爭蚑吟細響哉！直洋洋乎大雅風矣。且青來古貌古心，獨解獨詣，大千法界，不二眞宗，靡不批郤導窾、研精吸髓，其庶幾覯如來身哉！愧余猶童子戲也，實遠青來矣。然昔譚作者，謂左丘明爲素臣，近亦謂蒙莊爲玄臣，青來氏將何居？噫嘻！然然可可，和以天倪，榮華隱道，茲集自青來視之駢也，如復以色相求，不見青來矣。友弟吳道南題。

明王亮序

今天下能文之士希覯矣，嘉隆間，弇州雙珠、新安伯玉、東魯于鱗、楚西明卿，均稱宗匠，茲已彫謝，良可嘆吁。于時馳驟詞場，並驅中原，則京山本寧、四明緯眞，與竅六先生，可稱鼎足。而湯侯發殷何之調，二謝綜綺麗之章。武陵君嶼、吾宗永叔、三山能始，皆晚出而秀，各張旗鼓，足當一面，均一世之雄也。不佞游心此道垂三十年，茲老矣，漸於詩律細，有味乎少陵之旨云。萬曆辛丑以迂戇謫塩官，縉綬釣龍之渚，方與司農天廸、明府宗漢，申夙昔之好。未幾何而緯眞以倦遊至，竅六以左遷至，四方詞客，望風景附，鬱然如林，令我畸人

頓生光耀，分韻賦詩，大稱快事。比從計吏後北上，越歲莫秋，復來閩嶠，而緯
眞旋歸雪竇，能始鳴珂白門矣。聚星忽散，離合爲褒，獨歙六與余並係波臣，勢
相掎角，奈何爲夙昔扳檻，故來微言也，飄然請假東歸矣。先生知余坦中無他腸
也，與交最曉，茲行也，能無同病之慨乎？嗟嗟！景星不世出，慶雲不歲現，造
物者固吝之也。夫夫也業已握靈蛇之珠，洩宇宙之華，其坎壈也，由然哉！錦袍
供奉，望夜郎而增悲，北斗昌黎，馴鱷魚而興嘆，寧獨先生哉！雖然，事固不可
知者，珠崖子瞻，復履玉堂之署；龍場伯安，俄成蓋世之勳。萬有未來，奚容億
測。聞君家開樓金堤之上，高可凌霄，俯瞰無垠，沽酒呼朋，洵足樂也。況復有
湯谷之芳林、謝家之連璧，更唱迭和，余心艷艷動矣。日將掛瓢携笠，遨遊峋
嶁、羅浮、九華、二酉，以畢生平汗漫之志，或者過臨汝間，君其爲北道主人
乎？余將佩旌陽之清風，挾安期之火棗，抗步百尺樓上；撫伯牙之琴，弄桓伊之
笛，縱飛馬之辯，窮無生之興。開拓眼界，放大光明，崑崙非魁，恒沙非渺，億
劫非久，刹那非暫，于是白眼問天，飛觴留月，區區蒼狗，且揶揄其變幻靡恒
也。況于人乎哉！先生行矣，君信剛腸，余慚俠骨，高吟秋水，不唱綠波，爲我
寄聲義仍友，可無寒盟乎？且復問訊麻姑，多貯麟脯玉漿，弗鞭方平背也。友弟
臨海王亮樨玉。

明 陳 文 燭 序

　　夫飛兔一息千里，而駑蹇不能邁趻；鴻鵠一舉出青雲，而尺鷃不陵枋榆。人
之才質相去，不若是遼邈哉！國朝取士以經術，士篤守一經，或葆鬢皓首，不能
窮其說，若乃氾濫儒林，馳騁文囿，則體有今古，材有繁徑，事有難易，才有小
大。安凡陋者同贅疣之視，苦浩瀚者興登天之歎；逃以襲名，避犬馬之圖；困而
兩廢，窮顧鼠之技、厥有苞舉而兼遂者，命之曰通才，然而不多見矣。臨川周君
髫髻即慕古學，雖降心功令爲舉業，然未嘗役志纏縛於此也。日閉關默坐，蕩奓
清魂，瑩精內典，皈依彼岸。暇則作爲聲歌若古文辭，弧撌騷，選秦漢，多玄言
奧旨，寡昧所不能識，常著逍遙遊賦，陶寫自得。拘教樂貴之徒，至相與竊笑
曰，是必不利場屋也。已而君取科第，猶掇而兩試之，文攄發性靈，膾炙人口，
即極力舉子業者，反遜避之。余謂周君於文藝無不可者，匪獨質美學優，亦以心
之一也。子輿論學，先求放心，舍人品文，歸諸養氣，君惟不以世俗一切溺志牿
心，是故其神和矣，其氣充矣，宣粹闡積，淬鋒賈勇於古今，有不宜虖？君生平

著作甚富，偶出青旬集示不佞，且屬爲叙，嗟夫！延州游寓，執手僑胁，仲舉到官，下榻璆悍，周君固是邦之賢者，愧不佞不足當下執事，然與周君定交，三復其文久矣，不敢以不敏辭而序之。萬曆庚寅春月，鄆人陳文燭題。

（陳錦釗審查　　許惠貞標點）

李長卿集二十八卷十二冊　明李鼎撰　明萬曆壬子（四十年）豫章李氏家刊本
12822

明 李 維 楨 序

　　今之所謂詞人，十九在詩，詩獨專近體，而長于古選歌行者，十不得三焉。自詩之外能文者，十不得一焉。其所以爲詩文，率于近代二三名流遺籍中，解裙褓而拾含珠耳，通六籍總百氏者，百不得一焉。即有之，畸于人而不達于天，通于古而不宜于今，道術世務，闕略已甚，儒者鄙薄詞人爲雕蟲小技所從來矣。余讀李孝廉長卿集，而知世自有大雅不群之士也。集爲詩二卷，漢魏六朝三唐之體具備矣；爲文十四卷，西京以還，唐宋諸大家之美兼收矣；爲經詁四卷，爲偶談二卷，爲解一卷，爲贅言一卷，抉性命之精微，總倫常之指趣，窮宇宙之恢奇，有漢訓故、晉玄宗、宋理學所未及發者焉；爲借箸編一卷，爲杞說私評一卷，爲保泰策一卷，入相出將，體國經野，可以利益民萌，鞭撻四夷，有賈太傅、董江都、晁家令、劉中壘所未及發者焉。詞人中如長卿，吾見亦罕矣。則何脩而臻此？昔者子路謂何必讀書然後爲學，孔子非之，然而齊桓公讀書堂上，而輪扁以爲古人糟粕；王壽負書而行，徐馮教之以事者。應變而動，其解悟才略不出于書之外，不盡于書之中也。長卿多讀書，擇精而語詳，博觀而約取，可以入道，可以用世，是爲通儒。豈詞人一節所可評目哉？余于長卿聲相聞、心相慕有年所矣，然未得一交臂而遽失之，而其子嗣宗與友人孫生屬余序，云出長卿治命，余何能爲長卿役？小巫見大巫，河伯望海若，有駭怖退走耳。雖然，長卿實出吾宗，類太白長源，遭時不偶，無金鑾供奉白衣山人之遇，而游戲翰墨、抵掌經濟，殆未多讓。儻才靈氣，間代一生，吾宗爲龍爲光，于斯焉在。故不辭而叙之，以諗夫人倫鑒裁者。大泌山人李維楨本寧父，天都門人程百二幼輿氏書。

明謝廷諒序

　　豫章簪笏，自古蟬聯，而萬曆間有被召入相者，聆龍起鳳，獨據要津，館銓室省之任，布滿都城，不可勝數，譬之衡陽之林、岱陰之麓，伐尋抱不爲之稀也。乃棟梁文囿，曾不數人，李長卿擅其譽。長卿歿而郢斤輟矣，海內人士方加悼惜，恨不睹其全書。哲胤嗣宗抱遺編而茹泣，就苦次纂集之，裹糧千里走金陵，出橐中金，授剞劂氏梓其書，懸國門。已而過江都，問序於余兄弟。曩者余弟之曳裾太學也，聲名籍甚，一時知名之士、冑子而下莫不造焉，願與交歡，卒未之許也，獨以醉長卿。比余官南曹，從長卿遊，而長卿已倦遊矣。浮雲生野，明月入樓，猶相與弄濠梁耳，叙玄□〔？〕祕牒，亹亹忘倦，值高卿而二疑可辨，□五甚而九事非難，察其志，方將師天老而友地典，排素簿而青葱，而□〔？〕識玄□〔遠？〕，邑分襟期，朝夕與俱上下，當是時余方行鬱悼亡，陶寫絲升也。君家別駕，亟梓其書、廣其傳，伶人歌，周郎顧，終下女，不知瘦，陽陽乎有江左君子之遺風矣！歲月幾何，兩君俱逝，名流多愴惻焉，而不佞爲甚，帳懸秋月，鸞嘯洪厓，花落春風，鶯鳴白下，何處堪回首耶？即誦河西之篋，如聽山陽之笛矣，安能竟讀也？又安能執筆札而序其簡端也！且抱疴月餘矣，或謂茂陵禪草因所忠而獻□子聲施至今，彼以其夫榮，此以其親顯，庭趨對鯉，世擅雕龍，玩之可以恬目而齊心，傳之足以風世而勵俗，令墮前人之聞者媿焉。昔有聞要言妙道而霍然病已者，子聞之熟矣，子但取松霞館一編置床頭，其纏絡萬品、合符囊眞，有令人絕倒者，其他研妙穎、奪豪鋒，仰探乎九乾，寄群籟於無象，既遊慧水，兼引法輪，定八卦之根宗，摠六律之殊氣，薙聖籍之荒蕪傾群言之滴液，即漆園卜肆之間，超然玄箸，亦今之向秀也。余曰，有是哉！子味其出世之語泠然，余睹其經世之略淒然，夫鄉曲之徒、一介之士，曾諷急就、習甲子者，皆奮筆揚文，拖青紆紫，天隆其祐，主豐其祿，攝鬚理髯，倬有餘裕，奈之何長卿之數奇也，乍舒翼而揚聲，倏隱鱗而藏彩，空載三千牘游金馬門，而見忌絳灌之口，曾不得一試南宮以吐其奇，則披褐上書言事，備倭防虜、借箸運籌往往驗，今其書具□也，彼矯身擢手徑□〔？〕名位者睹之，寧無愧色乎？余故因長卿之不遇而爲之感憤不平也，世實須才，世非無才，躡高位沈下僚者無論，一時英僑士鑒□〔？〕於鄉而阨於朝者有三人，鄧、翟婆娑，始就徵聘，獨長卿傲岸榮瘁以終其身，晏如也。始困阨於鄒韓，終激揚於荀孟，譚塵猶在，鳴琴尚陳，歆向傳經，世濟其美，蓋自君家學憲公以來，而箕裘日振，門德

家聲三陳兩許，近世所希覯者，視彼榮華，若朝槿矣。西平友弟謝廷諒友可甫
譔，門人汪應婁書。

明 謝 陛 序

　　吾儒之言曰，物格以至身修，而后家齊，家齊而后國治，國治而后天下平。
乃老氏則曰，道之精以爲身，其緒餘以爲國家，其土苴以爲天下。二者將無同
乎？夫吾儒但有先后，而老氏則有精粗。君乎牧哉！同而異、異而同者也。余常
有概於斯，乃因序李長卿先生集，而心印矣。集爲各體詩二卷，爲各體文十四
卷，爲解一卷，爲策二卷，爲偶譚二卷，爲贅言一卷，爲淨明忠孝全傳正訛二
卷，爲經詁四卷，共二十八卷。夫集有先后也，而非向者之先后也；集有精粗
也，而非向者之精粗也。蓋先生自有其先后精粗，而余之所以論先生者，亦自有
其先后精粗，必合先生生平，自少至老，窮通得喪、悔吝憂虞，無所不知，而後
括先生之爲人，乃能品先生之爲集矣。先生名家之裔，名父之子，少稟天授之
資，長負日上之氣，自諸生時，便以天下國家爲己任，芥拾青紫，刃解簿書，纓
繫匈奴，匕調蕭鼐，而後塵視軒冕，屣脫岩廊，袂曳煙霞，口殘沆瀣，蓋七尺而
八荒，一朝而千古矣。乃有刺謬不然者，甫薦賢書，即嬰白簡，而其氣不索，心
愈恢、志愈厲，蒿目時艱民瘼，邊燧海波，肉好污邪，宵旰吐握，不勝其杞墜婺
殞之憂，昌言劈畫，洞中機宜，奈何國是罔野、肉食靡芹，即先生無如之何矣。
晚遇上眞，得聞秘諦，歸休乎君，余無所用天下爲也。顧有關門令尹之請，安得
不發所覆哉！先生爲人大都若是，而集由此其選矣，繇斯以談先生，杞說私評、
借箸、編錢法、屯政、保泰諸策，上張相國、石司馬書，此所以爲天下國家也，
土苴耶？緒餘耶？吾以爲此先生之精也。河圖、洛書、易卦、南華眞經諸解，性
命身心之學，先生之精也，即所以爲天下國家之粗，由此而出者也。但物有本
末，事有終始，先生辦此矣。正訛則先生上眞秘諦之所證，精而微者也。至讀偶
譚贅言，則經世、住世、出世，無所不詣，亦無所不通，何精何粗，仍候仍忽而
已。若乃諸詩諸文，自先生視之，不過應世之作，緒餘耳、土苴耳。於今詞人所
不敢望求之，古人則有李長源，而先生實似之。長源以仙骨而舉神童，周旋四
帝，恢復兩京，唐之天下，把握於一介白衣山人之手三十餘年，其披肝瀝膽於斧
扆之前、戎馬之際者，所爲則土苴，而所決則性命，以精而爲粗也。幸賴黃衣聖
人一靜即悟，功成名遂，而身退仙遊，蓋自留侯以后一人而已。然而末年躑躅間

關於長史別駕之間，又不可曉於文，定公以爲不能忘世而又不能忘名，是或然矣。嗟夫！長源不可謂不遇矣。先生則一第之不保，而遂使經世大業，徒託之空言也，豈不深可惜哉？然而長源除諸建白之外，獨黃臺辰一詩，至今讀之，令人心折。而先生之集，視此爲富矣。說者謂先生之於名世，俱不能忘，此正猶之長源也。先生所遇爲赤肚，子茲且從之遊矣，蓋不知長源所師事者何人。先生有子嗣宗善繼善述，而戎事類占諸書深有心於當世，此亦得先生之一體，視之李繁操行不檢、有媿父風，大不侔矣。豈天嗇於先生之身，固將以昌先生之後哉！關門紫氣，闕下白衣，偶屬公家掌故，非牽合而傅會也。萬曆壬子長至日，通家友弟歙謝陛拜撰，齊安門人孟淑孔敬書。

明孫汝澄書後

李長卿先生著作寔多，然其稿之存者亦僅僅已，初嘗以其稿之所僅存者梓之，曰蠹餘集，既又梓之，曰日損齋集。後先生離轀重，去爲尋仙遊，寖久蝕剝，益多遺失，索之副墨，弗得矣。往歲戊申秋之季，先生倦游還山，余從南粵歸，過章江，舟次滕王閣下，瀕發，先生適至，登岸晤語，讙甚，何緣際此奇遇，信宿江干，且訂西山之約，蘄以性命之旨相印證耳。明年中夏，余將有事於燕，重忘久要，過訪先生，信宿山中，再訂後約，先生云世外事一切不關於心，課孫之暇，掇拾吾文，翦去斷簡，附以近作，編次成帙，思得李太史本寧先生序之，然後託諸梓。子之行也，如此其亟乎，不然，爲我更閱一過。余謝不敏，蓋有待也，不意遂成長別矣。今先生令子嗣宗勿替先生之言，走謁李太史公於金陵，乞序先生遺稿，付之剞劂，稿如干卷，皆先生手自裁定，題曰李長卿集，又先生山居，則以今學士家所治經藝講說紛紜、靡所折衷，四書五經，並欲有所論述，權輿於大學中庸，間及論語、孟子、詩經，天不憗遺，訖無成勣，先生景入桑榆，無片晷曠廢，顧將乘彼白雲，猶與二三友人講業城中，其亦習於不厭不倦者耶！余於先生橋梓在紀群之間，乃嗣宗輒謀於余，先君論述經義，苦心探究。集之外別爲一書，書則未成。不肖孤敢以其言湮滅而無聞哉！余謂嗣宗片玉碎金莫非寶也，錄而附之集中，可乎？嗣宗唯唯，得余言而釋然也。余爲命其篇曰經詁，復贅一言於後，亦以見先生嘉惠後學之意諄切若是云爾。萬曆壬子冬日，新都孫汝澄拜手撰，武林門人錢權書。

（陳錦釗審查　　許惠貞標點）

吳文恪公文集三十二卷附錄一卷十二冊　明吳道南撰　明崇禎間崇仁吳氏家刊本
12827

明　錢士升　序

　　明興二百六十餘年，享國長久者，神廟最盛，萬曆壬辰、己丑間又最盛，維
時治道龐鴻，人文瀚鬱，館閣名鉅，應期而起者，背項相望，而吾師吳文恪公其
最著也。師己丑對策，擢一甲第二人，出入承明，登延綸閣，生平結譔其富，歿
九年而叔子工部君京薈其遺稿梓之，屬升爲序。升受而卒業，竊嘆師之文，蓋有
體有用，而非絺章繪句之流所能及也。夫文之道大矣，其精以爲性命，其實際以
爲天下國家。孔子尚辭達，而文言之論脩詞也，本之立誠。達者，達其誠也。誠
乃仁，仁乃公，公乃合天下爲一己。故立言若無與于德功，而匪德功則言無由
立，舍德功而稱脩詞，此餘食贅行，速朽之業耳。師初入詞林，陳文憲公執政，
議脩正史，館局諸公，分曹受簡，師得河渠。今所志南北漕河泉源，以及海運郡
國水利支分派析，即龍門之紀宣房、道元之注水經，無以過也。署南宮時，光廟
在東朝輟講久，請定講期、補講官，疏十餘上，辭旨懇摯，不減劉中壘、李鄴
侯。既入綸扉，亟請下章，奏罷湖稅、宥言官，皆天下大計，而忌者尼之。卷懷
而歸，著大政十二議，凡邊疆之要害、禦虜之機宜、鹽屯之興廢、兵政之弛張、
河漕之通塞、宗祿之贏詘，以及貢舉易名之典，無不原本祖宗、兼綜條貫。正如
聚米爲山、開掌觀果，而憂世嫉邪之意寓于其間，此師經國之大業也，而其本得
之于學。師學有宗傳，大要在識仁體、達生機，見赤子之心爲大人，參不學不慮
之知能爲聖，解人我封畛，渾然大同。寶唐語錄，由盱江以接金谿，而事業經
濟，以及一切紀載，聲律之文，直本體中之緒餘耳，所謂立誠居業、合天下爲一
己者，非師其誰歸耶？抑嘗因文論世，神廟二十年間，宇內無事，士大夫雍容討
論，以鳴國家之盛。于時，師之文博贍而精詳；又二十年，恬熙日久，蘖牙漸
生，近于山風之蠱、日昃之離矣，于時，師之文明愷而切直；鼎湖再泣，疆事日
非，金甌幾裂，于時，師之文鬱伊而悲憤。然揚歷三朝，進退不失其正，自周有
終，相亦惟終。蓋至師歿之後，以福唐之才，而不能不見其尾。嗚呼！豈不以時
哉！此余論世而重有感也。嘗考江右入國朝閣學，自吳公伯宗以下，至師凡十九

人，而名臣無如楊文貞及彭、費兩文憲，安福力正綱常，鉛山堅持護衛，師斷斷
職掌，觸忌不顧。河泇諸議，更與濬渦殺黃之疏相類。泰和總裁國史，是非必徵
其實，謂天下萬世事，當以天下萬世之心處之，毫髮有私，不論薄厚，皆獲罪神
明。以視師易名之議，如合契也。然則江右三公，又豈得專美當代哉？工部君紹
聞衣德，居官潔廉，出其俸入，以梓先集，可謂孝子。而小子升感山梁之不復，
仰日月之常鮮，不辭謭陋，敬識其大者如此。賜進士及第、通議大夫、南京禮部
右侍郎兼翰林院侍讀學士、前纂修實錄副總裁，門人錢士升頓首拜撰。

（陳錦釗審查　　許惠貞標點）

歇庵集十卷四冊　　明陶望齡撰　　明萬曆庚戌（三十八年）眞如齋校刊本　　12829

明 王 應 遴 敘

　　古之士，有以文傳者矣，其人未可知也；有以人傳者矣，其文未可知也；有
以人與文合而傳者矣，其一至而偏，博收而雜，未可知也。是故聞伯夷下惠之
節，可無誦其遺書，開淮南呂覽之篇，不深徵其操行，辟則洪河喬嶽，矚目而神
聳；條風卿雲，被體而形醉。固無暇指摘其瑕類、披快其本根也。韓之昌黎、蘇
之玉局，人文合焉。韓以矜筂夷，蘇以率摹惠，而文亦似之。廟堂之上，高文大
冊，宜韓之莊；丘壑之間，杯酒嘯歌，宜蘇之趣。介士法言、通人逸作，稱心無
怍，踐域具優，懷乎若汎洪河、陟喬嶽，攬條風之時麗、覬卿雲之絢空，斯亦憚
駭魂慮之觀、惊可耳目之具矣。我明邁綜，爰有鉅儒，曰故國子祭酒會稽歇菴朱
生，介不離羣、通不詭世，出處本末，吾無間然，至于肆筆成書，特其餘事，而
匠心獨形，體備昔賢，窮其深，則汲塚魯壁之籍靡不窺，探其賾，則旁行四句之
書靡不讀，碑板綸誥之作，矩矱凜然，流連敘述之篇，風致橫逸，而大指傳諸道
德，駁乎鄒魯之堂，夷惠無得而名，蘇韓莫適爲指，其亦聖域具體之士、文苑大
雅之流與？嗚呼！惟人與文罕或具美，分將摽譽，合固擅奇，而朱生一身兼摠條
貫，奔流峻峙，雲物爛焉，求諸古今，實鮮其儷，雖欲閟而弗出，山川其能舍
諸？應遴里閈庶士，幸班見知，摳衣負墻爲日尺久，捐館之始，即走謁其介弟君
奭，願授遺文，俾肩校梓之役，君奭搜括靡漏，卷帙浩多，欲加刪定，以著雅
醇。應遴不敏，未之敢聞，君奭遂柬最抽精，詮次對儷，分爲十卷，厥工乃竣，

敬題數語末束，識歲月焉。萬曆辛亥冬仲，山陰王應遴謹識。

（陳錦釗審查　　許惠貞標點）

歇庵集十六卷十六冊　明陶望齡撰　明萬曆庚戌（三十八年）眞如齋校刊本
12830

明 黃 汝 亨 序

　　夫人具天地之心，虛而已。虛躍而爲靈，靈通而爲道，道演而爲經，經散而
爲文，而詩賦傳記序述之篇溢矣。故文者道之器，而虛靈者才之籥也。文不明
道、不發乎虛靈之源，即鏤金石、爛雲霞，垂不朽之業，聲施後世，亦才子之文
耳已。然而風氣所幟，擅才斯霸，波流所扇，偏理而王。故才矜其道者，秦漢之
文也，理掩其才者，宋文也。我明之有北地、信陽、歷下、瑯琊輩也，負秦漢之
鼎而霸焉者也。其有金華、天台、毘陵、晉江輩也，握宋之符而王焉者也。大雅
哉！約奇淫而振靡蕪，其孰能軼之！雖然，虛靈之妙，至道之旨，其合離、離
合，吾不得而定也。三代而後，其人實難，吾於漢得董子焉，唐得韓子焉，宋得
歐陽子、蘇子焉，吾明得陽明王子焉。之數子者，吾不謂其吐即經、泳即雅。然
而董之醇、韓之剛、歐陽之逸、蘇子之通，而陽明子之悟于道，皆殆庶而出入于
虛與靈無滑也。自陽明子歿，文士輩出，近亦有壇讉秦漢人而俎豆宋人者，然才
爲才矜、理爲理掩，二者皆譏，乃今得諸周望陶子矣。陶子於文，有史漢，有騷
雅，而長于序記，其譚道證性，略物綜事，炯如也。子詩爲陶，爲柳，間爲長
吉，而品置泉石，嘯吟煙雲，超如也。其才不敢謂出秦漢諸文人上，而取理出
新，不爲宋人之掩，學陽明子而不爲辨說，得禪之深，而一秉鐸于孔氏，無跡踐
形掌，而虛靈之所契，追琢成文，游戲成解，結撰成法，篤古而耦時。卓乎爲陶
子之文，行千載無疑也。陶子淨寂如處女，清瘦如山澤，癯而靈活之機，流露眉
宇，棲巖十七，簪笏十三，模楷人倫而不爲標，經緯當世而密其緒，臨歿無散
亂，亦無奇特，啟手而翛然已矣。嗟乎！此所以爲陶子也，所以爲陶子之文也。
陶子號石簣，學者稱石簣先生，晚而號歇庵居士。寓庸居士武林黃汝亨譔并書。

明 余 懋 孳 小 引

海內二十年來，遠近識不識，靡不稱有陶會稽先生，其士子則曰，今王唐也藝至是。其作者則曰，再見坡僊矣。里社婦孺、緇流耆宿，交口讚曰，是竺乾古先生，而縉紳之理性命者。又曰，是慈湖、陽明再世也。噫！我師大矣，愚安能測之？愚幼以括帖誦法師，既而為闈中所舉士，一見而使人心醉意消，衄然喪所懷也。乃師再乞歸，而愚適乘匵縋綬山陰，於歇菴里相望，時海內方屬目公輔之業，以陶堰為東山。而師於奉親之暇，退憩歇菴，葛巾芒履，往來於天衣曹宕，與開士信人共證性命。愚間以夜月扁舟順風造請，未能以尺莛發洪鍾，乃師渾身是法，隨機顯示，求一剩語不可得。蓋師不欲立文字，而愚不敢以文字窺師久矣。己酉春月，學使者瞻文成祠，欲揭宗旨，屬剞師秦次，而師惠然刪定，方及龍谿一卷，適以讀禮閣筆，哀毀太過，數月而遽藏舟，即書成，未及序也。噫！豈天之無意於斯文哉！師之學，若天海不可摹繪，然愚竊窺其惟日不足之心，一則曰四十無聞，一則曰學如上壁，了無進處。至其刪宗旨也，三致意於緒出微言，蓋修悟交深，權寔互用，而還證於圓，異於所謂儱侗禪者。頃都中一老衲謂師功有著落，愚竊以為知言，乃師與其不傳者往矣。遺篇賸幅，間存歇菴，學者爭購以傳，即斷簡單詞，珍若檀旃。愚方過吏事，不暇手錄，從君爽乞得，屬王生應遴傳寫，奉入春明，冀與師門高足訂其譌謬，用詔來茲。而王生亟付剞劂，頓令長安紙貴。且謂愚不可無一言，愚僭記其緣起若此，至闡發淵源，為子瞻之序六一，則有嘉賓諸公在。萬曆辛亥上巳日，門人新安余懋孳敬題。

（陳錦釗審查　　許惠貞標點）

陶文簡公集十三卷附功臣傳一卷八冊　明陶望齡撰　明天啟丙寅（六年）陶履中筼陽道院刊本　12837

明喬時敏序

　　蓋韓退之有言，化當世莫若口，傳來世莫若書。而秦子勑稱虎生而文炳、鳳生而五色。性有自然，非關飾畫，明乎立言之紀于三不朽也所從來矣。會稽陶老師質茂冲和，學窺中秘，生平絕無聲色伎樂之嗜，而獨深湛好書，當其屏人獨對，香一縷、茗一甌，意有玄晤，嗒焉喪我。蓋寸心之神往，與千古之靈秘，悉發之文詞。耳食者訝文詞之淵懿，而不知老師固有負于中而未究厥用，以書之紙也。蓋古之君子，以時消息，從道汙隆，故其處則閉重，玄坐虛白，龍翔鳳峙，桂郁蘭芳，下生川岳之氣，上發星辰之象，其出則摛景光、吐文質，風雲相照，日月增明，撫八翼而登泰階，提七星而酌元氣，蓋噏張途變，潛見道殊，其分軌而立也類如此。惟老師當休明之期，崇肥尚之致，滄洲密邇，未徵嘉遁之文；閶闔洞開，不列亨衢之步。禹門即爲陋巷，簞瓢可以粒饑，其所筆之書而用自見者，固宜在此不在彼也。蓋嘗俯仰近代之季，朝鮮完璧之人，有如浮沈金馬，必突梯致誚，即或抗脩邁軸，亦釣詭蒙譏。而老師身既躋於清華，名不挂於軒輊，如日之升，用特兼乎冬夏，有情之衆，各不得而親疎。蓋品爲一代之完人，宜文作千秋之鉅寶也。所可惜者，家食累年，調梅未展，溪毛輟饌，嗟二豎之廱妖，麟種尚虛，恨弓裘之未衍，而老師已奄然先霜露逝矣。無論勳名，未表于時，即所垂祼者，其文詞亦僅僅止此，造物者何以老師爲拘拘也耶？時敏昔在癸卯秋闈，雅蒙特達之賞，山陽未奠，宿草先青，仰景行以興思，睇遺篇而增慨。蓋老師雅無意于立功，功成而朝爲羽儀；不得已而立言，言出而世稱威鳳。爰捐俸餘，授之梓人。茲集也出，老師雖未得以身傳，而猶以書傳也，則老師于九京或莞爾爾。賜進士同出身、知仁和縣事，門生上海喬時敏謹譔。

明 胡承諟 序

文至秦漢後，亦屢變矣。詩與文二，古文辭與經義文又二，自唐專以詩羅士，而聲律盛，我明專以經義羅士，而帖括盛。蓋功令懸其的，士皆殫精力以趨之。經生之不能詩文，猶唐人之不能秦漢文也，夫豈風會能制才士哉！展追風逐電之足，而拙於捕鼠；淬斬蛟截兕之鋒，而鈍於割雞。故或才富而寡于學，識精而怯於力，膽放而謬於理，即衆美備而或束於格，此今日經義尚不敢與唐人爭席，又安望秦漢人哉！惟夫根極性命、籠罩天人，本之六經，以求其理；參之左史，以擷其華。廣搜乎屈、宋、莊、列、韓、蘇，以擴其識，反覆于道德、楞嚴、法華、性理諸書，以求其悟，然後思奧而不詭，言大而有本，縱橫于古今宇宙而擅一家。是故詩文經義，左右逢原，始能合弘正秦漢唐宋而集其成。會稽先生以經義冠南宮，余見雞林片紙，珍若拱璧，常私評曰，前無瞿唐，後無湯許，洗浮靡而崇典雅，今之韓昌黎、歐陽文忠也。頃承乏瑞陽，于郡伯公處獲讀先生遺稿，其蒼勁似左國，雄放似子長，憑虛凌空似漆園吏，短詠長篇似王摩詰、孟襄陽，經濟才猷似董江都、賈長沙，剴切痛快似蘇眉山、李溫陵。悟足而識老，才富而神完，落筆爲詠，矢口成吟，無不游于神妙。如善畫者有色無色，筆筆化工；如善兵者奇奇正正，靡不操勝。然則一經義烏足盡先生之大哉！當其大魁，海內一時共推爲天下士矣，抑知其肆力著述、上下千古，爲百世士有感也夫！麻陽後學胡承謨頓首拜譔。

（陳錦釗審查　　許惠貞標點）

────────────

歇庵先生集選四卷二冊　明陶望齡撰　陸夢龍選　明萬曆末年刊本　12840

明　陸　夢　龍　序

　　余嘗謂讀書不讀全書，如拾鴻之毳以像鴻也。秦阿之宮、煬之樓、徽之嶽，觀麗者必周其弘、周其疏、周其遯焉。猶或惝怳不給，穴隙而窺之，不惟無以與吾目也，亦安所容吾身！若夫選擇而居則不然，蓋有據其一勝而盡千里之一覽者矣，讀不全無以見古人之大，選不精無以成古人之瑜而垂後世。廉頗之將、黃霸之治郡也，幾乎其盛者也，而不能無議。閼與之失，與爲相之憾，比而書之，則將謂頗不爲智勇，而霸不爲循夫。角棚而耀歌者，必爲之謹，罷轅拂扳，潤吻止囂，豈容遏歌者以示人缺哉？歇菴刻徐文長三集，不知何以略不差別，令文長弊錦袴荊棘中。歇菴之文，意俊而語獨，能發其解，迤邐澹浸，致令必達，五言古詩，時有陶柳之概，駭乎其必泊者也，而刻之者爲俗士，概舉旁及鱗鬣之餘，暨所厭倦而代以人者，亦支格其間，殊累歇菴，文固有率而工、苦而窳者，率而工，出其意之所發，意至語至，意盡語盡。若逼迫於酬酢，矜莊于顧忌，周旋于顏面，其思彌曲，其詞彌巧，而文彌以不工。當其牽于人求而人應，勢實使之，而不虞其示於人而傳于後。居今之世，爲人應之文而能免於數患者，鮮矣。即歇菴不免也，而豈其質哉！公餘多暇，爲極遴擇諸如所云，即中擇必鍥句鍛語，以成全瑜。少時喜高季迪詩語秀粹，徧索全集讀之，無足觀，返令索者無味甚矣，選季迪者之愛季迪也，歇菴選所餘散金沙中，割愛去盡，令讀者味腴而憶之，追逸雋無竟，不猶愈歟！萬曆己未五月望後，陸夢龍君啟書於粵署。

（陳錦釗審查　　許惠貞標點）

────────────

容臺文集九卷詩集四卷別集四卷十八冊　明董其昌撰　明崇禎庚午（三年）華亭
董氏家刊本　12842

明 陳 繼 儒 敍

　　容臺集者，思白董公之所譔也。大宗伯典三禮、勑九卿，觀禮樂之容，故稱
容臺。古禮部尚書兼學士，惟蘇東坡、周平園領之，儒臣豔爲極榮。吾朝南秩宗
差冷，自京山本寧李公與吾鄉思白董公接席而來，皆不久引年，特賜馳傳歸，士
大夫高之，亦二百年容臺未始有也。往王長公主盟藝壇，李本寧與之氣誼聲調甚
合，董公方諸生，嶽嶽不肯下，曰，神仙自能拔宅，何事傍人門戶閒。獨好參曹
洞禪，批閱永明宗鏡錄一百卷，大有奇悟。己丑，讀中秘書，日與陶周望、袁伯
修遊戲禪悅，視一切功名文字，直黃鵠之笑壤蟲而已，時貴側目。出補外藩，視
學楚中，旋反初服，高臥十八餘年，而名日益重，四方徵文者日益多，自上袞列
卿臺察郡邑吏干旄詣門，則公請；贈遠謁貴，非公文不腆，則公請；浮屠老子之
宮，則公請；子孫稱地上觸文地下石，則公請；藩王戚畹以及三韓六詔百蠻之
長，懸購著作如雞林新羅故事，則公請；三家之村、五都之市，朝懷贋蹟而暮獵
金錢，依倚生活不勝記，則公請。夫海內文人亦多矣，身當吾世，而目見斷楮殘
煤至聲價百倍者，無論京山，即弇州曾若是之烜赫乎？度公所遭，即思王八斗、
穆之百函，分身應之，猶恐不給，而公搖筆萬言，緣手散去，侍兒書記竟不知轉
落誰何手也。余與公爲老友，凡有奇文，輒出示欣賞，其他散見于劈箋、題扇、
卷軸、屏障之外者甚夥，賴冢孫庭克意料理，懸金募之，稍稍不脛而集，呈公省
視，乃始笑爲己作，不然，等身書幾化爲太山無字碑耳。公七十有五餘，至今手
不釋卷，燈下能讀蠅頭書，寫蠅頭字，間遇二三名流巨集抽覽，即推去曰，就中
無甚秘密藏，不必遊目也。他人皆五金八石，而公之手，別具一刀圭；他人皆八
陣六花，而公之筆，別帶一匕首。凡詩文家客氣、市氣、縱橫氣、草野氣、錦衣
玉食氣，皆鉏治抖擻，不令微細流注于胸次而發現于毫端。故其高文大冊、雋韻
名章，溫厚中有精靈，蕭灑中有蕭括。推之使高，如九萬里垂天之雲；澄之愈
清，如十五夜吞江之月。漸老漸熟，漸熟漸離，漸離漸近于平淡自然，而浮華刊
落矣，姿態橫生矣，堂堂大人相獨露矣。豈惟臺閣體具存，即漢唐宋以來相傳正
始之血脈，尚留十一于千百者，非公砥柱之力哉！往公修神、光兩朝實錄，署副
總裁，當事擬以少宰，辭。擬北詹，又辭。既而請南乞休，逆魏盜權于府中，東

夷弄兵於輦下，士大夫震讋雷霆之威，局脊救過不暇，而後歎服公之先幾遠引，
坦坦如無事道人，非生平名心淡、識力高，何以有此！宋禮部尚書倪思云，與其
爲有瑕執政，寧爲無瑕從臣。其公之謂矣！以此而發之心聲心畫，雖欲不傳，得
乎？若留中奏議纂要如干卷，曾經宣付史館，尚未流布人間，確然元老晚年之定
論，神祖大事記之權輿也。實錄竣期，敢忘嚆矢？爾庭梓之請俟異日焉。崇禎庚
午七月朔，友弟陳繼儒頓首譔。

（陳錦釗審查　　許惠貞標點）

高子遺書十二卷附錄一卷四冊　明高攀龍撰　明崇禎壬申（五年）嘉善錢士升等
刊本　　12847

明　錢　士　升　序

　　學有岐，性無岐，性命於天，天性即天理也。理至實而無聲無臭，未嘗不
虛，理至虛而有物有則，未嘗不實。夫性一而已矣。自性學不明，立教滋弊，篤
行者諱言虛靈，談空者掃除事理。諱言虛靈，將等於不著之百姓，掃除事理，甚
爲無忌憚之小人，流弊不同，其不識性均也。孔子曰，窮理盡性以至於命。孟子
道性善，善者，理之總名也。至宋儒程朱出，而鄒魯一脉絶而復續，淳公體認天
理，文公窮至事物之理，嗚呼！聖學與異端，毫釐差而千里謬者，其在斯與？我
明高忠憲公，性學正傳也，先生少而志學，曰，學孔子而不宗程朱，是望海若而
失司南也。取其書細讀而精思之，參求既久，一旦貫通，不必規模成言，而能盡
發其蘊，大指以見性爲宗，以明善爲要，以人生而靜，不著意念者爲繼善之眞
體，以辨志定業，絶利一原，不留毫髮疑似，以爲自欺之主者，爲格致之實際。
論心氣而曰，聖人所養者道義之氣，所存者仁義之心。論理義而曰，心爲在物之
理，故萬象森羅，心爲處物之義，故一靈變化。論情性而曰，未發者喜怒哀樂之
情，不發者萬古常寂之性。論知能而曰，乾知太始，如閃電無踪，坤作成物，如
家宅可守。此皆程朱以後學者久錮之疑網，而先生剖而析之，若繭絲牛毛之不可
殽，而銖兩累黍之不可易，乃若義關君父，辯別必精；道介長消，扶抑必早。以
至酬物行遠之篇，觸境陶情之什，莫不因形賦象、矢口成爻。蓋心精形著，隨在
現前，而先生亦不自知也。易曰，忠信，所以進德也。修詞立其誠，所以居業

也。藉令見及之,非身有之,即言言透性。此夫對塔說相輪耳,誠於何有?先生
自三時悟後,修持數十年,靜則心氣俱寂,動則事理交融。惕乎其若冰淵,粹乎
其若珪璧,肅乎其若摯歛,藹乎其若春融,具足萬行而心體不挂一絲。蓋至致命
遂志之時,身國不屑,何其從容!晝夜通知,何其超脫!而以一節名先生不得,
以孤忠名先生不得,以二氏之尸解蟬蛻、入定立亡名先生亦不得,而後知先生之
真能復性也。有物有則者,還之於實;無聲無臭者,還之於虛。所謂窮理盡性,
以至於命,非先生吾誰與歸?蒙嘗爲之說曰,宋儒周元公以後,爲禪學者無極與
太極分,而程朱合之;明儒薛文清以後,爲心學者致知與格物分,而高子合之。
分合之間,性學一大明晦也。或曰,然則先生之與程朱奚似?蒙謂程朱同一窮
理,亦各有入門,淳公從戒愼恐懼入,文公從學問思辯入,先生兼之,而得力於
居敬,居多坐如泥塑人,接人渾是一團和氣,有之似之矣。先生向有就正錄,先
生殁,門弟子從高長公伯珍傳寫笥中遺文若干篇,陳惕龍爲訂之、次之、詳之、
反之,尋味標宗,獨出手眼,名曰高子遺書,較之入關東、見洛陽諸錄,傳述師
說而滯焉不圓、雜焉不精者,相去遠矣。余私淑有年,竊謂欲正人心,先正學
術;欲正學術,必宗程朱。而先生此書實爲程朱心印,遂與諸曹謀梓之,而借引
其端。崇禎壬申春,魏里後學錢士升敬書於寅清堂之南軒。

明 陳 龍 正 序

以言爲道,無弗離也;以身爲道,無弗貫也。知欲侔乎上聖,而行不踰中
人,則知行離矣。靜時髣髴若有得焉,動而失之,則動靜離矣。誠爲之,誠有
之,其又何離焉!高子之學,不率心而率性,不宗知而宗善。無聲無臭之善,踐
之以有形有色之身,格物之日,所謂知性,所謂復性,胥于此乎在。是故誨一學
也,學一識也,天下之理患不一,不患不貫,一則自能貫矣,求一於講辨,一何
在哉?致一於吾之爲道者,吾之身心一,而天下疇不一者?人之嗜慾,無出於色
利名,極之爲死生,高子超超乎皆蟬蛻焉。居與遊,無出乎家國天下,高子雕雕
乎、切切乎,皆準繩而無妄焉。觀其坤能,是以信其乾知,身修於百年之內,而
精神乃足動乎無窮之後世。蓋本朝大儒無過文清、文成,高子微妙踰於薛,而純
實無弊勝於王,至乎脩持之潔、踐履之方,則一而已矣。于此不一,不成儒者,
況成聖賢?潔且方而未聞道,則誠有之,聞道而淄其躬、毀其方者,未之有也。
然道脈自朱、陸以來,終莫能合,薛非不悟也,而修居多;王非無力也,而巧偏

重。一修悟，一巧力，一朱陸，惟吾先生其人遺言，自自訂數種而外，多散漫無次，恐其久而愈紛，敬彙爲十二卷。凡于不欲垂、不必垂者，胥已之，寧簡毋繁，爲後世也，所以體先生之志也。崇禎辛未九月壬申，門人嘉善陳龍正謹序。

（陳錦釗審查　　許惠貞標點）

馮少墟集二十二卷續集一卷十五冊　明馮從吾撰　明萬曆丁巳（四十五年）浙江巡按張惟任等刊本　12851

明 畢 懋 康 序

　　少墟馮先生，讀中秘書，拜西臺，風節文章，有聲宇內。亡何，言忤而身退里居，掩關九載，精研契悟，講明聖人之學，從者如歸，門下士多至千餘人，一時稱關西夫子云。余適奉命按秦，得卒業所著辨學錄、疑思錄、善利圖說、學會約諸書十數種，抉關啟鑰，多發前人所未發。辨學錄參勘源頭，最爲得力，大要排距二氏似是之教，尤謂釋家言竄蝕吾道、變幻其說、舍筏超津，即宿儒慧士，間不覺墮彼法中，是可患也。故茲錄其言甚辨，其理入微，不直劃滌末流所由失，直力剖本始所由分。昔人云，儒釋差之毫釐，謬以千里。此直云儒釋宗旨，原隔千里，絕無毫釐之似。至其言心，則曰，丟過理說心，便是人心惟危之心，即有知覺，是告子知覺運動之覺、佛氏圓覺大覺之覺，其言尤爲痛切當幾，覿體直下，信及直下，就性命落根，眞爲數百年間聚訟之庭判未了公案。嗚呼！渺論哉！竊觀先生學貴有主，不貳以二，不參以三，用貴實踐，操貴祇勑，不爲虛恢婾縱者所借託。夫有主則歷千變而不可惑，實踐則究必到而不可欺，祇勑則神常惕而不可懈。屹砥柱以遏洪流，堅鍵關以攝衆會，其風翼然，惡可而言不以觭見之也。其于本也，弘大而闢深；其于宗也，調適而上遂矣。儻所謂承前啟後、非聖弗遵、非經弗由、好修篤至、身任先覺者，非邪？蓋道學肇自虞廷，講學創自洙泗，至宋諸君子始紹繹章明之，紫陽集諸儒大成，推宗河洛，然於呂、游、楊、謝，猶斥其浸淫佛老不少假，相友善者如陸、呂兄弟，亦詆子靜、子約學傍近似而涉異端。嗟夫！洞宗獲眞，憑虛失據，學術小襟，濫觴靡止，意念深矣。國朝薛文清獨尊紫陽，云多聞見而後卓約，弗爲荒幻。徑獵讀書錄，令人穆乎有餘思，關以西稱呂文簡誠敬眞篤、正經息邪，具載所著內篇中，卓然醇儒，先生其濚洄呂、薛，合派紫陽，而溯源洙泗乎？是故其辨學也，脈然若獨繭之絲，凜然若春水之冰。厚其防若千丈隄之不可潰，遠其界若風馬牛之不相及，庶援彼入此，推此附彼，惚恍連犿、誠詭自恣之言，無所假途而寄其譎。今日者，賴先生瀋心敏行，煜然使學人耳目再一新已。關中數十年來，道脈大暢，文簡得輿，先生超乘，俾橫渠之緒，迄今布濩流衍而不韞韥，炳炳麟麟，豈不懿哉！先生家食久，主上行且賜環，虛孤卿三事待之，行將以道德爲事功，是其土苴將猶陶鑄宇宙者也。若夫集中諸摛撰歌咏，自爾有德之言，質有其文，行之必遠，故合刻而爲之序，使學者知所嚮方，其頤可探也。萬曆壬子仲冬長至日，賜進士第、巡按陝西監察御史、前奉勅巡按直隸等處兵部員外郎、中書舍人，新安畢懋康撰。

明 鄒 元 標 序

予生平所藉以切砥者，北地自吾師青州朱鑑塘先生外，則有我疆孟公、洪陽王公、中州心吾呂公、雲浦孟公，此五君子者，大儒也。我疆常挾被過舍中，人皆迂之，孟先生曰，予不知鄒君爲吏部郎也。吾師友兩孟王公，俱爲泉下人，常念之潸然不禁，歸而離索日久，曰，安得此師友以摩切予朝夕！聞秦中少墟馮公繼五先生，力肩正學，心嘗儀之，會友人周鶴峋觀察覛元標集曰，子不可無一言以諗同志。予拜而卒業，大都謂學必有宗，吾儒學以理爲宗，理必操而存，孳孳屹屹，如寒求衣、飢求食，其誘人也，如春風煦物，其拒諸說，不使闌入也，若操戈禦巨寇。夫使關閩學晦而復朗者，公也，此世儒皆能知之，然公之入微，人未易知也。公示曲阜諸生曰，舉躅盈眸，皆是鳶飛魚躍現前，篤信聖人，能無出入？篤信自家，始爲不離。卓乎淵矣，以詹詹一家學名者，非所以觀公也。道非一人之道也，必六通四辟，始無所不入、無所不受。公學雖有宗，然於新建亦極篤信，曰，致良知三字，洩千載聖學之秘，有功吾道甚大，雖不能疑無善無惡一語。又曰，非無善無惡之說并非致良知之說者，俱不是。蓋公不欲以虛無寂滅，令後學步趨無據，非虛而公、明而溥者，安能之？彼世儒入主出奴、妄築垣塹者，視公何如哉？易之上爻潛見惕功亦密矣，四曰或躍在淵者，或之者，疑之也，疑則淵之與天上下懸殊，不疑則位乎天德，天德不可爲首，惟吾夫子足以當之，其餘即顏子猶一間未達。元標束髮問學，九折羊腸，褰裳凡幾，而隱隱疑情未斷，夫一絲未斷，對面河山，敢自以爲質往詔來無疑。公疑思錄曰，吾斯之未能疑，即夫子啓漆雕開，亦何以過此？夫吾儒患不能疑耳！一息尚存，此疑不

懈，九天九地，何之不入，願與公終身請事焉。嗟乎！華嶽崒崔造天，黃河澒洞
無涯。代有巨儒，橫渠之後，明有仲木，今有仲好，可稱鼎足，可以張秦，亦可
以張明矣。予與公天假之緣，得一合并，其所請事者有在，顧予老矣，莫往莫
來，悠悠我思，知公有同然也。時萬曆癸丑仲冬，侍生吉水鄒元標爾瞻父頓首拜
撰。

明 趙 南 星 序

　　昔吾夫子歎天下無聖人君子，而思善人有恒，非以聖人君子爲絕德也。善人
者生而善者也，有恒者忠信之人也，故曰無而爲有、虛而爲盈、約而爲泰，非有
恒也。自古無不學之聖人，亦無不學之君子。善人有恒，可以爲君子，以至於聖
人，而皆不好學，何則？彼固生而善、生而有恒也，且其列於士人之林，則亦嘗
從事於學矣，以爲吾自不爲不善，何必更學？夫資質之美者既不好學，而二人者
之外，又皆困而不學，天下安得有聖人君子也？聖人□矣，世有君子，必講學以
明道，使彼二人者皆能爲君子，與之持宇宙而康民物，然所講者必聖人之學迺可
耳。若馮少墟先生者，則可謂明於聖人之學者也。夫明于聖人之學，然後能行，
行之與明，固非有二也。今夫學射者不操弓矢而談射，非惟必不能射，其所譚者
必無當於后羿；學弈者不涉碁局而談奕，非惟必不能弈，其所談者必無當於秋
僎。行之生熟而明之淺深隨之，不能行而徒以其意想測度談道，未有不差之毫釐
謬以千里者。若少墟先生之於道，則可謂允能行之者也，何以知之？其所講者平
淡而融徹，平淡者聖人之正學也，融徹者其體會眞也。今論語孟子之書具在，論
語所載夫子之言，有一語不平淡者乎？然至玄至妙在其中矣，此所以爲聖人之言
也。孟子則闡明論語之言，而時露其玄妙，固聖賢氣象之殊，要亦覺悟後學，有
不得不然者。夫語聖學之要，則一敬盡之矣，即致良知之說，未若敬之一言正大
而無弊也。後之講學者又過爲玄妙，舍所戴之天而言九天之上，又言無天之天；
舍所履之地而言九地之下，又言無地之地。此與白馬非馬之辨何異？愚者不必言
矣，忠信之人必聞而駭之，以爲妖言。夫吾之所望以共爲君子者，在忠信之人，
而先令其駭，則天下無復可與言學者，適足以號召憰詭妄誕之徒爲斯道蠹。是
以，少墟先生之言，是眞能學聖人者也，是眞能爲君子者也，是眞能使天下人爲
君子者也。先生進則直諫以匡時，退則修身以正人，是謂知行合一、天下之眞知
也，言行相顧、天下之至言也。余反覆先生之集，想見其心極虛、其量極廣、其

救世之念極切，如是而有言，安得不洋洋秩秩也。瓏瓏其音者，其質玉乎？豈不然哉！余受先生之益多矣，先生不鄙而命爲之序，余欣然命筆，而以請正於先生焉。萬曆甲寅秋七月，高邑趙南星頓首譔。

明 焦 竑 序

道未始有敝也，而任之者人人殊焉。記曰，君子之中庸也，君子而時中；小人之中庸也，小人而無忌憚也。君子小人之中庸，豈有異哉？然一得之以時其中，一以恣其無忌憚之爲，至其無忌憚也，則亦不得爲中庸已矣。孔子倡學洙泗，蓋逆知後世之學有出於此者矣，故綢繆於仁義禮樂之文，諄復於天人理欲之辨，而未嘗輒及於道，豈聖人不欲人之蚤有知乎？晚宋諸儒不得夫子之意，保殘守陋，至於晦塞而不明。自白沙、陽明二子出，知其摸放似而非眞、誦說多而迷始也，直揭本體以示之，乾坤載闢而日月重朗，學者當事逸功倍，以直躋聖人之域而無難。徐而察之，乃有不然者。何歟？少墟侍御，與余同館閣之遊，余不自量，以學相切劘者三載，乃散去。諸君子率過信余，而侍御之嚮余尤篤，今別十有九年，聞方聚徒講學，任道甚力。頃得其論著，所爲追琢於念慮、檢束於躬行者，詳哉其言之也。而於性與天道，有不數數然者，豈侍御之學而有未至歟？將別有說歟？迨內覈於身心，而外驗之朋輩，乃霍然而寤，始知侍御之自有主謂，而余之所窺有未盡也。聖人者有道有器，守於器者，階循等歷，猶有所執而不踰，蓋潛心者，可繇是爲上達之階，而不能者亦可以寡過。乃道之未明，而務擺落古人之形跡，將蕩然無復可守之矩度，而移遊茫昧，反易爲浮誕惰縱者之所托。以余觀於世，蓋往往然矣。君愛身潔己，不稍以非禮自點，前圖史而後珩璜，如處子之在閨，其以先儒之矩矱，導揚闡繹，瀝腸敷腎，語盡而情忠，惟恐彼之不喻於我，而我不悉於彼也，豈將以是爲閑先聖之道之具，而防學者之末放也歟！雖然，言所可及、思所可至者，非至也。言不能及、思不能至，而豁然還其本心，孟子之所謂自得之也。自得之則居安資深，取之逢其原，朱子所言不費推移，而中流自在者，庶幾近之矣，在侍御勉之而已。余與侍御相期者遠，既以侍御之誨自勖，而復以此語進，觀者將無以爲孟浪之言也夫！萬曆甲寅新春，琅邪年弟焦竑書。

明 鄒 德 泳 序

聖賢之學，學爲人而已，而人之所以有生者，獨軀殼也乎哉？天生蒸民，有物有則，孩提之童，無不知愛其親也，及其長也，無不知敬其兄也，此豈煩教戒束攝乎？唯是情滋智鑿，日失其所以爲人之理，故名爲人，而實鄰禽獸，故孟子常就其發動端倪，拈出以詔天下，曰乍見怵惕，曰呼蹴弗受。皆卒然觸之，而本心便不容不如是應者，故知即心即理，物外無則，而踐形順則，存乎其人。是以大學首揭止善，中庸究歸明善，蓋皆實實見有此理，爲人之不可須臾離者。夫然，故緝熙非寂照，恂慄非苦空，而戒愼恐懼非從事於虛無斷滅之歸者。夫然，故吾儒之學爲廣大而精微，爲高明而中庸，爲費而隱，爲微而顯，爲下學而上達，而始終本末、一以貫之。輓近學子不得聖賢以爲依歸，而一二好奇弔詭者影證覺體，遂以爲心無善惡，無事修持，偈偈焉鼓天下而趨之，則性杞柳、性湍水，而仁義果必戕賊爲矣，幾何不率天下而遍滿無忌憚哉！仲好侍御力持正學，刊落詖淫，自昔辛卯不敏於都下領承心折，久之，繼先後以言事罷去。而仲好造日益深，所著有疑思、辨學諸錄，及善利圖說諸書院講語，娓娓若干卷，直從危微精一，闡發理會，如朗日中天，而近世談空說無、熒惑人耳目者，掃之不遺餘力。烈矣哉仲好之功，豈在孟氏下乎？而予且瞠乎後矣。然仲好猶冲然不自信，屬有起予之望，予何能贊一詞。憶昔有問於先文莊者曰，程子謂在物爲理，將理外乎？先文莊曰，且看大字云何，夫程子亦曰，心之在物爲理，心之處物爲義，故曰體用之謂也。予恐天下或外心覓理，而不深察於仲好惟一之旨，故附此爲請益地，要於知言，亦剩語耳。萬曆甲寅歲孟冬月旦，安成年弟鄒德泳汝聖父拜撰。

明姜士昌序

聖門之學，至中正，至平實，而天下之騖高奇者無當也。濂洛紫陽諸君子，當漢唐寥寥後，相與章明經術，力排似是而非之謬，而聖學始揭日月而行。中間若象山、陽明兩先生，其悟道蚤，其見地高，其平生操脩固卓然靡間，而獨其所爲衡量往哲、辨難同儕、指點後學者，或微涉頓造徑詣。夫世或有頓造徑詣之人，而無頓造徑詣之教，二先生以見地爲教，故其門人得二先生精意者，往往振拔於問學名節，一時稱極盛，而失二先生立言本指者，或藉解悟廢躬行，或憙圓融開方便，其流之弊，衛道之士不能無隱憂焉，而況沿波流而彌下焉者乎！秦中少墟馮公，予自辛卯歲視秦學，曾識公都門，比予垂去秦，而公以按轙移疾還里,嘗詣公齋中,圖書四壁,泊如也。予嘅焉,悵公歸之晚,而予行之遽,而嗣是公再入都,更以直道絀歸,而下帷林臥,與秦人士講明聖賢之學者二十餘年,而公之集始成。侍御東郊畢公按秦中,亟梓行之,而予門人鄢陵令張君舜典,公同志友也,持公集暨公書,來屬予序。予受而卒業,若關中書院記,韓昌黎原道之篇之所不能言,當與定性等書並,若辨學錄、疑思錄及他論學語,嚴正學之防,謂異端本非是,不得謂之似是,而於以痛懲末世廢脩言悟、課虛妨實之病,中間至言精義,多程朱諸君子所欲剖析而未盡者。如云,或問天命之性,無聲無臭,原著不得善字,曰天命之性,就是命之以善,何消著?孟子道性善,政直指天命之初而言耳。又云,吾儒所謂善,就指太虛本體而言,就指目中之不容一屑而言,非指景星慶雲金玉屑而言也。又云,人之病正在無善,乃反以無藥,無〔藥〕,豈不益重其病而速之亡乎?又云,人心原是活的,如無一分善心,便有一分惡心。又云,易有太極,乃天地自然的,故無思為,有太極而無思為,有物則而無聲臭,乃吾儒正大道理,若舍太極,專講無思為,舍物則,專講無聲臭,有是理乎?又云,孔子七十而從心所欲不踰矩,文王純亦不已,若孔子謂我得矣,便放開便是踰矩,文王謂我得矣,便放開便是已,其何以為聖人?後世學者,只是越過,守浮慕化,所以敢於放開,卒至於流弊不可言。又云,謂之曰理,自是無障,謂之曰障,原不是理。又云,世之砥節礪行、循規蹈矩而不聞道者,誠有之矣,未有真能聞道而不砥節礪行循規蹈矩者也。又云,不質鬼神,不可以言學;不慎獨,不可以質鬼神。又云,一本大學都是釋格物,不必另補格物傳。又云,述而不作,不是聖人謙詞,後世天下不治,道理不明,正坐一作字。又云,只為志穀一念,不知壞古今多少人。又云,克己有當下斬釘截鐵意,不行頗費工夫,不能據拔病根,然亦克己之一法也。又云,問豫立之意,曰豫字即下文擇善固執、博學、審問、慎思、明辨、篤行。又云,近世學者不論心之懈不懈、理之明不明,而動稱不須防檢、不須窮索,以為玄妙,是中佛氏之毒,而借明道先生以自解者也。又云,隨時變易而不從道,則小人而無忌憚,是故君子無輕言時。公論辨若此等類,翼往哲、詔來者,砥頹波、衛世道,即令聖人復起,宜無以易斯言,真洙泗之耳孫、濂洛紫陽之嫡胤也。蓋予二年前聞公著有善利圖說,心疑之,舜蹠善利,迺孟子提醒人心最劌至語,安所煩圖說為?已而讀公圖說,曰中間無路,曰聖狂分足處,善念是吾真,若要中間立,終為蹠路人,嗟乎!此仲好先生所以為仲好者也。視象山先生鵝湖辨論,晦翁聞而心折,一時聽講人士相與感動流涕者，不尤直截痛切哉？公又數舉高陵呂文簡公，時時以改過安貧四字勸學人、爲同游告，夫改過安貧二義，論語六藝諸篇中蓋珍重言之，末世視爲卑淺語，若無甚高論者，非文簡公暨仲好先生，安能爲此言？予居恒謂講學非難，本之身心，眞有以自得爲難，其撰著論駁，眞足以正虛幻之人心，障茅靡之世敎爲難，否則雖言高於秋旻、藻於春華，奈何言學也。公於象山、陽明二家言，若相辨難，實相成，眞二先生益友矣。東郊畢公持節省方，特崇經術，表章公集，功在天下與後世，眞紫陽先生同里。若張君舜典，與公下上問辨最深研，又最精詣，厝之鄢陵，以政爲學，蔚有三代以上吏道風，其得於公之劘切者遠矣，可謂有志者也。萬曆癸丑嘉平月，丹陽姜士昌仲文撰。

明高攀龍序

少墟先生，余同年馮仲好也。仲好少即志聖人之學，由庶常吉士爲侍御史，言事罷歸，閉關九年，精思力踐，而於聖人之道，始沛如也。所在講學論道，爲集凡二十二卷，余受而卒業焉，作而嘆曰，此眞聖人之學也。聖人之學之難明也，蓋似是而非者亂之，其差在針芒渺忽間，不可不辨也。今夫人目則能視，耳則能聽，手則能持，足則能行，視聽持行者，耳目手足也。所以視聽持行者，何物也？凡世之不知學者，皆覿面而失之於是也。然而目之視貴其明，耳之聽貴其聰，手之持貴其恭，足之行貴其重。所以聰明恭重者，何物也？凡世之知學者，又往往覿面而失之於是也。然而目之明，非我能使之明，目本自明；耳之聰，非我能使之聰，耳本自聰，手足持行之恭重也亦然。其本來者又何物也？世之知正學者，又往往覿面而失之於是也。耳目手足者形也，視聽持行者色也，聰明恭重者性也，本來如是，莫知其然而然者，天也，此所謂本體也。本體如是，復還其如是之謂工夫也。修而不悟者，徇末而迷本；悟而不徹者，認物以爲則。故善言工夫者，惟恐言本體者之妨其修；善言本體者，惟恐言工夫者之妨其悟。不知欲修者正須求之本體，欲悟者正須求之工夫，無本體無工夫，無工夫無本體也。仲好之集，至明至備，至正至中，非修而悟、悟而徹者不能，眞聖人之學也。吾特于其集中示人最切者揭而出之，以見似是而非者，亂吾聖人之學，其端蓋異於此也。萬曆癸丑秋七月，錫山年弟高攀龍書。

明曹于汴序

　　夫道生人，失其所以爲道，則失其所以爲人矣。誰甘於失其人而每失其道，弗思耳。道貫於血氣之質，弗相離也。離道而抱空質焉，與土梗何殊乎？是道也，其大無外，或狹而小之；其密無間，或輟而斷之；其粹無滓，或點而巉之，是故學爲急焉。學也者，恢廓而使之大，綿聯而使之密，滌瀅而使之粹也。道不待學而有，而非學無以保其有，非學無以復其有，非共學無以共其有，故孔子蚤歲志學，没齒不厭也。然學亦難言矣。性天之奧，本中有本，胡以徹之？知見之紛，岐中有岐，胡以析之？習情之錮，忽醒忽迷，胡以覺之？是用連朋講究，互參證以求至當，相夾持而防墮落，故孔子以不講爲憂也。夫道需學，學需講，有不啻饑之食、寒之衣者。而講顧罹世訾，非盡世之尤也。不學之士惠在不講，講學之士患在不副，或亦艷爲美稱，擔簦聊聚，朝朝問路、歲歲不越。闖辟露背而談九容，揮玉麈而稱儉素，於我乎何有？故孔門之訓無行不與。夫惟相與以行，則學爲眞學，講爲眞講，而萬世宗之無斁也。少墟馮先生沈潛聖學，踐履篤至，問業之士如雲，而先生惟有故似，闡揚剖實，衛道謹嚴，蓋亦以行爲講、以行爲學者也。道不在茲哉？昔有問楚侗先生以天命之性者，先生方欲訓解，其人曰意公自言其性耳。先生爲之矍然。慕岡先生會友於白下，凝然相對，或曰，馮公何無講？座上曰，此人渾身是講，其亦旨於論講矣。汴不肖，仰先生之行有年，茲誦其講道之集若而卷，而窺君子之慥慥也，敬綴數語，志向往焉。萬曆乙卯秋八月朔日，安邑曹于汴謹撰。

明洪翼聖序

　　天地之性，人爲貴，人而不欲虛其貴也，則學爲先。學以聖人爲的，而聖人之道，原在吾心，苟非見之徹、踐之實，而孳孳弗能已，即欲盡性至命，何由焉？翼聖夙聞馮先生遊神洙泗，潛心聖學，茲奉命督學秦中，得先生諸錄，讀之，輒豁然曰，如先生之於學也，所謂見之徹、踐之實而孳孳弗能已者，非耶？蓋余嘗讀易，至於天下雷行、物與無妄，而知天之與人體自無妄。所謂繼之者善也，唐虞之精一，禹湯之祇慄，文周之敬止思兼，無非盡此性、完此善也。仲尼遠宗近述，眞萬古一聖矣，然其志學也，所志何物？其從心不踰矩也，矩爲何物？統之此性此善也，而孟氏則直指本體曰性善。自釋氏者出，創爲理欲雙遣之論，曰不思善，不思惡，是本來面目。而世且紛然好之，遂使楞嚴、圓覺諸書，與六經爭道而馳，而妙明、眞空等諦，反俎豆于吾儒之上。其欲渾而一之者曰，吾儒之無聲無臭，何別於佛？其欲兼而收之者曰，吾道廣大，何所不容？然而世之崇釋者夥矣，豈惟寂滅枯槁無用於世，而猖狂自恣者，卒至縱欲敗度、潰法亂紀。及詰之，則曰，萬法本空，如夢如幻，安用束縛爲？清談亂晉，浮屠亡梁，禍實本此。而闢之者且曰，儒與釋，差之毫釐。嗟乎！惟其有毫釐之說，此異端益得操戈也。而先生推窮其本，直斷之曰，善惡俱無，與性善之旨，迥然不同則其千里懸隔也，不在末流，已在發端。此何等痛快直截也。且曰，人心原是活的，無善心便有惡心。原無一切俱無之理，反覆發明，無餘蘊焉，儒佛老莊混爲一塗之弊，可不攻而破矣。豈非發前賢所未發，而揭聖學於中天乎？夫學患不得其源耳，惟於性也而見其善。則溯觀於天，而認所爲於穆矣；還觀於身，而認所爲降衷矣。認善既眞，則不善之萌也，不遏不已；善之萌也，不擴不已。發於事親則爲孝，發於事君則爲忠，愛則爲仁，宜則爲義，通則爲智，貞於視聽言動則爲禮，一於常變順逆則爲信。其寂然不動也，則未發爲中，其感而遂通也，則中節爲和；闡於文章則非虛車，顯於功名則非權術；徵於廉介則非矜激。衆理萬善，沛然洋溢於天地萬物之間，而燦然宣著於綱常倫理、日用云爲之際。譬之源頭活水生於天，一出於山下，漾而爲江河，漫而爲湖海，機容已乎？不容已乎？先生之於聖學也，思而疑，疑而復思，辯之必欲其明，而講之必欲其透，日兢兢於愼獨崇禮，凜凜於利善聖狂，一稟諸規矩準繩而有所弗能已，豈惟踐之，實由其見之徹也。然則先生之洞見性善也，闢異端在此，修聖學在此，成己在此，成物在此，教天下後世在此，豈非一以貫之者耶？或謂翼聖曰，君何信先生之篤也？翼聖曰，余觀先生立朝以直聲著，居鄉以恂恂著，環堵之室，蕭然寒素，杜門著述，足不履公庭，門人耳其教則瞿然顧化，其出而任官者，輒以廉吏顯。翼聖謁先生請益，則瞻之儼然，就之溫然。其詞之婉也曲而中，引人於善，令人樂從而弗覺其詞之確也。則雖孟賁之勇、萬夫之雄弗能奪焉。主上方虛公孤以待先生，而先生囂囂然可以達道，可以求志，一切世念，毫不以動乎其中，周、程、張、朱之蘊，身體而言闡之矣。世之庸人與鄉愿，既同流合汙，鮮所振拔，而異端之害道又滋甚，向非先生篤志聖學，淑身以淑世，起流俗而闢異端，則洙泗一脈，將安賴哉？翼聖雖不敢暴棄，而賦質昏愚，何幸遇先生得一發蒙也。茲錄也，殆將不朽，信先生者，直錄乎哉？有先於錄者矣。萬曆癸丑季冬，賜進士出身、欽差陝西提督學校按察司副使，新安洪翼聖撰。

（陳錦釗審查　許惠貞標點）

黃太史怡春堂逸稿二卷四冊　明黃輝撰　明萬曆末年南充黃氏家刊本　12852

明王德完序

　　吾蜀樹幟詞壇者代不乏人，當宋之季，惟子瞻氏最著，其爲文度越千古，識者推爲文中之仙，垂今五百餘禩，復有吾友平倩，山川效靈，信不誣也。昔子瞻當弱冠，名動京師，氣節文章，彪炳當世，海內翕然宗之。而平倩以眇年即奉廷對，讀中秘書，耿耿丹心，憂國愛君，在畎畝不忘獻替。子瞻出守諸州，禦災捍患，功在生民；平倩一念慈仁，滿腔惻隱，利物愛人，無所不至。子瞻孝友一門，冠冕百代；平倩則望雲歸養，踐石淚零。子瞻爲文，如驥騁天衢、殊傾萬斛，夷夏莫不知名；平倩則沉思精鍊，倚馬萬言，中外仰如北斗。子瞻揮翰，跨晉越唐；平倩入室，鍾王得其神髓，寰海珍藏，一時紙貴。子瞻光明磊落，疾惡如仇，以故見忌羣小，排擊流落終其身；平倩平易近人，而涇渭嶄然，棲遲林壑，僅得宮詹之秩，暨宗伯之命欲下，而平倩詔記玉樓矣。嗚呼！兩公文行大都相似，惜其俱未大拜以禔福寰區，物論咸爲悼惜。穆叔稱三不朽，子瞻實兼之，乃平倩之德粹然，其言爛然，所恨膚功未建。然青宮講讀，以一人肩四稔，啟沃弘多，海內陰受其賜，厥功不既偉歟？不佞與平倩同里又同心，平倩已矣，過山陽而愴遺客，讀藏稿而悲手澤，不自知涕洟之橫集也。昔鍾期逝而伯牙悲，惠子歿而莊生泣，良有以夫！平倩載筆之言，具在國史，而家藏詩文，諸體甚富，其與子瞻並傳無疑。茲特全豹一斑、九鼎一臠耳。不佞聊贅數語以導珠玉，若曰錦心繡口必如周生寫照，則俟之宗工哲匠。不佞固陋，何足窺其藩！萬曆甲寅季春望日，友弟王德完撰。

（陳錦釗審查　　許惠貞標點）

周季平先生青藜館集四卷四冊　明周如砥撰　公鼐選　明崇禎壬午（十五年）周燝南雄刊本　12854

明公鼐敘

昌黎韓子曰，仁義之人，其言藹如。是語也，聞之矣，未見其人也。於以求諸古，惟顏子足以當之。顏子以知十之資幾庶之，炤發而爲言，固足以經緯二儀、旁羅萬象，何所不具，而顏子無是也。其在聖門，請試彌勇，而常苦仰鑽瞻忽之艱，所見既卓，而欲從末繇之嘆，退焉如有所未逮者，豈非若無若虛，如愚非助之眞體也哉！後世學術有幾於是者，惟漢黃叔度，時所推爲顏子，而獨隤然，其處順淵乎其似，遺言論風旨，罕所傳聞。故處右文之際，班、張、馬、鄭之流，辭賦章句，鶩長競華、煒燁自表。而叔度悶然其間，間出片詞，諸子相顧讋服，無能加其上。何也？叔度之異於諸子者，有意無意之間也。余於是而有感於吾師即墨周先生之文也。先生天質粹美，敦篤沉睿，其授簡綴文之初，人皆目爲任長孫、王仲宣之儔。及長，博記羣書，家故富縑緗，連屋克棟，先生寢處其中，披吟晝夜不輟，於是遂無所不窺。得第後，入承明著作之庭，朝省洪篇，大製率就，先生以爲粉蠲，詞林前後莫不延佇而推遜之，繇是即墨言語文章，遍于天下。余雖及門甚久，而於宗廟百官之觀，蓋闕如也。先生既没，其文之留傳大者遠者，故以沾溉宇内，而其仲子取筥中所遺、藏於家者，間以示余，余收而卒業，拊膺嘆曰，吾師泰山梁木之思，意在茲乎？意在茲乎？蓋思其德而知其文之必肖，今讀其文而益信其德之無涯也。夫先生之學廣大精微，如鄧林杞梓，於材無所不備；如武庫戈戟，於用無所不精。而又運以班輸郢匠之巧、風胡熊渠之技，安所不窮其瑰瑋、極其犀利者！而先生之意，勿寧爾也，今觀其所爲諸體，雖靡所不有，而一發於性靈。大率先生以孝友之性、沉摯之詣，多與人爲善，且鑿鑿悉經濟石畫，然而含蓄雍容、坦夷簡曠，此雖精能之至復於平淡，抑亦顏氏之善言德行也夫！昔臨朐馮宗伯每謂余曰，君師之文，沖而不盈，淡而甚遠，遂爲一代貴重之品。余深服其言，則韓子所謂藹如之言，舍先生其誰與歸哉！余於是益幸其得爲顏氏之徒，而幾不欲復立文字也。賜進士出身、通議大夫、禮部右侍郎兼翰林院侍讀學士、兩朝實錄副總裁、經筵講官、前詹事府詹事掌府事、國子監祭酒司業，門生東蒙公鼐頓首拜撰。

明王思任敘

在神廟己丑，南宮得士最盛。爾時天都許文穆公柄衡，放榜前一夕，夢五色雲中須菩提數人以阿羅訶下界，覺而詫之，語副考王忠銘先生，具云所弌必異。是以人倫冠冕，則有白下焦弱侯；制義首褒，則有吾鄉陶周望。一時履奎簪盎，盡在木天。就中最噪，乃余座師南充黃昭素，雲間董玄宰，長沙莊沖虛，關中馮少壚，而三齊則周季平先生更提牛耳。余奉先生之教，則在南充師座，又時共酒於玄宰齋頭，先生若有深器焉者。癸卯南畿之役，先生副周望柄衡，而余以分房侍几硯，舊給諫郝仲輿得張賓王卷，上之，先生閱詩，大為欣賞。定解矣，而余得王聖俞卷上之，先生即以解易王不忤也。程式首篇出先生手，大約謂帝王之道統，即其相傳之學術道統，於聖而聖，聖承天，遂開七千君子光明眼藏。表策工麗博瞻，如龍珠眩海、鳳繡摩霄，刷工未完，寫斷洛陽之紙，南國人士，私相語曰，此真洋洋大國之風歟！先生賦貌，惆悵便便，言笑不苟，立朝止有正色，不能戚施，首秉循次，至國子祭酒，天下望其大拜。會師相李文節公見慍，多口攻之百端，隨波及門生，竟以此梐揆路，事在黃宮諭傳中。余垂老過嶺南，晤哲嗣凌江太守，出遺文徵弁，余視先生為師執，夙辱知交，即弗文弗辭也。魏文帝曰，富貴年壽皆有窮盡，惟文章經國大業，不朽盛事。而子建亦言，吾道不行，采庶官之實錄，辨時俗之得失，定仁義之衷，成一家之言，雖未能藏之名山，將以傳之同好。曹氏兄弟，各有肺腸，而其言文者，似皆殊塗合轍。近代文字見館課，則謂其繪刻無神也，肥郁無骨也，堆沓可厭也。於是山人墨子懷其酸餡、被其結鶉，以相標榜，儼若走高清之路。自余視之，其為風馬牛不相及也。若先生之文，莊嚴有體，化裁以法，賦準駱盧，詩根騷選，律在開元大曆之間，古則太白少陵之際。王言典重，不以甘字酬金；朋序芬葩，每用他山攻玉。其它說議記解之確，鐵畫不移；箴銘誌表之精，珠琲共貫。即長書短札，爽過蘇黃；哀命招岁，傷同景宋。而余所心醉者，建本論列，鬚戟雄張，表節陳情，肝花盡裂，則先生大孝大忠之氣，行江河而爍日月者也。至於為友情深，居鄉德厚，括遷城之狂吠，擴新廟之文顏，先生蓋大有氣義、大有經濟者，使得坐氈夏而參密勿，必當保泰運以福震亨。夔龍周召，何能多讓！然而位不至宰相，壽不登耄期，則造物忌才，謂其大業具在矣。豈不惜哉！余聞之佛說四果預流，先生仁益功圓，乃斯陀含之二果一來，不再須菩提入夢先生一人矣。是時東阿于穀峰、臨朐馮用韞兩宗伯者，皆當代鉅才，至先生而同朝分鼎足，岱秀插天不千里，而齊魯之境，青竟未了，帶暎茲集，有以夫！賜進士第、奉政大夫、修正庶尹、奉勑整飭饒南九江兵備、江西按察司僉事，通家晚侍生山陰王思任撰。

明　周　煐　跋

先太史際會神廟，蜚聲承明著作之廷，讀秘書而班侍從，自啟沃外，所親鉛槧，大都絲綸代口、金玉其相。所題咏撰述不同，而其抒靈敷訓，皆本六經，不苟一字。至於子史百家之書、玄釋九流之貫、巾機蘭典之經、風后盛姬之籙，靡不參微抉妙，削屬汰譌。是以片煩噓芬、抄傳遍洛，同館如黃愼軒、董思白兩年伯，更心折而目攝之，謂咄咄周郎著，吾輩何所生活也。不孝等滔天遺恨，既不能返魯陽之戈；人日題詩，又弗克附崔瞻之讖。手茲編澤，惟有泣然。蒙陰公周庭學士，出自先太史門墙，博窮貳負，才奪五花，飲水思源，攀枝報本，爲先太史較集，凡三十有二卷。又謂篇次浩繁，或艱笈擔，約成精選，以當袖珍。爀在西曹，與令孫風西同郎善，驟過几案，獲璧捧歸，梩捲之私，反慚衣鉢多矣，茲拜凌江之□□食，公餘焚香鈴閣，用肅裝潢，載正豕魚，敬壽梨棗。適山陰王季重兵憲往游羅浮，□〔？〕其紫氣，以探玄珠，先生與先太史通家誼摯，欣然弁之。茲集一行，公之海內，所謂玉山萬丈，千人亦見，萬人亦見者也。金絲罄欵，鐘鼎河圖，大貽孫子。豈必他長物也哉！崇禎壬午正月雷動之日，書於南雄郡衙之瑞雪堂，男爀識。

（陳錦釗審查　許惠貞標點）

朱季子草二卷四冊　明朱家法撰　明萬曆癸巳（二十一年）雲間朱氏刊本
12858

明 陳所蘊 序

　　友人朱季則，先是北遊成均，梓其所爲制舉義，不佞爲序而傳之，業已膾炙人口。已聯舉進士高等，謁告歸里，梓其所爲詩若文，復役不佞弁首簡。蓋不佞少與季則結經生社，習知季則舊矣。季則名家子，負才甚高，其尊人邦憲先生，以縫掖執藝壇牛耳，與歷下、弇州齊名，故季則少而嫻於古文詞，厭薄一切，沾沾慕古，自爲諸生時，時時側弁而哦，先生弗是也，曰食肉不食馬肝，不爲不知味。孺子第修正業，幸而資適逢世，立躋青雲之上，高視闊步，即椎少文不害爲貴倨，藉令事經術而好哦呻，將力分而技殫，名未必千古，而志竟困一時，即追蹤班、馬，比肩曹、劉，人亦樗櫟視之矣。且而不見而翁僕僕諸生間，人人欲折其角耶？而欲爲而翁，則孰與爲，而大父福州公之身名俱泰也。季則唯唯，然其

自喜爲古文詞益甚，無何而季則名籍甚遐邇，郡國守相邑大夫之屬，日造請乞
文，先生亦不能禁矣。大都季則撰造，文取材左國，布侯於東京，高者有時窺龍
門之室，而卑亦不失蘭臺令史。詩取材漢魏，布侯於大曆開元，高者浸尋少陵、
青蓮，而卑亦不失輞川居士。蓋全力專精，什七用之古文詞；而隙工餘晷，什三
用之經生業。迹未離橫校，居然列作者之林，海內操觚家，無論識不識，皆知東
海菰蘆中有朱季則矣。信如邦憲先生持論，季則不當白首老蠹魚耶！何得一出而
空燕市，再出而對赤墀？不啻丈人之承蜩，若將掇之，乃知先生所云，蓋悁憤之
徼談，非通方之確論也。俗儒束於所見，抑首受博士家，功令嚴於三尺法，屬書
摛詞，一切以爲有妨正業。相戒不敢染指，旦夕操鉛槧，作措大面孔向人，幸而
徼一第，乃始大悔，以爲向者享敝帚以千金，唾去惟恐不速，亟欲搦管從事，而
日莫途遠，有中道而罷去耳。以故縉紳之士，往往無所成名，立言垂不朽者，千
百而不一二覯焉。則講之不素而呫括悞之也。嗟乎！才自天授，自有兼通，而事
未嘗不可以觸悟。王右軍學行草於衛夫人，三年自若，及觀李斯小篆、蔡邕八分
書，而後奇進，由斯而譚，古文詞不但無妨經生業，且有裨於經生業，要在善悟
而善用之耳。世之爲父若兄，誨其子弟者，愼毋曰孺子何知，第修正業以拾青紫
可也。有如不信，請得以朱先生折之。萬曆癸巳仲夏五日，賜進士出身、秋官尚
書郎，潁川陳所蘊子有甫撰。

明黃體仁敘

　　古作者即情抒辭，寥寥片言，率本性靈，亡論墳索風雅。漢魏而下，武侯、
中郎之表牘，靖節、少陵之吟唱，炳烺謨誥，依希匪風禾黍之響，眞尺幅千古
矣。近代撰造極博，直視此爲行已外篇，妄謂古名流卓軌，竹林牘鼻，故自汙
巘，奈何稱通人而妮妮作采齊伎倆，爲任放浪、爲豪舉，笑鷥和爲款段，質敗絮
之行，緣雕蟲之辭，其詩文出於誇毗者什之八，出於淫艷者什之九，縱華藻鑄
鮮，如白地明光錦，性靈之謂何，又安所較工拙也。海上朱氏世徵文獻，初發藻
起於仲雲，文皇時，有楚材上安邊策、麒麟頌，迄侍御太學，隱見異遇，並得擅
場，迺今而有季則。季則日月清朗，公正發憤，有節俠風，二三同調，雜坐河朔
間，擊筑和歌，興復不淺，顧融融若天倪，而繩墨自在，生平篤於倫常，慕曾子
輿爲人，年僅三十不再娶，當牢騷鬱結，或觸物陶寫，不無寓言托興，而根極性
靈者居多。試讀其祭張令人文與悼亡詩，含情凄惻，即逍遙如蒙莊，不能破涕爲

歌，他可知已。夫季則爲經生，耻隨俗磨墜業，已登古作者之壇，矧今釋淦塗而
騰風雲乎？士惟時繆遇乖，氣沮而聲不揚，方思向六駮晨風，假足借翰，推敲迎
合，胡能諤諤出一語！苟得時而駕，業不分於帖括，情不馳於比附，志不束於忌
諱，在吾奚所囁嚅不得畢吾言？在人亦奚所言不識爲明月夜光？上爲天子議禮銘
功，賦天保采薇。不然則批鱗探珠，賦南山正月；下爲蒼生沛澤宣化，咏黍苗泂
酌。不然，則陳瘼告哀，咏大東小康。毫楮衮斧，吐沫雨露，鴻裁偉製，行且與
武侯、中郎、靖節、少陵諸家共垂天壤，寧啻管中一斑、靳靳齒舌間得利哉！語
曰，國有道，不變塞。蘭臺石室，且虛以幾焉。季則其以此爲嚆矢矣。萬曆壬辰
冬日，江夏黃體仁長卿甫譔。

明 李 維 楨 敍

　　典午中葉，中原文獻，悉歸江左，史儒林文苑，若伏曼、容丘、靈鞠、祖冲
之之屬，皆三世具載列傳。然梁書傳伏氏，分爲三，而仲孚、靈鞠不盡親子孫，
獨梁王筠稱其先文才相繼，七葉重光，沈隱侯少好百家之言，身爲四代之史，亦
曰自開闢以來，未有如王氏盛者。考晉文苑及南史文學傳，則王氏殊鮮。何也？
魏文帝言，年壽有時而盡，榮樂止乎其身，二者必至之常期，未若文章之無窮，
經國大業，不朽盛事。乃欲以一家私爲世物，固不易耳。高帝自江左定天下，千
古所創見，金陵建都，江左爲畿輔，用夏變夷，文命敷于四海，而畿輔首善，沾
浹最深。故文獻世家，遠邁六朝。以余所睹記，上海朱氏若仲雲以詩、克恭以
易、木以春秋兼頌賦，處士元、振、郡丞佑、提舉曜、太守豹以文辭政事，凡八
世。而太守子邦憲嗣之，與嘉、隆間七子相上下，今又以工部季則爲子，抑何盛
也！推輪大輅，踵而增華，弓冶箕裘，習而生巧。余讀季則集，奄有前人之美，
其氣清，其調高，其致逸，其詣深，其材廓宏，是爲公爲卿，不爲慚長也。其文
炳煥，其音諧律呂，其變化無恆，是優爲龍鳳，不劣爲虎豹也。其羋神暎發，其
嫻婉可餐，其體潔淨精微，其味冲然而有餘，是爲華爲腴，不爲膏爲粱也。自昔
名門慶胄所不可必得者，季則悉采擷其勝，收之蘭心藻思，而吐之彩毫斑管，出
人遠矣。江左偏安，多兵燹亂離，士不能終其身專精竹素，而流俗之弊，矜門
望，襲圭組，紛華靡麗，每移奪其趍操，則于文章宜有得失。國家據全盛之勢，
當文明之會，家絃誦、戶詩書二百年，重熙累洽，而季則家世清白，所謂以洪筆
爲鉏耒，以紙札爲良田，以玄默爲稼穡，以義理爲豐年者，迄今不衰。耳目心志

漸染，無非此物，季則之成一家言也，豈偶然哉！夫魏文何足比數，至談文章，
涇渭明而軒輊當，乃有鴻生鉅儒，操字袞句鉞之權，而于七世內侍、八世宰相、
十世卿大夫之類，褒美如有餘羨，要以風勸中人，已嚮其利爲有德耳。觀季則
集，而論其世，必審所取舍矣。南新市人李維楨本寧父譔，大鄜胡潛書。

（陳錦釗審查　　許惠貞標點）

陶庵集四卷四冊　明歸子慕撰　明崇禎辛未（四年）嘉善吳熙祖刊本　12859

明陳龍正序

　　……（前闕）天然□□□□□□□□□也不欺□□息，至死不變，然後知聊
且曠逸之非徹也。陶庵先生其爲童子也異，其弱冠也豪，其中也幽，其末也謹，
惜乎未及艾而死矣。其死也樂，謂不異不豪，不豪不幽，不幽不謹，未必然也。
不謹不樂，則生死之際有自然者焉。先生□信爲質，不聞則已，聞則信；不學則
已，學則眞。今讀其集，唯敦倫訟過，守身安分，平平實實，不矜矜語，悟其死
也，素所□□持，一旦豁然，是以樂也。人□□耆欲則死，以失者欲爲憂，生而
樂，死而安。元純居其常，生而樂，死而玩；康節游其偶，生而憂道，死而樂
道。則於先生乎見之，從樂得玩者，得雖深，與聖人微異者也；從謹得樂者，所
存雖未熟，與聖人大同者也。令先生而壽從元純，不從康節，必也後先生而望
之，覺其味甚玄、品甚高，乃所以玄、所以高者，則以盡心人倫故也。孳孳乎默
悟，泛泛乎人倫，則孳孳者終亦輔頰舌爾。自顧身心，依然庶民，此於先生之學
如冰炭，況將度淺絜深乎哉！崇禎辛未四月戊辰，嘉善陳龍正譔。

明吳熙祖後序

　　熙數數聞家夫子言，吾性落落寡合，平生最相得，惟錫山高子、玉峰歸子二
人，道誼之契、山水之盟，謂相與以終也。今二子俱即世歸□先，且二十六年於
茲矣，每唏噓經日。又聞家夫子之拜歸子墓也，泣下不能起，繼以病，病至大
劇，遠近聞者，莫不感動。熙生也晚，距歸子之沒已七年，每恨不得從容一執弟
子禮，然歸子之神，方將使千秋百世感奮興起，況相距未遠。讀其遺書，詳其
人，與若嗣時相往還，而不能起逝者如親炙乎，豈獨負歸子，亦負家夫子之交

誼，則今而後，相與淬勵規勸，不作尋常往還，豈非子□□以事父而私淑者之所以慰昔賢耶！因取歸子所存撰著，請外舅幾翁汰定而授之梓。或曰，子之私淑歸子似也，肖其人足矣，必行其文，歸子豈願以文傳者耶？熙曰，不然，家夫子有言，歸子如冰壺秋月，其郛廓者，其神理也。熙亦曰，歸子如鶴韻鳳威，其音吐文采者，其情性修持也，吾讀之而仰止，安可使千秋百世不得同此意耶？吾舅氏理學良深，足以契歸子，得其筆墨，爲之表微，譬諸陟山有級，而航海有楫，前人之光，後人之幸矣。歸子不必以撰著傳，傳之者豈第以撰著耶？梓成，述以附簡末。時崇禎辛未六月朔日，後學吳熙祖頓首述并書。

明 張 世 煒 跋

　　季思先生以制義名家，其父震川先生，工古文辭，有盛名於世。季思承其家學，故古文亦潔雋工美如此。季思以陶菴名其廬，其詩閒遠朴茂，甚得柴桑之趣。前明工五言者，惟薛君采未能過也。讀其詩想見其人。余詩文頗喜壯麗，老而方悟其非，恨不早讀此集十年。季思有云，平生每自短其才，乃今始知才短不足憂，惟患性命不透耳。斯言也，非深有抱負者不能，即以斯集作座右銘可也。吳江後學張世煒跋。（周笠川詩粹稱，唐湖徵士，字煥文，號雪窗，工詩古文辭，兼通岐黃家言，世居唐湖之上，老屋數椽，閒雅幽邃，著有秀垈山房初二集。）

（陳錦釗審查　　許惠貞標點）

西樓集十八卷十四冊　明鄧原岳撰　明崇禎元年重刊本　12864

明 翁 正 春 序

　　蓋自頡書既剏，墳素日昌，雖文與世新，筆緣人異，而情經辭緯，趣本藻枝，今昔一轍，工拙同塗。是以氣有淳澆，運而爲世，毓而爲才；人有貞辟，蘊而爲志，發而爲文。文也者，詎非抽心呈貌、闡氣宣風者邪？顧古之爲文者，叶韻則風雅騷頌，弗叶則典謨訓誥，罔規角勝，自爾成章。才匪偏長，簡縞竝美，斯蓋時丁熙皞，人儦眞恬，譬之圓昊初爍，六宗畢昭，蒼靈始升，品彙森煥。迨夫世靡俗剽，文隨波逝，六經素文，既變於莊列荀墨，再變於左國班馬。三百五篇，既變於漢魏六朝，再變於開元天寶。易葦簫而陽春，庚陶匏而瑚璉，古法雖亡，新貫亦至。第能文者不聞諸律之聲，善詩者未覿襲六之筆。孔璋元瑜，詩不稱文；劉楨王粲，文不逮詩。韓杜宜續以鳳髓，子固同恨於海棠，斯則人巧雖極，天工未縱。是宋人精於玉楮，不能復作金蓮；公超幻於霧市，不能復造月宮。寧若六宗畢昭於圓昊，品彙森煥於蒼靈者哉！吾友汝高鄧先生，生際嘉隆，氣鍾光嶽，麟產黃囿，鳳止堯庭，應運發祥，弸中彪外，玩乎衆妙，抒於修能，濬奧府於宋元之崩流，振清響於何李之末奏。文則敘事精簡而精采流動，刺理淵微而骨氣跌宕；詩則意與法融，辭由境繪，寓古健於儁爽，曜藻艷於深沈。摛文賦詩，各臻極則，長篇短什，皆絕凡流，葉福唐謂其氣深語沈，屠緯眞稱其天成物助，鄒彥吉評其畜富才雄，王百穀贊其辭逸思麗，李本寧則以逢嘉隆之盛際，收山川之靈異。或以爲文采不屑於駱賓王，或以爲逸氣接武於李獻吉，或以鄂渚之編可兩黃鶴之作。是皆品驚其韻府，未嘗盡見其縹囊。蓋康樂詠歌，雖競寫於都下，而王充論著，固多秘於帳中耳。居無幾何，天機既洩，眞宰爲讎，鬼神甫對於宣室，而賈誼云殂，參軍未遷於法曹，而惠連早逝，窺管豹者僅得其一斑，嘗鼎臠者想飫其全炙，於是其仲子慶寀感人情之景哲，懼先業之淪光，乃發藏珠於故櫝，搜亡璧於他山，訪于杜氏之武庫，索於老子之柱下。記誦道邊之碑，繕錄竈中之銘，殫心罷神，積日累月，凡得詩若干首，得文若干篇，合而名之曰西樓全集。西樓者，先生燃藜之所，不忘故也。集既成，請余序之，且授諸梓。夫文士之業，搦管刮腸，援翰輸心，鍛章煉句，縟采鑄詞，豈不欲托營窮宙、飛譽終今哉！然相如死家無遺書，禰衡亡文不傳世。侯瑾潛心著述，卷帙無留，邊讓覃思摩研，身名俱喪。此皆若敖之鬼，莫延虞卿之書，固亦宜矣。若乃儀甫不能存浩然之集，而購採於士源；阿新不足嗣樂天之志，而附函于佛藏。此雖子弗負荷，人猶標榜，亦云幸矣。至于高岱知名當世，而高彪之文多亡；馮豹歷官尚書，而馮衍之籍半失。此叔向所以有皁隸之嘆、景升所以來豚犬之譏者也！豈若慶寀彝鼎其先烈、金石其遺稿，俾觀察公之九魂，永傅于綠笥，而千載同挹其玄風者邪！余既獲誦先生之全錦，因嘉慶寀之爲裘，敬譔斯文，用章世美。慶寀，余之壻也，學識金根，才燿囊穎，于汝高則子駿，于余則鮑宣云。萬曆辛亥秋日，翁正春撰。

清 林 古 度 重 刻 序

予既爲鄧道協序其所纂家乘外集，得因以奉揚其先觀察汝高先生之文名才品，羨慕其所刻先生西樓存稿，方爲海內傳誦，膾炙人口，稱風雅正宗、詞壇的流，後學賴爲法程。不意道協家報近至，其樓居書板盡歸回祿，予聞之，不勝爲其慨惜。道協急取曩惠予本重刻，于此又不勝爲其幸喜，惜則惜其既刻而重損資力，喜則喜其早刻而得收稿本，益以見先生之精神，不隨煨燼以並滅，道協之孝感，得從梨棗而更彰也。嗟夫！世之名公文人，豈少著述？而其後昆孫子，豈少富貴？著述足傳人世，富貴暇刻父書，良亦難事。近見寧化亡友伍惟極之子舜有，特携父詩走金陵，屬予序刻；新安汪仲嘉之伯子力病刻父集，皆足起敬。獨予不肖，先孝廉遺稿塵閣有年，近藉友朋之力，始獲成書，不若道協之勇于爲而滋予愧也。先生集有諸名公新舊序在，予不文，不復具述，特書道協所以初刻重刻、刻閩刻南肩鉅艱辛之繇如此，謂非作者之精靈與述者之孝感有所交致，不可也。天啟七年四月八日，里中後學林古度頓首書。

明鄧慶寀重刻跋

先大人自經生帖括軍國政事而外，唯詩文著述不朽大業之爲兢兢也。從先世以來，至曾大父、大父，皆用貢舉服官，世學淵源，家聲丕振，代有作者。從祖與大父寔有耕隱集，有別駕集，此西樓存稿，先大人之所作也。自奏疏錄序諸篇以及詩之古近體，一莫弗備，大人見棄，寀學無成，時讀父書，未嘗不掩卷流涕，而對家人兄弟曰，吾今日得以食息起居者，莫非父有，徒知溫飽而不知大人生平苦心，焉用人子？是以勉壽梨棗，以板藏於家而書行於世。及就卑秩於醝幕，量移參軍，戔戔小吏，得載父書以爲羔雁，海內宗工，多荷傳誦，擊節嘆賞。私謂作述之意，可以無憾矣。然閩嶺間關，重載脩阻，未能廣傳，往往爲恨。近復於官邸纂成家乘，乞韓宗伯公序之，拮据竭力，獲繼先志，喜與全集并行，不意西樓近燬，藏書一空，而耕隱、別駕與先集皆化煨燼。家報至，如重喪祖考，可勝痛悼。昔吳顧子通少有至性，每攬父書，展布席端，洒掃捧讀，閱畢入函，服膺不失。寀雖不敏，性竊慕通，官俸雖微，父書爲大，敬以三集，勉力拮据，盡付剞劂。且此通都大國，流行爲易，勝我窮鄉僻壤，度水越山，裝載舟車，百不什一，天或有意於先世，俾寀承乏此地，得以重梓。而經始之日，值韓宗伯公與陳司農公訂閱，功多玄晏，使得重懸國門，廣布四海，何奇逢也！江南刻工，號勝他省，書成，視舊本爲精綉，不唯先世有靈而喜於冥漠，即覽者或亦因是而加展卷。存歿之幸，曷有既哉！崇禎改元，仲子慶寀謹跋。

（陳錦釗審查　　許惠貞標點）

────────

瀟碧堂集二十卷瓶花齋集十卷錦帆集四卷解脫集四卷十八冊　明袁宏道撰　明萬
曆戊申（三十六年）至庚戌（三十八年）勾吳袁氏書種堂刊本　12873

明雷思霈瀟碧堂集序

　　六經之外，別有世界者，蒙莊似易，荀卿似書與禮，左丘明似春秋，屈原離
騷似風雅，皆楚人也。古之人能於六經之外，崛起而自爲文章，今廼求兩漢盛唐
於一字半句之間，何其陋也。而道學先生更自酸腐，見獨創神情之句，輒推而遠
之曰文士家語，見根極理道之談，輒三讓而避之曰異端家語。於乎！何其小視六
經耶！眞者精誠之至，不精不誠，不能動人。強笑者不歡，強合者不親，夫惟有
眞人而後有眞言，眞者識地絕高，才情既富，言人之所欲言，言人之所不能言，
言人之所不敢言。言人所欲言，有心中了了而舉似不得者，其筆之妙與舌之妙，
令人豁目解頤，鼓舞而不能已；言人所不能言，雖千古未決之公案與其不可摹之
境、難寫之情，片言釋之如風雨，數千言不竭如江河；言人所不敢言，則世所幾
平，忽作神聖，世所神聖，忽作幾平。理不必古所恒有，語不必人所經道，後世
而有知其解者，人證我也；後世而無有知其解者，我證吾也。石公詩云，莫把古
人來比我，同床各夢不相干。能作如是語，故能作如是詩與文。如山之有雲，水
之有波，草木之有華，種種色色，千變萬態，未始有極而莫知其所以然，但任吾
眞率而已。昔人見先輩質其文曰兩漢也，復質其詩曰盛唐也。夫兩漢之文而已，
非我之文也；盛唐之詩而已，非我之詩也。石公之文，石公之自爲文也，明文
也；石公之詩，石公之自爲詩也，明詩也。設有一人焉，稱之曰，子眞兩漢，子
眞盛唐。其人色喜。又復有一人焉，稱之曰，子文一代之文也，子詩一代之詩
也，直超漢唐而上之矣。其人喜更萬倍。由此觀之，不能自成一家言，而藉古人
以文其短，是強笑強合之類也。使其必古之人而後可，則號爲一代作者，遂掩前
良，何以其喜更倍也。石公胸中無塵土氣，慷慨大略，以翫世涉世，以出世經
世，婟節高標，超然物外，而涇渭分明，當機沉定，有香山、眉山之風。諸所著
作，或古人所有，石公不必有；或古人所無，石公不必無。出入兩君子之間，而

要以性命之學，證大智慧，具大辨才，鷲王之測水乳，罔象之探玄珠，則石公獨知之契，恐古人不多及也。石公，楚人也，今所刻有瀟碧堂集若干卷。儻所謂蒙莊屈宋之外，又別立世界者耶？夷陵友弟雷思霈何思譔，門人薛明益書。

明 曾 可 前 瓶 花 齋 集 序

石公瓶史以諧謔爲文章，予讀而好之，謂不復有張功甫矣。頃又示予瓶花齋集，瓶可以史，復可以文，可以詩，瓶何物事，乃能發石公奧心如許耶！石公深於禪，故能悟文若詩之指於教外，予不能參石公禪，而猥欲定其文陋也，然而於石公有窺也。石公居，嘗語友人，文必摹秦漢，詩必襲杜陵，此自世儒大病。夫人自有眞面目，謂學文者必四乳，學孔者必河目隆顙，無學久矣。彼古之人，又何所沿而成耶？斯言出，疑信參半。其信者遂亦謂石公自爲文若詩焉耳，余獨謂石公之文從秦漢出，石公之詩善學老杜者。昔人稱遷史文極，於酒肆帳簿無不可點化，而眉山長公，嘻笑怒罵無非文章。石公妙得此解，隨所耳目，俱可書誦。今讀其文，無一字不肖長公，無一字勦長公，亦猶長公之於秦漢，辟諸醍醐酥酪，而食者不覺醍醐之即酥酪也，故謂石公法秦漢可也。其於詩，復自出機軸，上不爲李杜，中不爲中晚，下不爲近世王李諸家。然予味石公詩，而賀奇仝僻、郊寒島瘦、元輕白俗，殆無不有。夫奇僻、寒瘦、輕俗數者，亦杜有也，俗儒直取其高聲壯語以爲眞杜，愈近愈遠，徒令識者嘔噦。而石公以有激力矯之，寧以病病，不欲以不病病。故知石公深於學杜者，乃所爲眞杜也。或者曰，間道取勝，恐傷大家，不知少陵初出，取其質率大雅者與六朝初唐之婉麗較，則亦間道也。石公於詩，自是當行，不蘄爲大家，而大家歸焉。背水可陳，刁斗勿擊，不言正兵而正兵屈也。善乎司空表聖之論，自知非詩，詩未爲奇。奇天下之道，往往愈泥則愈遠，相反則相肖。故曰，謗佛者讚佛者也。石公悟矣。同郡友弟曾可前退如譔，長洲陳元素書。

明 江 盈 科 錦 帆 集 序

錦帆涇者，吳王當日所載樓船簫鼓，與其美人西施行樂歌舞之地也。閱今千百年，霸業煙消，美人黃土，而錦帆之水，宛然如舊。姑蘇吳治，實踞其上，此水抱邑治如環。乙未之歲，余友中郎袁君來宰吳，殫力圖民，昕夕拮据，憔悴之衆，賴以頓蘇。踰明年，君以過勞成疾，上書乞歸，凡七請，乃得解政去。君性超悟，深於名理，才敏妙，嫻於詞賦，第一行作吏，都成廢閣，間或觸景起興，感事攄辭，有所題詠撰著，越二年亦遂成帙。其行也，友人方子公稍稍哀次，付諸梓，問題於君，君自摽曰錦帆集。蓋不佞嘗詣吳署謁君，君指此水，驕余曰，是錦帆涇也，吳王霸業之餘，我乃得撫而有之，不亦快哉！而其實君鞅掌簿書，餐沐幾廢，勞與余等。余因嘆曰，同一錦帆涇耳，當吳王之時，滿船簫鼓；及吳令之身，兩部鞭箠。吳王用之，紅姝綠娥，左歌右絃；吳令御之，疲民瘵黎，朝拊暮煦。昔何以樂，今何以苦？丈夫七尺相肖，胡所遭苦樂頓異乃爾。雖然，人生有涯，苦樂有窮，惟山水爲無盡。操有窮之具，遊無盡之間，而能與之俱不朽者，其唯文章乎！君詩詞暨雜著載在茲編者，大端機自己出，思從底抽，攄景眼前，運精象外。取而讀之，言言字字，無不欲飛，眞令人手舞足蹈而不覺者。嗟嗟！後霸業而盡者，此水乎？與此水而俱無盡者，茲集乎？夫君齒最少，異日名山之業，未可涯涘，乃錦帆獨託茲集以傳。倘亦吳王有知，乞靈中郎之筆，不斬西施爲君捧研，而令捴藻見奇，有如是耶！余所蒞治百花洲在其前，而余日沾沾刑名間，不能有所題詠撰著，俾此地託以傳也，則百花洲之遭不逮茲涇遠甚。假使西施有靈，問江郎夢中之筆安在，不佞無辭置對矣。萬曆己酉嘉平月朔，桃源友弟江盈科進之撰，門下士文謙光書。

明 虞 淳 熙 解 脫 集 題 詞

　　大地一梨園也，曰生、曰旦、曰外、曰末、曰丑、曰淨，古今六詞客也。壤父而下，不施粉墨，舉如末；陳王作淨丑面，然與六朝初唐人俱是貼旦，浣花叟要似外，李青蓮其生乎？任華、盧全諸家，半淨半丑，而樂天、東坡，教化廣大，色色皆演，王維、張籍、韓子蒼，所謂按樂多詼氣，率歌工也。袁中郎自詭插身淨丑場，演作天魔戲，每出新聲，輒倨主客、圖首席，人人唱渭城，聽之那得不駭。至抵掌學寒山佛、長吉鬼、無功醉士，並謂爲眞，乃中郎且哂好音不好曲矣。頭脫烏紗，足脫亸舄，口脫迴波詞，身脫侲子之儓，魔女魔民，惟其所扮，直不喜扮法聰，若活法聰則唱落花人，是顧閻老無如予何，中郎畏閻老哉？波波吒吒聲，幾許解脫，中郎定不入畏。萬曆丁酉夏五月，甘園淨居士虞淳熙長孺題，門人張士驥書。

（陳錦釗審查　　許惠貞標點）

梨雲館類定袁中郎全集二十四卷二十冊　明袁宏道撰　日本元祿九年刊本
12886

明何偉然類刻紀事

　　石公先生集流滿人世，即窮壤僻陬，俱已獲爲枕中秘矣，何煩余之更梓。獨
以部帙分錯，未得統彙，妄誕者因爲增飾，若狂言之唐突，幾淆眞贗，必爲類
定，庶覓集者知有全冊，不致逐帙相尋，得甲遺乙，爲千秋快耳。壬子冬，商之
吳允兆、潘景升兩先生，郝公琰從中稱快叫絕，兩先生即以此業託之，余其如蚊
負，自怯力之不能從心也。歲甲寅，公琰訪余白下，搜余批閱全集，欣然自爲手
割，分門別卷，命之傭書焦元，既資以繕寫，而余殺靑之興始勃。然錄才成，爲
嫉者所賣，私數卷不出，繕本因爲歷亂，遂成道旁之築。至丁巳，應北上之聘，
將以此未了緣屬友生，而聘者忽阻內艱，余因欲自竟前業，復徵書者錄一過，遍
探好事，襄成厥美，如頭陀持疏，告以現在功德，奈神通不靈於韋馱也，明知宇
內快書，家家奉爲荊璧，謀以剞劂，非誹則笑，攢眉却走，猶人人禮法王，及勸
以造經作因，即爲起謗者矣。蓋目中原未識石公文字，因聲附會，竊風雅之名，
故商確參差之耳。余乃自爲無米之炊，第盡八口之裙衫，不足質十千，而欲鎪金
鏤玉，垂三十萬言於不朽，安得不謀及他家之管珥。而吳承之之一臂首及焉，再
策之鄭汝嘉，再策之浦長卿，若而人素皆俠，而適窘於余舉事時，固知奇書快
事，造化所必忌也。棗梨貴於栴檀，鋟工幻於鬼魅，傭書顇於傀儡，支吾躑躅，
徒增忌者之冷眼，丈夫舉事，謂何而令中道廢耶？於是發赫蹏千片，意必一效如
聊城矢者，乃貧孟常，空有熱心；慳猗頓，哭窮成套。且有欲附驥以飛名者，指
孔方以愚弄，鬼語撩人，恬不知恥，徒令人動藏山沈淵之感耳。嗟乎！把臂滿
前，風流自賞，豈盡黃金爲命之侶，然入席呼盧，千金易棄於一擲；當場買笑，
萬頃可蕩於雙蛾。千秋之著述，祇屬迂談，國門之縣書，奚知高價？是役也，詎
劉伯龍之工什一，而鬼從旁笑之乎？余惟浩歎，輒呼石公奈何任梓人輟席矣。忽
童子報以客爲廣陵王經倩，其人少年高誼，不可一世，余私喜之，謂石公嘿賜之
以挽鋟工之轍者也。未及溫語，果急索石公刻，余語以故，叫絕笑絕曰，石公安
在？遂自頂至踵，脫所有以犒工者，而賈其力以終事，登山痛飲三日而去。夫如
此快書，如此快事，必得如此快人而奏成，則中道之艱阻，正以待若人之作緣
耳。則是集宜德經倩者十七，然非三君之挪無以開之先，其爲石公知己均也。余

則特爲此集役，聚翠爲鈿，獵狐成裘，則爲余力。至於衆知之契，多所快心，無
容加以諛詞，若所點定，是余讀集時所加筆，非以鑒識示海內也。類有不可分
者，則因門以附，若別石簣，諸作入雜體者，是因集分割不及，第年序，則江進
之、曾退如、雷何思諸先生，字字典則，故彙登之，余惟紀其刻時之事，以博作
者一笑。曰，鳩工刻集，世不知凡幾，一經何郎，便生若爾風波，余當與同事捋
鬚絕倒矣。至於先生之知罪，將携集陳之墓，而灑酒問之，不以我爲功臣，則以
我爲蟊士，余得以自解矣。丁巳九日，西湖何偉然欲仙父書。

（陳錦釗審查　　許惠貞標點）

――――――――――

雪濤閣集十四卷十冊　明江盈科撰　明萬曆庚子（二十八年）西楚江氏北京刊本
12888

明 袁 宏 道 序

　　文之不能不古而今也，時使之也。妍媸之質，不逐目而逐時。是故草木之無
情也，而輕紅、鶴翎，不能不改觀于左紫、溪緋。唯識時之士，爲能隨其隤而通
其所必變。夫古有古之時，今亦有今之時，襲古人語言之迹，而冒以爲古，是處
嚴冬而襲夏之葛者也。騷之不襲雅也，雅之體窮于怨，不騷不足以寄也。後之人
有擬而爲之者，終不肖也。何也？彼直求騷于騷之中也。至蘇、李述別及十九等
篇，騷之音節體致皆變矣，然不謂之眞騷不可也。古之爲詩者，有泛寫之情，無
直書之事；而其爲文也，有直書之事，無泛寄之情，故詩虛而文實。晉、唐以
後，爲詩者，有贈別，有敘事，爲文者，牽于論敘贈答，不必其事可書而其人可
紀，是詩□〔之〕體已不能虛，而文已不能實。古人之法，顧安可概哉！夫法因
于敝而成于過者也。矯六朝駢麗飣餖之習者，以流麗勝；飣餖者，固流麗之因
也，然其過在輕纖，盛唐諸人以闊大矯之。已闊矣，又因闊而生莽，是故續盛唐
者，以情實矯之。已實矣，又因實而生俚，是故續中唐者，以奇僻矯之。然奇則
其境必狹，而僻則務爲不根以相勝，故詩之道，至晚唐而益小。于是有宋歐、蘇
輩出，大變晚習。于物無所不收，于法無所不有，于情無所不暢，于境無所不
取，滔滔莽莽，有若江河。今之人，徒見宋之不唐法，而不知宋因唐而有法者
也。如淡非濃，而濃實因于淡。然其敝至以文爲詩，流而爲理學，流而爲歌訣，

流而爲偈誦，詩之弊，又有不可勝言者矣。近代文人，始爲復古之說以勝之。夫復古是已，然至以剿襲爲復古，句比字擬，務爲牽合，棄目前之景，摭腐濫之辭。有才者詘于法，而不敢自伸其才；無才者拾一二浮泛之語，幫湊成詩，珠目相冒。智者牽于習，而愚者樂其易，一倡億和，優人騶子，皆談雅道。吁！詩至此，抑可羞哉！夫即詩而文之爲弊，蓋可知矣。余與進之遊吳以來，每會必以詩文相勵，務矯今代蹈襲之風。進之才高識遠，信腕信口，皆成律度，其言今人之所不能言與其所不敢言者，雖其長才逸格，有以使然，然亦因時救敝，法當如是。論者或曰，進之文超逸爽朗，言切而旨遠，其爲一代才人無疑。詩窮新極變，物無遁情，然中或有一二語，近乎近俚近俳，何也？余曰，此進之矯枉之作，以爲不如是不足矯浮泛之敝，而闊時人之目故也。然在古亦有之，有以平而傳者，如睫在眼前人不見之類是也；有以俚而傳者，如一百饒一下，打汝九十九之類是也；有以俳而傳者，如迫窘詰曲幾窮哉之類是也。古今文人爲詩所困，故逸士輩出，爲解其粘而去其縛。不然，古之才士何所不足，何至一二淺易之語，不能自捨，以取世嗤哉！執是以觀進之詩，其爲大家無疑矣。詩凡若干卷，文凡若干卷。編成，進之自題曰雪濤閣集，而石公宏道袁子爲之敘。

明江盈科自敘

夫人之性，不能澹然無好。當其所好，無論有益無益、工與不工，而自有戀戀不能舍者。故性好弈，雖終日輸棋，不廢弈也；性好賭，雖終日輸錢，不廢賭也；性好酒色，雖醉欲死、瘦欲死，不廢酒與色也。何者？誠好之也。余才不能文、不能詩，而性好爲文與詩，廿年以前，束于章句、困于計簿，縱好焉而不得逞，比由縣吏量移棘曹，曹務甚簡，于是得肆志于文與詩。凡踰年，得褀文三卷、詩三百餘首，合于舊所撰著，總爲十四卷，彙刻之。竊自謂文與詩皆不能工，乃不務藏拙，顧反炫焉，何也？夫人莫愛倕之指而愛己之指，蓋工非所愛，愛其屬己者也。故山雞自愛其羽，孔雀自愛其尾，少或摧殘，不勝憐恤。況余之文與詩，即不工，然余之精神在焉，其重不啻雞之羽、雀之尾，豈其自愛反出指下，而甘棄之如遺也耶？又集中文與詩多代人者，夫貴必役賤，則有代；要必委散，則有代。代也而猶存之，古有是乎？韓昌黎代張籍書、蘇子瞻代張方平疏，並見于集，則代亦何可不收也？集既成，題曰雪濤閣，何也？余邑有白馬雪濤，于桃源八景中爲最奇，懸水數仞，自上而下，衝激之勢，變態萬狀，如鷺如鯉，如奔馬，如駭蚪，如撒珠，如沸湯。遠而望之，皎潔晶瑩，如匹練，如披縞，故名雪濤。余愛其清絕，可以濯纓，可以樂饑，建草閣其傍，將老焉，故綴集以其名者，志有在也。非謂文與詩之工可以敵水之奇，而輒竊稱號于水也。噫！覽茲集者，嘉其好，不求其工，其可已矣。萬曆庚子孟夏月，西楚江盈科題。

（陳錦釗審查　　許惠貞標點）

昭甫集二十六卷二十二冊　明張同德撰　明萬曆庚子（二十八年）大梁張氏原刊
本　12889

明 楊 于 庭 序

　　大梁張興甫與余仝出周太史門，而其弟昭甫，又越十二年而出余門。余故知昭甫博士語妙天下，而未稔其嫻於詩也。已讀中秘書，詩名蔚起，而余時典在職方，拮据赤白羽，亡得以其間與言詩。余既廢，而昭甫守給諫，用抗疏忤旨，直聲震朝廷，而余竟以未得讀昭甫詩爲恨，乃興甫亦以水部郎謫去，量移，留度支分署江以北。歲庚子一相問，并訊昭甫，而余始從興甫讀昭甫詩，詩三帙，其一爲孝廉時語，而興甫所從王元美先生乞爲序。其一則館試及掖垣時詩，大都昭甫不規規四聲，而其景亡所不會，其語又亡所不匠心，元美序之備矣。獨怪夫識昭甫且十年餘，而今始以詩窺一班於昭甫，使興甫不鎩翮而南，又不以使至江以北，而余又不相聞，是使余終身不得昭甫詩一披讀也。子如不言，吾幾失子，言之不可以已也如是。抑余猶有言，詩能窮人，余不幸而好此物，乃今效可睹矣。昭甫甫第，即入詞林，守西掖，一日而致通顯，乃竟不免以批鱗罷，磊落夷門布衣游，豈詩故憔悴昭甫耶？中州土著稱何仲默、高子業，於流寓稱李獻吉，然皆不亨於官。昭甫爲世麟鳳，度旦夕且賜環，然世所爲稱昭甫，與昭甫所爲，自致於千秋，度在此不在彼。故余所爲序，寧使昭甫以詩窮，而毋使昭甫厭詩窮而敝帚視，且并爲興甫及余一解嘲也。恒沙居士友生全椒楊于庭譔。

明 王 惟 儉 序

　　昭甫早歲能文，偕計吏公車時，已著有詩卷，弇州先生序之。及官翰林、徙給諫，又未幾里居，其文益富亦益進。而弇州先生之没也久矣，不佞乃爲序之。

不佞以明興之運無如孝皇時，則南有顧、徐，北有高、李諸賢，一時綴文之士，務博大其體、惇厚其致，此治世之音也。永陵以還，氣益發舒，步趨之者奔騰而前，幾於夸矣，辟之於酒，今則酗也。昭甫每有撰述，軌之於先民之度，詩則緣情以貌物，文則指事以抒衷。即憂國思君之旨，或託之樂章，或寄之韻語，而亦詩人之怨而不怒，不瞋目相加遺也。且昭甫立朝未久，遽賦遂初，他人當之，將憔悴擬於靈均、窮愁甚於虞卿也者，昭甫不爾也。其懷甚曠，故其命意捶詞，亦博大而惇厚。方將窺高李之室、驅顧徐之軫，而豈與世夸毗之趣相競也哉？無論其詩若文，試讀其慎惜名器諸疏，以較年來公車之牘，何必古今人始不相及？吁！詩有之尚有典刑，此之謂矣。不佞每讀二陸三謝之傳，竊怪天之生才，豈盡萃於一族？無乃素絲之質，朱藍漸之，遂俱馳聲藝苑耶？昭甫有兄曰懋甫先生者，水部郎也，亦以能詩名，此中友于所淑者深矣，固宜昭甫早歲即能文乎？假令弇州先生而尚存也，其嘉與當何如者？昭甫雅好推援士類，每云瑯琊詩派，弇州而後，當屬不佞。不佞愧未敢承之云。友弟王惟儉譔。

明張有德序

　　余嘗載稽往牒，而見孔子之自系曰，文王既没，文不在茲乎？又曰，言之無文，行之不遠。則文豈易言哉！文章又何可不通於理道也。故士有官守，有言責，舉而措之，文之緒也，說者迺以絳灌無文、隨陸無武，岐文章事業而二之，豈知言哉！昔先大夫蚤背，諸孤遺昭甫弟最少，當十餘齡即已研神一志，銳志古文詞，而高馳遠騁，銳不可禦。余嘗慮之曰，若猶經生也，茲毋寧妨于而學也與哉？迺昭甫弟甫弱冠，旋同不佞舉于鄉，比余先成進士去，而昭甫弟苦志下帷，鏤勮擢髓，通幽極玄，遂肆力于制作之場，後十年爲壬辰，果昭甫弟復舉進士高第，入讀中秘書，盡得國家典故、名臣政績，而更折衷千古，獨振孤轅，思挽頹靡以鳴一代之盛。當是時其見愈廣，其詞愈富，藻思鴻爠，首首名家業，彬彬乎聲訖兩都矣。吾復慮之曰，若今而官矣，是寧毋妨于政也與哉？及昭甫弟從館中補吏垣給事，更矢心而銘曰，丈夫不爲宰相，則願爲諫官。諫官者，人主將昭德塞違是賴，而以保軀榮身之念相隨屬，於溺職何？於是出身犯顏，以立其意，可者獻之，否者替之，明目張膽，數爲逆耳于上前。居年餘，竟以忤旨落歸，歸則豪無牢騷不平之慨，但曰，是職也，士而不得于君，則山林而已，山林吾故吾也，而又何慊乎？因自爲園晏臺之墟，陶情花鳥，寄興雲壑，日消搖於無何之

鄉，暇復寓目擒詞，詠懷舒嘯，遠追漢魏之音，近修何李之業，文非班馬不述，
詞非騷選不道。才情兩鎔而商協應，霞薈雲蒸，日易而月不同，蓋眞六月息而萬
里行也。越六年爲庚子，一日掇拾笥中，得所著風雅騷賦樂府諸體，及一切封事
應酬之作若干首，將付之剞劂氏，而問序于余，余于是釋然而喜，喟然而歎曰，
古之賢王所願于士與士之所願効于人主者，將阿媚澳澀以從私乎？抑久生趨義以
赴公乎？將隨波上下以博榮乎？抑竭忠畢議以廣志乎？故由奴顏婢膝而漸躋鐘
鼎，遇也？不遇也？緜直行正道而離羣贅疣，不遇也？遇也？昭甫弟不苟□
〔弇？〕行、不負職，不可謂不遇矣。由今而譚文，何負於昭甫弟哉！乃司馬氏
以文王拘而演周易，孔子厄而作春秋，皆爲聖賢不得志於時，徒托空文以自見，
嗟嗟！周易、春秋茲兩物者，果空文乎哉？余獨以爲蘭生幽谷，不磨其芳，賢人
在野，不泯其光。士君子生而逢時，則爲雲爲雨，以文明乎天下；生不逢時，則
爲龍爲蛇，以藏貞美于一身，齊順逆，一死生，何可以浮漚聚散爲訕信哉！故古
哲賢豪，但爲可用，而不必世之能用，但爲可爲，而不必之得爲。矧主上聰明
仁聖，始雖以一時厭薄言官，而當時知名之士蚤已下部詳議以聞，則昭甫弟固先
名在金甌矣。儻旦暮下明詔賜環腋庭，而諏治所緜出也，將何以對？語曰，居不
幽，志不遠，行不苦，名不廣。今吾弟志潔名修，蟬蛻濁穢，皭然不受世之滋垢
矣。行且欲討名山及天祿石渠、蘂珠貝葉、幽厓巉冢，埋藏之文，將無不究，則
凡窮天人、悉古今，上推皇帝王伯汙隆之運，下考治亂興亡升降之由，粲然廣爲
經世之文，以益茲集之所未備，是不在昭甫弟哉！若夫品騭就程、去取長世，則
鳳翥龍翔、珠暉玉潤，是有掄文者覽焉，茲不具敍。萬曆庚子仲冬吉旦，兄有德
譔，吳郡顧願隸古。

（陳錦釗審查　　許惠貞標點）

下菰集六卷三冊　明謝肇淛撰　屠隆等選　明萬曆間刊本　12890

明 屠 隆 序

　　黃白仲與余抵掌海內詞人，遂及閩士而指屈。在杭謝君，才橫絕一世，蚤歲
登壇，所稱詩峭蒨秀偉，卓然名家，爲人軒軒霞舉，亭亭物表，趾高視卑，沖襟
可挹，且薄收效于三事，而厚殫力于千秋。異日者與子東面而爭牛耳之盟，必夫

夫也。不佞逡巡避席曰，主臣余雅知在杭。夫閩山水秀甲齊州，靈爽之氣，蜿蟺磅魄，盡發此時，方來之俊，雲蒸泉涌，先後通名字不佞者，無慮數十家，削牘有至萬餘言者，洞目駴心，觀聽于是爲巨。要以閩中白眉，則首推在杭，亦猶海錯之推西施乳，荔支之推陳紫、江綠，而山川之推武夷、九漈也。不佞向慕謝君，往年嘗賦詩四章，將訊之吳興，尋如金閶藭，爲雲間人篡去，不得達。又一歲，而晤在杭虎林，酒鎗茶鼎，不律如意，相得甚驩。不佞酒中戲語在杭，五霸桓、文爲盛，降而秦穆、楚莊，漸以萎薾，再降而卑之乎？吳子欲承一時之乏，妄規此物，踉蹌黃池之上，卒爲天下笑。不佞與弇州新都交臂接軫，則亦惟是邾莒滕薛之奉齊楚秦晉爾。自兩公即世，此物漫無所屬，而海內操觚者如雲，亡弗張目撗拏，起而爭之，世有虞于不佞者，極口而訾，極力而擠，若惟恐不佞之一旦氂弧以登，如目之有瞖，必去而後快。不佞軒渠，我其鷤雛耶？腐鼠此物久，而鴟尚嚇我。且桓文既没，余豈不度而爲吳子哉？余且跳而託于團焦淨業矣，以故遇世之嗜古而操深心者，急名而鼓盛氣者，才望既久而勢可幾者，人地未至而力可副者，余必長跽奉此物進之，力副而勢幾。則在杭其人所爲，峭蒨秀偉，軒軒亭亭，斯登壇之器、白仲之人，倫鑒不爽也。在杭別後，使使以詩序見屬，余業撰一首詒之，使者乃爲殷豫章，浮沉又不達，而故艸又尋逸去。在杭數以詩責，遘會余奉大諱，毀其不能搦管。居一歲而始爲勾當，則不能舉舊作一語，遂更著成篇，工拙不可知，大都視舊作加詳焉。兩纂著而兩不達，豈亦有數耶？不佞近論詩，如瑯琊、歷下，有才力而寡性情，務聲調而乏自得，繇兩公爲政，士爭趨之成風，風人之旨殆盡，必也取三謝之清蒼，救六朝之浮靡，采王孟之簡澹，濟李杜之沉雄，令天眞與奇藻並爛，名言與勁氣相宣，斯其極則妙境哉？在杭辨此審矣。不佞性疏而輕名根，應世詩文，無論多至洋洋纚纚千萬言，寡至寂寥數語，往往援筆矢口，布之通都，工拙惟命。近以學道戒綺，妄疏筆研，人購之，未嘗不應應愈，援筆矢口，了不經意，其以夫夫才盡而舍斿，幸甚！蓋不能峻龍門拒人，又不能苦心竭力，而與海內爭此物，則亦惟名根輕，故爲語操觚諸君子，無復以腐鼠嚇我哉？余之衛璧輿櫬，久矣。萬曆丁酉冬月，東海友人屠隆緯眞父撰。

（陳錦釗審查　　許惠貞標點）

居東集六卷六冊　明謝肇淛撰　明刊本　12891

明 邢 侗 序

　　今夫海內鷄壇錯峙，則掩甸充郊；牛耳狎執，則連轟接幕。麗璞溷夫臘鼠，齎苞亂乎人葰。是以葉公之龍，非應蟠之物；木寓之驥，尠駜驑之材。匪夫極研窮討，益以申晰，則朱紫恒至易處，眞贋卒之兩殽。以余所得閩在杭謝君，則未易言也。在杭冕黼冠族，緗囊世緒，幼而清令，寖長英特，書乃誦可等身，人謂公是卿座。蚤成進士，頗厭時學，屈首司李，遜業董帷，遂乃抉微靈祖、淹函雅故，矻矻懁懁，爲世鉅儒。爰自吳興量移東郡，依類託寓，一意著書，發軔射書之閭，駐車歷山之麓，厭次吊乎方朔，菑里感乎次卿。任城憶太白之舊，阿曲尋陳思之跡，雪宮留墟乎齊境，蜃市示幻于海澨，不其之書帶俛存，成山之璦文垂滅，觸時撫景，其能舍旃？抑或訟庭讞慮，積有餘閒，寮佐周旋，間成曲讌，山郵攬空館之蘂，鬼廡借青燐之炬。字勞編絕，而欣以會心；膚粟手創，而悽然寄嘅。凡于此際，文筆廼遒。君喜爲詩，詩分科品，靡不蝟宅風騷、枕藉魏晉，祖初禰盛，沿及厥中，蕞會諸長，極之融液。富滋明秀，則曲渚之芙蓉；適怨清和，則無端之錦瑟。至于出言天拔，絕玄人匠，森然骨部，眉嫵下拜，視夫就就飾其孜嗄、炊炊矜其齲楚，良以逕庭矣。若夫文章大業，君更破的，長篇鴻製，步履左班，法度章裁，出諸愜素，平大祛重舌之譯，雄成免碎金之誚。時乎登高授簡，則君家希逸之蹤也；時乎遊戲泚筆，則休文甘蕉之致也；時乎雜俎會萃，則義慶新語之嗣也；時乎方言貯錄，則子雲油素之例也。竊又窺夫餘勇所賈，代斵更僕，英氣露于捉刀，靈襟標乎答版，致能洽華簪于上座，聯風政于遠陬。總之，質稟軼羣，才情開敏，投之所向，無不中倫。以斯較條流于吾黨，論眞贋之所別，求之中壤，在杭其神龍天馬與哉！在杭一官落拓，茹菜飯粗，虎犢殊其所如，傖奴絕于常隸，報友輸一端之疏縞，娛內足四種之好香，寫論將付諸官奴，營壁竊比于宗氏，風期美矣，官何負乎？在杭爲余言，一昨之日，保旅鑾溥，耳溢者廣陵之簫，目盡者蒜山之雪，曾何計乎身之在遠，官之復踦也。今來篷羽太守後，飛轡直指前，廿年老明經，三日新子婦耳，何日解腰下綬，還頭上冠，婆娑安昌之野，追逐蚩走之侶，大蒼出櫳，黃棘下兔，芼以乾葵，壓之濁酒，眞足以樂而忘死矣。余曰，在杭！在杭！曠志如許，是能自作文字，田僧超結撰，那得不佳？在杭大噱。集署居東，記地也，亦有風人之託也夫！濟北臨邑友弟邢侗子愿甫譔。

明 劉 勅 序

　　在杭齒不滿二十，輒牛耳詞壇，意耽耽不可一世。江以南多辟易驚皇走，願對壘者什一，願執橐鞬者什九。余駭然曰，何物少年，能令人不敢抗三寸湘斑也。無何，李法東郡按部如歷，遂得把在杭臂，余見之大噱曰，氣岸嶽嶽，毋乃英雄欺人者乎？比讀其詩，則舌吐而不能收矣。請執筆研爲奚奴，在杭固遜，謂大江之北，僅得劉生。吾兩人者豈張茂先所稱豐城之劍，延津遇合，其亦有數耶？兩襟歡結，若平生交，余以瓦缶扣珠玉，在杭亦以咸池酬北里，詩筒往來者六閱歲。若詩若賦，若古文詞種種，從岱雲飛來，且玉藻縱橫，金餞洒落，每一發械，如獲明珠幾萬斛。乃擊節歎曰，異哉！在杭才如李供奉，詩如劉隨州，賦如左太冲，古文詞如司馬子長，字如韋郇公，草聖如張伯英，行書如王右軍，蠅頭小錦如蔡中郎。烏乎！古人得其偏，在杭得其全；古人得其粗，在杭得其精。洌前無千古也者，奚有於江南北哉！是豈七閩之秀，苞孕數百年，故生在杭爾爾所繇。在杭蚤歲釋褐，宦情泊如，常謂丈夫志在千秋，奈何手板支頤，日深深鼻孔向人？兩爲司李，朱輪停時，即携一編高坐匡牀，命侍姬焚龍涎，吸清茗半盞，臨蘭亭一過，其懷抱閒適如此。摛詞振藻，烏得不超越尋常萬萬乎？今拜南都司寇尚書郎，若曹固閒署，流覽之剩，飽習故業，益日新而富有之。由今觀，固在杭不如某某，由後觀，恐某某不如在杭矣。世之操觚家，即執橐鞬受約束壇下，魂奪口噤，誰敢提偏師攻之？其辟易驚皇走也，無怪矣！無怪矣！齊州山人劉勅譔，莆中洪寬書。

（陳錦釗審查　　許惠貞標點）

仰節堂集十四卷八冊　明曹于汴撰　明天啟間長安首善書院刊本　12892

明 馮 從 吾 序

　　〔昔明道先生作字甚敬，曰非是要字好，即此是學。余以爲作文亦然，非是要文好，即此是學。若作文甚敬，行必顧言，吾得之眞予曹先生云。先生全集梓成，余讀之喜甚，鄒魯嫡傳，濂洛正脈，其在斯乎。言言有理，言言不苟，而又言言有作意。它不具論,即如題南]皋先生教言數語,雜之秦漢古文辭中,亦不多得。寸山起霧,勺水興波,賞心哉!觀止矣!蔑以加矣!先生以千古絕學自任,固非沾沾以文章家名者,而作文又甚敬乃爾。即世所稱操觚自豪之士,寧不避三舍退哉?先生雖諄諄講學,而非其人不輕發一語,即得其人,亦不輕發一語。易云,擬之而後言,議之而後動,擬議以成其變化。先生以之,故其著作雖間有應酬,而譽必有試,獨為余文,似又輕譽,余竊愧之。而或謂善信如樂正子,孟子進之以美大聖神。夫美大聖神而可易言乎哉?其期望不得不如此,子惟勉之可耳,焉用愧!猶記前歲少宰缺,廟堂誤起余而借重先生陪,先生特膺簡在,余方為銓衡得人喜,而先生再三力辭,竟不稅冕行。夫銓衡,重任也;少宰,美秩也。他人爭之若鶩,而先生棄之若免,此其高風峻節,即古之人,寧數數見哉!先生之學,以躬行二字為宗,而辭少宰一節,尤為躬行之大者。讀先生集,當因言而求於言之外,不然,而徒豔羨其文辭,浮慕其理致,出口入耳,忘厥躬行,即先生所謂,沒齒務學,終屬半塗;終日嘵嘵,猶漫道者也。豈惟負先生,亦且自負!或曰,薛文清公與先生,皆晉產也,文清終身學問,只是一敬字,先生學問淵源,蓋有所自。余曰,然,青出於藍,而青於藍;冰出於水,而寒於水。自古記之矣。天啟乙丑七月既望,關中馮從吾撰。

明劉在庭小引

世之有意乎詩文者,將傳詩文以鳴世,而世多不傳,非詩文不可傳也,其所為傳詩文者,未落紙而已朽也。雲遠澹出岫也,月希微入潭也,風于于喁喁來松也。詩乎?文乎?有意乎?無意乎?吾師曹先生之詩與文實似之。余小子在庭游先生門久且深,先生無所不有,一無所有,吾無從窺其際也。噫!學絕道喪,世幾陸沉矣,一力荷肩,賴有先生。先生之於文字波瀾,寧不屑為、不肯為,而亦何暇為乎?偶然意到,筆且隨之。開鑿混沌,而繪則天巧;酬唱虛空,而韻則天籟。先生自視直唾餘耳,庭則珍之襲之,不啻波斯大寶焉。每欲剞劂以公同好,先生固辭不可。庭嘗手寫藏笥中,示海門周先生,先生曰,文至此乎,宜剞劂以傳。及西游豫章,示南皋鄒先生,先生曰,文至此乎,宜剞劂以傳。而無奈先生之固辭不可也。今先生暫歸里,庭同二三門下士,不告而梓之長安首善書院,亦天機應洩漏時也。書院,先生常公餘宴處,與二三子講德論業於其中者,故存其語言文字,以存先生於不朽。或者曰,先生詩文,語語不經人道,茲集出,而為詩文家另闢一堂搆，眞教外別傳乎？庭唯唯否否，此猶作詩文觀也。請以先生觀先生，仰節堂集固尼山註疏也。甲子初夏，山陰門人劉在庭百拜手書於香山之觀旭樓。

明 辛 全 序

仰節堂者，予師曹眞翁先生講學所也。先生自家食而宦達、而林居，無在不以講學爲事，而文集獨以茲堂名，蓋取不忘其初之意。小子不敏，幸備見知之列，見先生渾是一段仁體，生生之機，隨在充滿，在家則透於家，在鄉則透於鄉，在朝廷則透於朝廷，在天下則透於天下。不惟出處取予，確有章程，即起居嚬笑，罔非至教所寓，而茲集又視爲緒餘者也。先生雖視爲緒餘乎，而千古賢聖之宗，一代得失之林，胥此焉在。他不具論，如仁體策，蓋眞訂頑篇、識仁說也；江西試錄序，蓋定性書、好學論也；題漆汀先生華陰卷，雖僅數言，孟子親說，不過如此；薦舉一策，非末世對症藥石，而萬古用人之準乎？聖人復起，全敢必無易其言也。說者謂宋有四篇文字，全讀先生書，於我明亦云，然又有說焉。世儒著述，其表章贊揚，類多軒冕赫奕之輩，而卑微者不肯收錄，是貴貴書，非賢賢書，豈足取信千古？乃先生虛中忘我、舍己從人，苟有善焉，雖卑微易忽之人，必一一嘉與。曹良良，族僕子也，孝行可取，輒爲詩歌以闡揚，而乾臺筆記，此類甚多。或曰，先正謂師冕見一章，可以括論語，讀良良一歌，可以知先生之集乎？全笑，唯其言，遂筆之以告天下後世知言者。天啟丙寅春首四日，古絳門人辛全拜手書于眞樂窩中。

明 □ 任 後 語

仰節堂集者，眞予曹夫子會道微言、涉歷政績、匡時卓議、暨交知柬書、登覽吟咏所存之草，及門士纂集而成者也。初曰存稿，存之者所逸幾倍也。夫子不欲立言，觸事寫情，稿多不存，茲集特其什一耳。任自萬曆甲午、乙未以暨戊戌、己亥，頻年過淮，時夫子理刑淮上，崇祠會學，治水籌兵，勸農訓俗，寬徵省役，簡訟持廉，種種成效，豐碑載頌無窮也已。而丁未、戊申，任北上訊夫子於瑣垣外舍，見其批鱗讜議，不啻盈車，然多秘篋中，不以示人。更越五年餘，任從并州負笈而西，起居夫子之山園，見其定省太夫人於高堂，殫心畢力，課農趾畝，優游阡陌間，澹然也，而簡翰吟咏，自此益富。任東還，見淮陰太守欲衰鍥全集行世，馳書夫子，艴然力阻，謂勿貽誚於世。復踰十載，龍飛癸亥，都城再謁，夫子閱睹新編，及關陝河津諸刻，續增半倍，而原草遺者亦半，淮刻概未收入。任竊錄所覩者，斷章以採其要，約旨以萃其凡，綜絃一家法言，信石經之秘傳，詎論衡之猥瑣。夫子諄諄誨人，汲汲援俗，凡從遊者，稍稟道根，必罄植培之力，嘉惠勤劬。蓋隻字片言無非闡道，大都無物無我，廓取無中之有，有天有人，約取有中之無，則任于夫子之莫可抽寫者，略爲描寫焉而已矣。昧僭數語，敢云智足以知夫子哉？聊以鳴千古一時之良遇也。

（陳錦釗審查　　許惠貞標點）

———————

靈護閣集八卷十二冊　　明湯兆京撰　　明萬曆末年原刊本　　12894

明徐良彥序

……（前闕）也，文章者，又天下之大氣運也。庸人溺富貴，輒謂長孺不顯、楊孔不終，遂大笑之，曰，夫夫驕語氣節如是者，爲我富貴戒，豈不厚哉！嗟嗟！彼一時也，君子之天未定也，獨不問萬世耶？義興湯質齋先生筮仕宰豐城，剸割有聲，而行修潔，徵爲御史，白簡所抨，非貴疆相，即貴疆相，客按宣雲，八閩三輔，大都以破柱聞，而莫難于辛亥爭大計、癸丑爭職掌玄黃之戰，此何異東朝廷辨誰肯助主爵都尉是魏其乎！楊孔如在，無完理矣。疏語懸邸狀及載今集中，不具述。而先生直以此掛冠神武，臥病金鵝山中，未逾年而殂。此一時也，富貴之士聞之而不笑且賀者幾希。余不佞，辱知己，輒不勝人琴之慟。拊膺浩歎曰，天道是耶？非耶？乃獲讀遺稿若干卷，三復卒業，依然吾道之廣陵散也。嗚呼！秋隼擊而毛血灑空，罕車明而天讒卷舌。世但能名先生之疏耳，孰知其詩歌之悲壯，序記之曲折，排耦之流麗，尺牘之眞簡，志而晦，約而該，華而不劌，盡而不汙，無乎不發舒其忠憤剴切之氣，獨疏名乎哉！先生之文傳，先生之天定，即揖讓兩漢諸君子於一堂，可矣。萬曆丁巳仲冬，南州徐良彥題。

（陳錦釗審查　　許惠貞標點）

———————

梁玄沖集五卷五冊　　明梁隆吉撰　　明天啟元年關中梁氏家刊本　　12895

明曹于汴序

　　曩余以附驥南宮，從玄冲梁公遊，授余詩一帙曰覆瓿。比公捐舘舍，而其子孺醇以全集觀余，益以詩曰蚊鳴，俱公所自命也。及語錄、家乘、宗議漸次付剞劂氏，且請余弁其簡。經云，詩言志。志動而成詩，詩必肖其志。公之志坦易，故其辭直而不鈎棘，眞率故其辭顯而不艱晦，亢爽故其辭健而不萎蘼。誦其詩，志則可尚也；窺其志，詩則可咏也。如徒辭之工而已，春風得意，豈非佳語。錦江滑膩句，則登壇君子奚取焉，志無足取也。竊嘗疑鄭衞之詩，似非今解，果爾。奔者之口吻，先聖列之風雅中，令經生學士朝誦夕吟，何也？其以爲戒乎？崔氏傳本聲調詎不鏗麗，世之大儒胡不採錄？余蓋因談詩而謬議焉。至於語錄之作，尤足徵志。如云孝者人之所以生，如云乘人之危者不仁，利人之有者不義，忘人之德者不祥，宿人之怨者不廣，如云通晝夜、渾魂魄而如一，乃爲至人，昌言讆讆，精神如在。家乘上述恩光，下彰先德，忠君孝先之志，藹然可掬。宗議則十二儒紳爲之立子，子果敬承，寶其譽欬，繼志之大，已露一斑。吁嗟！衝人以言，言可違也；衝人以志，志不可瘦也。誦若人之言者，尚勿忘若人之志哉！雖然，志生於心者也，有其心，有其志。無其心而冀其志，是無土而望毛也。孺醇問學於有道之門，執經辨志，匪旦暮矣。余故與之論志，而原之於心，欲其自認取焉，或亦公詒穀之志乎！安邑曹于汴撰。

明張舜典敘

　　玄冲梁先生爲懷慶守時，余叨鄢陵令長，因河界南北，各有分屬，欲見之未得。無何，而先生歸矣，余亦解組而還岐下。數年後，而先生爲古人矣。今春初，訪馮少墟先生於長安，相與論學，而少墟之高足弟子，則有玄冲先生之子孺醇在焉。其人和遜而向學，非止翩翩之佳公子，而遊有道之門墻，其所得自不同於凡流矣。余將行，乃出其玄冲先生之集視之，又託余作一言以敘之，其詩則覆瓿吟、蚊鳴集，乃自謙退之言也。又有語錄一編，多警戒之譚。嗚呼！先生吾不得而見之，而獨見其詩與語如此，亦幸矣。孺醇欲付梨棗而傳之永久。夫詩多七言近體，清潤和雅，音調鏗鏘，綽有風人之致。其語錄多切近人情、關係脩齊，非炎炎詹詹之漫語。然詩家諸體具備，惜篇什所傳獨如此耳。又秘其文而不傳，嘗鼎一臠，味可知矣。語錄則多名言，而亦僅如此。然咏之有調，而玩之有致，即不多，自傳也。若徒多而無當於理，雖如海涵山藪，亦何益乎？孺醇能刻而傳之，則其孝思足多矣。天啟元年七月之七，岐陽張舜典頓首拜撰。

明 劉 養 性 彙 刻 敘

　　夫簪裾而多田間之趣，弓裘而亟手澤之存，兩者世恆艷羨之。然傳與繼相待也，而孝之思永與文之行遠，又相得而章，蓋未易易云。乃今長安則有玄冲梁公，少負甚奇，學益閎肆，誦法餘暇，兼修班馬李杜之業，舉孝廉，成進士，試吏，展士元之足，解呂虔之佩，躋黃霸之治，平行奉璽，書徵拜顧，雅好閒曠，戀戀慈闈，下至除補，未幾又去。覃懷歸而課耕，於城南近墅築圃種花，與二三故友杯酒過從，譚說玄理，時有吟詠，并曩宦游所存稿，若覆瓿，若蚊鳴，若語錄，自殺青以貽子孫。故尺幅不必合，剞劂不必工也。憶公涖平水，余適承乏貳晉陽，數以簿書會，會必譚及斯業，往往馳騁子長、孟堅之間，而尤喜翰林之飄逸、工部之沉鬱，各窺其大凡，晚益深自晦匿，杜門謝客，而還諸靜默，其所得可知矣。既捐館，又有子師孟苦塊中閑家礪行，如恐隕越，痛少定，亟問學於諸名公君子，謂事賢友仁古之訓也，玄冲公有後哉！至是復出笥中諸本，謁余青門之廬，請曰，先大夫所著撰幸存若此，懼其久也而或泯没也，將彙爲編，以孟之不才，辱在函丈，願一言，先大夫且不朽。余曰，維公自足以傳，而子更游有道君子之門，用能弗朽其親，余安所庸於言？竊念古今作者，斷鬚嘔心，而藻繪徒工無當也；握珠藏山，而弓裘弗振弗傳也。余觀茲編，語無奇語以範俗，言無多言以寫心，使登作者之堂，便欲相視而笑，豈其徒工於藻繪，乃一念孝思，直欲傳諸久永，載稽恩誥以章天寵，述誌銘以延世德，抑何其翻翻弓裘令子邪，余未知班馬李杜諸人後爲何似？知子刻成，將令長安紙貴，安所庸於言。雖然，夫苦塊而克念及此，則夫慎行其身，以勿羞有道君子，以貽玄冲公令名，可以概見其思永、其行遠，其傳與繼兩得哉！可語孝也已矣，玄冲公亦可以弗朽也已矣，即余言亦若此焉已矣。君子觀於斯集，而後乃知余言果勿庸也。時大明龍飛天啟元年歲在重光作噩如月上浣吉，通家邵田田父劉養性孟直拜手撰。

明 崔 爾 進 序

　　當玄冲先生守貳河東，余則以堯封令共事晉陽，時輭掌簿書良苦，暇輒相與談詩文，亹亹夜分，不示倦。先生既卒，冢嗣孺醇錄所作付剞劂，謂余宜有言。余惟大塊之氣之噫之也，而之刁刁之調調矣，寧私蹶拂也，叩柯即宮羽，自韻是則，天籟詩若文，人籟哉而天也。三百篇之變爲建安、黃初、正始，至永明齊梁，風雅頌遂不復，彷彿少陵金翅擘海，爰集大成，稱中興焉，殆隻千古無兩。國朝獻吉德涵諸君子後先嗣響，與濟南、太倉旗鼓相當，皆吾秦產也，毋亦惟是沆瀣清淑，爲地肺張表，瀆宗噴薄，而獨會其全歟！先生憲章少陵，不入大曆以後窠臼，隨事因物，惟所揮洒，氣象雄渾，風度飄翩，意中有景，格外有神。或時爲古文詞，片言居要，勘盡輿情，無一字襲人牙慧，李康而在，當爲首肯。所謂葳蕤馺遝，宅於自然，豈區區章釘句餖、戛釜叩甕之爲籟也者，故曰天也。先正有言，詩以識爲主，文以氣爲主。先生大識力，憑正氣而行，批導如神，於蜀蜀治，於齊齊治，於晉於中州，即晉中州又治。借第令當弼直寄，政事埤益，其篤棐夾介建明，豈復在古鼎臣下，而袖褱操赫蹏，摛翰以自愉快，爲少陵、獻吉、德涵，百代殊絕人物，仕皆不登兩府，以成三不朽之一。由今揆昔，同符感慨，夫秦有先生而秦益重，與先生所以重于秦，曾謂一二千石能發抒生平者？其言曰，輕軒冕而飄然於名利之外，焉往而不自得？夫如是，立德、立功，孰能踰之？政吾道刁調之嗚耶！集爲詩二，曰覆瓿吟，曰蚊鳴集，皆素所自命名，次之者爲語錄、家乘，其附以宗議，則縉紳以公故公言之，先生志也。賜進士第、文林郎、奉勅巡按浙江福建等處、貴州道監察御史，關中後學崔爾進撰。

（陳錦釗審查　許惠貞標點）

水明樓集十四卷六冊　明陳薦夫撰　陳一元編　明萬曆間刊本　12896

明 曹 學 佺 序

　　水明樓者，取杜少陵四更山吐月、殘夜水明樓之句也。少陵棲止夔峽，無人晤語，中夜懷歸，展轉不寐。嘗曰，客睡何曾著，秋天不肯明。忽然而現此境、成此句，不知其所以然，似鬼似仙，又有似于禪，在人遇之耳。東坡曰，精氣爲魄，魄爲鬼；志氣爲魂，魂爲神。衆人之志，不出于飲食男女之間與！凡養生之資，其資厚者，其氣張；其資約者，其氣微。故氣勝志而爲魄。聖賢則不然，以志一氣，清明在躬，志氣如神，雖祿之以天下，窮至於匹夫，無所損益也。故志勝氣而爲魂。試論子美當日之受用，其爲飲食男女乎？其養生之資厚且約乎？其所以祿之、窮之者，有損益乎？四更吐月、殘夜水明之句，似抑怨爲鬼乎？亦清揚爲仙乎？至今千百世而下，信體魄之凝滯于物乎？亦吟魂之虛明無寄乎？故余亦曰，子美之詩，非有異于人，其所以爲志者異也。然子美自言入夔之後，于律轉細。子美平生雖不譚禪，而詩不窮不工，禪不窮不精；詩不涉議論則細，禪不著見聞則圓，其關捩殆有合焉。人之一身，志與氣恆相勝，魂與魄若遞換，而以達者論之，一身而有二物，無是理也。故人不深乎禪理者，未有知詩者也。予友陳幼孺少孤而貧，三十始爲諸生，領鄉書，應試南宮，不第而歸，貧益甚，至喪厥明。末年，病嘔而死。其所爲養生之資、飲食男女之欲，約而且廢矣。獨于詩之道，負俊才而專一志，質癯而腹腴，語險而法中。雖目不涉詩書，跡不交山水者，十有餘載，然下帷之夫，駭其博雅，好遊之士，推其韻致矣。倘所謂閉門造車、出門合轍者耶？幼孺臨終時，謂王粹夫曰，若能始者，吾死後魂魄猶依此君也。噫！吾友之魂魄，豈能舍是詩？予今爲之序如此，亦足以復幼孺矣。萬曆乙卯夏月，友人曹學佺能始譔。

　　　　　　　　　　　　　　　　　　（陳錦釗審查　　許惠貞標點）

　　　　　　　　　　────────

羣玉樓集存七十八卷三十八冊　明張爕撰　明崇禎戊寅（十一年）閩漳張氏家刊本　缺卷二十六至卷三十、卷四十一凡六卷　12899

明張爕自序

　　草廬深處，舊有小樓，圮而更築之，貯所畜群籍，其上曹氏之倉、陸公之廚，庶幾貼宅焉。當窗散帙，雅多善本，如探群玉之山，此樓所由名也。主人霞朝星晚，坐起自娛，興到濡毫，饒有撰著。即拄笻他往，翰墨間作，歸必篋藏于此間，故亦以群玉名集云。比歲以來，梓行前代諸種，覺梨棗累心，故已所撰著，咸束高閣，或以懸門，請者搖首而不敢對。旋又自思，年過耳順，萬一身塡溝壑，茫茫大地，誰爲點定吾文者？暇日間取而差次之，刪繁刊誤，滌疵補亡，備嘗苦心。始萬曆己未夏杪，迄崇禎戊辰冬終，十載星霜，幾番爐冶，而有斯集。計賦一卷、詩古近體合二十九卷，唱和諸鴻篇附焉。近代徵言諸序爲多，故刷韻之文以爲篇首，碑記次之，頌贊箴銘又次之，墓文及傳狀哀誄又次之，音郵者交道所以不枯也。薄踟幾□〔行〕，締結酬酢，心曲形影，自爲拈□〔出〕，在阿堵間。先是見何稺孝爲人立傳，必取其書問，細按之，然後舐毫。李雲杜集

行，不載尺牘，鄒彥吉屢詫爲欠事。故余於寄遠諸牘，務竟首尾，而來械報械，
備列如右。衿契盡英碩，商摧半煙霞，畏癉如焚，嫉惡如梟。他年過目，可當年
譜。至于啟奏，亦復連類，若乃集序之外，有題詞、有書，後有引、有跋，雜曳
後塵，共五十有四卷，合詩與文則八十四卷矣。己巳開山以後，別自爲集，不在
限內也。余自束髮修古，以至白頭，蟲雕技小，固所甘心，雞跖數千，猶云未
足，夫亦拙者之大都矣。人心不能一日不用，心與韻事無關，勢必繫利名之韁
鎖，墜聲妓之坑塹，種種俗因，乘之而痼。惟夫避諠稽古者，別有功課，自成著
急，必不以萬物易蜩。且多讀古人書數十萬言，每至穿綜，其於得失成敗之林，
貞邪純駁之判，亦既爛熟，則過惡木而必趨，逢貪泉而欲嘔，余於其間，不無寸
長。然匡濟之士，談經綸如指掌；理學之士，折心性如列眉。余既株守槁寂，多
瓠落無所可用之語，其所吐納，雖原本於道德仁義，而不能金口木舌，弘闡宗
風，余于其間，頓成尺短，此清夜所稔悉矣。爰及文心，亦略可言，世逐摸擬，
而余自闢其宗門；世安頹唐，而余高開其騰躍。世人胸無滕脂，空拳應敵；余却
畋漁萬彙，全供驅使。如蜂釀蜜，先咀百花，世人事無的據，□〔背〕心導諛，
余只約略微蹤，量加甄飾，如鏡受形，隨宜半面，幸殊驢券，好謝龍賓，此亦余
之所長也。文筆高遠者，意在沉含，遡源甚深，未易得測，而余發語務盡，底裏
全輸，其內遜者一。文筆駿快者，一瞬千里，蕩坂走輪，何等直截，而余取徑易
紆，迴巒交枕，其內遜者二。微言多要渺，而余蠢笨成性，令音多曲折，而余莽
曠踰涯，其內遜者三。屑脂難燃，□〔螘〕腸未化，此又余之所短也。客□
〔有〕證余者曰，子于此道久，閱壯而老，就中得無異同，容覺有進焉乎？夫余
之少也，喜爲昂峭頓挫之言，每露雕鎪，微礙條暢；中歲森蔚，間寄渾深；晚乃
漸近自然，時見孤峰，遙臨平野。譬之種樹，早歲似盆景，剪剔安排，居然整
潔；繼乃大樹，發花古幹，長條自在。若荒藤蔓草，則斷乎其必無者，惟是燈燭
末光，神氣惝恍，夢殘全帛，倘復割裂，還人才盡之虞，恐行及耳。或謂文莫猶
人，躬行君子，未之有得。今子文行，爲世所宗，胡洙泗難兼，而子奄有之耶！
余謂有德有言，則吾豈敢，要以束身勵操之每嚴，而謝華啟秀之無輟，豹隱而
章，蟬清而韵，余其日有孳孳矣乎！鏃礪既成，因書梗概，以見文章千古得失寸
心者如此。誌之樓頭，爰俟壇坫之上。崇禎戊寅中秋，石戶農張燮識。

（陳錦釗審查　　許惠貞標點）

中弇山人稿五卷二冊　明王士騄撰　明萬曆戊申（三十六年）張崍校刊本
12900

明陳懿典序

　　文人之以成一家言，命令當世、輝暎千古者，雖其才實天縱，而所以老其才
而收其名者，亦天成之耳。蓋文人往往少年盛氣不耐事，筆端即橫溢，而多空
語，無涉世實境。非遭患難摧殘、寥落之已極，然後發爲文章，一寫胸中之不
平，不能窮工而極致也。然文人於患難中，又往往不耐憤，或鬱鬱不得意，遂自
傷其天年，不及老其才、竟其志於文，則所傳斷簡殘篇，亦復寥寥。惟負才觸
禍，放廢之後，而神情無倦，發爲文章，愈老愈熟，斯可傳已。古之作者如司馬
遷、韓愈、柳宗元、蘇軾，所謂窮而有年以老其才者也，如賈誼、禰衡、楊修、
曹植，所謂窮而無年而未老其才者，斯二者皆天也。近代文章家，其才大而名
尊、苞舉廣而雄霸久者，無如王司寇元美，其少逢家難，跙伏累歲，卒踰六帙，
位八座，而文集其大成。則人不可以無年，於文不益信哉！中弇山人者，則其仲
子王房仲也。房仲白晢軒舉，亭亭物表，氣甚銳而意甚遠。余所見其制義，皆絕
去時文之格套，而軼羣超乘。間爲詩古文，司寇每稱之。即起居家牘亦丹鉛賞
譽，令天老其才，所就何可量！突遭摧折，脫身歸里，苟能自寬以有其年，從容
以著作自娛，痛定說痛，江山風物、草木蟲魚，何所不供其抽揚？窮古極今，聖
賢僊佛之所未發、稗官百家之未備，何者不託其鼓吹？其所就又何可量！乃盛年
一跌，并其身而俱盡，故篋所藏僅僅止此。吁！斯亦足悲君之才矣。茲刻乃君之
門人張子崍等所哀拾以識不忘，可謂君家侯芭。張子出以示余，余感張子之陳
誼，而重悲君之才之年，不勝人琴俱亡之慟。後之覽者，其無以挈集而概君焉。
萬曆戊申夏五，太子諭德，秀水友人陳懿典撰。

　　　　　　　　　　　　　　　　　　　　（陳錦釗審查　　許惠貞標點）

────────

睡庵稿二十五卷四冊　明湯賓尹撰　明萬曆末年刊本　12904

明郭正域序

　　不佞結夏一枝巢中，杜門無所接搆。適門人王生來，手睡庵集一編請序，予

讀之竟曰，嗟乎！至矣哉！夫文生於情乃爲眞文，三代以還，王跡熄而詩亡，非詩亡也，亡於情也，非情亡也，亡於情之眞也。是眞者音之發而情之原乎？歌謠燕享、樂府鐃歌、古體近律，皆感於事、徵於情而會於時，時之遞降，三代不能不爲漢魏，漢魏不能不爲六朝，六朝不能不爲李唐三變。此之謂風，從風而靡者，人規而人模，代程而代守。曰文必於左馬班揚，詩必於曹劉李杜，舍我眞精，餂人餘唾。衣冠優孟，神理索然。噫！假令文必左馬班揚、詩必曹劉李杜，此數公者已稱烈爭鳴，何勞更舉？乃嘉賓不然，彼其直而不倨，複而不煩，樂而不嬉，哀而不怒，若風水之相遭，煙波浩渺，眞文出焉。故嘗舍筏而登彼岸，亦不棄律而成體裁，洋洋乎！哀一代言矣。今夫薄海內外操觚者，無啻九牛毛。然彊笑不懽，懽者未必風流暢適之景也；彊哭不悲，悲者未必牢騷抑鬱之懷也。餖飣人物，補綴山川，即累牘連篇，何諝情事！又曩日諸賢，有不羞辱而吐棄之耶？宜嘉賓之樹赤幟於中原，而趨者之若的也。茲刻也，天壤間誦習幾滿，烏知夫戔戔者不獵取而淺收之，曰左馬揚班、曹劉李杜，今復在此。此之爲風，又曷可長乎？嘉賓且奈之何矣！雖然，嘉賓方著作彤闈，經綸黃閣，行將百世模楷，又奚有於一編也。是爲序。萬曆庚戌夏五五日，江夏郭正域題。

明湯顯祖序

欲殺衆何意，千秋某在斯。此非霍林前時過江之句乎？去予數千里，不見其人，而壯其心。時有所不怡，亦復吟此自壯。故歲，其門人旌德劉生敦復、崇仁王生士烺先後從予遊，問霍林容貌言笑，在長安安否，皆言吾師清顏美髭，與諸生談，常極夜旦。遊日益廣，而貌故加肥。予喟然而止之，曰，以予所聞，霍林道心人也。道心之人，必具俠骨；具俠骨者，必有深情。所與子墨流連，相爲綽約耳。雖然，亦非世人之所欲得也。已而以南祭酒出，書謂予題其睡菴文咏之首。予爲拊几翔迴，慨然有東下意。蓋前聞李公本寧以有所不嗛，留寓東間，霍林復爾。皆予所未見，莫由夢寐者。逾年春，而霍林復爲世人所疑，罷官矣。於是天下有識之士起爲不平，而予特甚。何也？霍林者，道心人也。孝友廉貞，足世師表，而當何疑世乎？雖然，吾有以語此。予前在長安，嘗謂詞林袁董二君曰，君等苦道心不善堅固，文趣不過奇拔。黃閣有何重慕哉！世之疑霍林者，咨其黃閣耳，亦太早計。予以霍林文字推之，其福德常在乎彼人者。何以明之？見其初第時數作，攸如也。至爲其里人作難，脫刺客于枯蘆破衲之中，幽思險詞，迸然而通。瀨沓捷疾，歷礫奄忽，可啼可笑，若出若没，大非前館閣中常設者矣。予猶意其翩連而貴，世樂所誘，或忘其英骨焉。已乃讀其文咏種種，異之。篤于功名世法之外，有以秀鬱而蒼發，或千餘言旆如其舒，或數十語君焉而詘，如霧流煙，如雲漏月，如洗峯嶽，如抉块圠。雖其蓄積衍按，尚未極其曉世之情，其必不爲世人，而爲道人文人也，決矣！至于韻語短長，率意受律，氣力沉厚，班駁蕭瑟，成其家言。方前過江時，復已度越矣。然其大致羞富貴而尊賤貧，悅皋壤而愁觀闕。此其人胸懷喉吻中，殊有巨物，豈區區待一黃閣而復能與世吐咽者與？至其沉冥病中詩，猶有可舉似者。平生事倉卒，黑白不成校，一死終無辭，安得朝聞道！夫以欲聞道而傷平生，此予所謂有深情者也。嗟夫！霍林之于道于文一也。發端未熾，得其里人與之患難而迫之起；功力未竟，得朝貴者與以賤貧而恣之成。彼人者，無乃過爲福德與？自是睡菴可以恢然逌然，以山川爲氣質，以煙霞爲想似，以玄釋爲飲食，以嘯嘆爲事業。從橫俛仰，概不由人。道與文新，文隨道眞。旁薄獨絕，肆入微妙，有永廢而長存。然則所謂千秋某在斯者，彼人何與耶！然彼人者必曰，子何以知其必千秋也？又曰，即其饒爲千秋，吾且困以今日之事。嗟夫！以此相難者，往往而然，又非予所得而言也。姑言之以爲睡菴文字序。萬曆歲辛亥秋一日，清遠道人臨川湯顯祖書于玉茗堂。

（陳錦釗審查　許惠貞標點）

睡庵文稿初刻四卷二刻六卷六冊　明湯賓尹撰　明萬曆間金谿李曙寰校刊本
12907

明梅守箕序

　　夫文章之日趨而靡也，其由趙宋之末季乎？其起於程蘇分黨之後乎？程門弟子，求競於世，而別立道學於文學之外，效禪宗語錄，而以不成文之言，筆之爲書，於是訓詁多而事詞名理紛褥無紀。元人重詞曲戲劇，而略於行文，國朝承宋元之舊，而益滙其波流，積習溺苦，率多經子史所不載，限以制舉，益愈離披。故北地所爲，欲振之者，不得不援古人以爲立懂之地也。自茲學士多望風奔塵，文必莊韓左馬，或之而盤誥禮經；詩必蘇、李、曹、劉，及開元大曆而止。句其句，篇其篇，調其調，格其格，一切襲取勦說，遞相遁逃。即事與情不協，變與時不通，境與詞不比，亦不復能較矣。此其病在矯枉之過，工於形似而失其眞體也。夫古所稱著書立言以垂不朽者，豈賤儒湊學所能辨哉！文以明道，仲尼曰，文不在茲。是安得有文外之道，而道外之文耶？宋季倡文外之道，而近代又創道外之文，此所以終不振也。以道非道，而文非文也，所謂惡似而非者，此也。吾友嘉賓太史，每難斯文之失眞，而其高材遠識，博學厚志，足以至之，故文以紀事，事以見理，詩以抒情，情以標風，未嘗一著畫模，而亦無非古法，規矩準繩，吾自有之。豈必割倕之指、攘公輸子之臂乎？倕指輸臂，即使可割，而攘豈能爲吾有耶？則是以其文乃眞文也。嘉賓丰神高朗，胸次豁然，不役志於紛華世故，是誠忘情於眞俗之中，得性出形骸之外者，故其倫品不凡，亦由可徵見矣。余與嘉賓朝著章縫，而風尚不異，但以嗜酒稍有謝於嘉賓。嘉賓方在著作之庭，當有所以筆削，刪述成一代典章，百世以俟聖人而不惑也，使余得贊一詞，足矣。友弟梅守箕譔，新都羅彝序書。

（陳錦釧審查　　許惠貞標點）

避園擬存詩集一卷一冊　明王思任撰　明天啟間刊本　12911

明 徐 時 進 敍

　　……（前闕）甚分別，此爲制舉，此爲古文詞，當如何做作也？如季重豈可學而能者哉！世巨人率從尺幅起，初亦專精注之，不必其所深嗜，要不能不藉之爲贄之云爾。已得則棄去，不啻如簪履之墮遺，豈復有餘愛乎哉！而尚得移之爲所爲古文詞哉！緣今而習古不必暇，是古而咀今不必適，非必造物限之，所奉功令亦有以觭之耳。季重皆饒爲之，響答籟鳴，天倪自度，謂季重天授，非耶？雖然，吾猶爲季重惜者，世惟才之求，而季重獨以才得棄；樹人者惟少之貴，而季重獨以少見猜。捷給而訾之曰以事嘗，淹雅而薄之曰以名市，甚則謫其纇而遺其質，著處里閭，世於季重豈有餘憾與哉！吾思其故，正有舌本通脫，機鋒率敏，所逢自匪休休，一切俗情，罕不浮華遇之，是多陵人猶在今日。嘻！亦奇枉矣。廼季重題詩弄管，猶是刺刺不休，余謂之曰，鮑照累句，僧虔拙筆，意在避禍，季重何不以此？且寄之老禿翁，爲之一粲。知白居士徐時進題。

明陳繼儒敍

　　昔人評子美詩聖，太白詩仙，陳子獨不然，曰，李、杜詩俠。俠非田仲、朱
家、劇孟、郭解之謂也。俠莫如孔子之春秋，筆挾風霜，字帶劍戟。詩之不亡，
實繇於此。其次莊周俠而子，屈原俠而騷，司馬遷俠而史記，李、杜俠而詩。此
皆以異人兼異書，故名俠也。吾於山陰得王季重使君，嘗讀其游記，心怖焉。已
讀其觀海、靈谷諸詩，骨幹風姿，出之俱異想，咀之俱異趣。異人也哉！東坡
謂，俠士智勇辨力，皆天民之秀傑者，三代出於學，漢以後出於郡縣吏。今季重
經術吏治業已有聞於時，而數起數躓，乍沈乍浮，凡生平怪怪奇奇、磊磊落落之
精魄神，審百未得一舒，而并其所謂天民秀傑者，強半出於詩。弄丸舞劍，擊筑
扛鼎，其筆力耶？堅白同異，炙輠譚天，其嘲謔耶？五百義士，六千君子，其驅
策使令耶？去陳言如仇故隙，噬邪解如反惡聲，滿腦肥腸，穴胸洞腹，海內二三
同志外，誰敢與之耦敵衡視者！彼捆束聲調如牆上趨，轉側姿媚如盤中舞，季重
直醜而唾之，斯亦可謂藝林之雄已。客謂，季重代興，曷不操齊魯吳楚音？夫正
惟不齊不吳不楚，乃所以成王季重。季重詩膽方且鞭風霆，移星宿，醢魔鬼，赭
五岳，欲使童煮四大海水，欲使沸，睳聖人不受，睨神仙不爲，而肯雕蟲畫鶩，
局促諸君子轅下乎？季重，忠孝人也！太公老矣！摘之跽則跽，杖則杖，官俸所
入，半以衣食，五宗及落魄，誰何之游？士不矜其能，不伐其德，不驕語貧賤，
卓然皆古英雄之大根大本也。特以俠腸熱而善柔，俠骨悍而善藏，俠氣猛而善
調，世無明眼人，不解物色之，遂謂季重但經術吏事中民譽耳，正如李、杜大俠
也，而目之爲詩人。度兩公終未首肯。子美兒畜嚴武，太白奴使力士，兩人酒酣
登吹臺，慷慨懷古，旁人莫測也。詩者不必俠，俠者必能詩，即稽叔夜子房之
句、陶淵明荆軻之詠，皆有深心焉，何獨於季重而疑之？季重自題曰擬存。其詩
存則其詩俠不妄矣！友弟陳繼儒題於白石山之頑仙廬。

（王金凌審查　　許惠貞標點）

————————

邎庵詩集存九卷三冊　明蔡復一撰　明刊本　缺卷四　12914

明池顯方序

　　……（前闕）時事者，則慷慨曲折，惟恐不盡。至爲詩，淵遠雄渾，觸事不

露，感時不傷，其一往深情處，讀者如聽唱大江東，帶有曉風殘月之致。蓋其用意厚，故發音亦厚，而本之自然。詩譜云，忠義之氣，自然發見，非有意于詩也，杜子美以此爲根本。此非謂子美之詩以忠義爲本，政謂子美忠義之詩以自然爲本也。子美每于人所欲言、所不能言者，和盤托出，然其未竟宣之旨，令人穆然于言外。先生每閱杜集，輒沉酣再四，謂李尚有率與膚處，杜則無是也。第杜亦空抱憂憤之懷，未見經濟之手，先生實以經濟者也。其詩之不屑竟者，令人思，其經濟之不獲竟者，令人憾，然已得氣之厚矣。完人完音，庶幾兼焉。今試取全詩而會之，見其自然發見之氣如先生之沈酣杜陵者，而先生生矣。鷺門池顯方直夫書于香雪居。

（王金凌審查　　許惠貞標點）

────────────

輸廖舘集八卷十四冊　明范允臨撰　清順治間吳趨范氏刊乾隆十九年修補本
12916

清　范　儀　揆　跋

　　右五世祖參議公輸廖館集八卷，板貯家塾。今春檢閱故架，蠹蝕漫漶十闕三四。因以家藏舊集摹鐫補全，重爲刷印，公之藝林云。乾隆十九年四月既望，五世孫儀揆百拜謹識。

（王金凌審查　　許惠貞標點）

────────────

鳩茲集八卷四冊　明徐時進撰　明萬曆間刊本　　12918

明　張　應　泰　序

　　頃時作者繁興，類名拾藩，而顧循聲詰屈，自詫爲古文辭也，所稱嚼蠟不誣耳。嘗概觀古昔，亡論大方，即學一先生之言，亦誰不攄衷而運，鳴所欲鳴？雖其語不相沿，微形亦異，乃於法則靡有弗合者。彼實未嘗有意，而狠云詞達，斯詎能以一指蒙衆目？必不然矣。余蓋於今讀見可文，不覺其舌津津，而逡巡三舍避焉。見可生東海上，其溯洑汪涵、吞天浴日之觀，與夫道家所載丹山赤水二百八十峰之雄奇峭峻，菁靈所萃，見可固已悉取而羅之心胸，以恢閎其耳目矣。然且番知遲發，志定而功顓，積深斯厚，既溢乃流，則其有不充然沛然、彪中而肆外者哉！夫文實有衡，提衡而評品之，污隆於茲乎出，妍醜於茲乎生，臣諛不得以飾之君，而子佞不能以私諸父。故曹子建與楊德祖書曰，後世誰定吾文者！非虛語也。見可於材靡所不獵，而一以意爲程；於調靡所不諧，而一以情爲節。體堅而整，事核而裁，致閑而佚，蓋本其淵源，寔冥契之遷公，而見可不知也。夫千里而一賢猶比肩矣。余君房、屠緯眞兩先生皆見可里人，一時鼎立，而狎主齊盟，亦遞相霸哉！然兩先生余既得神交久，而於見可又親見其人，并盡發其所著書，東南之寶幾盡於此，庸非幸乎？故不揣而繆當玄晏，附青雲於不朽，亦何必皇甫之優於左思也。萬曆二十七年己亥陽月，涇上友弟張應泰大來父拜書。

明陳邦瞻書後

　　余不佞，交見可氏甚昵。無何，而見可出所爲文示不佞，不佞既卒業，而灑然異也。曰，嗟乎！世無此作久矣。文章之道，奇變百出，大都窮賾本學，推隱本思。學則力可藉而詣，思則巧可藉而運，若力與巧所不及措，必善養而聽其自至者，其氣乎！氣在文章，如春山之有草木，江河之有濤瀾，禽鳥飛鳴於其上，而魚龍變幻於其中，蔚然淵然而不可迫窺者是也。此豈人爲也哉？以不佞觀，見可氏讀古人書殆遍，而又悉鈎其深爲已有，以施於文章，擔材博而命旨玄，凡巧力之所可藉者，幾極於使人不可加。至其會情切理、境與神傳，絕不爲浮聲泛響，而渾灝秀傑之氣，自行乎其中，若造物之胚萬象。然此則養氣之不可誣，而昔人所謂從神化中來者也。即見可豈自知其至也哉！見可則又謂不佞，世索解人正不易。夫士惟急人知其躁而佻於聲譽，甚俗之躁而佻於勢利，故其氣常坐索，而其文亦多貌肥而中枯，如山則草木黃落之餘，水則行潦赴壑之後，豈復有所謂蔚然而澤，淵然而光者？君惟恬然自得，不計人之知不知。一切猥急利巧，當世所謂心術之病，莫得蝕其氣者，而一切浮淺孅媚，當世所謂文章之病，亦莫得壞其體者，宜其能至此也。然則君之所存與所以遊於世者，亦略可覩矣。因書其後而歸之。高安友弟陳邦瞻拜手書。

（王金凌審查　　許惠貞標點）

峴山集十二卷十冊　明趙秉忠撰　明萬曆間刊本　12920

明趙秉忠自敍

　　□〔？〕人□〔？〕不忍棄，即舊簪故劍猶然，況心德之披瀝，性命所與本、鬼神所與通者耶！不佞知寒識淺，墨瀋拙澀。蚤年從父師訓迪，購書讀之，獨愛晶光雪大氣摩空，毋八斗不可□〔？〕憾者，不憚下帷穿壁，均列史局，備員修纂，朝夕研習，稍窺此道。南北校士則初策讀經，遠邁紀述，則綜鉛理槧。顧以迂拙之性癖□山水簪笏…（中闕）…求鳥語魚□□炯歌升嘯，隨天籟所至，咏而成詩，聊以遣興而自適耳。歲月既久，簏積塵封，友人間從坐，力索之，匿不一示。復笑敝帚自□〔珍〕，卑竟□□□□土壤間，又不無簪劍之惜也。稍次成編，用識半生之閱歷，曷敢副在藏山，或以覆諸醬瓿。俟之知我罪我者。聽□□□趙秉忠題。

（王金凌審查　　許惠貞標點）

劉見初先生全集十卷四冊　明劉光復撰　明崇禎癸未（十六年）刊本　12922

明黃景昉序

　　此奉嘗劉見初先生集也。先生既械繫五載，直聲震天下，臺資最高，起厓光祿丞，蓋將大用先生，而龍御遽賓天矣。今上聖明，旌遺直錄其後，予官三品，風勵諸犯顏仗節之臣，乃始易今稱云。嗚呼！以神皇如天之度，四十餘年，大聲疾呼，人得自遂，何所望於先生而械繫久之？當日緹騎未應，天怒赫然，猶不忍尺筆寸梃之及，豈真欲死先生哉？景昉小臣，謬窺測其意，夫挺擊之事，固中外所闚然也。憸人因而生心，正士亦復動色。使人人各伸其說，如國體何？神皇，長主也，端居深念之，不得已借先生鎮戢中外之口。且奏對失序，先生罪自應耳，何居乎以震驚爲辭？古善處危疑者，模糊焉不得，解明焉不得，神皇以其若隱若露之心，置先生於可生可死之地，而借慈寧宮之筵几，微示其莫爲莫致之端，且隱若以尊親至性，感動一時者。故庚申當鼎成之期，而解網之恩，寔自元旦。及光皇歌訪落之始，而賜環之命，即在詰朝，宸意已先定之矣。彼擠先生者與救先生者兩不遺力，宜不足動萬一也。先生諸經濟風猷，具在奏牘中。於輪對之先,即愀然有元功奇貨之慮。逮身滯詔獄,天王明聖,無一語不歸於自責,以老成心行激烈事,於艱貞遇作平等觀。二事尤先生大節。假令班次漸邇,天聽稍卑,或再得一二人旁伸其意,俾先生慷慨詳言之,則他日史臣執筆紀左門起居狀者,別有可書,而惜乎止是也!夫君臣相得,莫盛於泰陵之世。至劉華容之深謀密語,日高下殿而尚論者,且有神聖莫及之說,遇合之難,自古歎之矣!然當日無先生一人爲之點綴,膝而前,叩頭而出,虛百年僅見之儀,負三聖一堂之盛,亦何以鋪揚俞美,令後世景仰乎?今上之追念先生,恩三四逮不替也。景昉生平師事,多先生鄉人,頗知所畏慕,又獲從先生之弟遊,故因讀茲集,論次其大都如此。若集中學問深馴,書詞劊盡,則世自有大手筆能表章先生者,余曷敢任矣。天啟丙寅季夏朔日,後學溫陵黃景昉頓首拜撰。

明 劉 光 得 跋 後

　　予長公遺友人書曰,不佞本色人耳。其生平開誠布公,一片意氣如雲、肝腸如雪處,俱衷本色而出,似不當於語言文字間求也。然予竊思之,聖門毋自欺之學,好好惡惡,直捷痛快,而先行後從,則言行正不得分之爲兩。今人外錦繡,中敗絮,每每不堪自問,非他也,先自削其本色焉耳。予長公性生孝友,學務根源。且兩文林公方正之懿軌不遠,大父恭惠之儀型猶在,加以大人身先提命,箕裘弓冶,自邁等夷,況挺生英特者之仔肩固自不倖乎!居恒明發興懷,征邁無忝,如哀痛先母,色養繼母及大母,庭除唯諾之地,雍睦和藹,蓋里黨所僅見者。其出而治暨也,一本家庭慈愛之意以行。濬源距川,謀始慮終,焦勞八載。於時璫使橫虐,髮指斥逐,自保民間廬墓外,不遑他計。一日夜疏三江口,俾暨湖直瀉,而蔣村又無墊鄰之患,七十二湖始有成功。至今單祠合祀尸祝者數十所。朱仲卿謂他年奉祀我子孫不如桐鄉者,豈虛語哉!迨按晉後,入領臺班。張差告變,宮府危疑。諸在事者,私則鼎沸,公率寒蟬,予長公廷對慷慨,五年繫獄。不知神祖如天之恩,何以用其言,又錮其身?急請御門一疏,懇惻無非爲宗社消隱憂,圖萬全。及至宮門喋喋,冀得共公孤卿貳,儼天威,策長治,幸父子祖孫,慈孝一堂,上隆千古,小臣獨以戀率觸怒,亦其迫切傾葵耳。第國本奠而雷霆加,予長公死所甘心也,即次子以侍獄邸遂殞,長子陳情請代後,又殞,皆以理遣情,處之恬然。公忘私,國忘家,先事則防護如周勃,後事則縝密如丙吉,隆聖主期頤之福,開青宮太平之基,豈非此本色人有以終始之乎?至安邊護京，綢繆未雨，賑飢蘇困，農商並濟，風厲霜嚴，奸貪歛戢，又其餘事矣。予少長公廿三歲，分屬鴈行，情同鳩飼。其撫予、教予、期望予，即尋常日用間事，亦以至性相勗。庚戌夏，大人捐舘，冬始分爨，計長公居宦已閱十三年，祿入悉歸大人，長公無分寸蓄。恩釋後，凡宗黨親疎遠近，授義田有差，乃以膏腴貳百畝授予。予辭半，受半，誌其友愛。且長姪亡後，諸姪皆穉，家務悉予總理，一切出入，置不問，視夫尺帛斗粟、計公較私者何如邪？予愚陋無所測識，即津津道長公不似也，略舉諸先哲之道長公者。如見輿公徐副憲曰，公孝則閔騫，友則季子。無留侯之委蛇，而有其羽翼；無安金藏之決裂，而有其血誠。玄岳公鄭太保曰，筮仕即爲循良，徵至即爲名御史。持斧按晉，風節凜然，拯活災民，數百萬計。事竣，將上殿最，聞尊人喪，焚草即行，所過郡邑，徒步報杖而號，余於宋州親見之，公於君親大事非苟然者。張差變起，中外危疑，公侃侃極諫，皆關至計。神廟一旦召見廷臣，天語渙發，羣情冰融，從公請也。公忠義鬱勃，越階前陳，神廟恐公切直，別生猜忖，遂下獄五年乃釋。嗟乎！公之心，神廟知之，光廟知之，當其箠楚交下，腦血淋漓而被體也，神廟之愛護猶有加焉。嗟乎！意深遠矣！孔玉橫相國曰，公腹笥注河，落筆縱橫。峴山有墮淚之碑，畏壘有尸祝之氓。帝擢豸史，爲鄒正言極諫，有汲長孺直聲。國本危疑，人唯唯諾諾，公獨面折廷諍，一時震怒，旋亦包容狂直，而感動其忠貞。王乾純觀察公、丁相國文恪公曰，公氣魄可以駕風鞭霆，公材具可以治劇解紛，公氣度臨大節而不傾，處大難而不驚。方國本既定，値內變之紛紜，忽焉出御數十年，臨朝之典，於茲創見。倉卒傳宣之際，通國不知所云，誰不引咎？誰敢出聲？而公一人叫號丹陛之上，發爲仁孝之論，遂攖震怒，立命逮繫，尋議典刑，而公帖然視死如生。諸先哲之推許，有一非長公實錄也哉？然予又竊思之，舉朝申救五年，一日譴謫，多賢輕身似葉，暨遠都門數千里而遙，耆老相率匍匐瞻慰，兩赴登，聞鼓伏闕願代，此固招不能來者，何輒麾不肯去乎？名宦報功也，士民夙切同志，無待子孫之陳乞鄉賢崇德也。文宗立允公呈，不煩郡邑之詳覈，則長公一生夷險順逆，往往遭遇隆，觀會奇，皆本色人，有以獲上，有以信友，有以格民，而得天也。今者茲刻，奧非探玄，彩豈敷莩，其在朝言朝，在家言家，與夫所以酬知交、訓國人子弟者，亦本色人作本色語已耳。曾子所云，實之與實，如膠如漆，虛之與虛，如薄冰之見晝日。殆若爲本色二字發其覆矣。予特表而出之，以與爾子若孫讀其言，想見其人，兢兢焉，懋勉敦篤，毋以一毫滋先人之怨恫焉，可也。時崇禎癸未歲季冬月，不肖弟光得質言謹跋。

（王金凌審查　　許惠貞標點）

嬾眞草堂集五十卷八冊　明顧起元撰　明萬曆戊午（四十六年）刊本　12923

明顧起元自序

　　嬾眞草堂詩二十卷，文三十卷，余二十年來所爲撰緝紀述者，略具是矣。余本迂疏之才，幸以拙差少筆研之役。而間爲知交見委，至辭不獲命，亦強起而應之，抑或偶觸之呻吟、戲效之塗抹，時復有所云云。然己不自珍，人又誰惜？以是都不復爲之檢括。他若枰殌餖飣之語，寒暄問訊之言，聚若吹塵，棄猶吐核，斥而汰者，亦可數十百首。然所存校諸所汰，相去政復不遠。汰者宜汰，存者未必宜存，安知今日之所存，不又爲異日之所汰也。每念少而服習此道，長以多病惷之。白首紛如，芒無所見。上不能規古人不晦之心，下不能避今人不貸之口。隨意信手，率爾出之，時而自憎，時而自笑。故生平未敢舉以似人，求其揚搉。常歎昔人，有自謂老實文字不宜留藁者，意賞其質，可以爲師，欲悉取而汰之，不存一字。乃客或規余，子不見夫長老之人好引舊知，說往事乎？心形所寄，追而數之，昨夢昔游，要自有不能忘者。矧其含毫舐墨，意匠所營，身世之交，半藏乎是？鴻泥雁影，雪皎波明，徵往信來，豈容都廢？又況極人間世存汰之理？貴紙縣書者，巧未必炫；焚研閣筆者，拙未必藏。存固非存之所存，汰亦非汰之所汰矣！故存或不必以存，存而以不存存，汰或不必以汰，汰而以不汰汰。子不能必子今日之所存，不爲子異日之所汰，又安能必子今日之所汰，不爲人今日之所存？然則存與汰之間，子亦可以冥心自悟矣。余乃蹶然起曰，有是哉！亦甚辨矣！客之言也。余之文，其宜汰宜存毋論，要以汰存存汰之旨，有足以明物理之常，極人情之變者，不徒在區區語言文字間也。于是乃不辭臨川王君之請梓，書此以弁之。萬曆戊午冬日，江寧遯園居士顧起元書于歸鴻館。

（王金凌審查　　許惠貞標點）

荷華山房摘稿七卷二冊　明陳邦瞻撰　明萬曆間呂胤昌刊清康熙甲戌（三十三

年）陳世葵修補本　　12924

明 張 應 泰 敍

　　西江之勝，在匡廬一山，其下則彭湖滙焉。靈菁所萃，鍾爲人物，洩越而爲
文章，晉栗里得之，以詩先諸子鳴，誦其詞，遐慕其爲人，千載而下，抑何寥寥
也。洎於趙宋，乃有分寧，雖其結撰稍殊，要亶與陶而代興者。爾今譚者，率祖
分寧而祧栗里，安在其能尊分寧乎？由分寧以來，四百有餘歲，其間隨時振響，
實繁有徒，辟之吹萬不同竅，號則一。余頃吏西昌，徧得江以西國朝諸君子琬
琰。錯陳其前，提衡而較之，乃尤伏膺劉吏部子高。其五七言律，駸駸入室，餘
亦登堂廡之間，多膾炙人口。宋文憲之極意推崇，非過也。比官留曹，二三兄弟
相與尋盟而講藝，因獲交於陳大理德遠。德遠恂恂若吶，至與之揚挖古今，大包
紘繽，小析豪毛，而同聲之應則有我玉繩使君竝轡而齊驅。所云晉楚唯天所授，
孰雌雄之哉！使君復爲德遠梓行其荷華山房草。德遠生平所著詩不止此，然余奉
而卒業，啖一臠而全鼎見矣。於體靡所不具，而於調靡所不合。灝澹冲夷，肖形
於栗里者什九。而杼心自運，戛玉敲金，乃卒洋洋歸於大雅，斯於分寧疑有餘，
亡不足焉。夫涓流不絶，積爲江河，以彼其汪洋浩瀚，而又孰能禦之！近時作者
如射覆然，高之存金玉，卑之存瓦存石，甚則陰摹陽簒，遂令弇州、歷下亡完
膚，而猶囂然自詫爲奇，以視德遠何如哉！余不能詩，然竊有志焉。疇昔捧檄而
西也，嘗遡流，繇彭澤經廬山下，而趨西昌。夫彭澤有淵明遺蹟在，而西昌則涪
翁所嘗臥治地也。高山仰止，意其生必有自，故因德遠詩而推本言之，抑以見湖
山之涵結於此三君者爲獨厚也。誠不知其有當於德遠否？幾幸就使君而一質正
焉。如猥云玄晏，寧不重太冲羞乎？則又胡以令紙貴長安也。萬曆壬寅秋八月上
浣吉，涇上友人張應泰大來父。

明 闕 名 敍

　　余與陳德遠氏並生大江之右，自青衿時名相望也。壬午之役，余鎩羽而還，
亟求所爲得雋者而式之，則賞心于禮之第一人，蓋德遠也。己亥，余量移留禮，
德遠以新第來官廷尉，一見握手道平生，至歡也。閑曹多暇，相與糾東西南北之
俊，讀史爲社，揚挖千古，各以所見著爲文，則德遠稱雄焉。予讀而賞心者，視
昔倍之，視制義尤倍之。惟是風雅之業，予所未習，間竊請于德遠，曰，詩有法

乎?曰,否否,彼其繪聲貌影,假態乞靈,前人如是,吾亦如是,是邯鄲之步也。前人未必如是,吾亦必求如是,是刻舟之劍也。沾沾屑屑比櫛是務,模之逾工,索之逾遠,此今之所爲詩病也。然則詩無法乎?曰,否否,彼其矯喉抗舌,曲徑旁蹊,樸遬者無奇,是傖父之面目也,豪縱者標異,是羣魔之伎倆也。嘤嘤驕驕,湊泊自矜,出乎纖夸,入乎鄙淺,此晚近之所爲無詩也。然則奈何?曰,夫詩之法,有之以爲體也,而體之非有也;無之以爲神也,而神之非無也。有合無以體之,無合有以神之。如空中之音,如水中之月,如鏡中之象,吾不知其所自來,吾不知其所由至。烏乎法?烏乎無法?子志之已。予時頷焉,莫繹厥指。乃社中多詩伯,若呂玉繩氏者,獨津津德遠之詩不置,且將鑴之以行。予受而卒業,則憬然悟曰,有味哉!德遠之言詩也,其善自言詩也夫!德遠生挺異資,學擅玄覽,蔪葊軒姒之前,汎濫秦漢以降,凡宗工鉅匠之鑪錘,疇非其胸中故物?乃所爲詩不落刻畫,不涉摸擬,神情變化,意(後闕)……。

明 張 鶴 鳴 序

夫詩以風骨生色爲質,至于渾樸無痕、芳潤有致,則切琢成工,非質也。荊璧離璞,十乘流光;越女出溪,百步溢彩,何者?尤物之鍾于質所由來也。風雅尚矣,騷之質,泱漭淒愴,自爲騷,不必風雅也;蘇李曹劉稽阮庾沈陶謝自爲蘇李曹劉稽阮庾沈陶謝之質,不必騷也;李杜自爲李杜之質,不必漢魏六代也。千載之下,讀之者目慴心怖,意往神馳,彼其質原不可磨耳。元白以吞吐河山之氣,迸落珠玉之腸,化遠爲俗,化俗爲神,攬物舒悰,情透景動,而杜樊川恨其婬褻,欲正其辜,司空表聖譏其力就氣屛,都市豪估耳。李長吉剪雲吸霧,飛豔交花,而孫器之謂爲武帝食露盤,無補多欲,趙璘譏其屬意花草蜂蠂,竟不遠大。數評者匪爲羅織,亦灼灼中也。然此三君子者豈不慕少陵青蓮哉?棄其質而爲雕楮畫虎之誚,不若自拓其質之爲獨詣也。今其集固在,每披讀之,令人肝縷頓生新花,一日數讀,數拊節賞不置也。今代詩家,遠宗北地,近服歷下,而議者謂北地馭電排風,遠肖子美,謂歷下斂魄練氣,泥印王錢。此皆薄元白長吉不爲,然使之并驅中原,吾知鹿不死于二李之手也。今天下人江潭而戶河梁,啜糟逐塵,幾遍海內,讀之終篇,迄無珍語。有,惟恐臥耳。此乏質而兢習,藉口于鄴下、開元以爲鉛粉,又北地、歷下之罪人矣。吾友陳德遠,海蓄淵涵,包羅千古。爲詩氣渾而骨稜稜,全無襲蹈牽合之態;樂府則暑風清嘯,冷然中節;歌行則楚風漢髓，夐乎別調；諸體則穠華靚雅，各有典則，而尤長于七言律，全帙蓋得十之五焉。綿綿煙江，泠泠霽雪，繁則華清春浴，清則庾嶺寒葩，經緯宮商，鼓和悉協，纂組列繡，匪近匪遠。色不染鄴下，響不藉開元，裒然自爲一家，即少陵、青蓮當爲斂手，矧北地、歷下乎？德遠神凝氣閑，不離披閱，方日夜孳孳焉，涵精咀華之無已，比拓其質而盡屈宋，何難焉？噫！茲編也，盡德遠乎哉？虞部呂玉繩爲付之梓，屬予序其端，予不知詩，直攄其臆，以爲糠粃云。汝陰張鶴鳴撰。

清 陳 世 葵 小 記

　　王父大司馬公著作等身，最巨者如皇王大紀、宋遼金三史、宋元紀事本末、中原音韻、潛虛集諸書。已而宦遊中州，復以生平出入交遊、憂思愉快所自爲紀者甚備，僚屬諸君子則請詩稿刻焉。曰，荷華山房其舊寅，又鋟山房摘稿，最約爲白門剩草，種種行世，如紀事本末，孝廉楊君錫價得之金陵書坊，乃知谷霖蒼先生明史紀事本末詞格所由出；又如荷華山房，錢牧齋先生列朝詩選內編入數冊。孝廉朱君超敬每對葵言，此金臺最要書也，令祖誠不朽矣。未幾，壽昌劉令公健自浙中郵回，而省會筠陽書坊亦盛行。朱君之言豈欺我哉？先是，邑侯張公文旦雅好詩，葵以山房全集進。己未庚申間，朝廷以修明史，下詔徵書，司馬公姓名首與焉。遍求親友購一山房全集，上之詹文宗。嗣後，撫憲宋公行移本府，專求祖詩，郡侯程公以折簡招致，乃多方購一全集，呈郡侯，以轉呈撫憲，向許覆行刊刻。無何，郡侯以外艱去任，未果。今夏，文宗又迫求祖詩，學師鮑公代購全集以應。綜前後名公鉅卿，徵求不一，如牧齋先生與金陵書坊之表章，豈繄無人？蓋嘗嘆相知之難，有同室不知，而千里之遠知之者，亦有同時不知，而千百世之後知之者。必其人其文有可知者在，時地固不得而囿之也，是在吾祖也已。緣山房全板在城遭兵遭禍，散亡殆盡。摘稿板藏家，亦以禍患頻仍，不無遺失，然有存者，猶可搜輯。今侄行守邦，自清江宗人處携原本歸，查其缺者補刻，以成一帙，故述其由來云。康熙甲戌年嘉平月吉旦，嫡孫世葵謹識。

（王金凌審查　　許惠貞標點）

南中集六卷留夷館集四卷紅泉館集四卷澥水集一卷春草樓集一卷薊門奏牘六卷十

二冊　明鄧渼撰　明萬曆至天啟間豫章鄧氏刊本　12927

明馮時可南中集序

　　南中集者，直指豫章鄧公巡六詔時所著課也。南中職方盡處，山危立而水怒飛，紅葩燿日，翠幹韜霞，雲物變幻，如龍如鶴，清景秀色，堪位置筆端者，應接不暇。乃自碧雞碑後，何寥寥焉？用脩詞臣，久作羈纍，愁思杳渺，頗多感述，亦稱南中集，然終不能大暢厥詞。詩果易言哉？公持繡斧來茲，所踐雄職，亦稱劇職。公又不弁髦荒徼，日夜孜孜，圖恤其赤子。所至翦豪除蠹，發蔀詰幽，朱墨無忽，心力倍人。乃於駑駱中作驂鸞想，於厭文搔法中有熙丹藻綠思，豈常才所能辦耶？夫用脩，亦近代錚錚者。家世太史，所畜幽崖壞壁之饞，蟲侵蠹蝕之跡，異模怪符，聖書靈文，亦既飽探而飫涉矣。然捃拾雖博，變化未備，爲六朝則幾近，爲漢魏則益遠。銅山金垎，翦綵作花之評，豈無當乎？公橐宇宙之殊靈，羅古今之藻思，骨力沉雄，氣韻生動。一指顧而縱橫萬籟之墟，一咳唾而射決千古之的。當夫情境互勝，心目交會，倅焉而感，勃焉而訛，山川風月，相狎相資。他人所爲嘔腸擢髓，挾策擁被，窮歲月而成者，公得之頃刻間。敘事則史，寫景則畫。長韻如溟渤匯衆流，而滔滔自運；短篇如纖河逗曲池，而英英獨照。蓋自靈均以下，開元以上，無所不詣，亦無所不越。其於近代，則包王孕李，用脩其姑舍是！夫古稱皇華使者爲今侍御。毛傳釋皇皇爲煌煌，言忠臣奉使，能光君命如之，自公至滇，風披霜滌，既已闢其草昧，泄其勃鬱，而又操椽筆以丹青其巖，藻繢其壑，其煌煌何如！公自此入侍螭頭，矢音涑詩，與朱絃玉磬並響清廟，皇皇乎，照映萬宇，橐鑰千秋，又何卑卑數近賢。公所著文、賦、奏議，皆前無古人。茲不悉，特承公命，而論其詩如此。吳郡馮時可撰。

明鄧渼留夷館集自序

　　予爲童時，寡言笑，狀若不慧者。見客舉止羞澀，兩頰盡頳，若無地自容。或逐羣兒遊嬉坊市百步之外，輒迷歸路。宗人恒以癡兒蓄之。六歲，入小學，頗露鋒穎，然不謂奇也。十歲，四書五經略皆上口。讀曲禮至博聞強識、敦善行而不懈句，輒掩卷慨慕者久之。時有旁舍塾師誦唐人詩者，私嘆曰，此豈天上人耶？我他日若解此，視富貴猶浮雲耳。十二歲，通括帖語，然非性所好。已稍稍竊讀左、國、班、馬諸子家言，至忘寢食。里俗敬重科第，謂讀古書、作詩賦爲

雜學，至目之爲不肖憬子，與狗馬聲色諸好等。時先大夫繇明經作天官選人，無
庭趨之督誨，故得頹然自放於繩墨之外。年十五，先大夫除丞河南偃師，官卑祿
微，獨攜太孺人以從，予始有室，益復解弢墜帙，有高世之想。始學詩，有雨霽
雲無所、風生水滿村之句，隣孝廉某者，以著述自負，然詩格薾萎，心頗易之。
又其時盛傳七才子詩，讀至吳、徐諸人集，不肯伏，謂世間才士所就止此耶？自
是益眈眈嗜古，以不朽事業自期。性廓落，畏見俗子，出入踽踽，市人咸謂之狂
生。遇佳山水，輒流連忘歸，時或攬策高岡，披襟長嘯，聲振林木，或隨一童子
步月荒村，隨意所適，忽忘近遠。邑俗故鄙，予宗人尤甚，徵逐子母錐刀利，仇
視讀書子，予流蕩不拘常貫，則益相姍笑，攩拙挨扰，無所不至，今世俗所演金
印記，蘇季子見侮光景彷彿似之。年十八，一日慨然曰，處世落度如此，予縱不
爲身事計，逐腐鼠，奈遺家大人憂何？則之書肆，鬻制義，滿一巾箱以歸，下帷
者三月。出應有司試，遂得補邑諸生，有雋聲，稍稍聞鄉閭間矣。二十六舉於
鄉，三十成進士。遇蘭谿胡元瑞於燕市中，一見，呼予爲瑯琊二美之後一人，贈
予詩云，前茅驟覺中朝盡，麗藻俄驚上國逢。胡元瑞者，名應麟，早歲爲二王賞
識，許以詞賦代興。所著詩藪，上下數千年，評騭精當。其自運則專瑯琊調，蓋
亦以識鑑勝云。謁選得浙之浦江令，尋調秀水，丁偃師府君艱，服闋，補內黃，
以高第徵選御史。會今天子厭薄言路，啟事留中，需次邸舍，朝請不關，無所事
事，因得以其間拈弄觚翰。自惟少而學步，以迄今茲，垂二十年餘矣，自非甚哀
樂疾病耳目心思所不及分應之事，乃至飲食寢溺，行住坐臥，未嘗暫刻而廢深沉
之思。生長寒素，衣食多累，甫脫諸生，州縣徒勞，常以不得收專壹之效爲恨。
又恆見時人偶習聲韻，抽黃對白，便錄寫行卷，贄交海內名公，用以博一時虛
譽。或乃高自標榜，延見山人墨客，彼此噓潤，翕然名噪一時。予甚醜之，以爲
時名易起，千古難欺，冥心獨上，對人絕不言詩，詩成亦未嘗示人，坐此聲塵寂
寞，無聞於世。天幸假我餘年，乘茲隙日，後死者儻得與於斯文，曷敢讓焉。是
時海內方攻刺王、李詩，殆無完膚。予心雖不盡然，然覺於風雅遺音興象抵迕。
邸館荒僻，謝絕人徒，遂將毛詩楚騷，下逮漢魏六朝初盛唐人詩重閱一過，神明
默識，霍然悟汗。乃知我明諸公之學古人，都是形骸之外，去之所以更遠。自是
每拈一題，枯坐竟日，乘槎窮源，不見牽牛人支機石不已。力去陳言，獨標新
賞，意不敢謂踰勝古人，乃能不作今人語。於時王、李既廢，流派各別，小言詹
詹，莫不壇坫自命，隨聲逐響，實繁有徒，如在岐路，狂夫導前，羣瞽於邁，悵

悵然莫知所之。孝豐吳稼鐙，詞林老宿，一見楚士某詩，大悅，盡棄其所學而學焉。予厲聲呵禁，乃已。習俗之移人也如此！原夫詩理精微，惟深惟幾，自非識達天人，思通鬼神，故未易足語。此予別有譔述，故不具論。又一載，予始受職西臺，旋奉簡書，巡按滇南。從此驅馳王事，雅道便廢。搜篋中得詩若干首，十七皆燕中作也，益以舊作二十之一，共四卷，題曰留夷館集，以俟夫千百世之下有知予苦心者，品藻乃定。若夫沾沾時名，則非予素志也。萬曆戊申九日，豫章鄧渼遠遊父識于長安邸中。

明 鄧 渼 紅 泉 館 集 自 序

予以壬子冬從南中得代，便道還家。四載瘴鄉，歷臺差所未有之若，臣力竭矣！而精已銷亡矣！太夫人春秋高，定省久曠，抱頭痛哭。奈何以腰間尺組而易膝下斑斕歡，心口自誓，無復出山之理。會世故紛紜，大火彌原，餘燎見遷，息影不深，時復挂人齒頰。伏而思之，鴻既冥矣，矰弋何求？豈謂鐵翮如予，尚不能忘情於腐鼠耶？因三上乞身疏，請得放逐南畝。不省，俄遂調外臺，有濟上備兵之命，簡書嚴甚。太夫人年益邁，進退躑躅。踰月，遽罹大故，毀擗之餘，生理頓盡，獨於文章一途，宿業深重，幽憂之暇，篇詠間作。禫除以後，稍益酣暢。予郡越在江表，山水清綺，有麻姑、仙壇大小瀑布，雲門華子岡諸勝，紅泉碧潤，鬱橈谿谷，江水漂疾，清可見底，蠟屐沙棠，分日選勝，固足以徜徉人外，褰俗傲時者矣。又此地近閩甌，氣候暄和，繡羽時嚶，靜諧絲管，紅蒨春雺，宛然藻屋，四序失其平分，彌望復非一色。爰搆衡宇，此焉棲息。前園後圃，蘭菊性其春秋；北戶南榮，煙雲恣其吐納。書擁萬卷爲少，酒則十旬兼清。侍妾數輩，解誦靈光，明童一曲，徐奏延露。雖無金谷歌舞、平泉花石之盛，觸風詠月，亦足以耗壯心，送餘日，薄祿相。書生始願，固不及此。居恆言，士生斯世，上之不得名載鑽圖，參跡樞掞，出陪鑾躅，入奉帷殿，建寧極和鈞之業；次之不能挺鈹揩鐸，排棖陷局，度幕輕留，馘致名王，取金印如斗，大懸肘後；時不我與，猶將退而翱翔藝苑，發岣嶁委宛之祕，贊翼經史，成一家言，傳之後世。早歲流薄，以迫今日，年力頹侵，頭顱且種種矣，無能爲矣，而童心未化，猶且雕蟲篆刻，與噉名年少爭片語隻字之奇，不幾大負予初心耶？然予是詩多宴賞閒適之什，聊以紀甲子，備他日遺忘而已，本不求一時名，姑存之，雖曰壯夫不爲可也。謝監詩，石磴瀉紅泉，因以命集，始自甲寅，迄戊午，凡得古近體若干首，分爲四卷。萬曆戊午中秋日，蕭曲山人鄧渼識。

（王金凌審查　許惠貞標點）

───────────

鏡山庵稿二十五卷八冊　明高出撰　明天啟丙寅（六年）刊本　12928

明高出自序

　　余既校訂鏡山庵集詩二十四卷成，則不勝掩卷徬徨，潸焉出涕也。於戲！余豈自訃身名摧頓，遂至是哉？果若人言，雖摘藻若春華，亦何益於殿最？今即其文掞鸞龍，適足以自點污而藉口實，復誰爲觀之者？是集宜有序，而余丹書□辱，又復誰屑爲序之者？且余誼固雅不欲以此事累所交知長者。太史公曰，誠著書藏之名山，傳之其人，通邑大都，則償前辱之責，雖萬被戮，豈有悔哉！是余志也。余一生精神全寓是集，第使得傳後世，當有爲序之者。誠自傷下流多謗議，猶庶幾尚論副心期也。抑曹子建有言云，文之佳惡，吾自得之，後世誰相知定吾文者耶？而桓譚謂揚子雲太玄，後世必有知者。詎今後世之知玄反不若知其詞賦，要亦定論斯在焉矣。噫！我知之矣。己之自知，每易見其有餘，後世之知，恒易見其不足。語云，家有敝帚，享之千金。自知之謂也。雖濬發於巧心，或受嗤於拙目，待人知恒有之，第亦一時偶眩耳。若俟諸後人，妍媸自呈，而差數必覩，豈其可欺者？余姑以其所自知，略爲論著焉。夫詩莫盛於唐，自唐以後，寖以弱靡極矣。我明北地諸君子起而力振之，遂能紹述作者，飈舉代興。時賢之能事，殆未易縷數，其刳心劌腎，非盡欲寄人籬下也，而風雅軌則與才情相附麗者，卒斷斷若是。夫唐詩之自初而盛而中且晚也，非有爲爲之，其時則使然也。惟我明亦然。顧初唐之詩贍以縟，明初之詩婉以柔，盛唐之詩典以麗，明盛之詩浩以肆，中晚唐之詩險以露，而明今日之詩織以微。於是時賢之言曰，吾代無眞初、盛，而有眞中、晚。噫！今之矜以爲眞中、晚者，庸詎異前賢之所矜爲眞初、盛者耶？如曰，自有吾之眞詩在，何必古之師而屑屑初、盛爲者？固也。夫不屑眞初、盛，而何以屑眞中、晚耶？余猶憶髮始燥時，天下學士大夫罔不慕說李、王。有及見之者，舉其咳唾以爲快，後乃稍有厭薄之者，至於今則又皆罵之。第使今日諸賢而生李、王之時，其爲希聲附景，攀驥尾而藉鴻翼，又可勝道哉！諸賢未始非天下才也，其罵李、王非無以也，風會所趨，若或使之有大力者負之而走，孰知其然而然？後之視今，猶今之視昔也，悲夫！余心有重憂之。自少爲詩，每先氣格而審體裁，其取材必富，不以疎薄詭匿也；其命調必典，不以佻儇雅化也；其造語必求精深而麗則，不以鼓弄利巧自喜也。有時而結撰至思，忽不知其所至，既憮然覺之，有已落時吻者，亟削其稿，不使逗漏於曹好之窾臼，則余之心良苦，余之爲此者極難耳。北地之時，以開創草昧，多羽翼而歸一向；歷下諸君子，以鼓吹休明，盛標榜而狎主盟。若是者猶易易也。當吾之世，此道不競。前輩既已晨星，後賢矜其壇坫。二三君子，欲以師心一至之語，詫新奇而走一世之人，譬猶吳儂細唾，瓶尊小景，沾沾然號於衆曰，文盡在是也。其可乎哉？此其說在觀水矣。河漢之流，浮天浴日，毋寧第如溝澮，如盆盎，雖清淺可鑒，要非水之至也。有寶玉於此，側而視之，其厚倍者價亦倍，雖有盈尺之璧，薄若蠅翼，重不踰銖兩，世豈貴之哉？嗚呼！此可以觀時矣。余也不自揣量，欲以一人之力，戛戛乎輓江河而上之，可不謂難乎？然余集在，是固將託其不朽之心，百世以俟後之君子。初刪稿六卷，槎亭稿二卷，山中識遺稿一卷，盧隱稿六卷，郎潛稿六卷，拘幽稿四卷，皆詩也。文稿盡亡於遼，惟獄中作及他纂述無多，亦將緝綴，續其後，總名曰鏡山庵集。鏡山者，余村居所有山也。家世僻鄉，距邑城五舍而遙，是山冠冕一方，而丘壑又極深秀。吾先君子始翦蒿萊，藝松其上，手茸艸屋以居，栽松道者，距今五十年，樹歲益滋多，不可億計。其中泉甘而林茂。每春夏之交，花鳥繁蔚，爛若錯繡，海色雲光，幻出巖岫，杖屨登覽，曠爾遺世。顧余栖栖遠遊，塵容鄙態，未嘗營數間亭榭，遂一日幽棲也，世有俗物如余者乎？頃久幽糞土之中，其林憝壑沮，鶴怨雲悲，不待移文，而知其嗤且憐之，罿且恨之矣！居恒每幸吾有蒐裘，將終隱焉，不煩買山自足，終身薖軸之卜，而今徒成虛願。近余篤脩淨業，又庶幾小築精藍其中，得一日繙經宴息，畢出世學道之志，而恐亦徒成虛願。數年來蓋無日不凝思往來於茲山泉石松風間也。每家人來，骨肉久厭相存，田舍審已就荒，而必問茲山樹幾大，泉幾盈涸，桃李幾榮瘁，鶯幾老少也。嗟嗟！余負山靈，尚何言哉！命茲集者，所以永識吾思也。此余所爲終愴焉深悲，潸焉出涕也。天啟丙寅冬十二月，無無居士高出題。

（王金凌審查　　許惠貞標點）

郎潛集六卷六冊　明高出撰　明末葉刊本　12929

明馮時可序

　　郎潛集者，祖臺參伯縣圍高公所著詩賦各體諸什也。公束髮登朝，文章政事，冠冕天下。及鎮重藩，年未逾壯。詠歌之業宜廣，在藻矢周行，爲休明鼓吹。顧以郎潛命篇，沈鬱紆迴，若自托於龐眉之顏叟者，何哉？當叟親承主問，憮然敘述，自嗟竽瑟之伃，非有他瑰瑋可動世主也，又非有卿、皋墨妙，東方恢譎，嚴、徐、主父之辨口聳聽覷也。踜頓三朝，乃得一官，潛不潛之間，未可言遇。公烏借以自托？說者曰，公年盛而心則老也，眼青而眉則白也。大名曲周之績，載循書，題殿壁，休問烈烈矣。天曹之樹，掖垣之梧，何所不足公一枝者？而周南之息，動垂數年，意公所謂潛者，亦猶屈之騷而揚之玄歟？余曰，若是則公著述具在，何不爲惺屑牢愁？而溫平婉厚，風風雅雅，無不嫻於則也。蓋其餐霞於天，珮蘭於夜，不知有世情炎涼，不知有官階廡薄。惟知三山之雲氣可以盪胸，清淮之泚流可以漱齒，烏衣青雀之遺跡可以興懷而寄概。心不受一塵事，而詩亦不襲一陳言。洗目滌腸，如却煙火之食，而作水月之觀，如茹沆瀣之清氣，而吞蓬壺之靈丹。惟是與天爲耦，則與古自符。登矚之章，並秀靈運，詠懷之撰，比響步兵。其他諸作，升堂入奧，陳射洪之高調還雅，杜拾遺之佳句驚人。至於樂府古賦，盡態極變，近轢江、庾，遠踪揚、馬。眞備一代之國工，籥四音之元氣，即作者猶不自知其妙，而技至此止矣。公生當黨部分植之時，朝議沸羹之際，實蟻鬥蠻觸於不問，獨一意報君，永懷靡盬。不以揮毫而謝運甓，不以煙月而薄簿書。望郎之譽如星，度支之門如水。驅車四國，召棠郇黍與澤茇籠樸，俱新東南，于是氓有父，士有師。而公焚香讀書，垂簾深廨之內，不知其爲屛翰貴臣也。然則公向之所爲潛者，至于見且飛，飛且躍，而其所爲潛者固在，豈悒悒於散曹而皇皇於遇主者同日語哉！嘗怪元封之主，頗稱右文，而任事之臣，率取名法武健，一時待詔諸彥，求飽金門半囊粟耳，其與顏叟浮沉實無異。有如吾公，即據尊踐華，尚未躋黃髮，從此調律呂，和神人，外則彤弓有錫，內則湛露有章。然終不失故吾，而於潛無加損也。公有語錄行世，盡破漢宋諸儒之陋，特懸渺義，津梁後學。間從他所見公偉文大冊，四唐兩漢，奴驅隸使，而未嘗傲倪一世，通脫自喜，有以知公之善用潛。即緯武經文，亦若帷燈匣劍。公鄉濟南退舍矣，公蓋能爲濟南而不爲濟南者。自輪自運，豎立三界，縱橫萬古，而視之小道，等之綺語，一以爲太虛浮雲，一以爲覺海浮漚，出天壤而入地文，潛天潛地，屈、宋、皋、夔，事業文章並茂，而人不能名之。潛之時義大矣！讀是篇者，其有以見公之大，斯得哉！吳郡治下生馮時可頓首拜撰。

（王金凌審查　許惠貞標點）

經略熊先生全集十一卷十二冊　明熊廷弼撰　明末廣陵汪修能重刊本　12931

明熊廷弼序

　　余在遼中，日每裁答中外上下各衙門書牘不下數十道。今于其行也，檢其什之二三，得五卷，付之梓氏。大都觸怒、任怨與夫自用之狀。其大者見之章疏，而其餘略盡此牘中。蓋一部罪書也。顧又思之，不觸怒則衆不激，衆激而大家照管以應遼，怒未可少也。不任怨則衆不急，衆急而上緊幹辦以圖遼，怨未可少也。不自用則誰爲余籌？誰代余往？余籌以開衆智，余往以導衆勇，而有以救遼，自用未可少也。何也？以濟封疆之事也。封疆之事濟，而衆怒、衆怨與剛愎自用之名皆集于一身，則齊人之所云，其所以自爲，則吾不知者也。沙嶺與袁公交代，偶語及此，袁公曰，子得無苦惱乎？余曰，一身之害輕，封疆之利重。利擇其重，害擇其輕。自觸之、任之、用之之時，已蚤計此矣。何苦惱之有乎？相與一笑而別。泰昌元年仲冬初日，熊廷弼漫識。

（王金凌審查　許惠貞標點）

崇相集存十一卷十二冊　明董應舉撰　明萬曆四十七年呂純如等刊本　存卷一至卷十一　12932

明葉向高敘

　　文章之途多端，而大要以眞者爲至。六經之文無一字不眞，故萬世不磨。周末號稱文勝，其最濃麗可喜者，無如左、國。然而合列國之諸侯卿大夫，刻畫其言，如出一口，則神情失矣。其流至縱橫捭闔，談天雕龍，誕罔謬悠，無所不至。吾夫子逆知其弊，而揭其旨，曰辭達。達者，非徒己有是意而能言謂之達，

宇宙間有是事，國家有是典章，當官有是職守，忠臣、孝子、達人、高士、名
流、哲匠，下至田夫里婦，有是懿燉，吾能一一寫之筆端，使讀之者如見其人，
如覩其事，徵諸今而信諸後，如是者始謂之達。何則？眞故也。眞則理勝，機流
氣昌。神王不待湊合，而自中窾綮；不事模擬，而自合軌嬳；不必雕繢組織，而
自成文采。逸詩稱巧笑美目，而繼以素以爲絢，蓋言天質自然，色澤不施，反極
絢麗。唐人所謂却嫌脂粉污顏色，蓋本諸此。此詩人之善言文也。或曰，若是，
則凡眞者皆可爲文乎？曰，否否，巧笑美目雖出于天然，而非巧笑美目不足以爲
絢。夫子固云，修詞立其誠。使詞不修，則里巷村野之談耳，何以爲文？吾讀廷
尉見龍公之文，其辭沈雄奧雅，備極鑪錘，可謂修矣。然而在庠言庠，在曹言
曹，在銓言銓，大之而國故朝常，士風吏弊，小之而米鹽簿書、竹頭木屑，無不
備列。語語由衷，言言實際，至于闡發幽微，抽揚小善，曲折周詳，千載而下，
猶爲動色。即家庭父子，交游知故，尺牘單辭，必依于道義，藹如洞如，肝膽若
披，面目如對也。其撫景觸事，發爲詩歌，尤本于性情，絕無近世詞人依倣剿襲
之態。蓋公之韻言在陶、謝之間，其議論之文似得昌黎、眉山之勝。若紀載敘
事，則出入五代史，而浸淫馬遷。所最不可及者，眞境眞情眞事眞語，機軸結
撰，皆出自胸中，不寄人籬下。古之所謂成一家言者，殆于公見之。吾閩近代以
作者鳴，無如遵巖、少谷二先生，公復繼起，而皆官吏部，故是奇事。鄭詩取法
少陵，王文原本歐、曾，當並垂不朽。要以指事達情，本之身而不謬，措之天下
國家而可行者，其孰能勝公哉！在易，坤爲文，二之光，三之章，五之黃裳，其
文至矣。然二曰不習，三曰含，皆有闇然之意，至于五，則直曰在中。夫惟在
中，而後爲天下之至文。公生平操修建樹，一出于眞誠，不欲表暴，文在中矣！
有眞心術，眞作用，是以有眞文章。此黃裳之吉，逸詩之所謂素而極天下之至絢
者也。公自名其詩曰存素。意蓋可見。余不能文，而與公論文頗合，因公集成，
而題其端若此。雖不足知公，抑亦庶幾于所謂眞矣！同郡葉向高撰。

明呂純如敘

　　今上龍飛四十七年，余既以將母還山，晨昏之暇，得友人崇相集而讀之，因
爲刪十之一，而壽諸梓。一時同志如懷麓尹公、鳳林孫公、崇相門人胡君符，各
出貲助剞人費。既竣役矣，有客過而問曰，子之行是集也，將以其文乎？余曰，
否否！夫日月之麗於天也，江河之行於地也，鳥鳴獸走，果實草花之燦然於天地

間也，夫人而知之也。然則以其人乎？余曰，否否！夫玉之必不爲石也，涇之必不爲渭也，經霜彌茂之松柏必不儕於望秋先零之蒲柳也，亦夫人而知之也。然則子之意何居？余曰，吾將以愧夫文，然而人不必然者。夫羊質虎皮、言夷行跖者之不可以行世也，而言行相顧之君子貴。雖然，猶未也。吾又將以進夫人，然而文必求其然者。夫刻舟求劍、膠柱鼓瑟者之不可以濟世也，而舍己從人之君子尤貴。奚以明其然也？蓋余與崇相遊十年往矣！平生宦履，惟教授五羊時未習其事，然而考禮正樂，興廢舉墜，五羊人人能道之。既轉南雍，則議禮一揭，守繩墨於跬步之間，以一廣文抗諸貴人不爲屈，比時崇相胸中已無進賢冠矣。六年不調，坐席欲穿，此亦倔強之效。而一移計曹，則糠粃之役，復力肩勞怨以任之。嘗讀其待罪錄，稔良工之苦心焉。假令司庾者盡若門人，南國之儲即歲羨數萬石可也。霜雪厚而梅花香，草木枯而山根出，人鏡天曹，庶幾位配其望，而忌者亦自此側目矣。猶記庚戌之春，余以報滿入春明，見其破籬撤棘，即闈禁不設。而人與終日言，不敢一及名利事。至拔幽舉滯，則又惟力是視，惟國家是念，絕不作畛域觀也。再起廷尉，雖席未及溫，而諸所平反，比於于定國，不以身之將隱，詘三尺以徇人。登籍二十餘年，海上污邪，不給饘粥，容膝之地，半寄於蛇宮虎穴之間，而歷年俸入，盡以充保障鄉里、敬宗收族之用。宦輒所經遇河諸河，遇漕諸漕，處局外如處局內。遠慮所及，若疏海禁，若策奴首，覩未事如覩已事。今其文具在，可覆按也。大者奏議，小者尺牘，凡遇社稷封疆治亂安危喫緊處，無不動色相戒，若富人子自護其家藏，諄諄與主伯亞旅訓敕警盜備火之說者，此其心何心哉！故崇相之文，與人臣言忠，則眞忠也，與人子言孝，則眞孝也，與朋友言信，則眞信也，與爲官者言愛人，則眞愛人也。語曰，不徒知之，實允蹈之。又曰，惟其有之，是以似之。崇相之謂歟！余故曰，將以愧夫文，然而人不必然者。乃余所謂人然而文必求其然者，則亦有說。蓋凡人之情，所喜者必其性之所近，而所求於人者必其性之所喜，故嗜痂而癖，好竽者不好瑟。而崇相不然。本魚魚雅雅、文弱一儒生也，而所掀髥鼓頰而快談者，多武健俠烈之事；本硜硜踽踽、擇言擇步之人也，而所傾筐倒篋而願交者，乃跅弛揮霍之豪；本愛鱗愛羽、山深林密之人也，而論人則取其委曲行志與直前赴義者；本菩心一片、愷悌爲質之人也，而論事則取其頎壯膽決、威以行惠者；本獨來獨往、堅壁固壘之人也，而取材則網羅四出，同異兼收，惟恐有一人焉不得爲國家緩急之用；本杜門掃軌、公府不識面之人也，而桑梓之事，知無不言，言無不盡，即非常之原，疑謗集焉，而議必求其伸，事必求其濟，而不顧其最難及者。處人交友之間，面或非之，而背乃譽之，外若拒之，而中乃翼之。周伯仁之苦心不令人知，人亦但見其可憚，而不見其可暱與可德。蓋崇相之文，不知者以爲藻士之騖於名也，其知者以爲奇士之喜於功、介士之矜於節也，而皆非知崇相者。崇相之文與人乃時離合之，以傳其可知不可知之神，余故曰，將以進夫人然而文必求其然者。余又嘗慨天下國家之事敗於小人者十一，敗於君子者十九。是非同異之辯，小人與君子相左，易知，君子與君子相左，難知也。蓋小人之骨柔，其氣餒，其願欲易售，其營壘亦易破。惟君子之才品自不同，而業已爲衆所推，其自負也常亢而不肯下。於是爲溪刻，爲褊淺，爲執拗，易易於一途，不能舍己從人，以佐國家之急。安得人人如崇相者，而與之談明通公普之學問哉？此余之所以行其集也。於是客作而嘆曰，吾乃今而知子所以知崇相，乃以國家之大與秉彝之公，雖知之而不阿其所私。遂并余言付諸梓。庚申春月，友弟呂純如書於石湖草堂。

（王金凌審查　　許惠貞標點）

蓬來室存稿一卷近稿一卷二冊　明何慶元撰　明萬曆末年刊本　12935

明 樊 良 樞 何 長 人 集 敘

何長人之詩若文，二十年來，刻有四種。其一曰蓬來室存稿，是善病時鑰其篋中之藏，或時散佚，不欲敞帚享者也，故厪有存者。其一曰蓬來室近稿，是病起後蓬蓬然覺也，如王逸少澗瀨松聲者近是。其一曰南北遊草，是出山後自比小草，固以爲汗漫之遊，而鴻蒙軮掌以觀無妄者也。其一曰嶲社游草，是行南河，以地名篇，珠光自媚，政與湖中老蚌相映照爾。集成，徵余序，且徵余名，若又不欲以集居者。嘻！余知之矣。客請以愛日軒名集，長人曰，小人有母，吾名吾軒而已。余曰，何長人集何若？長人曰，可。總題曰何長人集，而樊子序之。樊子曰，余讀長人之詩若文，竊怪其爲文也數變，每變益上。然變也者，其顯也；不變也者，其藏也。藏而愈厚，顯而愈新，長人可知也。請言長人之治河也。夫天下之善變者莫如河，而淮當其衝。淮之水湯湯焉，漎漎焉，勢不能與爭，而唯處其下，故足以受河而宗海。長人行河，疏其墊者，濬其鬱者，導之善下，而水由地中行，不失其故已矣。讀長人之詩若文，或如迅波激湍，渾洪矗砓，不可偪臨；或如澄潭鏡澈，清流瀉注，吞吐萬狀，而第求其故。孝悌根於至性，忠貞篤於深心，惇友朋之義，恤細民之依，行雍熙之軌，誠以居業，情見乎詞，是坎而孚者耶！是善變而不易吾常者耶！蓋長人恂恂如不出口，間一抵掌，古今善敗，國家機宜，人倫失得，若鑑止水，洞矚鬚眉，而猶且察言觀色，慮以善下。其於出處之際，尚有躊躇四顧之志焉。長人若曰，吾非能養人者也，以祿養者也，直為貧仕耳。嗟乎！長人含珠韞玉，聲出金石，自可不富貴，亦何必不富貴。且二子皆卿才也，豈長貧哉？長人有母，其祿逮親，喜與余同。每過余叢桂堂，引見余父，出斗酒為驩，樂觴詠如流，竟日忘勌。余兄事長人，心敬愛之，念當久要，故知長人者莫余若也。若夫文日新而集日富，精以致用，深以研幾，過此以往，未之或知也。盛德大業，長人曷多讓焉，竟題曰何長人集，而樊子序其首。萬曆歲在旃蒙單閼孟陬月補天穿節日，友弟樊良樞拜手書於鏡林。

明 何 慶 元 小 引

余不佞，素不習古文辭。有索者，輒芒芒取應，或偶意漫書。以故稿尌有存者，有之，第十之二三耳。曩者，大事甫襄，旋抱危疾，今始作再生，生檢而視之，恍忽若夢中，語不憶也。嗚呼！愚人大夢，自以為覺，茲余之視此稿也，夢耶？覺耶？抑夢而自占其旁耶？室曰蘧來，所謂蘧蘧然周也，志夢也。壬寅秋杪，慶元自書。

明 何 大 器 跋

余叔氏六陽先生，少穎甚，顧善病也。季王父唯是晚舉子，不肯令就外傅，間唯口授而已，然里中推博涉者吾先生。先生雅不憙作舉子業，時有所會，發為詩文，而不求工，不存笥。曰，世人侈此道為千古，能千古者幾人哉！上次立言，豈今日詩文之謂也？余曰左右先生，便收錄之如此，爰請而付諸剞劂氏。從子大器謹識。

（王金凌審查　　許惠貞標點）

───────────

南北游草一卷覽社游草一卷二冊　明何慶元撰　明萬曆末年刊本　12936

明何慶元南北游草跋

蓋余病病，更病慵，詩若文非其任也。眉重既多中輟，而心交又苦相規勉，絶棄去者數四。入官以往，靡所短長，間一吮毫，久而成帙。亦惟文繾取應，詩尠長言，作止任情，聊以自適。語曰，爲之猶賢乎已，人其謂我何？癸丑初秋，慶元自識。

明周玄昭甓社游草後跋

戊戌春，昭從燕邸披公應制文，詫爲神物異寶，不敢逼視。及來郵匝歲，則公以水部按淮南。事了湖上，徐出邐來室稿及南北游草相視。驅濤散霧，雲漢爲昭，疇不嘆公僊才？匪直文也。每遇桃花波漲，運艘紛拏，躬兀坐於飄風烈日中，舌敝吻焦，迨迄事乃已。漕以内趨之若赴，漕以外省之若忘。士民德公，又似不知有公者。乃至利病興除，謀長經遠，培風氣，時節宣，則又聞斯行之毋待。且退食，戲綵高堂，兩郎君翩翩過庭，義方有淑。課迪諸生，相與印可，夏雲冬日，冷署溫然。即不肖兒曹輩盡飲千里醋，至家而醉矣。昭嘗特被接引，入書巢，盡脱相臨禮，按酒兵，築詩壘，興到觀梅，萬斛泉湧地而出，洋洋纚纚，行止自如，頓令長卿讓工，枚皋讓速，所稱片言，千古不虚耳。此中地接金焦，名人不乏詩筒來往，鍾呂相宣。客有柬公者，得公報章，怳得湖山之助，便覺煙飛劍舞，獨佳句滿江南耶！昭每登文游臺，望見湖頭紫氣，竊謂珠光燭天。進而讀公新草，短什大篇，絶無今世減換法，而應手笙簧，神明四照，始信回牛扛鼎之力自堪作光怪也。小子樝梨之不知，而解蹲鴟以拊蕭嵩之掌，不幾迂乎？惟是玄圭告成，行在旦暮，凡辱下風者，幽間鼓吹，聊充塞嘿。若曰後勁，昭不佞，主臣有餘惡矣。萬曆乙卯正旦，屬下散吏吳門周玄昭謹跋。

（王金凌審查　　許惠貞標點）

霞繼亭集三卷六册　　明謝廷讚撰　　明萬曆間刊本　　12937

明南居益敘

謝曰可先生者，以忠諫顯者也。以予觀於曰可，極犖犖之衷，殆非爲名高然。蓋曰可爲諸生，久不售，甫紲而伸，宜不勝顧忌。於釋褐時，輒上書言礦稅事，慷慨激烈。已，即皇皇走長安中，倡爲伏闕之議。會悠悠者方偃仰從容，議遂寢。而二事迄爲國病。逮曰可官比部，則甲觀未闢，國本危殆，中外惶惑莫措，轉移特在呼吸，又不翅礦稅之爲岌岌矣。於是始誓心去衆，獨排闥痛哭，力陳其乾坤損益、貴賤得失之故。上神聖，忠佞是非，固自犂然，於曰可言，陽黜之而陰固有所動矣。而後乃今羽翼已就，山嶽亡摧，安可不謂曰可兩疏開悟之功？迺道路之言曰，上深拱以來，事事欲自操，不欲言者有所泄，是不可使激也。洵若是，又宜蚤斷而塞言者路，不宜重發而故授之隙也。曩今上以默觀下，下卒以噤應。通國昏昏，亦安所控揣其必操之形，而安危之機已去，獨且奈何？曰可顧獨謂，人臣之誼，有犯亡二，不得于言，則去就從之，身繼之。一人若是，人人若是，天下事奚不可爲？夫諫，國之藥也，病急矣，一苦口不能奏功，必并劑而衆勝之。嗟嗟！曰可茲胡可與悠悠者道哉！曰可既以言見放，貧不能返匡廬故業，栖身邗溝之上，蕭然琴書花竹而外，靡一長物。間買一扁舟，往來彭蠡震澤間，以當行吟。諸以千秋屬者，時時履接于庭，是所不能廢詞翰，而業日以富已。適予以使事過邗，造曰可之廬，得所稱霞繼亭集者而卒業焉。其詩則漢魏，則唐；其文則秦漢以下，六季以上。樸茂華蔚，錯然並臻，而忠憤沈鬱之感，時復露于毫末。夫詩若文，曰可所夙擅，何俟予具論，第論其大者惟上書事。所上書乃獨以焚艸，故不載。曰可之言曰，玉碎已無生，瓦全亦有天。彼直擯碎玉而往耳！生死利害都亡關于丹慊，庸計以諫顯？不以諫顯爲名高，不爲名高，知有去而去，不知有生而生。一丘一壑，優游卒歲，以歸恩于天地，斯則曰可之爲曰可而已矣！予怪世之君子重與人爲善也！言人所敢言，見謂附聲；言人所不敢言，見謂專譽；至于批鱗亡忌，履尾不辭，出九死一生，竄跡自存，則又極之曰，是獵名以身，漁進以退也。夫人既已射策甲科爲郎，途則云長，日亦匪暮，循階而上，不猶愈于出九死一生、竄跡廢時乎？身且致之，名將焉庸？何世之君子重與人爲善也！予懼傷言者心，而藉悠悠者以口，因序曰可之詩若文，而特著之。抑以曰可忠臣，必無懷佞友，故不敢□〔以〕□詞進。同舍郎，關中友弟南居益頓首書。

（王金凌審查　　許惠貞標點）

半衲庵筆語十二卷十二冊　明支如玉撰　明崇禎間刊本　12938

明李陳玉序

　　世惟文章一道，不可以名位論人。有身都將相，綸出袖中，印懸肘後，而揮毫運筆，癡重如牛，不能妙天下者。即名高矣，賦錫長門之金，價貴洛陽之紙，然歐九經有未讀書之誚。昌黎文雄一代，不能不心折於衡山道士，蓋名亦命也。世之美者，不獨南威、西施，獨以其得幸君王，遂冠豔史耳。窮巷幽姿，其銷沉者並不知幾何矣！嘗以此虛心衡量天下之人才與廣讀天下之文章，而嘆名位之負人者亦多也。武塘支比部先生半衲庵集，予自承乏此中，即喜讀之，且習其人以苦學上才，久阨公車，而意氣不輟，懷古彌深。討論天人之秘，蒐羅儒釋之英，每下一語必務奇崛。沐蘭浴芳，志孤潔而韻弘遠。若此經明行脩，詎不足爍古振今哉？而位不過秋官，名不先時流，抑可異矣！皇華初歌，歸歟遂賦，杜門裏足，課子讀書。每相過從，則談論亹斐，商榷經史，桑蔴興長。孝友恬淡，出乎性哉！且去來甚暇，死生不亂，易簀之先，投書敍別。奇人奇事，可多得乎？則斯集所命名於半衲者，知其所得深矣。士不將相，而有將相所不能學，豈不堪傲然天地之間，而曾是名位區區歟？吉陽年通家弟李陳玉拜譔。

明阮漢聞引

　　憶萬曆庚子余識支寧瑕先生於雍，時嘉禾壁經，諸彥環集，皆意不可一世，獨推寧瑕爲鋒。是科諸彥盡落，惟寧瑕歸然賢書，亦何有五雲臚唱，而猶藉祿淹哉！海內治壁經無踰嘉禾，即嘉禾濟濟，亦無踰馮、黃、袁、陳諸公，不知支氏六世傳經，至華平公而亨，至寧瑕亨而小蹇，終必大亨。土鼓椎輪，衣被已久，誰謂朱草無根、醴泉無源耶？余向亦吃如伏生，感近體殼餘，古調菲若，徙業二毛，即用三百。衡於當代名碩，不無自鄶，而每喜誦華平公詩，以其慷慨淋漓，出於性情最眞。余髮已種種，又得讀寧瑕詩於鴻臺洧曲之間，羔雁先資，龍鸞鉅製，胡代興而世禪也！余嘗謂，素絢之說不第別通伸義，亦可直擬修詞，蓋敗素者併絢失之而不辨。夫絢所以爲於素，有天有人。天睿不豐，人殖復索，眯而赴乘高之呼，枵而排振古之槊，或腐餡可嘔，或俚嗲自標，絢既無君，華亦強傳，將興觀群怨何取？寧瑕實天茂而人淬，當其景緒相迫，藻樸相宣，姿氣鮮妍，聲容恬雅，六代三唐，傾儲有斐，櫊跡不留，此脩羅所爲匿藕絲，頑官所爲怍龍袞也。或曰，寧瑕之詩微近於怨。夫今詩正病夸耳，子曰，可以怨。謂非賡頌之極思乎哉？正變何常，惟吾身世所值，顒邛翽謂，亦善頌矣。一變而曰進退維谷，再變而曰執我仇仇，抑何悲也！是惟車庶馬閑，能弭斯響，寧瑕達五際之微，匪但明素絢之旨，梧岡離嗜，余將傾耳聽之。尉氏友弟阮漢聞大冲題。

明 張 民 表 小 序

支寧瑕先生，名家子，累世詩書，而文章淹雅，且有出世之志。予見於都門，再見於夷門，三見於中牟智度之寺。觀其色，肜肜乎有以自悅也；聽其言，闇闇乎有以自著也。更讀先生詩，敷舒之華采也，有如其色焉；聲響之振迅也，有如其言焉。然詩之爲道也，不容以敷舒見，不容以聲響聞。孔存三百，可與言者，賜、商二子而已矣，殆庶曰唯，豈不能參悟及此耶？斯又不容以詩論也。誰在畫樓西，相逢笑語低。到家春色晚，花落鷓鴣啼。此殆賦予都門別情別景耶？古德取之，不作情解，不作景會，先生雅有出世之志，自宜工于詩。而予因詩以知先生，且因先生以知古德矣。癸酉春仲，中牟教末通家友弟張民表頓首題。

（王金凌審查　許惠貞標點）

────────────

緱山先生集二十七卷十六冊　明王衡撰　明萬曆間太倉王氏家刊本　12941

明 高 出 序

余濫吳下之役，則蘧廬斐江，蓋憮然憑弔故相王文肅公之閭也，出門必過之，猶式焉。余生也晚，不逮事文肅公，亦無恨。文肅有子太史緱山公，名滿一世間，文章德業皆陵軼古人，其出處有道，烺烺著大節，猶稍用人地自掩耳。其齒不甚先余，登第且後余，而余遂不得及見之也。天乎？則公之用所未究於世，又何可勝道者哉！夫公已矣，使其稍待後死，余幸以今日相遇於丘園，寧遽落落也？公歿又數年，此道益敝，龐嘈妖靡，舉世趨之如馳，敢曰南風不競。余獨不得與此人同時，听然有當，下上千古，乃僅從赫蹏間想天際眞人，神遊之表，將毋眞宰爲？政他有靳之也，可勝恨哉！公有子尚璽君遜之，清拔爽儁，能世其家學，余獲旦夕見焉。因以尚論公所著作，傳諸其人通都大邑者而卒業之，則恍若與遊同堂也。序之者爲馮元成、陳仲醇。元成所揚摧盛美與其品概行誼略備矣。仲醇，公石友也，其言交誼死生之感，有餘悲焉。余不敏，無足役，又不宜復爲贅役，而遜之勤請，不獲辭，則言其可知者而已。嗚呼！公苦心誰知者？竊謂，文章消息與世運相禪，猶之治亂然，有大力者載之，然且驅之，有無倪者負之，然且轉之。文以徵會而窮於孅，則聲情之淫靡也；文以徵俗而窮於浮，則膚理之般散也；文以徵情而窮於詭，則霸儒之誕虛也。日月浸假已甚焉，公其有憂乎？欲挽江河而上之，戞戞務其難者，其信詣自得，即同輩名公，或未之窺也。今集具在，精研而冥搜，湛朗而滅没，景追響獲，奏刀懸解，赴節蹈會而已，若無所與也。其詩清新潔淨，踔越激楚，而韵和情芳，卒歸諸雅。其文鎔鑄今古，含吐變化，要不汎汎置一詞。大者通達國體，發揮性命，小者窮物態，辨事理。迫機遇神，沓移倏臻，包舉百代，掩映六籍，可與星辰並麗，雖與元運不磨可也。使公而假年通爵，必當亦以相業顯，不令漢韋平專美。公而蚤世，其用不究，然而文之用無盡也，其能移易末世，光闡休明，以其力經乎百世之上下，雖謂公不死可也。楊子雲以壯夫所羞爲雕蟲之技，乃其病亦惟以艱深文淺易，故比於繡鞶之無用。雖玄經同時有桓譚，而後人知之者卒少。公文擬於玄經，則紕醇較然矣，後世豈以余之知公爲譚之知子雲乎？解人實難。當公在時，意若有慊焉於標榜狎盟爲名者也。嗚呼！世孰能知之？余從尚論窺焉。公如有知，得無頷之？其頷之，雖謂起而同堂可也，余猶內嗛於生後。昔人云，恨古人不見我。余終恨我不見古人耳。得讀其詩書，又遊其子，足乎哉！丁巳元夜，蘇松備兵使者，東海高出譔於閶門舟中，茂苑通家子陸廣明書于雁蕩山莊。

明 唐 時 升 序

辰玉嘗自言，少時好爲詩，千百言立成，既成則躍然以喜。後有所賦，數經緯于胸中，既成，猶悄然不自得。余應之曰，探珠于深淵，採玉于重山，夫何容易？君蓋將進也。己酉之冬，病甚，自知不起矣，以所爲詩屬余與子柔曰，吾于此事，未及竟吾力也，然不可使之無聞。曩所爲率爾而成者不足存，存其一二可爾。嗚呼！悲夫！辰玉爲人不欲虛費時日，早作晚息，常在群書間，乃其志欲通古今學，將以忠孝大節自見于世。故平居討論，皆國家安危治亂大計，沿革得失所以然。蓋孳孳窮日夜之力，而于制義不十一也，于詩不百一也。今其所作，多在行旅登眺之間，及寄遠送別、與人酬答往復者，若其志意所託，懽愉慘悴之懷所寄，蓋不數數然。然讀其詩，亦足以想見其人，超然埃壒之表，雲車颷輪，呼吸元氣，與天際眞人逍遙八極，而世所謂芬華穠豔不得入其中也。嗟乎！斯人久存于世乎，儻遭遇大有爲之時，雍容廟堂之上，以爲其所欲爲，則數百年間深慮

遠覽之士相與游談聚議，以爲國家所當易轍改轍者，必且見之行事，以成萬年之
業。即今懸車遯迹，長守東崗之陂，亦且上下古今，參伍作者，以成一家之言，
其篇什豈止于是哉？夫詩不足以盡辰玉之爲人，而亦可以見辰玉。余是以與子柔
稍加刪削，付之梓人，而題數語于其端云。友人唐時升撰。

明 馮 時 可 序

　　明興至嘉隆、萬曆之際，治教休明，人文鬱發。其在東南獨盛於婁江，一時
蓋有五王云。五王者，文肅與弇州公最著，而麟洲、和石爲之羽翼，辰玉最後
出，然文肅之箕裘賴以不墜，而由由自吐，光焰萬丈，尤照映于海內。盛矣乎！
當弇州與于麟諸子並起南北，互相標幟，易爲聲價，而又其世代之貴，游道之
廣，博學絕才，雄心俠氣，能鼓舞翕張一世，馳動之士若以爲盟主司命。然其末
流學者，或高喝矜步以爲雄，或多言繁稱以爲富，開靡麗而導輕薄，則孰爲濫
觴？蓋能爲天下趨赴，而不能模楷天下者也。若文肅則無間然矣！譬之行師，弇
州以羽獵驪駬駼磕之勢馳驟中原，而文肅則車攻之徒御，靜治整肅，有聞無聲。
王者之法物，君子大成之事業，其誰歸乎？若辰玉，則以揆天命世之材兼傲雪娛
雲之致，沐浴家學，如河出崑崙之墟，首四瀆，經天下以入于海，其所結撰，非
近賢之口吻，而宛然文肅之口吻也。文肅既以道德著，而辰玉亦如之。初，江陵
不服憂，吳趙兩太史上疏糾劾，禍叵測。文肅爭之喪次，動容變色。江陵怒甚，
而辰玉和歸去來辭以招之。蓋是時方十四，名已動長安云。戊子中順天解，高、
饒兩公有所指摘，文肅不能無幾微，而辰玉從中解，文肅遂力薦兩公。海內蓋並
稱之。既文肅當軸，辰玉以嫌，十年不字。文肅久罷歸，而辰玉乃以辛丑擢鼎
甲，天下稱爲眞翰林。既久侍父京邸，益明習天下條貫，國家表裏，凡有論著，
皆關世道。往時相公七揭，所以調劑震宮。及舉賢俊，寬言路，釋羈臣，罔非其
贊助。已列交戟，未幾，即上疏請終養。其友陳眉公迎而獎之。辰玉嘆曰，吾非
獨謝我畏友，且以謝高、饒兩公。今兩公尚滯啟事，而余濫廁木天，其何安且終
吾身焉？與子共長五湖，無寒盟矣。不佞聞而嘆羨不已。憶往時，蓋嘗與趙汝師
少宰屈指當代文章士，汝師獨雅拜文肅，而盛服辰玉有卓絕千古之識，有駕馭八
荒之才，識高故不囿陳言，而自我立古，才大故不局小道而自我開今。信哉！然
其文不可以一端律。其應制對策之文，矜稱莊重，如褒裳鳴珮，拱揖生姿，吐納
揮洒，經綸幹濟，轉旋在手，眞無忝綸緋之巨筆。其登眺遊覽之作，則逸倫異

調，鼓吹山水，又有解衣緩帶，蕭散入林，幽人逸民之致。蓋其漁蒐所及，山海
怪模，蟲魚細玩，黃衣赤車所載，娜嬛大函所珍，莫不咀其芳薈、伐彼鱗甲，而
要皆祖之六經、本之仁義。故其詩文，梭織自恣，神官不傷，上掩五緯之寒芒，
下濯四溟之濤采，不當以常格常韻視矣。嗟乎！辰玉所不足者年耳，使天假之
年，必且舉忠孝大物爲國家樹萬年之業。即令終長五湖，其所著述必掩四部，成
一家言。而今已矣，悲夫！余是以因尚璽君遜之之請爲序其前。遜之湛靜自好，
手不釋書，其詩清新有致，余嘗見于皇華亭及金昌吳山人所錄我友眉公所稱說。
君何幸有佳子哉！即早賦玉樓，其何憾！丙辰除夕，眷生馮時可撰于生生軒。

明 婁堅 序

　　夫士志於當世，其遇則名實加於上下，一時言論風采，垂之後世，咸考信
焉，其不遇則屏居自晦已耳。然中有未忘，猶數詠歌先王，自見其意於言表者，
蓋多有之。若夫遭時顯名矣，而徒揚其芬，未茹其實，乃僅僅託於語言文字以有
傳於後，良足悲矣！嗚呼！此予於王君辰玉之遺文所爲攬涕而敘之者也。予之識
君，自其甫冠，坦然以夷，邈然以遠，不可得而親疏者也。既而與之習，悉其內
行淳備，平居於物無所好，而獨好觀古人之書。終日矻矻，丹鉛其傍而識之，敏
而加勤，學日益而意愈下。其爲文章，頃刻千言，若江河決而月星明也，少喜爲
詩，出入古今之間，初若不拘拘，而卒與之合，要歸於刻露駿發，非苟然也。年
垂壯始舉於鄉，又十餘年，而以進士第二人擢官編修。念文肅公之老也，旋上疏
乞終養。奉親之暇，將益究心當世之務。曾未幾而病，困頓數年，竟以不起，悲
夫！病革，手疏告其子，皆生人之大節，於忠孝尤惓惓也，且曰，吾於古詩文能
窺其藩，未造其域也，然詩似差勝，他日發篋，以屬執友某某詮擇而敘之，亦吾
志之所存也。蓋余昔嘗語君，文不當以時代論也，凡人之傑然者，其識高，其自
得者深，雖卒然而吐其中所欲言，必有異於流俗，斯以爲可傳而已。如陸宣公，
其文詞豈有異時之人哉？而至今稱其奏議與賈生埒，何歟？以公之所言皆切於匡
主濟時，鑿然有所不可易耳。故曰，文章經世之大業也。而區區焉以世之先後、
詞之難易論者，一何陋歟！君慨然歎曰，今之世其誰復可告以斯言乎！故予敘君
之文，獨惜其志在當世而不及於施用。其詞或鬱紆悲憤，或慷慨激昂，蓋直取以
寄焉。進未能矯中世士大夫之習，而砭其膏肓，退不獲抉古聖賢人之奧，以爲時
耳目，徒負其才，抗其志，而泯泯以歿，使人咨嗟歎息而不能已，固予所以序斯

文之指也。君詩文凡二十七卷，皆錄其大略而已。曰緱山先生者，君少時頗有遊仙之志，所嘗以自號也。遜之蓋不勝悼念，以謂若君之才與其志行之不苟，既幸遭時，而終無所效於世，意今者或已游其神於太虛寥廓乎！則猶有足慰者乎，故以是名其集。於乎！其亦可悲也已。萬曆丙辰冬長至日，友人婁堅撰并書。

明 陳 繼 儒 敘

　　往余與辰玉並研席，時弇州公與文肅公皆居南城靖廬，兩家子弟更相社，文成奏兩公，兩公又轉委之曰，且以視兩學使者。蓋麟洲先生歸自秦，和石先生歸自洛，一時四王震海內，然皆操制舉義相券責，而辰玉與余獨好爲古文詩歌。文肅公聞之，弗訶詰也。辰玉每讀書，自首逮尾，矻矻丹鉛，雖數百卷中，苟細箋註，不輕放一字。余曰，孔明略觀大意，淵明不求甚解，而子胡自苦爲？辰玉笑曰，卿用卿法，我用我法。雖然，讀書與立身相似，要須有本末，非可苟而已也。乙酉，與余應應天京兆試。罷歸，游武林，寓僧舍。山空月明，虎嘷戶外，兩人唱險韻，遞爲長歌，歌成而酒寒者罰。往往鬥句如風雨狎至，鶻兔交馳，落筆掣去，不復便能記憶，以後如此類者甚衆。丙戌，余擲青衫，辰玉從京邸寓書云，非久相從，爲楊、許碧落之游矣。余答云，楊、許且置，輞川王、裴，吾兩人故有成言，子勉之矣。戊子，中順天解額，十年不字。辛丑擢上第，遂請終養，余迎笑曰，吾子信非食言者。辰玉嘆曰，吾歸非獨謝子，且以謝高、饒兩公。兩公唐子方也，家君疏薦之，不報，今兩公尚頓田間，而余爲瀛洲散吏，安歟？否歟？請自是日月而往，與子鈎深致遠，縱讀天下之書，無爲問鼙上矣。噫嘻！詎意辰玉之竟至斯也。初江陵奪情，文肅公爭喪次，救吳、趙兩太史，禍叵測。辰玉和歸去來辭以招之，文肅公持以謂人曰，吾不歸，將無爲孺子所笑。辰玉方十四，名動京師。已當弇州公主盟，四方客輻輳門下，點額曝腮，辰玉獨崛彊以通家子見，不以北面見，曰，大丈夫豈肯寄人籬落，傍人門戶。然弇州公數數從他所購其詩若文讀之，輒曰，才子！才子！或與之順流而談古今成否，得失之故，橫口之所出，橫筆之所書，小則解人頤，大則中國家膏肓肯綮，於是且嘆且驚。又知辰玉果天下士也。辰玉詩沉雄鮮爽，學韓杜；文章精辯宏衍，學荀卿、劉中壘。久則機局新，爐錘足，節制整，遂成卓爾一家之言。書法出入顏魯公、蘇學士。游戲而爲樂府詩餘，即宋元當行家，無以過也。分辰玉之才，自可蔭映數輩，而不幸生於相門，爲門地所掩，又爲數十年功名所縛。若朝廷超格用人，如唐宋故事，決能吐去鷄肋，何遽不爲李贊皇韓持國。又使圭竇蓽門，布衣終老，非下簾讀易，則閉戶著書，其制作度不止是，而志意不遂，命也。奈何辰玉病久，執手顧余曰，吾昔與子相期，一人後死則請敍其文而傳之，今責在子矣。余低回不能答。頃念前盟，又應尚璽君遜之之勤請，爲銓次校讐，僅得集若干卷行於世。昔者白樂天敍京兆元居敬集，燭下諷讀，凄惻久之，恍然疑居敬在旁，不知其一死一生也。題詩集後云，黃壤詎知我，白頭徒念君，唯將老年淚，一洒故人文。悲夫！余乃與辰玉今日適類此。余著述不如辰玉遠甚，忽爲吳兒竊姓名，龐雜百出，懸贗書於國門。假令辰玉在，必且戟手頓足，作敍一通，爲余伸虎賁優孟之辨。而今乃已矣，後竟誰定吾文者？臨敍不覺三嘆！丙辰一陽日，友弟陳繼儒書于頑仙盧。

（王金凌審查　　許惠貞標點）

許鍾斗文集五卷二冊　明許獬撰　明萬曆壬子（四十年）秀水洪夢錫等刊本
12945

明 李 光 縉 敍

　　國朝元品自王守溪以來，輒推子遜爲超乘，謂其屹若呂鼎，湛若冰壺，能爲諸元，而不爲諸元也。制舉義出，方內奉之爲泰山北斗，獨古文詞不少概見。今春，其弟蒐枕中遺稿，得若干首，請正於予。予讀之，不覺惻然悲，又欣然喜也。悲之者何？爲一代惜九鼎之才也。喜之者何？爲千古揭天球之寶也。以彼其才，使時獲從心，年能待力，無論江東、濟南，罔獲專美，即眉山、昌黎、咸陽、西京，不足當一哂也。雖然，有子遜之才，則不能以年掩；有子遜之文，則不能以世掩，年與世遞相謝也，所不朽者，獨此人心精靈，發而爲文耳。有昌黎、眉山，則不可無于鱗、元美；有于鱗、元美，又安可無吾子遜哉？子遜撰著雖未富，然試讀其序記，精核哉！如泛太湖雲夢焉；讀其舘課，魁瑰雄麗哉！如泛大海焉，又如觀玄造焉。其爲文，包羅左、國，吐納莊、騷，出入楊、馬，鞭笞褒、雄。其爲詩，鍊格漢、魏，借材六朝，同工沈、宋，登壇李、杜，天府之高華，人文之鴻鉅，觀止矣！是子遜自足不朽，予何庸表章？聊爲海內之賞子遜、企子遜、思子遜而有遺憾者未獲覩其全豹也，故付諸剞劂氏，而詮敍之如此。李光縉衷一撰。

明 蔡 獻 臣 敘

　　於虛空之中有同，於同之中有洰，洰之爲洲，大海一漚耳。洲中有山，曰大武。石骨崚嶒，蟠亙可十許里，而其氣脈之所蜿蜒，勃發而爲人文。故百年來起家甲第者幾二十人，而其魁南宮、授編修者，則自許子遜始。余知子遜角卯時，奇士也。既弁，補邑諸生，徒步持所爲制義就余戴洋山中。余讀其千駟首陽篇，至貧賤非能重人，人亦重貧賤，富貴非能累人，人亦累富貴等語，而大賞識之，因涉筆曰，此題前有濟之，後有仲文，得此，稱鼎足矣。子遜大得意去。其後，公車之業，必授余彈射。歲辛丑，子遜果擢南宮第一，選讀中秘書。其制舉義，天下士爭慕效之，以爲唐應德復生，而子遜顧謬推余爲知己。子遜授舘職，未幾而遘危疾歸，歸未幾而歿，年纔三十七耳。故遺文若詩僅僅若干首，而舘課居強半焉。大抵陶鑄左、國，吐吞韓、蘇，而快寫其胸中之所欲。言奇而達，辨而裁。今世操觚家所蹈弇山大函之障，與所謂舘閣體者，舉不掛子遜筆端。而覽者躍如，知其爲風行水上之文也。子遜嘗爲余言，其生平讀書，不盡一卷，不復他涉，故能醞釀致精如是。惜乎！吾見其進，未見其止，以問於山靈，其亦有不可知者乎？然是足以傳矣。子遜性耿介狷急，不能少濡忍，顧獨喜讀書。及官翰林，則折節爲恭謹，而其中若介然有以自得者。杯酒諧謔，往往絕倒，蓋其天機過人殆數等。彼蒼假年，其所就詎特古文詞而已！集成，而余爲序，以復其尊人封編修公者如此。子遜有知，當復以余言爲知己否！蔡獻臣體國撰。

明 周 宇 春 跋

　　先生經義行世，識者推尊先生爲明興一人，士子誦習而遵守之若功令。余不肖，亦在傳習之列。自謂，秦歌郢曲，應難和也，至所爲古文詞，曾未一見。今年春，吾友周九眞、洪嘉名購是集，而余得讀之，乃知先生根本六經，淵源鄒魯，漱子史百家之芳潤，而發抒爲仁義道德之言。冲夷玄澹，出沒神奇，動吾天機而不知其所以然者也。余不知文，安敢妄擬先生之文爲古今何名家？知其足以不朽而已矣。先生而天假之年，所謂第一等人品，第一等事業與第一等文章，吾知其非虛言也。先生往矣。乃斯文在天下定有知先生爲不朽者。先生原本，枕中遺藥也，魚魯之誤，往往而是，讎校之功，殆有闕焉。是用參訂摹刻之，以廣其傳，吾友九眞、嘉名兩君之盛舉也，儵亦先生之功臣乎！萬曆壬子歲夏六月，秀水周宇春跋。

（王金凌審查　　許惠貞標點）

叢青軒集六卷四冊　明許獬撰　明崇禎庚辰（十三年）同安許氏家刊本　12947

明熊明遇序

　　余第萬曆辛丑，於時褒然舉首者，同安許子遜也。既釋褐，偕觀政吏部。子遜長十歲，以弟畜余。日追隨冢宰之屬，不治而坐論於翼室，每見子遜平睨高視，拊膺盱衡，論說裁量，意不可一世，而坦直疎蕩，人人喜其親己。然雄力兼才，博通乎流略，恢恢遠驤域外，爲氣無所折下。故事，南宮舉首，無不居鼎甲，立躋金馬門。子遜猶觀政待庶常吉士，而後乃持橐史館。是可以觀時，抑可以觀子遜也。余碌碌爲縣官，隨牒在外，居久之，聞子遜竟作古人，天可問耶？今四十年矣！同第諸昆如晨星，落落無幾，余亦以中廢杜機，久不通戶外屨。忽有投謁，持子遜叢青軒集以引言見屬者，乃子遜胤子則雍也。余嘉其意，疾讀一過，則論、策、詩、文、尺牘咸具，不覺嗚咽而嘆曰，不朽哉許子！魯人有言，先大夫臧文仲既歿，其言立，是爲不朽，非夫言而能爲不朽也，有所以不朽者。國家用制舉義取士，束以格體，股引成文。猶記子遜畏聖言題以領聯擅場，學者稱元脉，必曰己丑會稽、壬辰吳江、乙未宣城、辛丑同安，如先輩之稱毘陵、晉江也者。蓋支經肯綮，理貫轡策，節奏存乎其間，琳球考擊，律呂相宣，韶濩之音也。齊輯勒銜，急緩唇吻，良樂之御也。制義自子遜以後，諸公奮起者，強半爲李將軍，不擊刁斗、設步伍矣。高者用才布勢，陵跨跰蹀，標宗以命令，一世無敢不屏息以聽。然而其氣象雜霸於大雅之章，何吾□子遜制舉義？實恫乎有人琴之感焉。載觀子遜詩，則逸閒清綺，動與天游，論則雲行波立，策則氣填膺激，表則刻羽引商，序則揆權規搆，束則眞摯朗發，俱自成一家言。蓋邃淵者思致之密，博綜者涉誦之深，而其鵰鶚者出於寥廓之外，殆天授，非人力也。談者謂子遜再假年，所就更未可量。吾未見賈誼治安、鼓鑄、表餌諸策，哀湘、悼鵬諸文，改正朔、易服色、裁宗室諸議，有讓於白首魁壘先生者。傳曰，言，身之文也。仲尼曰，志有之，言以足志，文以足言。不言，誰知其志？言之無文，行而不遠。子遜其言而文、行而遠者耶！故曰不朽。余嘗薄遊閩中，東行海上，陟天姥岑，望泉南諸峰巘，點黛發翠，如食前豆籩，交錯旁羅，與日氣霞標相沃蕩，此叢青之所以命軒哉！崇禎庚辰歲嘉平月，年弟熊明遇識。

明 許 鏞 識 略

　　先君子不幸蚤世，時伯兄十齡，仲氏三齡，而小子鏞固孕中孤也。生不識父面，長未能讀父書，恨積終天，罪負箕裘。朝夕間顧所留遺篇，爲宇內操觚家翕然宗尚，久而益傳，鏞雖無以慰九泉之靈，而先人用是起色矣！曩曾付剞劂氏，有三集，一曰九九草，一曰存笥草，一曰詩文集。茲以集板漸禿，無可應求，乃白之諸父伯兄，鳩工重鐫，因而搜增一二襍作，先成詩文一冊，名爲叢青軒集。而制義仗有識彙選抄，昔時名公評語約百餘篇，再刻以傳，曰垂世草。此先子當日所自名耳。其餘不入選及舊未有刻者，計千餘首，竊笥而藏之，不敢忽焉。謹勒鄙陋，仰祈賢士大夫，復爲先子弁其首，則鏞家戴德，寧有涯云。庚辰仲秋，季男鏞謹識。

　　　　　　　　　　　　　　　　　　（王金凌審查　　許惠貞標點）

────────────

中山蔡太史館閣宏辭三卷二冊　明蔡毅中撰　明新安朱一緯重刊本　12949

明 趙 彥 復 引

　　竊聞文先體要，自古記之矣。如館閣之體莊，其詞肅；騷墨之體舒，其詞放，要存乎人而已。乃說者謂，國初時文不在館閣，近日詞林賢豪振起，權復歸焉，豈其然哉？文以傳心達意。六朝、隋、唐之際務華，根絕流別，莫分官滕私模，喪脫古意。反是者如櫨梨柚橘、　唇澀齒以爲奇也。故昌黎起八代之衰，濂洛關閩沿興，有宋孔孟之道如揭日月而中天矣。逮我朝文運天開，著述之盛，兼隆前代，其敦本務實之學，則始于文清，衍於鄒陳，歸本於王文成、趙文肅、呂廷撰諸賢，其他豔稱中原者不與焉。則詞林何分于內外哉？余師中山先生，少承先世之業，志孔孟之學。居孝廉時，著作甚富，如濮陽子錄古、共學漫稿注疏諸書，行于海內，人人共寶，不可尚矣。今在館閣，陳鴻昌之運，發黼黻之章，取材于目前，得機於象外，談心性，則破耳目支離之筌，闡先天未畫之臭；談問學，則却上乘之弊，務下學之功；談經濟，則抗疏宏議，鑿鑿當今石畫；研窮考辨，則揚榷古今，居然一代典常。其詩賦陶冶性眞，則鼓吹風雅，有騷人墨客之致。應制恭紀，則規微諷喻，皆明堂清廟之珪璋。然由辛丑而前，固一體也，不可謂先生詩文非館閣之華；由辛丑而後，又一體也，不可謂先生詩文盡冠冕佩玉，而離風人之致。總歸于敦本尚實而已。若小家者流，遇窮愁而悲歌慷慨，遇通顯而綺麗飛揚，兢一字之奇，鬥一句之巧，如爭馬肝蟲臂之長，自以爲握珠抱玉，何足言哉！復自齠齔，即讀先生著作，今有年矣。癸卯，更得傳函丈手錄、館閣課試諸稿，携之四方，爲日用指南，欲壽諸梓，未能也。偶爲黃信豐索去，相約捐俸就梓，且委不佞復序之首。吁！復智何足以知先生，而矢口談文章家事，姑序先生一班，與天下後世知言者共，僭題曰館閣宏辭云。萬曆庚戌仲秋望日，門人趙彥復頓首書于曲沃公署。

（王金凌審查　　許惠貞標點）

秀野堂集十種十卷十冊　　明楊師孔撰　　明天啟間原刊本　　12951

明黃汝亨序

　　始余未讀楊泠然使君詩，而見其人，瀟洒卓朗，煙霧俱豁，固知其詩必超。已讀其遊靈隱、咏官梅詩，靈機爽氣，有如其人，心甚快之，意其猶待境而適者也。已得其秀野堂詩十種，盡讀之。彼自家園歷宦游，十餘年以來，落拓一官，境地屢遷，而隨境所遭，淋漓觸詠，風疎雲逸，山高水流，即塵塊爲芬香，澤畔亦逍遙。蓋胸中饒有勝情，而瀉之筆端，佳句自集，不必對湖山、友梅竹，踞芙蓉石，坐古香亭，而乃叫號奔踔以赴者也。殷璠所云，神來情來。嚴滄浪謂，盛唐諸人，惟在興趣。觀乎泠然，豈不然哉？是知彭澤澹遠，開宗江右；青蓮豪宕，流聲夜郎；泠然自江右徙夜郎，率澹之致，得豪之興，妙有斯集，其作祖荒徼，中興西楚，衆共推之矣。或曰，時事方艱，泠然大業，經營伊始，詎惟詩豪？余謂，同此泠然耳。有如謝公之忘懷任運，捻鼻顧盼，皆寢處山澤間儀則。即詩以見泠然，而觀於詩之外亦可也。天啟二年壬戌秋七月，武林寓生黃汝亨題并書。

2. 聽泉吟一卷

明張汝霖小敘

　　今夫洞庭匡蠡，苞天孕地，怒而濤澎湃奔舞，大則大矣，未堪清聽。若乃嵒谷之間，林木之下，清泉逸溜，聲琤琤如韻絲筑，坐而聽之，可以洒慮，可以移情，何似携雙柑聽黃鸝啼也。故高人騷士，每窮深造遠，竟夕忘歸，淵明發吾陟之嘆，子美動瀟湘之思，有以也。夫黔會多山少水，人據峯巒之概，而願之楊先生亭林之勝實兼之。余于役茲邦時，從二三寮友，不問主人，徑來竹所，而一夕聽有泉聲，從几席上度，驚喜尋之，則清流發響，吞吐石澗中，繞籬落而匯於亭樹之前，對之嗒然，呼觴劇飲。漱餘香於晚汀，砭俗耳以幽韻，相與枕籍乎泉石之上，不知身在萬里外，其到今猶入夢想。而願之奉使武林，日於湖上了公事，每酒後耳熱，輒思其故園，曰，吾鄉思轉深。嗟乎！肅之生長千嵒萬壑間，顧時時思願之林下水聲，何況願之亦昔妬人所云，我見猶憐耳。蓋其所契於泉者深。其偶談願之諸草，而聽泉吟尚闕序，余嘆或以待我。遂次前語貽之，未敢當玄晏也。願之詩骨清而思遠，色古而韻幽，使人長詠短歌，若與茲泉相答。聽斯詩也與聽斯泉也孰辨？今而後余摠案間，將又得與茲泉狎矣！湖上中元游事，盛於月夕，今又壬戌秋也。千古奇合，已約是日，必西渡作勝會，爾時將徵龍泓水與願之校。然願之泉有願之詩而聲益高，龍泓一片雲，不得不點頭下拜也。壬戌夏季月，前黔學使者，山陰友弟張汝霖書於研園之醒閣。

明張北望敘

　　考之於人也，有同聽焉，今如蜩如螗，亟命瑱而去之，去之不得。無已，輒思西谷龍湫，高五千丈許，傾崖歕壑，驟雪轟邁，聽之足快。他如盧阜開先康王棲賢雲屏諸泉，懸唯百仞，淙激隱震，悽神愴目，聽之足奇。往余又走西粵，則聞西溪之新泉、乳洞之噴雷，都未及一躐履接聽，空復夢見吟管爲枯，茲幸得泠然聽泉吟讀之，泠然之言曰，泉有意於吾，而吾不能即收其勝，故寶愛之無不至。泉非泠然不能寶愛，寶愛之而聽且吟焉，其忍使清冷玄露便棄瀉澗中也？泠然清暢恬悟，令得決眥，邐於靈山名瀑之際，其吟什當不止此。雖然，泠然有泉而可聽，聽泉而有吟也，余不得泠然三畝地，坐對龍泉而聽之，則寶愛當甚於泠然。第泠然詩具在，余將以寶愛龍泉者寶愛泠然詩，他有可聽者終瑱之矣。年弟張北望題於定香橋舟次。

明 徐 象 梅 序

　　凡物之聲出於自然以鼓盪於有形無形之際者，惟水與風。風無形而有起滅，水有形而無斷續。兩者適然相遭，而唱和生焉。此天地之靈籟，互爲宣洩，而比竹不能爭其奇。從來妙於寫風者，讀莊生噫氣數言，覺刁刁調調，不獨在山林畏翠間，惟水未有能寫之者。吾夫子嘗有川上之歎，而說者遂以爲歎道也。嗟夫！何處非道？何時非道？僅僅以爲見之川上，彼惡知夫天之地靈籟哉？智者得趣於水，不必臨流而後渟泓者與目謀，澎湃者與耳謀。彼其神之所凝，夢之所結，無非是水，即無非是道。或情與境會，而以彩筆按之，即無非是詩。此泠然先生之以聽泉名篇也。先生未始臨流然後操筆，以泉聲助頌洞之思者十居二三，則先生之得趣於水深矣！故不以趣見道，則入之不深，不以趣言詩，則出之不脫。倘讀先生之詩者能先得先生之趣乎，試手一編，日吟且嘯於焦原盤石、埃壒堁培中，吾知必有與歌聲相喁于者，瀟瀟然，灑灑然，清涼浸於肌骨，而淵澂沁於肺腑。雖謂時時置此身於雙湫五泄間可矣。於斯時也，以爲天籟耶？地籟邪？俱不得而知。問之水濱，水濱不有，還以質之先生，先生不言，視余而笑。遂書之以爲序。時天啟壬戌八月中秋日，東海徐象梅仲和氏譔并書。

3. 避暑錄一卷
明 鄭 以 偉 序

　　宋玉之言風曰，枳句來巢，空穴來風。人，其詩之空穴乎？故人不得已而有詩。詩似非人之本然，亦惟詩爲人所不得已，則人乃詩之本然也。空穴具而風來矣，人具而詩來矣，當其來也，孰禦之哉？國風半出委巷次草之所矢，非曰求工，皆其不得已者耳。余與楊泠然爲二十年異姓兄弟，各鳥獸散者數年，忽送薛魯生于梵宮，見面如優鉢曇花矣，而張君一所序泠然詩，已盛行于天下。泠然于詩，若四威儀，二六時中，不廢其工者，如君一所云，朝嵐夕霏，鳥聲雲影，出入胸次，見于嘯歌。然皆其自來者也。泠然令山陽，有元道州風。用才曹郎選侍藩邸講筵，亡何，罷去。起爲四門先生，而好吟不輟，若唐人所謂陰有程督者。夫楚無風而有詩，詩之萌芽自楚發之，非其初無風也，不見採于太史耳。泠然從江右徙夜郎。夫江右半楚地，詩在宋以雙井爲教主，而列陳、潘、謝、洪之徒爲法嗣，好事者至作宗派圖。夜郎古荒服，自青蓮乘風後，豈無閭巷次艸如風人語？惜未有採之者耳，其爲詩空穴者固在也。近世孫宗伯淮海起而振之，數十年

復有泠然。自是夜郎亦如楚，無風而有騷，謂自淮海、泠然發之，可也。泠然仕
宦，即落拓氣類相許，非雲霓椒樕鑠金熷弋之離也。逢世休明，非有孔靜幽墨冤
結紆軫之鞠也，遇與三閭異，而糅玉石于一概，悲忠信之無媒，或亦與三閭同。
讀其避暑錄，如蟬蛻人間；石林草，閒閒十畝覺。哀我生之無樂，幽獨處乎山中
之為迫狹，乃其觸時根世，又不勝慷慨。蓋趣味冷，故作無情黠，心腸熱，故作
有情癡。有騷之幽而無其怨，使異日鳴國家之盛，如淮海其誰？謂黔于楚若耶？
嚴滄浪以禪喻詩，古宿有問，眼來屬形？還復形來屬眼？余謂，水鏡接而道自
然。古善詩皆有物于外以主之，人性寂然穴之而景物接。則往來于泠然者，亦風
穴之交而已。泠然深于禪，其以余為具金剛眼睛不？上饒笨菴鄭以偉題，毘陵後
學蔣淳書。

明 謝 肇 淛 序

　　夫情識具而後言生焉。士之處世，其情與識不為世囿，故能作出世之語。功
名得失，冷煖之際，人所不能忘情者也。履順據膴，則視高步遠，意不可一世，
不幸而振觸淪躓，又輒牢騷疾首，佗儗而無復聊賴，即矢口百家，妄意千古，又
何述矣！昔人謂詩窮而後工。非窮之能工也，窮則可以忍情，可以鍊識，情識塗
矣，即窮可也，達亦可也。吾友楊君泠然，鵲起夜郎，才具橫絕一世。通籍二十
年，官益落拓而無所容，而泠然顧益澹然。游神太虛，合志罔象，其視得失冷
煖，若焦螟野馬交乎前而不動睫也。故其為詩高曠而朗潤，春容而自得，匠心萬
矱之中，而得意筌蹄之外。吾讀其避暑錄，西山秀色，若可餐矣。讀石林草，覺
樹杪瓢聲之為煩也。澤畔托於三閭，聽泉隣於洗耳，怨而不怒似之，而非至於灞
陵驢背、風雪問梅。都官耶？處士耶？藐姑射之仙可望而不可即耶？夫饑嗔飽
喜，非情也，剖腹藏珠，非識也，敝屣一官，無人而不自得，泠然於是得出世法
矣，固宜其不作世人語也。夜郎自青蓮、龍標過化之後，鴻濛之氣，鬱勃未宣，
歷數千年而後得泠然，神秀所鍾，固非偶然。然二君子者，頹然自放，淪躓以
終，雖詩名照今古，吾猶卑其情識。泠然遭際聖明，名籍籍甚，暫爾雌伏，終當
雄飛。其所為不朽言，當益不止此，則吾所謂窮可也，達亦可也，泠然勉之矣。
萬曆戊午夏五既望，晉安友弟謝肇淛序。

明 茅 瑞 徵 敘

詩發乎情，而情亦仗境生。人世坐老塵中耳，間得邃林幽壑，脩竹飛泉，自泠泠作塵外想，譬一滴金莖露解人消渴，能使蕭然自遠，而筆墨間亦斐亹軼塵而上。情境合則兩合，非誣也。余好遊，而獨不能詩，每遇佳山水，爲留連竟日，亦冀得稍領其超曠流奕之致。頃走西山，忻若有得，及捉筆，不復能舉一語。維時聞余年友楊願之避暑山中且累月。願之好遊，而又能詩，當其几席煙雲，情與境會，度出語與山靈爭勝。今其脫藁故在，殆語語余意所欲出也。往願之過余江上，有鞅掌集一帙，余讀之，大都勞人志士之什。今且暫解天弢，以試身清冷之淵，得境傳情，得情麗境，尤有騷人賦客所不敢望者。余今年觸熱渡秦淮，日窘舴艋中，想願之晞髮山阿，如去湯谷而踐冰雪。而願之又下語妙天下，日引勝友，鳴琴賦詩以寫其情境，所至咄咄。願之，余視子，終瞠乎塵中人矣！西吳年弟茅瑞徵拜手敘。

明張以誠小敘

夫雅歌鳴琴，非務之所急也，而君子尚之，其爲觀美與？抑先王教之所存，雖明知其無益，猶爲之與？非也，有道存焉。夫徽軫具五絃，調設其中，窒而不虛，躁而不恬，能成聲與？虛矣！靜矣！山感之峩峩，水感之湯湯，過耳入目，動于心而形于手爪，此不傳之道。維詩亦然。胸中廓如澄如，不留一物，故耳觸之意靈，目觸之心受，發于天籟，和于天鈞，以命物則肖，以依詠則諧，其道微妙，不可聲律格局求也。吾年友楊君願之，夙號能詩，當其栽花淮上，篇什之富，不啻潘岳之河陽、姚合之武功矣！茲需次選，人一投牒，輒偕其友謝君君采入西山，涉夏弭秋，不入城市。所唱和詩，得若干首，皆山中朝嵐夕霏，鳥聲雲影，出入胸次，見于嘯歌者也。夫九陌如沸，有人焉，依古剎，踞長松，岸幘咿哦，聲出金石，此其胸中何如哉？庶幾虛靜恬愉、不留一物者矣。其詩之爲流水高山，宜也。雖然，方寸有西山，金馬可避暑，願之知之乎？將無往非詩矣。東吳年弟張以誠頓首題。

4. 索笑集一卷

明鄧渼序

唐張爲作主客圖，取當時佳什甚備，或全篇，或秀句，靡不采掇，而以白樂天、李君虞輩爲宗主，亦禪家分燈傳鉢例也。唐以後稱詩，莫如本朝。始以季

迪，暢以賓之，盛以獻吉，嗣後遂奄有神龍、開元之盛。獨未有能表章捃述若張
爲者，豈宗主無可俎豆耶？爲所處之世，正盧仝馬異，俚怪叫呼，相效成習，意
者爲有深憂，故作圖以醒瞽瞶耳。今日詩人日多，詩才日下，蕪陋淺俗，目爲當
行，幾與玉川、月蝕諸詩相頡頏矣。媿予志大力小，不能以丸泥塞函谷，今得泠
然，而喜此道可復振也。泠然起自黔中，綺歲冠鄉，書登上第，官轍所至，幾窮
亥步而遍歷唐封。流覽山川，茹其精爽，以故發爲詩歌，深不降格，富不露村，
長謠短吟，可咏可嘆。詩至此始無遺憾哉！黔爲職方絕徼，風雅罕聞，青蓮、龍
標僅以寓公旅寄，抒其牢落苦思耳。山川完氣，萬古未剖，至泠然始彙其靈異，
闢此鴻蒙，怒水危峰，出没毫楮。正如楚有左徒，厥惟騷祖，他日即使唐景輩
出，寧非苗裔？且泠然遭回仕版，尚滯郎曹，毫無馮唐、汲黯之感。武林新製，
較少陵夔府之年，精力不相上下。昔香山左官江州，自傷流落，下比商婦；十郎
受藩鎮知遇，至有不上望京樓之句，泠然視升沈恩怨，不啻流塵之過眼，鴻爪之
印沙。道韻文心，勝白李十倍，宜其詩之前無古人也。且白稱廣大教化主，李稱
清微玄妙主，泠然已兼有二家之長。予欲效張爲，盡收于屏障几案，而吉光羽、
明月璣，觸目皆是。無能效其醯雞之識，僅以粃糠爲導，用附不朽。建武友弟鄧
渼。

明 方 尚 恂 敘

　　湖山面目經蘇、白諸君子淘洗一出，而騷壇茗社無不從。此間奇然山水，閱
人多矣，非眞有玄襟高韻，足壓兩峰，縱使眠食水雲，醉醒花柳，而酸容腐狀，
政恐山靈唾去耳。青蓮千古詞伯，其興會豈在斗酒百篇哉？天子呼來不上船，是
何等韻格也。楊泠然使君，夜郎仙品，靈灝之氣，往可御風會領。權入武林，竹
頭木屑之暇，搴取平日所眼觸耳收、頻仰憑吊者，無不繪寫之爲句。余反自燕，
使君呼樽遲我。醉餘，乃得所爲索笑者誦之，見其壺天幽異，非復人間，恍然桃
花洞口物也。余戲謂，逗洩至此，無虞山靈妬乎？使君則急掩嶼，復剪燭，與劇
談世外事。當亭畔者，片石芙蓉，幾幹古梅，若盡供吾兩人之吟嘯。夜分始別，
余蓋載泠然滿身詩趣歸矣。仙耶？鬼耶？安得擬一才界爲泠然位置者。賈島之
鑄，所忻快焉。集名索笑，筆頭業不堪笑者，定不堪傳，不須爲泠然另下轉語
也。泠然深於詩，政深於韻，人未餐泠然韻者，未許讀泠然詩。睦陵通家弟方尚
恂威侯父題。

明張所望序

余將入臨安訪三十四洞天，停橈湖上，朝爽初澄，巖影虛碧，隱隱光怪浮没其間，輒念此湖山自蘇、白管領後更千載，當復有異人挾靈氣而來，此廼泠然。頃以榷使至矣。榷故繁，泠然以暇，簡要而理，唯日與冷香古鐵相對，作緣、問梅、索笑、唱和諸篇所由作也。一時韵板歌喉，酒腥粉暈，泠然都爲洗盡，而襟味闃朗，易地皆然，如營平之射虎，禁院之塵香。暑簟吟風，寒氈戞玉，雖憔悴江潭、低回澤畔，可興可怨，何莫非詩。至於龍泉聽瀑、石磴眠雲，三畝方間，千峰列障，貌林壑之姿，合鳥魚之性，無不采擷成趣，層湧而文。泠然若有意，若無意，復何所嗜而獨嗜詩不已。詩非脂澤鉛采，擣治研合俑而成，詩之蜕也，蜕則不靈。靈則僊飛而神現，於孤清玄寂，偏有致焉。濯水而無熱，嚙蘗而無甘，游虛而無觸，人品功業悉從靈胎鑄就，而可爲才人，亦可廉吏，可爲拙宦，亦可爲名臣。忽湛忽浮，時退時進，能使光怪騰躍，湖山增勝，如香山、玉局兩公者，皆異人也。泠然，吾師虖！世欲見異人不得，而得見泠然，見泠然不得，而得見泠然詩，詩即泠然自寫照也。蓋余居恆游笈，每以陶徵士、孟襄陽、白香山、韋蘇州、蘇長公集自隨，題曰，有友五人。今得是集而六矣。復念余與泠然別十年許，而僅得一晤，茲又且以秩滿解去，欲相與嘯歌賡唱如昔時夢得少游諸人之於白蘇，何可易得？所幸茲集流傳，余嘗得手一編，往來西陵南屏間，朗吟徐諷，即泠然神情躍躍在目，庶幾天涯比鄰。遂欣然書之首簡。時天啟壬戌中秋日，吳淞年弟張所望頓首譔。

明楊師孔小序

七情中惟笑之一端是喜悅醞釀之極。發而爲必不容己之聲，與必不容己之色，出之者無心，當之者有趣。此在人世情類中，或于情處觸發，痒處搔著，容亦有之，未有于無情艸木，望其以是透漏者也。有之，自老杜之與何水部始。嗟夫！梅花冰雪之姿，鐵石之幹，生于孤村近水之隈，開自朔雪嚴風之候，清氣逼人，逸韻壓世，近之且爲歛容，夢之且爲神肅，焉得橫生嘻笑，如夭桃弱柳倚門獻媚，容易以顏色假人哉！是不然，梅花自羅浮以後，知己寥寥，最稱寡合。始于杜老，既得水部，即孤山處士，不過形影相弔，冷暖自知，竟未敢以嘻笑狎友此生者。蓋其神之清，格之高，韻之逸，俗子相向，可比河清。何杜兩老所獨擅千古，全以神情，全以興趣，全以天機。所謂于情處觸得靈，痒處搔得著，雖欲不笑以應兩公之聲氣，不可得也。余初至虎林，署中有官梅一株，是南宋大內物。婆娑屬蟄，偃仰虬蟠，獨是荊榛滿目，塵土壓簷。殊覺此花之黯然向隅，有含情欲訴之狀，亟令童子刪其蕪穢，架以欄楯。每坐于下，月明在天，香影零亂，鶴聲嘹唳。偶然得句，相視掀髯，發狂噴飯絕倒，而不能自已者，花神亦何有于冷生哉！因笑嚼蕊吞花，攀枝附葉，以形索者也，大叫狂歌，臥柯獵種，以勢索者也，惟抽毫得句，一字關情，形神相洽，此意來神來，善索之于神情之外者也。不佞孔粗疏冷骨，敢謂字可通靈？但一生向人眉目，獨蒙此花之盼睞，凡所得句，俱自梅而索者，因以名篇。若其淺俚，良可揶揄，下士技自應爾爾。不笑不足以為道也。都水波臣冷然楊師孔題于古香亭。

5. 射虎齋小草一卷
明 薛 岡 序

　　看射猛虎終殘年，老杜句也。杜公而思射猛虎，又思終殘年，誠悲哉其言之！冷然先生遂取其意以名其首簡齋，而復取齋以名篇，豈亦言以短衣匹馬隨李廣如杜公乎？廣在虜中，縱馬解鞍，意氣自若，天下之能人；夜行草中，射石沒羽，天下之絕技。公，文人，非廣比，然其膽智才具有廣之風。早歲通籍，計茲十有八年，不能求宦達，尚坐鱣堂。生平之奇，無從自展，而地又得營平，營平為九鎮之一，所見無非廣輩，求一詠先王之風者不可得，而志已違。戊午以來，國家用武，求一廣不可得，而心滋戚矣。夫詩以言志，亦以鳴我心之不平，此射虎齋草所由作也。淺之而感遇，深之而憂時，小之而寫見聞，大之而陳經濟。即有如煤黑子寒氈十二景諸什，所為遊戲三昧，所為嘻笑怒罵，皆詩者，罔不命意淵而鑄辭警，匪可與嘲風弄月者同類而共道。蓋公之身雖經歲營平，而公之心未始一日不在天下也。今天下事，論東北如猛虎負嵎，不易攖，非得飲羽於石之人，弗可與言射，付之攘臂者之手，而遼事去矣。夫攘臂者而下車猶賢於股栗者也。尼父所與行三軍者，曰臨事而懼，曰暴虎憑河者不與。固也，然必至好謀而成者也故與。其有徒懼之夫，不若有暴虎之夫。暴虎之夫雖以其身嘗試，猶不至重損國威而貽女夷以談笑。古之人視石如虎，故羽可飲。今之人視虎如石，徼幸其萬一之不咆哮，及其怒也，以虎畏之故身不免見傷。古之人夜見石疑為虎，今之人白晝見石指為虎者，什佰其手。則公之思得廣而肩隨之，有以也。文章，經世大物，唯詩亦然。觀公之命齋虎篇，而一然感慨，一然忠憤，形之筆札，今之笑啼皆假者媿矣。聞之虎尾端有骨，如一字，長三寸，號勢骨，取得能令人威。公所隨廣，償射得猛虎乎？幸取此骨予今之邊臣，而以公此詩與俱，可也。甬東薛岡題。

明楊師孔引

營平雖隣畿內，實逼虜塞，戈甲鱗鱗，絶不見有文章酸味。誦杜老隨李廣射猛虎之詞，不覺發笑，敬以名齋。羼提生孔識。

6. 古香亭官梅唱和集一卷
明楊師孔小引

衙齋官梅一株，爲南宋舊物，花時可蔭三畝。去冬自蓁莽中剔出，春來花放，大異往昔。花枝可謂有神。獨人事混劇，時時醉臥其下，未得搜佳句以謝此清友。偶有人持一卷來售，中書子昂先生十咏，字字句句若爲此花傳神。豈神物有靈，子昂吟魂不散，特來湊作一段嘉話耶？勉和十詠，并求詞場知己和詠，不惟神交木石，亦且尚論古人。賞心者必不吝揮毫也。泠然楊師孔題。

7. 問梅草一卷
明王思任序

夜郎有頎丈夫楊泠然，驟起如眉山，青突萬丈，一時箐魖靈母化爲藜火瑞霞。領解後，遂提旗鼓，下荆湘，入燕趙，取巍科如掇，往來吳會，與二三拳勁角中原，橫不可制。其所謂玄飛孤詣，磊灰冲通之旨，大半寄之於吟，有問梅、射虎、避暑、聽泉、塵香、澤畔等詩，而總題之曰秀野堂集。王子讀而快之，曰，神龍不沼處，老鶴不庭居，其心自大，匪身之所能域也。爭十丈之天，不如擴一尺之地，爭萬里之境，不如擴一黍之心。善哉！泠然之堂秀而野乎？今夫野之義，對都而言之者也。嗜欲之所薰，人車之所閧，一線樞機，百孔垢敝之所止，村莫甚焉，而反謂之都。豈有卷舒天雲，縱橫艸木，布置川嶽，遣呼魚鳥，反不得蒙都之號？則野也者，天地間之大史也，此惟大文之人能領略而敢饗之。是故善用者得之則亨，善謀者適之則獲，善禮樂者用之則進，善游者乘之則入於百昌之無極。無論野之功用被廣而收多，即人眼不及郊牧者，能逃其身，不處於壙垠乎？一日不得野趣，則人心一日不文。端木氏之晰也，不如子夏之癯；蔡德珪之青石，不如仲蔚之堵；五侯之鯖，不如庾郎之貧菜；朱弦牙板、肉好賡奏，不如秦缶之嗚嗚。未有野而不秀者也。泠然以石隱之身，棲居之性，偶來千應，但取四虛，能調苦爲甘，又鋪夷乎險，蹤跡所及，湘雨胡風、燕燈灞雪，無弗游也。貧家有升，好事家有石，或去來異國，或琴蓄異時，即過從而賞之大節各鄉，可先俠里旗亭狗馬丸劍丘墟，每每咨嗟憑吊，或歌或哭，以盡其莫測之變韻。僧奇客賢豪長者之交無不厚，鳥道蛇盤、猿嘯虎嘷之窟，但欲搜剔洪濛，不惜以其珠爲彈，苦家山道窄，常欲收拾九有於袖中，苦功名暫，偶嘗欲盟結千秋於世外，是以其爲詩無不平之鳴，而多自然之籟。大抵清貴落字，高古決格，華亮取響，岑、孟、錢、劉之倫也。余嘗論詩，頌不若雅，雅不若風。蓋廊廟必莊嚴，田家多散逸。與廊廟近者文也，與田野近者詩也。泠然豪氣盡除，天空獨語，秀野之集，意或在斯乎？石林中大蘇正爾逼人咄咄，必以我爲未窺其藩，何野之能說也乎哉！山陰友弟王思任題。

8. 竹韻篇一卷
明 劉元瀚 序
　　夫與境喧寂，與塵出沒，俗之病人也。誰能自免？劀爲之砭耶！惟胸中具丘壑，筆底帶煙霞，處喧而寂，居塵而潔，瀟灑埃壒之外，不受俗魔，反爲俗砭，其泠翁先生乎！翁夙具靈根慧性，挺幹標鮮。手口耳目，絕不類俗。隨寓成景，觸景成韻。己未夏，官辟雍一署，片壤斗室，環堵頹然。翁爲之塗墍位置，曲曲盡妙。移竹數竿，手自擁治之。勁節瀟疏，琳琅鳴玉。昕夕吟嘯于其傍，清響宕蕩，人聲竹籟，互若唱酬，灑然不知身世之在塵寰。噫嘻！竹，孤清一物耳，任煙雨晴嵐，風來月上，而若舞若嘯，若醉若狂，每每俱成佳趣。翁當烽火炎蒸之候，灰堆穢壤之中，如焚如甑，獨闢一清涼世界，凡人情風雨，世局寒暄，了不到懷。日拉韻人高士，飛觴迭詠，一段清冷玄味，偏若鍾情于此君，而此君稜稜勁骨，亦若恰肖于我翁。客有誚其官舍蘧廬，後來者誰，翁廓然大觀，輾然一笑。昔有寄人宅而不能一日忘此君，經客舍而即知爲有道之所寓，大都清貞整潔，本出天性，而根塵俗障，自瞠乎退三舍矣。不佞不敢自附賞音，幸藉鷦棲于此熱鬧場中，獲侍下風，受享一日清涼之福，不覺塵土腸胃，劃然淨洗。益信我翁處喧益寂，居塵愈潔，匪惟超超俗外，抑且善爲俗人鍼砭也。不揣固陋，敬綴一唉于如如齋。眷弟劉元瀚具草。

明楊師孔小引

竹之爲物也，無色無香，不花不蕚，瀟疎冷淡，一凡草中之骨立者耳。古今高士重之，有如性命，豈非以其韻哉？蓋韻者，聲之餘，琴歇而咏寄焉，磬罷而響存焉，非有非無，欲躍欲舞，不著耳目，而超于見見聞聞之外。故于聲香觸法中求竹，不知竹者也。己未夏，居辟雍之西署。小窗曲屋，幾不能與長安之塵土爭坐位，四顧面墻，一無所見，火雲在天，如處沸鼎，當中坐立無措，魂夢俱濁。急求竹數本，植之齋頭，滿室清風，四窗冷翠，頓變爲清凉世界。每獨坐其旁，風來月上，一種蕭森之韻，偶與詩思相觸，便成韻言，即以名篇。自愧闇淡無色，多與竹類，非敢于筆墨之外言詩也。夜郎楊師孔泠然甫著。

9. 石林草一卷

明戴燝敘

蓋不佞入黔，而得楊泠然。泠然者，黔卜居士也，有園一區，饒水石樹林之致，且日焚香匡坐，而絃聲徹戶外。不佞聞其風而悅之，因造玄室聆謦欬。泠然顛倒衣裳，則見青山當面，雜花繽紛，連屋圖書，皆名山大川之藏，間一寓目，泠然評竄無疑本，庶幾所謂沉酣典籍、迻蒐浩覽者，吾其朼之人耶？或鹵莽，或滅裂，奈何以耳食修古也。已而商略風雅，討論離合，犁然當心。已而叩著作，出篇章，嗒然却步矣。在昔文人才子，不得竟其輔時及物之道，往往于諷咏之餘，勃發其牢騷放達之思，此自漁父九辨而下，以迄于劍俠、路難諸歌，皆賢者所不免。何者？水激則波，風怒則鳴，固其理也。泠然早應公車，奏最邑治，已列郎署，擢詞林而侍青宮，駸駸貴矣。而以才見忌，擯抑偃蹇，退處于黔水之濱，則夫不平之鳴，誰不爲泠然張目而扼掌者？而泠然弗善也，獨于于俞俞，發爲詩歌，清眞婉逸，託懷幽遠，絕無浮曼抗浪之態。嗟乎！此其中有大過人者矣。故虛憍不恃，其養純也；堅白不徵，其神勝也。余一以君爲快士，一以君爲眞人，不意天外飄搖，復有此德隣之托契。彼千盤歷落，智爽阻深，其山川曷嘗不映發，而匣劍韞櫃之氣，安能掩其精光于斗牛間耶？因綴俚語，用識同心，雖不敢捉刀牀頭，亦聊以鼓吹半部。七言均賦近體斯成，詩曰，干霄臺樹碧參差，水石林巒面面奇。桃李蹊成人問字，求羊徑曲客傳巵。正憐紅藥經春長，頗怪玄雲出岫遲。眞氣夜深高物色，園丁賓從盡驚疑。天柱山人戴燝亨融甫撰。

10. 塵香集一卷

明戴澳引

冷然從衆香國來，其體自香。至興會絡繹，舌底一一作青蓮華，回風送香，即長安馬塵，皆如百和。矧其監作殿門，接阿房之椒蘭，逼水殿之珠翠，通夾城之御氣，繞紫禁之煙花，奇感佳觸，安有不作塵香觀者。雖然，他人之視監門，不啻趨無間獄，冷然初入署，即任之，至手口卒瘏，面目黧黑，乃不作塵勞想，而作塵香觀。噫！此亦可以窺冷然矣。今且奉命榷虎林，視監門較逸。且白蘇舊遊，香塵滿路，更當時時以紫騮青雀收之，決不使三秋桂子、十里荷花笑君非湖山知己也。余之不到西泠路已久矣，亦將從奚奴背破錦囊尾君遊。矚之清塵，而拾遺香焉。天啟元年六月上浣，矧上友弟戴澳題于燕京之小雪竇。

明楊師孔小引

長安塵獨多，嘔穢掩鼻之狀，至不堪言。惟紫極大內中，宮樹生雲，玉階隱草，爐煙氤氳之氣，撲人衣裾，即昧目蒙襟，亦香塵也。不佞庚申秋入鳩署，即有事殿門。日日衝星，時時鵠立，自玉皇香案、宸極清嚴，以迄離宮別院，靡一處匪斧鑿，即靡一處匪足跡。履穿赤墀之磚，汗揮朝陽之日，忍饑手板，空挹西山，爛醉宮袍，每酣禁雪，日暮遄歸，扶顛就枕，四大俱非我有。雞鳴開眼，復踉蹌走天路矣。以故木屑竹頭中，塵壒獨多，而氣味偏香，亦苦海中之一樂也。獨憤三韓之塵，驚心動魄，雖洒血飛毛，猶帶丈人之氣，亦不至嘔穢掩鼻耳。嗟嗟！衆力聚而聲揚，衆勞激而響發。不佞拮据木石，心力困憊，亦邪許之餘聲，非敢言詩也。冷然楊師孔具草。

（王金凌審查　　許惠貞標點）

———————

靈山藏笨庵吟六卷二冊　明鄭以偉撰　明萬曆間原刊本　12953

明鄭以偉自序

笨菴吟，起乙巳秋至今日，幾十年。道塗所歷及休澣時爲多，中間奉諱數年，幾于韜筆。既讀，樂猶然似閔氏子之琴也。辛亥再北上，然後成帙，而順違之變，不勝異矣。語既不工，吟亦不輟，此亦笨之效也。古詩品不一，陶之淡

泊，鮑之清逸，杜陵之沉鬱悲壯，太白之高邁秀脫，摩詰之都雅流暢，以至韓
豪、柳恬，郊寒、島瘦，各成一家，皆以不笨爲奇。余質性木強，學問朴齒，常
譬之無口之匏，吹之不竅，笨人也。是稿所存，亦皆鞞鐸之響，初無尖新可喜之
調。而又酷好敲推，如掩鼻斅謝太傅洛下諸生詠，笨語也。以笨名篇，固宜。旁
曰，紫陽以諸葛武侯爲笨，笨豈易言乎？鄭子曰，此紫陽所以許武侯也。韶英本
于土鼓，鸞車始于木輅，皆以笨爲質，紫陽若曰武侯有禮樂之質耳，非所以論詩
也。是爲笨菴。偉自敘。

（王金凌審查　　許惠貞標點）

文直行書三十卷卷首一卷卷前一卷十四冊　明熊明遇撰　清順治庚子（十七年）
熊氏家刊本　　12954

清吳之器敘

　　豫章之在南紀，自尚書瀦彭蠡原、敷淺禹碑匡廬上霄以來，居名山大川之
會。故其磅礡鬱葱之秀，鍾爲大儒魁人，流聲惇史者，指不勝屈云。嘗考其凡，
清德則冠徐孺子、陶靖節；事功則冠吳長沙、陶桓公；名理則冠陸子靜；氣節則
冠洪忠宣、文文山；宏覽博物則冠歐陽永叔、曾子固、馬貴與。迨夫明興，江右
諸賢聲施廊廟者，則有若解春雨、楊文貞、周文襄、羅一峰、舒文節、羅念菴、
李見羅之儔。質有其蓄，既以理學、事功、節義各臻峰巘而載稽厥文，炳如蔚
如，比於九章作繪，與卿雲華日爭爛，不獨余德甫之詩歌，譚二華之武略，以周
旋弇州、歷下諸子間擅聲也。啓、禎之世，江右名士蔚興，方將合經術經義爲一
塗，海內翕然宗之，有解頤折角之企。於時鍾陵熊伯甘先生實與臨汝瀟江建斾立
幟乎其間，如三垣麗天，方圓隨列，象不相襲。伯甘尤邃於名理，寔能合干越姚
水之異以爲同。乃溯厥淵源，則尊翁大司馬文直公，含章抱貞，文武爲憲，所爲
天下模楷者，猶黃河之有龍門也。文直以高凝清越之身，挾匡彭雲霞、龍虎不測
之氣，著爲文章，言語與行事相侔。顧惠車曹倉，雖時時流播人間，而卷帙繁
重，幽樊遐壤，鮮能徧購，是以天下之士欽公德業，或以未盡見公著作爲恨。至
晚年立朝之言，尤多焚艸，海□〔涉？〕放吟，罕存副墨。學者將恐大文之不賣
也，此今日文直行書之所爲刻也。余生也晚，不及躡屬負牆，順下風以請益於長

者。屬有天幸，曩時伯甘先生來牧予邑，宓簾開而偃室暇，因以得誦大司馬公之
詩。蓋自河梁、鄴下以至開、寶之格，靡不有，亦靡不似，庶乎左執空同之袖，
而右拍弇山之肩者矣。徐而覽其文章，則必以兩漢爲宗，一出一入乎子長、孟堅
之幄，不屑踵空同，儷弇山，并不欲嚌永叔、子固之俎。嗚呼！抑何獨立而不懼
也。至其壯直□〔？〕披，晚掌樞機，對揚之篇，沉幾獨決，中心如丹，愷篤懇
摯，以冀夫時之一悟者，閔閔乎有風雨漂搖之恐，斧錡破缺之哀焉。余每清夜篝
燈，撫卷流連，或爲潸焉出涕，曰，嗟乎！是周公之志也夫！蓋曹子桓曰，文章
經國之大業。竊上下千古而昧昧思之，自董江都、賈長沙、劉中壘外，未見其所
爲經國也，廼晚而於大司馬親見之。若萬曆時，宰長興之興士阜民，弭盜察奸，
迄今爲循吏師，垣中飭邊備，禁償帥，慎開釁；天啟時，留都之消巨憝，明庶
獄；崇禎時之籌策大計，及前後齒馬射隼，奮不顧身，斯信而有徵矣。顧不幸而
丁時運之謬，當其鋒車特召，持議雲臺之上，天下方想望治平，乃讒愿間之，及
期而罷。以誼辟貞臣，期年間，惜陰視日之所圖，一旦廢之，而不可復振，良足
嗟矣！及夫十年之後，再起南樞，孤貞弘略，半壁支撐，江漢恬波，鐘虡不驚，
文武豫附。儻終任不移，洛邑之祚，尚可爲也。何期月之間，公之功方成，而公
之身已退。此詩人所以痛青蠅哉！江左王泳雖見薦剡而推轂，莫丞歌咢江潭。迨
其皁帽漂泊，行危節和，嘯咏一樓，惟名理文章之可循，斯遯世不見是而無悔者
乎？譬諸秋焉，沉寥萬里，高旻肅穆，衆寶告成，而庚庚有實，天下載得食焉。
易曰，修辭立其誠。此之謂矣。抑公所爲書嘗有言曰，明興一代，其筆路藍縷，
以啟山林，一洗秇膩之氣者，金華之力爲多。蓋上嘉宋文憲、王忠文兩公也。吳
子曰，宋、王兩公啟其盛，而熊公扶其衰，皆有許國之忠，正國之誼焉，猶南北
極之鍵乎大圓也，亦猶夫周公之詩以周南始，而以豳風之末什終也。夫豈近世一
家言所敢望哉！順治庚子中秋日，烏傷通家子吳之器賜如頓首謹題。

清黎元寬敘

　　南榮子行其尊公壇石先生之書，自爲之定，而命余序之，以爲余逮事先生
久，受知服教，共所遭逢，是宜言先生者也。顧余何能爲役，然亦欲有誶於天下
後世讀先生之書者，當明先生之人也。而先生非今人矣，不一隨流浪，而獨蘊持
風，抑可以謂之古大臣矣。夫從古之爲臣傳者，無不以大臣先名臣也。雖李氏書
頗詖，而此義不移。惟于大臣中，首因時，名臣中，殿直節，則未免乖理耳。前

哲言，寧爲良臣，毋爲忠臣。此非主因時也，蓋睊焉盛衰，而爲是取舍。若先生
乃能兼之。臣傳之美者，於循良取一焉，諷諫取一焉，旬宣取一焉，節塤取一
焉，帷幄樞機取一焉，儒行、文學、忠義、清正莫不取一焉。昔在神宗熙洽之
世，深居無爲，士大夫可以優游養高，持祿昌言雖多，當務特少。光廟嚮治，日
不暇給。熹廟彙征，已而旁落，則避事遠害，亦其日也。迨於先帝，明作勵精，
而正枉雜陳，上下異向。巧者爲之轉換避就，以久于其位，而亦未必有其功名。
先生其初則獨厪綢繆，其中則齒馬射隼，其後則皇皇焉執行經猷，我其夙夜而已
矣。其陰陽人主之喜怒與夫首尾貴大臣之所爲而爲固結之術者，必不出也。遂焉
而杞天將墜，一木猶支，楚騷誰求于九州，洪範長賷於箕子，而先生之所謂立言
者，亦既與其德功俱積矣。夫先生之人固不待言而傳，是韓魏公之莫大文章也，
而先生之書不但以文而著，則歐陽公之專言政事也。且世之爲文者重體，古風即
於兩漢，有韻即於三唐。以是爲體，先生亦何嘗不然？然而其實體無定論，不過
曰古質而今綺，古淵而今露，古重而今佻。而椎輪也？而墨守乎？彼其所以斤
斤，或護己不能，忮人過量，簡去逾嚴，成就乃淺。先生則多學博通，陶鑄驅
使，諸體之善者無不體也。無不體也，而後可以言體矣。頗憶先生嘗爲余論近代
名集，于弇州，曰門目全；于大泌，曰材料具。則其所存爲商齊而不廢者，亦概
可知也。易曰，觀乎天文，以察時變。自古而及今，即人文防是也，然而文必儀
古，儀古而後可以成今。人則生今，生今而亦欲不忘古，則古道無所不爲重焉。
于是南榮子曰，我先君正誼之學，必子也能竟傳之，嗚呼！正誼非所以爲文也，
而安在非所以爲文也。文之本歸於道，道之違起于官。程伯子亦曰，古之仕者爲
人，今之仕者爲己。爲己則無所不至矣，而爲人亦有能不能焉。先生之仕也，爲
人也，而固能爲人也。君子群而不黨，小人無朋，君子獨有之。二說者先生蓋嘗
衷而用之，亦無非爲世道之故耳。夫余未得卒業于先生也，而當先生尚書兵部
時，余屬爲駕部，先生良教之，見所呈奏草具故事，則怫，或精思焉，則喜。又
余愼舉策，言馬即馬，先生以爲乘黃駟鐵、渥洼龍媒等語，經史不廢。此猶是稱
先道古之意。他日，先生見余萬孝子誄辭及葉寶持慈訓錄序，遂重加擊節，謂之
有作者風。至今引躍在焉，未可忘也。余推先生之于文章，亦由立教爲人而不爲
己，儻所謂正誼，是耶，非耶？先生之易名曰文直，而非虛加之。蓋其爲文也亦
已久矣，而其爲直也則亦不渝矣。其身騎箕尾，其書亦昭若星河，是乃南榮子所
以善其述也。順治十七年上章困敦端六日，通家子黎元寬拜手題。

清 熊 人 霖 初 刻 述 事

　　孔子之言曰，文不在茲乎？孟子之言曰，以直養而無害，則塞乎天地之間。先君子每舉以教小子暨諸來學云。先君子之論定也，諸學者曰，維文維直，維君子舉之，我儀圖之，亶維君子克舉之。于是不敢援官階請禮官之議，而沿儒者私謚之制，諸學者亦猶行古之道也。文直之文匪特筆墨之文，乃筆墨之文，亦久播天地間。然比遭荊棘，版頗散軼，而小子夢集，又曷克購遺冊博梓之？諸學者曰，待博梓，而學者無所師案也。曷若約而先行之？人霖拭涕拜教曰，嗚嘑！道之將行也歟！文斯行也，夫豈不有命哉！讀皋陶兒命文，命在密勿間矣；孔子集大成，然而其爲相也，魯也；孟子之爲卿也，客也。時爲之乎？命爲之乎？董廣川、韓昌黎生漢唐盛衰倚伏之間，身在顯晦之際，厥文猶能定命。然廣川具以春秋經世，若兼綜詩書，實賴龍門良史才，揭古先帝王師相之道，俾後學覽觀興起，厥功偉歟！扶風以降，沿龍門而氣漸遜，至昌黎立意不沿，乃筆墨之外，神者來之，斯後世所繇首推大家哉！大家不沿史漢之文，亦不至于史漢，其詩不沿典屬、拾遺，亦不至于典屬、拾遺。然稱爲大家者，諸體具備，無纖媚粗僻之氣以入之也。明興，潛溪循用萬繩，西涯奮勢開拓，至空同，似與昌黎爭烈。先文直每舉五大家，則首空同，而次滄溟、弇園、太霞、太泌云。然滄溟未見其止，太泌多多乎，則大復、升庵、南溟、海若四文人猶然旗鼓相當。文直之言，蓋猶推功守器哉！文直之于弇園也，蓋密得葸樂之傳；而于太霞也，復深襄琴之癠，故詩文備諸體，與空同、昌黎同規模。然空同之文不盡矯趙宋，昌黎之詩不盡符盛唐，文直則曰，姑舍是。是又氣力之完，厚以取之也。文直仕萬曆盛時，以彊項令徵入諫垣，忤戚揆，左遷閩臬。天啓初，保釐東郊，忤璫，荷戈五溪，吏治風節爛焉。不董以鉛槧顯，而綠雪、采薇諸稿，久已流播。屆崇禎嗣服，兩踐中樞，當大任，獨以清德膺睿鑒，而密勿敷奏，或用或尼。夫豈不有命哉！迨末年，以中樞再釐東郊，江波莫沸，行召公矣，尼者益堅，即臨軒面折不能奪。嗚呼！此又豈特關下一方之命哉！文直既任國家事，服官克艱，雖難進易退，里居時多，嘗杜門自晦，不欲如弇園盛賓客，標榜時英也，以故文不盡刻，刻不盡傳。然采菽、菱棠二草以後，在朝復有中樞、南樞諸集，在野復有華日、英石、攝華、延喜諸集，亦已傳之其人矣。連年蒐徵，去珠頗歸，副本既少，無以應學者之求，敬約而編之爲三十卷，題曰行書，猶之寸晷而可定分至也。夫文直書藏名山，凡二百四十餘萬言，今刻以行不及十分之二，小子其曷辭于析薪弗荷哉？

蓋文直嘗言藏之時義矣，退藏于密，大易之經訓也，二五精氣，太用則竭，內美
修能，太用則折。故公守嚴一介，而不以廉劌繩削人；推賢薦士，唯恐人知；霆
擊奸宄，亦不深文傅重比；生平宥小過以全仕類；歷官雪冤獄最多，不錄爰書，
恐章前讞者失此物此志也。抑萬曆以來，所重在清議矣，而其後以分別之過激爲
朋黨。天啟以來，所重在封疆矣，而其後以朋黨之搆，貽禍封疆。先文直在掖
垣，不刻礉以隨門戶；在卿列，不苟同以乖廟筭。故薦有削牘，諫有焚草。雖密
勿得意之籌如履樞時，榆關以西，潼關以東，絕無赤羽之馳；而招練撫慰，輒見
成效，亦未嘗伐一時事以自明。公之得力于善藏者，又豈書所勝載！而行道之志
與列星昭回天地間者，又豈書之行所能慰哉！順治庚子夏四月吉旦，不肖男人霖
拜手敬述。

（王金凌審查　　許惠貞標點）

秋水閣墨副十卷六冊　明董光宏撰　明鄞縣董氏刊本　12955

明黃汝亨序

　　我明作者雲蔚，不勝指數。原夫中興之業，李、何爲冠，光大之勳，王、李
稱傑，吳、越之間，蜚英振秀，嗣起狎盟，亦不勝數。以予所覯，莫盛于東越三
君子。聲金礩石，刊落支蔓，吾得余君房；汪洋河漢，筆不留行，吾得屠長卿；
沈沁理解，語無汎涉，吾得陶周望。然君房以骨法勝，儉而不寬；長卿以才情
勝，浪而寡制；周望以性地勝，練而乏韵。以方北地之具體，古人瑯琊之流通風
雅、美大而傳，或少遜焉。吾友董君謨，少負雋才，壯而博物，即隱約諸生而游
盤古。初頡頑時輩，毅然以文章之權自命。迨起家爲司寇郎，洊秉學憲，慷慨燕
趙之概，搜擷河洛之秘。道之既行，文益以富，所爲秋水閣副墨具在，余爲之展
誦一過。小言大言，意到筆隨，則千里之駿也；斐亹波瀾，繪藻錯繡，則羣玉之
府也；研理核事，選義按部，聚成聲，鼓成列，則衛尉之師也；有作有止，本末
相貫，首尾交應，則常山之勢也。三君子之所有，君謨殆無所不有，而三君子所
乏，君謨若汰砂以煉金，決流以注海，無偏至而有兼長。彼汎濫之詞，一察之
智，固不敢望宮牆而執鞭弭矣。嗟乎！大業無盡，人壽幾何！三君子獨君房老
壽，詣格既定；長卿長駕遠馭，亦未盡才；周望妙義方來，天奪之年；而君謨方

富於春秋，鴻議瑋辭，恢宏經國之業，擬議日新，吾不知其所止。漢稱賈誼妙才，名宿莫及，然以視君家仲舒，統一六藝，施於當世之務，爲羣儒首，則有若莛楹焉。君謨勉旃哉！不佞髮種種矣，猶欲揮魯陽之戈，與君謨競走，景附于秋水副墨之後，其許我否否也！武林友弟黃汝亨頓首譔。

明　陳　邦　瞻　序

秋水閣墨副者，鄞董君謨先生所爲文若詩，而武林黃貞甫父序之以行世，世傳而膾炙之舊矣。一日，君謨自洛中寄示不佞，且併告以述作之微旨，大都在擺落陳言，自運機杼。其所最滿意者，如庖丁之論解牛，泰豆之論御馬，而其所不盡然於時，則新豐雞犬之所識與楚庭之衣冠抵掌而若生者也。且曰，子以是意爲我序之，可乎？余惟不文，即序，何當於君謨？且何益於貞甫？獨是君謨之旨不可不因余而白於世也。蓋自曩者嗜古之士持三尺以繩文，而一代操觚往往屈才而伸法，寧神之不傳，而不敢忤於其貌，寧意之不達，而不敢錯於其詞。然已過矣！蓋皆知爲文，而未知文之不得不爲者也。夫詣探之極理，根心而欲吐，捃摭之富事，經世而難泯，感觸之眞，意鬱薄而必發，如是則雖欲不文，得乎？而才與法其寓焉者耳。故規矩所以盡巧，非以廢巧也；擬議所以成變化，非以累變化也。余觀君謨之文，其於道德性命之際，得失善敗之林，與夫原本極命之故，可謂備矣。而一發于毫端，汪洋縱恣，各極其所欲之，卒歸雅馴，粹如也！不知才生於法乎？法生於才乎？要以受成在心，賦形於物，總衆美以爲用，超倫類而自得，丸走坂而水赴壑，世之所章櫛句比而惟懼其弗合者，君謨固沛然施之有餘地矣。然後知作者之才與古人之法，果非相持而不相用之物也。昔宋沈休文以浮聲切響論文，而自詫靈均以來，此秘未覩。予頗不謂然。夫天下之物，苟得其神，則衆妙自赴，所謂五色八音，玄黃律呂者，皆其固然也。而休文獨爲是拘拘，陋矣。今讀君謨之文益信。他日以示貞甫，儻亦有相視而笑者乎！序以歸之。高安陳邦瞻拜手書。

明　董　德　錡　跋

自經降而史，史降而子，立言家罔不以集行世，非獨先大夫有之也。然文不從閱歷而深，則命意也必不奇，而議論也必不確。先大夫幼蒙家難，疢疾久遭，如集于蓼，如臨于谷。借東壁之餘輝，窺西園之奧旨，每一藝出，無不膾炙人口，楚庭楊先生暨赤水屠先生讀其文，深加歎賞，後先揚聲，名遂大噪。郡侯蔡公亦且虛席以待，遂相與有成也。自是而獲售南宮，衡文秉鉞，學日益富，文日益工。士大夫得其片紙，不啻卞璧之貴，而先大夫亦未嘗金玉爾音，不屑投贈也。故其著述足可充棟。惜爲兵燹所殃，頗致殘闕，是集所刊，聊存什一於千百。然吉光片羽，堪窺全豹，使讀是集者，若三復離騷，如見其惓惓懇懇之意，祖德之貽，未必不藉是俱永也。是爲跋。孫德錡盥手謹識。

（王金凌審查　　許惠貞標點）

————————

調刁集不分卷八冊　明李朴撰　明刊本　12958

明 李 朴 題 辭

　　調刁，風聲動也。宰聲者風也，風起于青蘋，盛于土囊，去來無跡，動息有情。故百圍竅穴異狀，而謞叫響答異吹，自作自止，故名天籟。予不諳聲律，安知天籟？安知調刁？獨是于花月命樽，唱酬攄懷之際，偶然會心，而出爲韻語。夫依律成吹，雖效宮商之奏，而窮工極變，未達婉轉之機。風過竅而細大爭鳴，竅含風而參差別響。調調刁刁，風之行也，非所以風也，所以風是爲聲之宰。予不得其所以宰聲者，亦唯知之調調之刁刁而已。河洛人季白李朴自敘。

（王金凌審查　　許惠貞標點）

————————

繆西垣先生文集十一卷附錄一卷四冊　明繆國維撰　清康熙乙丑（二十四年）繆彤編刊本　12959

清 繆 彤 題 詞

　　嗚呼！先王父未彌月而孤，孤而又貧，先曾祖母撫之教之，不遺餘力。先王父自幼即好讀書，至老不倦。嘗聞之先大夫曰，吾父一目十行俱下。專攻禮記，手錄註疏甚夥，今有禮記衷言，句批字解，手澤如新。十三經最喜孔穎達正義。二十一史皆熟背，尤喜班固漢書，操筆而閱者凡六次。諸子百家以及天文、地理、陰陽、術數、醫、卜、農、桑諸書，無不畢覽，尤喜韓子、淮南子二家。今家藏書籍無論百卷或十數卷，皆經批閱，曰，使我後人不得易餅餌市中也。先王父之嗜書如此，宜其著作之淹貫，非淺學所可窺其涯涘矣。康熙乙丑九月，孫男翰林院侍講彤識。

清 金 之 鑛 跋

憶鑛少時，吾父母嘗稱吾祖、吾外祖事以教鑛者甚悉，然吾母之教鑛倍嚴於吾父。每日鑛或侍食，或侍坐，或夜分課讀，一燈熒熒，然吾母未嘗不以吾外祖之事爲言也。吾祖官至太僕少卿，以璫勢張甚，引疾歸里。吾外祖監軍黔中，既平安賊之亂，而當事抑之。俱不得大用於世。然以後人視之，則屈申又復夐絕矣。康熙壬子、癸丑間，表弟念齋邀鑛讀書於其志圃中，時吾母舅薛書先生嘗出吾外曾祖、外曾祖母孝節錄示鑛，又間出吾外祖一二遺文，鑛始得覽觀焉。歲庚申，母舅已沒。念齋乃出吾外祖全稿，欲鋟之板，鑛始得盡見之。是年又不果梓。至乙丑冬，而後梓成，凡若干卷。昔司馬遷作史記，自遷沒後，外孫楊惲祖述其書，以傳於世，而遷之孫無聞焉。今念齋以及第第一人入詞林，擅著作大手筆，又能表章其先學，吾外祖可謂有孫矣。吾外祖有孫勝於遷，而鑛之爲外孫者，則不逮惲遠甚，且又以悲吾祖之有孫而無孫也。嗚呼！此鑛所以追念吾父母之言，而不禁爲之淚淫淫下也。康熙丙寅正月，外孫金之鑛謹識。

（王金凌審查　　許惠貞標點）

薛文介公文集四卷四冊　明薛三省撰　明崇禎間甬東薛氏刊本　12961

明 凌 義 渠 序

薛文介公制舉業，余少竊嘗誦好之。蓋公文自子史鎔冶而出，尤折衷於濂雒諸賢，故其才思川注飇起，而學識醇深，不爲非嘗可喜之論，自崖異也。天啟乙丑，公以翰林學士知貢舉，余始得第，爲青陽羅先生所取士。先生則以癸丑釋褐出公門。義渠從羅先生得見公，公亦雅愛余文。每坐語。輒移時，無異執經弟子。後數月，公上疏言皇極門工恩太濫，又詔毀京師書院非盛朝所宜。語多與時政忤。疏入留中。公謂羅先生曰，吾言不用，則見幾不俟終日矣，立草奏引疾乞休。夫大臣以禮乞休，例予致仕，而擬旨尤切責公。哲皇帝覽之，弗善也，第予公開住去。蓋瓚素憾公，公亦自念，吾去官，早晚且就逮。於時舟停潞河者兩閱月，始取道南行。余觀古之君子，直己守道，不驚於得失之間。如敬輿貶蜀，手輯方書；紫陽罷祠，生徒不遣。皆其身際憂違，神情自若。公則退老家園，左右惟書史，蕭冠衣，日對其中，時而旦起臨文，中宵未輟。鄉人有遇余者，余問公無恙？則言公卷帙丹黃，猶刻苦作諸生事也。嗚呼！拂衣去國，志不忘君，尚友前賢，古情遙集。公豈無心當世哉！上於潛邸久知公。及即位，以公光宗東朝舊學，思公黃髮皤然，入參機務。諭言敦迫，數召而公數辭，歷七年矣。乙亥元日，上猶溫旨，趣公入朝。誠知公非無心當世者也。公文言事者什之七，言理者什之三。近時浙閩諸水砦，劇盜往來，烽煙時急，典兵者數易其人，將不習兵戰，防鮮善策，兼之甌越駐兵地，餽餉非時，兵譁，不聽要束。公雖臥病，猶手爲計畫，以聞當事。今按大陳金塘諸議，瞭如指掌，可觀也！公文多類此。以此窺公，公豈無心當世者哉！今年，公子士琪謁選京師，因出公遺稿，屬余爲序。余得定交公子，慨然想見當日從公坐語時，啟篋陳書，欷歔太息。昔唐韓吏部詩文傳諸李漢，文章貫道之器，厥有淵源。以公端人鉅儒，舊爲朝野所推重，而義渠素聞公教，亦嘗自思砥礪，庶幾讀書論世，無負公知。今幸綴言簡末，其能不以紀實之辭慰公子之歌傷小宛乎？文凡如干卷。書院議改創祀忠祠，公執典故爭之，疏辭通達國體，類西京。又易蠡二卷，春秋辨疑四卷。公事君進退之義見於持論，余既受而卒業，爰附數言卷尾，以志曩時誦好不忘。易蠡作於潞河旅次，析天人之際，鉤連觿解，以暢其辭。今所載萬餘言，皆公手書，字畫瘦勁可法。當是時，死生迫於前，而潛心著述如此，此可以識公之平生矣。嗚呼！國家二百餘年以來，數有瓚禍，振、瑾、忠賢，竊弄威福，正人君子，言出身危，河津、甬東兩薛公先後皆瀕於死，而天下猶幸其生存。河津既以理學垂世，今則朝野方望公以霖雨之業，而公不復出爲帝王師，竟終於窮谷一病叟。雖文章人物，歷久不磨，而余尤爲當世惜也。苕水晚學凌義渠謹序。

（王金凌審查　　許惠貞標點）

————————

侯中子亦詠草四卷亦詠又草二卷五冊　明侯正鵠撰　明萬曆庚戌（三十八年）侯提封任丘刊本　12963

明孫承宗亦詠草序

……（前闕）夫詠，永也，長也，凡施於衆長謂之永。記曰，言之不足，故長言之。書曰，歌永言，聲依永。譬之味然，咀而入，其旨出而長，故漢人號其說曰雋永。蓋七情具在肺腸，五聲具在舌齒，情動則神流，聲叶則調合。然苟非其好，即宿達不解。迺耦抒其情，即弄戞者不難銘刁斗，歌敕勒，罔不立成倉卒，備極情事，其至可以被管絃。然則矜蟲鬥鶴，何得侈抉驪於擢腎，快揉虎於枯髯也？迺或謂，倉書既雨，易總既雷，苞符無復稿而待發者。獨不思河山永地，日星永天，兩大文章，終古常新，而艸極爲螢，木極爲芝，即枯朽之光明，變乃爲永，奈何拾釘飯自命古人也？中鵠君獨負靈襟，人駭氣貌，諸所撰結，敏如注射，而豐不餘辭，約不餘意。其五七言古，縱橫合度，突兀驚人，其近體則山泉泠泠，春陽煦煦。伉俍中蔚爲都雅，直欲會風雅於元聲，而庭實之綺膩，于鱗之高華，時在觚稜而不有也。此公所爲志亦詠乎？夫不窮趣有，遺音不竟，旨有遺味，今人割剩馥饜衆口，若饗子揮霜乎？咄嗟而謝穀薄絲縷之奇至，怪分髦殘，俚分巍曨，則彥伯之蓤驂耳，其剖胸殷林，而德色黳桑也。中鵠君機有獨持，衷無偏嗜，總以抒其情所必至，而循其性所自有，使讀者外咀而不覺中入雋永哉！寧復有遺味乎！蓋聞瀰渙間能文章，有日月華蟲以奉天子，齊魯於文學天性，而瀰濟環郼之左右，其郼之瀰渙乎？中鵠君方與其猶子伯璧爲世顯人，其抒發天性以組修于身，而成文天下。此其豹窺云。萬曆歲在庚戌孟夏之吉，賜進士及第、翰林院國史編脩、文林郎、直起居注館編纂、六曹章奏，通家侍生高陽孫承宗頓首拜撰。

明錢春亦詠草敘

夫詩昉自三百篇，而雅頌得所，則在反魯之後。吾夫子蔽以一言，亦取諸魯頌，正聲顧不在魯乎？沿自二京，靡于六朝，迄唐而詩之極闡矣。宋元降格，殆無取焉。明興，作者林立，代主齊盟。何、李而後，于鱗起齊魯間，高自標置，以振敝維衰爲己任。迺今殘膏剩馥，爲膻慕者所姑嘬。白雪一稿，幾無完膚。嗟乎！詩亦惟是循性蓄旨，觸物比類，而靡所不遂。即不能歌咏盛德大業，以暢天地之和，若雅頌也者，而興觀群怨，雍如穆如，庶幾于青蘋之末，附諸國風，亦何寥寥也！世固伊爾，文猶在茲，復于魯而得心于侯先生。先生譖四始于軒年，綜六義于綺歲，凡有述造，靡匪出于情而止于禮義。然語取暢懷，不由雕刻，占惟信口，無假深湛，即婦人厮卒，並能習其辭而通其旨。長變以明志，風之用居多焉。蓋天下惟性情不甚相遠，而我思古人，若光羲之眞率，居易之冲淡，無意求工，自然追雅矣！先生似之，視彼契革羲繩，音流娟管，實有膏馥可膻者，豈必多讓？亦各言爾乎！先生之從子彙而刻之。嗚呼！家有名士，信叔仲之不癡；才逸卿雲，頌衞軍之有斐。銅盤王樹，將世其美，聊申言末簡，以俟魯子之觀風者采焉。萬曆歲次庚戌夏四月吉旦，通家弟晉陵錢春頓首拜撰。

明侯正鵠亦詠草自序

　　詩詠性情，列國之風三百，田夫野婦，里巷豎兒，閨閣變姬，詠歌具載。性情之義耳。嗣是以後，詩道寖遠。漢魏六朝以至於唐，古變律興，代有名家，是稱盛業。而田野里巷閨閣之流，已不入品裁，刬宋元遞降，詩德之衰乎！明興以來，斯文聿起，陵陶跨謝，奴沈隸鮑，家少陵，人青蓮，無唐虞之際矣！登壇必稱當家，尋盟必屬合作，非然，則韜舌自諱，意湮鬱而不宣。詩之盛，性情之厄也。古今人風，詎甚相遠？亦性亦情，則亦可以詠矣。故自命曰亦詠。

明侯提封書亦詠草後

　　予家仲父，少有才譽，總髮遊諸生間，時彥雅重其名理。然困於一第者幾三十年，未嘗寄得喪於懷，泊焉好古自娛。每謂，春秋賦以見志，盟會燕饗，必稱風雅，君子不可不知詩。遂自三百篇迨及楚騷、漢魏六朝、唐大曆以前，靡不究其梗概。予亦祈鄉此業爲不朽盛事，嘗從塵間訪之，輒大胡盧謂，天地間幾字？遭多少古人爛嚼唾去？安得復收之紙上？第性情自我，不礙於詠。無然高步河梁，作浣花溪上行，爲壽陵餘子匍匐也。時興至輒詠，興盡輒罷，其有一切酬應，輒滅其藁，不聽存。予每見其殘楮剩墨，輒收之，比於維桑。逮辛丑，成進士，旋讀禮里中，絕口不詠者三年。已而起家大原司李。又三年所，復以終制歸，再奉緒論，亦復絕口不言詩。偶窺其篋中有晉行言一卷，予謂仲父，一行作吏，亦復詠乎？曰，爲性情所迫，聊亦詠耳，然以紀行，故不得爲爨下桐。予因固受之，合所私藏者，共成若干卷，請名焉，與之名曰亦詠。予以父兄之言，不必藏拙，委之剞劂氏，而書其後。萬曆庚戌歲，賜進士出身，知任丘縣事侯提封謹書。

（王金凌審查　　許惠貞標點）

———————

雪棠集十卷附錄一卷六冊　明沈守正撰　明崇禎庚午（三年）武林沈氏家刊本
12964

明 李 邦 華 序

　　今所稱才士，大都恃其繡腸靈腕，詡詡千古以上。而一舉子呫嗶業良，不足
竟其所欲吐，便多跳之吟壇騷社，以寄其淋漓之意。不則楊玄可就，晉塵多致，
道笈釋部，可以冥搜，便濡首其中。而嗤彼游、夏、晁、賈為土苴不足問，經
術、經濟兩大事，何復能與之爭席？此其托致，詎謂不超？第欲所謂儉歲黍稷，
寒時絮纊，實實有濟於用者，亦何可得？然倘知非此，返之實諦，又或一味餖飣
學究，全襲金華殿上語，而了無清思逸韻，足滌纓紱之塵而醒其醉。即達如李文
饒，矯如王介甫，一幼學，即揮斥文選，一用行，務申禁詩賦，自以為經國鴻
裁，良應如是。乃其著述遺編，而欲如摩詰、襄陽之片吟，少游、耆卿之小咏，
足令家廥席倡，至今諷串不衰者，亦復何如？要知意為器圈，才為局錮，精之所
召，而每格於呼不卒應。自封於方圓左右之藩，而欲廓之心手，旋撥之際，非不
豔也，有不能耳。古人中於此，實有兼擅，而又詣極其妙，惟蘇文忠一人。所垂
若高冊大篇，游涉小品，今有不推為舟楫之長年，風雅之宗匠者否也？吾友沈無
回，才名蚤擅，聲噪藝林，博雅淵邃，良非彼僅學一先生者比。而其平生最所欽
企者，亦惟蘇文忠，故其眉頰精采，類往往近似。方其久據扶風之帳，翼經有
述，若書有叢，詩有通，則文忠之論語易解也。及以感慨時事，動為當路借籌，
雖不及效諸盤錯之大，然如條畫會城水利、議折台海兵變，無不詳麤中窾，則文
忠之策斷諸篇也。至如軍持不借，偶所經涉，雅有題篇，箋奏刀札，妙有錯采，
則文忠之詩詞啟牘也，而又旁及繪事，深得北苑吳興筆意，則文忠之書畫游藝
也。所不得近似者，宦蹟不甚遐，年算不甚永。若文忠之入登翰局，出涉海澨，
為朝宁批判名彥，為窮崖幽谷刻畫顏面，傳之久遠者，有差未逮。至今遺憾惟此
耳。無回友道廣，然素稱莫逆者，無如胡休復、卓去病。是以莊惠之知而申秦晉
之好者，獨休復發癸丑甲榜，選入翰林庶常。余時適承乏柱下，班結肝膽交，冀
見其立朝風采。及余巡方入浙，因得歡無回、去病，私心愉快。乃未幾而休復以
修文奪去，山陽之痛，不勝悼矣！然與無回入林，亦正快披衿。每聆其學問淵

湛，有呦呦馬蹄之氣；節義勁朗，有亭亭千仞之風。於經術經濟中，裨益良多，故加睚焉。比余出鎮津關，無回負重譽於薦紳中，由國學擢知雜御史，正向用可發抒其所蕰目。又未幾，竟忽焉長逝，痛復何已！今休復祀賢祠，有柳堂集膾炙文苑者，則余與無回訂定授梓者也。無回長君英多，即休復舘甥也，能讀父書，茲哀其雪堂集行世，復因去病而問序於余。余展閱之，能禁人琴之戚乎哉！聊以無回所得力於東坡者而詮述之，并誌當日友誼於楮末云爾。抑余尤有幸焉。東南，文獻邦也，異日徵武林最著者，定無踰柳堂、雪堂集者，並懸國門，如元白長慶集故事，將子瞻不獨擅美於前。至身竟其用，不沾沾以空文見者，是在英多開美矣。時崇禎庚午冬月，吉水友弟李邦華頓首拜撰。

明　劉　憲　寵　引

　　夫品士以文行尚已。陳寔不名於文苑，禰衡無聞於士行，蓋戞乎其難兼也。我無回往矣，而其文其行何所岐其短長哉！十五登壇，雄文蓋世，比領鄉薦，數上公車。少需之時，誠無難博一第者，而念母老，縈情三釜，勉就一氈，心良苦矣！廼蘇湖之范振鐸巖邑樹羣成均、推轂冠冕者，必曰無回先生。於是議補銓務，而無回乃以驟轉破格力辭。其清尚不伐，又何如也？然而品望益峻，卒補以總臺司務。時余在長安，得黃貞父所遺簡，初識無回，各吐襟欲，即杵臼定交，無捷于此。亡何，侍御以朝典誤糾無回，而無回則臨變不亂，意自若也。非中行獨復君子哉！不數日，旋以歲寒報訃。惜乎！其家藏著作甚盛，率燼於災，所餘賦闋、說叢、暨襍咏諸帙。其子尤含輩皆玉立，期爲不朽，爰付厥氏。試展讀之，具不襲人吻，獨抒性靈，殆超超有物外想。迨其諸策議，擘畫利害，洞若觀火，以快其文行，蓋以出世而兼經世者也。位不塞望，能無短氣？慈谿達蓬山友弟劉憲寵具艸。

（王金凌審查　　許惠貞標點）

―――――――

寶日堂初集三十二卷四十冊　明張鼐撰　明崇禎己巳（二年）刊本　　12965

明　許　維　新　敍

　　叟也，瞭而侯，盲而圊。今少宰世調公，侯時所收士也。守初□□□調以文贅，奇而進之□□□中文宜簡直，是吾厚望子矣。侯故望世調，侯愧未盡望世調，世調今且爲大臣，何春闈之足云哉！憶曩日二事，侯頗望世調厚也。世調家赤貧，下鄉磽确田拾畝，裁糊其口。隣而豪者百計搆取之。世調單不能支，而訟于府。侯獨慰世調，捐田而訟息。時世調無立錐地也。郡比里社，世調內舉其親弟以應。侯召試，竟補諸生。至再舉，其從游弟子指弗稱也，仍謝去。世調喜而謝過，感余意終身。二事皆末世交道中未有。世調過棠，夜半共宿，舉此以謝侯教，余因自省，望世調厚者此也。世調即諸生間乎嶽嶽頭角，廉脩砥名行，居常讀書自重，有穆然之思。迨入中秘，口誦手批，不捨寒暑。其立言引義，務求有用，不肯摹擬當世名人。其立朝，卓然自信，行其所安，決不肯尋聲逐影，寄居人籬落下。故當路頗弗喜之。熹廟時，天變，陳言八事，末言慎宮闈。大拂乳媼，逆璫指。旋廢家居。未幾，褫削衣冠者五年，天子新運，訪落遺佚，仍起于家，晉少宰，總纂修記注事。瀕行，裒次其生平所著述，而付其弟子汪生維寬，乃問序故侯。侯圃矣，盲矣，昔能識公諸生文，今安能讀公爲舘閣大臣文？抑侯知世調務求有用而行於文章者。夫學求明道，文期適用，不會此意，未許讀世調文。夫世調名滿天下，天下人自能讀之，若叟也盲，止憶望世調厚，乃世調眞不負余，以幸附于世調之伯牙。是初集也，刻于崇禎己巳，嗣後當有續刻。叟年八十題。東郡茸翁許維新。

明 夏允彝 敘

大臣可以無技，而不可以無學，技爲世用，而學以用世者也。國朝於文學侍從臣，特以備爰立，宜乎學術遠過漢、唐、宋萬萬，而其文字語言，俱足爲百代雄。然而前賢之作誠多，一似有抑焉而不樂以所長示者，豈盡其才之故哉？文章之用，所以剸異同，剖嫌似，寫難明之意，而樹不可搖易之準繩。此行文之所便，而行世之所不便也。方將起而相天下，則必雍容養默，以俟乎時之莫吾閟而已。過而示其所然，不然則天下舉得而意之，或有非其所快焉者矣。故以括囊之道，用諸文章，亦若時使然焉。夫士君子之於吾君也，泊然其無所迎，而未嘗無所期也，其於天下也，慊然其無所恃，而未嘗無所立也。端其質，誠其言，曉露諸筆墨，未用則懷，以獨存其是，而用則操之以前，此亦暴質就材之理宜然也。而一以韜光挫銳之說持之，可乎？管大夫始勉其君以王，無已，而退入於霸。商君三進而三遷其說。彼惟口吻談說，故可遷就，以曲私其所欲言。使其著之於書，又豈有前後相悖在頃刻間者乎？則文章之不立，恐亦非相學所誠宜也。韓魏公爲司諫不久，上七十餘疏，范文正公在天聖中，爲萬言書上宰相，及執政，悉行其所言。兩公固相業之最偉者也，而不難以其言預見之天下，則天下之讀侗翁先生稿者，當亦欣然想見其用世之學矣。數十年以來，天下之事莫大於遼，則翁首疏籌遼；天下之難莫慘于璫，則翁有言戡璫。而他文之所曉露，無不挾雷動風行之致，以振起一世之頑懦。其寬大雍容之氣，又盎然詞外，使人樂容而有餘地。雖游戲所及，片詞偶綴，無不係乎世教之大端。斷斷乎若將進之吾君，而曰所期必如是也；見之天下，而曰所立必如是也。翁方出而相天下，而其所然不然，不忍過愼而深韜之，翁之爲天下者誠切，而亦豈不知所以自愼耶？三代而下，必以諸葛武侯爲第一人，而其受知先主，與其所自許，惟曰謹愼而已。其抱膝隆中也，澹然一無所懷，而規取荊蜀，畫定三分，卓焉自負而不少遜。是其隱居謹愼之言也。其相蜀也，處初附之衆，斷之以法，限之以爵，不少假借，開誠布公，而赫然以混一爲期。是其相國謹愼之業也。則由翁之言以想見翁之業，即謂翁之謹愼正在是可也。晚學夏允彝謹述。

（王金凌審查　　許惠貞標點）

來鶴樓集四卷四冊　明劉遵憲撰　明天啟間趙儕鶴刊本　　12966

明張問達敘

不佞於風雅之道，醯鷄耳，無當繾月裁雲也。又服官中外，瑣尾簿書間，嘗仄聞騷人韻士，談及風雅，心切豔之，謂聞人博雅，足快也。劉心盤先生嘗爲職方郎，而顧埋光剷采，刻意篇章，香名一日輒滿天下。不佞延慕，寔仿如旦饑矣。會先生橫槊張掖，典兵朔方，開府雲中，輕裘緩帶，雅歌投壺，蓋文事武備，用如左右手矣。頃康文學禹民手一編語不佞曰，此心盤先生詩也，蒨倩如春煙，不減康樂西堂時也。又云，大雅湮矣，不意遺響尚在，無難遠追風人哉！不佞環誦之，如飲醍醐，欲醉御沆瀣，欲儷閬河漢，欲絕不自知其心之下而面之北，且喜向之延慕先生者，今始果然吾腹也。文學唯唯否否，因請不佞題一辭。然不佞聾蟲也，吟龍嘯鳳奚賞焉？而奚贊焉？迺惟昭代之稱詩者，故自多門，至何、李巋然幟正矣。其後七子代興，隱然爭建安之雄風。非七子不幾，則七子之功也，顧不虞輓近之士，雕蟲祭獺于七子集中，不七子不休，則七子之累也。先生沉酣羽陵，枕籍宛委，浚心千古，揮毫如雲，不欲和七子一吷，以傷其名。即使七子復起，抑且揖讓牛耳，狎主齊盟，則又洗若累、昭若功也者。夫宇宙間何可失此乎也。不佞每味先生詩，惟恐其盡，第終不能贊一辭，其何以謝文學？先民有言，璦枝寸寸是玉，旃擅片片皆香，茲集也，其人間旃擅璦枝乎！廼其種衺淵富，自秘帳中，則猶然無加先生何矣！賜進士第、光祿大夫、柱國、少傅兼太子太保、吏部尚書，舊治生張問達頓首拜撰。

明 康 禹 民 跋

　　心盤先生著有詩凡四種，海內諸人士讀而艷焉，輒從先生乞詩。而先生雅不欲傳，間一二屬工墨之，楮輒風雷。於是先生益自秘，以故行世者僅四種耳。及今開府雲中，所著詩益鴻鉅，益不能自秘，而趙儕鶴先生謂諸刻散帙，乃取而類定之，總名曰來鶴軒稿。先生敘之首簡，更付剞劂，復屬禹跋焉。禹固靡有知識，詎寧以麐爲麟，以雉爲鳳，僭言先生後耶？乃禹負笈從先生游，誼不得辭矣。夫先生五岳曜靈，四瀆孕秀。雅躅雜伎，獨喜豪吟。探玄而玄，咀微而微。上瞬千古，闊步一世。開設門戶，標樹旗幟。縱橫蔚於河漢，綺繪充于盈箱。猗與！偉矣！夫敏以楊脩，彌日不獻；才以劉孺，攬筆遲回。先生舌妙談鋒，腹涵經庫。含毫輒累千言，動墨即申長素。雲颷電駛，風行濤怒，飛兔膽驚，山鬼魄褫。洵才軼賈誼，捷先枚乘矣。思劇沈鬱，語無襲仍。凡極天岸地，形越神超。即小際嫻情，意新句繪，曾何心于夙搆，特掉觚于食時耳。大都列錦繡繢者，辭綺必靡；矯舌抗喉者，調激必詭；捆句束字者，氣弱必沈；刻肺鐫肝者，意幽必璀。徒摹儗之爲工，忘優笑之至恥。雖令執木鐸以鳴人，猶將棄而勿省也。唯先生以古鑄今，以己鑄古。識以緯詞，才以彪旨。象之所會，境之所迎，機騧弩流，雲興泉逝。雖枚叔之敏思，孔璋之駿發，子建之茂才，正平之迅捷，方之蔑如矣。頃者何、李擅場，霸王之氣，大國之風也。七子而後，騷雅寂寥，千載猶瘖。大運遞興，羣公鵲起，先生繼之，益彎厥靈。遂令潤色前猷，功侔創始，聲啞鍾虡，氣奪海濤。豈不偉哉！嗟乎！方諸應月，麒麟應日，物有必至，機有必合。當其殊調，同堂胡越，及其合意，千里比肩。賤子希懷玉之藏，世人襲按劍之迹，寒蟬抱葉，仰屋唏噓。詎意先生歆其潤毛，采其菅蒯。懸南州之故榻，追鄴下之舊塵。損以珠璣，被以丹霄，盼睞生光，獎飾增價。謬屬定文，狠令創跋。夫談天喻日，語屬蒼茫，醯鳳脯麐，事非實際。蔚葱煙熅，寶氣目眩，存亡滅沒，天機意爽。識憨子野，安辨濮水之神，聲出瓠巴，僅同六馬之智，匪云託聲于鶴和，要亦附翼于蠅飛云爾。關中門人康禹民謹跋。

明陳所養跋

　　詩人道肇於葛天，備於商周，弘麗於漢唐。王迹熄則詩亡，明良起則詩興。可見詞人之制作與王者之規創相倚爲盛，而未可偏輕重也。國初二祖草昧定鼎之際，即有高、楊、張、徐、解、姚、文、胡諸君子揚搉風雅，迄今巍然之功與煥然之章並傳不朽。嗣後北地、信陽，闢地開天，宇宙爲之一新，而弘正典則竟以二子重。又後歷下、瑯琊，比倡連和，聲響爲之彪暢，而嘉隆文物，迺以七子。光治日隆，則詩日盛，是造化自然之宣洩，而歌詠者亦不自知其工且深也。萬曆間，人文蔚起，擒翰振藻者亦自不乏。而有一二大家，久主斯道之盟，輒珍重篇什，秘不欲傳。養嘗竊爲之嘆，既苦吟而成韵，胡閉靈珠於幽笥，而令一時化理，黯然無色也。果數公不欲傳乎？抑傳之無其人乎？值今沖主御極，名賢布列，政可虞明良而歌喜起者。適遭邊燧數警，學士大夫急意拯危，一切筆扎奏牘，不東言戰則西言守，而憐風月、狎池苑、借聲歌以抒情愫者，則簽如也。養又竊爲之嘆。當茲武威兢爽，文人輟翰，而二百餘年諷吟之脈自今日歇乎？詩歇而謂世道何？及謁中丞劉先生於雲西，出藏稿四種，余受而卒業。遂竊爲之幸曰，詩道其未亡乎！沖聖中興之運，其有神乎！夫詩至今日，非可易易爲也。自風變而騷，騷變而選，選變而歌行、律體，變極矣，窮奇抉奧者無所施其變矣。即北地、信陽、歷下、瑯琊，皆不過望路爭驅，振衰而矯陋已耳，亦未自爲一體，而先生又烏肯創而變之耶？然而政不必變也，實未始不變也。古人以變變者體也、局也，先生以不變變者神也、脈也。風人之旨婉，楚國之詞豔，漢魏之格嚴，六代之章藻。初盛之局正，神非不揚，而脈非不堅，然各具一神，自成一脈，皆彼此不相逗者。先生之詩，婉也而未嘗不豔，嚴也而未嘗不藻。至初唐之典正，無不時溢於篇章，神固無不貫，而脈亦無不聯也。斯先生以不變變者也。故養讀先生詩，必在天清氣澄、漏湛月明之際。吟咏數過，神思躍躍，恍若對風人，恍若對三閭，又恍若對蘇李曹劉柴桑康樂青蓮少陵揖讓於一室，而相爲晤言也。先生其集詩之大成乎！無論一時典章文獻，必借先生之篇什爲冠冕。當斯倥傯危急之秋，獨能從容翰墨，著作數萬言，皆備千古雅正之音，眞世教之倡，而氣運之維也。今上之典則文物，不因先生而光大乎？弘正有北地、信陽，嘉隆有歷下、瑯琊，天啟間則有先生矣。其爲國運世道之所托重，寧淺尠耶？儕鶴趙先生彙先生詩成，養同康社友校事竣，妄爲數語，跋之卷末，以誌傾慕之衷。至先生之博大高深，又非窺豹者可以諭揚其萬一也，尚以俟之知音者。門下士陳所養頓首譔。

（王金凌審查　　許惠貞標點）

駱太史澹然齋存稿六卷補遺一卷四冊　明駱從宇撰　明崇禎丁丑（十年）武康駱氏原刊本　12967

明陳以誠序

　　武康有四先生，一爲梁沈休文先生，一爲唐孟東野先生，一爲我明沈蘭軒先生，又一爲駱兩溪先生。蓋四先生者，弘獎風流，增益標勝，咸彬彬質有其文。後之好古多雅尚者，嘉其山川，略其世代，緝其遺文，因崇而號之曰武康四先生集，以故四先生至今傳不衰。厥後以一世鸞鳳爲海內冠冕，繼四先生而起，則莫不稱吾師駱宗伯乾沙先生。或又有稱者曰，駱世有太史，皆賓王才，前兩溪，後乾沙先生云。先生翶翔天祿、石渠間，以斧藻鴻業，介節熱腸，卓然取古人自命。誠幸得親出門下，一官徜羊吳越間，時與函丈相望。竊嘗師先生之人於議論筆墨內外，先生亦似以誠爲可教，時以古人德業過相期勉。誠遂若時時從四先生遊，眞歐陽公所謂修諸身，施諸事，不必見諸言者。誠師先生之□，不敢以詩人文人待之，今幸屬校次，稍嘗一臠，則又不敢不以詩人文人待之也。先生詩文以自得爲宗，自然爲趣，若入清廟，所見無非法物，若驟廣陌，所踐無非坦途。有兼材，故能賈其餘勇，恣漁獵於千秋；有慧心，故練川楮陸之平與雁宕龍門之怪可以互現筆端。有山川都會暢其游覽，鴻寶神冊佐其丹鉛，名公鉅卿、儁流開士歸其齒牙，故能神苞骨立，吐納如意。有奇氣而無剩字，不與世俗同。噫！觀止矣！先生之詩文宛肖其人者。既不□〔敢〕不以詩人文人待之。乃先生之人落落然，散寄於心手毫楮間者，誠終不敢僅以詩人文人待之也。抑先生之序四先生集也，謂邑多聞人，其或觭於文墨，或偏於獨行者，實之亡論，惟彬彬質有其文者，咏歌論譔，不遇好古有文之君子捃撫表章，往往湮没，不無可惜。吾師乎！

吾師乎！蓋自嘆也。誠恐所遇不如四君子也。今先生詩若文，捃摭具在，紹聞德言，張皇貽厥，未嘗無人，至表章流傳，附四先生遺編，崇而號之曰，武康五先生集，是所望於好古有文之君子已。崇禎丁丑夏日，豫章門生陳以誠頓首拜撰。

明閔洪學敍

　　天下有眞人品，而後有眞文章。夫品何以辨其僞與眞？曰濃與澹而已。澹則泊然無所營，舉功名富貴不足動其衷。濃則馳騖於外，而患得患失之念生，晚節而改移者多矣，繇此而觀其文，又焉有能庚乎？大宗伯乾沙駱公，以明進士入詞林，橐筆侍從者二十有七年。其間館試代言，衡文緝史，種種偉篹，業已傳播海內，獨不獲秉鈞當軸，一展其蘊抱。識者猶有憾焉。夷攷其故，公視躬簡約，與物樸誠，而於世故，則落落率素而行，委運自然。徊翱翰苑可，晉躋九列可，否則拂衣去耳。丘園長嘯，文酒自適，焉往而不可哉？蓋公生平惟於澹處得力，無所覬於世，而世不深忌之；無所炫於人，而人亦不深知之。故權璫熺虐，公受禍不阿，已爲聖天子深鑒。至於新政起廢，公僅及常格，則澹之以也。公之品至是發而爲文，其道術足以緯聖眞，其經濟足以維世運。清貴絕倫，典型斯世，豈彫蟲小技已哉！余嘗訪公，親造其廬，倚巖面湖，煙雲滿目，翛然有塵外之致，徘徊焉不忍別。公毓於斯，顯於斯，投老於斯，不知所得於山川之助者若何？胸次有不悠然升沉尚足芥蒂耶？在昔兩溪先生以詞臣而蚤掛冠，近象先公以直諫而爲名御史，公歷事四朝，精忠大節，至今凜凜有生氣。蘇子所謂一時之屈，萬世之信，非公而誰？武康夙稱文獻之邑，而百年之內，萃於一門，恐六朝以來，四賢不得專媺於前矣。公以澹然名其齋，洵有味乎！其澹也。嗣君輯其詩若文而劂之，曰澹然齋存稿，遵公志也，可謂不忘先德也已。是爲序。崇禎丁丑夏日，烏程年家眷弟閔洪學頓首拜撰。

明陳乾陽敍

　　夫人之品，有他人極意形容而不得其概，往往於咏歌論譔間，自爲逗漏而不自知其逼眞。故文章一事，關乎神明，未可膚相也。端人之文，必去靡縟而追渾璞，如鼎彝在前，使人欽其寶而不可擬議。何者？無浮薄之根器也。眞人之文，必洞胸達臆，開卷了然，不墮離跂鬼趣。何者？其生平從未習於險譎也。偉人之文，體裁必峻潔，矜貴以出，無沓拖紕陋之憾。何者？其中無齷齪俗腸也。余嘗持此以上下千古，百不失一也。余邑文獻，自昔彬彬稱盛。梁唐以來二千餘年間，湮沒固自不少。屈指其人與文俱傳者，亦已得四先生。如隱侯以洽聞博物，擅帷幄之贊襄；貞曜以揭德振華，窮胃腎之搯擢；比部鴻騫郎署，厲孤踪於一時；太史鶴立詞林，振高躅於千仞。其人各有本末，而要以自摹其胸中所欲吐，均有不可磨滅者。迄於今，雖逖處隔世，猶令人覿遺編而想見其為人。乃若駱氏，復有宗伯乾沙先生者，其人卓然有以自立，風裁嶽嶽，未嘗苟合一人，人亦無為所齮齕者。坦衷朗度，望而意消，蓋立□三十年如一日也。余每見先生歸，輒嘆天地何嘗不高厚？正為浮薄險鄙之徒陰陽同異其間，日相尋於傾軋以跼蹐之。與先生游，始復見清夷之世界。今其詩若文具在，大都抒寫其敦厚之旨，與夫真獨簡貴之素，以自為一家言，非其欲為如此之風調，如此之氣格也。余於是而更竊思，不遵軌於康莊，不知羊腸鳥道之舉足皆礙也；不覿冠佩之雍容，不知山鬼伎倆之勞也；不聆鍾呂之奏，不知社劇夷歌之鄙且穢也。先生往矣，其人與文固將砭頑磨鈍而炳烺千秋。余蓋稔其生平，而嘗與揚扢焉者，視向之因遺編而想見其為人，其服膺又當倍親切矣。識者欲進四先生而五之，良非阿其所好。因念駱氏實多名賢，先生之從弟侍御沆瀣先生，事業文章，與先生同時輝映，家聲邑乘，並為生色久矣。然則自今以往，即五先生之題，又曷可圉耶？惟是先生所謂捃摭而表章之，余媿非其任，以俟君子可也。崇禎丁丑夏日，同邑晚生陳乾陽敬題。

（王金凌審查　　許惠貞標點）

四然齋藏稿十卷四冊　明黃體仁撰　明萬曆間原刊本　12968

明黃體仁自敘

余讀清庵先生中和集，閱委順圖曰，身心世事，謂之四緣。委身寂然，委心洞然，委世混然，委事自然，作是見者，常應常靜，何緣之有？余憬然有概於中。當世士得尺望尋，得隴望蜀，絳宮之禽，日翱翔八表，閱閱皇皇，芸芸攘攘，不得須臾寧，其身甚勞，其心甚苦，其於世事亦甚紛拏矣。苟得是說而存之，身心俱泰，世事兩平，內無馳想，外無構鬥，舍急湍而就安瀾，不庶幾火宅晨涼也哉？真司馬相如一勺金莖露也。余雖不能至，中嚮往焉，竊用以比弦韋，遂取而名其齋。齋大如斗，凝塵常滿，亦無它貴家法物，僅僅先贈公遺書數百卷，朝夕督兒子輩吟詠其中。里中知交不諒余之不文，無能爲役也，時以文字相徵。余亦輒據梧搦管，信手酬應，不復加點較工拙。稿脫而童子輒携去覆瓿、障窗風，存者什不得四五。知交謂其中一二有關於邑之興革利弊與茂宰之循續、先正之芳軌在，不應盡棄去，欲哀而付之梨棗。余謂，付之梨棗與覆瓿障窗風無以異，遂聽之，而并以名齋者名其篇。其或訕余之不能藏拙而輕爲災木，又或揣余之有意博名而妄自懸書，則非余名篇意矣。

明　徐　光　啟　序

　　語有之，傅翼兩足，予齒去角。言偏至之易，而得全之難也。蓋自西京而降，如兩司馬，其人于文章辭賦，各有所極。唐宋以來，則韓、柳、李、杜輩亦往往分曹擅場耳。明興，益之以制科之業，其理彌深，其繩墨彌謹，其言與格每變而日新，士抑首受策，今所謂是明復陳矣。自非龍章豹文、乘雲隱霧，將竭蹶邯鄲，趨時之不給，何暇乃及古文辭賦乎！故今世文章之士，名能古文辭賦者多駿發遄至，不及以制科之業傳。而研精味道，以制科之業傳者，其彊弩之末，勢多不及爲古文辭賦。夫以前代名人之所不能兼，而欲以經生之餘晷，集古昔之衆長，即其難何倍蓰可論哉！乃若緯古綜今，兼條總貫，經旨文心，駢習儷至，則吾師穀城先生其人也。先生夙承家學，升堂睹奧，博探津潤，開廓著述。其爲文，覃精名理，大都銳思極意于百千載之上，而去陳言，標新義，必開先啟秀於數十載之後。光啟束髮從游，見所爲經生之業，率三年而一變，變必擢新演異，出人耳目之外，迨時風驤首，而先生已復謝去其故矣。每與門牆私竊歎仰，以爲神化無端，於此道中獨稱龍德，設科以來，未之見也。而爲古文辭賦，亦復稱是。每見講席藝壇，古今遞作，斐然造適，肆筆滿紙。受而讀之，如泰華高跱，峰嶠千名，終成峻絕，又如海納百川，波濤萬狀，率歸雄渾。至其伸名教，領主心，雖復率爾命篇，非可以弘長風義、增益標勝者，不入毫端也。蓋天授靈奇，复出獨絕，力到功深，潛發自然，故能任境所之，波屬雲委。自非然者，雖復抽群玉之藏，極才人之致，未有出之彌新，酌而不竭，囊括文人之大業，兼包前哲之所難，若斯之盛者矣。嘗見海內文章之士，睹甲辰以後先生暨光啟所爲行卷，特相歎訝，以謂兩家何氣脈相似乃爾！既而知光啟爲先生門下士也，則人人以爲知言。嗟乎！光啟之學於先生也，滿腹而已。夫舉子業豈足以盡先生行卷，又豈足盡先生之舉子業哉！讀是集，或足見先生什一矣。夫我國家之課士也有專業，而用士也無專職。有專業，故束以經生之言，而不獲脩古學；無專職，故朝刑夕兵，且禮暮樂，而後乃始稱轉移之任。夫惟無所不有者，其爲學無不學，不以有專業而困；而其任也無不任，不以無專職而窮。詩曰，維其有之，是以似之。易曰，富有之謂大業，日新之謂盛德。叔孫氏稱立德、立功、立言。資深逢源，其致一耳。讀是集，而想見先生之大全，即他日三不朽之業旋至立效，亦庶幾見若孤之甲於干將者也。萬曆戊申嘉平月，門人徐光啟謹撰。

（王金凌審查　　許惠貞標點）

五品稿不分卷十二冊　　明李若訥撰　　明萬曆末年刊本　　12969

明 趙 秉 忠 題 辭

余識季重於其爲孝廉。季重薦南宮，余從闈中拔之，交倍暱。此時季重已破萬卷，蔚有詞名。既而宰邑佐郡，落落不得志，乃稍遷爲計曹郎。篋中所著益富，海內聞其詞名者益多。余時栖遲雲門之麓，季重彙其稿以貽余。余惟近日文章家厭李、王，而以文長、中郎爲豔。然揆其所業，大抵詩不免蒐晚唐之異者，參以宋人之雄者；文殆取蘇長公之小文足致者，雜以佛語、稗說爲新刻，而其豔以不李、王，故亦取詞人相勝之奇耳。季重結撰，時時與豔者相似，而清眞泠透，一往軼塵，別有以自暢。故季重詞名當不在文長、中郎下，而不必一一刻畫文長、中郎。此其燁然成一家言也。因題而歸之。乙卯孟夏望日，北海友人趙秉忠題。

（王金凌審查　　許惠貞標點）